Nos sexualités

2e édition

Robert Crooks
Karla Baur

Traduction et adaptation

Placide Munger
Université du Québec à Montréal

Révision scientifique

Natalie Cormier
Cégep du Vieux Montréal

Lisa Henry
Université d'Ottawa

MODULO

Nos sexualités, 2e édition, est la traduction de la 11e édition de *Our Sexuality* (ISBN : 978-0-495-81294-4) de Robert Crooks et Karla Baur. © 2011. Wadsworth, Cengage Learning. Tous droits réservés. Traduit de l'anglais avec la permission de Wadsworth, Cengage Learning.

Nous reconnaissons l'aide financière du gouvernement du Canada par l'entremise du Fonds du livre du Canada (FLC) pour nos activités d'édition.

Catalogage avant publication de Bibliothèque et Archives nationales du Québec et Bibliothèque et Archives Canada

Crooks, Robert, 1941-

    Nos sexualités

    2e éd.

    Traduction de la 11e éd. de : Our Sexuality.

    Comprend des réf. bibliogr. et un index.

    ISBN 978-2-89650-980-5

    1. Sexualité. 2. Vie sexuelle. 3. Sexualité (Psychologie). I. Baur, Karla. II. Munger, Placide. III. Titre.

HQ21.C7614 2013   306.7   C2013-940340-X

Éditrice de développement : Bianca Lam
Éditrice de contenu : Johanne Tremblay
Chargée de projet : Nathalie Vallière
Révision linguistique : Monique Tanguay
Correction d'épreuves : Marie Théorêt
Montage, maquette et couverture : Pige communication
Coordination de la mise en pages : Nathalie Ménard
Recherche photos et textes : Marc-André Brouillard
Indexation : Monique Dumont

Groupe Modulo est membre de l'Association nationale des éditeurs de livres.

**Nos sexualités, 2e édition
(1re édition : 2010)**

© Groupe Modulo inc., 2014
5800, rue Saint-Denis, bureau 1102
Montréal (Québec) H2S 3L5
CANADA
Téléphone : 514 738-9818 / 1 888 738-9818
Télécopieur : 514 738-5838 / 1 888 273-5247
Site Internet : www.groupemodulo.com

Dépôt légal – Bibliothèque et Archives nationales du Québec, 2013
Bibliothèque et Archives Canada, 2013
ISBN 978-2-89650-980-5

Imprimé au Canada
1 2 3 4 5   17 16 15 14 13

C'est avec un sentiment de nécessité doublé de celui d'une certaine urgence d'intégrer les plus récentes données de la recherche que j'ai accepté la responsabilité de traduire et d'adapter la onzième édition du manuel *Our Sexuality* de Robert Crooks et Karla Baur.

La mise à jour de cette deuxième édition en français constitue un pas de plus vers une meilleure compréhension des formes que prend l'exercice de la sexualité. Fidèle à l'approche de santé sexuelle globale que les auteurs du manuel américain appellent *intelligence sexuelle*, cet ouvrage propose un approfondissement des connaissances les plus récentes et des nouvelles acceptions pour chacune des dimensions de la sexualité.

S'il importe d'intégrer les plus récentes données, il ne faut pas négliger pour autant les apports historiques des cultures et des chercheurs et auteurs qui ont marqué l'évolution des sciences contributives à la sexologie actuelle. Chaque fois que cela était pertinent, l'information a été conservée, même si la source citée remonte à quelques dizaines d'années, dans le but de permettre au lecteur de contextualiser les changements en matière de sexualité dans la société et chez les individus.

Destiné au lectorat francophone du Québec et plus largement du Canada, cet ouvrage s'adresse d'abord aux étudiantes et étudiants du collégial ou universitaires, mais sa lecture saura satisfaire le besoin de connaître et de comprendre de la plupart des gens. Le titre *Nos sexualités* souligne d'entrée de jeu la pluralité des parcours de vie, des comportements, des attentes, des expériences liés aux divers aspects de la sexualité humaine dans son sens le plus général. C'est d'ailleurs délibérément que j'ai choisi d'éviter l'expression «la sexualité humaine» pour ne pas laisser entendre qu'il y aurait «une» sexualité humaine. Ce «une» est ambigu, car il est porteur de sous-entendus sur l'existence d'une seule normalité, sur la possibilité de proposer une seule compréhension couvrant la totalité des connaissances sur le sujet. Mais chacun sait que sa propre sexualité change avec le temps, que ce qui est vrai à un certain moment de sa vie ne l'est plus au fil des changements biologiques, des apprentissages, des changements du contexte socioculturel, des rencontres, des unions et désunions, des expériences vécues, etc. C'est dire aussi, dans cette optique de transformations, que d'autres changements sont à venir, imprévisibles dans une large mesure. Au final, il est plus juste de dire qu'une personne a connu et connaîtra une variété de situations comportant une composante sexuelle et qu'elle réagira, s'adaptera différemment d'une autre à ces mêmes situations. Ainsi, pour les mêmes raisons, il est plus juste de dire que «la» sexualité d'une personne ne pourrait être connue qu'à la fin de sa vie, s'il était possible d'avoir toutes les informations permettant de le faire.

Nous ne sommes pas pour autant condamnés à une totale incertitude, à une absence de toute référence ou de toute forme de comparaisons ou, pire, à l'obligation de considérer que chaque élément de nos sexualités équivaut à un autre. Autant il est juste de conserver une certaine humilité intellectuelle devant la multitude et la complexité des sexualités qui existent, autant il faut choisir entre les différentes options afin de s'adapter et de se développer. Pour faire ce choix, il est nécessaire d'attribuer une valeur différente à chacune de ces options. Même imparfaites, nos connaissances sont nos repères; les conceptions des autres peuvent aussi nous guider, en partie du moins. Dans cette perspective, la seule prétention de ce manuel est de pouvoir contribuer à asseoir plus solidement ces choix, vos choix en matière de sexualité. Ils n'en seront alors que plus justifiés et justifiables, personnellement, socialement et éthiquement.

Les lecteurs constateront que le contenu qui leur est proposé provient d'un très grand nombre de spécialistes de différentes disciplines, comme en fait foi la bibliographie. Mais celle-ci ne rend pas compte de l'apport très important d'autres spécialistes qui, par leur lecture attentive et critique, leurs suggestions pertinentes ou leurs commentaires lors d'échanges plus ou moins formels, ont fait en sorte que la nécessité et l'urgence mentionnées plus haut se sont transformées en sentiment de fierté. Aucun remerciement ne pourrait leur rendre justice, mais qu'on me permette tout de même d'exprimer ma plus profonde gratitude à Mᵐᵉ Lisa Henry de l'Université d'Ottawa et à Mᵐᵉ Natalie Cormier du Cégep du Vieux Montréal. J'aimerais également remercier M. Patrick Doucet, enseignant et utilisateur du manuel, qui a généreusement contribué à enrichir cette nouvelle édition par ses très nombreuses remarques et suggestions positives. J'ajouterais que ce n'est pas de gaieté de cœur que j'ai dû laisser de côté bon nombre de suggestions, l'espace disponible ne permettant pas de les intégrer à l'ouvrage.

Placide Munger
Université du Québec à Montréal

Table des matières

Chapitre 4
Les différences entre les sexes 97

Chapitre 5
Les orientations sexuelles 129

1

L'étude des sexualités humaines

Dans le présent chapitre, nous vous proposons un survol des expressions de la sexualité dans le monde en tenant compte des dimensions historique et culturelle ou sociopolitique. Nous présentons ensuite les principaux moyens utilisés par la recherche en sexologie afin de mieux connaître et comprendre ce domaine complexe.

Un regard historique et culturel

Selon la professeure Denise Badeau (1998), la sexualité humaine comporterait six grandes dimensions: cognitive, affective, psychologique, socioculturelle, morale et biologique. Sous l'une ou l'autre de ces dimensions, la sexualité agit sur chaque personne tout au long de sa vie de façon variable. La plupart des étudiants qui suivent un cours sur la sexualité cherchent, du moins partiellement, à mieux se connaître sexuellement et à développer leur capacité à établir des rapports harmonieux avec les autres sur le plan sexuel. La connaissance de sa propre sexualité et la capacité à avoir des rapports sexuels sains constituent deux caractéristiques essentielles de l'intelligence sexuelle. Ces deux qualités aident les gens à avoir un comportement sexuel en accord avec leurs valeurs personnelles. Selon les normes canadiennes en santé publique, qui s'appuient elles-mêmes sur ce que préconise l'Organisation mondiale de la santé depuis 1975, pour avoir un comportement sexuel sain, il faut, en plus d'être en accord avec ses valeurs personnelles, tenir compte de l'environnement et de la culture ambiante (Agence de santé publique du Canada, 2007). L'intelligence sexuelle suppose également une bonne connaissance de la sexualité sur le plan scientifique. Bien que la sexualité humaine soit un champ d'études relativement récent, les recherches menées au cours du dernier siècle ont permis de faire des pas de géant dans ce domaine. Par exemple, on comprend mieux ce qui se passe sur le plan physique au cours de l'excitation sexuelle et ce qui accroît le plaisir, on connaît mieux les aspects biologiques de l'orientation sexuelle et on en sait davantage sur les façons de se protéger et de protéger les autres contre les infections transmissibles sexuellement et par le sang (ITSS).

Intelligence sexuelle Les quatre composantes de l'intelligence sexuelle sont la connaissance de sa propre sexualité, l'aptitude à établir des rapports interpersonnels sur le plan sexuel, la connaissance scientifique de la sexualité et la compréhension du contexte culturel dans lequel elle s'inscrit.

Enfin, l'intelligence sexuelle demande une bonne compréhension du contexte culturel, politique et juridique dans lequel la sexualité s'exprime. En matière de sexualité, la formule «le privé est politique» s'avère pertinente, comme le montrent l'impact qu'exerce sur l'électorat le dévoilement des comportements ou de l'orientation sexuels des politiciens, de même que les nombreuses lois concernant la sexualité. Pensons au débat qui a entouré, au Canada, l'adoption, le 1er mai 2008, de la loi haussant de 14 à 16 ans l'âge minimum requis pour consentir à des contacts sexuels; pensons aussi à celui, toujours en cours, sur la décriminalisation de la prostitution ou aux différends touchant le remboursement des frais liés au changement de sexe ou la liberté d'expression face

Le Musée de l'érotisme, à Paris, présente, dans ses différentes expositions, des objets, des affiches et autres expressions de la sexualité ayant servi à l'érotisme ou à la prévention des infections transmissibles sexuellement.

à la pornographie. Songeons également au débat que suscite, en France, la question des aides sexuelles pour les personnes handicapées en manque d'autonomie. Les différents points de vue historiques, interculturels et intraculturels abordés dans ce chapitre peuvent aider à comprendre la situation unique dans laquelle on se trouve aujourd'hui en matière de liberté sexuelle. Plus que jamais, dans les sociétés occidentales, il appartient à chacun de définir sa sexualité sur la base de choix personnels. Bonne lecture et bon cours sur nos sexualités!

La sexualité humaine : diversité et controverse

Peu de sujets suscitent autant d'intérêt et provoquent autant de plaisir et de détresse que ceux touchant l'expression et le contrôle de la sexualité humaine. Dans un groupe assistant à un cours d'introduction à la sexualité (et cela est vrai pour n'importe quel type de groupe, en fait), les attitudes à l'égard de la sexualité vont habituellement de la plus libérale à la plus conservatrice. Les étudiants appartiennent à plusieurs groupes d'âge et proviennent de divers milieux ethniques et religieux, et leur expérience de la vie et de la sexualité est différente. Le contexte familial revêt une grande importance à cet égard. Certains n'ont eu des rapports sexuels qu'avec une seule personne, d'autres ont eu plusieurs partenaires. Certains sont mariés ou vivent avec la même personne depuis longtemps, alors que d'autres n'ont jamais partagé l'expérience de la sexualité avec quelqu'un. Certains n'ont eu des relations sexuelles qu'avec des personnes de l'autre sexe, tandis que d'autres ne désirent des contacts sexuels qu'avec des personnes de leur propre sexe; d'autres encore sont attirés par les deux sexes. Certains choisissent de n'avoir aucune vie sexuelle, d'autres s'en tiennent à l'autostimulation. Certains recherchent la sexualité, d'autres la redoutent. Certaines expériences sont positives, d'autres se révèlent négatives. En matière de sexualité, rien n'est pareil partout, pour tout le monde, en tout temps.

Une approche biopsychosociale

Notre approche de la sexualité humaine repose principalement sur l'idée que des facteurs psychologiques (émotions, attitudes, motivations) et socioculturels (le processus de conditionnement par lequel les individus intériorisent les valeurs et les normes de leur groupe social) ont une grande influence sur les idées, les valeurs et les comportements sexuels de chacun. Cette approche n'exclut pas le rôle important que jouent les facteurs biologiques dans la sexualité humaine. Pensons, par exemple, au rôle des hormones et du système nerveux, à la dimension biologique (à ne pas confondre avec un déterminisme) de l'orientation sexuelle, aux théories sur l'impact de la sélection génétique qui a marqué l'évolution de l'être humain au cours des millénaires ou à l'influence de certains facteurs génétiques sur l'individu. On appelle biopsychosociale l'approche qui intègre ainsi les dimensions psychologique, sociale et biologique d'un phénomène.

Un regard interculturel

Pour illustrer comment la culture influe sur la sexualité, nous allons examiner la conception de la sexualité selon la religion islamique, répandue dans plusieurs pays, et en Chine, qui compte la population la plus nombreuse de la planète.

L'islam dans le monde

L'islam est la religion qui connaît actuellement la plus forte croissance mondiale. Bien qu'elle soit répandue dans plusieurs régions du monde, elle prédomine au Moyen-Orient, en Afrique du Nord et en Afrique subsaharienne. Ses adeptes, appelés *musulmans*, forment le cinquième de la population mondiale et seraient environ 640 000 au Canada (Statistique Canada, 2006).

Les musulmans suivent les enseignements du prophète Mahomet (570-632), consignés dans le Coran (Qur'an). Mahomet s'opposait aux relations sexuelles prémaritales, mais il les encourageait à l'intérieur du mariage. Il les présentait comme la meilleure chose de la vie humaine, tant pour les femmes que pour les hommes, et il conseillait aux maris d'apprécier la lenteur et l'attente dans l'accomplissement de l'acte sexuel (Abbott, 2000). Dans le Coran, les femmes sont vues comme sexuelles en elles-mêmes. Le gendre de Mahomet disait que «si Dieu avait distribué le désir sexuel en dix parties, neuf iraient aux femmes et une seule aux hommes». Le Coran demande aux hommes et aux femmes de faire preuve de modestie en public et de porter des vêtements amples dissimulant les formes du corps. Une femme vêtue comme l'islam le préconise est censée être «comme une perle dans une coquille» (Jehl, 1998), trop précieuse pour être vue par d'autres hommes que les membres de la famille (Kotb, 2008).

Avant l'implantation de l'islam, la polygamie (le fait pour un homme d'avoir plusieurs épouses à la fois) était une pratique courante. Il semble même que c'était le cas chez nos ancêtres il y a plus de 70 000 ans (Dupanloup, 2003). Lorsque, par suite d'une guerre, les femmes se trouvaient beaucoup plus nombreuses que les hommes, la polygamie permettait aux veuves d'avoir un mari et aux orphelins d'avoir un père. Le Coran, par conséquent, n'interdit pas la polygamie. Il permet à un homme d'avoir jusqu'à quatre épouses, à condition qu'il se montre équitable envers chacune d'entre elles (Khan et coll., 2007).

Biopsychosocial   Qui se rapporte à une combinaison de facteurs biologiques, psychologiques et sociaux.

La docteure Heba Kotb, première sexologue diplômée en Égypte, anime une émission de conseils sur la sexualité dans ce pays. Ses enseignements se basent sur le Coran, qui favorise une forte complicité sexuelle entre époux. Elle ne discute jamais des sujets qu'interdit l'islam, comme la sexualité hors mariage, les rapports sexuels anaux ou les relations sexuelles pendant les menstruations.

Plusieurs passages du Coran semblent concilier l'islam avec les droits de la femme, le pluralisme religieux et l'homosexualité, et les musulmans modérés ne partagent pas les préjugés des islamistes radicaux (Manji, 2006). L'oppression dont les femmes sont victimes dans les pays islamiques de même que les contraintes et les châtiments extrêmes qu'on leur impose sur le plan sexuel ne sont pas dus à la religion et au Coran, mais aux traditions culturelles patriarcales du Moyen-Orient et à l'émergence des sectes fondamentalistes. Par exemple, les fondamentalistes musulmans ne suivent pas la doctrine du Coran quand ils réclament la mutilation génitale de fillettes, exigent que les femmes soient entièrement vêtues en public ou approuvent les crimes d'honneur (meurtre d'une femme qui a «déshonoré» son mari et sa famille par suite d'un viol ou de rapports sexuels hors mariage) (Chigbo, 2003 ; Fang, 2007).

L'invasion et l'occupation de l'Irak par l'armée américaine sous l'administration de George W. Bush ont activé la colère des musulmans et nourri l'islamisme radical, lequel condamne l'homosexualité. Sous le règne de Saddam Hussein, les homosexuels faisaient l'objet d'une certaine tolérance, comme dans d'autres contrées musulmanes (Luongo, 2007). Toutefois, après la chute du dictateur, les chefs religieux fondamentalistes ont demandé à leurs fidèles de pourchasser les homosexuels et de les tuer (Lisotta, 2006). D'autres faits culturels sont présentés au chapitre 5, qui traite des orientations sexuelles.

La Chine

L'histoire de la Chine ancienne est riche en art et en littérature érotiques. Ainsi, les premiers manuels sexuels connus ont été produits en Chine vers 2500 avant notre ère. On y représentait des techniques sexuelles et une grande variété de positions dans les rapports sexuels. Le taoïsme, apparu vers le IIe siècle avant notre ère, encourageait l'activité sexuelle (fellation, attouchements sensuels, rapport sexuel) non seulement comme moyen de procréation, mais aussi comme outil de croissance et d'harmonie spirituelle (Brotto et coll., 2005). L'union de l'homme et de la femme au cours de l'acte sexuel était vue comme un moyen de fusionner les énergies opposées du yin (principe féminin) et du yang (principe masculin), et de créer l'équilibre entre les deux principes chez chacun des individus. On incitait les hommes à éjaculer peu souvent pour qu'ils conservent l'énergie du yang ; les femmes, de leur côté, recherchaient l'orgasme afin d'accroître leur énergie yin.

Ce libéralisme sexuel propre au taoïsme a été remplacé par une morale sexuelle beaucoup plus stricte avec la renaissance du confucianisme vers l'an 1000. Depuis la révolution communiste de 1949, ce conservatisme sexuel s'est encore accentué. Le gouvernement chinois a cherché à éliminer les comportements occidentaux jugés décadents que sont la pornographie et la prostitution.

Avec la réforme économique chinoise et la politique de la porte ouverte des années 1980 (pour attirer des investisseurs étrangers), sous la force d'une économie se mondialisant, le gouvernement chinois a progressivement desserré son contrôle sur le mode de vie des gens (Yuxin et coll., 2007). Au fur et à mesure qu'il s'est montré plus

Liu Dalin, sexologue et éducateur au Musée du sexe de Shanghai, exhibe différentes bouteilles de tabac à priser décorées de scènes érotiques et datant de la fin de la dynastie Qing (fin du XIXe siècle). Après plus d'une décennie de croissance et de libération, Shanghai redécouvre son passé sans inhibitions.

permissif, les attitudes et les comportements de la population ont changé en matière de sexualité, notamment en ce qui concerne l'homosexualité, qui est un peu mieux tolérée (Cui, 2006). Les comportements sexuels comme la masturbation, l'usage de la pornographie et les rapports sexuels avant le mariage ont augmenté considérablement, surtout chez les 20 à 30 ans. Partout en Chine, les gens utilisent des salles de clavardage sexuel pour ce qui est appelé des «Échanges passionnels» (Ren, 2007). En 2005, 70 % des Pékinois affirmaient avoir eu des relations sexuelles avant de se marier, contrairement à 15,5 % en 1989 (Beech, 2005). Toutefois, la virginité avant l'âge de 20 ans demeure la norme dans les zones rurales et dans l'ensemble de la Chine, l'intervalle médian entre le premier rapport sexuel et le mariage est d'un an ou moins (Parish et coll., 2007).

Malheureusement, les connaissances sur la sexualité en général et les rapports sexuels sans risque n'ont pas évolué au même rythme que la libéralisation du régime. C'est ainsi qu'on observe une augmentation du nombre d'avortements chez les femmes célibataires et une forte croissance du nombre d'infections au VIH, notamment chez les 15 à 24 ans (Beech, 2005). Les jeunes hommes, qu'ils soient célibataires ou jeunes mariés, ont aujourd'hui beaucoup plus de contacts avec des travailleuses du sexe. Étant donné que l'usage du condom est minimal, le risque de contracter le VIH et de le transmettre à leurs conjointes est élevé (Parish et coll., 2007).

Les rôles liés au sexe : le poids de la tradition

Notre bref regard sur la sexualité du Moyen-Orient islamique et de la Chine nous a permis de constater que le plaisir sexuel y était beaucoup plus valorisé il y a plusieurs siècles qu'aujourd'hui, et ce, tant pour les hommes que pour les femmes. En Occident, toutefois, c'est plutôt le contraire qui s'est produit, en raison des changements culturels touchant à la fois la finalité de l'activité sexuelle et les normes sociales en ce qui a trait à la sexualité de l'homme et de la femme. Les modèles, les conflits et les changements liés à la sexualité reposent en effet sur deux valeurs principales : la procréation comme seule justification de l'activité sexuelle et la division rigide des rôles sexuels. Analysons ces deux thèmes.

L'association de la sexualité à la procréation

En Europe occidentale et en Amérique du Nord, l'idée que la procréation est le seul motif légitime de l'acte sexuel a très longtemps dominé (Francœur, 2001). Encore aujourd'hui, l'Église catholique romaine et les groupes pro-vie (beaucoup sont composés de chrétiens fondamentalistes) défendent l'idée que la sexualité n'a

de valeur morale qu'à l'intérieur du mariage et dans le but de procréer. Le texte *La position de l'Église catholique sur la contraception* débute ainsi :

> Par nature, l'amour des conjoints et la fécondité sont imbriqués. La sexualité a deux fins indissociables, l'union des personnes et la procréation. L'amour d'un homme et d'une femme trouve son couronnement dans l'acte sexuel qui, par nature, est orienté vers la génération d'une vie nouvelle. (http://www.contraception.fr/catholf.htm)

Cet extrait montre bien que la vision catholique de la sexualité repose sur le rejet de tout ce qui ne va pas dans le sens de la procréation. L'usage du condom comme moyen contraceptif est toujours interdit par l'Église catholique ; par contre, en 2010, le pape Benoît XVI a pris position en faveur du condom, mais seulement dans certaines conditions liées à la protection contre la transmission du VIH. Les pratiques sexuelles qui procurent du plaisir sans risque de procréer, comme la masturbation, la relation bucco-génitale, la relation anale ou la relation entre personnes de même sexe, ont été jugées à diverses époques comme immorales, contraires à la volonté de Dieu, perverses ou illégales (Roffman, 2005). Jusqu'en 1959, par exemple, le Code criminel canadien considérait l'homosexualité et la bestialité comme un même crime. Ce n'est qu'en 1967 qu'une loi a été déposée au Parlement pour décriminaliser l'homosexualité ; cette loi a finalement été adoptée en 1969. Il est à noter qu'au Canada les relations anales demeurent le seul comportement sexuel pour lequel on exige que les partenaires soient majeurs ou mariés pour que leur consentement soit jugé légal (Schabas, 1995).

Même si la plupart des Occidentaux ne croient pas aujourd'hui que la sexualité ne sert qu'à procréer, on peut considérer comme un relent de cette croyance le fait que de nombreuses personnes associent automatiquement le mot *sexe* à coït. Par conséquent, tout acte autre que la pénétration d'un pénis dans un vagin ne sera pas considéré comme du «vrai sexe». Il suffit de demander aux gens à quel âge ils ont eu leur première relation sexuelle pour comprendre qu'ils pensent automatiquement à la première fois qu'ils ont eu une relation coïtale (pénétration pénis-vagin).

Question d'analyse critique

Qu'est-ce que le sexe pour la procréation et la division rigide des rôles sexuels ont à voir avec les débats actuels sur le mariage homosexuel, par exemple ? Connaissez-vous d'autres domaines des relations humaines où la sexualité pour la reproduction seulement brime des libertés ?

Le rapport de type pénis-vagin peut représenter pour plusieurs un aspect épanouissant de la relation hétérosexuelle. Toutefois, le fait de trop insister sur ce genre de rapport peut avoir des conséquences néfastes sur la vie sexuelle des gens, comme le montre le cas suivant où un jeune couple a dû suivre une thérapie sexuelle.

> Quand on a commencé à sortir ensemble, on a décidé d'attendre un certain temps avant de faire l'amour. Mais on s'excitait beaucoup sexuellement – avec orgasmes et tout... Une fois qu'on a commencé à faire l'amour, on a laissé tomber toutes ces choses super excitantes et le sexe est devenu assez banal, bien moins plaisant. (Notes des auteurs)

Considérer le coït comme le seul «vrai sexe» perpétue l'idée que le pénis de l'homme est la principale source de satisfaction sexuelle de sa partenaire et que la réponse sexuelle et l'orgasme de celle-ci sont censés se produire durant la pénétration. Une vue aussi étroite met énormément de pression sur la performance sexuelle tant de l'homme que de la femme et crée des attentes irréalistes quant à la satisfaction à tirer du coït lui-même. Cette façon de voir a également pour effet de dévaloriser les rapports intimes autres que le coït et de les ravaler au statut de «préliminaires» (gestes habituellement considérés comme préparatoires au coït), ce qui laisse entendre que ces gestes intimes n'ont aucune importance en soi et qu'ils n'ont de sens que s'ils sont suivis du «vrai sexe», c'est-à-dire du coït. En outre, le type de sexualité pratiqué entre les personnes de même sexe n'entre pas dans le modèle qui lie la sexualité à la procréation, ce qui engendre une méconnaissance des pratiques sexuelles gaies et lesbiennes chez de nombreuses personnes. Sachant que les relations sexuelles entre personnes de même sexe ne sont pas du type pénis-vagin, plusieurs se posent en effet la question: Que font-ils durant un rapport sexuel?

La division des rôles de l'homme et de la femme en matière de sexualité

Le second thème important légué par notre culture occidentale a trait à la division rigide des rôles sexuels de l'homme et de la femme. Cette division repose sur des perceptions qui vont bien au-delà des différences physiologiques entre les sexes. Bien que les différences physiologiques entraînent des caractéristiques et des tendances propres à chaque sexe, la socialisation a pour effet de limiter, de façonner et d'accentuer ces tendances biologiques. Ainsi, les organes génitaux masculins sont plus accessibles comparativement à la vulve, qui est plus cachée. Les garçons étant plus portés à manipuler leur pénis, ils ont donc plus d'expériences masturbatoires et orgasmiques que les filles. Cette différence est accentuée par la socialisation qui comprend une plus grande permissivité et reconnaissance aux besoins de masturbation

des garçons, passant sous silence ceux des filles. Un conditionnement social strict quant au rôle de chaque sexe peut ainsi limiter le potentiel des individus et brimer leur sexualité. Par exemple, des normes sociales définissant un comportement sexuel approprié à chaque sexe renforcent l'idée que l'homme doit toujours avoir l'initiative de l'activité sexuelle, alors que la femme doit en fixer les limites ou bien se soumettre aux désirs de l'homme. Ce modèle peut avoir pour conséquence de mettre beaucoup de pression sur l'homme tout en limitant considérablement les chances que la femme découvre ses propres besoins (Berman et Berman, 2001). Une étude réalisée dans 59 pays montre que l'absence d'égalité entre les sexes affecte la santé sexuelle des individus de façon négative (Wellings et coll., 2006).

Dans la majorité des cultures, il y a davantage de restrictions et de sanctions envers les femmes qu'envers les hommes en ce qui a trait aux comportements sexuels (Murphy, 2003a). Par exemple, le mot *salope* est très utilisé pour stigmatiser les femmes qui ont une vie sexuelle variée, et ce terme n'a pas d'équivalent masculin. Une fille qui change souvent de partenaire sexuel sera jugée négativement, ce qui ne sera généralement pas le cas pour un homme. Une enquête a établi que cette perception différenciée selon le sexe est encore très présente chez 90 % des adolescents et 92 % des adolescentes. En ce qui a trait à la réputation des garçons, seulement 40 % des adolescents et 40 % des adolescentes leur attribueraient une mauvaise image pour avoir eu des relations sexuelles (Kaiser Family Foundation, 2003).

Pour bien comprendre l'influence des croyances sociales actuelles sur la sexualité dans les pays occidentaux, nous devons analyser les racines historiques de ces croyances, notamment celles qui se rapportent au lien entre la sexualité et la procréation ainsi qu'à la division rigide des rôles sexuels. D'où proviennent ces idées? Comment touchent-elles encore les gens aujourd'hui?

Question d'analyse critique

Si vous entendez quelqu'un dire «J'ai couché avec telle personne, hier», à quelle activité sexuelle précise fait-il allusion, selon vous?

La sexualité en Occident: un regard historique

Au Canada, la culture en ce qui concerne la sexualité est très fortement influencée par la mainmise historique de l'Église chrétienne.

La tradition judéo-chrétienne

Lors du développement de la culture hébraïque, des rôles très distincts ont été attribués à chaque sexe. Le Livre des Proverbes dans la Bible juive contient une liste des devoirs d'une bonne épouse: elle doit gérer les domestiques, prendre soin de sa famille, garder les comptes du foyer et obéir à son époux. Il était primordial de donner naissance et d'éduquer les enfants (surtout des garçons). Dans le contexte historique de sa soumission, de sa persécution et de son esclavage, le peuple hébreu jugeait essentiel de suivre cet extrait de la Bible: «Dieu les bénit et leur dit: Soyez féconds, multipliez-vous, emplissez la terre et soumettez-la» (Gn 1, 28).

La sexualité à l'intérieur du mariage n'a pas toujours été considérée comme un simple besoin de procréer. Tant la tradition que l'Ancien Testament conviennent que connaître l'autre sexuellement, dans les liens du mariage, est une expérience intense sur les plans physique et affectif (Haffner, 2004). D'ailleurs, le Cantique des cantiques de la Bible (appelé aussi «Cantique de Salomon») est un poème rempli de sensualité. Dans ce court extrait parle un amoureux:

> *Comme ton amour me ravit, petite sœur,*
> *ma promise!*
>
> *Je le trouve plus enivrant que le vin*
>
> *Et ton huile parfumée m'enchante plus que tous*
> *les baumes odorants.*
>
> *Ma promise, sur tes lèvres mon baiser recueille*
> *un suc de fleur et ta langue cache un lait parfumé*
> *de miel.*
>
> (Ct 4, 10-11)

Sa promise dira plus loin:

> *Je suis à mon bien-aimé et c'est moi qu'il désire.*
>
> *Viens, mon amour; sortons, allons passer la nuit*
> *parmi les fleurs de henné [ ]*
>
> *Et là je te donnerai mon amour.*
>
> (Ct 7, 11-13)

La joie qui transparaît à travers ces lignes consacrées à la sexualité faisait partie intégrante de la tradition juive. Cette façon de voir les choses fut éclipsée par les enseignements de l'Église chrétienne. Pour comprendre comment cela a pu se produire, il faut se rappeler que la chrétienté est apparue à l'époque du déclin de l'Empire romain, une période de grande instabilité durant laquelle on importa de Grèce, de Perse et d'autres parties de l'Empire des cultes exotiques dont le but était de procurer distraction et divertissement sexuel. Les premiers chrétiens se dissocièrent de ces pratiques en associant la sexualité au péché.

On connaît peu de choses sur les opinions professées par Jésus en matière de sexualité, mais on sait que l'amour et la tolérance étaient les principes de base de son enseignement.

Paul de Tarse (saint Paul), cependant, exerça une influence cruciale sur la jeune Église (il mourut en l'an 66 et un grand nombre de ses écrits furent incorporés au Nouveau Testament). En réaction aux mœurs qui prévalaient à l'époque, saint Paul mit l'accent sur l'importance de vaincre le «désir de la chair» pour atteindre le royaume de Dieu. Il fallait, selon lui, non seulement renoncer à la colère, à l'égoïsme et à la haine, mais aussi à la sexualité hors des liens du mariage. Il associa la spiritualité à la chasteté et fit du célibat un état supérieur au mariage, car cet état excluait les relations sexuelles. Dans son esprit, le rapport sexuel, essentiel à la reproduction, était un acte nécessaire, mais peu recommandable sur le plan religieux.

Le péché de la chair

Plus tard, les pères de l'Église renchérirent sur le lien entre la sexualité et le péché. Saint Augustin (354-430) déclara que la luxure était le péché originel d'Adam et Ève. Ses écrits sanctionnèrent l'idée que les relations sexuelles ne pouvaient avoir lieu qu'à l'intérieur des liens du mariage et que dans un but de procréation.

Adam et Ève, un tableau de Lucas Cranach, l'Ancien.

L'interprétation de la conduite d'Ève dans le jardin d'Éden a fortement influencé la perception de la femme dans le monde occidental.

Célibat Dans le passé, état d'une personne qui demeurait non mariée; aujourd'hui, état d'une personne qui n'a pas d'activité sexuelle avec une autre.

Saint Augustin croyait aussi à l'infériorité naturelle de la femme, et seule la position où l'homme était couché sur la femme lui semblait naturelle (Wiesner-Hanks, 2000).

La croyance que la sexualité était un péché perdura durant tout le Moyen Âge (la période s'étendant de la chute de l'Empire romain, en l'an 476, jusqu'au début de la Renaissance, aux environs de 1400), et saint Thomas d'Aquin (1225-1274) affina cette idée dans une courte section de sa *Summa Theologica*. Celui-ci maintenait que les organes sexuels de l'être humain avaient été faits pour la procréation et que toute autre pratique (relations homosexuelles, relations bucco-génitales, sodomie, zoophilie) était un acte contre la volonté de Dieu, une hérésie et un crime contre nature. Au moment de la confession, les prêtres s'en remettaient à des pénitentiels, des recueils où étaient consignés chaque péché et la pénitence correspondante. Le retrait dans le but d'éviter la grossesse était considéré comme le péché le plus grave et pouvait entraîner un jeûne de plusieurs années au pain et à l'eau. Des actes jugés contre nature tels que les relations bucco-génitales ou la sodomie étaient aussi considérés comme extrêmement sérieux et entraînaient des pénitences plus importantes que celles infligées pour meurtre (Fox, 1995). Les relations homosexuelles, empêchant toute possibilité de reproduction, représentaient à elles seules la somme de plusieurs actes contre nature. À partir de l'époque de saint Thomas d'Aquin, les homosexuels n'allaient plus bénéficier de tolérance ni trouver refuge dans aucun pays occidental (Boswell, 1980).

Ève contre Marie

Durant le Moyen Âge, deux images contradictoires de la femme évoluèrent de façon parallèle: celle de Marie, la vierge, et celle d'Ève, la tentatrice. Le culte de la Vierge fut rapporté en Occident par les croisés revenant de Constantinople. Auparavant considérée par l'Église d'Occident comme une figure de second plan, Marie se vit transformée en une protectrice pleine de grâce et de compassion, et devint l'objet d'une dévotion religieuse exaltée. La pratique de l'amour courtois, qui apparut à peu près à cette époque, reprit cette image de la femme pure à la conduite irréprochable. L'idéal de tout jeune chevalier était de tomber amoureux d'une femme de souche plus noble que lui, mais mariée. Après une cour assidue, il gagnait ses faveurs, mais leur amour demeurait platonique parce que les vœux de mariage de la dame ne pouvaient être rompus. Ce paradigme s'empara des esprits et les troubadours composèrent, sur ce thème de l'amour courtois, des ballades qu'ils jouèrent dans toutes les cours d'Europe.

C'est en opposition à l'image de la Madone à la fois inaccessible et bienveillante que se développa l'autre image de la femme: Ève, la tentatrice du jardin d'Éden. En encourageant cette perception de la femme, l'Église mettait toujours plus en évidence le péché d'Ève et

l'antagonisme entre les hommes et les femmes. Cet antagonisme atteindra son paroxysme avec la chasse aux sorcières, menée principalement par l'Église catholique de l'Europe continentale et des îles Britanniques, qui débutera à la fin du XVe siècle, en pleine Renaissance, et qui durera presque deux siècles (Morgan, 2006). On associait la sorcellerie à la luxure et la plupart des sorcières furent accusées de s'être livrées à des orgies sexuelles avec le démon (Wiesner-Hanks, 2000). Il est ironique de constater qu'au moment où la reine Elizabeth Ire (1533-1603) contribuait à élever le statut de la femme et entraînait l'Angleterre vers de nouveaux sommets, on estime que 50 000 femmes furent accusées de sorcellerie et exécutées, pendant et après son règne (Barstow, 1994).

Une vision positive du sexe

L'idée voulant que l'activité sexuelle soit un péché lorsqu'elle ne vise pas à procréer connut une certaine évolution sous les réformateurs du XVIe siècle. Martin Luther (1483-1546) et Jean Calvin (1509-1564) reconnurent tous deux la valeur de la sexualité dans le mariage (Berman et Berman, 2001). Selon Calvin, la sexualité à l'intérieur du mariage était acceptable si elle naissait du désir d'avoir des enfants, d'éviter la fornication, d'alléger et d'adoucir les préoccupations et les peines du ménage ou encore de se rendre chers l'un à l'autre (Taylor, 1971). Les puritains, souvent dénigrés pour l'étroitesse de leurs vues sur la sexualité, reconnaissaient eux aussi la valeur de l'expérience sexuelle à l'intérieur du mariage (D'Emilio et Freedman, 1988 ; Wiesner-Hanks, 2000). On rapporte qu'un homme fut chassé de Boston pour avoir, entre autres délits, refusé de s'acquitter de ses devoirs conjugaux durant une période de deux ans (Morgan, 1978).

Le siècle des Lumières

Au XVIIIe siècle se développa un nouveau rationalisme scientifique: on examinait désormais les idées à la lumière des faits observables de façon objective et non plus uniquement sur la base de croyances subjectives. Les femmes gagnèrent en estime, du moins pendant une courte période. Certaines d'entre elles, telle l'auteure Mary Wollstonecraft en Angleterre, étaient réputées pour leur intelligence et leur esprit. Dans *Revendication des droits de la femme* (1792), Wollstonecraft combattait le confinement des femmes à certains rôles et s'en prenait à la coutume de donner aux petites filles des poupées plutôt que des manuels scolaires. Elle affirmait également que la satisfaction sexuelle était aussi importante pour la femme que pour l'homme et que les relations sexuelles, tant préconjugales qu'extraconjugales, ne constituaient pas un péché.

L'ère victorienne

Malheureusement, ces vues progressistes ne durèrent qu'un moment. La reine Victoria, qui accéda au trône britannique en 1837 et régna pendant plus de 60 ans, prêta son nom à une époque devenue synonyme d'austérité, de rigorisme quant aux rôles de l'un et l'autre sexe, alors rigoureusement définis. La sexualité des femmes était vue à travers les images de la Madone et d'Ève (qui ont évolué vers la dichotomie vierge-putain, en langage vulgaire). Les femmes des classes dominantes, en Europe et en Amérique du Nord, étaient appréciées pour leur délicatesse et leurs bonnes manières. Elles étaient prisonnières de corsets, de baleines et de bustiers qui les empêchaient de bouger librement. Perçues comme fragiles et confinées à des rôles limités, les femmes étaient à la fois idéalisées et marginalisées (Glick et Fisk, 2001 ; Real, 2002). William Acton, réputé médecin, résume bien l'idée communément admise : selon lui, la plupart des femmes ne sont guère troublées par une quelconque sensation d'ordre sexuel (Degler, 1980). L'épouse devait veiller aux besoins spirituels de la famille et voir à ce que le foyer soit la retraite accueillante à laquelle l'homme était en droit d'aspirer après avoir vaqué à ses affaires. Le monde des femmes étant clairement séparé de celui des hommes, cela favorisa le développement d'amitiés intenses, voire passionnées, entre femmes, qui y trouvaient la compréhension faisant si cruellement défaut au sein de leur mariage.

La retenue était de mise dans tous les aspects de la vie, et les hommes victoriens devaient respecter strictement les convenances de leur époque (Radar, 2003). Toutefois, ils mettaient souvent cette moralité de côté lorsqu'ils désiraient entretenir des liens sexuels, de sorte que la prostitution connut un grand essor à cette époque. La division quant aux rôles sexuels des maris et des épouses créait une distance sexuelle et affective dans de nombreux mariages victoriens. Les hommes pouvaient fumer, boire, s'amuser et se trouver des partenaires sexuelles parmi les femmes qui se prostituaient, tandis que leurs femmes vivaient sous le joug des convenances et subissaient la répression sexuelle. Chaque nuit, des cohortes de mâles préservaient de la souillure leur épouse et leur bien-aimée en déposant dans les «filles de rues» le produit de leur éjaculation (Brecher, 1969).

En dépit de l'idée largement répandue voulant que la femme victorienne soit asexuée, Clelia Duel Mosher, une médecin née en 1863, dirigea la seule recherche connue à ce jour sur la sexualité des femmes de cette époque. Au cours d'une période s'étalant sur trois décennies, 47 femmes mariées répondirent à son questionnaire. L'information recueillie permit de tracer un portrait de la sexualité des femmes bien différent de celui proposé (ou imposé) par les «experts» de l'époque. Mosher découvrit que la plupart des femmes éprouvaient du désir sexuel, aimaient pratiquer le coït et que 34 d'entre elles avaient connu l'orgasme (Ellison, 2000).

Les faits historiques présentés dans les sections précédentes et les analyses que nous en avons faites montrent que l'association sexualité-procréation et que la division des rôles sexuels sont des notions héritées des bibles juive et chrétienne, des écrits de saint Augustin et de saint Thomas d'Aquin ainsi que de l'idéologie victorienne. Ces conceptions de la sexualité subsistent dans la vie occidentale contemporaine, et on les retrouve dans les conflits opposant des valeurs telles que le plaisir personnel, le pragmatisme et la tradition (Jakobsen et Pellegrini, 2003).

Question d'analyse critique

Comment la dichotomie vierge-putain influe-t-elle sur votre vie sexuelle actuelle ?

Durant l'époque victorienne, la femme en âge de se marier était aussi étroitement enfermée dans sa morale que dans son corset. Le règne de Victoria vit par ailleurs fleurir la prostitution.

Le XXᵉ siècle

Avec *L'interprétation des rêves* (1900), premier d'une série d'ouvrages, Sigmund Freud (1856-1939) fut le pionnier de la psychologie au XXᵉ siècle. Son œuvre permit de transformer les concepts victoriens de la sexualité ; il émit l'idée, particulièrement importante à l'époque, que la sexualité était innée tant chez la femme que chez l'homme. Avec entre autres *L'analyse caractérielle* parue en 1933, Wilhelm Reich (1897-1957), un des disciples de Freud, plaça la fonction de l'orgasme et le développement de l'érotisme corporel au cœur d'une certaine psychologie et sociologie de l'humain. Au tournant des années 1970, les deux fondateurs de la sexologie universitaire au Québec, Jean-Yves Desjardins (1931-2011) et Claude Crépault (1945-), ont largement puisé dans les enseignements de Freud et de Reich en les actualisant et en les sexologisant (intégration multidisciplinaire).

Deux autres contemporains de Freud mirent de l'avant un changement de paradigme sur la question sexuelle. Dans un ouvrage paru en 1920 et intitulé *On Life and Sex : Essays of Love and Virtue*, le psychologue Havelock Ellis (1859-1939) insista sur les droits des femmes en amour ; dans ses *Études de psychologie sexuelle*, parues en dix volumes, il présenta toutes les pratiques sexuelles (y compris la masturbation et l'homosexualité, naguère vues comme des perversions) comme étant saines dans la mesure où elles ne nuisaient à personne. Pour sa part, le gynécologue Theodore Van de Velde (1873-1937), à qui on doit l'usage répandu du terme *préliminaires* (Brecher, 1969), souligna dans ses manuels sur le mariage l'importance du plaisir sexuel.

Le mouvement pour le vote des femmes apparut à la fin du XIXᵉ siècle, au moment où les idées quant au rôle approprié des femmes en matière sexuelle étaient en train de changer. L'objectif du suffrage féminin allait dans le même sens que d'autres changements sociaux, comme l'abolition de l'esclavage dans le monde, la lutte pour l'accès des femmes à l'université et à la propriété ainsi que pour faire instaurer la prohibition (Conte, 2010). C'est par ailleurs au cours de la Première Guerre mondiale, plus précisément en 1918, que le Parlement canadien accorda le droit de vote aux femmes aux élections fédérales (les femmes du Québec obtinrent le droit de vote aux élections provinciales en 1940). L'obtention de ce droit contribua à créer un environnement social propice à une plus grande égalité entre les sexes et à une répartition moins stricte des rôles de chacun. Lorsque les soldats revinrent du front, au lendemain de la Première Guerre mondiale, les automobiles sorties des chaînes de montage de Henry Ford donnèrent aux jeunes gens une indépendance inespérée et leur procurèrent l'intimité requise pour se livrer à l'exploration de leur sexualité.

Les «Flapper Girls» des années 1920 (jeunes femmes urbaines et célibataires de la classe moyenne) rejetèrent l'idéal victorien de pudeur, portant des robes courtes et moulantes et dansant avec exubérance au son de la musique des Années folles. Des pratiques sexuelles impensables à l'époque victorienne devinrent populaires chez les jeunes gens non mariés, notamment le baiser et le pelotage (caresses sensuelles n'allant pas jusqu'au coït). Les jeunes femmes, par contre, cherchaient à éviter le plus possible les relations sexuelles avant le mariage par crainte de tomber enceintes et de compromettre leur réputation (Radar, 2001). Puis, avec l'avènement du cinéma, ce divertissement populaire préfigurant la société des loisirs, émergea un nouveau romantisme : celui proposé par les vedettes devenues des sexes-symboles.

Avant la commercialisation de la pénicilline dans les années 1940, il n'existait aucun traitement efficace contre les infections transmissibles sexuellement (ITS). Avec cette découverte, le cauchemar des ITS s'estompa quelque peu. Au cours de la Seconde Guerre mondiale, surtout dans les zones urbaines, les femmes durent encore une fois sortir du foyer et occuper les emplois laissés par les hommes partis combattre outre-mer. La guerre allait mettre ces derniers en contact avec les mœurs sexuelles plus ouvertes des Européens.

À cette époque, le Québec francophone vivait sous la férule de l'Église catholique romaine avec la complicité du gouvernement provincial. Le mot d'ordre était la famille à tout prix. Il était courant d'avoir plus de dix enfants, dans les milieux ruraux notamment. Une morale antisexuelle stricte était enseignée par l'Église. Se retrouver enceinte sans être mariée ou commettre l'adultère entraînait l'exclusion sociale. L'avortement était interdit, peu importe la situation vécue par les femmes, ce qui poussait nombre d'entre elles à recourir à des méthodes dangereuses pour avorter ou à s'adresser à des charlatans qui n'hésitaient pas à mettre la santé et même la vie de la mère en danger. Lorsque la mère célibataire menait sa grossesse à terme, le bébé illégitime était souvent placé dans une crèche sous la responsabilité de religieuses, avec ou sans l'autorisation de la mère.

L'après-guerre

Après la Seconde Guerre mondiale, le rêve de la famille nord-américaine de classe moyenne était d'habiter un bungalow en banlieue. Il appartenait au père de financer ce rêve en tant que seul soutien de famille. Les femmes délaissèrent de nouveau le marché du travail pour se consacrer aux tâches domestiques, à leur mari et à leurs enfants. Selon les ouvrages de psychologie populaire de l'époque, les femmes qui préféraient travailler hors du foyer souffraient de névrose et de l'«envie du pénis». L'industrie de la mode «reféminisa» l'idéal féminin. La femme modèle portait désormais une jupe ample qui mettait en valeur la finesse de sa taille et le galbe de sa poitrine (Radar, 2001).

À cette époque de retour aux rôles sexuels traditionnels, le biologiste Alfred Kinsey fit paraître deux importantes études : *Le comportement sexuel de l'homme* (1948) et *Le comportement sexuel de la femme* (1954). Les deux ouvrages devinrent des succès de librairie en dépit (voire à cause) des dénonciations dont ils firent l'objet de la part des professionnels de la santé, du clergé, des politiciens et de la presse (Brown et Fee, 2003). Le milieu de la santé et le public furent scandalisés par les données de Kinsey démontrant que les femmes réagissaient aux choses sexuelles et y portaient un grand intérêt. Plusieurs comportements sexuels jadis réprouvés furent de plus en plus acceptés par suite des statistiques surprenantes fournies par l'auteur concernant les relations homosexuelles, la masturbation ou d'autres pratiques originales auxquelles les Américains se livraient en privé.

Au cours des années 1950, la télévision, dont les images conformistes montraient des couples mariés dormant dans des lits séparés, fit son entrée dans les foyers américains alors que paraissait le magazine *Playboy*, qui montrait le sexe sous un jour divertissant. Ces deux médias exprimaient une dichotomie qui perdura pendant toute la décennie.

Un vent de changement

La première pilule fit son apparition sur le marché nord-américain dans les années 1960, donnant ainsi aux femmes la possibilité de dissocier le plaisir de la crainte d'une grossesse non désirée. Dans *Les réactions sexuelles* (1968) et *Les mésententes sexuelles et leur traitement* (1979), les sexologues américains William Masters et Virginia Johnson mirent en lumière la capacité des femmes à avoir un orgasme et placèrent la thérapie sexuelle au rang des préoccupations légitimes. Les livres de développement personnel axés sur la sexualité firent ensuite leur apparition sur le marché ; pensons, par exemple, à *Notre corps, nous-mêmes* (Collectif de Boston pour la santé des femmes, 1977) et à *L'accomplissement sexuel de la femme* (Barbach, 1977). De tels ouvrages incitaient les femmes à prendre conscience de leur corps sur le plan sexuel, tandis que *La joie du sexe* (Comfort, 1976) montrait aux couples comment diversifier leurs expériences sexuelles.

La fin des années 1960 et le début des années 1970 furent marqués par une évolution des attitudes à l'égard de l'homosexualité, longtemps considérée comme tabou. Les gais et les lesbiennes se mirent à afficher plus ouvertement leur orientation sexuelle et à faire valoir que cela ne changeait en rien leurs droits et responsabilités en tant que citoyens. En 1973, l'American Psychiatric Association (APA), organisme qui dicte le contenu du plus utilisé des manuels diagnostiques des troubles mentaux, le *Diagnostic and Statistical Manual of Mental Disorders*,

À l'affiche

Milk est un film biographique sur Harvey Milk, un militant des droits des gais à San Francisco pendant les années 1970. Réalisé par Gus Van Sant, ce film a remporté en 2008 l'Oscar du meilleur scénario et a valu à Sean Penn celui du meilleur acteur.

troisième version (*DSM-III*), en retirait l'homosexualité. Puis, au début des années 1980, le premier cas de sida diagnostiqué augmenta dramatiquement la visibilité des hommes homosexuels et exacerba le débat sur l'homosexualité. Des visions plus traditionnelles ou restrictives continuent d'alimenter le débat, certains faisant valoir que le sida a été envoyé par Dieu pour punir les pécheurs (Baumard, 2011 ; Dawkings, 2006).

Pour leur part, les médias – la télévision, en particulier – se sont fait le reflet de l'évolution des attitudes à l'égard de l'homosexualité. Ainsi, au milieu des années 1990, les gais et les lesbiennes ont été intégrés dans les émissions de la télévision américaine, par suite de pressions exercées par le mouvement gai. Des personnages de gais et de lesbiennes existaient désormais dans de populaires téléséries telles que *ER*, *Sexe à New York*, *Roseanne* et *Friends*. Au Québec, deux auteurs avaient cependant ouvert la voie bien plus tôt : Janette Bertrand avec une série de cinq émissions sur l'homosexualité en 1980 et, avant elle, Guy Fournier qui, à la fin des années 1970, mettait en scène un homosexuel non caricatural travaillant comme homme de ménage dans la télésérie *Jamais deux sans toi*, présentée à une heure de grande écoute. Depuis ce temps, de plus en plus d'artistes se sont affichés ouvertement comme homosexuels. Soulignons que depuis 2004, *Tout le monde en parle*, l'émission francophone la plus regardée de la télévision d'État, est coanimée par un gai, qui assume ce statut en toute simplicité et souvent avec humour. L'évolution de l'image de l'homosexualité véhiculée par les médias montre à quel point ces derniers peuvent à la fois refléter et influencer les connaissances, les attitudes et les comportements en matière sexuelle (Gross, 2001).

Les médias et la sexualité

Les médias sont à la fois des témoins et des acteurs de la culture. Leur influence est grande, particulièrement auprès des adolescents et des jeunes adultes. Quelle image donnent-ils de la sexualité ?

La télévision

Malgré l'impact d'Internet, la télévision continue d'exercer une plus grande influence sur les attitudes et les comportements sexuels en raison du temps que les gens y consacrent. À l'âge de 18 ans, la plupart des gens ont déjà passé 20 000 heures devant la télé, ce qui est sûrement suffisant pour influencer d'une quelconque façon leur point de vue sur la sexualité (Manganello et coll. 2008 ; The Media Project, 2008). Même si on tient compte des nouvelles technologies, la télévision demeure en position dominante (Foehr, 2006). Le temps que les jeunes consacrent à des jeux vidéo sur leurs ordinateurs n'a pas remplacé celui passé devant la télévision ; il s'additionne plutôt au temps total d'écran (Rideout et coll., 2005). La figure 1.1 illustre le nombre d'heures hebdomadaires consacrées à chaque média.

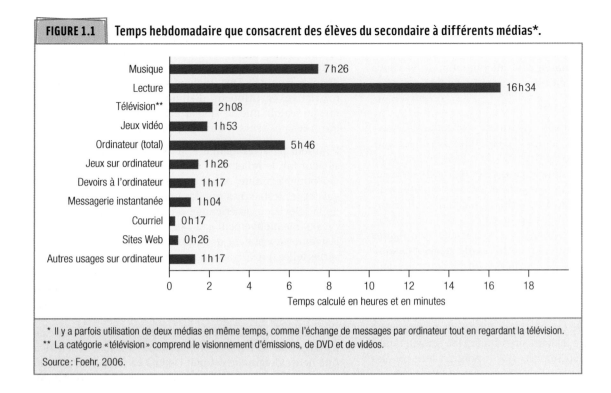

FIGURE 1.1 Temps hebdomadaire que consacrent des élèves du secondaire à différents médias*.

* Il y a parfois utilisation de deux médias en même temps, comme l'échange de messages par ordinateur tout en regardant la télévision.
** La catégorie «télévision» comprend le visionnement d'émissions, de DVD et de vidéos.

Source: Foehr, 2006.

Depuis 1998, le nombre de scènes à contenu sexuel a presque doublé dans les émissions des grandes chaînes de télévision. Par contre, le nombre de scènes à caractère sexuel impliquant des jeunes a diminué: en 2006, un rapport sexuel sur dix mettait en scène des adolescents et des jeunes adultes, comparativement à un sur quatre en 1998. Parmi les 20 émissions les plus regardées par les adolescents, 70 % avaient un contenu sexuel (conversation, allusions) et 45 % montraient un comportement sexuel (Kaiser Family Foundation, 2006). Plusieurs critiques ont été formulées à l'égard de ce genre d'émissions. On craint le plus souvent qu'une manière aussi désinvolte d'aborder le sexe n'incite les jeunes à être trop précoces, bien que la plupart des études sur le sujet aient été peu concluantes (Escobar-Chaves et coll., 2005). À cet effet, une étude récente a établi un indice de «consommation sexuelle médiatique» chez les jeunes en mesurant la quantité d'images sexuelles dans les émissions de télévision, les films, les vidéoclips et les magazines que les jeunes consomment régulièrement et en comparant cette quantité avec le temps que les jeunes consacrent à chacun de ces médias. L'étude a conclu que les adolescents blancs dont l'indice se situait dans les premiers 20 % étaient 2,2 fois plus susceptibles d'avoir leur premier rapport sexuel avant l'âge de 16 ans que ceux dont l'indice se situait dans les derniers 20 % (Brown, 2006). Il faut noter que, comme la plupart des recherches, les données indiquent des corrélations et non pas des causes à effets; peut-être que ce sont les adolescents les plus expérimentés qui recherchent le plus des contenus à caractère sexuel dans les médias.

Il arrive que la manière dont sont traitées des questions sexuelles à la télévision contribue non seulement à informer le public, mais aussi à développer la tolérance et à faire évoluer les mentalités. Dans l'émission *Femme d'aujourd'hui* du 4 avril 1968, on cherchait à savoir si les homosexuels étaient des criminels, des malades ou des déviants, question à laquelle un pionnier de la sexologie au Québec, le docteur Franz Manouvrier, répondit en rétablissant les faits (http://archives.radio-canada.ca/emissions/250/). Ce genre d'émissions a contribué à une meilleure compréhension de l'orientation sexuelle. Ce sujet est traité plus en profondeur au chapitre 5.

Les émissions de télévision renseignent de plus en plus sur les risques que comporte le sexe pour la santé physique et affective. En 2005, par exemple, les risques et responsabilités liés au sexe ont été évoqués dans 27 % des émissions où l'on discutait ou présentait des rapports sexuels, une proportion deux fois plus élevée qu'en 1998. D'autre part, les émissions les plus populaires auprès des adolescents insistent de plus en plus sur l'importance d'avoir des rapports sexuels protégés (Kaiser Family Foundation, 2006). Une étude a montré un accroissement significatif des connaissances sur la transmission mère-enfant du VIH, après le visionnement d'un épisode de *Dre Grey, leçons d'anatomie* sur ce sujet. La figure 1.2 illustre l'augmentation de ces connaissances (Rideout, 2008).

Les médias peuvent jouer un rôle important d'éducation dans les pays où la sexualité a longtemps été un sujet tabou. En Chine et en Égypte, par exemple, des émissions d'information sexuelle ont pu être diffusées au cours des dernières années sur des chaînes publiques avec l'accord des autorités politiques. En 1998, une chaîne de radio chinoise a lancé une émission d'information sexuelle, *Tonight's Whispering*, où les invités en studio répondaient aux questions que les auditeurs leur envoyaient par courriel ou par message texte. Beaucoup de ces questions démontraient un manque flagrant de connaissances élémentaires en matière sexuelle (Fan, 2006). En Égypte, ce n'est qu'en 2006 qu'une émission d'éducation sexuelle animée par une sexothérapeute a été présentée pour la première fois. Intitulée *Kalam Kibir* (Paroles de grands), l'émission vise à contrer l'ignorance, les préjugés et les faussetés qui sévissent dans les sociétés arabes en cette matière, et elle aborde la sexualité dans une perspective musulmane et moderne (El-Noshakaty, 2006).

Les vidéoclips

Avec l'arrivée des vidéoclips au début des années 1980, la télévision s'est associée à l'industrie de la musique. Aujourd'hui, jusqu'à 75 % des vidéoclips diffusés à la télévision et sur Internet contiennent, selon le type de musique, du contenu sexuel; les hommes y sont habituellement dépeints comme dominants et les femmes sont représentées comme des objets sexuels. La recherche a montré que l'exposition à des vidéoclips à contenu sexuel renforce beaucoup l'adhésion à cette norme sexuellement différenciée (Zhang et coll., 2008); cet aspect est traité plus en profondeur au chapitre 4. Des études contrôlées ont établi que les adolescents qui écoutent des chansons aux paroles dégradantes sont deux fois plus susceptibles d'avoir des rapports sexuels et une plus grande variété d'activités sexuelles que ceux exposés à des chansons non dégradantes (Martino et coll., 2006; Primack et coll., 2009).

La publicité

La publicité existe dans tous les types de médias ou de façon indépendante, comme le montrent les panneaux publicitaires omniprésents. Les images sexuelles qu'elle présente, tantôt provocantes, tantôt subtiles, sont conçues pour capter l'attention des consommateurs et les inciter à acheter des produits. La pub la plus séduisante sur le plan sexuel devient ainsi un puissant outil de marketing. Par exemple, les ventes de jeans Calvin Klein ont doublé après la diffusion, dans les années 1980, d'une pub dans laquelle Brooke Shields assurait que rien ne pouvait s'interposer entre elle et son jeans Calvin Klein (Kuriansky, 1996).

Le rôle de la publicité est de faire croire au consommateur qu'il obtiendra l'amour ou le sexe en achetant tel produit de beauté, telle marque de boisson, tel vêtement griffé ou telle marque d'automobile. En règle générale, la publicité banalise le sexe et cherche à montrer que seuls les jeunes hommes et les jeunes femmes d'allure athlétique sont dignes d'intérêt; évidemment, ce modèle ne s'applique pas à la publicité destinée à l'importante

---

FIGURE 1.2 **Amélioration des connaissances sur la transmission mère-enfant du VIH après un épisode de *Dre Grey, leçons d'anatomie*.**

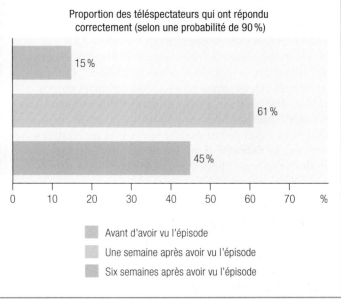

Proportion des téléspectateurs qui ont répondu correctement (selon une probabilité de 90 %)

- 15 %
- 61 %
- 45 %

0 10 20 30 40 50 60 70 %

■ Avant d'avoir vu l'épisode
■ Une semaine après avoir vu l'épisode
■ Six semaines après avoir vu l'épisode

Les téléspectateurs de *Dre Grey, leçons d'anatomie* ont répondu à la question ci-dessous avant de voir un épisode traitant de la transmission du VIH de la mère à l'enfant, puis une semaine et six semaines après l'avoir regardé :

« Si une femme séropositive au VIH tombe enceinte et reçoit les traitements appropriés, quelles sont les chances qu'elle mette au monde un enfant en bonne santé, c'est-à-dire non infecté par le VIH ? »

Source : Rideout, V. (2008). « Television as Health Educator: A Case Study of *Grey's Anatomy* » (#7803), Henry J. Kaiser Family Foundation.

clientèle des baby-boomers vieillissants. À l'occasion, la publicité peut aider à briser certains tabous : par exemple, les pubs télévisées d'un ex-hockeyeur vedette du Canadien ont permis de soulever un débat sur la question de la dysfonction érectile.

Question d'analyse critique

Connaissez-vous une publicité qui a contribué à modifier les stéréotypes sexuels ? Comment y est-elle parvenue ?

Les magazines

On trouve toutes sortes d'articles à contenu sexuel dans les magazines populaires. Certains fournissent d'excellentes informations sur la prise en charge personnelle ou les compétences relationnelles en matière sexuelle, alors que d'autres ne font que véhiculer les stéréotypes sur les rôles sexuels, exploiter l'insécurité des femmes face à leur image corporelle ou montrer comment manipuler l'autre dans une relation (Markle, 2008 ; Menard et Kleinplatz, 2008). Près de la caisse des magasins, les tabloïdes se font racoleurs avec des manchettes comme « Sexe et politique : la sécurité nationale en danger ». Les magazines pour jeunes hommes traitent principalement de deux sujets : ce que veulent les femmes sur le plan sexuel et comment développer des pratiques sexuelles originales avec ses partenaires (Taylor, 2005).

Les magazines féminins présentent plus ou moins régulièrement d'excellents articles sur l'autonomie sexuelle. L'accent y est mis sur l'appropriation ou la réappropriation de son corps sexuel réel dans une optique de mieux-être global. À l'inverse, des articles du genre « Comment envoûter un homme » ne peuvent que contribuer à renforcer les stéréotypes sur les rôles sexuels et à mettre encore plus l'accent sur la performance sexuelle. Enfin, la foule d'articles où l'on explique aux lecteurs ce qu'ils doivent faire pour être plus beaux, plus minces et plus sexy tend à entretenir l'insécurité des gens quant à leur image corporelle. Par sa façon de représenter le corps et les relations humaines, la publicité dans les magazines banalise la sexualité et favorise l'hypersexualisation chez les jeunes.

Question d'analyse critique

Croyez-vous que la majorité des jeunes femmes recherchent les pratiques « kinky » (pratiques hors normes sans être malsaines, sauf si elles deviennent nécessaires chaque fois) quand elles ont des relations sexuelles ?

Internet

En 2011, au 31 mars, il y avait plus de deux milliards d'internautes dans le monde. On estimait alors à 30,2 % de la population mondiale le taux d'utilisation d'Internet, ce qui laissait un énorme potentiel de croissance au réseau (Internet World Stats, 2011). Voir la figure 1.3a et 1.3b.

Le nombre de sites de réseautage personnel, qui permettent d'échanger avec un grand nombre de personnes, a augmenté de façon extraordinaire au cours des dernières années. Le plus populaire, et de loin, est Facebook qui comptait presque 800 millions de membres au 31 décembre 2011, ce qui représente 11,5 % de la population mondiale (Internet World Stats, 2011).

Selon les données de mars 2011, plus de la moitié des Québécois vont sur Facebook et ils passent en moyenne 5,9 heures par semaine à consulter un ou plusieurs médias sociaux (CEFRIO, 2011). L'impact de cette révolution des communications sur les attitudes et les comportements sexuels est incommensurable. Cela entraîne en effet des modifications tant à l'intérieur qu'à l'extérieur des couples, selon une communication de la sexologue Anik Ferron au 80e Congrès de l'Association francophone pour le savoir (ACFAS), en 2012. Le sondage qu'elle a mené par Internet indique que 47,1 % des répondants ressentent de la jalousie lorsque leur conjoint passe du temps sur Facebook et que 41,6 % surveillent le compte de celui-ci. De plus, 17,3 % des répondants (284 hommes et 537 femmes) jugent que ce média entraîne des infidélités sexuelles (Boudreau, 2011). Désormais, des gens appartenant aux groupes sociaux les plus divers – en matière d'âge, de race, de religion, d'ethnie, de milieu socioéconomique, etc. – peuvent communiquer entre eux plus facilement que jamais auparavant.

La distance et les différences culturelles sont de moins en moins des obstacles à la communication, « ce qui ouvre la voie à tous les types de progrès que l'esprit humain peut réaliser lorsqu'il y a échange d'idées » (Shernoff, 2006). Inversement, les individus dont les tendances sexuelles sont minoritaires et réprouvées par la société cherchent à communiquer avec leurs semblables, le cyberespace étant devenu le lieu où toutes les formes de sexualité se font connaître (Ross, 2005).

> La première fois que j'ai trouvé sur Internet quelqu'un qui avait le même érotisme que moi, cela m'a apaisé. Même avant mon adolescence, regarder des filles et des femmes nager m'excitait beaucoup. Je suis présentement dans la quarantaine et je dois aller dans une piscine en compagnie de ma femme pour être suffisamment excité et avoir une relation sexuelle en rentrant chez moi. La pornographie que je regarde met en scène des femmes dans l'eau. Savoir que bien d'autres personnes sont comme moi nous a aidés, ma femme et moi, à mieux faire face à mon érotisme au lieu d'être seulement perturbés par lui. (Notes des auteurs)

FIGURE 1.3   Nombre d'utilisateurs d'Internet dans le monde.

a) Répartition par région géographique, en pourcentage, des utilisateurs d'Internet[1]

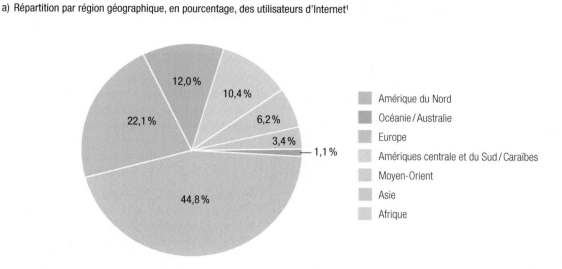

Moyenne mondiale du taux de pénétration : 32,7 %

b) Nombre d'internautes dans le monde, par région géographique[2]

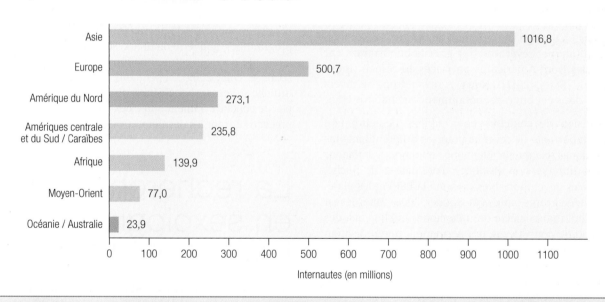

1. Source : Internet World Stats – www.internetworldstats.com. Taux de pénétration basés sur une population mondiale de 6 930 055 154 personnes et de 2 267 233 742 internautes, selon une estimation au 31 décembre 2011. Copyright © 2012, Miniwatts Marketing Group.

2. Source : Internet World Stats – www.internetworldstats.com. Nombre d'internautes estimé à 2 267 233 742 au 31 décembre 2011. Copyright © 2012, Miniwatts Marketing Group.

Près de 80 % des individus obtiennent des renseignements sur la santé par l'intermédiaire d'Internet (Fine, 2008). Internet permet aussi d'accéder rapidement à toutes sortes d'informations utiles sur la sexualité. On y trouve des sites qui répondent en ligne aux questions des internautes sur le sexe. Au Québec, les plus connus et les plus populaires sont le site Élysa, issu d'un regroupement d'enseignants du département de sexologie de l'UQAM, celui de Tel-Jeunes et celui de la Société des gynécologues et obstétriciens (Munger, 2008).

Internet est aussi devenu un incroyable moyen de rencontres, un lieu où chacun peut se faire connaître et converser virtuellement avec des inconnus avant de décider s'il y a lieu ou non de se rencontrer en personne (Ross, 2007). Malgré les risques qu'elles comportent, les cyberrencontres permettent aux interlocuteurs d'exprimer clairement ce qu'ils recherchent, que ce soit un partenaire sexuel occasionnel ou l'âme sœur avec qui ils voudraient partager leur vie. Dans certains cas, la rencontre virtuelle, avec toutes les confidences qu'elle permet, crée plus d'intimité entre les personnes avant leur rencontre physique que ne le ferait un rendez-vous conventionnel non précédé de liens virtuels.

Selon l'utilisation qui en est faite, Internet peut toutefois présenter de graves dangers. La cyberprédation, processus par lequel des internautes adultes leurrent des jeunes à des fins d'exploitation sexuelle, est problématique ; un site tel que MySpace, à cet égard, est idéal pour attirer ce genre de personnes (Romano, 2006). Par ailleurs, la grande facilité avec laquelle les jeunes peuvent accéder aux images sexuelles les plus osées sur Internet ne les aide pas dans leur développement personnel. Il s'agit là toutefois d'un problème assez difficile à régler. Les possibilités créatrices et destructrices de la cybersexualité sont illimitées, à l'image de la nature humaine. Le contenu sexuel d'Internet revêt une très grande importance, car 78,3 % des Nord-Américains ont accès au réseau (Internet World Stats, 2011). Nous y reviendrons à divers endroits dans cet ouvrage, notamment au chapitre 11.

La diffusion de contenus pour adultes demeure une source importante de revenus pour les différents médias électroniques tels que le téléphone cellulaire, le baladeur à disque dur (version érotique), l'ordinateur de poche, les consoles de jeu portables (comme la PSP) et les plateformes vidéo à large bande (Alexander, 2006). Internet est aujourd'hui indissociable des téléphones intelligents, des iPod, iPad ou équivalents, qui permettent une utilisation plus libre du réseau que les ordinateurs, qu'ils soient portables ou non. Ces appareils sont également équipés d'une caméra et permettent donc une auto-expression sexuelle.

L'immense majorité des plus de 13 ans possèdent ou utilisent de tels téléphones. Aux États-Unis, 30 % des jeunes adultes de 20 à 26 ans disent avoir vu ou transmis des photos de nudité totale ou partielle, et même des vidéos d'eux-mêmes, pour flirter ou simplement s'amuser. *Sextage* est le mot qui désigne ce type d'usage des téléphones portables (Lithwick, 2009). Encore plus nombreux sont ceux qui ont transmis des messages sexuellement suggestifs (National Campaign to Prevent Teen and Unplanned Pregnancy, 2008a). Dans les pays émergents, où le téléphone filaire est très peu répandu

pour des raisons historiques et économiques, la quasi-totalité des jeunes adultes et des adultes urbains ont un téléphone cellulaire personnel. Là aussi, des appareils plus performants se répandent à grande vitesse et, avec eux, l'accès au contenu Internet.

L'hypersexualisation dans les médias

L'influence des médias comme modélisateurs de sexualité entraîne des comportements inappropriés axés sur la performance. Leur pouvoir sur les jeunes adolescents ou même préadolescents serait responsable, du moins partiellement, d'une dérive appelée *hypersexualisation*. On regroupe sous ce vocable des attitudes et des comportements exagérément sexualisés chez les 12-14 ans ou moins.

Pour plusieurs auteurs, dont Francine Duquet (2002), professeure au département de sexologie de l'Université du Québec à Montréal, des filles, pour ne pas dire des fillettes, portent des vêtements courts et provocants, à l'image des jeunes vedettes aux allures de poupées que leur propose la publicité. Certaines adoptent des comportements allant jusqu'à des fellations en public et vivent des situations d'angoisse de performance qui ne se rencontraient guère que chez les adultes auparavant ; elles se voient exhortées à devenir des objets de désir désincarnés, manipulés par des intérêts extérieurs à leur monde. Les dommages psychologiques de l'hypersexualisation préoccupent un nombre grandissant d'intervenants auprès des jeunes. Des programmes gouvernementaux sont mis en place pour tenter de corriger cette situation. Pour d'autres auteurs (Blais et coll., 2009), cependant, le concept demeurerait difficile à cerner, les chiffres disponibles ne permettant pas de conclure à une montée des comportements sexuels précoces durant les dernières années.

La recherche en sexologie : buts et méthodes

La **sexologie**, c'est-à-dire l'étude scientifique du phénomène sexuel, a pour objet tout ce qui est lié à la sexualité. Elle permet également de regarder scientifiquement certaines idées reçues – l'alcool rend plus sensuel,

---

Sexologie Champ d'études interdisciplinaires qui couvre les phénomènes de la différenciation sexuelle et de la fonction érotique et qui s'articule autour de quatre axes de développement : bio-sexologique, psycho-sexologique, socio-sexologique et sexologie appliquée.

l'orgasme vaginal est plus «mature» que l'orgasme cli-toridien, les agresseurs sexuels consomment plus de pornographie que les autres –, d'étudier des croyances pour en cerner les fondements et de documenter les relations sous-jacentes qu'elles révèlent, le cas échéant. Ce n'est pas une mince tâche. Même s'il intéresse la plupart d'entre nous, le comportement sexuel est aussi, par sa nature même, difficile à étudier, car les gens se sentent souvent mal à l'aise à l'idée de révéler à quelqu'un des détails sur leur sexualité ou leur comportement sexuel, surtout si cette personne est un chercheur qui leur est étranger (Turner, 1999). À ce malaise s'ajoute le fait que la sexualité fait l'objet de mythes de toutes sortes et que le discours qui l'entoure est truffé d'exa-gérations, de secrets et de jugements de valeur, bien souvent dus à l'ignorance. Une partie aussi de l'expé-rience sexuelle échappe à toute description objective et demeure incommunicable: quelle différence cela fait-il d'avoir un orgasme par stimulation pénienne plutôt qu'un orgasme par stimulation clitoridienne? Cela a-t-il de l'importance pour comprendre la différence entre la sexualité masculine et la sexualité féminine? Comment dire à quelqu'un qui n'a jamais eu de plaisir sexuel ce qu'on ressent lorsqu'on éprouve un tel plaisir? Comment étudier la sexualité des enfants par l'observation sans enfreindre l'éthique ou leur développement?

En dépit de ces obstacles, des chercheurs ont accu-mulé un grand nombre de données sur les comporte-ments sexuels et les attitudes liées à la sexualité. Dans les pages qui suivent, nous présentons les méthodes employées pour étudier la sexualité humaine ainsi que les avantages et les inconvénients de chacune d'entre elles. Nous abordons également la question de l'évalua-tion des recherches publiées.

La sexologie au Québec

Au Québec, la sexologie est née du besoin d'interdis-ciplinarité qu'ont ressenti ceux et celles qui voulaient comprendre le phénomène sexuel. Les fondateurs de la sexologie universitaire au Québec, Jean-Yves Desjardins et Claude Crépault, souhaitaient créer une discipline qui pourrait faire la synthèse des multiples connaissances sur la sexualité issues de la biologie, de la psychologie, de la sociologie, de l'anthropologie, de la philosophie, de la criminologie, des sciences de l'éducation, des sciences politiques, de la santé publique et de la religion. Leur but était de former des professionnels de la sexologie qui mettraient en pratique cette approche interdisciplinaire. La demande de création d'un département portait sur l'enseignement d'une «sexologie intégrative possédant sa propre méthodologie et ses propres modèles scien-tifiques de compréhension et d'explication des phéno-mènes sexuels» en vue de former des professionnels «dont l'objet sera le service à la population sous l'angle

de la santé et de l'équilibre sexuel» (Larouche, 1991). Cette visée a amené la création d'un département uni-versitaire autonome à l'Université du Québec à Montréal (UQAM) en 1972 (Larouche, 1991). C'était le premier au monde. C'est aussi maintenant le seul endroit où il est possible d'obtenir un doctorat spécifique à la sexologie en sus d'un premier et deuxième cycle de formation spécialisée.

L'Université du Québec à Montréal a fait preuve d'une grande ouverture en permettant la création de ce dépar-tement. Il est vrai que l'émergence de la sexologie au Québec a coïncidé avec l'entrée de cette province dans la modernité, entrée qui s'est accompagnée d'une modifi-cation des valeurs et aspirations des Québécois (Dupras, 1989). Ce mouvement s'inscrivait dans un vaste proces-sus de transformation comprenant l'industrialisation, l'urbanisation, la sécularisation, la démocratisation de l'enseignement, le développement des moyens de commu-nication de masse et la mobilisation pour une action politique (McRoberts et Posgate, 1983).

Avec la constitution de la sexologie comme science, la définition de la sexualité a été élargie. Tel que nous l'avons mentionné précédemment, il y a un consensus quant à l'importance de considérer la sexualité dans sa complexité multidimensionnelle et de tenir compte de ses déterminants biopsychosociaux. Denise Badeau (1998), alors professeure régulière au département de sexologie de l'UQAM, propose une typologie des déterminants du comportement sexuel qui s'inscrit dans ce courant de pensée. Comme mentionné au début du chapitre, cette auteure identifie six dimensions déterminantes de la sexualité. Cette définition élargie a d'ailleurs été rete-nue par le ministère de l'Éducation du Québec lorsqu'il a instauré le programme de formation personnelle et sociale qui contenait le volet «Éducation à la sexualité», programme toutefois abandonné maintenant.

Selon Denise Badeau (1998), la dimension psycholo-gique de la sexualité comprend l'ensemble des aspects liés à l'identité sexuelle, à l'estime de soi, à l'élaboration de l'image corporelle et à la mise en place de la fonc-tion érotique. La dimension affective inclut la percep-tion des sensations et l'expression des sentiments et des émotions de l'être sexué et sexuel. La dimension cogni-tive renvoie à notre façon humaine de concevoir notre sexualité et d'agir en ce sens. La dimension biologique touche les caractères sexuels génétiquement program-més, la réponse sexuelle, la reproduction et la santé sexuelle. La dimension morale englobe les règles de conduite que se donnent toutes les sociétés humaines en matière de sexualité ainsi que les valeurs, les croyances et les aspects légaux qui traduisent cette dimension morale. La dimension socioculturelle comporte les rôles sexuels, les stéréotypes, les règles sociales, les comporte-ments et les représentations culturelles. Dans certaines publications du gouvernement du Québec, les dimensions psychologique et affective n'en forment qu'une seule, la dimension psychoaffective (voir Bédard, 2008). On le voit bien, la sexualité ne peut se réduire à un seul aspect, que ce soit la reproduction ou les rôles sexuels.

Les buts de la sexologie

Les personnes qui étudient la sexualité ont certains buts en commun avec tous les scientifiques : comprendre et prédire les faits relatifs à leur objet d'étude et proposer des moyens d'intervention. Tenues de respecter les règles éthiques qui gouvernent la recherche, elles doivent aussi se soucier du bien-être, de la dignité, des droits et de la sécurité de ceux qui participent aux études.

Les deux premiers buts, la compréhension et la prédiction des comportements, se conçoivent aisément. Par exemple, un sexologue ou un psychologue qui connaît les effets des hypotenseurs pourra rassurer le client qui éprouve des difficultés érectiles depuis qu'il prend un tel médicament. De même, sensibles à l'influence qu'exercent certains modèles comportementaux sur les relations de couple, ces professionnels seront en mesure d'aider des conjoints à évaluer leurs chances de vivre une relation enrichissante.

Le troisième but, l'élaboration de moyens d'intervention par l'utilisation des connaissances scientifiques, est en quelque sorte le passage obligé entre le savoir et l'application ; c'est ce qui permet de contribuer au mieux-être individuel et collectif.

Les fondateurs du département de sexologie de l'UQAM. De gauche à droite : André Bergeron, Jules Bureau, Robert Gemme, Joseph Josy Lévy, Claude Crépault, Jean-Pierre Trempe, Henri Gratton, Jean-Marc Samson, Jean-Yves Desjardins, Muazzam Husain et Édouard Beltrami.

Les méthodes de recherche non expérimentales

Comment vérifier si les idées reçues sont vraies, par exemple si l'alcool peut améliorer la réponse sexuelle ou si l'orgasme vaginal est plus « mature » que l'orgasme clitoridien ? Comment les chercheurs peuvent-ils enquêter sur de telles questions ? Dans cette partie, nous présentons trois méthodes non expérimentales : l'étude de cas, l'enquête et l'observation directe. Nous aborderons plus loin la recherche expérimentale. Le tableau 1.1 présente les caractéristiques de ces quatre grandes méthodes de recherche.

L'étude de cas

L'étude de cas permet d'observer systématiquement un sujet ou un nombre restreint de sujets. Les données sont recueillies en utilisant un éventail de moyens pouvant inclure l'observation directe, des questionnaires, des tests et même l'expérimentation. Cette méthode, qui demeure très utilisée, est à l'origine des premières classifications cliniques contemporaines contenues dans l'ouvrage *Psychopathia Sexualis*, de Krafft-Ebing, publié pour la première fois en 1886, puis réédité de façon continue jusqu'à 1960 environ (Brecher, 1969). En 2010, on a publié une réédition de la traduction intégrale en anglais du texte original allemand.

Une grande partie de l'information dont on dispose sur les difficultés liées à la réponse sexuelle (problèmes d'érection chez l'homme ou absence d'orgasme chez la femme, par exemple) provient d'études de cas d'individus ayant consulté un thérapeute pour régler leur problème. Une part importante des connaissances sur les délinquants sexuels, les transsexuels, les victimes d'inceste, etc., vient également d'études de cas.

Il n'est pas surprenant qu'un certain nombre d'études de cas aient exploré la relation entre les médias présentant un contenu à caractère sexuel violent et le viol. Dans plusieurs de ces études, les violeurs font état de hauts niveaux d'exposition à la violence sexuelle dans les films, les magazines et les livres (Marshall, 1988). Cependant, on ne sait pas si les attitudes violentes envers les femmes et les comportements comme le viol sont le résultat direct de l'exposition à la violence sexuelle dans les médias. Le seul fait que les violeurs semblent plus enclins que les non-violeurs à faire consommation de pornographie ne constitue pas à lui seul un lien de causalité. Il existe sans doute des causes plus plausibles. Par exemple, le type d'environnement dans lequel les

> **Étude de cas** Méthode d'analyse consistant à observer un sujet ou un nombre restreint de sujets, à faire de leur cas un examen approfondi.

hommes apprennent à être violents envers les femmes se caractérise peut-être par un accès facile à la pornographie. Inversement, les hommes qui ont tendance à maltraiter les femmes ont peut-être un penchant pour la pornographie comportant de la violence sexuelle et ce penchant expliquerait qu'ils en regardent plus que les autres hommes. Ainsi, tandis que la méthode de l'étude de cas nous enseigne que l'exposition à la pornographie violente est souvent associée au viol, elle ne peut nous renseigner sur la nature exacte de ce lien.

On a également eu recours à l'étude de cas pour vérifier si l'alcool augmente l'intensité du désir et du plaisir sexuels. En fait, les conclusions des chercheurs suggèrent exactement le contraire, du moins chez les alcooliques chroniques. Ce résultat s'explique peut-être par l'état de détérioration physique générale qu'engendre, à long terme, la consommation excessive d'alcool, mais l'étude de cas ne peut le confirmer. Une piste est l'effet de féminisation biologique (élargissement des hanches, développement mammaire) que provoque l'alcoolisme chronique et qui engendre une baisse de la testostérone (Crenshaw, 1996). Comme nous le précisons au chapitre 3, la testostérone est une hormone essentielle au désir.

Question d'analyse critique

Plusieurs études ont démontré un lien entre le taux anormalement bas de testostérone et la diminution du désir sexuel chez les deux sexes (en tenant compte du taux différent selon le sexe). Peut-on, à l'aide d'une étude de cas, démontrer qu'il s'agit d'une relation de cause à effet? Si oui, comment? Sinon, pourquoi?

L'étude de cas offre des avantages aux chercheurs, notamment une certaine flexibilité dans la façon de recueillir l'information. Bien qu'elle ne permette qu'un contrôle de validité limité, la forme très ouverte de l'étude de cas donne la possibilité d'étudier certains comportements précis. La collecte d'informations très personnelles sur ce que les gens pensent ou ressentent à propos de leur comportement représente un progrès important par rapport au simple recensement d'activités.

Cette méthode a cependant ses limites. D'abord, comme l'étude de cas ne s'intéresse habituellement qu'à des individus ou à des échantillons restreints de cas intéressants ou atypiques, il est souvent difficile d'en généraliser les résultats et de les appliquer à des populations plus larges. Ensuite, le fait que la vie d'une personne, spécialement l'enfance ou l'adolescence, ne devient un sujet d'étude que plus tard, à l'âge adulte, lorsque cette personne manifeste un comportement inhabituel, est

aussi problématique. La mémoire étant toujours une reconstruction du passé, est-il possible pour un chercheur de reconstituer de façon fidèle le passé d'un sujet à partir d'informations fournies par ce dernier? Même si on interroge les membres de la famille ou les amis de cette personne, la justesse de cette reconstitution n'est pas garantie parce qu'il est difficile de se rappeler de façon exacte les événements qui ont eu lieu des années auparavant. Il y a aussi le phénomène de la fausse mémoire où les personnes sont intimement persuadées d'avoir vécu des événements qui ne se sont jamais produits. Dans certains cas, c'est la thérapie elle-même qui implante de faux souvenirs d'inceste et de rites sataniques (Lambert et Lilienfeld, 2008). Un même événement peut également être perçu et raconté différemment par la même personne selon le moment et les circonstances où elle se le rappelle (Schacter, 2003). De plus, des témoins peuvent taire ou déformer certains faits, comme le montre le classique *Douze hommes en colère* du réalisateur Sydney Lumet. Finalement, cette méthode ne convient pas à toutes les recherches. Par exemple, l'étude de cas n'est peut-être pas la meilleure façon de vérifier la prétendue supériorité de l'orgasme vaginal sur l'orgasme clitoridien. En effet, trop de facteurs – les émotions, les valeurs personnelles et l'imprécision des souvenirs – peuvent influer sur les témoignages personnels pour que ceux-ci soient considérés comme valables dans le cadre d'une étude fiable. Comme nous le verrons plus loin, l'observation directe est une méthode mieux adaptée à ce type de problème de recherche.

À l'affiche

Dans son film *Douze hommes en colère* (1957), Sydney Lumet démontre le fonctionnement d'une délibération de jurés qui doivent décider du sort d'un jeune homme accusé du meurtre de son père. Les motivations externes et internes de chaque juré apparaissent pour expliquer le sort de l'accusé sans qu'ils tiennent compte des faits.

TABLEAU 1.1	Tableau récapitulatif des méthodes de recherche.		
MÉTHODE	**BRÈVE DESCRIPTION**	**AVANTAGES**	**INCONVÉNIENTS**
Étude de cas	Les chercheurs étudient en profondeur un sujet ou un nombre restreint de sujets.	• Flexibilité dans la collecte des données. • Exploration en profondeur de comportements, de pensées et de sentiments.	• Généralisation limitée des résultats. • Exactitude des données limitée par le caractère faillible de la mémoire humaine. • Non adaptée à tous les genres de questions de recherche.
Enquête	Des données sur les attitudes et les comportements sexuels sont recueillies chez des populations relativement nombreuses au moyen de questionnaires ou d'entrevues.	• Permet de recueillir rapidement et à relativement bon marché de grandes quantités de données. • Permet de recueillir des données sur plus de personnes qu'avec l'étude en laboratoire ou l'étude de cas.	• Problèmes de : – non-réponse – biais démographique – autosélection – inexactitude des réponses
Observation directe	Les chercheurs observent et enregistrent les réactions des participants.	• Élimine presque toute possibilité de falsification des données. • L'enregistrement des comportements peut être conservé sur une vidéocassette, un support magnétique ou numérique.	• Le comportement des sujets peut être influencé par la présence de l'observateur ou par la nature artificielle du lieu d'observation.
Méthode expérimentale	Les sujets sont soumis à des stimuli dans des conditions contrôlées permettant de mesurer leurs réactions de façon fiable.	• Fournit un environnement propice permettant le contrôle des variables pertinentes. • Adaptée à la découverte de relations causales entre des variables.	• Le côté artificiel de l'environnement de laboratoire peut biaiser ou influencer de façon négative les réactions des sujets.

L'enquête

La plupart des informations dont on dispose sur la sexualité ont été recueillies en réalisant une **enquête**. Cette deuxième méthode de recherche consiste à interroger les sujets sur leurs attitudes et leurs expériences sexuelles. L'enquête permet aux chercheurs de recueillir des données auprès d'un grand nombre de personnes, généralement plus qu'en clinique ou en laboratoire. L'enquête peut être effectuée au moyen d'entrevues, en tête à tête ou par téléphone, ou au moyen d'un questionnaire papier. De plus en plus, des enquêtes automatisées se font par l'intermédiaire d'Internet.

Même si les méthodes employées pour l'enquête orale et l'enquête écrite sont différentes, leur but est le même. À partir des données obtenues auprès d'un groupe relativement restreint (appelé *échantillon*), chacune tente de tirer des inférences statistiques, ou conclusions, qu'on peut généraliser pour les appliquer à un groupe beaucoup plus large (appelé *population cible* ou *population de référence*). Les adultes mariés ou les adolescents sont des exemples de populations cibles.

La sélection de l'échantillon

Les questions des chercheurs visent souvent des populations trop vastes pour être étudiées dans leur totalité. Par exemple, si l'on voulait obtenir des informations sur les pratiques sexuelles des couples mariés âgés au Canada, la population cible comprendrait tous les couples mariés âgés du pays. Il est évidemment impossible de questionner toutes les personnes appartenant à ce groupe. Les chercheurs résolvent donc ce problème en recueillant des données auprès d'un échantillon de la population cible. La fiabilité de la généralisation des données dépend de la technique utilisée pour sélectionner l'échantillon.

En général, pour obtenir un échantillon représentatif d'une population cible, les chercheurs constituent un

---

Enquête Méthode de recherche qui consiste à interroger les individus formant un échantillon de la population sur leurs comportements ou leurs habitudes.

Échantillon représentatif Échantillon permettant la représentation la plus fidèle possible d'une population cible.

échantillon stratifié, c'est-à-dire un échantillon dans lequel les différents sous-groupes de cette population sont représentés de façon proportionnelle. Ces sous-groupes peuvent être formés suivant des critères tels que l'âge, le statut économique, la situation géographique, la religion, etc. On tente ainsi de s'assurer que chaque individu faisant partie de la population cible est représenté dans l'échantillon.

Si cette méthode est correctement appliquée et que l'échantillon constitué est assez vaste, il est probable que les résultats de l'enquête pourront être généralisés et appliqués à la population cible (tous les couples mariés âgés du Canada dans l'exemple ci-dessus).

Un autre type d'échantillon, l'**échantillon aléatoire**, est constitué au moyen de techniques mettant le hasard à contribution. Dans la mesure où la population cible est relativement homogène, l'échantillon aléatoire peut être représentatif ou non de celle-ci. Par exemple, vous désirez mener une enquête sur le phénomène des aventures d'un soir chez les étudiants québécois. Comme il est commode de choisir vos sujets parmi la population étudiante de votre école, vous sélectionnez votre échantillon au hasard à partir de la liste de tous les étudiants qui y sont inscrits. Vous prenez soin de bien formuler vos questions et de préserver l'anonymat des répondants, et vous obtenez un taux de réponse très élevé. Pouvez-vous espérer que les résultats décrivent bien la réalité du phénomène chez les étudiants en général? Certainement pas. Explication: dans cet exemple, les étudiants de votre école sont reconnus pour leurs idées sociales plus ouvertes, ce qui risque d'influer sur les probabilités qu'ils aient des aventures d'un soir. Cette caractéristique est suffisante pour les rendre non représentatifs de l'ensemble de la population étudiante, car votre échantillon ne tient pas compte de certaines écoles où les étudiants sont réputés plus conservateurs.

Les questionnaires et les entrevues

Lorsque les sujets sont sélectionnés, ils peuvent être interrogés au moyen d'un questionnaire écrit ou d'une entrevue. Chacune de ces techniques exige que les participants répondent à un ensemble de questions dont le nombre peut varier de quelques-unes à plus d'un millier. Elles peuvent être ouvertes, à choix multiples ou de type vrai ou faux. Les sujets peuvent y répondre dans l'intimité de leur foyer ou en présence d'un chercheur.

Chaque méthode d'enquête présente à la fois des avantages et des inconvénients. Faire remplir un questionnaire est plus rapide et moins coûteux que réaliser une entrevue. En outre, parce qu'ils conservent davantage leur anonymat en remplissant un questionnaire qu'en faisant face à une personne, les sujets ont alors tendance à répondre en toute sincérité et à moins déformer les faits. Le comportement sexuel est très personnel et,

en entrevue, les sujets peuvent être tentés de décrire leur propre comportement sous un jour plus favorable. Enfin, comme les questionnaires écrits peuvent être évalués de façon objective, le chercheur risque moins d'en biaiser les données que dans le cas d'une entrevue.

Les entrevues présentent cependant certains avantages comparativement aux questionnaires. En premier lieu, la forme même de l'entrevue se prête à une plus grande flexibilité. Si le sujet éprouve de la difficulté à saisir le sens d'une question, celle-ci peut être clarifiée par le chercheur. Ce dernier peut changer l'ordre des questions si cela lui semble opportun. Enfin, un chercheur habile réussit à établir d'excellents rapports avec les sujets, et le sentiment de confiance ainsi créé peut susciter des réponses qui ne pourraient être obtenues au moyen d'un questionnaire écrit. Certains chercheurs ont découvert que la combinaison d'entrevues directes et de questionnaires constituait une méthode de recherche particulièrement efficace, permettant à la fois d'établir un bon rapport avec le sujet et de recueillir des informations délicates (Laumann et coll., 1994 ; Siegel et coll., 1994).

Les problèmes liés à une enquête sur la sexualité

Il y a quatre écueils à éviter dans l'enquête sexologique: la non-réponse, l'autosélection, le biais démographique et l'inexactitude des réponses.

1. Quelle que soit la méthode d'enquête choisie, il est très difficile de sélectionner un échantillon représentatif parce qu'un grand nombre de personnes ne veulent pas participer à ce genre de recherche. La **non-réponse** à une étude est un problème auquel les chercheurs sont constamment confrontés (Turner, 1999).

   Aucune étude à laquelle 100 % des sujets choisis avaient accepté de participer n'a encore été menée. En fait, certains chercheurs recueillent leurs données auprès d'une faible proportion des membres de l'échantillon prévu, ce qui soulève une question non négligeable: les personnes qui acceptent de participer à une enquête sur la sexualité sont-elles différentes ou ont-elles des motivations différentes de celles qui refusent de le faire?

   Il est possible que les personnes acceptant de participer à ce type de recherche constituent un sous-groupe représentatif de la population, mais l'affirmer ne reposerait sur aucune base théorique ou statistique. En fait, le contraire pourrait tout aussi bien être vrai.

Échantillon aléatoire Sous-ensemble d'une population choisi au hasard.

Non-réponse Refus de participer à une enquête.

2. Les résultats des recherches suggèrent que l'autosélection représente un problème important pour les chercheurs en sexologie (Plaud et coll., 1999; Wiederman, 2001). Certaines recherches tendent en effet à démontrer que les personnes qui acceptent de participer à des enquêtes sur la sexualité sont en général plus expérimentées sexuellement et ont des attitudes plus positives à l'égard de la sexualité que celles qui refusent d'y participer (Boynton, 2003; Plaud et coll., 1999; Wiederman, 1999). Les femmes seraient moins disposées que les hommes à participer à ce type d'enquête (Boynton, 2003; Plaud et coll., 1999), ce qui suppose que les échantillons féminins relèveraient d'une sélection beaucoup plus pointue que les échantillons masculins dans le cas des enquêtes sur la sexualité.

Parce qu'elles sont plus restrictives en matière de sexualité, il y a lieu de croire que certaines cultures sont moins portées que d'autres à répondre à des enquêtes sur la sexualité, d'où la possibilité d'une certaine déformation culturelle des échantillons de répondants. Par ailleurs, dans la plupart des sociétés, les femmes qui disent avoir une sexualité active risquent d'être jugées négativement, ce qui peut entraîner une sous-déclaration du nombre de partenaires sexuels qu'elles ont eu, par exemple.

3. Le biais démographique est un autre problème affectant les enquêtes en sexologie. La majeure partie des données recueillies l'ont été auprès d'échantillons composés majoritairement de Blancs issus de la classe moyenne. Les étudiants et les professionnels y sont généralement surreprésentés. À l'inverse, les minorités ethniques et raciales et les personnes moins instruites sont sous-représentées.

De quelle façon le refus de répondre et le biais démographique influent-ils sur les résultats des enquêtes? Il est difficile de le dire, mais aussi longtemps que certains sous-groupes de la société, comme les personnes à faible revenu ou les représentants des divers groupes ethniques et raciaux, seront sous-représentés dans les études, il faudra faire preuve de prudence au moment de généraliser les résultats des enquêtes.

4. Un quatrième problème lié à ce type de recherche est l'inexactitude des réponses fournies par les sujets. La plupart des données sur les comportements sexuels viennent du récit qu'en font les participants eux-mêmes. Or, on peut à juste titre se demander jusqu'à quel point ces comptes rendus subjectifs reflètent la réalité.

Comme nous l'avons vu pour les études de cas, le comportement d'une personne peut être bien différent du récit qu'elle en fait (Catania, 1999b; Ochs et Binik, 1999). Dans une enquête, la fiabilité de la mémoire constitue un obstacle potentiel (Catania et coll., 1990). Combien de personnes se souviennent de la première fois où elles se sont masturbées et de la fréquence à laquelle elles le faisaient? Combien se rappellent à quel âge elles ont connu l'orgasme pour la première fois? Des individus peuvent déformer les faits ou faire un faux témoignage pour projeter une certaine image d'eux-mêmes ou encore l'améliorer (Catania, 1999b). Cette tendance à la désirabilité sociale peut se retrouver chez des personnes qui, consciemment ou non, cachent certains faits relatifs à leur vie sexuelle parce qu'elles considèrent ceux-ci comme anormaux ou ridicules, ou parce que le souvenir qu'elles en ont est douloureux. Ainsi, elles peuvent se sentir obligées de nier ou de minimiser leur expérience de l'inceste, de l'homosexualité ou de la masturbation parce que des tabous s'y rattachent. D'autres personnes, encore, peuvent exagérer certains faits afin de paraître plus ouvertes ou plus expérimentées qu'elles ne le sont en réalité. Par exemple, chez bon nombre d'hommes, il y a une surdéclaration du nombre de conquêtes et de partenaires sexuels.

L'enquête de Kinsey

L'enquête menée par Alfred Kinsey est sans nul doute la mieux connue et la plus citée de toutes. Avec ses collaborateurs, Kinsey publia deux ouvrages dans la décennie suivant la fin de la Seconde Guerre mondiale: *Le comportement sexuel de l'homme*, paru en 1948, et *Le comportement sexuel de la femme*, paru en 1953. Ces ouvrages présentent les résultats d'entrevues approfondies dont le but était d'étudier les modèles de comportement sexuel chez les Américains et les Américaines.

L'échantillon de Kinsey était constitué de 5300 hommes blancs et de 5940 femmes blanches d'âges divers, habitant en milieu rural ou urbain. Sa composition était diversifiée quant à la situation de famille, à la confession religieuse et à la scolarité des participants. Toutefois, les protestants ayant un niveau de scolarité supérieur à la moyenne et habitant en milieu urbain y étaient surreprésentés, tandis que les personnes âgées, les habitants des campagnes et les gens moins instruits y étaient sous-représentés. Les Afro-Américains et les membres des autres minorités ethniques en étaient absents. Enfin, tous les sujets étaient volontaires. L'échantillon ne pouvait donc en aucune manière être considéré comme représentatif de la population américaine.

Même si l'étude fut publiée il y a presque 60 ans, nombre des données qui y figurent sont pertinentes encore aujourd'hui (Reinisch et Beasley, 1990). Certaines données n'ont pas été invalidées par le passage des années, comme le fait que le comportement sexuel est influencé par le niveau

---

Autosélection Biais dans les résultats d'une étude causé par la volonté des participants de répondre ou non.

Biais démographique Erreur d'échantillonnage ayant pour résultat la surreprésentation de certains segments de la population dans une étude (par exemple, les professionnels blancs de la classe moyenne).

À l'affiche

Le film *Dr Kinsey*, réalisé par Bill Condon et sorti en 2004, présente une vue générale de la vie d'Alfred Kinsey pendant qu'il conduisait avec ses associés une recherche de terrain sur la sexualité. Liam Neeson incarne Kinsey dans cette adaptation de la vie de ce pionnier de la recherche en sexualité humaine.

de scolarité ou encore que l'orientation sexuelle n'est peut-être pas aussi polarisée qu'on voulait bien le croire auparavant. D'autres données, comme la fréquence des relations sexuelles chez les personnes non mariées, sont très influencées par des normes sociales changeantes ; dans ces cas, les données de Kinsey sont moins susceptibles de refléter les comportements de nos contemporains. Néanmoins, même ces données présentent un intérêt en ce qu'elles fournissent une piste permettant d'évaluer la rapidité de certains changements comportementaux à travers le temps.

Une enquête exemplaire

À la fin des années 1980, à la demande du Department of Health and Human Services des États-Unis (ministère national de la Santé et des Services sociaux), un groupe de chercheurs de l'Université de Chicago amorça une enquête exhaustive sur la sexualité des Américains. Malgré l'hostilité du gouvernement américain et des milieux conservateurs, Edward Laumann et ses collègues John Gagnon, Robert Michael et Stuart Michaels purent finalement interroger 3432 adultes américains sur leur vie sexuelle. Cette enquête à la méthodologie exemplaire, et qui n'a pas d'équivalent au Canada ni au Québec, porte le nom de *National Health and Social Life Survey* (ou Enquête NHSLS, dans le présent ouvrage). Il s'agit de l'étude la plus complète sur la sexualité des Américains depuis les enquêtes de Kinsey (Laumann et coll., 1994), et nous y faisons souvent référence dans ce manuel. Il ressort de cette enquête que les Américains seraient plus satisfaits de leur vie sexuelle, moins actifs sexuellement et aussi plus conservateurs que l'image populaire ne le véhiculait.

L'observation directe

Une troisième méthode permettant d'étudier le comportement sexuel chez l'être humain est l'observation directe, qui consiste pour les chercheurs à observer et à enregistrer les réactions des participants. Bien que l'observation directe soit fréquemment utilisée dans les sciences sociales comme l'anthropologie, la sociologie et la psychologie, très peu de recherches de cette nature se font en sexologie, en raison du caractère éminemment personnel et privé de l'expérience sexuelle chez les êtres humains.

L'étude de Masters et Johnson est le plus célèbre exemple d'observation directe. Leur recherche sur la réponse sexuelle chez l'être humain constitue sans doute, avec l'enquête de Kinsey, l'étude sur la sexualité la plus citée. Aussi en sera-t-il souvent question dans cet ouvrage. Masters et Johnson observèrent directement les changements physiologiques survenant durant la phase d'excitation sexuelle. Leur étude, *Les réactions sexuelles* (1968), parue dans sa version originale sous le titre *Human Sexual Response* (1966), reposait sur l'observation en laboratoire de 10 000 cycles complets de réponse sexuelle. Leur échantillon de recherche était composé de volontaires ouverts à la sexualité, 382 femmes et 312 hommes, issus en grande partie de la communauté universitaire, d'intelligence et de niveau socioéconomique supérieurs à la moyenne, un échantillon qui n'était assurément pas représentatif de l'ensemble de la société américaine. Il a tout de même permis aux chercheurs de constater que les signes physiques de l'excitation sexuelle, qui constituaient l'objet de l'étude, semblaient être les mêmes pour toutes les personnes, indépendamment de leur milieu d'origine.

Pour enregistrer les réponses sexuelles de nature physiologique, Masters et Johnson utilisèrent un certain nombre de techniques, dont la photographie et d'ingénieux instruments mesurant et enregistrant les changements musculaires et vasculaires des organes sexuels. Ils enregistrèrent les réactions des participants dans un éventail de situations : masturbation, coït avec partenaire, coït artificiel et stimulation des seins seulement. Après chaque observation, le participant était longuement interrogé.

L'approche de Masters et Johnson permit de recueillir une foule de données sur la façon dont les hommes et les femmes réagissent physiologiquement à la stimulation sexuelle. Ils constatèrent notamment qu'il n'y avait chez la femme aucune différence physiologique entre l'orgasme vaginal et l'orgasme clitoridien. Ces données ont été relativisées depuis, comme nous l'expliquons au chapitre 3.

> **Observation directe** Méthode de recherche reposant sur l'observation des sujets alors qu'ils se livrent à certaines activités.

Lorsqu'elle est bien utilisée, comme ce fut le cas avec Masters et Johnson, la méthode de l'observation directe présente des avantages évidents. Il est plus facile, pour étudier les modèles de réponse sexuelle, de se fier à l'observation qu'à des récits subjectifs d'expériences passées. L'observation directe permet d'éliminer pratiquement toute possibilité de falsification des données résultant d'une défaillance de la mémoire, de l'exagération ou de l'autocensure causée par la culpabilité. De plus, l'enregistrement des réactions des sujets peut être conservé sur une vidéocassette, sur film ou, comme c'est la norme aujourd'hui, sur un support numérique. L'observation des réactions du cerveau par imagerie par résonance magnétique fonctionnelle (IRMf), de plus en plus utilisée, fait partie de cette méthode.

L'observation directe comporte également ses inconvénients. Une des questions qui demeurent sans réponse est de savoir jusqu'à quel point le comportement du sujet est influencé par la présence d'un observateur, aussi discret soit-il. Les chercheurs tentent de réduire ce problème au minimum en demeurant en retrait, en observant les sujets à travers des glaces sans tain ou en utilisant des caméras vidéo activées à distance; malgré toutes ces précautions (ou à cause d'elles), les sujets savent toujours qu'ils sont observés.

Même si les critiques formulées à l'égard de l'observation directe sont fondées, l'étude de Masters et Johnson a passé avec succès l'épreuve du temps. Ses résultats sont encore utilisés dans des domaines aussi variés que le traitement de l'infertilité, la planification familiale, les thérapies sexologiques et l'éducation sexuelle.

La méthode expérimentale

Une quatrième méthode, la recherche expérimentale, est de plus en plus utilisée pour étudier le comportement sexuel humain, parce qu'elle se pratique en laboratoire et qu'elle fournit un environnement contrôlé permettant d'éliminer tout ce qui pourrait influencer le comportement du sujet, hormis les facteurs que l'on veut étudier. Un chercheur peut ainsi manipuler un ensemble de facteurs appelés *variables* et observer l'impact de cette manipulation sur le comportement du sujet. La méthode expérimentale convient particulièrement lorsqu'on recherche des relations de cause à effet entre des variables.

Dans n'importe quel genre de recherche expérimentale, il existe deux types de variables (c'est-à-dire des caractéristiques ou des comportements auxquels peuvent être assignées différentes valeurs): les **variables indépendantes** et les **variables dépendantes**. Une variable indépendante est une caractéristique de l'expérience se trouvant sous le contrôle du chercheur, qui la manipule ou en détermine la valeur. La variable dépendante est le résultat ou le comportement que le chercheur observe et enregistre sans toutefois pouvoir le contrôler.

Question d'analyse critique

Parmi les quatre méthodes de recherche étudiées (étude de cas, enquête, observation directe et étude expérimentale), laquelle vous semblerait la plus appropriée pour étudier l'impact de la douleur chronique sur la sexualité? Expliquez pourquoi.

Cette méthode permet aux chercheurs de tirer des conclusions sur des rapports de cause à effet de façon beaucoup plus fiable que ne le permettraient d'autres méthodes. Cependant, elle comporte aussi des inconvénients, dont le plus important est l'expérimentation en laboratoire, parce qu'elle s'effectue dans des conditions qui peuvent influer sur les réactions des sujets, tout comme l'observation directe.

Les recherches expérimentales en sexologie ne sont pas toutes conduites dans des conditions artificielles de laboratoire. Une étude expérimentale de terrain visant à valider l'hypothèse selon laquelle la circoncision pourrait être une pratique de prévention des infections au VIH a été menée récemment en Afrique du Sud. Les expérimentateurs ont recruté plus de 3000 hommes non circoncis et non infectés par le VIH, et les ont répartis au hasard en deux groupes: ceux du premier groupe (la moitié) ont été circoncis au début de l'essai clinique et ceux du second groupe (l'autre moitié) devaient l'être au terme de l'étude de 21 mois. Tous les participants ont été régulièrement soumis à un test de VIH au cours de l'étude. Après 18 mois, cependant, l'étude a été interrompue parce qu'il était devenu évident que la circoncision réduisait considérablement le risque d'infection au VIH (Auvert et coll., 2005). Cette étude de même que celles présentées au chapitre 12 et relevant de la méthode expérimentale apportent la preuve que la circoncision est une des méthodes efficaces pour réduire la propagation du VIH.

Les technologies et la recherche sexologique

Les chercheurs en sexologie disposent de trois principales technologies pour recueillir des données: les

---

Recherche expérimentale Recherche menée dans des conditions de laboratoire rigoureusement contrôlées afin que les réactions des sujets puissent être mesurées de façon fiable.

Variable indépendante Dans une recherche expérimentale, situation ou composante sous le contrôle de l'expérimentateur, qui peut manipuler ou déterminer sa valeur.

Variable dépendante Dans une recherche expérimentale, résultat ou comportement que l'observateur note et enregistre sans toutefois pouvoir le contrôler.

instruments de mesure électronique de l'excitation sexuelle (voir la figure 1.4), le questionnaire assisté par ordinateur et l'enquête par Internet. Les instruments de mesure électronique existent depuis plusieurs décennies, alors que les deux autres technologies sont relativement récentes. Nous nous attardons à ces deux dernières.

Les dispositifs électroniques servant à mesurer l'excitation sexuelle

L'extensiomètre pénien, le photopléthysmographe vaginal, le myographe vaginal et le myographe rectal sont des appareils utilisés pour mesurer de façon électronique la réponse sexuelle chez l'être humain.

Le questionnaire autoadministré par ordinateur

Le questionnaire autoadministré par ordinateur est une technologie de plus en plus utilisée pour recueillir des données sur la vie sexuelle de diverses catégories de la population. Il s'agit pour le sujet de répondre à des questions en appuyant sur les touches du clavier de son ordinateur. Il peut lire les questions à l'écran ou les entendre à l'aide d'écouteurs. Seul devant son ordinateur, le sujet est plus enclin à dévoiler des informations personnelles sur son comportement que lorsqu'il fait face à un

interviewer. Par exemple, une étude récente a démontré que les adolescents mâles ont plus tendance à déclarer des comportements sexuels à risque lorsqu'ils répondent à ce type de questionnaire plutôt qu'aux questions d'un interviewer (Potdar et Koenig, 2005).

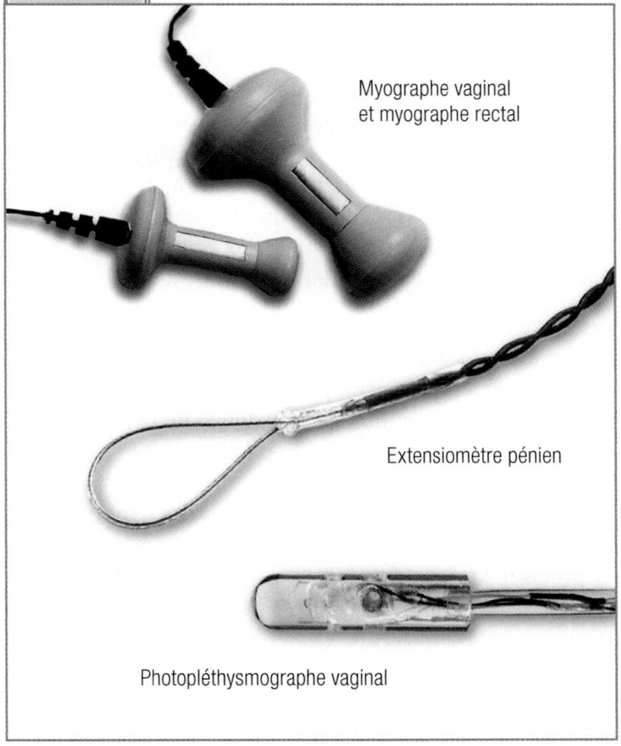

La recherche sur la sexualité dans le cyberespace

Les internautes formant d'année en année une population de plus en plus nombreuse et diversifiée, il est normal que les sexologues y aient vu de nouvelles possibilités de recherche (Mustanski, 2001; Parks et coll., 2006; Rhodes et coll., 2003). Au départ, les scientifiques ont utilisé Internet pour faire circuler les résultats de leurs recherches plutôt que pour faire la collecte de données.

Aujourd'hui, n'importe quel questionnaire en tout point semblable aux questionnaires classiques peut se trouver sur le Web (Rhodes et coll., 2003). Alors, quels avantages le questionnaire électronique offre-t-il par rapport aux méthodes d'enquête traditionnelles? En éliminant les frais d'impression et en diminuant les coûts de main-d'œuvre, ce type de questionnaire permet de réaliser une économie de 20 à 80% par rapport à la méthode traditionnelle (Parks et coll., 2006; Rhodes et coll., 2003). Des études montrent également que les personnes qui répondent à un questionnaire sur Internet se préoccupent moins de savoir si leurs réponses plaisent ou non et, comme nous l'avons souligné précédemment, ont tendance à donner des informations qu'elles ne fourniraient pas dans le cadre d'une interview en personne ou d'un questionnaire imprimé. Peut-être trouvent-elles cette méthode plus sécurisante quant à la confidentialité de leurs réponses (Bowen, 2005; Parks et coll., 2006).

L'enquête par Internet permet aussi une collecte et une gestion plus efficace des données. Par exemple, les données recueillies par formulaire électronique peuvent être envoyées automatiquement par courriel à une banque de données. En outre, le questionnaire électronique donne au chercheur la possibilité de résoudre en cours de route les problèmes de compréhension qui peuvent surgir (Rhodes et coll., 2003). Dans ce cas, il peut non seulement remanier certaines questions, mais aussi en ajouter, s'il le désire, après avoir fait une première analyse des données.

Chaque jour, des centaines de millions de personnes naviguent sur Internet. Le cyberespace représente donc, par-delà les frontières géographiques et culturelles, une source à peu près illimitée de répondants potentiels pour les chercheurs (Rhodes et coll., 2003). Internet donne ainsi aux chercheurs menant une enquête sur la sexualité l'occasion de faire participer des gens qui vivent dans des régions isolées ou des catégories de personnes qu'ils auraient de la difficulté à recruter localement (Bowen, 2005).

FIGURE 1.4   Instruments de mesure électronique de l'excitation sexuelle.

Myographe vaginal et myographe rectal

Extensiomètre pénien

Photopléthysmographe vaginal

Les adolescents sont plus portés à donner des informations délicates sur leur comportement sexuel lorsqu'ils peuvent le faire en ligne.

Enfin, un autre avantage de la recherche par Internet tient au fait que les données ainsi recueillies s'avèrent souvent plus utiles ou plus précises que celles obtenues à l'aide d'autres méthodes (Rhodes et coll., 2003). On attribue cela au fait que le questionnaire électronique permet de réduire les erreurs de deux façons. Premièrement, le répondant reçoit un soutien continu tout au long du questionnaire (messages-guides, menus, explications, etc.), ce qui l'aide à répondre adéquatement à toutes les questions. Dans le cas d'un questionnaire papier, il arrive souvent que le répondant ignore des questions ou qu'il fournisse plusieurs réponses là où il ne devrait en donner qu'une. Dans une enquête menée sur Internet, il est possible d'exiger que le répondant n'oublie aucune question pour que son questionnaire soit accepté, tout comme il est possible d'éliminer les réponses multiples en affichant les messages-guides appropriés. L'enquête par Internet réduit les erreurs d'une deuxième façon. Le questionnaire électronique, en effet, permet de normaliser les interactions du répondant avec le document (fichier) de l'enquête, ce qui, comparativement à l'enquête traditionnelle, a pour effet d'éliminer les erreurs liées à l'entrée de données ou à la façon dont on fait passer le test ou dont les interviewers interprètent les réponses qui leur sont données (Rhodes et coll., 2003).

L'enquête sur la sexualité par Internet comporte toutefois un inconvénient majeur: le biais important de l'échantillonnage (Wallis et coll., 2003). Un fossé numérique existe présentement au sein de la population, ce qui signifie que les utilisateurs actuels d'Internet ne sont pas représentatifs de la population en général (en termes d'âge, de sexe, de scolarité, de niveau de vie, etc.), et ce, partout dans le monde. Toutefois, la popularité grandissante d'Internet a pour effet de diversifier la population d'internautes et ceux-ci deviennent de plus en plus représentatifs de la population dans son ensemble (McKeown et Underhill, 2007). Une enquête en ligne menée en 2010 par Brenot (2011) tend à montrer que le biais Internet est de moins en moins déformant.

La difficulté à déterminer le taux de réponse est un autre inconvénient de l'enquête par Internet. Les compteurs de visiteurs, qui permettent aux chercheurs de consigner le nombre de personnes ayant consulté un site Internet, ne peuvent pas distinguer les répondants des non-répondants. Ainsi, les biais de non-réponse ou d'autosélection que connaissent toutes les recherches sur la sexualité affectent tout autant les enquêtes par Internet. Le phénomène des personnes qui répondent plusieurs fois à un questionnaire en ligne n'est pas encore considéré comme un problème majeur (Rhodes et coll., 2003), mais son potentiel de nuisance demeure une source de préoccupation. Pour contrer cette pratique, les chercheurs ont développé une série de moyens. Par exemple, on demande certaines informations permettant d'identifier la personne (code postal, date de naissance, etc.) de façon à pouvoir repérer les questionnaires remplis plusieurs fois, ou encore on insère une question dans l'enquête pour savoir si la personne a déjà répondu au questionnaire antérieurement (Rhodes et coll., 2001a, 2001b).

L'éthique appliquée à la recherche en sexologie

Les chercheurs de diverses disciplines, et parmi elles la sexologie, partagent les mêmes préoccupations relatives au bien-être, à la dignité, aux droits et à la sécurité des participants aux études. Au cours des vingt dernières années, des codes de déontologie détaillés ont été rédigés par de nombreuses organisations professionnelles, y compris l'Ordre des psychologues du Québec, l'Association des sexologues du Québec (ASQ) et le Regroupement professionnel des sexologues du Québec (RPSQ). Toute recherche universitaire doit également être approuvée par un comité d'éthique institutionnel.

Ces codes de déontologie précisent entre autres qu'aucun moyen de pression ou de coercition ne doit être employé pour s'assurer la participation de volontaires à une recherche et qu'aucun tort physique ou psychologique ne doit être fait aux participants. Les chercheurs doivent obtenir le consentement éclairé des sujets avant de mener à bien une expérience. Ils doivent expliquer aux participants le but général de l'étude ainsi que leurs droits, et préciser la nature volontaire de leur participation de même que les coûts et bénéfices potentiels qui y sont liés (Seal et coll., 2000). Les chercheurs doivent également respecter le refus d'un sujet de participer à une recherche, et ce, à n'importe quelle étape de celle-ci. De plus, des mesures spéciales doivent être prises afin de protéger la confidentialité des données et de respecter l'anonymat des participants, à moins que ceux-ci ne consentent à être identifiés (Margolis, 2000).

La nécessité de mettre les sujets au courant du but de la recherche est controversée. Les résultats de certaines études pourraient en effet être affectés si les participants connaissaient à l'avance les buts exacts des chercheurs. L'éthique suggère que si un participant doit être trompé, une rencontre doit être organisée après la recherche afin de lui en expliquer les raisons exactes. Le participant peut alors demander le retrait et la destruction des données le concernant.

Il est parfois difficile pour le chercheur de comparer de façon objective les bénéfices potentiels d'une étude et ses conséquences négatives sur un sujet. Devant cette difficulté, la quasi-totalité des institutions menant des recherches de même que les organismes subventionnaires dans le monde ont mis sur pied des comités d'éthique qui étudient toutes les propositions de recherche. Si les membres de ces comités jugent que le bien-être des sujets n'est pas suffisamment garanti, la proposition doit être modifiée, faute de quoi la recherche est abandonnée.

L'évaluation de la recherche : quelques questions à se poser

L'information présentée dans cet ouvrage devrait vous permettre de faire la différence entre la recherche scientifique rigoureuse et les sondages plutôt superficiels publiés dans les médias. Mais même en prenant connaissance des résultats d'enquêtes sérieuses, il est bon de garder un œil critique et d'éviter de les tenir pour vrais pour la seule raison qu'ils sont présentés comme étant scientifiques. La liste de questions qui suit peut se révéler utile au moment d'évaluer le sérieux d'une recherche, quelle qu'elle soit.

1. Quels sont les titres des chercheurs ? Sont-ils des professionnels ? Sont-ils affiliés à des institutions reconnues (centres de recherche, universités, etc.) ? Sont-ils associés de quelque manière que ce soit à un groupe d'intérêt pouvant tirer profit de certains résultats ou de certaines conclusions de la recherche, telle l'industrie pharmaceutique ?

2. Dans quel type de médias les résultats ont-ils été publiés : revue scientifique, recueil de textes, magazine, journal, Internet ?

3. Quelle approche ou méthode de recherche a-t-on utilisée ? Les protocoles de recherche sont-ils décrits et ont-ils été suivis ?

4. Le nombre de participants était-il suffisant ? La sélection a-t-elle été biaisée ?

5. Peut-on raisonnablement appliquer les résultats de la recherche à un segment plus large de la population ? Jusqu'à quel point peut-on généraliser les résultats obtenus ?

6. La méthodologie employée pour la recherche peut-elle avoir influé sur les résultats ? (La présence d'une personne lors de l'entrevue incitait-elle à donner des réponses inexactes ? La présence de caméras pouvait-elle avoir une influence sur les réponses données ?)

7. Y a-t-il d'autres recherches dont les résultats appuient ou contredisent l'étude en question ?

RÉSUMÉ

Un regard historique et culturel

- Les différentes formes de sexualité humaine comprennent les dimensions psychologique, affective, cognitive, biologique, morale et socioculturelle. Chacune de ces dimensions est liée à l'intelligence et à la santé sexuelles.

- Une idée largement répandue en Occident veut que la sexualité n'ait pour seule finalité admissible que la reproduction. Cette idée prend sa source dans la tradition judéo-chrétienne.

- Les anciens Hébreux accordaient une grande importance à la grossesse et reconnaissaient les bienfaits de la sexualité au sein du mariage. Les rôles sexuels étaient très différenciés selon le sexe.

- Des penseurs chrétiens comme saint Paul, saint Augustin et saint Thomas d'Aquin ont contribué à enraciner l'idée que la sexualité était associée au péché, qu'elle n'était acceptable que dans le cadre du mariage et dans un but de procréation. Le christianisme et l'islam réaffirment les rôles sexuels, et certains écrits mettent l'accent sur l'infériorité supposée des femmes par rapport aux hommes.

- Durant le Moyen Âge, deux images contradictoires des femmes se sont enracinées : celle de la femme pure et inaccessible, présente dans le culte de la Vierge et dans l'amour courtois, et celle de la tentatrice, personnifiée par Ève.

- Au XVIe siècle, les penseurs de la Réforme ont reconnu que l'expérience sexuelle était un élément important du mariage. Le lien entre la sexualité non procréative et le péché s'est relâché quelque peu.

- Pendant l'ère victorienne, les femmes étaient vues comme des êtres asexués et, chez les gens bien, il y avait une division nette entre la vie des hommes et celle des femmes. De nombreux hommes fréquentaient les prostituées pour ne pas «souiller» leur épouse en satisfaisant leurs besoins sexuels.

- Au cours du XXᵉ siècle, les théories de Freud, les résultats de différentes recherches, les événements historiques et les progrès scientifiques ont suscité de grandes transformations sociales, dont la révolution sexuelle.

- Les médias (radio, télévision, cinéma, Internet) ont une grande influence sur la société en général et la sexualité en particulier. Ils proposent une vaste gamme d'informations, plus ou moins crédibles, qui ont toutefois le mérite de mettre en relief la diversité de l'expérience sexuelle humaine.

La recherche en sexologie : buts et méthodes

- Les buts de la sexologie sont la compréhension et la prédiction des comportements sexuels de même que la recherche de moyens d'intervention.

- Les méthodes de recherche non expérimentales comprennent l'étude de cas, l'enquête et l'observation directe.

- L'étude de cas fournit généralement beaucoup d'informations sur un petit groupe d'individus ou quelques personnes. Cette méthode présente deux avantages : elle est flexible et elle permet d'explorer en profondeur des comportements, des attitudes ou des sentiments particuliers.

- La plupart des informations dont on dispose sur la sexualité humaine ont été recueillies au moyen de questionnaires ou d'entrevues. Le questionnaire a l'avantage d'être anonyme et peu coûteux comparativement à l'entrevue. Les entrevues offrent toutefois plus de souplesse et permettent d'établir de meilleurs rapports entre le chercheur et le sujet.

- L'enquête de Kinsey est une vaste étude sur le comportement sexuel dont les résultats ont toutefois été limités par un échantillon où étaient surreprésentés les protestants citadins ayant un niveau de scolarité supérieur à la moyenne.

- Lorsque l'observation directe est possible, elle réduit de beaucoup le risque de falsification des données. Cependant, le comportement des sujets peut être influencé par la présence d'un observateur. Compte tenu du caractère très intime de l'expérience sexuelle, il se fait très peu d'observation directe en recherche sur la sexualité.

- Le but de la méthode expérimentale est de découvrir des relations de cause à effet entre des variables indépendantes et des variables dépendantes.

- La recherche expérimentale présente deux avantages : le contrôle de certaines variables et l'analyse directe des causes possibles. Cependant, le caractère artificiel de l'environnement de laboratoire peut influer sur les réactions du sujet.

- Lors de l'évaluation d'une recherche sur le comportement sexuel, il est important de tenir compte de la notoriété des chercheurs, des méthodes employées et des techniques d'échantillonnage utilisées, et de comparer ses résultats avec ceux d'autres études reconnues.

L'anatomie et la physiologie sexuelles

Dans ce chapitre, nous présentons successivement l'anatomie (structure et configuration) et la physiologie (fonctions) des organes génitaux de la femme et de l'homme.

L'anatomie et la physiologie sexuelles de la femme

C'est à 45 ans, après avoir mis au monde trois enfants, que j'ai vraiment examiné mes organes génitaux pour la première fois. J'ai été étonnée par leurs formes et leurs couleurs délicates. Je regrette d'avoir attendu si longtemps avant de le faire, car je me connais beaucoup mieux maintenant et je me sens beaucoup plus sûre de moi. (Notes des auteurs)

Beaucoup de femmes sont aussi ignorantes de leur anatomie que cette personne. Or, le fait de connaître et de comprendre son corps peut influer grandement sur la santé, l'intelligence et le bien-être sexuels (voir l'encadré *Votre santé sexuelle* à

la page 32). Dans les pages qui suivent, nous proposons une description détaillée des structures externes et internes des organes sexuels féminins.

La vulve

La vulve désigne l'ensemble des structures génitales externes de la femme. Elle comprend le mont de Vénus (ou mont du pubis), les grandes lèvres et les petites lèvres, le clitoris, le vestibule, l'orifice urétral et l'entrée vaginale, le périnée et les glandes de Bartholin. Certaines personnes confondent souvent la vulve et le vagin, même si ce dernier est un organe interne dont seule l'entrée communique avec la vulve (voir la figure 2.1).

En raison de son apparence, qui varie d'une femme à l'autre, la vulve a été comparée à certaines fleurs, à des coquillages et à d'autres formes qu'on trouve dans la nature. Différentes évocations de la vulve ont été exploitées en art. L'œuvre intitulée *Giant Hothouse Flower*, de Judy Chicago, en est un bon exemple. Cette aquarelle fait partie d'un ensemble de 20 peintures inspirées de textes d'Anaïs Nin ; cette collection est regroupée sous le nom de *Fragments from the Delta of Venus*.

FIGURE 2.1 Structures externes de la vulve.

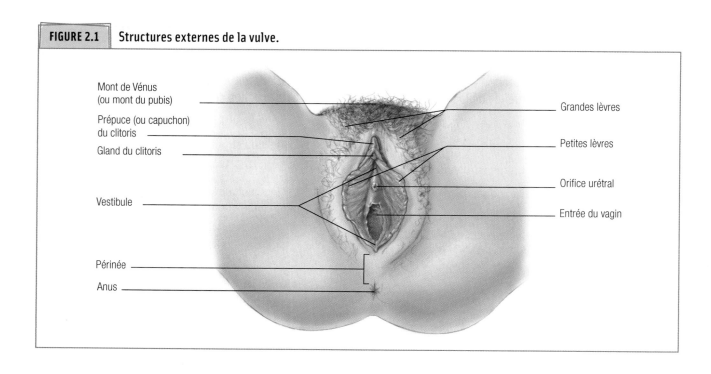

Mont de Vénus (ou mont du pubis)

Prépuce (ou capuchon) du clitoris

Gland du clitoris

Vestibule

Périnée

Anus

Grandes lèvres

Petites lèvres

Orifice urétral

Entrée du vagin

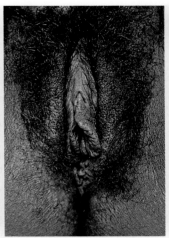
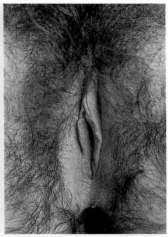

Vulves de couleurs et de formes diverses. L'apparence de la vulve peut varier considérablement d'une femme à l'autre.

Le mont de Vénus

Le mont de Vénus est la région qui recouvre l'os pubien. On l'appelle ainsi en l'honneur de la déesse romaine de l'amour et de la beauté. Cette région en saillie est constituée de couches de tissus adipeux. Les nombreuses terminaisons nerveuses qui s'y trouvent rendent le mont de Vénus très sensible aux caresses.

Durant l'excitation sexuelle, les poils pubiens féminins retiennent l'odeur des sécrétions vaginales, ce qui contribue parfois à augmenter le plaisir des sens. En outre, ils forment une sorte de tampon qui aide à réduire le frottement des corps au cours de l'acte sexuel. La plupart des femmes, de même que leurs partenaires, apprécient la sensualité de leur toison pubienne.

Au XVe siècle, en Europe, seules les filles de joie laissaient pousser leurs poils pubiens ; la plupart des femmes les rasaient ou les gardaient courts comme chez les musulmans (Henry, 2000). La mode actuelle du rasage et de l'épilation vulvaires, dont la popularité est toujours croissante, aurait pris naissance chez les actrices et acteurs pornos et chez les danseuses et danseurs nus. Plusieurs femmes coupent leurs poils pubiens, les rasent ou les épilent avec de la cire ou une crème. D'autres les suppriment de façon permanente à l'aide d'un traitement au laser. Certaines femmes les taillent en forme de cœur ou d'éclair, par exemple, dans un but esthétique (Speer, 2005). D'autres les rasent pour qu'ils ne dépassent pas d'un slip ou d'un maillot de bain très petit (Singer, 2005). D'autres encore ne conservent qu'un triangle ou une mince bande, ou laissent la peau complètement nue (Merkin, 2006).

Mont de Vénus (ou mont du pubis) Saillie triangulaire recouvrant l'os pubien dans la partie supérieure de la vulve.

© Judy Chicago / SODRAC (2013)
Photo © Donald Woodman / SODRAC (2013)

Des formes évoquant la vulve en art et dans la nature. En a) Judy Chicago (*Giant Hothouse Flower* from *Fragments from the Delta of Venus*), 2012 ; diptyque, aquarelle sur papier Fabriano, 12 x 10 po chacun. En b), une orchidée.

Votre santé sexuelle

L'autoexamen des parties génitales féminines

La curiosité envers le corps humain est innée chez l'enfant. Ainsi, la prise de conscience et l'exploration de son propre corps constituent des étapes importantes de son développement. Malheureusement, on apprend souvent aux femmes, dès leur tendre enfance, à avoir une image négative de leurs organes génitaux. On les leur présente comme des «parties intimes» ou «celles d'en bas», qu'elles ne doivent ni regarder ni toucher, et dont elles ne peuvent tirer aucun plaisir. Il est donc normal que les femmes se sentent souvent mal à l'aise à l'idée d'examiner elles-mêmes leurs organes génitaux.

L'autoexamen décrit ci-après est un bon moyen d'apprendre à mieux connaître votre corps et vos sensations. Comme pour les autres exercices qui complètent les informations présentées dans ce manuel et qui ont pour but de vous aider à mieux vous connaître ou connaître ce qu'est la santé sexuelle, vous pouvez simplement lire la description de l'exercice et décider de ne pas le faire, ou encore le faire en partie ou au complet, comme bon vous semble. À l'aide d'un miroir, observez d'abord votre vulve sous divers angles et dans différentes positions (debout, assise, couchée). Vous pouvez, si vous le désirez, en dessiner les parties et les identifier (voir la figure 2.1). Les organes génitaux externes sont les mêmes pour toutes les femmes, mais leur couleur, leur forme et leur texture varient d'une femme à l'autre. Tout en vous regardant dans le miroir, essayez d'analyser vos sensations. Celles-ci sont très différentes selon les personnes.

> Je ne trouve pas cette partie de mon corps particulièrement attirante, mais je n'irais pas jusqu'à dire qu'elle est laide. Je crois que j'aurais moins de difficulté à l'apprécier si je n'avais pas appris à la cacher et à la trouver sale. Je n'ai jamais compris pourquoi les hommes sont si fascinés par la vulve. (Notes des auteurs)

> Je trouve mes parties génitales très sensuelles; leur chair est molle et délicate. (Notes des auteurs)

> Un de mes ex-partenaires a vanté la beauté de ma vulve. Son compliment m'a aidée à me sentir bien dans mon corps. (Notes des auteurs)

En vous observant dans le miroir, explorez toute la surface de vos parties génitales avec vos doigts. Prêtez attention aux sensations que vous procurent vos différentes manières de toucher. Notez quelles régions sont les plus sensibles et comment le niveau de stimulation varie selon l'endroit. Rappelez-vous que le principal but de cet exercice est d'explorer votre corps et non de vous exciter sexuellement. Toutefois, si cette exploration vous procure de l'excitation, portez une attention accrue à la sensibilité de certaines régions qui évolue durant cette excitation.

En plus de vous aider à vous sentir plus à l'aise avec votre corps et votre sexualité, l'autoexamen mensuel de vos organes génitaux peut vous aider à mieux prendre soin de votre santé et s'inscrire dans vos habitudes de soins médicaux préventifs. En devenant plus familière avec le fonctionnement normal de votre corps, vous serez plus apte à détecter un changement, si petit soit-il. Les problèmes sont généralement plus faciles à résoudre lorsqu'ils sont décelés très tôt. Si vous constatez un changement quelconque à votre appareil génital, consultez votre médecin sans tarder. Au besoin, il vous dirigera vers un médecin spécialisé en **gynécologie**.

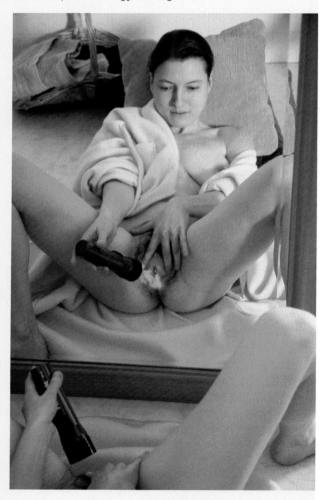

Gynécologie Spécialité médicale consacrée à l'étude de l'organisme de la femme et de son appareil génital.

Les grandes lèvres

Les grandes lèvres, ou lèvres extérieures, prennent naissance au bas du mont de Vénus et se prolongent de part et d'autre de la vulve. Elles bordent les petites lèvres et les orifices urétral et vaginal. La partie des grandes lèvres située du côté des cuisses est couverte de poils, alors que leur partie interne, qui donne sur les petites lèvres, en est dépourvue. Leur peau est habituellement plus foncée que celle des cuisses, sauf chez les femmes à la peau génétiquement noire. Les terminaisons nerveuses et le tissu adipeux qui les composent sont similaires à ceux du mont de Vénus.

Les petites lèvres

Les petites lèvres, ou lèvres intérieures, sont situées à l'intérieur des grandes lèvres et sont souvent saillantes chez les femmes adultes. Ces replis cutanés sans poils se joignent au prépuce (ou capuchon) du clitoris et s'étendent vers le bas au-delà des orifices urétral et vaginal. Elles contiennent des glandes sébacées et sudoripares, un réseau étendu de vaisseaux sanguins et des terminaisons nerveuses. Comme le montrent les photos de la page 31, leur taille, leur forme, leur longueur et leur couleur varient d'une femme à l'autre. Au cours de la grossesse, elles deviennent plus foncées.

Même s'il n'y a pas vraiment de norme universelle quant à l'apparence des petites lèvres, plusieurs femmes ont recours à la chirurgie plastique pour les rendre plus symétriques, plus petites ou plus charnues. La diffusion accrue d'images de vulves sur des sites Internet, dans des magazines et des films pornographiques contribue à faire croire aux femmes que la leur devrait être différente de ce qu'elle est naturellement (Kobrin, 2006; Navarro, 2004). Cela semble indiquer une tendance : en 2005, la téléréalité américaine *Dr. 90210* présentait une chirurgie des lèvres, et les chirurgiens qui pratiquent ce type d'intervention s'annoncent dans divers médias (Dolgoff, 2008; Wendling, 2007). Par contraste, chez plusieurs populations d'Afrique, les lèvres pendantes sont considérées comme un signe de beauté et contribuent au plaisir des femmes et des hommes. Dès l'enfance, les femmes les étirent pour qu'elles deviennent plus longues (Koster et Price, 2008).

Selon les plasticiens qui pratiquent la chirurgie des petites lèvres, ce sont les femmes elles-mêmes qui désirent ce genre d'intervention, et non pas leur partenaire masculin. Une enquête portant sur 24 000 hommes et femmes en 2008 en Allemagne a révélé que les femmes sont davantage préoccupées que les hommes par l'apparence de leur vulve et que plusieurs envisageaient de recourir à la chirurgie pour la rendre plus conforme à celle des vedettes pornographiques (Drey et coll., 2009). Lorsqu'un homme convainc sa partenaire de subir une telle intervention, c'est habituellement parce qu'il veut qu'elle ait une vulve semblable à celle qu'il voit dans la pornographie (Douglas et coll., 2005). La chirurgie labiale comporte plusieurs risques. Elle peut, entre autres, laisser des cicatrices douloureuses ou endommager des nerfs sensitifs, ce qui cause une hypersensibilité ou une perte de sensibilité qui affecte le plaisir sexuel.

Le perçage avec port de bijou est une autre façon de modifier l'apparence de la vulve. Avant les années 1990, en Occident, le perçage corporel était considéré comme une pratique exotique, propre aux peuplades lointaines que présentent les reportages du *National Geographic*. Mais maintenant, les hommes comme les femmes des pays occidentaux ont adopté cette forme d'art corporel et l'ont étendue aux organes génitaux. Chez les femmes, le perçage des parties génitales porte principalement sur le corps ou le prépuce du clitoris et sur les petites et les grandes lèvres dans lesquelles on introduit différents bijoux, comme des anneaux ou de petits haltères (*barbells*). Le perçage des parties du corps les plus visibles a habituellement pour but d'exprimer une individualité ou l'appartenance à une sous-culture; le perçage des parties génitales vise principalement à plaire à un partenaire sexuel. On ignore si les ornements ajoutés contribuent vraiment à stimuler le plaisir sexuel. Le perçage des parties génitales comporte cependant de nombreux

---

Grandes lèvres   Lèvres extérieures de la vulve.

Petites lèvres   Lèvres intérieures de la vulve situées de part et d'autre de l'entrée du vagin.

Prépuce   Repli cutané qui recouvre le clitoris.

À l'affiche

Les monologues du vagin répondent à la question : «Si votre vagin pouvait parler, que dirait-il?» Cette pièce d'Eve Ensler s'inscrit dans les fondements de la lutte contre la violence faite aux filles et aux femmes. Depuis sa création, en 1996, la pièce a été traduite en 46 langues et jouée dans plus de 130 pays.

risques pour la santé, notamment celui de contracter des maladies graves telles que le sida, l'hépatite B et des infections bactériennes. Il peut également entraîner des infections locales ou systémiques, la formation d'abcès, des réactions allergiques, des déchirures de la chair et de vilaines cicatrices. Les anneaux et les petits haltères peuvent aussi endommager les organes sexuels du partenaire (Kreahling, 2005 ; Meltzer, 2005).

Le clitoris

Le clitoris est une petite structure saillante et érectile. Il est situé dans la partie antérieure de la vulve, sous le mont de Vénus. La partie externe du clitoris est formée de la **hampe** et du **gland**, et sa partie interne est composée de la tige (ou corps). Le corps du clitoris est invisible, sauf son extrémité supérieure, le gland. Le clitoris est protégé par un repli cutané, le prépuce, situé à l'avant des petites lèvres.

Le **smegma** est une substance formée de sécrétions vaginales, de cellules épidermiques mortes et de bactéries. Cette substance s'accumule parfois sous le prépuce et forme des dépôts qui peuvent rendre les rapports sexuels douloureux. Il est possible de prévenir l'accumulation de smegma en dégageant le prépuce lorsqu'on lave la vulve.

En examinant la figure 2.2, qui montre un clitoris non recouvert de son prépuce, vous remarquerez que la hampe soutient le gland. La hampe elle-même n'est pas visible, mais on peut en sentir la forme à travers le prépuce. La hampe renferme deux petites structures spongieuses appelées **corps caverneux** qui se gorgent de sang pendant l'excitation sexuelle (Hamilton, 2002). À l'endroit où ils se rattachent à l'os pubien, dans la cavité pelvienne, ces corps caverneux s'étendent pour former deux branches appelées **piliers du clitoris**. Il arrive souvent que le gland soit caché par le prépuce. Dans ce cas, il suffit d'écarter doucement les petites lèvres et de relever le prépuce pour

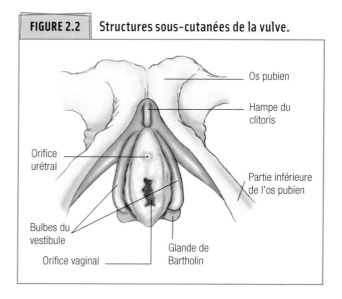

FIGURE 2.2 Structures sous-cutanées de la vulve.

Os pubien

Hampe du clitoris

Orifice urétral

Partie inférieure de l'os pubien

Bulbes du vestibule

Glande de Bartholin

Orifice vaginal

l'apercevoir. Le gland a une apparence lisse, arrondie et légèrement transparente. La taille, la forme et la position du clitoris varient d'une femme à l'autre. Pendant les jours précédant la phase ovulatoire du cycle menstruel, la taille du clitoris augmente (Battaglia et coll., 2008). Ces différences, tout à fait normales, ne semblent avoir aucune incidence sur le plaisir et le fonctionnement sexuels.

A priori, il est plus facile pour une femme de découvrir son clitoris par le toucher que par la vue en raison de l'extrême sensibilité de ses terminaisons nerveuses. Le gland du clitoris, bien qu'il soit minuscule, possède à peu près le même nombre de terminaisons nerveuses que le gland du pénis. Il est si sensible que les femmes le stimulent généralement à travers le prépuce, la stimulation directe s'avérant trop intense. Les recherches montrent d'ailleurs que c'est en stimulant leur clitoris, et non en introduisant quelque chose dans leur vagin, que les femmes jouissent le plus et atteignent le plus souvent l'orgasme lorsqu'elles se masturbent. Outre leur fonction sexuelle, tous les organes génitaux féminins et masculins jouent un rôle dans la reproduction de l'espèce ou l'élimination des déchets du corps humain. Tous, sauf le clitoris qui est le seul organe dont l'unique fonction est de procurer du plaisir sexuel.

Dans certaines régions du monde, le rôle sexuel du clitoris trouble tant que les femmes subissent une chirurgie au cours de laquelle on leur enlève le clitoris (voir l'encadré intitulé *Les uns et les autres*).

Clitoris Structure très sensible de la vulve dont la seule fonction est de procurer du plaisir sexuel.

Hampe du clitoris Partie allongée formant le corps du clitoris entre le gland et les piliers.

Gland du clitoris Extrémité supérieure du clitoris, formée de muqueuse et très richement innervée.

Smegma Substance blanchâtre de consistance molle composée de sécrétions glandulaires et de cellules épidermiques mortes qui s'accumulent parfois sous le prépuce du clitoris.

Corps caverneux Structures situées à l'intérieur de la hampe du clitoris, lesquelles se gorgent de sang durant l'excitation sexuelle.

Piliers du clitoris Extrémités les plus internes des corps caverneux qui sont rattachés aux os pubiens.

Question d'analyse critique

Quelles informations les parents devraient-ils donner à leur fille au sujet du clitoris ?

Les uns et les autres

Les mutilations ou modifications génitales féminines : torture ou tradition ?

Il importe de souligner qu'aucune appellation du phénomène ne fait consensus. Dans les pays où la pratique est répandue, le terme *circoncision féminine* est d'usage courant, alors que les pays occidentaux utilisent surtout *mutilation génitale féminine*, appellation qu'a retenue l'Organisation mondiale de la santé (OMS). Cette expression a fait l'objet de critiques en raison du danger de connotation morale ethnocentrique et d'étiquetage péjoratif des femmes mutilées. D'autres sources utilisent le terme *excision*, moralement neutre. Dans un souci d'exactitude, nous avons tenu à respecter les termes utilisés dans les différentes sources qui sont citées ici.

Différentes formes de mutilation ou modification génitales féminines ont eu cours dans l'histoire dans plusieurs parties du monde, y compris aux États-Unis et au Canada où l'on a utilisé ce genre de pratique entre 1890 et 1930 pour « guérir » de la masturbation (Hamilton, 2002). La chirurgie génitale se pratique encore aux États-Unis dans les cas où une fille naît avec un clitoris de taille jugée anormale ; cette intervention est d'ailleurs de plus en plus controversée (Coventry, 2000). Avec l'immigration récente, on estime que 168 000 filles ou femmes vivant aux États-Unis auraient subi une mutilation génitale (Elwood 2005 ; Sugar et Graham, 2006). Bien qu'on ne possède pas d'estimation globale pour le Canada, on peut, selon une règle de proportionnalité souvent utilisée, évaluer que près de 17 000 filles ou femmes excisées ou mutilées y vivent.

À l'échelle mondiale, le nombre de femmes et de filles ayant subi une mutilation génitale serait estimé aujourd'hui à 130 millions (Nour, 2006). Dans plusieurs pays (Guinée, Égypte, Mali), c'est la presque totalité des femmes, soit plus de 90 %, qui sont excisées/mutilées (UNICEF, 2005). Chaque année, environ deux millions de jeunes filles et de femmes vivant dans plus de 40 pays d'Afrique, du Moyen-Orient et d'Asie sont soumises à une forme de mutilation génitale. La plupart du temps, cette pratique s'inscrit dans une tradition visant à préparer la jeune fille à l'âge adulte et au mariage (Leye et coll., 2006).

Soulignons que l'expression *mutilation génitale féminine* est une autre façon d'appeler l'excision ; or, nombre de femmes excisées estiment que cette intervention a rendu leurs organes génitaux plus attirants que « mutilés ». En réalité, là où se pratiquent les mutilations génitales, bien des hommes et des femmes jugent que les organes génitaux féminins non mutilés sont laids et ressemblent trop aux organes génitaux masculins (Einstein, 2008).

Habituellement, c'est la sage-femme du village ou une infirmière qui procède à l'opération, avec le concours de la mère de la jeune fille (Rosenberg, 2008). Pour couper les tissus, on utilise des objets tranchants, comme des lames de rasoir ou des morceaux de verre. Toute l'intervention se fait sans anesthésie, désinfectant ni instruments stériles (Rosenthal, 2006). L'opération la plus simple, la circoncision, consiste à enlever le capuchon du clitoris. Il est aussi assez répandu de procéder à l'ablation partielle ou totale du clitoris, ou clitoridectomie. Certains groupes croient que le contact avec le clitoris est dangereux pour un homme ou pour le bébé à la naissance (Einstein, 2008).

La forme la plus extrême de mutilation est l'infibulation. On coupe d'abord le clitoris et les petites lèvres (et parfois aussi les grandes), puis on gratte à vif les deux côtés de la vulve et on les coud ensemble (parfois avec des épines) pendant que la fillette est tenue fermement. Après l'opération, on attache les jambes de la jeune fille au niveau des chevilles et des cuisses, et on la laisse ainsi pendant environ une semaine (Nour, 2000). Les tissus de la peau se refont et se soudent les uns aux autres, ce qui ferme l'entrée du vagin et ne laisse qu'une petite ouverture pour le passage de l'urine et du flux menstruel.

L'infibulation entraîne souvent de graves complications gynécologiques et obstétriques. Parmi les conséquences physiques les plus graves, signalons une hémorragie et des douleurs aiguës provoquant un état de choc et la mort, des saignements prolongés qui créent de l'anémie, une infection qui retarde la cicatrisation, le tétanos et la gangrène. À long terme, les femmes dont les lèvres ont été enlevées connaissent de graves problèmes urinaires et menstruels, et ont un taux d'infertilité beaucoup plus élevé (Ball, 2005). Les nombreuses scarifications vaginales laissées par l'intervention peuvent entraîner de sérieuses difficultés durant l'accouchement ; d'ailleurs, le risque de mortalité maternelle (et périnatale) est 50 % plus élevé chez les femmes qui ont subi une mutilation génitale (Eke et Nkanginieme, 2006).

Une fillette est sur le point d'être excisée en Éthiopie, où les musulmans comme les chrétiens maintiennent toujours cette pratique, bien qu'elle soit interdite par la Constitution.

▶ Le but premier de ces pratiques est de préserver la virginité de la jeune fille avant le mariage. Ainsi, une femme non circoncise est réputée non mariable. Et parce que le mariage est la seule option pour une femme dans ces cultures, son avenir et l'honneur de sa famille dépendent du respect de cette tradition. Près de 60 % des Égyptiennes croient que les maris préfèrent une femme circoncise (El-Zanaty et Way, 2006). La stigmatisation sociale envers les femmes non circoncises est très prononcée. Au Soudan, par exemple, une des pires insultes qu'on puisse faire à un homme est de le traiter de «fils de mère non circoncise» (Al-Krenawi et Wiesel-Lev, 1999).

La chanteuse malienne Inna Modja, excisée dans l'enfance, militante contre l'excision et ambassadrice de la reconstruction clitoridienne, chirurgie à laquelle elle a elle-même eu recours.

Certaines femmes peuvent encore atteindre l'orgasme malgré les mutilations sexuelles. Pour d'autres, une reconstruction chirurgicale peut les aider à augmenter leur capacité à ressentir du plaisir et à atteindre l'orgasme. Parfois le clitoris ou une partie de celui-ci peut se retrouver sous les cicatrices. Une fois celles-ci enlevées par un chirurgien, le clitoris peut mieux réagir aux stimulations. Sinon, dans la mesure où le clitoris est en grande partie à l'intérieur du corps, il peut être reconstruit en extériorisant ses parties internes au niveau de la vulve et en les suturant à l'endroit où se trouverait normalement le clitoris. Le chirurgien peut aussi agrandir l'ouverture vaginale, ce qui permet aux femmes d'avoir des relations sexuelles sans douleur (Baldaro-Verde et coll., 2007 ; Foldes et Silvestre, 2007 ; Ogodo, 2009). Des chirurgiens de partout dans le monde offrent gratuitement leurs services en Afrique pour reconstruire le clitoris et défaire l'infibulation (Superville, 1996 ; Zakari, 2008).

Les protestations de plus en plus nombreuses contre les mutilations génitales féminines ont incité l'Organisation des Nations Unies (ONU) à abandonner sa politique de non-intervention dans les pratiques culturelles des pays indépendants. Le poids des traditions est difficile à contrer, et même là où ces pratiques sont illégales, la loi reste difficile à appliquer (Nour, 2006). Ce problème soulève à l'échelle internationale des questions complexes sur les plans juridique et éthique. Le Canada a été le premier pays à reconnaître les mutilations sexuelles comme motif de demande du statut de réfugié. Cette pratique est considérée comme une voie de fait en droit criminel et entraîne une peine de prison maximale de 14 ans.

La pratique des mutilations sexuelles diminue dans plusieurs pays. En Égypte, par exemple, 97 % des femmes mariées ont subi ces mutilations, mais le taux est d'approximativement 62 % chez les étudiantes dans les milieux ruraux, de 46 % dans les écoles publiques en milieu urbain et de 9 % dans les écoles privées en milieu urbain. Plus la mère et le père sont scolarisés, moins leurs filles risquent d'être sexuellement mutilées (Tag-Eldin et coll., 2008).

Le rôle du clitoris dans l'excitation sexuelle et l'atteinte de l'orgasme suscite une grande controverse. Sur le plan scientifique, on sait depuis longtemps que le clitoris possède un grand nombre de terminaisons nerveuses. Malgré cela, on persiste à croire, à tort, que seule la stimulation vaginale peut ou devrait provoquer l'excitation sexuelle et l'orgasme. Pourtant, le clitoris est beaucoup plus sensible au toucher que le vagin. L'intérieur du vagin comporte lui aussi des terminaisons nerveuses, mais celles-ci ne peuvent pas réagir à un léger contact (Pauls et coll., 2006). (C'est ce qui explique que les femmes ne sentent pas un tampon hygiénique ou un diaphragme s'il est placé correctement.) Néanmoins, beaucoup de femmes ressentent une pression et un étirement à l'intérieur du vagin lors d'une stimulation manuelle ou d'un rapport sexuel particulièrement agréable. Certaines ont une plus grande excitation sexuelle par stimulation vaginale que par stimulation clitoridienne et leur jouissance est particulièrement intense quand les tissus de leur vagin sont totalement gorgés de sang. Grâce à l'imagerie encéphalique, on a pu établir que des femmes (avec ou sans lésion de la moelle épinière) peuvent atteindre l'orgasme par autostimulation du col de l'utérus (Whipple et Komisaruk, 2006). En fait, plus on mène d'études scientifiques sur le sujet, plus on constate une grande diversité dans les réactions sexuelles de la femme (Ellison, 2000).

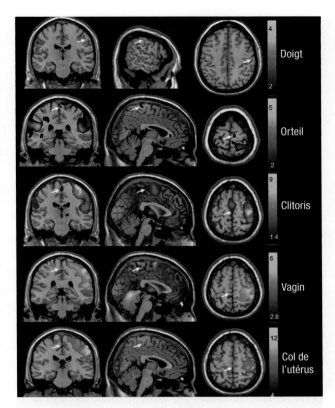

Doigt

Orteil

Clitoris

Vagin

Col de l'utérus

Cette image obtenue par résonance magnétique montre où se situe, dans le cerveau, la perception de l'autostimulation selon la partie du corps touchée.

Le vestibule

Le vestibule désigne la région comprise à l'intérieur des petites lèvres. Il est riche en vaisseaux sanguins et en terminaisons nerveuses. Ses tissus sont sensibles au toucher. Les orifices urétral et vaginal sont situés dans le vestibule.

L'orifice urétral

L'orifice urétral (ou méat urinaire) se trouve entre le clitoris et l'entrée du vagin. C'est l'orifice externe de l'urètre, ce petit conduit qui achemine vers l'extérieur l'urine contenue dans la vessie.

L'entrée du vagin et l'hymen

L'entrée du vagin se trouve entre l'orifice urétral et l'anus. Une fine membrane appelée hymen l'obstrue partiellement. L'hymen est présent à la naissance et il se rompt ou se distend habituellement lors du premier coït. Il est normalement assez perforé pour permettre le passage du sang menstruel et l'insertion d'un tampon hygiénique. Il arrive que l'hymen soit trop épais pour se rompre lors d'un rapport sexuel. Il arrive aussi, plus rarement, que l'hymen ne soit pas du tout perforé et obstrue complètement l'entrée vaginale, ce qui empêche le sang menstruel de s'écouler.

Dans ces deux cas, une petite intervention chirurgicale qui consiste à inciser légèrement l'hymen devrait résoudre le problème. Bien que ce soit rare, une femme peut être fécondée même si son hymen est intact et même s'il n'y a pas eu pénétration. Si du sperme se retrouve sur les petites lèvres, des spermatozoïdes peuvent entrer par le vagin et se rendre à l'ovule. Pour éviter une grossesse non désirée, il faut éviter toute friction du pénis contre la vulve pendant les jeux sexuels.

L'hymen n'a aucune autre fonction connue que celle de protéger les tissus vaginaux au début de la vie. Néanmoins, dans de nombreuses sociétés, y compris la nôtre, on accorde beaucoup d'importance à sa présence ou à son absence (Blank, 2007). Ainsi, on a longtemps cru que la douleur et les saignements provoqués par la première pénétration étaient synonymes de rupture de l'hymen, ou défloration. Aujourd'hui encore, il arrive que des familles ou de futurs époux musulmans exigent qu'un examen pelvien garantisse la virginité de la future mariée (Manier, 2008 ; Sciolino et Mekkhenet, 2008). Certaines femmes, surtout au Moyen-Orient et aussi au Japon, ont recours à l'hyménoplastie (reconstruction de l'hymen) pour dissimuler la perte de leur virginité (Alexander, 2005). Même chez des hommes occidentaux, le désir d'être celui qui «déflorera» son épouse peut être présent, comme l'illustre ce témoignage d'une femme qui vit au Canada :

> J'ai 33 ans, 2 enfants et je suis mariée depuis 10 ans à un homme que j'adore. Mon problème est le suivant : mon mari est obsédé par le fait que j'ai eu une relation sexuelle avec un autre homme avant de le rencontrer. Il dit qu'il sera toujours le deuxième et que j'ai tout gâché. On en est même au point de chercher un gynécologue qui voudrait me faire une hyménoplastie (reconstituer l'hymen). Pouvez-vous me suggérer une femme gynécologue qui accepterait de le faire ? Je suis prête à tout pour retrouver une tranquillité d'esprit. J'aime mon mari à en mourir et voudrais pouvoir satisfaire son désir de percer l'hymen. Pouvez-vous m'aider ? (Site Élysa)

Même s'il arrive que de la douleur ou des saignements se produisent lors de la première pénétration, l'hymen, s'il est incomplet, souple ou suffisamment mince, peut n'occasionner aucun inconfort et même demeurer intact après la

---

Vestibule   Région de la vulve située à l'intérieur des petites lèvres.

Urètre   Canal qui achemine vers l'extérieur l'urine contenue dans la vessie.

Entrée du vagin   Orifice extérieur du vagin.

Hymen   Membrane qui obstrue partiellement l'entrée du vagin.

relation. Une femme peut étirer manuellement son hymen avant son premier rapport sexuel afin de réduire les risques d'inconfort. Pour ce faire, elle peut insérer dans son vagin un doigt lubrifié avec de la salive ou un lubrifiant à base d'eau et exercer une pression vers le bas jusqu'à qu'elle ressente une forme d'étirement. Il lui suffit alors de relâcher la pression après quelques secondes, puis de répéter l'exercice plusieurs fois, avec un doigt, puis deux. Elle peut ensuite insérer deux doigts et étirer les parois du vagin en écartant les doigts.

Question d'analyse critique

Jusqu'où peut-on comparer le perçage des parties génitales pratiqué chez certaines femmes dans les pays occidentaux avec les modifications génitales pratiquées chez les femmes dans certains pays d'Afrique, du Moyen-Orient et d'Asie?

Le périnée

Le périnée est la région lisse comprise entre l'entrée du vagin et l'anus (le sphincter par lequel les selles sont évacuées). Le tissu du périnée est très innervé, d'où sa sensibilité au toucher. Lors de l'accouchement, une incision du périnée, appelée *épisiotomie*, est parfois pratiquée pour faciliter le passage de la tête du bébé.

Les structures sous-jacentes

Si l'on dégageait la vulve des poils, de la peau et du tissu adipeux qui la recouvrent, plusieurs structures seraient visibles (voir la figure 2.2). La hampe du clitoris ne serait plus dissimulée sous le prépuce, et on pourrait aussi observer les corps caverneux et leurs piliers. Ces structures font partie du vaste réseau de bulbes et de vaisseaux qui se gorgent de sang durant l'excitation sexuelle. Les bulbes du vestibule, situés de part et d'autre du vagin, se remplissent de sang durant l'excitation sexuelle, ce qui allonge le vagin et dilate la vulve. Ces bulbes sont homologues, quant à la structure et à la fonction, au tissu spongieux du pénis qui se gorge de sang durant la stimulation sexuelle et produit l'érection (Bartlik et Goldberg, 2000). La pression que le pénis exerce sur ces bulbes durant la pénétration engendre des sensations que certaines femmes trouvent agréables (Ellison, 2000).

On a longtemps cru que les **glandes de Bartholin**, qui se trouvent elles aussi de chaque côté de l'entrée du vagin (voir la figure 2.2), étaient responsables de la lubrification vaginale durant le rapport sexuel. Or, elles ne sécrètent en réalité qu'une goutte ou deux de mucus juste avant l'orgasme. En règle générale, on ne prête pas attention à ces glandes. Cependant, leur canal excréteur peut s'obstruer et provoquer un gonflement. Si ce gonflement persiste durant plusieurs jours, il est recommandé de consulter un médecin.

FIGURE 2.3	Muscles sous-jacents de la vulve.

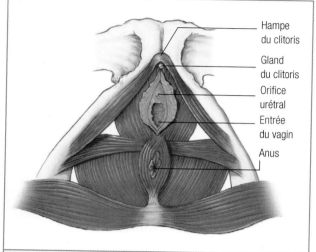

- Hampe du clitoris
- Gland du clitoris
- Orifice urétral
- Entrée du vagin
- Anus

Ces muscles peuvent être renforcés grâce aux exercices de Kegel décrits dans l'encadré *Votre santé sexuelle* à la page 40.

Outre des glandes et un réseau de vaisseaux sanguins, la région génitale recèle une musculature complexe (voir la figure 2.3). Les muscles du plancher pelvien peuvent s'étirer dans plusieurs directions, ce qui permet au vagin de se dilater considérablement lors d'un accouchement, puis de se rétracter par la suite.

Les structures internes

Les organes génitaux internes de la femme comprennent le vagin, le col de l'utérus, l'utérus, les trompes de Fallope et les ovaires. La figure 2.4 montre une vue sagittale et une vue frontale du système génital féminin.

Le vagin

Le vagin est un canal dont l'orifice externe est bordé des petites lèvres. Il s'oriente vers le haut et vers l'arrière et s'étend jusqu'au col utérin. Certaines femmes non familières avec leur anatomie peuvent éprouver de la difficulté

Périnée   Région comprise entre l'entrée du vagin et l'anus chez la femme, et entre le scrotum et l'anus chez l'homme.

Bulbes du vestibule   Situés de chaque côté de l'entrée du vagin, ces deux organes se gonflent de sang pendant l'excitation sexuelle.

Glandes de Bartholin   Situées de part et d'autre de l'entrée du vagin, ces deux petites glandes sécrètent quelques gouttes d'un liquide lubrifiant pendant l'excitation sexuelle.

Vagin   Canal musculo-membraneux extensible qui s'étend de la vulve (orifice externe) au col utérin.

FIGURE 2.4 **Anatomie sexuelle interne de la femme : a) vue sagittale ; b) vue frontale.**

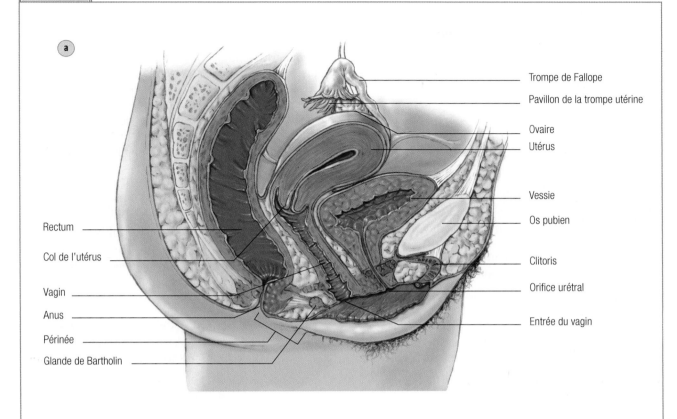

a)

Trompe de Fallope
Pavillon de la trompe utérine
Ovaire
Utérus
Vessie
Os pubien
Clitoris
Orifice urétral
Entrée du vagin

Rectum
Col de l'utérus
Vagin
Anus
Périnée
Glande de Bartholin

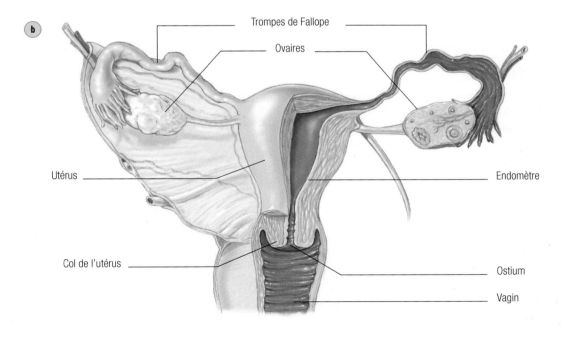

b)

Trompes de Fallope
Ovaires
Utérus
Col de l'utérus
Endomètre
Ostium
Vagin

Certaines parties des ovaires, de l'utérus et du vagin sont montrées en coupe transversale.

la première fois qu'elles tentent d'insérer un tampon hygiénique dans leur vagin, parce qu'elles le poussent directement vers le haut plutôt qu'à un angle d'environ 45 degrés.

À l'état de repos, le vagin a une profondeur d'environ 8 à 15 cm. On le compare souvent à un gant pour illustrer son élasticité. Ses parois peuvent se dilater suffisamment pour assurer le passage du bébé pendant l'accouchement. En outre, sa taille et sa forme se modifient pendant l'excitation sexuelle, comme nous le précisons au chapitre 3.

Le vagin est formé de trois couches de tissus richement vascularisés : la muqueuse, la musculeuse et le tissu conjonctif. La muqueuse est la couche de tissu qu'on sent lorsqu'on insère un doigt dans le vagin. Au toucher, les plis du vagin sont doux, humides et chauds. Leur texture ressemble à celle de l'intérieur de la bouche. Il s'y trouve généralement des sécrétions qui favorisent le maintien de l'équilibre chimique du vagin. Durant l'excitation sexuelle, la muqueuse produit une substance lubrifiante, que certains appellent poétiquement *cyprine*.

La majeure partie de la deuxième couche, la musculeuse, se concentre autour de l'entrée du vagin. Elle est composée de muscles lisses, donc non contrôlés par la volonté. Ces muscles se contractent de façon rythmique pendant l'orgasme. Selon une recherche, les femmes seraient plus à même de prendre conscience des contractions rythmiques du vagin lorsque l'orgasme est produit par stimulation clitoridienne plutôt que par

pénétration (Carrobles et Gamez, 2007). Vu le grand nombre de muscles situés dans son tiers antérieur et la capacité de dilatation de ses deux tiers postérieurs, il peut arriver que le vagin expulse de l'air en produisant un bruit semblable à un pet ; cela peut être drôle ou embarrassant, selon le contexte. Ce phénomène est plus fréquent dans des positions sexuelles ou des postures de yoga (par exemple, celle du poirier) où le pubis est projeté vers le haut. La musculeuse est entourée de la couche vaginale la plus interne qui est composée de tissu conjonctif. Cette couche contribue à la contraction et à la dilatation du vagin, et elle ancre l'organe à des structures de la cavité pelvienne. Les exercices de Kegel visent directement cette couche musculaire (voir l'encadré *Votre santé sexuelle*). Ils sont souvent recommandés après un accouchement ou comme outil thérapeutique.

Les parois du vagin et le col de l'utérus libèrent des sécrétions blanchâtres ou jaunâtres. Ces sécrétions sont naturelles et un signe de santé. Leur apparence variable est liée aux fluctuations hormonales pendant le cycle menstruel.

Muqueuse Terme général désignant les membranes muqueuses, c'est-à-dire les tissus humides qui tapissent certaines régions comme l'urètre du pénis, le vagin et la bouche.

Exercices de Kegel Série d'exercices ayant pour but de raffermir les muscles situés sous les organes génitaux.

Votre santé sexuelle

Les exercices de Kegel

Les muscles du plancher pelvien se contractent involontairement pendant l'orgasme. Cependant, on peut s'exercer à les contracter volontairement à l'aide des exercices élaborés par Arnold Kegel, en 1952, à l'intention des femmes ayant un problème d'incontinence à la suite d'un accouchement. En raison d'un grand étirement des muscles périnéaux durant l'accouchement, il arrive qu'une femme ayant récemment enfanté urine accidentellement lorsqu'elle tousse ou éternue.

L'amélioration du tonus musculaire n'est pas le seul effet bénéfique de ces exercices (Beji, 2003). Après environ six semaines d'exercices réguliers, beaucoup de femmes déclarent avoir des sensations plus intenses durant leurs relations sexuelles et font état d'une augmentation généralisée de la sensibilité de leurs organes génitaux. Ces effets semblent liés à une plus grande conscience de leurs organes sexuels et à un meilleur tonus musculaire, ce qui favorise la réponse physiologique à l'excitation sexuelle.

Les exercices de Kegel en 6 étapes

1. Localisez les muscles qui bordent le vagin. Vous pouvez sentir ces muscles se contracter lorsque vous arrêtez volontairement d'uriner. Une façon encore plus efficace de contracter les muscles du plancher pelvien est de contracter le sphincter anal comme si vous tentiez de retenir une flatuosité.

2. Insérez un doigt dans l'entrée du vagin et contractez les muscles que vous avez localisés à l'étape 1. Ces muscles devraient enserrer votre doigt.

3. Maintenez la contraction pendant 10 secondes. Détendez les muscles. Répétez 10 fois.

4. Contractez les muscles et relâchez la contraction aussi vite que possible de 10 à 25 fois. Répétez une autre fois.

5. Imaginez que vous essayez d'aspirer un objet dans votre vagin. Retenez la contraction pendant 3 secondes.

6. Faites ces exercices 3 fois par jour.

(Le suivi de ces variations peut servir de méthode de contraception, comme nous l'expliquons au chapitre 13.) Le goût et l'odeur des sécrétions vaginales varient également selon le cycle menstruel et le degré d'excitation.

L'équilibre chimique et bactérien du vagin favorise une muqueuse saine. Le pH vaginal est habituellement acide (pH de 4,5, soit le même que celui du vin rouge) (Angier, 1999). De nombreux facteurs peuvent modifier cet équilibre et entraîner des problèmes vaginaux. Parmi ces facteurs, on trouve les douches vaginales et les déodorants vaginaux.

La publicité tire substantiellement profit de la vision négative des organes sexuels féminins lorsqu'elle vante des produits qui enrayent les sécrétions et les odeurs naturelles. Les douches vaginales sont inutiles dans le cadre d'une hygiène normale. Elles augmentent les risques d'infection, même si plusieurs femmes croient à tort qu'elles sont bonnes pour la santé (Hutchison et coll., 2007; Ness et coll., 2003). Selon plusieurs études, les douches vaginales augmentent les risques d'inflammation du pelvis, d'endométriose, de transmission du VIH et de grossesse ectopique, et diminuent la fertilité. Plus encore, les douches vaginales pendant la grossesse augmentent les risques de naissance prématurée (Cottrell, 2003). Les déodorants vaginaux peuvent irriter, causer des allergies, des brûlures, des dermatites des cuisses et bien d'autres affections. Pire encore, il semble y avoir un lien entre l'usage de déodorants vaginaux en aérosol et de poudres corporelles et le cancer ovarien (Cook et coll., 1997).

Le col de l'utérus

Le col de l'utérus se trouve à l'extrémité postérieure du vagin et s'ouvre sur l'utérus (voir la figure 2.5). Il renferme des glandes sécrétrices de mucus. Pour se déplacer du vagin vers l'utérus, le sperme traverse l'ostium, c'est-à-dire l'ouverture située au centre du col.

Une femme peut observer son col utérin si elle insère un spéculum dans son vagin. Pendant son examen gynécologique, elle peut également voir son col dans un miroir si elle en fait la demande à son médecin. En insérant un ou deux doigts dans le vagin, elle peut se rendre à

> **Douche vaginale** Rinçage du vagin – avec de l'eau ou d'autres solutions dans un but hygiénique. En plus d'être habituellement inutiles, des douches trop fréquentes peuvent causer une irritation du vagin.
>
> **Col de l'utérus** Partie inférieure de l'utérus située au fond du vagin.
>
> **Ostium** Orifice du col utérin qui s'ouvre sur l'utérus.
>
> **Spéculum** Instrument qui sert à écarter les parois du vagin en vue de procéder à son examen.

FIGURE 2.5 Positions variées de l'utérus dans la cavité pelvienne : a) antéflexion ; b) position médiane ; et c) rétroversion.

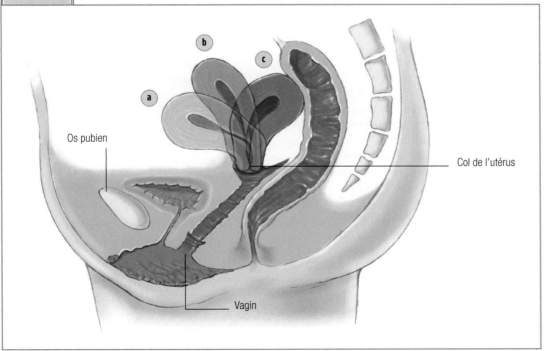

l'extrémité de celui-ci et toucher le col. (Parfois, la position accroupie ou une pression exercée vers le bas peut rapprocher le col utérin de l'entrée du vagin.) À la palpation, le col utérin ressemble à une narine ; il est ferme et rond, à la différence des parois vaginales qui sont molles.

Toutes les femmes, peu importe leur âge, devraient régulièrement passer un **test de Pap** (frottis cervico-vaginal) en vue de dépister le cancer du col de l'utérus. Ce test, effectué par un médecin, consiste à faire un prélèvement de cellules du col. Le vagin est maintenu ouvert par un spéculum et une petite quantité de cellules sont prélevées à l'aide d'une petite brosse adaptée ou d'une spatule en bois. Ce prélèvement est envoyé à un laboratoire pour y être analysé. Le test de Pap n'est pas douloureux puisque très peu de terminaisons nerveuses se trouvent sur le col de l'utérus. Les médecins recourent au frottis vaginal auprès des femmes dont le col a été enlevé, même si les risques de cancer du vagin sont faibles.

L'utérus

L'utérus, parfois aussi appelé *matrice*, est un organe creux en forme de poire et aux parois épaisses. Chez une femme qui n'a jamais enfanté, il mesure environ 8 cm de long sur 5 cm de large. (Il s'agrandit après la grossesse.) Des ligaments le retiennent dans la cavité pelvienne. D'une personne à l'autre, l'utérus peut prendre différentes positions qui vont de l'antéflexion (incliné vers l'abdomen) à la rétroversion (orienté vers la colonne vertébrale). Les femmes dont l'utérus est rétroversé ressentent plus d'inconfort durant leurs menstruations et ont plus de difficulté à insérer un tampon. Bien qu'il y ait lieu de penser qu'un utérus rétroversé puisse nuire à la fécondation, il ne cause pas pour autant l'infertilité.

Les parois de l'utérus sont constituées de trois couches de tissus. La couche externe est une membrane mince appelée **périmétrium**. La couche moyenne, le **myomètre**, se compose de fibres musculaires circulaires tressées à la manière d'un panier d'osier. Cette structure permet à l'utérus de s'étirer pendant la grossesse et de se contracter pendant l'accouchement et l'orgasme. La couche de tissu la plus interne de l'utérus est l'**endomètre**, aussi appelé *muqueuse utérine (paroi utérine)*. Très vascularisé, l'endomètre nourrit le zygote (ovule fécondé par le spermatozoïde) qui, des trompes de Fallope, descend vers l'utérus après la fécondation. Pour se préparer à recevoir le zygote, l'endomètre s'épaissit. Si aucun zygote ne vient s'y nicher, l'endomètre s'étiole en réponse aux changements hormonaux du cycle menstruel. Nous voyons cela en détail un peu plus loin dans ce chapitre. L'endomètre sécrète aussi des hormones.

Les trompes de Fallope

Situées à droite et à gauche de la cavité pelvienne, les deux **trompes de Fallope** s'étendent de l'utérus vers les ovaires. Elles mesurent 10 cm chacune. L'extrémité de chaque trompe, appelée *pavillon*, ressemble à un entonnoir bordé de franges suspendues au-dessus de l'ovaire. Ce sont ces franges qui aspirent l'ovule dans la trompe lorsqu'il quitte l'ovaire.

Une fois à l'intérieur de la trompe, l'ovule se déplace à raison de 2,5 cm par 24 heures grâce à de minuscules cils et à des contractions de la paroi. Il est susceptible d'être fécondé dans les 24 à 48 heures. Par conséquent, la fécondation survient alors que l'ovule est encore à proximité de l'ovaire. Après la fécondation, le zygote se développe à mesure qu'il se déplace le long de la trompe en direction de l'utérus.

L'ovule fécondé qui s'implante hors de l'utérus, le plus souvent dans une trompe de Fallope, entraîne une **grossesse ectopique** (Ramakrishnan et Scheid, 2006). Si la trompe se rompt et provoque une hémorragie, une intervention médicale est requise de toute urgence. Les symptômes les plus courants d'une grossesse ectopique sont une douleur abdominale et des pertes sanguines de six à huit semaines après les dernières règles. Certains tests diagnostiques permettent de déceler une grossesse ectopique. Pour traiter cette affection, des interventions médicales et chirurgicales sont nécessaires (Scott, 2006).

Les ovaires

Chacun des deux **ovaires**, dont la taille et la forme rappellent celles de l'amande, se trouve à l'extrémité d'une des trompes de Fallope. Des ligaments les rattachent à l'utérus et à la paroi de la cavité pelvienne. Les ovaires sont des glandes endocrines qui sécrètent trois types d'hormones sexuelles : les œstrogènes, la progestérone et la testostérone. Comme

---

Test de Pap   Examen de dépistage du cancer du col de l'utérus.

Utérus   Organe en forme de poire logé dans la cavité pelvienne et à l'intérieur duquel le fœtus se développe.

Périmétrium   Mince membrane formant la couche externe de la paroi utérine.

Myomètre   Couche moyenne de la paroi utérine formée de muscles lisses et entrelacés.

Endomètre   Couche de muqueuse qui tapisse la partie la plus interne de la paroi utérine.

Trompes de Fallope   Conduits qui se trouvent de part et d'autre de l'utérus et dans lesquels l'ovule et le spermatozoïde se déplacent.

Grossesse ectopique   Implantation d'un ovule fécondé hors de l'utérus, le plus souvent dans une trompe de Fallope.

Ovaires   Gonades femelles qui libèrent l'ovule et sécrètent des hormones sexuelles.

nous l'expliquons au chapitre 3, les œstrogènes influent sur le développement des caractères sexuels féminins et concourent à la régularité du cycle menstruel. La progestérone, pour sa part, favorise également la régularité du cycle menstruel et assure la maturation de la muqueuse utérine en prévision d'une grossesse. Vers le début de la puberté, les hormones sexuelles féminines jouent un rôle crucial dans la maturation de l'utérus, des ovaires et du vagin ainsi que dans le développement des caractères sexuels secondaires tels que les poils pubiens et les seins.

À la naissance, plus d'un million d'ovules immatures sont présents dans les deux ovaires réunis, et ce nombre est de 400 000 à 500 000 à la **ménarche** (Federman, 2006). En règle générale, entre la puberté et la ménopause, un des deux ovaires libère un ovule par cycle menstruel. Pendant les années de fécondité, seuls 400 ovules parviennent à maturité (Macklon et Fauser, 1999).

L'**ovulation**, étape qui comprend la maturation de l'ovule et sa libération, résulte d'une séquence complexe d'événements connue sous le nom de *cycle menstruel*.

La menstruation

La **menstruation** correspond à l'expulsion de la muqueuse utérine quand aucun ovule n'a été fécondé et indique un fonctionnement normal de l'organisme. Pourtant, les attitudes négatives vis-à-vis de ce phénomène persistent aujourd'hui, bien que les jeunes femmes aient généralement une attitude plus positive à l'égard des menstruations que les femmes plus âgées (Marvan et coll., 2005).

La première menstruation (ménarche)

Le cycle menstruel débute habituellement au début de l'adolescence, entre 11 et 15 ans, bien qu'il existe des exceptions. Au Canada, l'âge moyen auquel les jeunes filles ont leur première menstruation est de 12,8 ans. Le moment de la ménarche dépendrait de l'hérédité, de l'état de santé général de la personne et de l'altitude (à basse altitude, elle est plus précoce). Elle apparaît en même temps que d'autres changements touchant la taille et le développement de la jeune fille. L'âge moyen de la première menstruation tend à diminuer en Occident. Certains auteurs attribuent ce fait au plus grand nombre de filles en surpoids, sachant que les cellules adipeuses sécrètent une hormone, la leptine, qui stimule la fonction reproductive. L'exposition environnementale à des substances chimiques qui ont des effets comparables aux œstrogènes pourrait également jouer un rôle significatif (Ginty, 2007).

La première menstruation cause souvent de l'anxiété chez les jeunes filles, surtout lorsqu'elle se produit plus tôt ou plus tard que l'âge moyen. De nombreuses jeunes femmes et la plupart des jeunes hommes ne sont pas vraiment informés des changements qui accompagnent l'arrivée de la première menstruation, ce qui peut provoquer confusion et appréhension. Le cycle menstruel prend fin avec la ménopause qui survient généralement entre 45 et 55 ans.

La physiologie de la menstruation

Pendant un cycle menstruel, la muqueuse utérine se prépare à l'implantation de l'ovule fécondé. En l'absence de fécondation, la muqueuse se détache et est évacuée sous forme de flux menstruel. La durée du cycle menstruel est généralement mesurée du premier jour de la menstruation courante au premier jour de la menstruation suivante. La période menstruelle elle-même dure habituellement de 2 à 6 jours. Il est normal que le volume de sang menstruel varie (entre 180 et 250 ml), de même que la durée du cycle, qui est de 24 à 42 jours (Belsey et Pinol, 1997). Une étude montre que les femmes qui ont un cycle de 30-31 jours sont plus fécondes que celles ayant un cycle plus court ou plus long (Small et coll., 2006). (Cela ne veut pas dire qu'une femme qui a un cycle plus long ou plus court ne peut tomber enceinte.) Une femme qui voit son cycle varier soudainement devrait consulter un médecin. Les femmes qui prennent des anovulants pour régulariser leur cycle menstruel doivent avoir un suivi médical.

Quelle que soit la durée totale d'un cycle menstruel, l'ovulation survient 14 jours avant le début d'une menstruation, même lorsqu'il y a un écart de plusieurs semaines entre deux cycles, comme l'illustre la figure 2.6. Au moment de l'ovulation, certaines femmes ressentent une douleur, une crampe ou une sensation de pression.

Le cycle menstruel est régi par des interactions complexes entre l'hypothalamus et plusieurs glandes endocrines, dont l'hypophyse (logée dans le cerveau), les glandes surrénales, les ovaires et l'utérus (voir la figure 2.7). Au cours du cycle, l'hypothalamus régule les taux hormonaux sanguins et libère des signaux chimiques. Sous l'effet de ces signaux, l'hypophyse produit deux hormones qui agissent sur les ovaires : l'hormone folliculostimulante (FSH) et l'hormone lutéinisante (LH). La FSH pousse les ovaires à sécréter des œstrogènes et provoque la maturation des ovules situés dans les follicules ovariens (petits sacs). La LH entraîne la libération de l'ovule mature par l'ovaire. Cette hormone stimule aussi le développement du corps jaune (le résidu folliculaire engendré par la libération de l'ovule mature) qui, à son tour, produit la progestérone.

Le cycle menstruel est un processus dynamique qui s'autorégule. Tant que l'organe ciblé n'est pas stimulé, l'hormone

---

Ménarche Déclenchement de la première menstruation.

Ovulation Libération d'un ovule mature par l'ovaire.

Menstruation Écoulement sanguin cyclique dû à la chute de la muqueuse utérine quand aucun ovule n'a été fécondé.

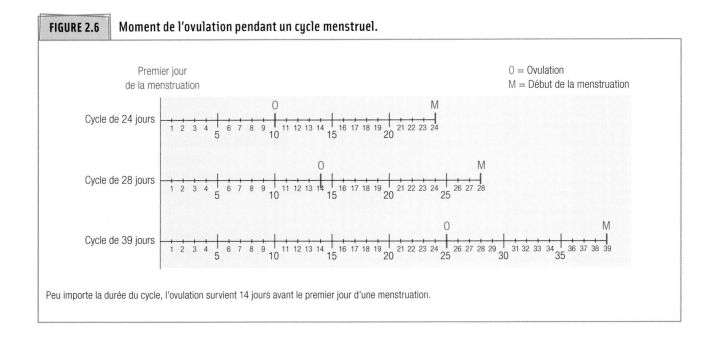

FIGURE 2.6 Moment de l'ovulation pendant un cycle menstruel.

Peu importe la durée du cycle, l'ovulation survient 14 jours avant le premier jour d'une menstruation.

est sécrétée. L'organe stimulé libère alors une substance qui commande à la glande sécrétrice de réduire son activité hormonale. Ce mécanisme d'inhibition rétroactive permet de régir les fluctuations hormonales qui ont cours durant les trois phases du cycle : la phase menstruelle, la phase de prolifération et la phase de sécrétion glandulaire (voir la figure 2.7).

Phase menstruelle Pendant la phase menstruelle, l'utérus évacue la partie épaisse de sa surface interne à travers le col de l'utérus et le vagin. Le flux menstruel est constitué essentiellement de sang, de mucus et de tissus endométriaux.

Le détachement de l'endomètre est causé par la diminution du taux de progestérone et d'œstrogène dans la circulation sanguine. Comme ces hormones diminuent, l'hypothalamus stimule l'hypophyse pour qu'elle libère l'hormone FSH. Cette action amène le début de la phase suivante, celle de la prolifération.

Phase de prolifération Durant la phase de prolifération, l'hypophyse augmente sa production de FSH, ce qui entraîne la maturation des follicules et la production de différents types d'œstrogènes. L'œstrogène provoque l'épaississement de l'endomètre. Habituellement, un seul follicule se rend à maturité complète et les autres dépérissent. Lorsque le taux d'œstrogène libéré par les ovaires atteint un pic, l'hypophyse sécrète moins de FSH et stimule la production de LH.

Peu importe la durée d'un cycle menstruel, l'ovulation se produit 14 jours avant le début d'une menstruation. En raison de la sécrétion de LH par l'hypophyse, le follicule parvenu à maturité se rompt, libérant ainsi l'ovocyte.

Phase de sécrétion glandulaire Pendant la phase de sécrétion glandulaire, l'hypophyse continue sa sécrétion de LH qui entraîne l'apparition, à l'intérieur de l'ovaire, d'un groupe de cellules appelées *corps jaune* en raison de leur coloration. Le corps jaune sécrète de la progestérone, qui empêche la production du mucus cervical pendant l'ovulation. Avec l'œstrogène provenant des ovaires, la progestérone provoque l'épaississement de l'endomètre et augmente l'engorgement sanguin en prévision de l'implantation du blastocyste. Les glandes et les canaux présents dans l'endomètre sécrètent des nutriments nécessaires au développement du blastocyste, d'où le nom de *phase de sécrétion glandulaire*. Si l'implantation ne se produit pas, l'hypophyse réagit au niveau élevé d'œstrogène et de progestérone en cessant la sécrétion de FSH et de LH. Cela amène la dégénérescence du corps jaune, et donc une diminution de la production d'œstrogène et de progestérone. Cette baisse d'hormones déclenche le détachement d'une partie de l'endomètre, amorçant ainsi un nouveau cycle menstruel.

Phase menstruelle Période du cycle menstruel où la menstruation se produit.

Phase de prolifération Période du cycle menstruel correspondant à la maturation du follicule ovarien.

Phase de sécrétion glandulaire Période du cycle menstruel pendant laquelle le corps jaune se développe et sécrète des hormones.

Blastocyste Groupe de cellules formé par la fusion d'un ovule et d'un spermatozoïde.

FIGURE 2.7 | **Les modifications pendant le cycle menstruel.**

a Cerveau

b Taux de FSH et de LH dans le sang
Taux sanguin de FSH (en rouge)
et de LH (en violet)

c Les ovaires
Les changements ovariens
pendant les phases du cycle

d Taux de concentration sanguins
en œstrogènes et en progestérone
Taux d'œstrogènes (en vert) et de
progestérone (en bleu) dans le sang

e Endomètre
Effets des œstrogènes et de la progestérone
sur l'évolution de la paroi utérine. Après
l'ovulation, les glandes et les canaux à l'intérieur
de l'endomètre (représentés par des tubes
verticaux et des spirales) produisent des nutriments
qui, chez une femme enceinte, assureront
le développement de l'embryon.

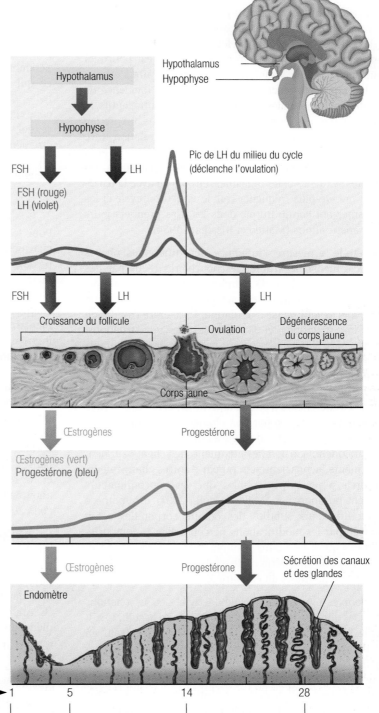

Jours dans un cycle menstruel → (selon une durée moyenne de 28 jours)

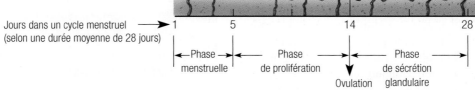

Les activités sexuelles et le cycle menstruel

Tandis que certaines recherches montrent peu de variation dans l'appétit sexuel aux différents moments du cycle menstruel, d'autres indiquent plutôt que le désir sexuel et les sensations s'amplifient durant l'ovulation, pendant les règles et les quelques jours qui les précèdent. L'impact varie donc grandement d'une femme à l'autre. C'est pourquoi nous encourageons les femmes et leur partenaire à examiner leurs propres réactions. Pour contrôler l'incidence de variables externes telles que l'utilisation de contraceptifs, la crainte d'une grossesse et l'influence masculine, un groupe de recherche a analysé chez des lesbiennes la relation entre la phase du cycle menstruel, d'une part, et l'activité et la réponse sexuelles, d'autre part. Dans cet échantillon, les activités sexuelles et les orgasmes, en solo ou avec la partenaire, ont été plus fréquents vers le milieu du cycle et les fantasmes ont connu un pic dans les trois premiers jours des menstruations (Matteo et Rissman, 1984).

Une étude a mesuré l'influence des différentes phases du cycle menstruel d'après les pourboires reçus par des danseuses nues lors de danses contact. Les résultats indiquent que les danseuses ont reçu, en moyenne, 70 % par heure lors de leur phase d'ovulation, 50 % entre l'ovulation et les menstruations, et 35 % pendant les menstruations. D'autre part, les danseuses qui prennent des anovulants ont reçu 37 %, en moyenne, par heure, peu importe le moment du cycle, comparativement à 53 % en moyenne, par heure, pour les danseuses ne prenant pas d'anovulants. Les chercheurs n'ont pu déterminer si ces différences pouvaient s'expliquer par des changements subtils dans les comportements des danseuses, par des modifications de leurs odeurs corporelles auxquelles les clients auraient réagi même inconsciemment ou par d'autres changements corporels à peine perceptibles que les consommateurs auraient pu apprécier (Miller et coll., 2007). L'hypothèse de modifications subtiles des odeurs corporelles serait appuyée par les modifications perceptuelles et comportementales observées dans d'autres études sur les changements liés aux phases du cycle menstruel. Certaines de ces études sont abordées au chapitre 3.

Les couples évitent souvent les activités et les relations sexuelles durant les menstruations (Barnhart et coll., 1995), même si aucune raison médicale ne le justifie (sauf en cas de saignements excessifs ou d'autres problèmes physiques). Différentes raisons sont invoquées à ce sujet. Les symptômes physiques incommodants, la sensation d'une moins grande propreté ou la sensibilité excessive des seins peuvent atténuer le désir ou le plaisir. Les croyances religieuses peuvent aussi être en cause, ou encore la honte culturelle qu'inspire tout rapport sexuel durant cette période. Si, pour diverses raisons, certaines personnes préfèrent éviter le coït durant les menstruations, d'autres activités sexuelles demeurent tout de même possibles.

> Lorsque j'ai mes menstruations, je laisse le tampon à l'intérieur et y mets aussi le cordon. Mon mari et moi pratiquons le sexe oral et la stimulation manuelle, avec beaucoup de bon temps ! (Notes des auteurs)

Notons enfin que les chercheurs John K. Rempel et Barbara Baumgartner (2003) ont montré qu'il y avait une corrélation positive entre le fait d'être ouvert aux relations sexuelles pendant les menstruations et une attitude plus libre envers ce qui est considéré comme une sexualité conventionnelle. Quelques femmes mettent un diaphragme ou une cape cervicale pour contenir le flux menstruel durant l'acte sexuel. L'orgasme par différents types de stimulation peut être bénéfique pour la femme menstruée. Les contractions utérines réduisent souvent les maux de dos, la sensation d'engorgement pelvien et les crampes.

La ménopause

Pour les deux sexes, on appelle climatère cette période charnière de transitions physiologiques qui marquent le passage de la fécondité à la non-fécondité. Autour de la quarantaine, les ovaires commencent à produire de moins en moins d'œstrogènes. Cette période précédant l'arrêt complet des menstruations est la périménopause. Les menstruations se produisent, mais de façon irrégulière et imprévisible, avec l'absence de saignements ou au contraire des saignements très abondants, et cela peut s'étendre sur dix ans (Bastian et coll., 2003). Près de 90 % des femmes notent un changement dans leurs menstruations et dans leur réponse sexuelle pendant la périménopause. Le niveau de testostérone libre à 40 ans équivaut à la moitié de ce qu'il était à 20 ans (Davis, 2000). Certaines femmes éprouvent des symptômes similaires à ceux de la ménopause (Torpy, 2003). Afin d'éviter une déperdition osseuse et de réduire les symptômes de la périménopause, des anovulants à faible dose sont parfois prescrits (Seibert et coll., 2003).

La ménopause fait partie du climatère féminin et correspond à l'arrêt définitif des menstruations. Elle se produit, en moyenne, à l'âge de 51 ans à la suite de changements physiologiques, mais elle peut aussi survenir aussi tôt que dans la trentaine ou aussi tard que dans la soixantaine (G. Andrew, 2006). Environ 10 % des femmes de 45 ans sont ménopausées (Speroff et Fritz, 2005). La recherche indique que les femmes qui ont eu leur ménopause tôt fumaient

---

Climatère Changements physiologiques survenant au passage de la fécondité à la non-fécondité chez les deux sexes.

Périménopause Période de diminution du taux d'œstrogènes précédant la ménopause.

Ménopause Arrêt des menstruations dû au vieillissement ou à l'ablation chirurgicale des ovaires.

la cigarette, avaient eu leurs premières règles à 11 ans ou moins, avaient des cycles menstruels plus courts, avaient eu peu de grossesses et avaient utilisé des contraceptifs oraux pendant moins longtemps que les autres femmes (Palmer et coll., 2003).

Toutes les femmes ne vivent pas cette période de la même façon. Un grand nombre ont peu de symptômes physiques à part l'arrêt des menstruations. Pour elles, la ménopause est presque un non-événement :

> Après tout ce que j'avais entendu au sujet du traumatisme de la ménopause, je m'attendais au pire. J'ai été étonnée de constater que rien de particulier ne s'était produit. (Notes des auteurs)

Les seins

Les seins ne font pas partie des organes génitaux féminins. Ce sont des caractères sexuels secondaires, c'est-à-dire des attributs physiques autres que les parties génitales et qui distinguent les sexes. Les tissus glandulaires se développent à l'adolescence sous l'effet des hormones. Chez une femme dont la croissance est terminée, les seins sont constitués de tissu adipeux et de glandes mammaires (voir la figure 2.8). La quantité de tissu glandulaire dans le sein varie peu d'une femme à l'autre, même si la taille du sein peut varier beaucoup. C'est la raison pour laquelle la quantité de lait produite après l'accouchement n'est pas liée à la grosseur des seins. La différence de taille vient principalement de la quantité de tissu adipeux distribuée autour des glandes. Il est normal et courant qu'un sein soit légèrement plus gros que l'autre.

Dans notre société, la taille des seins préoccupe beaucoup d'hommes et de femmes. La popularité des chirurgies d'augmentation ou de réduction mammaires reflète bien l'insatisfaction des femmes dont les seins ne répondent pas aux critères de l'environnement culturel. Plus de 200 000 femmes recourent aux chirurgies mammaires cosmétiques chaque année aux États-Unis (Springen, 2003). À notre échelle, cela indiquerait que plus de 5000 Québécoises feraient de même chaque année.

Caractères sexuels secondaires Caractères physiques autres que les organes génitaux qui indiquent la maturité sexuelle et différencient les deux sexes : les seins, la pilosité et le timbre de la voix, par exemple.

Glandes mammaires Glandes lactifères situées dans le sein.

FIGURE 2.8 Coupe transversale et vue sagittale d'un sein.

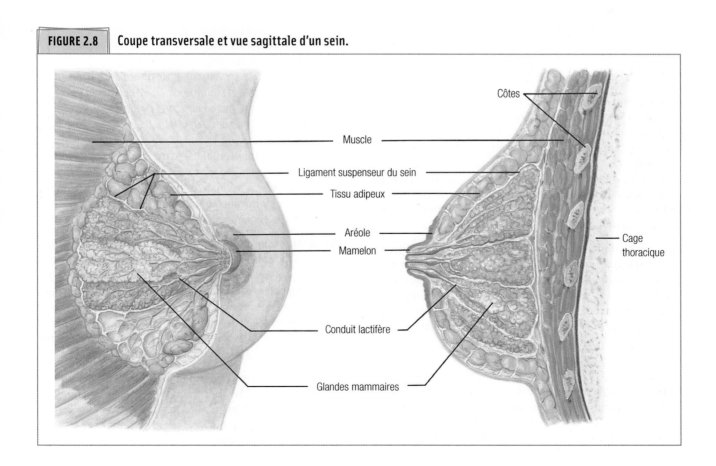

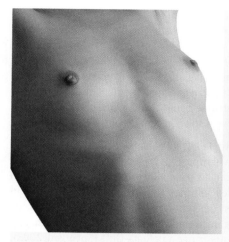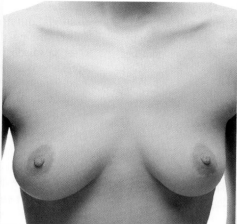

La taille et la forme des seins varient d'une femme à l'autre.

Devrait-on laisser les adolescentes libres de se faire poser des implants mammaires ? Pourquoi ?

L'anatomie et la physiologie sexuelles de l'homme

> Qui a besoin d'un cours sur l'anatomie masculine ? Certainement pas les gars de la classe. Ça nous pend entre les jambes toute notre vie. Nous le touchons chaque fois que nous allons uriner ou que nous nous lavons. Qu'y a-t-il donc de si mystérieux ? Le corps des filles, ça c'est autre chose. Voilà pourquoi j'ai suivi ce cours. Apprenons donc quelque chose de nouveau ! (Notes des auteurs)

Le tissu glandulaire des seins réagit aux hormones sexuelles. Pendant l'adolescence, les tissus adipeux et glandulaires se développent de façon marquée. La taille des seins varie au cours du cycle menstruel et durant la grossesse, l'allaitement ou la prise de contraceptifs oraux.

Le mamelon est situé au centre de l'aréole, la région plus foncée du sein. L'aréole contient des glandes sébacées qui lubrifient les mamelons durant l'allaitement. Les glandes mammaires débouchent sur le mamelon. Certains mamelons font saillie, d'autres sont au même niveau que le sein et d'autres sont rentrés dans le sein. De petits muscles situés sous le sein réagissent au toucher, à une stimulation sexuelle ou au froid par une contraction qui fait saillir le mamelon.

Pour beaucoup de femmes, la stimulation des seins et des mamelons est une importante source de plaisir et d'excitation durant la masturbation ou la relation sexuelle. Chez certaines, cette stimulation amplifie l'excitation qui mène à l'orgasme. D'autres l'apprécient, sans plus. Enfin, d'autres sont insensibles à la palpation du sein ou du mamelon, ou la trouvent même désagréable.

Mamelon Région pigmentée située au centre du sein et qui contient plusieurs terminaisons nerveuses et conduits lactifères.

Aréole Région circulaire et pigmentée qui entoure le mamelon.

Cette citation d'un étudiant illustre deux croyances assez répandues. La première est que l'anatomie sexuelle masculine est simple. La seconde est que les structures génitales des femmes sont beaucoup plus complexes et mystérieuses que celles des hommes.

Ces affirmations nécessitent qu'on s'y attarde, pour deux raisons. D'abord, l'anatomie sexuelle de l'homme est aussi complexe que celle de la femme et, dans un cas comme dans l'autre, elle varie beaucoup d'un individu à l'autre. Ensuite, sans être une garantie de satisfaction sexuelle, une meilleure connaissance de leur anatomie et physiologie sexuelles peut aider les hommes à communiquer plus efficacement avec leur partenaire et à conserver une bonne santé sexuelle.

Plus d'un professeur de sexualité humaine a noté que les étudiants prétendent tout connaître de leur anatomie… jusqu'au premier examen. C'est la raison pour laquelle nous commençons cette section par un test. Connaissez-vous les réponses à ces questions ?

- Que contient le sperme et où est-il produit ?
- L'orgasme masculin et l'éjaculation font-ils partie d'un seul et même processus ?
- Les hommes circoncis ont-ils moins de sensations érotiques que les hommes non circoncis ?
- Pourquoi les testicules bougent-ils à l'intérieur du scrotum ?

Les structures externes

Les organes génitaux externes de l'homme comprennent le pénis et le scrotum. Nous présentons ici certains éléments impliqués dans l'excitation sexuelle et qui sont complétés au chapitre 3 par des explications plus détaillées.

Le pénis

Le pénis est composé de nerfs, de vaisseaux sanguins, de tissu fibreux et de trois cylindres parallèles de tissus pouvant se gorger de sang : deux corps caverneux et un corps spongieux. Contrairement à ce que certains croient, il ne contient ni os ni fibres musculaires en abondance. Cependant, certaines de ses parties internes sont tapissées de muscles lisses (donc hors du contrôle volontaire), et la base du pénis présente un réseau étendu de muscles qui facilitent l'éjaculation et l'élimination de l'urine à travers l'urètre.

Une partie du pénis s'étend à l'intérieur de la cavité pelvienne. Cette portion, qui se rattache aux os pubiens, s'appelle la racine. Un homme en érection peut sentir ce prolongement interne s'il appuie du bout du doigt sur la région située entre l'anus et le scrotum. La partie externe et pendante du pénis, sans sa tête, est connue sous le nom de hampe (ou corps du pénis). La tête lisse en forme de gland de chêne est le gland.

Le pénis est parcouru en longueur par trois masses ou corps cylindriques. Les deux plus grandes, les corps caverneux (*corpora cavernosa*), reposent côte à côte au-dessus d'un troisième cylindre, plus petit, le corps spongieux

(*corpus spongiosum*). À la base du pénis, les extrémités internes des corps caverneux, appelés *piliers du pénis*, sont reliées aux os pubiens. À la tête du pénis, le corps spongieux se prolonge pour former le gland. Ces structures sont illustrées à la figure 2.9.

La structure de ces trois masses est similaire. Comme l'indiquent les termes *caverneux* et *spongieux*, elles sont formées de cavités et d'une substance irrégulièrement poreuse semblable aux éponges. De nombreux vaisseaux sanguins irriguent chacune d'elles. Lors de l'excitation sexuelle, ces cavités se gorgent de sang, ce qui provoque l'érection. Au cours de cet état, le corps spongieux forme parfois un sillon le long de la face ventrale du pénis.

La peau qui recouvre la hampe du pénis est habituellement dénuée de poils et assez lâche, ce qui permet au pénis de prendre de l'expansion lors de l'érection. Rattaché à la hampe au niveau du frein (portion située juste derrière le gland), un repli de peau, appelé prépuce, recouvre le gland et forme un capuchon. Chez certains, il recouvre tout le

---

Pénis   Organe sexuel masculin composé d'une racine, d'une hampe et d'un gland.

Racine   Partie du pénis qui se prolonge à l'intérieur de la cavité pelvienne.

Hampe   Partie du pénis comprise entre le gland et la racine.

Gland   Tête du pénis, richement innervée.

Corps caverneux   Structures situées à l'intérieur du pénis, lesquelles se gorgent de sang pendant l'excitation sexuelle.

Corps spongieux   Masse cylindrique qui forme un bulbe à la base du pénis, s'étend le long de la hampe et forme le gland.

Prépuce   Repli de peau qui recouvre le gland du pénis.

FIGURE 2.9   **Structure interne du pénis : a) coupe longitudinale ; b) coupe transversale.**

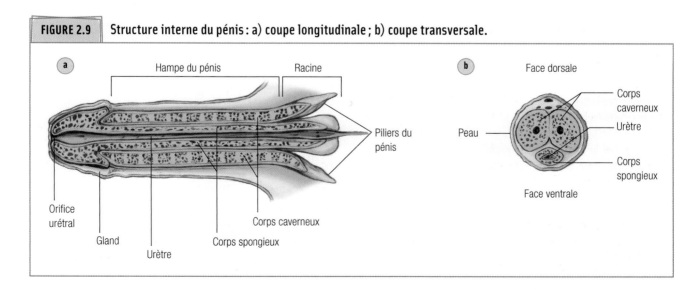

gland; chez d'autres, une partie seulement. En général, le prépuce se rétracte assez facilement.

La circoncision consiste à enlever chirurgicalement le prépuce, dans sa totalité ou en partie seulement. Dans certaines sociétés, on procède à l'ablation systématique du prépuce (voir l'encadré *Les uns et les autres*).

Tout le pénis est sensible au toucher, mais la plus grande concentration de terminaisons nerveuses se trouve dans le gland. Bien que tout le gland soit très sensible à la stimulation, deux régions le sont plus particulièrement: la **couronne**, c'est-à-dire la bordure qui sépare le gland de la hampe, et le **frein**, la mince bande de peau qui rattache le gland à la hampe du côté ventral. Ces deux structures sont présentées à la figure 2.10.

Le scrotum

Le **scrotum**, ou sac scrotal, est une poche de peau lâche située hors de la paroi abdominale, au niveau de l'aine, et suspendue à la racine du pénis (voir la figure 2.11).

Habituellement, le scrotum pend librement à l'extérieur de la cavité abdominale, mais il peut se rapprocher du corps sous l'effet du froid, d'une émotion forte (peur, agressivité) ou d'une stimulation sexuelle. Le scrotum se compose de deux couches de tissus. La couche externe est une peau mince de couleur plus foncée que celle du reste du corps. À l'adolescence, elle se couvre normalement de quelques poils. La seconde couche, connue sous le nom de *dartos*, est constituée de fibres musculaires lisses et de fibres de tissu conjonctif. Le scrotum se divise en deux compartiments distincts, chacun contenant un **testicule**.

Couronne   Bordure du gland du pénis.

Frein   Mince bande de peau très sensible qui relie le gland à la hampe du côté ventral.

Scrotum   Enveloppe de peau qui contient les testicules.

Testicules   Gonades mâles situées à l'intérieur du scrotum, qui produisent le sperme et les hormones sexuelles.

Les uns et les autres

Les mutilations et les modifications génitales masculines: pratiques et croyances culturelles

Partout dans le monde, les hommes ont toujours été convaincus de l'importance de modifier leurs organes génitaux et conscients de la signification des différentes interventions pratiquées à cette fin. Les rites et coutumes en ce domaine ont été transmis à travers l'histoire.

La modification génitale la plus courante est la circoncision, soit l'ablation du prépuce. Dans de nombreuses sociétés, on y recourt pour des raisons religieuses, rituelles ou hygiéniques. C'est une pratique très ancienne. L'observation de momies égyptiennes a révélé qu'elle était pratiquée dès 6000 ans av. J.-C. et des artefacts vieux de 5000 ans montrent des hommes circoncis. Les aborigènes australiens, les musulmans et plusieurs tribus africaines utilisent aussi la circoncision comme rite de passage ou pour exprimer un engagement envers leur dieu (Melby, 2002b). Comme nous l'avons mentionné au chapitre 1, cette pratique serait un atout dans la lutte contre le VIH.

Pendant des milliers d'années, les juifs ont pratiqué la circoncision à titre de rite religieux comme le prescrivent les Saintes Écritures (Gn 17, 9-27). Cette cérémonie, appelée *bris*, a lieu le huitième jour suivant la naissance. Une longue tradition de circoncision existe aussi chez les musulmans. Bien qu'elle soit répandue au Moyen-Orient et en Afrique, la circoncision est encore relativement peu courante en Europe.

Une variation de la circoncision, appelée *superincision* (le prépuce est séparé en deux et replié), est pratiquée dans certaines cultures du Pacifique-Sud comme rite de passage ou initiation rituelle à la maturité sexuelle (Gregersen, 1996). Aux îles Marquises et de Mangaia, cette intervention a lieu à l'adolescence (Marshall, 1971; Suggs, 1962).

La castration, appelée aussi *émasculation* ou *orchidectomie*, qui consiste en l'ablation des testicules, est une mutilation génitale extrême qui remonte à l'Antiquité. Diverses raisons la justifiaient: empêcher les relations sexuelles entre les gardiens et leurs protégées, rendre les prisonniers de guerre dociles, préserver la voix de soprano des enfants de chœur au Moyen Âge, en Europe, ou encore faire une offrande aux dieux lors de cérémonies religieuses (dans l'Égypte ancienne, des centaines de garçons étaient castrés au cours d'une même cérémonie).

De nos jours, la castration (chimique ou physique) se pratique surtout dans un cadre légal, comme méthode de sélection eugénique (par exemple, pour empêcher un «malade mental» de procréer) ou de dissuasion à l'égard des délinquants sexuels. Les fondements éthiques de ces pratiques font l'objet de nombreuses critiques. Enfin, la castration sert parfois à traiter des maladies comme le cancer de la prostate et la tuberculose génitale (Albertsen et coll., 1997; Pickett et coll., 2000).

Une dernière pratique, beaucoup moins répandue, est la subincision. Elle a été observée dans des rites de passage chez plusieurs tribus dans le nord de l'Australie. Elle consiste à ouvrir le pénis sur sa face urétrale, sur une partie ou toute sa longueur (Pounder, 1983).

(Pour une illustration des testicules sans le scrotum, voir la figure 2.12). Chaque testicule est suspendu dans son compartiment à l'aide du **cordon spermatique**. Ce dernier contient le canal déférent, c'est-à-dire le conduit qui transporte le sperme, des vaisseaux sanguins, des nerfs et le crémaster, muscle qui influe sur la position du testicule dans le scrotum. La contraction volontaire de ce muscle élève les testicules. Avec de l'entraînement, la majorité des hommes réussissent à produire cet effet. Cet exercice permet entre autres de se familiariser avec son corps. Comme le montre la figure 2.11, vous pouvez repérer le cordon spermatique en palpant le scrotum avec le pouce et l'index juste au-dessus du testicule. Ce canal ferme et caoutchouteux est généralement saillant.

Le scrotum est très sensible aux variations de température. C'est pourquoi de nombreux récepteurs sensitifs épidermiques empêchent les testicules de trop garder de chaleur ou de trop se refroidir. Lorsque le scrotum se refroidit, le dartos se contracte, sa peau se ride et les testicules se rapprochent du corps pour se réchauffer. Cette réaction involontaire provoque parfois des réactions amusantes.

| **FIGURE 2.10** | **Vue de la face ventrale du pénis montrant la couronne et le frein, deux régions richement innervées.** |

Couronne

Frein

Gland

Orifice urétral

Prépuce

Cordon spermatique Structure allongée et rattachée au testicule, comprenant le canal déférent, des vaisseaux sanguins, des nerfs et le muscle crémaster.

| **FIGURE 2.11** | **Le scrotum et les testicules.** |

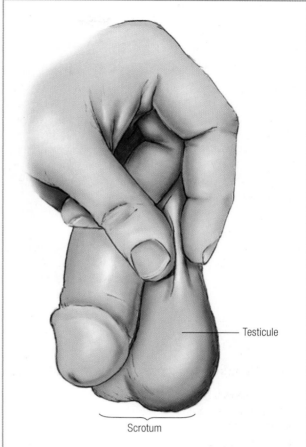

Testicule

Scrotum

Le cordon spermatique se localise en palpant le scrotum juste au-dessus du testicule avec le pouce et l'index.

> Lorsque je suivais des cours de natation au secondaire, le retour au vestiaire était toujours quelque peu traumatisant. Après avoir ôté mon maillot de bain, j'avais toujours besoin de chercher mes couilles. Les autres gars semblaient avoir le même problème, puisqu'ils s'empressaient de tirer frénétiquement sur leur scrotum pour remettre le tout à sa place. (Notes des auteurs)

L'excitation sexuelle est un autre type de stimulation qui amène le scrotum à se rapprocher du corps. Un des signes les plus évidents de l'imminence de l'orgasme est l'élévation maximale des testicules. Le principal muscle du scrotum qui intervient dans cette réaction est le crémaster. Une peur soudaine peut également amener ce muscle à se contracter fortement. Enfin, il est aussi possible de le contracter en serrant les cuisses. Cette réponse est appelée *réflexe crémastérien*. Grâce au perpétuel cycle de contraction et de relaxation du muscle crémaster, les testicules ont l'étonnante propriété d'être constamment en mouvement.

FIGURE 2.12 | Structures sous-jacentes du scrotum.

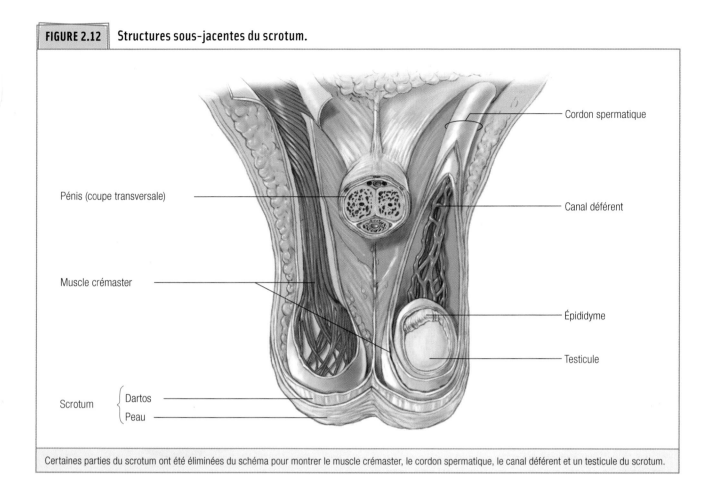

Pénis (coupe transversale)

Muscle crémaster

Scrotum — Dartos — Peau

Cordon spermatique

Canal déférent

Épididyme

Testicule

Certaines parties du scrotum ont été éliminées du schéma pour montrer le muscle crémaster, le cordon spermatique, le canal déférent et un testicule du scrotum.

Les structures internes

Les organes génitaux internes de l'homme sont les testicules, le canal déférent, les vésicules séminales, la prostate et les glandes de Cowper.

Les testicules

Les testicules jouent deux rôles majeurs: sécréter les hormones sexuelles mâles et produire le sperme. Au stade fœtal, ces organes se développent dans la cavité abdominale, puis ils migrent vers le scrotum par le canal inguinal dans les derniers mois de la grossesse (Ferrer et McKenna, 2000).

La température affecte la production de sperme. La température moyenne du scrotum est de cinq degrés inférieure à la température corporelle. Si, après la puberté, les testicules demeurent à l'intérieur du corps (cryptorchidie), cela peut causer l'infertilité, car cette température trop élevée nuit à la production du sperme (Mizuno et coll., 2009). La cryptorchidie est également associée à un risque plus élevé de développer un cancer des testicules (Peterson et coll., 2008; Shaw, 2008). Cette affection peut nécessiter une chirurgie ou un traitement hormonal (Kollin et coll., 2006; Vinardi et coll., 2001).

Chez la plupart des hommes, les testicules sont asymétriques, l'un étant plus bas que l'autre. Cela s'observe régulièrement puisque le cordon spermatique gauche est généralement plus long que le droit. Cette différence a souvent été attribuée à tort à une masturbation excessive. En fait, cette caractéristique est aussi commune que la grosseur inégale des seins de la femme. Le corps humain n'est tout simplement pas parfaitement symétrique.

Les hommes devraient se familiariser avec leurs testicules et les examiner régulièrement. Les testicules peuvent être le siège de plusieurs maladies comme le cancer, les infections transmissibles sexuellement et certaines maladies infectieuses. La plupart de ces maladies se manifestent par des symptômes observables et leur détection précoce permet de les traiter rapidement et même de sauver des vies. On peut ainsi éviter les complications graves.

Malheureusement, la majorité des hommes ne font pas périodiquement un tel examen. Simple et indolore, l'autoexamen des parties génitales ne prend pourtant que quelques minutes. La façon de procéder est décrite dans l'encadré *Votre santé sexuelle*.

Les tubules séminifères

À l'intérieur des testicules se trouvent deux régions ou structures qui interviennent dans la production et le stockage des spermatozoïdes. La première structure est celle des tubules séminifères (petits tubes transportant les spermatozoïdes), de minces conduits très pelotonnés formant les quelque 250 lobules qui constituent l'intérieur de chaque testicule (voir les figures 2.13 et 2.14). Habituellement, peu après la puberté, ils assurent la production des spermatozoïdes. Les hommes continuent à produire du sperme viable jusqu'à un âge avancé, parfois même jusqu'à la mort, bien que la vitesse de production diminue avec l'âge. Principale source d'androgènes, les cellules interstitielles, ou cellules de Leydig, sont situées entre les tubules séminifères et à proximité des vaisseaux sanguins, ce qui leur permet de sécréter directement leurs hormones dans le sang.

L'épididyme

La deuxième structure qui participe à l'élaboration du sperme est l'épididyme (mot qui signifie littéralement «sur les testicules»). Le sperme fabriqué dans les tubules séminifères se déplace dans un labyrinthe de conduits minuscules jusqu'à l'épididyme, une structure en forme de *C* située à l'arrière et au sommet de chacun des testicules (voir la figure 2.13).

> **Tubules séminifères** Structures minces et très pelotonnées du testicule qui assurent la production des spermatozoïdes.
>
> **Cellules interstitielles** Cellules localisées entre les tubules séminifères et qui constituent la principale source d'androgènes chez les hommes.
>
> **Épididyme** Organe situé à l'arrière et au sommet de chaque testicule et dans lequel se fait la maturation des spermatozoïdes.

Votre santé sexuelle

L'autoexamen des parties génitales masculines

L'autoexamen des parties génitales masculines peut se faire debout, adossé contre un mur ou assis. Il est préférable de le faire après une douche ou un bain chaud, car la chaleur détend la peau du scrotum, ce qui fait descendre les testicules et facilite leur palpation. On est alors à même de déceler toute anomalie.

Dans un premier temps, prêtez attention au cycle crémastérien de contraction et de relaxation, et exercez-vous à l'enclencher. Par la suite, explorez les testicules un à la fois. Avec le pouce de chaque main sur le dessus d'un testicule et l'index et le majeur en dessous, appliquez une petite pression sur le testicule et faites-le rouler entre vos doigts. Le testicule devrait être ferme au toucher et sa surface, assez lisse. Le contour et la texture du testicule peuvent varier selon l'individu, c'est pourquoi il est important que vous vous familiarisiez avec votre anatomie. Tout changement sera ainsi plus facile à déceler. Comparez les deux testicules et cherchez toute anomalie (notez qu'il est normal que leur taille varie légèrement). La présence d'une infection peut se manifester par une enflure ou une douleur. L'épididyme, qui s'étend sur le bord postérieur de chacun des testicules, s'infecte parfois. La surface devient alors irrégulière et sensible au toucher. Soyez à l'affût de toute masse dure, irrégulière ou douloureuse sous la peau du testicule. Cette masse, qui peut être aussi petite qu'un pois ou que le plomb d'une carabine à air comprimé, peut indiquer un stade précoce de cancer des testicules. Bien qu'il soit relativement rare, ce cancer peut progresser rapidement. C'est pourquoi la détection précoce et le traitement rapide sont des conditions essentielles à sa guérison.

Pendant votre examen, prêtez aussi attention à votre pénis. Une ulcération ou une excroissance à sa surface peuvent être le symptôme d'une infection cutanée, d'une infection transmissible sexuellement ou, dans de rares cas, d'un cancer. Quoiqu'il soit l'un des plus rares, le cancer du pénis est l'un des plus traumatisants et, à moins d'un diagnostic précoce et d'un traitement rapide, il peut être mortel (Brossman, 2008). Ce cancer débute habituellement par une petite lésion indolore sur le gland ou, dans le cas des hommes non circoncis, sur le prépuce. La lésion peut demeurer identique pendant des semaines, des mois, voire des années, avant d'évoluer en une masse enflammée et douloureuse semblable à un chou-fleur. Le fait de consulter immédiatement un médecin après avoir décelé une lésion augmente considérablement les chances de guérison.

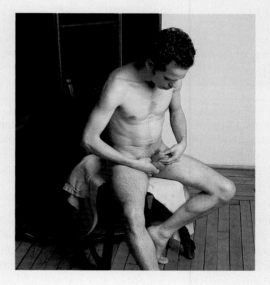

FIGURE 2.13 | Structures internes d'un testicule.

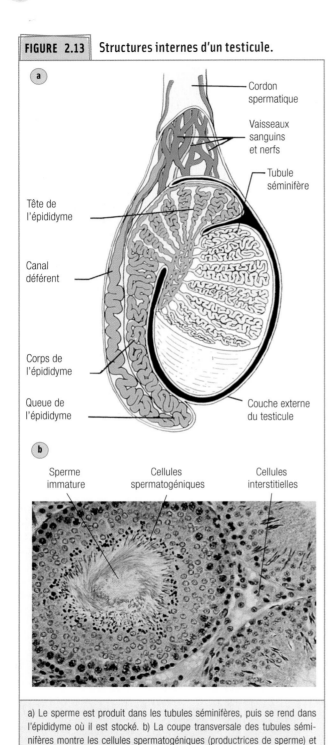

a) Le sperme est produit dans les tubules séminifères, puis se rend dans l'épididyme où il est stocké. b) La coupe transversale des tubules séminifères montre les cellules spermatogéniques (productrices de sperme) et les cellules interstitielles.

Il semble que l'épididyme soit surtout un lieu de stockage dans lequel les spermatozoïdes continueraient leur maturation pendant quelques semaines. Durant cette période, ils seraient complètement inactifs. Certains chercheurs émettent l'hypothèse que cet organe serait aussi le siège d'une sélection au cours de laquelle les spermatozoïdes anormaux seraient rejetés par le mécanisme d'élimination des déchets de l'organisme.

Le canal déférent

Le sperme emmagasiné dans l'épididyme est finalement acheminé le long du canal déférent, un conduit long et mince situé à l'intérieur du cordon spermatique qui traverse le scrotum. Ce canal se trouve à la surface du scrotum. Cette localisation facilite la vasectomie, une opération courante qui a pour but de stériliser les hommes et qui est décrite au chapitre 13.

Le cordon spermatique quitte le scrotum en traversant le canal inguinal et débouche dans la cavité abdominale. De là, il continue sa montée vers la face postérieure de la vessie et forme une boucle autour de l'urètre, comme le montre la figure 2.14. (C'est le trajet inverse de celui du testicule vers le scrotum avant la naissance.) Ensuite, il descend jusqu'à la base de la vessie où il se joint au conduit sécréteur de la vésicule séminale pour former le conduit éjaculatoire. Les deux conduits éjaculatoires sont très courts et traversent la prostate (un de chaque côté). Ils débouchent sur la portion prostatique de l'urètre, le conduit par lequel l'urine est évacuée de la vessie.

Les vésicules séminales

Les vésicules séminales sont au nombre de deux. Ces petites glandes sont situées près de l'extrémité du canal déférent (voir la figure 2.14). Elles remplissent un rôle important pour la fertilité masculine en contribuant à la formation de spermatozoïdes sains et fonctionnels (Zhang et Jin, 2007 ; Gonzales, 2001). Ces glandes sécrètent le liquide séminal sucré qui semble nourrir les spermatozoïdes et favoriser leur mobilité, et dont la proportion peut atteindre 70 % du volume total de l'éjaculat (Gonzales, 2001). Du testicule jusqu'à la vésicule séminale, les spermatozoïdes se déplacent dans un réseau élaboré de conduits grâce aux battements des cils qui tapissent la paroi de ces derniers.

Canal déférent Canal conducteur des spermatozoïdes s'étendant du testicule à l'urètre.

Vasectomie Mode de stérilisation de l'homme qui consiste à enlever une section de chacun des canaux déférents.

Conduits éjaculatoires Courts conduits qui traversent la prostate.

Urètre Conduit par lequel l'urine et le liquide séminal sont acheminés hors du corps.

Vésicules séminales Petites glandes situées à l'extrémité du canal déférent, qui sécrètent un liquide alcalin très riche en fructose. Cette sécrétion est le composant principal du liquide séminal et contribue à la mobilité des spermatozoïdes.

FIGURE 2.14   Anatomie sexuelle masculine : vue sagittale des organes de reproduction.

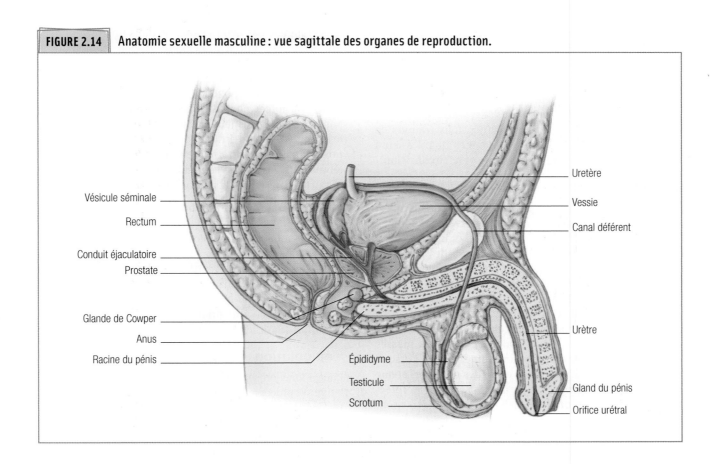

Labels from figure:
- Vésicule séminale
- Rectum
- Conduit éjaculatoire
- Prostate
- Glande de Cowper
- Anus
- Racine du pénis
- Uretère
- Vessie
- Canal déférent
- Urètre
- Épididyme
- Testicule
- Scrotum
- Gland du pénis
- Orifice urétral

Une fois nourris des sécrétions énergétiques des vésicules, ils peuvent se propulser eux-mêmes, animés par le mouvement de leur flagelle.

La prostate

Située sous la vessie, la prostate est une glande de la forme et de la taille d'un marron constituée de fibres musculaires lisses et de tissu glandulaire (voir la figure 2.14). Elle sécrète environ 30 % du liquide séminal libéré durant l'éjaculation.

L'activité de la prostate est continue, mais s'accélère pendant l'excitation sexuelle. Les sécrétions prostatiques s'écoulent dans l'urètre par un système de conduits collecteurs, et s'y mélangent au sperme et aux sécrétions des vésicules séminales pour former le liquide séminal. Le fluide prostatique est liquide, laiteux et alcalin. Cette basicité neutralise l'acidité de l'urètre masculin et du vagin, ce qui favorise la viabilité et la mobilité des spermatozoïdes.

Les glandes de Cowper

Les glandes de Cowper, ou glandes bulbo-urétrales, sont deux petits organes de la taille d'un pois situés de part et d'autre de l'urètre, juste sous l'endroit où il émerge de la prostate (voir la figure 2.14), et directement reliés à lui par de petits conduits. Lors de l'excitation sexuelle,

ces glandes sécrètent souvent une substance visqueuse, semblable à un mucus, qui apparaît sur le bout du pénis sous forme de gouttelettes. Comme le liquide prostatique, cette substance est alcaline et aide à réduire l'acidité de l'urètre. On pense aussi qu'il sert de lubrifiant pour faciliter le passage du liquide séminal dans l'urètre.

Le liquide des glandes de Cowper ne doit pas être confondu avec le sperme, mais il contient parfois des spermatozoïdes actifs et sains. C'est la raison pour laquelle le coït interrompu n'est pas très efficace comme moyen de contraception.

Prostate   Glande localisée sous la vessie et qui produit environ 30 % du liquide séminal libéré lors de l'éjaculation.

Liquide séminal ou sperme   Liquide visqueux éjaculé par le pénis et composé de spermatozoïdes et de différents fluides produits par la prostate, les vésicules séminales. Il peut y avoir aussi une partie de liquide pré-éjaculatoire produit par les glandes de Cowper.

Glandes de Cowper   Petites glandes situées de chaque côté de l'urètre qui sécrètent un liquide alcalin pendant l'excitation sexuelle.

Les fonctions sexuelles masculines

Jusqu'ici, nous avons décrit les organes sexuels de l'homme sans analyser leur fonctionnement. Nous allons maintenant étudier deux fonctions sexuelles masculines : l'érection et l'éjaculation. Par la suite, nous traitons de deux sujets qui préoccupent les hommes quant à leurs fonctions sexuelles : la taille du pénis et la circoncision.

L'érection

Comme nous l'expliquons au chapitre 3, l'érection est une réaction régie par le système nerveux autonome (Manecke et Mulhall, 1999). Quand un homme est excité sexuellement, son système nerveux envoie des messages qui provoquent une dilatation des artères contenues dans les trois masses cylindriques érectiles du pénis. Le sang afflue de plus en plus rapidement dans ces masses parallèles. Parce que le flux sanguin évacué du pénis par les veines est moins important que celui qui y afflue, le sang s'accumule dans les tissus spongieux des trois masses érectiles. Il en résulte une érection (tumescence). Lorsque le système nerveux interrompt l'envoi des messages et que l'afflux sanguin dans le pénis revient à la normale, l'érection cesse. Cela se produit notamment après l'éjaculation.

La fonction érectile est présente même avant la naissance. Il est possible de le constater sur des images de fœtus masculins prises par échographie. Il est pratiquement assuré que les bébés de sexe féminin ont la même réaction sans que cela soit toutefois visible (Desjardins, 2007 ; Broussin et Brenot, 1995). La littérature scientifique fait aussi état d'un orgasme intra-utérin chez des filles (Giorgi et Siccardi, 1996). Il est courant et parfaitement naturel qu'un bébé, garçon ou fille, ait une érection (clitoridienne pour la fille) lors d'un changement de couche ou durant son sommeil, par la friction des vêtements ou, plus tard, par autostimulation dès qu'il acquiert une maîtrise suffisante de ses mouvements. Les érections nocturnes surviennent pendant la phase du sommeil paradoxal, caractérisée par des mouvements oculaires rapides (MOR) (Silverberg, 2008b) ; c'est la période où l'on rêve. Les rêves érotiques semblent jouer un rôle, mais les érections nocturnes proviennent essentiellement d'un mécanisme physiologique ; d'ailleurs, ces érections peuvent survenir lors de rêves sans aucune connotation sexuelle. Il arrive souvent qu'un homme s'éveille au matin juste après une période de sommeil paradoxal et qu'il soit en érection. C'est ce qui explique le phénomène des érections matinales, qui sont faussement attribuées à une vessie pleine.

À l'état de veille, on s'attend logiquement à ce que l'érection ne se produise qu'en réponse à un stimulus sexuel. Ce n'est toutefois pas toujours le cas, et l'érection spontanée peut être embarrassante, fâcheuse, amusante ou angoissante. Presque tous les hommes se souviennent d'avoir eu une érection non désirée à l'école durant leur adolescence et d'en avoir ressenti un grand embarras. Quel homme ne se rappelle pas avoir déambulé dans un corridor avec un cartable à l'endroit stratégique ou avoir attendu que la situation se calme avant de sortir de la piscine ? Le pénis peut aussi entrer en érection dans des situations non sexuelles, comme monter à bicyclette, lever une charge lourde ou forcer pour expulser des matières fécales (en particulier chez les jeunes garçons). Cela s'explique par le fait que l'érection est une réponse physiologique réflexe provenant d'un centre nerveux situé au niveau des vertèbres sacrées. Le cerveau adolescent n'a pas toujours la maturité pour empêcher ce type de réflexe.

Chez l'homme adulte en bonne santé, l'érection survient généralement grâce à une combinaison de facteurs physiologiques et psychologiques. Le cerveau garde le contrôle et, toujours chez l'homme en bonne santé physique, les difficultés érectiles sont de sources psychologiques variées. Nous en traitons au chapitre 10. Il est parfaitement établi que les hommes peuvent améliorer leur érection en imaginant des scènes ou des images érotiques (Smith et Over, 1987).

L'éjaculation

L'autre fonction sexuelle de base chez l'homme est l'éjaculation, le processus d'expulsion du sperme hors du corps. De nombreuses personnes confondent orgasme et éjaculation. William Masters et Virginia Johnson, par exemple, les considéraient comme équivalents dans leurs mesures du comportement sexuel. Pourtant, ces deux processus peuvent survenir séparément l'un de l'autre. Avant la puberté, un garçon peut avoir ressenti des centaines d'orgasmes « secs », c'est-à-dire sans éjaculation. Chez l'adulte, il arrive à l'occasion qu'un homme ait plus d'un orgasme pendant une relation sexuelle, le deuxième ou le troisième orgasme ne s'accompagnant que de peu ou pas d'éjaculat.

L'érection et l'éjaculation sont des réflexes déclenchés dans la moelle épinière (Truitt et Coolen, 2002). Ils sont cependant dépendants de deux régions distinctes. Ainsi, il arrive que des hommes dont la moelle épinière est atteinte aient des érections par stimulation manuelle sans que cela déclenche d'éjaculation ou, à l'inverse, qu'on puisse déclencher une éjaculation sans érection par stimulation électrique des nerfs appropriés. Chez les hommes atteints de certaines maladies courantes, comme le diabète à l'état avancé, l'érection et l'éjaculation peuvent aussi être dissociées.

L'éjaculation suit deux phases (voir la figure 2.15). Pendant la première, appelée phase d'émission, la prostate, les vésicules séminales et l'ampoule (la partie supérieure du canal

---

Érection Processus par lequel le pénis (chez la femme, le clitoris) se gorge de sang et augmente de taille.

Phase d'émission Première phase de l'éjaculation, pendant laquelle le liquide séminal s'accumule dans le bulbe urétral.

déférent) se contractent. Ces contractions envoient différentes sécrétions dans les conduits éjaculatoires et dans l'urètre prostatique. Au même moment, les sphincters urétraux interne et externe (deux muscles situés l'un à la jonction de l'urètre et de la vessie, et l'autre en dessous de la prostate) se referment pour emprisonner le liquide séminal dans le bulbe urétral (la partie prostatique de l'urètre située entre les deux sphincters). Le bulbe urétral se dilate alors comme un ballon. À ce moment, l'homme a l'impression que l'orgasme devient imparable, c'est-à-dire qu'il a atteint le point de non-retour ou le déclenchement inévitable de l'éjaculation, sensation qui joue un rôle central dans la modulation de l'excitation pour contrôler l'éjaculation.

Pendant la seconde phase, dite phase d'expulsion, le liquide séminal est expulsé (il s'appelle alors *éjaculat*) sous l'effet des contractions fortes et rythmiques des muscles entourant le bulbe urétral et la racine du pénis. D'autres contractions se produisent également tout le long de l'urètre. Le sphincter urétral externe se relâche pour laisser passer le sperme, tandis que le sphincter interne demeure contracté afin d'éviter l'écoulement d'urine. Les deux ou trois premières contractions des muscles situés à la base du pénis sont très fortes et très rapprochées. La plus grande partie du sperme est alors expulsée sous forme de jets. Pendant les 3 à 10 secondes que dure la phase d'expulsion, plusieurs autres muscles interviennent ; les contractions diminuent progressivement et le temps entre chacune d'elles s'allonge.

Chez certains hommes se produit ce qu'on appelle une *éjaculation rétrograde*. Dans ce cas, le sperme est envoyé dans la vessie au lieu d'être expulsé du pénis. Ce trouble est dû à une inversion du travail des sphincters : le sphincter interne se relâche au lieu de se contracter, et le sphincter externe se contracte au lieu de se détendre. Ce type de problème survient notamment chez les hommes qui ont subi une opération de la prostate (Kassabian, 2003). Il peut aussi être attribuable à une maladie, à une affection congénitale ou à l'usage de certaines drogues et de certains médicaments, généralement des tranquillisants. L'éjaculation rétrograde n'est pas dangereuse en soi, le liquide séminal étant expulsé ultérieurement avec l'urine. Toutefois, un homme ayant régulièrement ce trouble d'éjaculation a tout intérêt à consulter un médecin,

> **Phase d'expulsion** Seconde phase de l'éjaculation, pendant laquelle le liquide séminal est expulsé du pénis sous l'effet de contractions musculaires.

FIGURE 2.15 Organes génitaux masculins pendant l'éjaculation : a) phase d'émission ; b) phase d'expulsion.

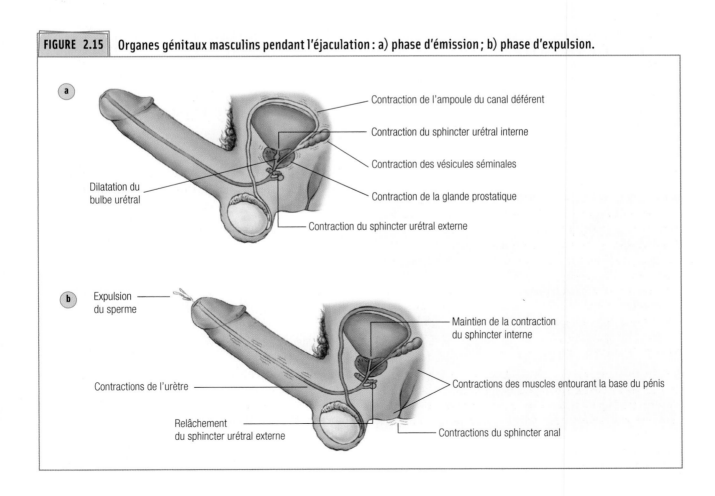

non seulement parce que cela l'empêche de procréer, mais aussi parce que cela peut être le symptôme d'une maladie.

Il est possible d'avoir un orgasme sans stimulation génitale. L'exemple le plus connu est celui des éjaculations nocturnes. On ne connaît pas très bien le mécanisme qui produit ces orgasmes (d'ailleurs, les femmes ont aussi ce genre d'orgasme au cours du sommeil). La probabilité qu'un homme atteigne ainsi l'orgasme en recourant uniquement à son imaginaire érotique, sans aucune autre forme de stimulation, est extrêmement faible et aucune source sûre n'a jamais confirmé ce phénomène. Alfred Kinsey et son équipe (1948) n'ont cité que trois ou quatre cas de ce genre parmi les quelque 5000 hommes de leur échantillon. Par contre, dans leur échantillon féminin, un nombre beaucoup plus grand de femmes (environ 2 %) a dit avoir eu des orgasmes par la seule action des fantasmes (Kinsey et coll., 1954). Enfin, il arrive que des hommes aient une éjaculation et un orgasme lors de certains jeux sexuels (comportant des baisers intenses ou une stimulation orale ou manuelle de la ou du partenaire) sans stimulation pénienne.

Comme nous l'avons vu, le sperme, ou liquide séminal, qui est expulsé du pénis provient de plusieurs sources. Les différents fluides qui le composent sont produits par les vésicules séminales, la prostate et les glandes de Cowper, les vésicules séminales en fournissant la plus grande part (DeMoranville, 2008). Les glandes de Cowper sont responsables du liquide pré-éjaculatoire. La quantité de liquide séminal éjaculée, environ une cuillère à thé, dépend de plusieurs facteurs, dont le temps écoulé depuis la dernière éjaculation, la durée de l'excitation qui précède l'éjaculation et l'âge (les hommes plus âgés en produisent une plus petite quantité). Le sperme d'une éjaculation contient habituellement de 200 à 500 millions de spermatozoïdes, lesquels ne comptent que pour environ 1 % du volume total du liquide éjecté. Sur le plan chimique, le sperme

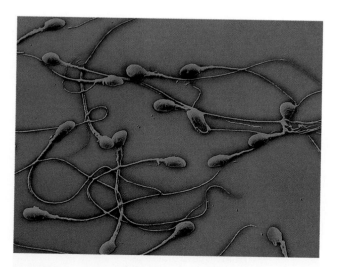

Spermatozoïdes agrandis au microscope.

est une combinaison complexe d'acides ascorbique et citrique, d'eau, d'enzymes, de fructose, de bases (phosphate et bicarbonate) et d'autres substances. Aucune de ces substances n'est dangereuse pour la santé si le sperme est ingéré par voie orale. Cependant, le sperme d'un individu infecté par le VIH peut transmettre la maladie si le virus pénètre l'organisme par des plaies ouvertes ou des lésions gingivales (voir le chapitre 12).

Quelques préoccupations liées aux fonctions sexuelles masculines

Nous nous penchons ici sur trois sujets dont les deux premiers semblent soulever beaucoup d'interrogations quant à leur impact sur la vie sexuelle de l'homme, soit la taille du pénis et la circoncision. Nous abordons ensuite les soins à apporter au pénis.

La taille du pénis

Dans plusieurs cultures et formes artistiques, il est évident que la taille du pénis est préoccupante.

> Toute ma vie, la taille de mon pénis m'a inquiété. J'ai toujours évité les endroits comme les douches où je risquais d'être exposé au regard d'autrui. Lorsque mon pénis est rigide, il mesure environ 12 cm. Mais quand il est au repos, il dépasse rarement 3 ou 4 cm et son diamètre est lui aussi petit. Je n'aime pas me dénuder devant les filles avec qui je fais l'amour. Ce malaise a souvent des répercussions négatives sur ma sexualité. (Notes des auteurs)

> Bonjour Élysa,
>
> Est-il normal qu'à 20 ans j'aie toujours le désir de comparer mon pénis [...] avec celui d'autres jeunes hommes ?
>
> Je n'en ai jamais vraiment eu l'occasion si ce n'est quand j'avais 7-8 ans et que je donnais des bonbons à mes copains d'école pour voir leurs parties intimes, ou lorsque j'avais 16 ans en échangeant des photographies par Internet avec un autre garçon (que je n'ai jamais rencontré) qui avait un an de moins que moi.
>
> Merci d'avance pour votre réponse ! (Site Élysa)

De telles préoccupations rejoignent celles d'un nombre incalculable d'hommes. Il est facile de comprendre pourquoi la taille du pénis semble si importante. Dans notre société, on a tendance à être impressionné par la taille et la quantité de toute chose. On pense que les grosses voitures sont meilleures que les voitures compactes, que plus une maison est grande, plus elle est belle. Donc,

L'importance accordée à la taille du pénis s'observe dans une variété de cultures et de formes artistiques.

implicitement, on croit que les gros pénis procurent plus de plaisir que les petits. En outre, les arts, que ce soit la littérature, la peinture, la sculpture ou le cinéma, contribuent à perpétuer l'obsession du gros pénis. La pornographie mise grandement sur cette obsession.

Cette attention accordée à la taille du pénis amène de nombreux hommes à considérer celle-ci comme un critère important de leur masculinité ou de leur valeur comme amant. Une telle conception de la virilité peut conduire à une mauvaise estime de soi. En outre, si l'un des deux partenaires trouve le pénis trop petit, la satisfaction sexuelle peut s'en trouver diminuée chez l'un comme chez l'autre, et ce, non pas à cause d'une lacune réelle, mais par simple confirmation d'un préjugé. Bien que la taille du pénis soit aussi une préoccupation

présente au sein de la communauté gaie, nous parlons ici surtout de la relation hétérosexuelle de type pénis-vagin, parce que l'inquiétude au sujet de la taille du pénis touche généralement cette activité sexuelle.

Rappelons d'abord que le clitoris est la partie la plus sensible de l'anatomie sexuelle féminine. La plupart des femmes atteignent l'orgasme par la stimulation clitoridienne plutôt que vaginale. Comme nous l'avons vu, la partie la plus sensible du vagin est située à son entrée. Même si certaines femmes apprécient la pénétration profonde en raison de la pression qui s'exerce alors sur les récepteurs profonds de leur vagin (Desjardins, 2007), cette sensation n'est pas forcément essentielle à leur satisfaction sexuelle. En fait, plusieurs femmes trouvent même une telle pénétration douloureuse, surtout quand elle est faite avec beaucoup de vigueur.

> Vous m'avez demandé si la taille du pénis influençait mon plaisir. Oui, mais pas de la façon que vous pourriez le penser. Si un homme a un long membre, je crains qu'il me fasse mal. En fait, je préfère un pénis moyen ou même petit. (Notes des auteurs)

La douleur ou le malaise que certaines femmes ressentent lors d'une pénétration profonde peut s'expliquer sur le plan physiologique. Étant donné que les ovaires et les testicules proviennent des mêmes tissus embryonnaires, ils ont la même sensibilité. Si le pénis heurte le col utérin et que l'utérus et l'ovaire se déplacent légèrement, la femme éprouve les mêmes sensations que celles d'un homme qui a reçu un coup sur les testicules. L'étirement violent des ligaments utérins sous l'effet d'une pénétration profonde peut également être douloureux, bien que certaines femmes l'apprécient lorsqu'il est lent.

Ces observations indiquent à quel point il est important d'être attentif et respectueux des préférences de chacun

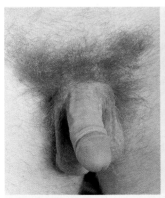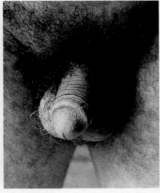

La taille et la forme des parties génitales masculines varient d'un individu à l'autre.

lors des rapports sexuels. Si l'un des partenaires ou les deux désirent un mouvement de va-et-vient plus profond et plus énergique, ils peuvent graduellement modifier leurs mouvements en conséquence. Ils pourraient aussi décider de prendre une position autre que celle du missionnaire afin que la femme ait plus de contrôle sur la profondeur et la vigueur de la pénétration.

Question d'analyse critique

Y a-t-il, selon vous, un lien entre la taille du pénis et le plaisir sexuel éprouvé par la femme lors du coït ? Sur quelles données reposent vos arguments ?

Les uns et les autres

Le koro ou le syndrome de rétraction du pénis

Le **syndrome de rétraction du pénis (SRP)** est un phénomène culturel qui a déjà fortement attiré l'attention dans plusieurs régions du monde, particulièrement en Asie et en Afrique (Schroer, 2008). Le SRP reçoit différents noms selon l'endroit, mais tous signifient « pénis qui rétrécit ». C'est sous le nom de **koro** qu'il est le plus souvent connu. Un homme qui en est atteint se croit généralement victime d'une maladie contagieuse qui provoque le rétrécissement du pénis et sa rétraction à l'intérieur du corps, une perspective dramatique accentuée par les traditions et le folklore local, qui présentent cette condition comme étant fatale (Kovacs et Osvath, 2006 ; Vaughn, 2003). Le koro est une croyance vieille de plusieurs millénaires qui a refait surface en Malaisie, en Indonésie, en Chine et dans plusieurs pays de l'Afrique de l'Ouest. Le terme *koro* serait dérivé du mot malaisien signifiant « tortue », en référence à la capacité de cet animal de rentrer sa tête et ses pattes dans sa carapace. Dans l'argot malaisien, le mot *tortue* est souvent utilisé pour désigner le pénis (Vaughn, 2003).

Bien que le koro soit parfois présenté comme une anomalie affectant des individus isolés, il s'agit le plus souvent d'un phénomène social qui se répand comme une traînée de poudre auprès de centaines, voire de milliers d'hommes, provoquant la panique et l'hystérie. Une telle situation de panique s'est produite à Singapour en 1967 (Vaughn, 2003). Une rumeur voulant que de la viande de porc était contaminée, les hôpitaux singapouriens ont été envahis par des milliers d'hommes croyant que leur pénis rétrécissait. Plusieurs ont alors tenté, par des moyens mécaniques divers, d'empêcher leur organe sexuel de disparaître. Pour dissiper cette hystérie de masse, il a fallu que des médecins locaux mettent sur pied un programme coordonné d'éducation populaire assurant qu'il n'y avait aucun risque de rétrécissement pénien.

Une autre épidémie de koro survenue dans le nord-est de l'Inde, en 1982, témoigne de cette hystérie collective. À l'origine, une rumeur voulant que le pénis des garçons rétrécissait s'était rapidement répandue. Les hôpitaux furent pris d'assaut par des milliers de parents et leurs fils, dont le pénis était recouvert d'un bandage ou retenu d'une quelconque façon pour l'empêcher de rétrécir davantage. Cette épidémie a été endiguée par les autorités médicales qui ont parcouru la région avec des haut-parleurs pour rassurer les populations anxieuses. Les autorités ont également mené un programme général visant à mesurer les pénis à intervalles réguliers pour montrer qu'il n'existait aucun rétrécissement.

Dans les pays d'Afrique occidentale, du Cameroun au Nigeria, le koro est surtout associé à la magie noire ou à la sorcellerie et comporte généralement l'idée d'un vol plutôt que d'une rétraction (Schroer, 2008 ; Vaughn, 2003). De récentes flambées de « pénis volés » ont été rapportées au Nigeria, au Cameroun, au Ghana et en Côte d'Ivoire. Dans de tels cas, des accusations publiques de vols de pénis sont portées, la plupart du temps à la suite d'un contact inattendu ou non désiré avec une personne étrangère (Dzokoto et Adams, 2005 ; Mather, 2005). Les personnes accusées d'avoir perpétré ce crime sont souvent assaillies physiquement et parfois même tuées par des victimes ou des citoyens en colère (Abidde, 2008).

La meilleure explication aux épidémies de koro réside dans la peur irraisonnée et contagieuse de certains hommes sensibles à ce genre de délires (Mather, 2005 ; Schroer, 2008). Le SRP s'apparente au phénomène d'attaque de panique observable en Occident, doublé d'une composante sexuelle. Dans certaines cultures asiatiques et africaines, l'anxiété liée à la sexualité est très forte ; aussi n'est-il pas étonnant que des rumeurs de rétraction ou de vol de pénis suscitent la panique chez certains hommes, surtout lorsqu'ils constatent que leur pénis rétrécit sous l'influence du froid ou de la peur, un processus tout ce qu'il y a de plus naturel (McLaren et Ringe, 2006). De plus, lorsque le sentiment de culpabilité ou l'anxiété repose sur des excès sexuels réels ou imaginés, un homme peut facilement devenir la proie de croyances irrationnelles et se croire le candidat parfait à ce bizarre syndrome du koro.

Syndrome de rétraction du pénis (SRP) Phénomène singulier d'origine culturelle par lequel des hommes croient que leur pénis se rétracte à l'intérieur de leur corps.

Koro Terme largement utilisé en Afrique et en Asie pour désigner le syndrome de rétraction du pénis.

La circoncision

La circoncision est une opération chirurgicale qui consiste à enlever partiellement ou totalement le prépuce. La circoncision est l'une des interventions les plus pratiquées sur les personnes de sexe masculin. Au Canada, «environ le tiers (31,9 %) des femmes ont signalé avoir fait circoncire leur bébé de sexe masculin. Cette proportion variait fortement selon la province ou le territoire» (Agence de la santé publique du Canada, 2009). Une étude récente indique qu'aux États-Unis 55,9 % des 417 282 nouveau-nés recensés étaient circoncis (Leibowitz et coll., 2009). Cette modification génitale est pratiquée dans plusieurs pays pour des raisons religieuses, par tradition ou tout simplement pour des questions d'hygiène. Aussi répandue soit-elle, cette pratique demeure très controversée.

Les partisans de la circoncision soutiennent qu'elle est bénéfique pour la santé. Une hygiène déficiente de la région sous-préputiale peut en effet favoriser le développement de plusieurs types d'infections. De nombreuses études montrent que la circoncision diminue l'incidence des infections urinaires chez les enfants et du cancer du pénis chez les adultes (Dickerman, 2007 ; Loughlin, 2005). Elle peut être parfois nécessaire pour traiter un phimosis. Depuis 2007, l'Organisation mondiale de la santé et l'ONU-SIDA recommandent la circoncision parmi les mesures de santé publique en matière de VIH/sida (nous en reparlons au chapitre 12).

Les opposants à la circoncision, de leur côté, ne manquent pas d'arguments à l'encontre de cette pratique. D'abord, le prépuce pourrait avoir une fonction importante qui demeure actuellement inconnue. Ensuite, la fonction sexuelle pourrait, selon certains chercheurs, être affectée par l'ablation du prépuce. Enfin, selon des professionnels de la santé, cette intervention crée un traumatisme inutile chez le nouveau-né, en plus de comporter un risque de complications.

En dépit des recommandations des associations professionnelles de pédiatres et d'anesthésiologistes, moins de la moitié des enfants circoncis reçoivent un analgésique pour calmer la douleur au cours de l'intervention (Boschert, 2004 ; Horton, 2005). Or, les enfants qui n'en reçoivent pas ressentent de la douleur et y réagissent (Boschert, 2004 ; Van Howe et Svoboda, 2008) ; l'association douleur-circoncision peut avoir des effets à long terme sur le comportement de l'enfant (Taddio et coll., 1997b). La circoncision comporte également des risques pour la santé de l'enfant, notamment des risques d'hémorragie, d'infection, de mutilation, de choc et de traumatisme psychologique (Fauntleroy, 2005 ; Meldrum et Rink, 2005).

Devant une telle controverse, il n'est pas étonnant que les professionnels de la santé aient du mal à se prononcer clairement sur la question. Le débat n'est pas clos, et il risque de se poursuivre encore longtemps. Par ailleurs, la question de l'incidence de la circoncision sur le plaisir sexuel masculin

Question d'analyse critique

Parmi les méthodes de recherche décrites au chapitre 1, laquelle utiliseriez-vous pour mesurer l'impact de la circoncision sur la réaction et la satisfaction sexuelles de l'homme ? Pour mener une telle étude, comment concevriez-vous votre plan de recherche ?

demeure entière. Les hommes circoncis sont-ils avantagés sur le plan érotique par rapport aux hommes non circoncis ?

Le prépuce d'un homme non circoncis se rétracte de toute façon durant la pénétration, et son gland est donc exposé de la même manière. Sauf en cas de phimosis, il ne semble y avoir aucune différence sur ce plan entre les circoncis et les non-circoncis. En revanche, on peut se demander si, à long terme, le gland d'un homme circoncis ne devient pas moins sensible à cause du frottement constant qu'il subit. Il est impossible de répondre à cette question actuellement.

Masters et Johnson (1968) ont étudié ces deux questions et n'ont trouvé aucune différence entre les hommes circoncis et non circoncis en ce qui a trait à la réponse sexuelle. Une étude récente rapporte que la sensibilité du gland est moindre chez les hommes circoncis que chez ceux qui ne le sont pas (Sorrels et coll., 2007). Toutefois, il manque une donnée essentielle à leur enquête : l'évaluation subjective d'hommes qui ont vécu les deux états après avoir atteint la maturité sexuelle. La documentation médicale rapporte quelques cas d'hommes dont la satisfaction sexuelle a diminué après avoir subi une circoncision à l'âge adulte (Gange, 1999 ; *Task Force on Circumcision,* 1999). Une étude relève au contraire une amélioration de la satisfaction sexuelle chez des hommes qui ont été traités chirurgicalement pour des problèmes comme le phimosis (Carson, 2003). En somme, le lien entre la circoncision et l'excitation sexuelle masculine demeure encore obscur et il n'existe pas de consensus quant au rôle du prépuce dans la performance et la satisfaction sexuelles (Laumann et coll., 1997).

Question d'analyse critique

Si vous aviez un bébé garçon, le feriez-vous circoncire ? Pourquoi ?

Circoncision   Ablation chirurgicale, partielle ou totale, du prépuce.

Phimosis   Étroitesse anormale du prépuce ne permettant pas un dégagement suffisant du gland.

Les soins du pénis

Prendre soin de son pénis constitue un aspect majeur de la santé sexuelle, notamment en le lavant chaque jour. Il est aussi prouvé qu'un nettoyage avant et après chaque relation sexuelle peut réduire le risque de transmission des infections transmissibles sexuellement et par le sang (ITSS), comme nous le voyons au chapitre 12. Les hommes non circoncis doivent veiller à bien rabattre le prépuce pour laver le gland et la paroi interne du prépuce. Ce dernier présente de petites glandes qui sécrètent une substance huileuse et lubrifiante. Si ces sécrétions s'accumulent sous le prépuce, elles se combinent avec des cellules de peau morte pour former du smegma. L'accumulation de smegma finit par dégager une odeur désagréable ; il devient granuleux et irritant, et il peut représenter un terrain fertile pour des agents infectieux.

Parfois, le gland et le corps du pénis se couvrent d'une sorte d'eczéma, résultat d'une réaction allergique aux sécrétions vaginales de la partenaire. Le port du condom permet d'éviter ce problème, mais il faut toujours consulter un médecin pour déterminer la cause réelle et le bon traitement.

Les hommes peuvent protéger leur pénis en portant le condom avec chaque partenaire sexuelle dont ils ne connaissent pas l'état de santé. Cette pratique permet aux deux partenaires de mieux se prémunir contre les ITSS. Le chapitre 12 présente d'autres stratégies pour éviter la transmission d'infections.

Certains gadgets sexuels peuvent présenter un risque pour le pénis. Par exemple, l'anneau pénien (un anneau très serré placé à la base du pénis dans le but d'aider l'érection) peut détruire les tissus du pénis en coupant la circulation sanguine. Des magazines sexuels ont déjà publié des témoignages de lecteurs soutenant avoir du plaisir en se masturbant à l'aide d'un aspirateur. C'est une mauvaise idée ! Les recherches laissent croire que les blessures graves (dont la décapitation du gland) découlant de l'utilisation d'aspirateurs ou de balais électriques dépassent le nombre de cas rapportés (Benson, 1985 ; Grisell, 1988).

Dans de rares occasions, il peut y avoir une fracture du pénis (Adduci et Ross, 1991 ; Hargreaves et Plail, 1994). Cette blessure consiste en une rupture des corps caverneux alors que le pénis est en érection. Elle survient le plus souvent durant le coït. Un étudiant raconte comment il a subi cette blessure très douloureuse.

> J'avais une relation sexuelle avec mon amie en position assise, sur une chaise. Elle me chevauchait en s'appuyant sur les accoudoirs et sur ses jambes pour mouvoir son corps de haut en bas sur mon pénis. Dans le feu de l'action, elle s'est levée un peu trop et mon sexe est ressorti. Elle s'est rassise sans ménagement, croyant que je la re-pénétrerais aussitôt. Malheureusement, elle a raté la cible et tout son poids s'est posé sur mon pénis. J'ai entendu un craquement sourd et ressenti une douleur atroce. Mon pénis a saigné pas mal de l'intérieur, et j'ai continué à souffrir pendant un bon bout de temps. (Notes des auteurs)

Cet exemple est très représentatif de ce qui entraîne une rupture des corps caverneux. Le traitement d'une fracture du pénis varie de l'attelle à la chirurgie en passant par l'application de glace. La plupart des victimes recouvrent leur capacité sexuelle.

RÉSUMÉ

L'anatomie et la physiologie sexuelles de la femme

- Les organes génitaux externes de la femme, qu'on regroupe sous le terme de *vulve*, se composent du mont de Vénus, des grandes lèvres, des petites lèvres, du clitoris, du vestibule et des orifices urétral et vaginal.

- Le clitoris comprend la hampe et le corps. Une grande concentration de terminaisons nerveuses innervent le clitoris, dont la seule fonction est de procurer du plaisir sexuel.

- Beaucoup de cultures accordent une grande importance à l'hymen, gage de virginité. L'hymen varie en taille, en forme et en épaisseur.

- Les organes génitaux internes de la femme comprennent le vagin, le col de l'utérus, l'utérus, les trompes de Fallope et les ovaires.

- Le vagin, avec ses trois couches de tissus, s'étend sur une longueur de 10 cm à l'intérieur de la cavité pelvienne. Sa capacité de dilatation est très grande et sa taille augmente sous l'effet de l'excitation sexuelle, durant la pénétration et lors de l'accouchement.

- Les parois vaginales et le col utérin produisent naturellement des sécrétions.

- La lubrification vaginale se produit durant la phase d'excitation sexuelle. Un fluide alcalin traverse alors les parois du vagin et lubrifie la muqueuse. La lubrification vaginale augmente la longévité et la mobilité des spermatozoïdes ainsi que le plaisir et le confort lors d'une relation sexuelle.

- C'est à l'intérieur de l'utérus que se développe le fœtus lors d'une grossesse.

- Les trompes de Fallope sont des conduits situés de part et d'autre de l'utérus et dans lesquels l'ovule et le spermatozoïde se déplacent et, éventuellement, se rencontrent lors d'une fécondation.

- Les ovaires sont les gonades femelles qui libèrent l'ovule et sécrètent des hormones sexuelles.

- Le cycle menstruel est le fruit d'interactions hormonales complexes.

- Il n'y a habituellement pas de contre-indication aux relations sexuelles durant les menstruations.

- La ménopause est l'arrêt des menstruations et signifie la fin de la fécondité. L'âge moyen de la ménopause est de 51 ans.

- Les seins se composent de tissu adipeux et de glandes lactifères.

L'anatomie et la physiologie sexuelles de l'homme

- Les organes génitaux externes de l'homme sont le pénis et le scrotum.

- Le pénis est formé d'une racine, d'une partie externe pendante appelée *hampe* et d'une tête lisse appelée *gland*. Trois masses cylindriques de tissus érectiles parcourent le pénis dans toute sa longueur. Ces tissus se gorgent de sang sous l'effet de l'excitation sexuelle.

- Le scrotum contient deux testicules, chacun étant suspendu dans son compartiment respectif par le cordon spermatique.

- Les organes génitaux internes de l'homme sont les testicules, le canal déférent, les vésicules séminales, la prostate et les glandes de Cowper.

- Les testicules de l'homme jouent principalement deux rôles : produire des spermatozoïdes et sécréter des hormones sexuelles.

- La production des spermatozoïdes dans le testicule requiert une température légèrement inférieure à celle du corps.

- À l'intérieur de chaque testicule se trouve un grand nombre de cavités qui contiennent des tubes séminifères minces et très pelotonnés. Ces tubes produisent les spermatozoïdes.

- À l'arrière et au sommet de chaque testicule repose une structure en forme de *C*, l'épididyme, dans laquelle les spermatozoïdes parviennent à maturité.

- À partir de l'épididyme de chaque testicule, les spermatozoïdes et sécrétions diverses traversent le canal déférent, qui aboutit à la base de la vessie où il se joint au conduit éjaculatoire de la vésicule séminale.

- Les vésicules séminales sécrètent un liquide alcalin nutritif qui compte pour environ 70 % du volume de l'éjaculat et semble stimuler les spermatozoïdes.

- La prostate est localisée sous la vessie et traversée par l'urètre. Cette glande sécrète environ 30 % du volume de l'éjaculat.

- Les glandes de Cowper sont reliées à l'urètre par deux conduits minuscules situés en dessous de la prostate. Sous l'effet de l'excitation sexuelle, elles produisent souvent des gouttelettes de liquide visqueux et alcalin qui apparaissent à l'extrémité du pénis.

- L'autoexamen des organes génitaux peut se révéler utile pour mieux se connaître et déceler une anomalie.

- L'érection est un phénomène involontaire qui résulte d'une stimulation sexuelle adéquate de nature physiologique, psychologique, ou les deux.

- L'éjaculation comprend deux phases : la phase d'émission et la phase d'expulsion. Lors d'une éjaculation rétrograde, l'éjaculat est déversé dans la vessie.

- L'éjaculat contient des spermatozoïdes et des sécrétions venant de la prostate, des vésicules séminales et des glandes de Cowper. Les spermatozoïdes ne comptent que pour une infime partie du liquide total qui est éjaculé.

- La taille du pénis n'est pas un facteur déterminant dans la capacité à donner du plaisir ou à jouir pendant la pénétration.

Les réactions sexuelles : le cerveau, le corps

3

SOMMAIRE

Dans ce chapitre, nous présentons les principaux facteurs biologiques qui agissent sur l'excitation sexuelle, puis nous nous intéressons à la façon dont le corps répond à la stimulation sexuelle. Cet accent sur les aspects biologiques de l'excitation et des réponses sexuelles ne saurait sous-estimer l'importance des facteurs psychologiques et culturels en ce domaine. Toutefois, il est très difficile de déterminer avec précision le rôle respectif des facteurs biologiques et psychosociaux dans la sexualité humaine, tellement ces facteurs sont interdépendants. Pour le comprendre, faisons une analogie avec le langage. Le corps biologique constitue la base matérielle pour produire des sons et les rendre audibles, mais c'est l'apprentissage qui modèle le corps (ici principalement le cerveau) de façon que les sons deviennent des mots et des phrases. Cela fait de nous des êtres capables de communiquer et d'interagir. Ainsi, comment peut-on séparer les multiples influences psychosociales qui conditionnent un comportement de l'endroit physique où elles ont pu s'exercer et où elles ont été emmagasinées, soit le système nerveux? En réalité, l'expression de la sexualité est le résultat de l'interaction complexe de facteurs sociaux, affectifs et cognitifs, d'hormones, de neurones cérébraux et de réflexes déclenchés par des nerfs dans la moelle épinière. Mieux comprendre les différents facteurs qui déterminent les comportements sexuels ne peut qu'aider chacun à développer son intelligence sexuelle.

L'excitation sexuelle

Jamais il n'y a eu de chaleur ou de passion durant les cinq années de ma relation avec Éric. C'était un homme bien, mais je n'arrivais pas à combler le fossé entre nous, surtout à cause de sa réticence ou de son incapacité à exprimer ses sentiments et à montrer sa vulnérabilité. Nos relations sexuelles étaient comme cela aussi, mécaniques en quelque sorte, comme s'il était là physiquement, mais non émotionnellement. J'éprouvais rarement du désir pour Éric, et mon corps réagissait parfois à peine pendant que nous faisions l'amour. Quelle différence avec Mathieu, mon partenaire actuel, et pour la vie, du moins je l'espère ! Notre relation a été instantanément solide et intime dès le début. La première fois que nous avons fait l'amour, je me sentais comme en feu. C'était comme si nous n'étions qu'un, physiquement et émotionnellement. Le seul son de sa voix ou un simple effleurement suffisent parfois à m'exciter profondément. (Notes des auteurs)

Voyons le rôle que le cerveau, les sens, les aphrodisiaques et les hormones jouent dans l'excitation sexuelle.

Le cerveau, le désir et l'excitation sexuelle

Nous savons que le cerveau joue un rôle important dans la sexualité. Les mécanismes complexes de cet organe participent à l'élaboration des pensées, des émotions et des souvenirs. Le désir et l'excitation sexuelle sont deux phénomènes qui interagissent étroitement, d'où la difficulté à bien les distinguer. Le désir relève de l'intention (plus que de l'instinct) orientée vers un but alors que l'excitation sexuelle recouvre des manifestations physiques et la perception de celles-ci chez une personne (Ortigue et Bianchi-Demicheli, 2007). Le désir sexuel est détectable dans le cerveau en moins d'un cinquième de seconde, bien avant que la personne en prenne conscience (Ortigue et Bianchi-Demicheli, 2008). L'excitation sexuelle peut survenir sans aucune stimulation sensorielle ; un fantasme, par exemple l'évocation d'images érotiques ou de scènes sexuelles, suffit à la déclencher. Certaines personnes peuvent même atteindre l'orgasme au cours d'un fantasme sexuel, sans la moindre stimulation physique (Komisaruk et coll., 2006 ; Whipple et Komisaruk, 1999).

Des événements particuliers déclenchent l'excitation sexuelle, c'est bien connu. Toutefois, l'expérience personnelle et le milieu culturel y jouent aussi un rôle moins apparent qui passe par le cerveau. Il est clair qu'on ne répond pas tous de la même manière aux mêmes stimuli. Certaines personnes sont très excitées lorsque leur partenaire s'exprime d'une manière sexuellement explicite, alors que d'autres en sont effarouchées ou refroidies. L'influence culturelle joue aussi un rôle fondamental en ce domaine, comme le montre l'encadré *Les uns et les autres*. Ainsi, les Européens peuvent trouver l'odeur des sécrétions génitales plus excitante que les Nord-Américains, très portés sur les déodorants.

Puisque le cerveau emmagasine les souvenirs et les valeurs culturelles, il a une grande influence sur la capacité d'excitation. Les processus mentaux particuliers comme les fantasmes sont issus du **cortex cérébral**, le «siège de la pensée», qui régit des fonctions telles que le raisonnement, le langage et la créativité. Or, le cortex cérébral ne constitue qu'un des niveaux d'influence du cerveau sur l'excitation et la réponse sexuelles. Le **système limbique**, situé sous le cortex, semble aussi jouer un rôle important dans le comportement sexuel des humains et des autres mammifères.

La figure 3.1 illustre quelques structures importantes du système limbique. Ces structures comprennent le gyrus cingulaire, le corps amygdaloïde, l'hippocampe et une partie de l'hypothalamus, lequel joue un rôle de régulation (Arnow et coll., 2002 ; Karama et coll., 2002 ; Stark, 2005). Des chercheurs ont eu recours à l'imagerie par résonance magnétique fonctionnelle (IRMf) pour relever l'activité cérébrale durant l'excitation sexuelle. Ces études, résumées dans l'encadré *Pleins feux sur la recherche* à la page 69, apportent d'autres preuves du rôle du système limbique dans la réponse sexuelle.

Des études attestent que la stimulation électrique de l'hypothalamus chez l'humain déclenche l'excitation sexuelle, parfois jusqu'à l'orgasme. On a aussi observé des cas où la stimulation électrique et chimique du cerveau à des fins thérapeutiques produisait sur celui-ci les mêmes effets.

Plusieurs études ont montré une corrélation entre l'hypothalamus et la fonction sexuelle. Par exemple, des scientifiques ont observé une augmentation de l'activité sexuelle (notamment des érections et des éjaculations) chez des rats dont on avait stimulé les régions antérieures et postérieures de l'hypothalamus (Paredes et Baum, 1997). La destruction chirurgicale de certaines

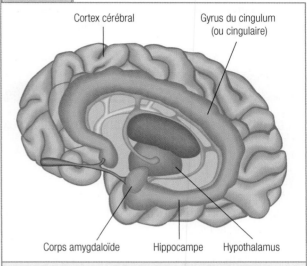

FIGURE 3.1 Le système limbique.

Cortex cérébral · Gyrus du cingulum (ou cingulaire) · Corps amygdaloïde · Hippocampe · Hypothalamus

Le système limbique, une région du cerveau associée aux émotions et à la motivation, joue un rôle important dans la sexualité humaine. Les structures principales, qui sont colorées, comprennent le gyrus du cingulum (ou cingulaire), certaines parties de l'hypothalamus, le corps amygdaloïde et l'hippocampe.

parties de l'hypothalamus provoque une baisse considérable de l'activité sexuelle, tant des mâles que des femelles, chez plusieurs espèces animales (Paredes et Baum, 1997). La région interne de l'aire préoptique de l'hypothalamus (RIAP) intervient dans l'excitation et le comportement sexuels. La stimulation électrique de cette région entraîne une augmentation de l'activité sexuelle ; si elle est endommagée, il y a diminution ou cessation de l'activité sexuelle chez les mâles d'une grande variété d'espèces (Stark, 2005 ; Wilson, 2003). Les drogues opiacées, telles que l'héroïne et la morphine, suppriment l'action de la RIAP et ont des effets inhibiteurs sur la performance sexuelle (Argiolas, 1999).

Les neurotransmetteurs, des substances chimiques naturellement présentes dans le cerveau, ont aussi des effets connus sur l'excitation et la réponse sexuelles par l'action qu'ils exercent sur la RIAP. L'un de ces neurotransmetteurs (appelés ainsi parce qu'ils transmettent les influx nerveux entre les neurones), la **dopamine**,

Cortex cérébral Mince couche extérieure du cerveau contrôlant les processus mentaux supérieurs.

Système limbique Centre cérébral sous-cortical composé de plusieurs structures reliées entre elles et influant sur le comportement sexuel.

Dopamine Neurotransmetteur qui favorise l'excitation et l'activité sexuelles.

active la RIAP et favorise l'excitation et la réponse sexuelles chez les mâles de plusieurs espèces (Giargiari et coll., 2005 ; Wilson, 2003). On sait en outre que la testostérone stimule la production de dopamine dans la RIAP, tant chez les hommes que chez les femmes (Wilson, 2003). Cet effet montre un mécanisme possible par lequel la testostérone stimule la libido (désir sexuel) chez les deux sexes.

Les uns et les autres

Les différences culturelles quant à l'excitation sexuelle

En dépit de l'universalité des mécanismes biologiques sous-jacents à l'excitation sexuelle humaine, les stimuli ou comportements sexuels jugés excitants sont très influencés par le conditionnement culturel. Par exemple, dans les sociétés occidentales, le point culminant d'une activité sexuelle est l'atteinte de l'orgasme, et les activités centrées sur les organes génitaux sont fréquemment considérées comme les plus excitantes.

À l'inverse, dans certaines sociétés asiatiques marquées par l'hindouisme, le bouddhisme et le taoïsme, les pratiques sexuelles sont associées à la spiritualité et l'orgasme n'est pas le principal but visé (Stubbs, 1992). Les adeptes des traditions tantriques orientales (dans lesquelles la sexualité se confond avec la spiritualité) atteignent souvent le paroxysme du plaisir en mettant l'accent sur la sensualité et la spiritualité d'une intimité partagée plutôt que sur l'atteinte de l'orgasme (Michaels et Johnson, 2006 ; Richard, 2002).

Dans plusieurs sociétés non occidentales, l'orgasme féminin est rare, voire inconnu (Ecker, 1993). Dans certaines d'entre elles, la lubrification vaginale est mal perçue et suscite parfois des commentaires négatifs du partenaire lorsqu'elle survient (Ecker, 1993).

Aux États-Unis, l'origine ethnique a une incidence sur la réponse sexuelle. Cette influence apparaît clairement dans les résultats de l'enquête NHSLS : 38 % des Afro-Américaines disent avoir toujours un orgasme lorsqu'elles ont des rapports sexuels avec leur partenaire principal, alors que le pourcentage est de 26 % chez les Américaines blanches et de 34 % chez les Hispano-Américaines (Laumann et coll., 1994).

Dans de nombreuses régions du monde, le baiser sur la bouche, considéré comme excitant en Occident, est rare ou absent. Chez les Inuits d'Amérique du Nord et les habitants des îles Trobriand (en Papouasie-Nouvelle-Guinée), on se frotte plutôt le nez mutuellement. Chez les Thongas d'Afrique du Sud, le baiser suscite le dégoût. Les hindous de l'Inde évitent de s'embrasser, car ils croient que ce contact symbolique contamine la relation sexuelle. Dans leur étude menée auprès de 190 sociétés, l'anthropologue Clellan Ford et l'éthologue Frank Beach (1951) ont découvert que le baiser sur la bouche n'était pratiqué que dans 21 sociétés et qu'il faisait partie des préliminaires amoureux ou accompagnait le coït dans seulement 13 sociétés.

Les attraits physiques sont très différents d'une culture à l'autre, comme le montrent ces photos d'hommes et de femmes considérés comme attirants dans leur culture respective.

Les relations buccogénitales constituent une source d'excitation sexuelle dans les îles du Pacifique Sud, dans les pays industrialisés asiatiques et dans la majorité des pays occidentaux. Par contre, en Afrique (sauf dans le nord du continent), de telles pratiques sont généralement considérées comme contre nature ou répugnantes.

Les préliminaires amoureux, que ce soit les rapports buccogénitaux, les caresses sensuelles ou les baisers passionnés, varient beaucoup d'une culture à l'autre. Dans certaines sociétés, surtout celles de tradition orientale, les couples s'efforcent de prolonger leur état d'excitation sexuelle pendant des heures (Devi, 1977). En Occident, malgré la diversité des cultures, les préliminaires sont souvent brefs et la relation chemine rapidement vers « le vrai but » que représente le coït. Dans d'autres sociétés, les préliminaires sont très courts, voire absents. Par exemple, chez les Lepchas du sud-est de l'Himalaya, les hommes limitent leurs préliminaires à une caresse des seins de leur partenaire. Chez les Irlandais de l'île d'Inis Beag, l'activité qui précède l'acte sexuel se résume à des baisers sur la bouche et à des caresses grossières des parties génitales de la femme (Messenger, 1971).

Même si les attributs physiques exercent une grande influence sur l'excitation sexuelle humaine dans presque toutes les cultures, les critères de beauté varient considérablement de l'une à l'autre. Ce qui est considéré comme attirant ou excitant dans une culture peut être jugé étrange ou repoussant dans une autre. Par exemple, certaines sociétés insulaires attribuent une valeur érotique à la forme et à la texture des parties génitales féminines, contrairement à la plupart des sociétés occidentales. Mentionnons enfin que dans de nombreuses sociétés, les seins nus n'ont pas la valeur érotique qu'ils ont généralement en Amérique du Nord.

Par contre, plusieurs études font état d'un certain nombre de critères transculturels, c'est-à-dire indépendants des modes et des modèles proposés localement. Par exemple, les femmes auraient tendance à préférer un partenaire plus grand et plus âgé qu'elles ; selon les évolutionnistes, cela se vérifie dans toutes les cultures (Buss, 2003). Elles seraient aussi plus attirées par les hommes qui ont une silhouette en V, une mâchoire carrée, des sourcils épais, une certaine pilosité et une voix grave (Collins et Missing, 2003). Cette préférence pour certains traits typiquement masculins serait reliée au cycle menstruel et plus marquée au moment de l'ovulation (Cornwell et coll., 2004). Cela se reflète d'ailleurs dans les statistiques démographiques qui montrent que les hommes plus grands ont plus d'enfants que les hommes plus petits (Nettle, 2002). Les préférences des hommes sont complémentaires à celles des femmes : ils seraient plus attirés par des femmes plus jeunes – 2,5 ans de moins, en moyenne (Buss, 2003) – ou d'allure jeune, ayant une silhouette typique des nullipares (femmes n'ayant jamais accouché) (Fischer et Voracek, 2006), des lèvres pleines, une peau de pêche, un teint et des yeux clairs, des cheveux lustrés et un bon tonus musculaire (Buss, 2003). Ni la thèse évolutionniste (la perception du «beau» est programmée génétiquement) ni la thèse culturelle (ce qui est jugé «beau» ne dépend que de la culture) ne permettent de tout expliquer. Il semble que ce soit la superposition des traits et caractéristiques transculturels (évolutionnistes) ainsi que des tendances culturelles d'un lieu et d'une époque qui, ensemble, rend une personne attirante. Après tout, partout et depuis toujours, la jeunesse est généralement jugée plus «belle» que la vieillesse, et un visage symétrique est jugé plus attirant, pour ne citer que ces exemples.

Pleins feux sur la recherche

L'observation de la fonction cérébrale durant l'excitation sexuelle grâce à l'IRMf

La recherche de pointe a montré les avantages d'utiliser des technologies performantes pour révéler l'activité cérébrale pendant l'excitation sexuelle. L'imagerie par résonance magnétique fonctionnelle (IRMf) permet de visualiser les zones du cerveau (pensées ou émotions) qui sont actives en montrant celles où le sang circule davantage. Ainsi, les chercheurs ont pu faire la démonstration que l'IRMf peut servir à enregistrer ce qui se passe dans le cerveau pendant l'excitation sexuelle chez l'un ou l'autre sexe (Arnow et coll., 2002 ; Holstege et coll., 2003 ; Karama et coll., 2002 ; Whipple et Komisaruk, 2006).

Toutes les études dont nous rapportons ici les résultats ont eu recours à l'IRMf pour enregistrer l'activité cérébrale des participants. La première de ces expériences, qui consistait à présenter des vidéoclips à des hommes et à des femmes, a montré que la région du système limbique, plus particulièrement celle de l'amygdale, s'est activée chez les deux sexes (Karama et coll., 2002). Dans une autre recherche, des hommes devaient regarder des vidéoclips érotiques ; les résultats indiquent que des régions du cerveau se sont activées chez ces sujets, surtout dans l'hypothalamus et le gyrus cingulaire, deux structures du système limbique (Arnow et coll., 2002). Une autre étude visant à enregistrer l'activité cérébrale de femmes pendant l'orgasme a révélé un niveau d'activation supérieur dans plusieurs régions du système limbique, dont l'hypothalamus, l'amygdale, l'hippocampe et le gyrus cingulaire (Whipple et Komisaruk, 2006 ; Komisaruk et Whipple, 2005). L'IRMf a également montré que, chez une femme qui atteint l'orgasme par la pensée seulement, l'activation des zones cérébrales est comparable à celle qui se produit lors d'une stimulation physique (Komisaruk et coll., 2006). Ainsi, ce puissant outil d'observation qu'est l'IRMf a permis de réaliser de grandes avancées dans la compréhension du rôle du cerveau dans la sexualité humaine.

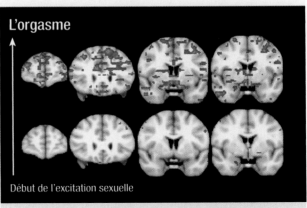

Image IRMf montrant l'activité cérébrale (en clair) pendant l'excitation sexuelle et l'orgasme.

Par opposition à l'effet facilitateur de la dopamine, un autre neurotransmetteur, la sérotonine, semble inhiber l'activité sexuelle. L'éjaculation masculine provoque la sécrétion de sérotonine dans la RIAP et l'aire latérale de l'hypothalamus, une région située de chaque côté de celui-ci. Cette sécrétion réduit temporairement la libido et l'activité sexuelle en bloquant la production de dopamine (Hull et coll., 1999). La sérotonine bloque aussi l'effet de l'ocytocine, une neurohormone sécrétée par l'hypothalamus (Wilson, 2003). Les gens qui souffrent de dépression sont souvent traités à l'aide d'antidépresseurs appelés *inhibiteurs sélectifs de la recapture de la sérotonine*. Ces médicaments affectent souvent la libido et la réponse sexuelle parce qu'ils augmentent le taux de sérotonine dans le cerveau. Par ailleurs, ils réduisent la sensibilité génitale et la capacité orgasmique chez les deux sexes (Bahrick, 2008 ; Michelson et coll., 2002).

Ces données tendent à prouver que la dopamine favorise l'excitation et l'activité sexuelles chez les deux sexes, et que la sérotonine agit inversement.

Il est peu probable que les chercheurs parviennent un jour à trouver un véritable « centre de la sexualité » dans le cerveau. Néanmoins, il est clair que le cortex cérébral et le système limbique jouent des rôles cruciaux dans l'amorce, la coordination et la régulation de l'excitation et de la réponse sexuelles. Le cerveau interprète aussi une multitude de signaux sensoriels qui exercent souvent une très grande influence sur l'excitation sexuelle. La prochaine section porte sur ce sujet.

Les sens et l'excitation sexuelle

On dit que le cerveau est l'organe sensoriel le plus important pour ce qui est de l'excitation sexuelle chez les humains. Cela signifie que tout événement sensoriel peut devenir un véritable stimulus sexuel pour autant que le cerveau l'ait interprété ainsi. La grande diversité de sources de stimulation érotique qui en découle explique l'extrême complexité de la sexualité humaine.

De tous les sens, le toucher semble être celui qui contribue le plus à l'excitation sexuelle, même si chacun des autres sens peut être appelé à y jouer un rôle à un moment ou à un autre. Il n'y a pas qu'un seul modèle en matière de stimulation sensorielle. Chaque personne est unique et a sa propre perception de ce qui est excitant sur le plan sexuel.

Le toucher

La peau est le plus vaste organe du corps. Sa formation chez l'embryon part des mêmes cellules souches qui engendrent les cellules nerveuses. De tous les stimuli sensoriels, la stimulation tactile est probablement la plus importante source d'excitation sexuelle. Le lien entre le toucher et l'excitation sexuelle est très étroit.

Le toucher est une des formes de stimulation érotique les plus fréquentes.

Pensons, par exemple, au massage de relaxation : sans même qu'on touche à leurs organes sexuels, certaines personnes, hommes et femmes, ont tendance à réagir sexuellement (Houde et Drapeau, 2012). Les terminaisons nerveuses qui réagissent au toucher sont distribuées de façon inégale sur la surface du corps, ce qui explique pourquoi certaines zones sont plus sensibles que d'autres. Les zones les plus sensibles au plaisir tactile sont couramment appelées zones érogènes.

On distingue souvent les zones érogènes primaires des zones érogènes secondaires. Les premières sont les régions où les terminaisons nerveuses se concentrent

Sérotonine Neurotransmetteur qui inhibe l'excitation et l'activité sexuelles.

Zones érogènes Parties du corps particulièrement sensibles à la stimulation sexuelle.

en plus grand nombre, alors que les secondes correspondent aux parties du corps dont la valeur érotique est liée à un contexte sexuel particulier.

Parmi les zones érogènes primaires, on trouve généralement les organes génitaux, les fesses, l'anus, le périnée, les seins (en particulier les mamelons), l'intérieur des cuisses, les aisselles, le nombril, le cou, les oreilles (plus spécifiquement le lobe) et la bouche (les lèvres, la langue et la cavité orale). Toutefois, il faut savoir que la stimulation d'une région qualifiée de zone érogène primaire ne provoque pas nécessairement une excitation sexuelle. Ce qui est très excitant pour une personne peut ne déclencher aucune réaction chez une autre, ou même l'irriter.

Les zones érogènes secondaires comprennent pratiquement toutes les autres parties du corps. Ces régions deviennent érogènes au toucher dans un contexte d'intimité sexuelle. Un homme et une femme décrivent ainsi comment le toucher agrémente leurs rapports sexuels :

> J'adore me faire toucher partout sur le corps, surtout dans le dos. Chaque caresse m'aide à développer confiance et sécurité. (Notes des auteurs)

> Les caresses douces, pas nécessairement génitales, m'excitent le plus. Lorsque mon partenaire promène ses doigts le long de ma nuque et de mon dos, je deviens très sensible et tout mon corps vibre avec excitation. (Notes des auteurs)

Question d'analyse critique

On dit que les femmes préfèrent les étreintes et le toucher sensuel à la sexualité génitale, et que les hommes n'ont que peu d'intérêt pour les préliminaires et préfèrent «passer au plus vite aux choses sérieuses». Croyez-vous que cette affirmation reflète une véritable différence entre les deux sexes? Si tel est le cas, est-ce un comportement acquis ou inné?

La vue

Dans notre société, les stimuli visuels semblent avoir une grande importance. Pour s'en convaincre, on n'a qu'à penser à l'attention que les gens prêtent à leur apparence physique : allure soignée, vêtements seyants, utilisation abondante de produits cosmétiques. Par conséquent, il n'est pas surprenant que la vue vienne tout de suite après le toucher dans l'échelle des stimuli considérés comme excitants sur le plan sexuel. En outre, le processus de séduction s'accompagne d'une attention plus marquée pour l'apparence, la sienne et celle d'autrui. Une certaine forme de mimétisme sexuel guiderait aussi la femme dans sa façon courante de se maquiller : le

rouge à lèvres évoque en effet la rougeur génitale visible chez les singes femelles en rut, mais que la femme en état de désir ne peut pas montrer à cause de la position verticale de notre espèce (Morris, 1968).

La popularité, dans notre société, des magazines sexuellement explicites pour hommes laisse croire que ceux-ci seraient plus sensibles aux stimuli visuels que les femmes. Les premières études sur le sujet semblaient appuyer cette hypothèse (Kinsey et coll., 1948, 1954). Ces résultats, cependant, ne faisaient que refléter certaines réalités sociales de l'époque, notamment les plus grandes inhibitions culturelles des femmes envers ce type de stimuli et la possibilité accrue pour les hommes d'en développer le goût. Les films et vidéos pornos étaient alors conçus pour exciter les hommes. Beaucoup de femmes les trouvaient choquants et grossiers, et ne voyaient pas comment ils pouvaient constituer pour elles une source d'excitation sexuelle avouable (Striar et Bartlink, 2000). Cette interprétation des résultats obtenus à l'époque s'appuie sur des études ultérieures dans lesquelles on a utilisé des appareils enregistrant les réactions physiologiques (voir le chapitre 1) pour mesurer le degré d'excitation sexuelle dans des conditions de laboratoire. Ces études ont montré de grandes similarités entre les réponses physiques des hommes et des femmes à une stimulation visuelle (Murnen et Stockton, 1997 ; Rubinsky et coll., 1987). La plupart des femmes qui disaient ne rien ressentir à la vue de films érotiques ont eu des réactions physiologiques indiquant le contraire (Laan et Everaerd, 1996). De récentes études au cours desquelles l'excitation sexuelle était mesurée par autoévaluation plutôt que par un appareil ont révélé que les femmes sont moins portées que les hommes à se déclarer excitées par un stimulus visuel (Koukounas et McCabe, 1997 ; Mosher et MacIan, 1994). Cela pourrait expliquer qu'encore aujourd'hui, pour des raisons culturelles, de très nombreuses femmes sont réticentes à admettre qu'elles sont excitées par un érotisme visuel, ou encore que les femmes éprouvent plus de difficulté que les hommes à reconnaître chez elles les signes d'excitation sexuelle.

L'odorat

Il est courant de considérer que les antécédents sexuels d'une personne et son conditionnement culturel contribuent à déterminer les odeurs qu'elle trouve excitantes. C'est par l'expérience qu'on attribue à certaines odeurs un caractère érotique et à d'autres un aspect repoussant.

Zones érogènes primaires Régions du corps où les terminaisons nerveuses se concentrent en plus grand nombre.

Zones érogènes secondaires Régions du corps qui sont sensibles du point de vue érotique dans un contexte sexuel particulier.

Dans cette perspective, les odeurs génitales n'ont en elles-mêmes rien d'agréable ni de répulsif. Nous pourrions même soutenir que l'odeur des sécrétions génitales érotise les rapports entre les individus qui n'ont pas été conditionnés à la considérer comme répugnante. En effet, certaines sociétés reconnaissent ouvertement le caractère érotisant des odeurs génitales.

Il demeure que dans certaines régions européennes où l'industrie du déodorant s'impose moins, certaines femmes appliquent une touche de leurs sécrétions génitales derrière l'oreille ou sur la nuque pour exciter leur partenaire sexuel.

Deux personnes décrivent les effets de l'odorat sur leur sexualité :

[Parfois, ma partenaire dégage une odeur de sexe qui me stimule instantanément. (Notes des auteurs)]

[L'odeur d'une femme est vraiment stimulante. J'aime l'odeur et le goût de sa peau. (Notes des auteurs)]

Pour bien des gens, l'odorat joue un rôle important dans la sexualité, et les marchands de parfums l'ont bien compris.

La quasi-obsession de nombreuses personnes à masquer les odeurs corporelles naturelles rend difficile l'étude de leurs effets sur l'excitation sexuelle. Toute odeur susceptible de déclencher une excitation sexuelle est généralement neutralisée par des bains fréquents, des parfums et des déodorants. Malgré tout, les expériences personnelles de chacun permettent d'attribuer une valeur érotique à certaines odeurs, comme le montre le témoignage suivant :

[J'adore les odeurs après l'amour. Elles évoquent des souvenirs érotiques et m'aident souvent à maintenir mon excitation à un niveau élevé, au point de vouloir d'autres activités sexuelles. (Notes des auteurs)]

Dans une société trop souvent préoccupée par les odeurs naturelles, il est bon de constater que certaines personnes apprécient les odeurs associées à l'intimité sexuelle et celles du corps de leur partenaire.

Chez beaucoup d'espèces, la femelle sécrète certaines substances invisibles appelées **phéromones** durant sa période de reproduction (Rako et Friebely, 2004 ; Wyatt, 2003). Deux zones distinctes du nez humain peuvent être considérées comme des récepteurs de phéromones : l'organe voméronasal (OVN) et l'épithélium olfactif, qui transmettent tous deux des messages au cerveau (Shah et Breedlove, 2007). Quelques études indiquent que ces zones peuvent réagir aux phéromones (Rako et Friebely, 2004 ; Savic et coll., 2005). Dans une étude récente, des chercheurs suédois ont identifié deux substances pouvant être des phéromones humaines : l'estratetraenol (EST), une substance chimique proche des œstrogènes et présente dans l'urine des femmes, et l'androstadienone (AND), un dérivé de la testostérone présent dans la sueur des hommes. Recourant à l'IRMf et à la tomographie par émission de positrons (TEP), ces scientifiques ont constaté que l'exposition à l'EST active l'hypothalamus des hommes hétérosexuels, mais pas celui des femmes hétérosexuelles, tandis que l'exposition à l'AND active les structures cérébrales des femmes, mais pas celles des hommes. Autre donnée intéressante de cette étude : l'hypothalamus des hommes gais réagit à l'AND et à l'EST de la même façon que celui des femmes hétérosexuelles (Savic et coll., 2005).

Quoique ces résultats suggèrent que les humains sécrètent des phéromones, ils ne permettent pas de conclure que ces substances agissent comme attraits sexuels. De nombreuses sociétés américaines et internationales n'en ont pas moins lancé des campagnes publicitaires pour

Phéromones Substances chimiques produites par le corps, transmises par voie aérienne et associées aux fonctions reproductrices.

vendre des eaux de Cologne et des parfums ayant prétendument les propriétés des phéromones humaines (Cutler, 1999 ; Kohl, 2002 ; Small, 1999). Mais rien ne prouve que ces produits contiennent vraiment des phéromones sexuelles.

Question d'analyse critique

Selon vous, lequel des cinq sens agit le plus sur l'excitation et l'activité sexuelles ? Pourquoi ? Les hommes et les femmes accordent-ils la même importance à chacun des sens pendant leurs activités sexuelles ?

Le goût

Le goût, bien moins étudié que les autres sens, semble avoir assez peu d'influence sur l'excitation sexuelle humaine. Cela vient sans doute des publicités prônant une haleine fraîche et des douches vaginales parfumées. En plus d'exploiter la crainte de goûter ou de sentir mauvais, ces produits commerciaux masquent les saveurs naturelles rattachées à la sexualité. Néanmoins, certaines personnes sont encore capables de détecter et d'apprécier certaines saveurs, comme celles des sécrétions vaginales ou du sperme qu'elles apprennent à associer à l'intimité sexuelle.

> Lorsque je suce mon homme, je peux goûter les petites gouttes salées qui coulent de son pénis juste avant qu'il éjacule. Je deviens très excitée, car je sais qu'il est sur le point de prendre le chemin du plaisir. (Notes des auteurs)

L'ouïe

Durant l'activité sexuelle, l'émission de sons est aussi variable que la réponse sexuelle du partenaire. Certaines personnes trouvent les mots, la conversation érotique, les gémissements et les cris émis pendant l'orgasme très excitants ; d'autres préfèrent que leur partenaire garde le silence durant les jeux amoureux. D'autres encore, par peur ou par pudeur, font des efforts conscients pour éliminer les bruits spontanés durant la relation sexuelle. Prisonniers de l'image silencieuse et stoïque qui leur a été inculquée, les hommes peuvent éprouver une difficulté particulière à parler, à crier ou à gémir lorsqu'ils sont excités sexuellement. Pourtant, selon une étude, de nombreuses femmes affirment que le silence de leur partenaire inhibe leur propre excitation sexuelle (DeMartino, 1970). La réticence des femmes à émettre des sons durant les jeux sexuels peut être reliée à l'idée qu'une femme convenable n'est pas censée être passionnée au point de faire du bruit.

En plus de stimuler l'excitation sexuelle, converser durant un intermède amoureux peut informer et aider les partenaires (« j'aime quand tu me touches de cette façon », « un peu plus doucement », etc.). Si vous aimez émettre des sons et parler durant l'amour, votre partenaire pourrait en faire autant si vous prenez la peine d'en discuter d'abord ouvertement. Nous revenons plus en détail sur les préférences sexuelles au chapitre 7.

Un homme et une femme décrivent le rôle des sons dans leurs rapports sexuels.

> J'ai beaucoup de plaisir à être avec une femme qui gémit sans retenue. J'apprécie être avec une personne qui s'ouvre et qui me laisse savoir qu'elle a du plaisir. Si ma partenaire ne communique pas assez vocalement durant l'amour, je n'embarque pas. (Notes des auteurs)

> J'aime entendre nos deux corps qui se heurtent lorsque nous faisons l'amour et j'aime l'entendre gémir et en redemander. J'aime aussi l'entendre dire mon nom comme j'aime prononcer le sien. (Notes des auteurs)

Les aphrodisiaques et les anaphrodisiaques

Jusqu'à maintenant, nous avons examiné l'effet des processus du cerveau et des stimuli sensoriels sur l'excitation sexuelle. Plusieurs autres facteurs agissent sur l'excitabilité d'une personne dans une situation donnée. Certains ont des effets directs sur la physiologie de l'excitation alors que d'autres reposent sur la conviction.

Les aphrodisiaques

Un aphrodisiaque (qui tire son nom d'Aphrodite, déesse grecque de l'amour et de la beauté) est une substance qui est censée stimuler le désir sexuel ou augmenter les capacités d'une personne dans ses activités sexuelles. Depuis presque toujours, l'homme a cherché à raviver son désir sexuel ou à réaliser des prouesses sexuelles dignes d'un champion olympique au moyen d'agents ou de potions magiques. Le témoignage de nombreuses personnes quant à l'effet bénéfique de ces substances atteste une fois de plus le rôle crucial de la pensée sur l'activité sexuelle humaine.

Presque tous les aliments dont la forme rappelle celle d'un pénis ont été jugés aphrodisiaques à un moment ou un autre (Foley, 2006 ; Nordenberg, 1996). Beaucoup

Aphrodisiaque Substance qui, prétendument, stimule le désir sexuel et augmente les capacités pour accomplir une activité sexuelle.

d'entre nous ont déjà entendu des blagues sur l'effet particulier des huîtres. Pourtant, pour ceux qui croient aux propriétés spéciales de ce mollusque, il n'y a pas lieu de plaisanter. L'industrie des huîtres tire profit de cette croyance. Les autres aliments parfois considérés comme aphrodisiaques sont notamment la banane, le céleri, le concombre, la tomate, le ginseng et la pomme de terre (Castleman, 1997; Nordenberg, 1996). Dans les pays asiatiques plus particulièrement, une croyance bien ancrée veut que la corne broyée d'animaux tels que le rhinocéros et le renne soit un stimulant sexuel puissant (Foley, 2006). (Le terme anglais *horny*, qui désigne une forme de sexualité, provient de cette conviction.) Malheureusement, à cause de cette fausse croyance, le rhinocéros noir a été déclaré espèce disparue par l'Union internationale pour la conservation de la nature en novembre 2011.

Plusieurs produits sont aussi censés avoir des propriétés aphrodisiaques. Celui qui a fait couler le plus d'encre est probablement l'alcool. La croyance selon laquelle l'alcool est un stimulant sexuel est largement répandue dans notre société.

> Je suis convaincu que boire du vin a des effets positifs sur la sexualité. Après quelques verres, je me sens prêt à sauter au lit. Je sais que ma partenaire sera partante dès lors que je la vois déboucher une bouteille de rosé bien frais. (Notes des auteurs)

Pourtant, loin d'être un stimulant, l'alcool a un effet dépresseur sur les centres supérieurs du cerveau, ce qui diminue les inhibitions qu'impliquent la peur et la culpabilité à l'égard d'un comportement asocial ou amoral. Or, ces émotions commandées par le cortex freinent souvent l'expression de la sexualité (McKay, 2005), et leur atténuation par l'alcool donne lieu à des comportements qu'on n'adopterait pas autrement. L'alcool peut aussi affecter la capacité à évaluer l'information (par exemple, la nature et les conséquences d'un comportement) et supprimer les inhibitions relatives aux impulsions sexuelles (MacDonald et coll., 2000). Il peut en outre influer sur l'activité sexuelle en servant de justification à un comportement qui entre normalement en conflit avec les valeurs d'une personne (« je n'ai pas pu m'en empêcher : j'avais le cerveau embrumé par l'alcool »).

Une forte consommation d'alcool peut affecter sérieusement le fonctionnement sexuel (MacKay, 2005). Des études ont montré qu'elle entraîne une diminution de l'excitation sexuelle (sur le plan physiologique), du plaisir et de l'intensité orgasmique, ainsi qu'une difficulté croissante à atteindre l'orgasme. Ces effets ont été mesurés chez les deux sexes et s'intensifient avec le degré d'intoxication alcoolique (MacKay, 2005; Rosen et Ashton, 1993). Une consommation excessive d'alcool peut aussi entraîner une détérioration physique généralisée, ce qui réduit

L'alcool réduit les inhibitions touchant la peur, la culpabilité et les impulsions sexuelles, ce qui peut amener des personnes à avoir des comportements en conflit avec leurs valeurs.

habituellement l'intérêt pour la sexualité et la capacité à accomplir des activités sexuelles.

Lorsqu'il accompagne une activité sexuelle, l'alcool peut même avoir des conséquences dangereuses. Des études ont établi une forte corrélation entre la consommation d'alcool et la propension à s'engager dans des activités sexuelles où le risque de contracter des maladies chroniques comme le sida est élevé (Bourdeau et coll., 2007; Grossbard et coll., 2007). D'autres substances, comme la marijuana et la cocaïne, peuvent aussi entraîner des comportements sexuels à risque.

Hormis l'alcool, on a imputé des propriétés aphrodisiaques à plusieurs autres agents (voir à ce sujet le tableau 3.1 et l'encadré *Pleins feux sur la recherche* à la page 76), tels que le méthylène-dioxyméthamphétamine (ou MDMA, mieux connu sous le nom d'*ecstasy*), la méthamphétamine (ou *crystal meth*), les barbituriques, la cantharidine (aussi connue sous le nom de *Spanish fly*), la cocaïne, le LSD et autres drogues psychédéliques, la marijuana, le nitrate d'amyle (un médicament contre l'angine de poitrine, aussi appelé *poppers*) et la L-dopa (un médicament contre la maladie de Parkinson). Cependant, aucun de ces agents n'a les qualités d'un stimulant sexuel réel.

TABLEAU 3.1　Quelques aphrodisiaques présumés et leurs effets.

SUBSTANCE	EFFETS PRÉTENDUS	EFFETS RÉELS
Alcool	• Augmente l'excitation. • Stimule l'activité sexuelle.	Peut réduire les inhibitions et le stress à l'égard du comportement sexuel à adopter. C'est en fait un agent dépresseur qui, consommé en grande quantité, peut causer une dysfonction érectile, réduire l'excitation sexuelle et l'intensité de l'orgasme.
Amphétamines (*speed, pep pills*) et métamphétamines (*ecstasy, ice, tina* et certains dérivés comme le *crystal meth*)	• Améliorent l'humeur. • Augmentent les sensations et les capacités sexuelles.	Stimulent le système nerveux central, réduisent les inhibitions. Une dose élevée ou une consommation à long terme peut engendrer des troubles érectiles, retarder l'éjaculation, empêcher l'orgasme chez les deux sexes et réduire la lubrification vaginale.
Nitrate d'amyle (*poppers, snappers*)	• Intensifie l'orgasme et l'excitation.	Dilate les artères reliées au cerveau et aux parties génitales ; altère la notion du temps et produit de la chaleur dans la région pelvienne. Peut atténuer l'excitation sexuelle, inhiber ou bloquer l'érection, retarder l'orgasme et provoquer des étourdissements, des maux de tête et un évanouissement.
Barbituriques (*barbs, downers*)	• Accentuent l'excitation. • Stimulent l'activité sexuelle.	Réduisent les inhibitions à la manière de l'alcool et peuvent atténuer le désir sexuel, affaiblir l'érection et empêcher l'éjaculation. Créent une dépendance. Une surdose peut déclencher une grave dépression, voire entraîner la mort à la suite d'une défaillance respiratoire.
Cantharidine (*Spanish fly*)	• Stimule les parties génitales. • Provoque l'envie du coït.	N'est pas un stimulant sexuel efficace. Est un irritant puissant qui enflamme les muqueuses de la vessie et de l'urètre ; peut entraîner un dommage tissulaire permanent, voire la mort.
Cocaïne (*coke, blow, rocks*)	• Augmente la fréquence et l'intensité de l'orgasme. • Amplifie l'excitation.	Stimule le système nerveux central ; réduit les inhibitions et augmente la sensation de bien-être ; peut engendrer des troubles érectiles, causer une éjaculation spontanée ou la retarder. La consommation régulière peut provoquer une dépression et causer de l'anxiété. L'aspiration régulière peut entraîner des lésions et une perforation des voies nasales.
LSD et autres agents psychédéliques (dont la mescaline et la psilocybine)	• Augmentent la réponse sexuelle.	N'ont pas d'effet physiologique direct sur la réponse sexuelle. Peuvent modifier la perception d'une activité sexuelle ; sont souvent associés à des relations sexuelles insatisfaisantes.
L-dopa	• Redonne de la vigueur sexuelle aux hommes plus âgés.	Aucun bienfait sur les capacités sexuelles n'a été documenté. Produit parfois un trouble douloureux appelé *priapisme* (érection pathologique de longue durée).
Marijuana	• Améliore l'humeur et amplifie l'excitation. • Augmente l'activité sexuelle.	Améliore l'humeur et réduit les inhibitions d'une manière similaire à l'alcool. Altère la notion du temps, ce qui donne l'illusion d'une excitation et d'un orgasme prolongés. La consommation régulière peut entraîner une baisse du désir sexuel et une latence de l'orgasme.
Yohimbine	• Amplifie l'excitation sexuelle et améliore la performance sexuelle.	Semble avoir un véritable effet aphrodisiaque sur les rats. Des résultats récents indiquent qu'elle peut augmenter le désir ou accroître la performance chez certains individus.

Sources : Crenshaw (1996), Crenshaw et Goldberg (1996), Eisner et coll. (1990), Finger et coll. (1997), McKay (2005), Rosen et Ashton (1993) et Yates et Wolman (1991).

Pleins feux sur la recherche

Un aphrodisiaque en vaporisateur nasal ?

Une substance chimique susceptible de traiter une dysfonction sexuelle chez les hommes et chez les femmes est présentement en phase d'essais cliniques. Cette substance portant le nom générique de *brémélanotide* est un composé chimique connu aussi, dans la littérature scientifique, sous le nom de PT-141. La brémélanotide pourrait être le premier véritable aphrodisiaque capable d'augmenter le désir et l'excitation sexuels. Un certain nombre d'études cliniques ont montré que la brémélanotide administrée en vaporisation nasale traiterait effectivement la dysfonction érectile et les troubles du désir chez les deux sexes (Dibbell, 2005 ; Diamond et coll., 2004 ; Hellstrom, 2008).

La découverte de l'effet potentiellement aphrodisiaque et excitant de la brémélanotide est accidentelle. Un peptide, le Melatonin II, dont est dérivée la brémélanotide, fut d'abord testé en tant qu'agent bronzant sans soleil. Or, lors d'un test clinique, le Melatonin II a provoqué, en plus du bronzage, une augmentation du désir sexuel et une érection spontanée chez des participants volontaires. La firme Palatin Technologies, à l'origine de Melatonin II, a alors lancé des essais cliniques pour obtenir l'approbation de la US Food and Drug Administration (FDA), un organisme américain, pour la brémélanotide en tant que traitement de la dysfonction sexuelle masculine et féminine. Près de 1000 participants ont déclaré avoir ressenti une augmentation du désir sexuel et de l'excitation sous l'effet de ce médicament (Dibbell, 2005). La brémélanotide pourrait se retrouver sur le marché (sous ordonnance) dans un avenir proche, selon les résultats des tests cliniques en cours.

Au plus, ces substances miment une partie de la réponse sexuelle (voir plus loin), mais une partie seulement. Elles peuvent facilement confondre la personne sur ses désirs réels. Un véritable aphrodisiaque ne provoquerait pas cette confusion.

Un certain nombre de chercheurs mettent à l'essai différentes substances pour vérifier leur potentiel aphrodisiaque. Depuis 1920, on teste un extrait de plante, la yohimbine, un alcaloïde cristallin tiré de la sève d'un arbre d'Afrique occidentale. Les expériences de chercheurs de l'Université Stanford sur des rats mâles ont montré que l'injection de yohimbine provoquait chez ces animaux une excitation et des performances sexuelles intenses (Clark et coll., 1984). Les données indiquent que la yohimbine serait un véritable aphrodisiaque, du moins chez les rats. Plusieurs études récentes sur des hommes laissent entrevoir qu'un traitement à la yohimbine aurait des effets positifs sur le désir et la réponse sexuelle (Adeyni et coll., 2007 ; Stein et coll., 2008). Une autre étude montre en outre que la yohimbine augmente l'excitation sexuelle physiologique chez les femmes postménopausées qui déclarent éprouver un désir sexuel inférieur à la normale (Meston et Worcel, 2002).

Quatre médicaments vendus sous ordonnance et utilisés pour traiter les dysfonctions érectiles masculines – Viagra, Levitra, Staxyn et Cialis – peuvent techniquement être classés comme des aphrodisiaques puisqu'ils augmentent la capacité à avoir des activités sexuelles en favorisant la vasocongestion génitale et l'érection. Aucun de ces médicaments n'augmente le désir sexuel. En revanche, la brémélanotide aurait un tel effet (voir l'encadré *Pleins feux sur la recherche* ci-dessus).

Vu la tendance universelle chez les humains à rechercher des substances aphrodisiaques et les avancées rapides de la médecine sexuelle, il est probable que de véritables aphrodisiaques finiront par être mis en marché. En attendant, les gens continuent d'utiliser diverses substances malgré l'absence de preuves de leurs propriétés. Pourquoi tant de gens à travers le monde ne jurent-ils que par les effets de la poudre de corne de rhinocéros, d'une salade composée d'huîtres et de bananes, ou de la marijuana avant une soirée de flirt ? La réponse réside dans la conviction et l'autosuggestion, souvent en cause lorsqu'on prétend qu'un produit est aphrodisiaque. Si une personne est convaincue qu'une substance améliorera sa vie sexuelle, cette croyance se traduira souvent par une augmentation de son plaisir sexuel. Dans cette perspective, n'importe quelle substance pourrait être un stimulant sexuel potentiel. L'auteure Theresa Crenshaw (1996) a fait une observation très pertinente à ce propos : « L'amour, peu importe comment on le définit, semble être le meilleur des aphrodisiaques. » Nous revenons sur cette affirmation au chapitre 8.

Question d'analyse critique

Supposons qu'on découvre une substance ayant un véritable effet aphrodisiaque. Quels bienfaits potentiels sa consommation pourrait-elle avoir ? À quels abus pourrait-elle donner lieu ? Envisageriez-vous d'utiliser un aphrodisiaque ? Dans l'affirmative, à quelles conditions ?

Les anaphrodisiaques

Plusieurs médicaments sont reconnus pour inhiber le comportement sexuel. Les substances qui produisent cet effet sont dites **anaphrodisiaques**. Il en va ainsi de nombreux médicaments répandus tels que les anti-androgènes, les opiacés, les antihypertenseurs (pour réduire la tension artérielle), les antidépresseurs, les antipsychotiques, les médicaments contre les ulcères d'estomac, les coupe-faim, les stéroïdes, les anticonvulsivants (pour traiter l'épilepsie), les médicaments pour traiter les maladies cardiovasculaires et ceux qui réduisent le taux de cholestérol sanguin, les antihistaminiques causant de la somnolence, les médicaments contre le cancer, les diurétiques et les antifongiques (Bahrick, 2008 ; DeLamater et Sill, 2005).

Tel que le montre le tableau 3.1, les drogues agissent davantage comme des anaphrodisiaques que comme des aphrodisiaques. En effet, de nombreux indices montrent que la consommation régulière d'opiacés, tels que l'héroïne, la morphine et la méthadone, engendre souvent une baisse notable, voire radicale, de l'intérêt pour la sexualité et de l'activité sexuelle chez les deux sexes (Ackerman et coll., 1994 ; Finger et coll., 1997), provoque des dysfonctions érectiles, inhibe l'éjaculation et, chez les femmes, diminue la capacité à atteindre l'orgasme.

Il a été démontré que les tranquillisants couramment utilisés pour traiter une variété de troubles affectifs diminuent parfois la motivation sexuelle, causent des troubles érectiles et retardent ou empêchent l'orgasme chez l'homme comme chez la femme (Crenshaw et Goldberg, 1996 ; Graedon et Graedon, 2008).

Des expériences ont démontré que plusieurs antihypertenseurs inhibent de façon importante l'érection et l'éjaculation, et diminuent l'intensité de l'orgasme masculin ainsi que le désir sexuel chez les deux sexes (DeLamater et Sill, 2005 ; Finger et coll., 1997).

Les antidépresseurs sont une autre classe de médicaments fréquemment prescrits qui s'accompagnent, sauf exception, d'effets secondaires défavorables à la sexualité. Il peut s'agir d'une baisse du désir sexuel et d'orgasmes retardés ou absents chez les deux sexes, et de troubles érectiles chez les hommes (Bahrick, 2008 ; Balon et Segraves, 2008). Un effet secondaire rare, les orgasmes spontanés, a été signalé chez des femmes et des hommes prenant des antidépresseurs. Plusieurs études de cas relatifs à ce phénomène atypique indiquent que de tels orgasmes surviennent sans stimulation sensorielle sexuelle ou sous l'effet d'une stimulation non sexuelle (par exemple, les vibrations en métro ou lors de la défécation ; Silverberg, 2008). Bien que l'étiologie des orgasmes spontanés ne soit pas encore élucidée, les chercheurs pensent que cela a quelque chose à voir avec un neurotransmetteur, la sérotonine (Silverberg, 2008).

Les antipsychotiques ont eux aussi tendance à perturber la réponse sexuelle. Leurs effets secondaires comprennent des difficultés érectiles et une éjaculation retardée chez les hommes et, chez les deux sexes, des difficultés à atteindre l'orgasme et une panne de désir (Finger et coll., 1997).

Beaucoup de gens sont étonnés d'apprendre que le contraceptif oral est aussi souvent associé à une diminution du désir. Une étude sur les effets de quatre contraceptifs oraux sur les hormones sexuelles a montré qu'ils provoquent tous une réduction du taux de testostérone libre dans le sang (Wiegratz et coll., 2003). Comme nous le voyons plus loin, la testostérone libre influe sur la libido féminine et masculine. Une autre étude a montré que l'excitation sexuelle (mesurée par photopléthysmographie) suscitée par des vidéos érotiques était inhibée par l'utilisation de contraceptifs oraux chez de jeunes femmes (Seal et coll., 2005).

L'anaphrodisiaque le plus courant et le moins connu est la nicotine. Il existe des preuves voulant que le tabagisme puisse altérer le désir et les fonctions sexuelles en provoquant la contraction des vaisseaux sanguins (ce qui retarde la vasocongestion engendrée par la stimulation sexuelle) et réduire le taux de testostérone sanguin (McKay, 2005 ; Mannino et coll., 1994). Toutefois, le lien entre la nicotine et la réduction de la testostérone libre dans le sang n'est pas encore établi avec certitude (Kapoor et Jones, 2005). Par contre, la nicotine est clairement associée aux difficultés érectiles, 40 % des hommes souffrant de ce trouble étant des fumeurs (Sighinolfi et coll., 2007).

Le rôle des hormones dans l'excitation sexuelle

Chez les humains, la sexualité, la sensualité et l'attirance physique entre les personnes sont influencées par un certain nombre d'hormones. Les œstrogènes et les androgènes, communément appelés *hormones sexuelles*, sont parmi celles dont on discute le plus. Appartenant à la classe générale des hormones **stéroïdes**, elles sont produites par les gonades (testicules et ovaires) et les glandes surrénales.

Vous avez sûrement déjà entendu parler des « hormones sexuelles masculines » et des « hormones sexuelles féminines ». Comme nous le voyons plus loin, il est erroné d'associer des hormones à un sexe en particulier, car les deux sexes produisent à la fois des hormones masculines et des hormones féminines. Le mot *androgène* est le terme générique utilisé pour désigner les hormones sexuelles

---

Anaphrodisiaque Substance qui atténue le désir et inhibe le comportement sexuel.

Stéroïdes Hormones sécrétées par les glandes sexuelles et surrénales.

masculines. Chez l'homme, les testicules sécrètent environ 95 % de tous les androgènes. La couche externe des glandes surrénales (appelée *cortex surrénalien*) produit presque la totalité des 5 % résiduels. Chez la femme, les ovaires et les glandes surrénales produisent tous deux des androgènes, mais en quantités à peu près égales (Davis, 1999 ; Rako, 1996). La testostérone est l'hormone androgène la plus sécrétée tant chez l'homme que chez la femme. Cependant, l'homme produit habituellement de 20 à 40 fois plus de testostérone que la femme (Worthman, 1999). Chez la femme, les œstrogènes, c'est-à-dire les hormones sexuelles féminines, sont surtout produits par les ovaires. Chez l'homme, les testicules sécrètent également des œstrogènes, mais beaucoup moins que chez la femme.

Chez l'être humain, l'excitation, l'attraction et la réponse sexuelles sont également influencées par les neurohormones, des hormones que sécrète le cerveau. L'ocytocine, l'une des plus importantes, est parfois surnommée *hormone de l'amour*, car elle jouerait un rôle dans l'attirance érotique et affective qu'on ressent pour quelqu'un. Des recherches ont établi un lien entre l'ocytocine et certains aspects de la sexualité humaine, comme nous le voyons plus loin. Mais examinons d'abord le lien qui existe entre la testostérone et la sexualité masculine, ainsi que le rôle que jouent les œstrogènes et la testostérone dans la sexualité féminine.

La testostérone et le comportement sexuel masculin

Plusieurs recherches ont établi un lien entre la testostérone et la sexualité masculine (McNicholas et coll., 2003 ; Shah et Montoya, 2007). L'une de ces recherches indique que, généralement, cette hormone influe davantage sur le désir sexuel masculin que sur le fonctionnement sexuel (Crenshaw, 1996). Ainsi, un homme ayant un faible taux de testostérone peut manifester peu d'intérêt pour les activités sexuelles, mais être capable d'avoir une érection et des orgasmes. Par ailleurs, la testostérone ayant aussi des effets sur la sensibilité des organes génitaux, une carence en testostérone peut entraîner une diminution du plaisir sexuel (Crenshaw, 1996 ; Rako, 1996). Certains hommes ont même des difficultés érectiles à cause de cette insuffisance hormonale.

Une première source de données provient des castrats (ces garçons qu'on castrait avant leur puberté pour empêcher leur voix de muer, une pratique abandonnée aujourd'hui) et des hommes adultes castrés. L'observation d'hommes ayant subi une castration (ou orchidectomie), c'est-à-dire l'ablation des testicules, aide à mieux comprendre le rôle de la testostérone dans les fonctions sexuelles masculines. La castration est pratiquée pour traiter des maladies telles que la tuberculose génitale et le cancer de la prostate (Parker et Dearnaley, 2003 ;

Wassersug et Johnson, 2007). Selon deux études européennes, les hommes qui ont subi une castration chirurgicale ont moins d'intérêt pour la sexualité et réduisent leurs activités sexuelles au cours de l'année qui suit l'intervention (Bremer, 1959 ; Heim, 1981). Par contre, d'autres études rapportent des cas d'hommes ayant conservé leur fonction et leur désir sexuels jusqu'à 30 ans après leur castration, sans prendre de supplément de testostérone (Ford et Beach, 1951 ; Greenstein et coll., 1995). Toutefois, même lorsque la vie sexuelle demeure active après la castration, l'intérêt pour la sexualité décline et les activités sexuelles diminuent généralement, souvent de façon marquée (Bradford, 1998 ; Rosler et Witztum, 1998). La fréquence de cette baisse indique que la testostérone est un facteur biologique très important du désir sexuel.

Les études consacrées aux médicaments bloquant l'action des androgènes ont elles aussi permis d'établir un lien entre la testostérone et les fonctions sexuelles masculines. Au cours des dernières années, une classe de médicaments connus sous le nom d'*antiandrogènes* a servi, en Europe et en Amérique du Nord, à traiter des prédateurs sexuels et des hommes atteints du cancer de la prostate (Kafka, 2009 ; Kelly, 2008). Les antiandrogènes réduisent considérablement le taux de testostérone dans le sang. Plusieurs études ont montré que les antiandrogènes, dont l'acétate de médroxy-progestérone (AMPR, commercialisé sous l'appellation *Depo-Provera*), ont pour effet de réduire le désir sexuel ainsi que les activités sexuelles des hommes et des femmes (Crenshaw et Goldberg, 1996 ; Kafka, 2009). Cependant, la réduction du taux de testostérone ne s'avère pas toujours efficace dans le cas des prédateurs sexuels, notamment lorsque le crime sexuel repose sur des motifs non sexuels comme la colère, le sentiment de puissance ou le besoin de dominer une autre personne (Kelly, 2008).

Enfin, la recherche sur l'hypogonadisme a également montré le rôle de la testostérone dans le désir sexuel masculin. L'hypogonadisme est une carence en testostérone causée par un désordre du système endocrinien. Il est aussi associé au processus de vieillissement chez certains hommes âgés (Shah et Montoya, 2007). L'apparition

---

Neurohormones Substances chimiques sécrétées par le cerveau et qui influencent, entre autres, le comportement sexuel.

Ocytocine Neurohormone peptidique sécrétée par l'hypothalamus et qui influence la réponse sexuelle et l'attirance.

Castration ou orchidectomie Ablation chirurgicale des testicules.

Hypogonadisme Production anormalement faible de testostérone par les testicules.

de cette affection avant la puberté retarde le développement des caractères sexuels primaires et secondaires, et celui qui en souffre risque alors de ne jamais avoir d'intérêt pour la sexualité adulte. Les effets varient beaucoup plus si la carence en testostérone survient à l'âge adulte. Les nombreuses études menées auprès d'hommes souffrant d'hypogonadisme confirment l'importance du rôle de la testostérone dans le désir sexuel masculin (Newman et Rivera-Wolf, 2008 ; Nusbaum et coll., 2005 ; Yassin et coll., 2005). Par exemple, certains d'entre eux ont retrouvé un intérêt pour la sexualité et un niveau d'activité sexuelle normal après avoir subi des traitements de remplacement de la testostérone (TRT) (Nusbaum et coll., 2005 ; Shah et Montoya, 2007).

Les hormones et le comportement sexuel féminin

Bien que les œstrogènes concourent à un sentiment général de bien-être, aident à conserver l'épaisseur et l'élasticité de la muqueuse vaginale et participent à la lubrification vaginale (Frank et coll., 2008 ; Kingsberg, 2002), leur rôle dans le comportement sexuel féminin demeure assez flou. Des études ont été réalisées auprès de femmes ménopausées (la ménopause est associée à une baisse marquée de la production d'œstrogènes) et de femmes ayant subi une ablation des ovaires pour des raisons médicales. Après leur avoir administré un traitement hormonal substitutif aux œstrogènes, on a constaté que non seulement leur paroi vaginale se lubrifiait davantage, mais aussi que leur désir sexuel, leur plaisir et leur capacité orgasmique avaient augmenté sensiblement (Dow et coll., 1983 ; Kingsberg, 2002). Les bienfaits sexuels de ce traitement découleraient des effets positifs des œstrogènes sur l'humeur générale de la femme, qui la rendraient plus réceptive à l'activité sexuelle (Crenshaw, 1996 ; Wilson, 2003). Les œstrogènes jouent en outre un rôle plus subtil qui favorise néanmoins l'excitation sexuelle, car leurs effets féminisants sur les seins, la peau (pilosité moindre et douceur accrue) et les organes génitaux peuvent augmenter la confiance en soi et, indirectement, accroître le désir sexuel (Bartlik et coll., 1999b).

D'autres études ont toutefois montré que le traitement substitutif aux œstrogènes n'influe pas de manière perceptible sur le désir sexuel et qu'une dose relativement élevée de ces hormones peut même réduire la libido (Frank et coll., 2008 ; Levin, 2002). À la lumière de ces résultats contradictoires, force est de constater que le rôle des œstrogènes dans le désir et les fonctions sexuelles féminines demeure indéterminé.

Le rôle de la testostérone dans la sexualité féminine est beaucoup moins ambigu. Il ne fait plus de doute qu'elle est l'hormone principale de la libido chez la femme (Davis et coll., 2008 ; Tucker, 2004). De nombreuses expériences visant à mesurer les effets de la testostérone sur la sexualité féminine ont clairement établi une relation de cause à effet entre le taux de testostérone dans le sang et le désir sexuel, la sensibilité des organes génitaux et la fréquence des activités sexuelles. Par exemple, beaucoup d'études ont montré que le traitement substitutif à la testostérone augmente le désir et l'excitation sexuels des femmes ménopausées (Frank et coll., 2008 ; Shah et Montoya, 2007). Des recherches particulièrement intéressantes réalisées par la Clinique de la ménopause de l'Université McGill indiquent que le traitement substitutif à la testostérone et aux œstrogènes (combinés) accroît l'intérêt pour la sexualité, le désir sexuel, la vitalité et la sensation de bien-être des femmes ménopausées (Gelfand, 2000), confirmant les données de nombreuses autres études (Frank et coll., 2008 ; Shah et Montoya, 2007).

D'autres études ont rapporté que les femmes qui suivent un traitement substitutif à la testostérone et aux œstrogènes après avoir subi une ablation des ovaires (ovariectomie) voient leur désir, leur excitation et leurs fantasmes sexuels s'amplifier énormément comparativement à celles qui ne prennent que des suppléments d'œstrogènes ou qui ne suivent aucun traitement substitutif (Nusbaum et coll., 2005 ; Tucker, 2004).

Ce sont surtout les études menées auprès de femmes ayant un faible taux de testostérone (consécutif à une ovariectomie, à une ablation des glandes surrénales ou encore à la ménopause) qui ont permis de démontrer l'importance de cette hormone dans les fonctions sexuelles féminines. Par ailleurs, une étude d'un intérêt considérable a tenté de déterminer les effets physiologiques et subjectifs des suppléments de testostérone sur l'excitation sexuelle ; l'échantillon comprenait des femmes sexuellement fonctionnelles et possédant des taux hormonaux normaux. Les chercheurs ont découvert que la testostérone administrée par voie sublinguale (sous la langue) augmente significativement la sensibilité des organes génitaux dans les quelques heures qui suivent son absorption. Les résultats montrent une forte corrélation entre cette augmentation de l'excitation des parties génitales et la description subjective que font les femmes de leur « sensibilité des parties génitales » et de leur « désir sexuel » (Tuiten et coll., 2000).

D'autres études montrent également que l'administration de testostérone à des femmes ayant une faible libido et un manque d'excitation sexuelle a pour effet d'accroître leurs fantasmes sexuels, les épisodes de masturbation et l'interaction sexuelle avec leur partenaire (Davis, 2000, 2008 ; Shifen et coll., 2000). De plus, lorsque les chercheurs comparent le taux de testostérone de femmes sexuellement actives et en bonne santé avec celui de femmes ayant une faible libido, ils constatent un lien indéniable entre un faible taux de testostérone et une faible libido (Riley et Riley, 2000).

Le taux de testostérone requis pour un fonctionnement sexuel normal

Une fois qu'on a démontré le rôle central de la testostérone dans le maintien du désir sexuel chez les deux sexes, il y a lieu de se demander quel taux de testostérone assure une excitation sexuelle normale. La réponse à cette question est complexe et fait intervenir plusieurs facteurs.

La testostérone se retrouve sous deux formes dans l'organisme : liée et libre. Chez l'homme, 5 % de la testostérone qui circule dans le sang est libre. C'est sous cette forme qu'elle joue un rôle actif dans le métabolisme et qu'elle influe sur la libido (Crenshaw, 1996 ; Donnelly et White, 2000). Chez la femme, les chiffres sont similaires : les molécules libres responsables des effets observés dans les tissus représentent de 1 à 3 % de la testostérone qui circule dans le sang (Rako, 1996). Pour les deux sexes, la somme de la testostérone libre et de celle liée donne la quantité de testostérone totale. Pour un homme, la quantité normale de testostérone totale est de 300 à 1200 ng/dl (nanogramme par décilitre). Pour les femmes, elle est de 20 à 50 ng/dl (Rako, 1996 ; Winters, 1999). Il est important de noter que la quantité de testostérone essentielle au bon fonctionnement de l'organisme, c'est-à-dire sa masse critique, varie d'une personne à l'autre chez les deux sexes (Crenshaw, 1996 ; Rako, 1996). Le fait que les femmes produisent moins de testostérone que les hommes ne signifie pas que leur désir sexuel est plus faible. Il semble plutôt que les cellules de leur organisme soient plus sensibles à cette hormone et que la libido des femmes ait besoin de très peu de testostérone pour être stimulée (Bancroft, 2002 ; Crenshaw, 1996).

Un taux de testostérone trop élevé peut engendrer de graves effets secondaires chez les deux sexes (Redmond, 1999). Un homme qui prend trop de suppléments de testostérone peut éprouver divers troubles, dont une perturbation des cycles hormonaux naturels, une rétention de sel, une rétention des fluides et une perte de cheveux. De plus, bien que le lien entre la testostérone et le cancer de la prostate ne soit pas clairement établi, l'excès de cette hormone peut néanmoins stimuler la croissance d'une tumeur déjà existante dans cette glande (Nusbaum et coll., 2005). Chez la femme, un excès de testostérone peut stimuler de façon significative la pilosité, au visage notamment, accroître la masse musculaire, réduire la taille des seins et augmenter celle du clitoris (Kingsberg, 2002 ; Shah et Montoya, 2007). Cependant, seules de fortes doses de testostérone administrées durant une longue période peuvent avoir des effets secondaires graves (Rako, 1999). Comme nous l'avons mentionné ci-dessus, des suppléments de testostérone peuvent aider à rétablir le désir sexuel chez les hommes et les femmes qui présentent un trop faible taux de cette hormone.

Chez les deux sexes, le désir sexuel peut être faible malgré un taux normal de testostérone totale, car le composé hormonal clé de la libido, le taux de testostérone libre, peut être faible en dépit d'un taux normal de testostérone totale. Par conséquent, si vous croyez avoir une carence en testostérone, il est important de demander qu'on mesure votre taux de testostérone libre en plus de votre taux de testostérone totale. Jusqu'à récemment, la plupart des médecins ne faisaient mesurer que le taux de testostérone totale.

Enfin, le rythme auquel la production de testostérone décline avec l'âge varie considérablement selon le sexe. Lorsque les ovaires réduisent peu à peu leur activité à la ménopause, il arrive souvent que le taux de testostérone totale chute rapidement en quelques mois. Chez certaines femmes, cependant, cette diminution se fait plus graduellement et s'échelonne sur plusieurs années (Kingsberg, 2002). (Les femmes qui subissent une ovariectomie sont plus susceptibles de ressentir cette chute rapide du taux de testostérone.) Lorsque les ovaires ne sécrètent plus les quantités normales de testostérone, la production de testostérone par les glandes surrénales diminue aussi, bien qu'elles continuent d'en sécréter (Rako, 1999).

En revanche, chez les hommes, le taux de testostérone totale décline beaucoup plus lentement, et cette baisse s'étend habituellement sur plusieurs années (Sadovsky, 2005). Ce phénomène vient probablement de ce que les testicules, contrairement aux ovaires, n'arrêtent pas leur activité au milieu de la vie.

Les symptômes d'une baisse de testostérone sont les mêmes chez les deux sexes, quoiqu'ils surviennent plus rapidement chez les femmes que chez les hommes. Le tableau 3.2 résume les principaux.

Si vous éprouvez certains des symptômes présentés dans le tableau 3.2, il peut être indiqué de consulter un médecin pour qu'il vous prescrive une thérapie substitutive à la testostérone (TST). Présentement, les hommes consultent plus leur médecin que les femmes pour ce genre de traitement, notamment pour combattre certaines difficultés sexuelles. D'ailleurs, la communauté médicale se montre souvent réticente à prescrire une TST aux femmes qui ont une insuffisance de testostérone. Toutefois, les spécialistes en gynécologie et en ménopause cherchent de plus en plus à sensibiliser les médecins généralistes et les femmes, particulièrement les femmes postménopausées, aux bénéfices de ce genre de thérapie (Gelfand, 2000 ; Johnson, 2002).

Vu les grandes différences individuelles dans les réactions des hommes et des femmes aux hormones, il n'est pas facile de déterminer ce qu'est une bonne ou une mauvaise approche en matière de thérapie substitutive à la testostérone (TST). Ainsi, il n'est pas nécessaire de

TABLEAU 3.2	Les principaux symptômes d'une carence en testostérone.

Une baisse du désir sexuel.
Une moins grande sensibilité des parties génitales et des mamelons à la stimulation sexuelle.
Une baisse générale de l'excitabilité sexuelle, parfois accompagnée d'une moins grande capacité orgasmique.
Une baisse de la vitalité et parfois une dépression.
Une augmentation de la masse adipeuse.
Une diminution de la densité osseuse, qui peut conduire à l'ostéoporose chez les deux sexes.
Une diminution de la pilosité.
Une diminution de la force physique et de la masse musculaire.

Sources : Kingsberg (2002), McNicholas et coll. (2003), Nusbaum et coll. (2005) et Sadovsky (2005).

recourir à une TST chaque fois qu'une personne a un taux de testostérone inférieur à la normale. Idéalement, chacun devrait demander conseil à son médecin pour déterminer s'il y a lieu ou non de recourir à une TST et, si oui, choisir ensemble la méthode et le dosage appropriés pour traiter les symptômes d'une carence en testostérone.

Les suppléments de testostérone destinés aux hommes et aux femmes peuvent être administrés de plusieurs façons : en comprimés (qu'on avale ou qu'on laisse fondre sous la langue), par injections, sous forme d'implants ou de timbres cutanés (McNicholas et coll., 2003 ; Morales, 2003). Chez les femmes, le supplément de testostérone peut aussi être administré sous forme de crème ou de gel vaginal. Au moment d'écrire ces lignes, un gel (LibiGel) applicable sur la peau des bras à la hauteur des épaules est en phase d'essais cliniques pour en déterminer les effets comme traitement du désir sexuel hypoactif féminin (voir le chapitre 10) (Archer, 2008). Les spécialistes de la TST font des mises en garde contre l'excès de testostérone. Prendre une dose excessive de testostérone pour éliminer les symptômes d'une carence hormonale n'augmentera probablement pas la libido et la vitalité, mais entraînera plutôt des effets secondaires négatifs. De plus, une étude récente laisse entendre que les femmes qui suivent une TST présentent un risque plus élevé de développer un cancer du sein (Tamini et coll., 2006).

Le rôle de l'ocytocine dans le comportement sexuel

L'ocytocine, une neurohormone sécrétée par l'hypothalamus, exerce une influence importante sur la réponse sexuelle, la sensualité et l'attirance érotique interpersonnelle (Wilson, 2003 ; Young, 2009). Elle a aussi pour fonction biologique de favoriser la lactation (Wilson, 2003). Elle renforce en outre les liens affectifs entre la mère et l'enfant durant l'allaitement (Love, 2001). La production

d'ocytocine pendant l'excitation sexuelle pourrait avoir un effet similaire sur les partenaires (Young, 2009).

L'ocytocine est sécrétée pendant les contacts physiques et intimes, et le toucher est particulièrement efficace pour en déclencher la production. Une plus grande quantité d'ocytocine en circulation stimulerait l'activité sexuelle chez plusieurs espèces animales, dont les humains (Anderson-Hunt et Dennerstein, 1994 ; Wilson, 2003). C'est une hormone qui augmente la sensibilité de la peau au toucher, et donc qui favorise les comportements affectueux (Love, 2001 ; McEwen, 1997). Chez l'humain, le niveau d'ocytocine augmente progressivement pendant tout le cycle de la réponse sexuelle, depuis l'excitation initiale jusqu'à l'orgasme ; l'atteinte de l'orgasme s'accompagne d'un taux élevé d'ocytocine chez les deux sexes (Anderson-Hunt et Dennerstein, 1994 ; Wilson, 2003). Cette hormone stimule également les contractions de la paroi utérine lors de l'orgasme (Wilson, 2003) et de l'accouchement.

La libération croissante d'ocytocine jusqu'au moment de l'orgasme et son maintien à un niveau élevé dans le sang dans les moments qui suivent favorisent les liens affectifs et le rapprochement des partenaires (Love, 2001 ; Young, 2009). Les recherches menées auprès d'humains indiquent que l'ocytocine joue un rôle important dans le développement des liens sociaux et du sentiment amoureux (Donaldson et Young, 2008 ; Wilson, 2003). Des études menées auprès d'enfants autistes, chez qui on observe une carence dans la capacité à établir des liens sociaux et à exprimer de l'amour, révèlent qu'ils ont souvent un faible taux d'ocytocine (Green et coll., 2001). Par ailleurs, d'autres recherches ont montré que l'injection d'ocytocine améliore la «mémoire sociale» des adultes autistes (Hollander et coll., 2006). Ces résultats ne font que confirmer le lien entre le taux d'ocytocine et la capacité à nouer des liens affectifs et amoureux.

La réponse sexuelle

La réponse sexuelle humaine est un processus physique, affectif et mental très différent d'une personne à l'autre. Néanmoins, certains changements physiologiques communs à de nombreuses personnes nous permettent d'esquisser les grandes lignes du cycle de la réponse sexuelle. Masters et Johnson (1968), Helen Kaplan (1979) et Jean-Yves Desjardins (2007), auteurs et sexologues célèbres, ont décrit différents modèles de réponse sexuelle. Nous présentons les points forts de leurs modèles dans l'ordre chronologique de leur publication.

Le modèle à quatre phases de Masters et Johnson

Masters et Johnson ont observé quatre phases dans le mode de réponse sexuelle chez les deux sexes : l'excitation, le plateau, l'orgasme et la résolution. Leur modèle montre une très grande similitude entre la réponse sexuelle féminine et la réponse sexuelle masculine (voir les figures 3.2 et 3.3). Il y a cependant une différence significative entre les deux : la présence d'une période réfractaire (période pendant laquelle les stimulations ne produisent plus de réactions) dans la phase de résolution masculine.

Le caractère simplifié des diagrammes des figures 3.2 et 3.3 peut facilement masquer la richesse des situations

individuelles. Masters et Johnson n'ont modélisé que la réponse physiologique aux stimuli sexuels. L'enchaînement des réactions biologiques est relativement prévisible, mais la diversité des réactions individuelles à l'excitation sexuelle est considérable. Nous y revenons plus loin dans ce chapitre.

Chez l'homme et la femme, deux réponses physiologiques fondamentales surviennent après une stimulation sexuelle efficace : la vasocongestion et la myotonie. Presque toutes les réponses biologiques en jeu durant l'excitation sexuelle reposent sur ces deux réactions.

La vasocongestion et la myotonie

La **vasocongestion** est le phénomène par lequel les tissus se gorgent de sang en réponse à une excitation sexuelle. Habituellement, l'afflux de sang dans les artères des organes et des tissus est contrebalancé par le volume sanguin évacué par les veines. Or, durant l'excitation sexuelle, les artères se dilatent, ce qui augmente l'afflux au-delà de la capacité des veines à évacuer le sang. Il s'ensuit une vasocongestion généralisée des tissus superficiels et profonds. Les parties congestionnées visibles peuvent alors être enflammées, rouges et chaudes à cause de l'afflux sanguin. Les manifestations

---

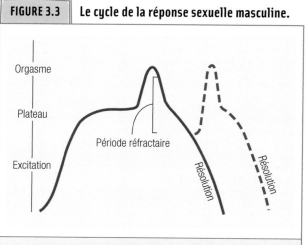

FIGURE 3.3 **Le cycle de la réponse sexuelle masculine.**

Masters et Johnson n'ont observé qu'un seul mode de réponse sexuelle masculine. Or, les hommes déclarent des différences considérables dans leur mode de réponse. Remarquez la présence de la période réfractaire : chez les hommes, le premier orgasme n'est jamais immédiatement suivi d'un deuxième.

(Source : Masters et Johnson, 1966.)

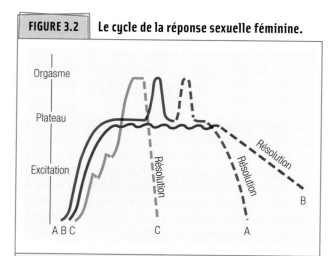

FIGURE 3.2 **Le cycle de la réponse sexuelle féminine.**

Masters et Johnson ont identifié trois modes fondamentaux de réponse sexuelle féminine. La courbe A ressemble plus au mode de réponse masculine, hormis le fait que la femme peut avoir un ou plusieurs orgasmes sans quitter la phase du plateau, correspondant à l'excitation sexuelle maximale. Un plateau prolongé sans orgasme (courbe B) et une montée rapide vers l'orgasme sans plateau, suivie d'une résolution très rapide (courbe C) sont deux variantes du cycle.

(Source : Masters et Johnson, 1968.)

Vasocongestion Phénomène par lequel les vaisseaux se gorgent de sang, plus particulièrement dans les parties du corps qui répondent à la stimulation sexuelle.

les plus visibles de ce phénomène sont l'érection du pénis et la lubrification du vagin. D'autres parties du corps peuvent se gorger de sang : les lèvres de la vulve, les testicules, le clitoris, les mamelons, les aréoles et même le lobe des oreilles.

Comme nous l'avons vu au chapitre 1, Masters et Johnson ainsi que d'autres chercheurs ont utilisé des appareils tels que le photopléthysmograghe vaginal et l'extensiomètre pénien pour mesurer électroniquement la vasocongestion durant l'excitation sexuelle. Les chercheurs ont aussi commencé à explorer les avantages possibles de l'imagerie par résonance magnétique fonctionnelle (IRMf) dans l'étude de la réponse sexuelle. Cette nouvelle méthode d'analyse de la physiologie de la réponse sexuelle est décrite dans l'encadré *Pleins feux sur la recherche* à la page 69.

La seconde réponse physiologique fondamentale à la stimulation sexuelle est la **myotonie**, c'est-à-dire la tension musculaire qui s'accentue dans tout le corps pendant l'excitation sexuelle. Des contractions volontaires et involontaires participent à la myotonie. Ses effets les plus perceptibles sont les contractions du visage, les spasmes des mains et des pieds, et les spasmes musculaires caractéristiques de l'orgasme.

Quelle que soit la méthode de stimulation, les phases du cycle de la réponse sexuelle suivent une même séquence. La masturbation, la stimulation manuelle par son partenaire, la stimulation buccogénitale, la pénétration, les fantasmes, les rêves et, chez certaines femmes, la stimulation des seins peuvent tous faire partie du cycle de réponse. Souvent, l'intensité et la rapidité d'une réponse varient selon le type de stimulation.

Dans les pages qui suivent, nous dressons la liste des réactions courantes chez les deux sexes et de celles propres à chacun. Remarquez la forte similitude entre la réponse sexuelle des hommes et celle des femmes (voir le tableau 3.3). Dans la dernière partie de ce chapitre, nous examinons en détail quelques différences importantes entre les deux modèles de réponse.

L'excitation La première phase du cycle de la réponse sexuelle, la **phase d'excitation**, est caractérisée par plusieurs réactions communes aux hommes et aux femmes, notamment la tension musculaire et une augmentation du rythme cardiaque et de la pression artérielle. Des **rougeurs sexuelles** peuvent se manifester, plus souvent chez les femmes que chez les hommes. La durée de la phase d'excitation peut varier (de moins d'une minute à quelques heures), tout comme son intensité (passant de faible à forte avec des modulations).

Bien que les réactions physiologiques présentées dans le tableau 3.3 expriment des tendances générales, les individus perçoivent différemment ces changements. Les deux témoignages suivants, l'un féminin et l'autre masculin, illustrent bien que la subjectivité colore les réactions à la stimulation sexuelle.

> Lorsque je suis excitée, je ressens de la chaleur partout sur le corps. J'aime me faire étreindre et me faire masser des parties autres que mes parties génitales. Cependant, après un moment, je préfère les caresses plus directes afin d'atteindre l'orgasme. (Notes des auteurs)

> Quand je suis excité, mon corps en entier est rempli d'énergie. Parfois, ma bouche s'assèche et ma tête est légère. Je désire que tout mon corps soit touché et caressé, pas uniquement mes parties génitales. J'aime particulièrement la sensation du moment précédant l'orgasme. Je sais qu'il m'attend et qu'il m'incite à poursuivre plus loin. Un orgasme rapide peut être plaisant, mais habituellement, je préfère que la période d'excitation dure tant que je peux résister, jusqu'à ce que mon pénis demande grâce et se meure pour les caresses qui l'amèneront à l'extase. (Notes des auteurs)

Le plateau Le choix de ce terme pour désigner la deuxième phase de la réponse sexuelle est malheureux : en science du comportement, le mot *plateau* s'utilise habituellement pour décrire une étape pendant laquelle aucun changement comportemental ne peut être détecté. Par exemple, il peut désigner une zone à plat d'une courbe d'apprentissage où rien ne change pendant un certain temps. La figure 3.3. schématise la **phase de plateau** chez l'homme, et la figure 3.2 (courbe A), celle de la femme. La phase de plateau implique une importante montée de la tension sexuelle chez les deux sexes (c'est-à-dire une augmentation de la pression artérielle et du rythme respiratoire) qui continue d'augmenter jusqu'au point culminant qui mène à l'orgasme.

Myotonie Tension musculaire (qui augmente durant l'excitation sexuelle).

Phase d'excitation Expression employée par Masters et Johnson pour décrire la première phase du cycle de la réponse sexuelle, au cours de laquelle les organes sexuels se gorgent de sang, et la tension musculaire, le rythme cardiaque et la tension artérielle augmentent.

Rougeur sexuelle Éruption rosée ou rouge qui peut apparaître sur la poitrine ou les seins durant l'excitation sexuelle.

Phase de plateau Expression inventée par Masters et Johnson pour identifier la deuxième phase du cycle de la réponse sexuelle, dans laquelle la tension musculaire, le rythme cardiaque, la pression artérielle et la vasocongestion s'accentuent.

La phase de plateau est souvent très courte et ne dure, en général, que quelques secondes ou quelques minutes. Cependant, beaucoup d'individus affirment que le maintien de la tension sexuelle à cette étape engendre une plus grande excitation et, ultérieurement, un orgasme plus intense.

TABLEAU 3.3	Les principaux changements physiologiques liés aux quatre phases de la réponse sexuelle selon Masters et Johnson.		
PHASE	**RÉACTIONS COMMUNES AUX DEUX SEXES**	**CHEZ LA FEMME**	**CHEZ L'HOMME**
Excitation	• Augmentation de la myotonie, du rythme cardiaque et de la pression artérielle. • Rougeurs sexuelles (surtout chez la femme).	• Augmentation de la taille du clitoris. • Écartement des grandes lèvres de l'ouverture du vagin. • Accentuation de la couleur et augmentation de la taille des petites lèvres. • Début de la lubrification. • Élévation de l'utérus. • Augmentation du volume des seins.	• Début de l'érection du pénis. • Élévation et engorgement des testicules. • Épaississement et tension de la peau scrotale.
Plateau	• Forte myotonie et parfois contractions involontaires des mains et des pieds. • Augmentation des rythmes cardiaque et respiratoire et de la pression artérielle.	• Sécrétion possible des glandes de Bartholin. • Rétraction du clitoris sous le prépuce. • Élévation maximale de l'utérus. • Établissement de la plateforme orgasmique (engorgement du tiers externe du vagin). • Gonflement des aréoles.	• Sécrétion possible des glandes de Cowper. • Engorgement et élévation plus prononcés des testicules.
Orgasme	• Spasmes musculaires involontaires de tout le corps. • Pression artérielle, rythmes respiratoire et cardiaque à leur maximum. • Contractions involontaires du sphincter rectal.	• Maintien de la rétraction du clitoris sous le prépuce. • De 3 à 15 contractions rythmiques de la plateforme orgasmique. • Contractions de l'utérus.	• Pendant la phase d'émission, contraction des structures internes, provoquant l'accumulation du liquide séminal dans le bulbe urétral. • Contraction du sphincter urétral externe. • Pendant la phase d'expulsion, expulsion du liquide séminal par la contraction des muscles entourant la base du pénis.
Résolution	• Relâchement de la myotonie ; retour à la normale de la pression artérielle, des rythmes respiratoire et cardiaque tout de suite après l'orgasme. • Disparition rapide des rougeurs sexuelles. • Atténuation progressive de l'érection des mamelons.	• Descente du clitoris et lent retour à l'état de repos. • Détumescence des grandes et petites lèvres et retour à la couleur originale. • Retour de l'utérus à sa position habituelle. • En l'absence d'orgasme après une période d'intense excitation, ralentissement considérable de la phase de résolution.	• Maintien de l'érection durant encore quelques minutes ; diminution rapide de la grosseur du pénis, puis lent retour à sa taille normale. • Descente des testicules et retour à leur taille normale. • Relâchement de la peau du scrotum qui retrouve son apparence plissée. • Résolution assez rapide chez la plupart des hommes. • Phase réfractaire.

> Parvenu à ce moment de mon excitation, juste comme je me sens sur le point d'éjaculer, j'essaie de tenir le plus longtemps possible. Si ma partenaire est attentive, si elle arrête ou ralentit lorsque c'est nécessaire, je peux demeurer ainsi pendant plusieurs minutes et parfois plus longtemps encore. Je suis conscient qu'une seule poussée de plus me ferait exploser. Parfois, je me mets à trembler et à frémir et j'éprouve des sensations indescriptibles qui me traversent le corps comme des courants électriques. L'orgasme est d'autant plus fort que j'ai maintenu longtemps cet état de surcharge érotique physique. (Notes des auteurs)

> Quand je me masturbe, j'aime m'approcher de l'orgasme, puis arrêter l'excitation. Je sais quand l'orgasme est sur le point de se déclencher parce que je sens les muscles de mon vagin se resserrer et parfois je les sens se contracter. J'aime cette sensation d'équilibre entre l'envie de jouir et celle de me retenir encore plus. Plus je demeure longtemps dans cet état, plus mon orgasme est intense. Parfois, l'orgasme est à la limite du supportable. (Notes des auteurs)

L'orgasme   Sous l'effet continu d'une stimulation efficace, de nombreuses personnes passent du plateau à l'orgasme. C'est particulièrement vrai pour les hommes qui atteignent presque toujours l'orgasme après la phase de plateau. Les femmes peuvent, contrairement aux hommes, atteindre et maintenir un certain degré d'excitation sans nécessairement parvenir à l'orgasme. C'est souvent le cas chez les couples hétérosexuels lorsque l'homme jouit le premier lors de la pénétration ou qu'il remplace une stimulation buccogénitale ou manuelle efficace par une pénétration au moment où la femme est sur le point d'atteindre l'orgasme. L'orgasme est la phase la plus courte du cycle de la réponse sexuelle et ne dure habituellement que quelques secondes.

Chez les deux sexes, l'orgasme peut se traduire par une combinaison de sensations extrêmement agréables et intenses. Cependant, la question de savoir si les sensations diffèrent selon le sexe fait toujours l'objet d'un grand débat. Deux analyses distinctes de descriptions d'orgasmes fournies par des étudiants ont permis d'approfondir la question (Wiest, 1977 ; Wiest et coll., 1995). Dans l'une et l'autre, une comparaison effectuée à l'aide d'une échelle d'évaluation psychologique classique a démontré que les descriptions subjectives d'orgasmes ne permettent pas de faire une distinction entre les sexes. Une étude précédente, dans laquelle 70 spécialistes ont tenté d'établir le sexe des personnes à partir de la description de leurs sensations orgasmiques, a donné des résultats similaires (Proctor et coll., 1974). Une enquête plus récente a montré que lorsque les hommes et les femmes sont invités à décrire leur expérience subjective de l'orgasme, les termes qu'ils emploient sont plus souvent semblables que différents (Mah et Binik, 2002).

Par-delà la question de la différence de sensations selon le sexe, il apparaît clairement que la perception de l'orgasme varie notablement d'une personne à l'autre (voir l'encadré *Les uns et les autres* à la page 86).

Bien qu'on ait aujourd'hui une bonne connaissance de la physiologie de la réponse orgasmique féminine, la désinformation perdure à ce sujet dans notre culture. Sigmund Freud (1905) a proposé une théorie opposant l'orgasme vaginal à l'orgasme clitoridien, théorie qui a faussé l'opinion populaire concernant la réponse sexuelle féminine. Les disciples de Freud attribuaient l'orgasme vaginal à la maturité psychosexuelle féminine et le jugeaient donc préférable à l'orgasme clitoridien, considéré comme infantile. De cette présomption, on conclut que les sensations érotiques, l'excitation et l'orgasme liés à la stimulation directe du clitoris étaient l'expression d'une sexualité «masculine» plutôt que «féminine» (Sherfey, 1972). Cette théorie reposait sur l'idée que le clitoris était une sorte de pénis insuffisamment développé, ce qui n'est pas le cas (voir le chapitre 2).

Contrairement à la théorie freudienne, les recherches de Masters et Johnson semblent indiquer qu'il n'y aurait qu'une seule sorte d'orgasme féminin, physiologiquement parlant, peu importe la méthode de stimulation. Les orgasmes féminins seraient essentiellement déclenchés par une stimulation clitoridienne directe ou indirecte. Or, comme nous l'avons mentionné plus tôt, certaines femmes peuvent avoir un orgasme en fantasmant, durant leur sommeil ou par la stimulation d'autres parties du corps tels les seins ou le controversé point de Gräfenberg, communément appelé *point G*, dont il est question aux pages 86 et 87.

La résolution   Pendant la phase finale du cycle de la réponse sexuelle, la phase de résolution, le corps retourne à son état antérieur à l'excitation. Si aucune nouvelle excitation ne se produit, cette phase commence immédiatement après l'orgasme. La rapidité du retour à l'état de non-excitation varie d'une personne à l'autre. Les deux témoignages suivants, l'un masculin et l'autre féminin, donnent un aperçu de l'état des personnes après l'orgasme.

Orgasme   Série de contractions musculaires du plancher pelvien au point culminant de l'excitation sexuelle.

Phase de résolution   Quatrième phase du cycle de la réponse sexuelle décrite par Masters et Johnson, dans laquelle le système sexuel retourne au repos.

> Après l'orgasme, je me sens généralement détendu et heureux. Parfois j'ai le goût de dormir, d'autres fois de toucher ma partenaire si elle le désire. J'aime la tenir et être simplement là. (Notes des auteurs)

> Après l'orgasme, je me sens très détendue. Mon humeur varie : des fois, je suis prête à recommencer, d'autres fois, je me lève et j'aime m'occuper, alors que d'autres fois, je désire dormir. (Notes des auteurs)

L'expérience subjective de ces personnes se ressemble. Pourtant, il y a une différence importante entre les réactions masculines et féminines durant cette phase : la disposition physiologique à une autre stimulation sexuelle. Après l'orgasme, l'homme entre habituellement dans la période réfractaire, période pendant laquelle une nouvelle montée de l'excitation physiologique ne peut pas se produire, peu importe la stimulation. La durée de cette période peut varier de quelques minutes à plusieurs jours et dépend de facteurs tels que l'âge, le moment de la précédente activité sexuelle, le degré d'intimité entre les partenaires et leur désir réciproque.

Le point de Gräfenberg

Plusieurs études ont indiqué que certaines femmes sont capables de parvenir à l'orgasme et même d'éjaculer grâce à la stimulation vigoureuse de la portion antérieure de leur vagin (Levin, 2003a ; Whipple et Komisaruk, 1999). Cette région érotiquement sensible tient son nom, *point de Gräfenberg* ou *point G*, du gynécologue Ernest Gräfenberg (1950) qui en releva le premier l'importance érotique, il y a environ 60 ans. Le point de Gräfenberg ne

---

Période réfractaire Période qui suit l'orgasme masculin durant laquelle l'homme ne peut pas atteindre un autre orgasme.

Les uns et les autres

Des descriptions subjectives de l'orgasme

Les témoignages personnels suivants, provenant des notes des auteurs, font état de la diversité des descriptions de l'orgasme. Le premier témoignage est celui d'une femme et le deuxième, celui d'un homme. Les trois autres – désignés A, B et C – ne donnent aucune indication sur le sexe de la personne. Sauriez-vous dire s'ils viennent d'hommes ou de femmes ? La réponse se trouve à la fin du chapitre, après le résumé.

> Une femme : Quand je suis sur le point d'avoir un orgasme, mon visage devient très chaud. Je ferme les yeux et j'ouvre la bouche. Depuis mon clitoris, c'est comme des courants électriques qui irradient vers ma poitrine et vers mes jambes jusqu'aux pieds. Parfois, je sens comme le besoin d'uriner. Mon vagin se contracte de 5 à 12 fois. J'ai l'impression que ma vulve est gonflée et lourde. Aucune autre sensation ne ressemble à cela, c'est fantastique.

> Un homme : Chez moi, l'orgasme draine toute mon énergie vers le centre de mon corps. Puis, soudainement, toute cette énergie passe à travers mon pénis. Mon corps devient chaud et engourdi avant l'orgasme ; après, je me détends graduellement et me sens extrêmement serein.

> Témoignage A : C'est comme une *Almond Joy* [une tablette de chocolat aux amandes], indescriptiblement délicieux ! La sensation part du dessus de ma tête jusqu'au bout de mes orteils comme une puissante charge de plaisir. Elle me transporte au-delà de mon moi physique à un autre niveau de conscience, bien que la sensation soit purement physique. C'est vraiment paradoxal ! C'est comme une immense caresse à l'intérieur et à l'extérieur. J'aime ça simplement parce que c'est à moi et rien qu'à moi.

> Témoignage B : Un orgasme, pour moi, c'est comme le paradis. Toutes mes préoccupations et mes anxiétés sont évacuées. On franchit un point de non-retour et c'est comme un désir incontrôlable qui déclenche tout. Je crois que le sexe et l'orgasme sont un des phénomènes les plus grandioses qui soient. C'est une grande expérience de partage selon moi.

> Témoignage C : L'orgasme est le plus grand moment que j'ai pour moi-même. Je n'exclus pas l'autre, mais c'est comme si je n'entendais plus rien, et je ne ressens plus qu'une merveilleuse libération doublée d'un immense plaisir impossible à éprouver autrement.

serait pas un point qu'on peut toucher avec un doigt, mais plutôt une région assez grande englobant une partie de la paroi antérieure du vagin, de la portion urétrale située au-dessus de ce dernier et des glandes environnantes (les glandes de Skene) (Song, Hwang et coll., 2009).

On peut trouver le point de Gräfenberg par une palpation systématique de la paroi antérieure du vagin, la région située entre la face postérieure de l'os pubien et le col de l'utérus. Deux doigts sont habituellement nécessaires et il faut appuyer fermement sur le tissu pour toucher le point en question (Perry et Whipple, 1981). La femme peut faire cette exploration elle-même ou avec l'aide de son ou sa partenaire (voir la figure 3.4). La documentation sexologique fait aussi état du déclenchement possible d'une «expulsion orgasmique» à la suite d'une stimulation manuelle ou orale du clitoris ou de pressions péniennes sur le col de l'utérus (Marcotte et Crépault, 1988, cités dans Paradis et Lafond, 1990).

Le phénomène le plus étonnant associé aux orgasmes produits par la stimulation du point G est l'émission d'un liquide par l'ouverture urétrale (Schubach, 1996; Whipple, 2000). Selon certaines recherches, ce fluide viendrait des glandes de Skene, dont les conduits se déversent directement dans l'urètre. Les tissus du point G et ceux de la prostate masculine étant très similaires, il est possible que la composition de cet éjaculat féminin soit proche de celle du liquide séminal masculin (Zaviacic et Whipple, 1993). Cette hypothèse repose sur une analyse du liquide féminin révélant qu'il contient une grande quantité d'un enzyme caractéristique du liquide

séminal masculin, la phosphatase acide de la prostate (PAP) (Addiego et coll., 1981; Belzer et coll., 1984). Certaines femmes ont d'ailleurs affirmé que l'odeur de ce fluide s'apparentait à celle du sperme, quoique moins prononcée. Cependant, d'autres recherches ont établi que la composition chimique de cet éjaculat le rapprochait davantage de l'urine que du sperme (Alzate, 1990; Schubach, 1996). Signalons enfin que l'analyse biochimique des tissus glandulaires de la «prostate féminine» a révélé la présence de l'antigène prostatique spécifique (APS), une substance sécrétée par la prostate masculine (Zaviacic et coll., 2000).

Les orgasmes issus de la stimulation du point G et parfois accompagnés d'une éjaculation sont relativement bien documentés. Toutefois, ce phénomène est encore mal compris. Quelle est, par exemple, la fréquence de ces éjaculations? Lors d'une enquête auprès de professionnelles canadiennes et américaines (1289 femmes ont répondu au questionnaire sur les 2350 l'ayant reçu), 40 % des répondantes ont déclaré avoir eu quelques fois une éjaculation lors d'un orgasme et 66 % ont affirmé que la stimulation d'une zone sensitive particulière leur procurait du plaisir (Darling et coll., 1990). Le point (ou la région) de Gräfenberg correspond-il vraiment à la prostate masculine? Manifestement, d'autres recherches sont nécessaires pour répondre à cette question.

Signalons un dernier élément au sujet du point G. Certains médecins proposent maintenant une augmentation du point G par injection de collagène, ce qui aurait pour effet d'améliorer temporairement l'excitation et la réponse sexuelles (Wendling, 2007). Une mise en garde s'impose contre cette intervention qu'aucune donnée concluante n'a pu corroborer et qui comporte un risque de complications graves dont des infections, des cicatrices, une modification des sensations et des douleurs causées par la pénétration (Campos, 2008; Kilchevsky et coll., 2012; Wendling, 2007).

Le modèle triphasique de Kaplan

La psychiatre Helen Kaplan a critiqué la quatrième phase du modèle de Masters et Johnson, la phase de résolution, pour sa non-pertinence sur le plan clinique. De plus, Kaplan a estimé que Masters et Johnson ne rendaient pas compte d'un élément important de la fonction sexuelle : le désir. Elle a donc proposé, sur la foi de sa vaste expérience de sexologue, un modèle qui comprend trois phases : le désir, l'excitation et l'orgasme (voir la figure 3.5). Kaplan suggère que les troubles sexuels touchent nécessairement l'une ou l'autre de ces trois phases et qu'une personne éprouvant des difficultés dans l'une des phases peut fonctionner normalement dans les deux autres.

| FIGURE 3.4 | À la recherche du point G. |

Localisation approximative du point G
Os pubien
Vessie vide
Utérus
Paroi antérieure du vagin
Orifice urétral (sortie de l'éjaculat féminin)
Urètre
Anus
Col de l'utérus

Habituellement, la stimulation se fait à deux doigts. Il est souvent nécessaire d'exercer une forte pression sur la paroi antérieure du vagin pour y accéder.

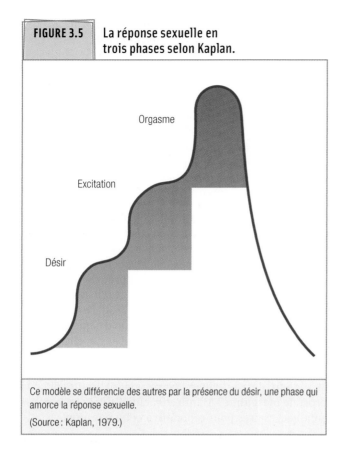

FIGURE 3.5 La réponse sexuelle en trois phases selon Kaplan.

Orgasme

Excitation

Désir

Ce modèle se différencie des autres par la présence du désir, une phase qui amorce la réponse sexuelle.

(Source : Kaplan, 1979.)

Le modèle de Kaplan se distingue par le fait que le désir y est considéré comme une phase à part entière du cycle de la réponse sexuelle. Beaucoup d'auteurs, dont Masters et Johnson, ne s'attardent pas aux aspects de la réponse sexuelle autres que les modifications génitales. Le modèle de Kaplan a d'abord été accueilli avec enthousiasme, car il corrigeait une lacune dans le modèle de Masters et Johnson. Mais il est admis aujourd'hui que le simple fait d'ajouter une phase de désir ne fournit pas pour autant un modèle complet du cycle de la réponse sexuelle. Le problème, avec cette insertion du désir dans le modèle, vient de ce qu'au moins 30 % des femmes sexuellement expérimentées et atteignant l'orgasme n'ont jamais eu ou que rarement de désir sexuel spontané (Levin, 2002 ; Trudel, 2000). Cela rejoint les résultats de l'étude de Rosemary Basson (2000) montrant qu'avec les années, surtout chez les femmes, les relations sexuelles sont souvent motivées par des sentiments comme l'intimité. Par exemple, dans l'enquête NHSLS, 33 % des femmes ont déclaré ne pas avoir d'intérêt pour le sexe, comparativement à 16,5 % des hommes (Laumann et coll., 1994). Nous y revenons au chapitre 10.

En clair, l'expression de la sexualité n'est pas obligatoirement précédée du désir. Par exemple, un couple peut s'engager dans une activité sexuelle même si les partenaires ne ressentent pas nécessairement l'envie de faire l'amour. En dépit d'un manque de désir, il est fréquent que leurs corps se mettent à répondre sexuellement à l'activité amorcée.

L'excitation sexuelle et l'orgasme selon l'approche sexocorporelle

L'approche sexocorporelle s'intéresse au corps érotique. Cette approche, basée sur un modèle de santé sexuelle, a été développée principalement durant les années 1970 et 1980 par le professeur Jean-Yves Desjardins (2007), cofondateur du département de sexologie de l'Université du Québec à Montréal. Elle présente les modes d'excitation sexuelle et les types d'orgasmes comme étant liés. L'un de ses objectifs premiers est de rendre les personnes conscientes de leur potentiel d'apprentissage érotique afin de pouvoir moduler et varier leur propre excitation sexuelle.

L'approche sexocorporelle pose que l'humain peut connaître quatre modes excitatoires de base. Celui présent chez les tout-petits, et donc le plus ancien chez la personne, est le mode dit «archaïque». Il consiste en la stimulation des terminaisons nerveuses profondes, comme le font les jeunes enfants lorsqu'ils serrent les cuisses ou les fesses, par exemple. Ce mode peut se retrouver à l'âge adulte, surtout, mais pas exclusivement, chez les femmes. Un deuxième mode dit «mécanique» est facile à imaginer ; il implique, par exemple, l'utilisation d'un vibrateur ou des mouvements rapides et répétitifs de la main pendant la masturbation. Ce mode entraînerait des orgasmes rapides et parfois rapprochés (chez les femmes surtout), mais peu profonds et sans plénitude. Dans ces deux premiers modes excitatoires, les sensations sont localisées dans la région génitale.

Ensuite viendrait un troisième mode dit «ondulatoire», par lequel le corps adopte des mouvements souples tout en laissant la volupté se répandre de la région génitale vers l'ensemble du corps. Ce troisième mode permet de maintenir l'excitation en la laissant monter et descendre à volonté par l'action de «lois du corps», par exemple en modifiant sa posture, ce qui influe sur la montée du plaisir ou, au contraire, son atténuation. L'orgasme peut ainsi être repoussé jusqu'au moment voulu. Enfin, le quatrième mode dit «en vague», tout aussi adapté au maintien de l'excitation que le mode ondulatoire, permet de canaliser graduellement le plaisir présent dans tout le corps vers un lâcher-prise du corps et de l'esprit, laissant ainsi la charge érotique accumulée se libérer dans un orgasme intense. Ce type d'orgasme serait suivi d'un sentiment de plénitude et de paix intérieure. La personne qui prend conscience de ces différents modes d'excitation et de plaisir peut apprendre à vivre une sexualité plus variée et satisfaisante.

Le vieillissement et le cycle de la réponse sexuelle

Avec le vieillissement, les personnes constatent certains changements dans l'excitation et la réponse sexuelles. Nous consacrons cette section à quelques-unes des modifications les plus courantes qui surviennent chez les hommes et les femmes.

Le cycle de la réponse sexuelle chez la femme plus âgée

Généralement, chez les femmes plus âgées, toutes les phases de la réponse sexuelle se maintiennent, mais avec une intensité moindre (Masters et Johnson, 1968 ; Segraves et Segraves, 1995).

L'excitation   À la première phase de la réponse sexuelle, la lubrification vaginale survient généralement plus lentement chez la femme plus âgée, passant de 10 à 30 secondes à plusieurs minutes. Dans la plupart des cas, la lubrification est également réduite (Nusbaum et coll., 2005). Une réduction importante de la lubrification et de l'extension du vagin pendant la réponse sexuelle peut causer de l'inconfort ou de la douleur (Mansfield et coll., 1995). Certaines femmes rapportent une diminution de leur désir sexuel et de la sensibilité de leur clitoris, diminution qui nuit à l'excitation sexuelle. L'hormonothérapie, une crème vaginale avec œstrogènes ou l'emploi d'un lubrifiant peuvent aider à combattre ces symptômes (Kingsberg, 2002).

Le plateau   Pendant la phase de plateau, il y a une augmentation de la plateforme orgasmique et une élévation de l'utérus. Chez la femme ménopausée, ces deux réactions sont moins prononcées qu'avant la ménopause (Masters et Johnson, 1968).

L'orgasme   Les contractions de la plateforme orgasmique et de l'utérus continuent de se produire chez la femme âgée, mais généralement en moins grand nombre. La femme âgée demeure capable d'avoir des orgasmes multiples. Cependant, de nombreuses femmes ont besoin d'une plus longue période de stimulation pour atteindre l'orgasme et quelques-unes ont plus de difficulté à l'atteindre (Nusbaum et coll., 2005).

L'orgasme semble être un aspect important de l'activité sexuelle pour la femme âgée. Lors d'une enquête, 69 % des femmes de 60 à 91 ans ont répondu « l'orgasme » à la question « Que considérez-vous comme une bonne expérience sexuelle ? » (Starr et Weiner, 1981). Seulement 17 % ont répondu « le coït ». De plus, « l'orgasme » a aussi été la réponse la plus fréquente à la question : « Qu'est-ce qui est le plus important pour vous dans la relation sexuelle ? » Pour 65 % des répondantes, la fréquence des orgasmes était la même que lorsqu'elles étaient plus jeunes.

La résolution   La phase de résolution est plus courte chez la femme ménopausée (Nusbaum et coll., 2005). La plateforme orgasmique disparaît rapidement. Le vagin et le clitoris reviennent plus rapidement à l'état de repos. Cela est dû à une moins grande vasocongestion pelvienne pendant l'excitation.

Les effets du vieillissement sur la sexualité féminine sont divers. La plupart des femmes ne connaissent que des changements mineurs, alors que quelques-unes voient leur intérêt sexuel et leur capacité à atteindre l'orgasme sérieusement diminués. Le maintien d'une vie sexuelle active, la présence d'une ou d'un partenaire intéressé et une bonne communication dans le couple sont des éléments qui contribuent à procurer à la femme âgée une vie sexuelle gratifiante. L'hormonothérapie peut s'avérer utile à celles qui désirent maintenir la qualité de leur réponse sexuelle.

Le cycle de la réponse sexuelle chez l'homme plus âgé

La plupart des changements qui surviennent dans le cycle de la réponse sexuelle des hommes plus âgés ont trait à l'intensité et à la durée de la réponse (Masters et Johnson, 1968 ; Segraves et Segraves, 1995).

L'excitation   Lorsqu'ils sont jeunes, bien des hommes peuvent avoir une érection en quelques secondes. Cette capacité diminue généralement avec le vieillissement. Au lieu de 8 à 10 secondes, un homme d'un certain âge peut avoir besoin de plusieurs minutes de stimulation efficace pour avoir une érection. Un homme âgé pourra également avoir des érections moins prononcées que lorsqu'il était plus jeune. Il se peut qu'il ait besoin de stimulations plus directes comme la fellation ou la masturbation pour parvenir à une érection.

La plupart des hommes en bonne santé conservent leur potentiel érectile pendant toute leur vie. Lorsqu'un homme et son ou sa partenaire réalisent qu'il est normal d'avoir besoin d'un peu plus de temps pour obtenir une érection, ce changement mineur n'a aucune conséquence sur leur plaisir aux relations sexuelles.

Le plateau   Chez les hommes plus âgés, la tension musculaire est moindre pendant la phase de plateau. L'érection ne devient souvent complète que tardivement, juste avant l'orgasme. Cela a pour conséquence que les hommes plus âgés peuvent maintenir la phase de plateau plus longtemps que lorsqu'ils étaient plus jeunes, ce qui leur permet d'augmenter sensiblement leur plaisir. Bien des hommes, ainsi que leur partenaire, aiment pouvoir profiter d'autres sensations de plaisir avant le déclenchement de l'éjaculation. Lorsqu'un homme entreprend une relation, sa ou son partenaire peut aussi apprécier son plus grand contrôle sur son éjaculation.

L'orgasme La plupart des hommes âgés continuent d'avoir des orgasmes. En fait, selon une enquête, 73 % des hommes âgés ont dit que l'orgasme était «très important» dans leurs expériences sexuelles (Starr et Weiner, 1981). Cependant, ils ont noté que leurs orgasmes sont moins intenses et ils ont moins souvent la sensation d'atteindre un «point de non-retour» pendant la phase d'émission. Enfin, le nombre de contractions musculaires et la force de l'éjaculation diminuent (Nusbaum et coll., 2005).

La résolution La phase de résolution est habituellement plus rapide chez les hommes âgés (Nusbaum et coll., 2005). La diminution de l'érection se fait plus rapidement comparativement aux hommes plus jeunes. La période réfractaire entre l'orgasme et la prochaine phase d'excitation s'allonge graduellement (DeLamater et Friedrich, 2002). Certains hommes peuvent observer ces changements dès l'âge de 30 ou 40 ans. Souvent, dans la soixantaine, la période réfractaire dure plusieurs heures, même plusieurs jours dans certains cas.

Quelques différences dans la réponse sexuelle selon le sexe

De plus en plus d'auteurs mettent l'accent sur les similitudes entre la réponse sexuelle des hommes et celle des femmes. Cette tendance, que nous considérons comme positive, s'oppose à la croyance autrefois populaire selon laquelle de grandes disparités séparent les sexes en ce domaine. Nul doute que cette croyance a contribué à ouvrir un marché aux nombreux livres sur la sexualité dévoilant les mystères et la complexité de l'autre sexe. À l'heure actuelle, on sait qu'une personne peut en apprendre plus sur son ou ses partenaires en observant soigneusement ses propres réactions sexuelles. Néanmoins, certaines différences fondamentales demeurent. Dans les pages qui suivent, nous nous penchons sur certaines d'entre elles.

L'homme regarde et touche, la femme interprète et ressent

Dans cet effort incessant pour tenter de comprendre et d'expliquer en quoi et pourquoi hommes et femmes ont des sexualités différentes, le point de vue évolutionniste (voir l'encadré *Pleins feux sur la recherche* à la page 91) propose un ensemble d'observations fondamentales axées sur la sexualité reproductive. Bien que très utile, l'évolutionnisme ne permet pas de comprendre l'usage du corps érotique différencié selon le sexe. Après tout, la sexualité ne tourne pas uniquement autour de la reproduction.

Un psychiatre français, Jean-Paul Mialet (2011), tente d'expliquer l'érotisme différencié des femmes et des hommes. Il part de l'évidence anatomique que le pénis du garçonnet est extérieur, immédiatement accessible, facilement observable et visiblement réactif, alors que la vulve de la fillette possède une structure discrète, plutôt cachée, dont l'accessibilité est réduite comparativement aux organes génitaux masculins et dont les réactions sexuelles sont très peu visibles. Pour l'homme, la base de l'érotisme serait de regarder et de toucher les femmes, comme il le fait avec son pénis. En contrepartie, l'érotisme féminin serait plus interprétatif. La génitalisation des stimuli serait moins présente, sans être totalement absente. Toujours selon Mialet, c'est avec tout leur corps et leurs sens, avec tout ce qu'elles ressentent intérieurement, avec un besoin de se sentir désirées dans leur totalité (*désirer* n'est pas «avoir besoin», Perel, 2009) qu'elles ressentent l'érotisme avec l'autre.

Une plus grande diversité de la réponse féminine

Une des principales différences entre les sexes repose sur l'ampleur de la diversité dans le cycle de la réponse sexuelle. Bien que les figures 3.2 et 3.3 ne reflètent pas les différences entre les individus, elles montrent une plus grande variété de réponses féminines. Trois courbes illustrent la réponse féminine tandis qu'une seule représente celle des hommes.

Dans le schéma de la réponse féminine, la réponse illustrée par la courbe A ressemble beaucoup à la réponse masculine. Elle se distingue cependant de celle-ci par le fait qu'elle peut comprendre d'autres orgasmes sans quitter le plateau. La courbe B représente une réponse féminine très différente : une progression régulière dans la phase d'excitation jusqu'au plateau où la femme peut rester un certain temps sans nécessairement connaître l'orgasme. La phase de résolution qui s'ensuit est plus longue. La courbe C décrit une excitation rapide, suivie d'un orgasme intense et d'une brève résolution.

Bien que la réponse sexuelle féminine soit plus variable que la réponse sexuelle masculine, cela ne sous-entend pas que celle-ci est exactement la même pour tous les hommes. Ces derniers ont révélé d'importantes variations par rapport au modèle de Masters et Johnson, dont des petits orgasmes suivis d'une éjaculation, des contractions pelviennes prolongées après l'expulsion du sperme et une longue période d'excitation intense avant l'éjaculation semblable à un orgasme prolongé (Zilbergeld, 1978). Autrement dit, il existe plusieurs modes de réponse sexuelle chez les hommes aussi. Il n'y a pas qu'une bonne façon de réagir. Tous les modes de réponse physiologique et leurs variantes, notamment les diverses réactions d'un individu à la stimulation sexuelle selon le moment ou le contexte, sont normaux.

Les attitudes et comportements sexuels des femmes sont-ils plus variables à l'égard de la plasticité érotique que

Des différences de comportements sexuels selon le sexe

Une enquête récente menée sur Internet par la British Broadcasting Coporation (BBC) auprès de plus de 200 000 répondants à travers le monde apporte des preuves convaincantes qu'il existe des différences marquées entre les désirs et les comportements des sexualités féminine et masculine chez ces participants (Lippa, 2009). Les répondants provenaient de 53 pays, la plupart du Royaume-Uni (45 %), des États-Unis (29 %), du Canada (4 %) et de l'Australie (4 %). La BBC a utilisé des échantillons d'au moins 90 personnes dans chaque pays participant, selon une proportion à peu près égale d'hommes et de femmes. Deux énoncés servaient à évaluer la libido (« J'ai une forte libido » et « Il n'en faut pas beaucoup pour m'exciter sexuellement »). Les participants répondaient en cotant leur réponse sur une échelle de 7 points allant de « fortement d'accord » à « fortement en désaccord ». Dans chacun des 53 pays, les hommes ont déclaré avoir une plus forte libido que ce qu'ont déclaré les femmes. L'égalité entre les sexes et le développement économique n'exercent pas d'influence sur ces différences entre les hommes et les femmes.

Un autre résultat intéressant de cette enquête est que partout les femmes sondées ont indiqué avoir une libido plus variable que les hommes. Robert A. Lippa, l'auteur de l'article sur l'enquête menée par la BBC, interprète ces résultats comme une manifestation de ce que les évolutionnistes appellent *la sélection sexuelle* et *l'investissement parental*. Dans cette perspective, les femmes choisiraient d'accorder leurs faveurs sexuelles aux hommes qu'elles perçoivent comme étant plus susceptibles de leur procurer une protection économique et physique, et de s'engager. Puisqu'elles sont motivées par le besoin de trouver un bon partenaire, l'auteur avance l'hypothèse que l'évolution aurait doté la moyenne des femmes d'une libido moins impérieuse et mieux contrôlée par le raisonnement. Le plus important, pour les femmes, n'est donc pas de trouver un géniteur, mais d'amener celui-ci à rester auprès d'elles après la conception. Du côté masculin, la réussite parentale, c'est-à-dire la transmission de son code génétique aux générations futures, serait mieux servie par des relations sexuelles avec de nombreuses femmes. C'est ce qui expliquerait, avance Lippa, que les hommes ont une libido plus forte et plus soutenue que les femmes.

La prudence s'impose devant ces conclusions. Pour imposant qu'il soit, l'échantillon n'est certainement pas représentatif sur le plan statistique de l'un ou l'autre des 53 pays de l'enquête. De fait, les répondants sont généralement plus jeunes, plus instruits, relativement riches et familiers avec Internet, ce qui les rend plus représentatifs de l'élite scolarisée que de l'ensemble de la population. Nous avons vu, au chapitre 1, que les enquêtes en ligne sur la sexualité souffrent d'un biais d'échantillonnage. Néanmoins, la taille de l'échantillonnage et la diversité des répondants confèrent de grandes qualités à cette enquête de la BBC. C'est la première fois que des données sur 200 000 répondants de divers pays sont disponibles, ce qui est impressionnant et, soulignons-le, inusité.

ceux des hommes, et donc plus sensibles à l'influence de facteurs socioculturels ? Une enquête récente auprès d'étudiantes et d'étudiants de niveau universitaire n'a apporté aucune preuve d'une présumée plasticité érotique féminine (Benuto et Meana, 2008). Le chapitre 5 traite de cette question.

La période réfractaire masculine

L'existence d'une période réfractaire dans le cycle masculin est sans doute l'une des différences majeures entre les réponses sexuelles des deux sexes. Contrairement aux femmes, les hommes ont généralement besoin d'un certain intervalle de temps après un orgasme avant de pouvoir en atteindre un autre.

De nombreuses théories ont tenté d'expliquer ce phénomène. Selon certaines d'entre elles, un mécanisme inhibiteur neurologique se déclencherait après l'éjaculation et agirait pendant un certain temps. Cette idée s'appuie sur des recherches fascinantes de scientifiques britanniques (Barfield et coll., 1975), qui attribuent ce mécanisme à des circuits d'échanges chimiques entre l'hypothalamus et le cerveau moyen, circuits dont le rôle dans la régulation du sommeil est connu. Pour tester leur hypothèse, ces chercheurs ont détruit une zone précise de ce circuit chez des rats, le *lemniscus* ventral médian ; aux fins de comparaison, ils ont détruit trois autres régions du cerveau moyen et de l'hypothalamus chez un deuxième groupe de rats. Chez les rats du premier groupe, la période réfractaire a été réduite de moitié.

Certains croient que la période réfractaire serait liée d'une quelconque façon à la perte du liquide séminal durant l'orgasme. Cette idée laisse la plupart des chercheurs sceptiques parce que le sperme expulsé ne contient aucune substance connue qui expliquerait la baisse d'énergie, la réduction d'hormones ou l'un ou l'autre des mécanismes biochimiques sous-jacents.

Selon une autre explication, la prolactine, une hormone hypophysaire abondamment sécrétée chez les deux sexes après l'orgasme, pourrait jouer le rôle d'un interrupteur déclenchant la période réfractaire masculine (Kruger et coll., 2002 ; Levin, 2003b). Cette interprétation, quoique intéressante, n'explique pas l'absence de période réfractaire chez la femme. Quelle que soit la raison de son existence, la période réfractaire s'observe aussi chez les mâles de presque toutes les autres espèces étudiées, dont les rats, les chiens et les chimpanzés.

Les orgasmes multiples

La réponse sexuelle chez les deux sexes diffère également sur un quatrième point : la capacité d'avoir des orgasmes multiples. Bien que les chercheurs ne s'accordent pas sur le sens de cette expression, pour nos besoins, nous la définirons comme suit : plus d'un orgasme pendant un court intervalle de temps. Cette définition ne tient cependant pas compte d'une différence entre les hommes et les femmes sur ce plan. Il n'est pas rare, en effet, que la femme ait plusieurs orgasmes à des intervalles très brefs, parfois de l'ordre de quelques secondes, alors que chez l'homme l'intervalle entre deux orgasmes est généralement plus long. Combien de femmes connaissent des orgasmes multiples ? Kinsey (1954) rapporta qu'environ 14 % des femmes de son échantillon avaient régulièrement des orgasmes multiples. En 1970, un sondage effectué par *Psychology Today* auprès de ses lectrices a révélé un pourcentage de 16 % (Athanasiou et coll., 1970).

Question d'analyse critique

Les femmes semblent capables de parvenir à l'orgasme à partir d'une plus grande variété de stimuli que les hommes, mais éprouvent plus de difficulté que ceux-ci à l'atteindre. Selon vous, quels facteurs pourraient expliquer ces différences ?

À priori, il semble donc que seule une minorité de femmes puisse avoir des orgasmes multiples. Cependant, les recherches de Masters et Johnson ont démontré le contraire :

Si une femme apte à parvenir à l'orgasme est stimulée adéquatement peu après son premier orgasme, elle sera souvent capable d'en atteindre un deuxième, un troisième, un quatrième et même un cinquième avant d'être comblée. Contrairement aux hommes, qui ne peuvent pas connaître plus d'un orgasme au cours d'une courte période, de nombreuses femmes, plus particulièrement avec l'aide d'une stimulation clitoridienne, vont régulièrement obtenir cinq ou six orgasmes complets dans un intervalle de quelques minutes. (Traduction libre, Masters et Johnson, 1961, p. 792.)

Ainsi, la majorité des femmes ont la capacité d'avoir des orgasmes multiples, mais apparemment seule une petite portion de la population féminine y parvient. Pourquoi un tel fossé entre la capacité et la réalité ? La réponse à cette question se trouve dans la source de la stimulation. Le rapport Kinsey et le sondage de *Psychology Today* portaient sur les orgasmes durant le coït. Pour plusieurs raisons, dont la tendance de l'homme à mettre fin au rapport sexuel après avoir eu son orgasme, les femmes ne cherchent pas à poursuivre la relation après leur premier orgasme. Par opposition, plusieurs recherches ont montré que les femmes qui se masturbent et celles qui ont une femme comme partenaire ont beaucoup plus de chances d'atteindre l'orgasme, puis d'en connaître plusieurs autres (Athanasiou et coll., 1970 ; Masters et Johnson, 1968).

Nous ne sous-entendons pas ici que toutes les femmes devraient avoir des orgasmes multiples. Au contraire, beaucoup préfèrent avoir un seul orgasme, ou ne pas en avoir du tout, lorsqu'elles ont des rapports sexuels. Les données sur la capacité des femmes à avoir des orgasmes multiples ne devraient pas ouvrir la voie à une nouvelle norme sexuelle arbitraire. La citation suivante illustre la tendance à établir ce type de normes.

> Lorsque j'étais jeune, les gens considéraient que toute jeune femme non mariée qui aimait et recherchait le sexe devait être perturbée ou immorale. Maintenant, j'entends dire que je devrais avoir plusieurs orgasmes chaque fois que je fais l'amour pour pouvoir être considérée comme normale. Quel renversement dans nos définitions de la normalité ou de ce qui est sain ! Nous sommes passés du modèle de femme sage et collet monté à cette incroyable créature censée jouir plusieurs fois de suite sans la moindre difficulté. (Notes des auteurs)

Comme nous l'avons dit précédemment, les orgasmes multiples sont beaucoup moins courants chez les hommes. Le plus souvent, ceux qui en ont sont de très jeunes hommes et ils en ont moins avec l'âge. Même chez les 15-20 ans, il est rare de rencontrer des hommes capables d'avoir plus d'un orgasme au cours du même rapport sexuel. Cependant, nous sommes du même avis que le physicien et auteur Alex Comfort (1976), qui affirme que la plupart des hommes sous-estiment probablement leur capacité à avoir des orgasmes multiples. Beaucoup ont été conditionnés pendant des années à atteindre l'orgasme en se masturbant le plus rapidement possible de peur d'être pris sur le fait. Pour les adolescents, ces circonstances sont loin d'être propices à une exploration plus poussée de leur capacité

Orgasmes multiples Plus d'un orgasme durant un court intervalle de temps.

orgasmique. Toutefois, à force d'expérimentation, beaucoup d'hommes découvrent sur le tard ce que décrit cet homme d'âge moyen :

> Je n'avais jamais pensé que je pourrais continuer à faire l'amour après avoir atteint l'orgasme. Pendant 30 ans, l'orgasme a toujours constitué un signal d'arrêt pour moi. Je suppose que j'agissais ainsi pour les raisons que vous avez mentionnées en classe et pour quelques autres dont vous n'avez pas parlé. Ma femme était avec moi le soir où vous avez fait un exposé sur la période réfractaire. Nous en avons discuté pendant notre retour à la maison et, le jour suivant, nous avons décidé de faire un essai. Je m'en veux d'avoir raté quelque chose d'aussi bon durant toutes ces années. J'ai découvert que je pouvais parvenir à plus d'un orgasme au cours d'un même rapport. Même si je dois attendre un certain temps avant de pouvoir jouir de nouveau, le chemin qui y mène est très agréable. Ma femme aussi apprécie ! (Notes des auteurs)

Des études semblent indiquer que certains hommes peuvent connaître une série d'orgasmes échelonnés sur une très courte période. Marian Dunn et Jan Trost ont interrogé 21 hommes âgés de 25 à 69 ans. Ces hommes auraient tous affirmé avoir généralement, mais pas toujours, des orgasmes multiples. Pour les besoins de leur étude, ces chercheurs ont défini les orgasmes multiples comme deux orgasmes ou plus avec ou sans éjaculation, et sans perte d'érection (sinon très peu) au cours

d'un même rapport sexuel (Dunn et Trost, 1989). L'expérience sexuelle variait d'un sujet à l'autre : certains éjaculaient lors du premier orgasme et avaient d'autres orgasmes secs ; d'autres obtenaient plusieurs orgasmes sans éjaculation suivis d'un dernier orgasme au moment de l'éjaculation ; d'autres encore vivaient des variantes de ces deux expériences.

Il n'est pas toujours nécessaire qu'une relation sexuelle se termine avec l'éjaculation. Beaucoup d'hommes trouvent très agréable de poursuivre la relation après l'orgasme.

> Continuer à faire l'amour peu de temps après le premier orgasme est, selon moi, une des meilleures choses que la sexualité puisse offrir. J'arrive assez facilement à obtenir une nouvelle érection, mais je parviens rarement à un autre orgasme au cours du même rapport. Après l'orgasme, je peux me concentrer totalement sur les réactions de ma partenaire sans être distrait par la montée de mon excitation. Le rythme est généralement serein et détendu. C'est psychologiquement très agréable. (Notes des auteurs)

Ainsi, les orgasmes multiples ne devraient pas être considérés comme un but à atteindre à tout prix, mais comme un aspect de la sexualité à explorer. C'est en adoptant une approche souple et détendue que les hommes et les femmes intéressés par cette expérience y trouveront une occasion de développer leur potentiel sexuel.

RÉSUMÉ

L'excitation sexuelle

- Par son action de liaison entre les pensées, les émotions, les souvenirs et les fantasmes, le cerveau joue un rôle crucial dans l'excitation sexuelle.

- Certaines parties du cerveau sont associées à l'excitation sexuelle des animaux, y compris les humains.

- Le système limbique, en particulier l'hypothalamus, joue un rôle important dans les fonctions sexuelles.

- Certains neurotransmetteurs sont connus pour leur capacité d'action sur l'excitation et la réponse sexuelles. Chez les deux sexes, la dopamine favorise l'excitation et l'activité sexuelles alors que la sérotonine les inhibe.

- Des cinq sens, le toucher est celui qui présente le plus grand pouvoir érogène. Les régions

corporelles qui répondent de manière très sensible au toucher sont appelées *zones érogènes*. Les zones érogènes primaires sont des régions caractérisées par une grande concentration de terminaisons nerveuses. Les zones érogènes secondaires sont des régions qui acquièrent leur pouvoir érogène par l'apprentissage.

- Après le toucher, la vue est le sens le plus susceptible de procurer des stimuli que la plupart des gens jugent sexuellement excitants. Des données récentes laissent entendre que les femmes répondraient aux stimuli visuels autant que les hommes.

- La recherche n'a pas encore démontré de façon incontestable si l'odorat et le goût jouent un rôle biologique déterminant dans l'excitation sexuelle humaine. Cependant, chacun peut déduire de ses propres expériences sexuelles que certaines odeurs et certains goûts peuvent avoir une valeur érotique.

- Grâce à la recherche sur les animaux (hormis l'homme), on a pu identifier une gamme de phéromones. Ces odeurs sexuelles sont étroitement associées aux activités sexuelles de reproduction.

- De récentes études ont tenté de déterminer si les humains pouvaient eux aussi produire des phéromones pour attirer le sexe opposé. Les résultats n'ont toutefois pas été concluants.

- Certaines personnes sont très excitées par les sons durant l'amour, alors que d'autres préfèrent des relations silencieuses. En plus d'être stimulante pour certains, la communication durant les activités sexuelles peut servir à renseigner la ou le partenaire.

- À ce jour, nul n'a pu prouver l'existence d'une substance aux propriétés aphrodisiaques qu'on pourrait manger, boire, fumer ou s'injecter. Le succès apparent des substances prétendument aphrodisiaques repose sur la conviction et la suggestion.

- Certaines substances sont connues pour exercer un effet inhibiteur sur le comportement sexuel. Ces anaphrodisiaques comprennent des médicaments et des drogues tels que les opiacés, les anxiolytiques, les antihypertenseurs, les antidépresseurs, les antipsychotiques, la nicotine, les contraceptifs oraux et les sédatifs.

- Les hommes et les femmes produisent ce qu'on appelle des hormones sexuelles masculines et féminines. Chez l'homme, les testicules sécrètent environ 95 % de tous les androgènes et quelques œstrogènes. Chez la femme, les ovaires et les glandes surrénales fabriquent des androgènes en quantités à peu près égales, alors que les œstrogènes proviennent principalement des ovaires.

- Chez l'homme et chez la femme, la principale hormone androgène est la testostérone. L'homme produit habituellement de 20 à 40 fois plus de testostérone que la femme. Toutefois, les cellules de la femme sont beaucoup plus sensibles à cette hormone.

- Bien qu'il soit difficile de distinguer le rôle des hormones de celui de la psychologie dans l'excitation sexuelle, les recherches soulignent clairement que la testostérone joue un rôle clé dans le maintien du désir sexuel chez les deux sexes.

- Chez les deux sexes, le principal symptôme d'une carence en testostérone est la diminution du désir. Une thérapie hormonale substitutive peut y remédier. En revanche, un taux de testostérone plus élevé que la normale peut entraîner des effets secondaires chez les deux sexes.

- L'ocytocine, une neurohormone produite par l'hypothalamus, influence de façon importante la réponse sexuelle, la sensualité et l'attirance érotique interpersonnelle.

La réponse sexuelle

- Masters et Johnson ont décrit quatre phases dans le cycle de la réponse sexuelle physiologique des hommes et des femmes: l'excitation, le plateau, l'orgasme et la résolution.

- Durant la stimulation, la myotonie (tension musculaire), le rythme cardiaque et la pression artérielle augmentent chez les deux sexes. Des rougeurs sexuelles et un durcissement des mamelons peuvent apparaître, surtout chez la femme. La réponse féminine inclut l'engorgement du clitoris, des lèvres et du vagin (qui se lubrifie), la remontée et la dilation de l'utérus et une augmentation du volume des seins. Chez l'homme, le pénis entre en érection, les testicules grossissent et se rapprochent de l'abdomen et, parfois, les glandes de Cowper sécrètent un liquide.

- La phase de plateau se caractérise par une augmentation de la myotonie, des rythmes cardiaque et respiratoire et de la pression artérielle. Chez la femme, le clitoris se rétracte sous le prépuce, les petites lèvres deviennent plus foncées, la plateforme orgasmique se développe, l'utérus demeure complètement remonté et les aréoles enflent. Chez l'homme, la couronne se gorge complètement, les testicules continuent à remonter et à se dilater et les glandes de Cowper s'activent.

- L'orgasme se caractérise par des spasmes musculaires involontaires qui parcourent le corps. La pression artérielle et les rythmes cardiaque et respiratoire sont à leur maximum. L'orgasme féminin est légèrement plus long. Chez l'homme, il se divise en deux étapes: l'émission et l'expulsion. Il est difficile de distinguer un orgasme masculin d'un orgasme féminin d'après sa simple description.

- Masters et Johnson croient qu'il n'existe qu'un seul type d'orgasme physiologique chez la femme, peu importe la méthode de stimulation.

- Pendant la résolution, les systèmes sexuels retournent à un état pré-excitatoire. Ce processus peut durer plusieurs heures et dépend de divers facteurs. La fin de l'érection se produit en deux étapes, une première très rapide et une autre, plus longue.

- Certaines femmes sont capables de parvenir à l'orgasme et parfois même d'«éjaculer» par stimulation intense du point de Gräfenberg (point G). Cette région serait située dans la paroi antérieure du vagin.

- Le modèle du cycle de la réponse sexuelle de Kaplan comprend trois phases : le désir, l'excitation et l'orgasme. Ce modèle se distingue des autres, car le désir y est une phase à part entière, indépendante des modifications génitales physiologiques.

- Le modèle sexocorporel de déclenchement et de modulation érotiques, avancé par Desjardins, associe quatre modes excitatoires à un type d'orgasme distinct pour chacun.

- Avec l'âge, les femmes et les hommes constatent des changements dans leur excitation sexuelle et leurs réactions corporelles. Habituellement, chez les deux sexes, toutes les phases de la réponse sexuelle continuent de se produire, mais selon une intensité de moins en moins grande.

- La lubrification vaginale survient plus lentement chez la femme âgée. La dilatation de la paroi vaginale et l'intensité des orgasmes diminuent, et la phase de résolution est plus rapide.

- Chez la femme, il peut y avoir une diminution du désir, de la sensibilité clitoridienne et de la capacité à atteindre l'orgasme.

- L'homme âgé prend généralement plus de temps à avoir une érection et à atteindre l'orgasme. En exerçant un meilleur contrôle sur son éjaculation, il peut augmenter son plaisir sexuel comme celui de sa ou son partenaire.

- La réponse sexuelle de l'homme âgé se caractérise également par une moins forte myotonie, une diminution de l'intensité de l'orgasme, une résolution plus rapide et une période réfractaire allongée.

- Dans beaucoup d'ouvrages, on met maintenant l'accent sur les similarités entre les réponses sexuelles féminine et masculine. Il y a néanmoins des différences importantes entre les deux sexes.

- En général, la réponse sexuelle physiologique varie plus chez les femmes que chez les hommes.

- L'existence d'une période réfractaire chez l'homme est l'une des différences les plus importantes entre les réponses sexuelles des deux sexes. La cause de ce phénomène n'a pas encore été trouvée, mais certaines données suggèrent que l'éjaculation activerait un mécanisme neurologique d'inhibition.

- Les deux sexes peuvent avoir des orgasmes multiples.

- Les femmes ont des orgasmes multiples plus fréquemment que les hommes. Plus que le coït, la masturbation favorise les orgasmes multiples chez la femme. Des résultats récents laissent croire que certains hommes seraient eux aussi capables d'avoir plusieurs orgasmes dans un court laps de temps.

Témoignages présentés dans l'encadré *Les uns et les autres* à la page 86.

La description A = orgasme masculin ; B = orgasme féminin ; C = orgasme féminin

Les différences entre les sexes

CHAPITRE 4

Qu'est-ce qui constitue la masculinité et la féminité? Comment les rôles revenant à l'un et l'autre sexe peuvent-ils tant varier d'une société à l'autre? Si certains comportements sexuels sont le résultat d'un apprentissage, en existe-t-il alors qui reposent sur une base biologique ou génétique? Comment les attentes liées aux rôles sexuels influent-elles sur la sexualité? Ce sont les questions que nous abordons dans ce chapitre.

Homme et femme, masculin et féminin

> Très tôt, j'ai fait l'apprentissage qu'il y avait des comportements «convenant» à mon sexe. Je me souviens d'avoir pensé à quel point il était injuste qu'on me confie toutes les corvées ménagères alors que mon frère n'avait que la poubelle à sortir. Quand j'en ai demandé la raison à ma mère, elle m'a répondu: «C'est parce qu'il est un garçon et que c'est là une tâche pour les hommes; toi, tu es une fille et tu fais des tâches de femme.» (Notes des auteurs)

Une telle conscience des comportements spécifiques à chaque sexe ne semble pas exister chez les habitants d'une petite île près de la Nouvelle-Guinée. Selon une étude de l'anthropologue Maria Lepowsky (1994), les habitants de l'île de Vanatinai (la «mère patrie», dans la langue locale) ne connaissent pas la division des rôles sociaux selon le sexe. Dans cette société, les hommes et les femmes sont considérés comme des êtres égaux et il n'existe pas d'idéologie basée sur le masculin et le féminin. Les fonctions de pouvoir et de prestige sont ainsi accessibles aux deux sexes. Les hommes et les femmes participent aux décisions importantes de la collectivité et semblent jouir de la même liberté sur le plan sexuel. En outre, dans la langue du pays, les pronoms n'ont pas de genre. Cette égalité des rôles de l'homme et de la femme contraste avec la conception des rôles sexuels qui prédomine dans la culture nord-américaine comme dans la quasi-totalité des autres. Une différence aussi marquée soulève des questions fondamentales sur ce qui fait le masculin et le féminin, sur la part du biologique et du social dans cette construction. Nos attentes envers chaque sexe sont-elles apprises et, si oui, comment influent-elles sur nos relations sexuelles?

L'identité biologique et le sentiment d'appartenance à un sexe

De nombreux auteurs utilisent indifféremment les mots *sexe* et *genre*, même si chacun a son sens propre. Le mot sexe renvoie au sexe biologique qui comporte deux aspects: le sexe chromosomique (aussi appelé *sexe génétique*), déterminé par nos chromosomes sexuels, et le sexe anatomique, qui concerne les différences physiques apparentes entre le masculin et le féminin (comme lorsqu'on parle du sexe d'un bébé). Le mot *genre* (*gender*, en anglais) renvoie plutôt aux comportements, attitudes et types de psychologies qu'une société et une culture attribuent différemment aux hommes et aux femmes.

Dès les premières années de la vie, chaque personne s'identifie à un sexe, masculin ou féminin. Pris dans ce sens, le mot *genre* englobe les différentes significations psychosociales qui se greffent au sexe féminin ou au sexe masculin. Ainsi, tandis que le sexe biologique renvoie aux différents attributs physiques (chromosomes, pénis, vulve, etc.), le genre fait référence aux caractéristiques psychosociales et socioculturelles associées à un sexe; en d'autres termes, à la féminité ou à la masculinité.

Sexe Renvoie au sexe biologique dont les deux aspects sont le sexe chromosomique et le sexe anatomique.

Cependant, rien ne garantit que le **sentiment d'appartenance à un sexe** que développe une personne sera congruent avec son sexe biologique. De fait, la recherche de sa propre masculinité ou féminité engendre chez certaines personnes un grand malaise. Cette question est abordée lorsque nous expliquons le développement du sentiment d'appartenance à un sexe (voir l'encadré *Parlons-en*).

Dans ce chapitre, nous utilisons les qualificatifs *masculin* et *féminin* pour caractériser les comportements et attitudes traditionnellement attribués aux hommes et aux femmes. L'un des aspects négatifs de ces étiquettes est qu'elles peuvent limiter la palette de comportements qu'une personne se sent à l'aise de manifester. Par exemple, un homme peut hésiter à se dévouer aux autres par crainte d'être perçu comme féminin, tandis qu'une femme peut éprouver des réticences à agir de façon autoritaire par crainte d'être perçue comme masculine. Il n'est pas dans notre intention de perpétuer les stéréotypes rattachés à ces étiquettes. Nous croyons nécessaire cependant d'utiliser ces termes lorsqu'il est question des différences entre les sexes.

Le rôle attribué à un sexe

Lorsqu'on rencontre des gens pour la première fois, on leur attribue spontanément un sexe à la fois biologique et culturel et, à partir de cette perception, on anticipe leur comportement : c'est ce qui est appelé un scénario de genre. Pour la plupart des gens, les scénarios de genre font partie des interactions sociales courantes. Puisqu'on identifie les individus comme appartenant à un sexe ou à l'autre, l'interaction avec une personne dont le sexe est ambigu peut s'avérer difficile et engendrer un sentiment de malaise.

Le rôle attribué à un sexe (aussi appelé *rôle sexuel*) englobe une gamme d'attitudes et de comportements considérés comme appropriés pour un sexe dans une culture donnée. Les rôles attribués aux sexes établissent des attentes comportementales pour chacun d'eux. Le comportement considéré comme adéquat pour un homme sera dit *masculin*, et celui jugé approprié pour une femme sera dit *féminin*. Lorsque nous utilisons les

---

Sentiment d'appartenance à un sexe Sentiment d'une personne d'appartenir à un sexe et pas à l'autre. Il peut être congruent ou non avec le sexe biologique. Souvent appelé *identité de genre* ou *identité sexuelle*, selon les auteurs.

Scénario de genre Attentes déterminées par la culture relatives aux attitudes et aux comportements d'une personne selon son sexe biologique.

Rôle attribué à un sexe (ou rôle sexuel) Ensemble d'attitudes et de comportements considérés comme normaux et appropriés à un sexe dans une culture donnée.

Parlons-en

Problème terminologique et solution retenue

Lorsqu'on discute des perceptions du féminin ou du masculin, le lecteur doit savoir qu'aucune définition de ces termes n'est acceptée par tous les auteurs.

L'adaptation de ce manuel pour les lecteurs québécois, malgré le soin apporté à chaque phrase pour éviter la confusion, n'a pu aller plus loin que le texte original. Il subsiste donc des ambiguïtés. Ce n'est pas tout : s'ajoute aussi à l'imprécision de l'édition originale l'absence d'équivalence entre l'anglais et le français pour des mots très fréquemment utilisés, comme *sexe* et *genre* qui n'ont pas la même signification dans les deux langues. Par exemple, dans ce chapitre, le mot *sexe* renvoie le plus souvent à la dimension biologique, ce qui pourrait laisser croire que l'expression *identité sexuelle* désigne ce qui différencie biologiquement les deux sexes. Or, il n'en est rien ; cette expression est souvent utilisée en français pour parler du sentiment d'appartenance à un sexe ou à l'autre.

Enfin, dans la documentation scientifique clinique de langue française, on emprunte au mot *genre* une partie de son sens anglais à des fins de diagnostic et de traitement. Par exemple, on croise de plus en plus des expressions comme *dysphorie de genre* ou *trouble de la genralité* (Crépault et Lévy, 2005), qui désignent une difficulté profonde à faire coïncider harmonieusement le sentiment d'appartenir à un sexe et le sexe biologique. Une recherche sur Internet montre que d'autres auteurs utilisent l'expression *trouble de l'identité sexuelle* (Bureau, 1998) pour désigner la même réalité. Jean-Yves Desjardins (2007), de son côté, parle du *sentiment d'appartenance à un sexe*. Dans le présent ouvrage, nous privilégions cette dernière locution, car elle nous apparaît plus neutre que les deux autres appellations.

Cela ne résout pas totalement l'ambiguïté et les risques de confusion. Au-delà des mots utilisés, il faut donc se demander si l'auteur parle de l'aspect biologique (chromosomes, hormones, anatomie et physiologie, etc.), de la conscience de la personne (perceptions personnelles, sentiments, etc.) ou de l'aspect social et culturel (définitions du féminin et du masculin, attentes différentes selon le sexe anatomique, etc.).

termes *masculin* et *féminin* dans ce manuel, nous faisons référence à ces notions apprises par socialisation.

Les rôles attribués à un sexe sont définis par la culture et varient d'une culture à l'autre. Par exemple, un baiser sur la joue est considéré comme féminin et donc inapproprié entre hommes dans la société nord-américaine traditionnelle (l'immigration apporte toutefois des modèles de changements), alors que ce même comportement est tout à fait acceptable dans nombre de sociétés méditerranéennes et moyen-orientales.

Le développement du sentiment d'appartenance à un sexe

Comme la couleur des yeux ou des cheveux, le sexe est un aspect de l'identité que la plupart des gens tiennent pour acquis. Il est vrai que le sentiment d'appartenance à un sexe correspond le plus souvent aux caractéristiques

biologiques qui y sont généralement associées. Mais ce sentiment tient à beaucoup plus qu'au fait d'avoir l'apparence d'un homme ou d'une femme. Comme nous l'expliquons dans cette partie, le sentiment d'appartenance à un sexe repose sur deux facteurs. Le premier concerne les processus biologiques liés au sexe, lesquels sont mis en branle peu de temps après la conception et complétés avant la naissance. Le second facteur, tout aussi important, concerne l'apprentissage social, c'est-à-dire les influences culturelles à l'œuvre au cours des premières années de la vie. Explorons d'abord les processus biologiques.

Les processus biologiques : la différenciation prénatale typique

Dès la conception, de nombreux processus biologiques contribuent à différencier les sexes. Voyons comment la différenciation du sexe biologique s'effectue au cours du développement prénatal selon une séquence chronologique en six étapes ou niveaux : la conception et les différences chromosomiques selon le sexe, le développement des gonades, la production des hormones, le développement des organes génitaux internes et externes, et la différenciation sexuelle au niveau cérébral. Le tableau 4.1 résume ces processus.

TABLEAU 4.1 Les processus biologiques de différenciation sexuelle – Différenciation prénatale typique.

ÉTAPES OU NIVEAUX	FEMME	HOMME
Sexe chromosomique	XX	XY
Sexe gonadique	Ovaires	Testicules
Sexe hormonal	• Œstrogènes • Hormones progestatives	Androgènes
Structures génitales internes	• Trompes de Fallope • Utérus • Tunique interne du vagin	• Canaux déférents • Vésicules séminales • Conduits éjaculatoires
Organes génitaux externes	• Clitoris • Petites lèvres de la vulve • Grandes lèvres de la vulve	• Pénis • Scrotum
Différenciation sexuelle du cerveau	• L'hypothalamus devient sensible aux œstrogènes, entraînant la production cyclique d'hormones. • Deux régions de l'hypothalamus plus petites que chez l'homme. • Cortex cérébral de l'hémisphère droit plus mince que chez l'homme. • Corps calleux plus épais que chez l'homme. • Latéralisation des fonctions moindre que chez l'homme.	• L'hypothalamus insensible aux œstrogènes commande une production régulière d'hormones. • Deux régions de l'hypothalamus plus grandes que chez la femme. • Cortex cérébral de l'hémisphère droit plus épais que chez la femme. • Corps calleux plus mince que chez la femme. • Latéralisation des fonctions plus grande que chez la femme.

Le sexe chromosomique

Le sexe biologique est déterminé dès la fusion de l'ovule et du spermatozoïde. Chaque cellule du corps, à l'exception des cellules reproductrices, contient 46 chromosomes, qui forment 22 paires d'autosomes (paires de chromosomes communes à l'homme et à la femme) et une paire de chromosomes sexuels (paire dont la structure varie selon le sexe). Celle des femmes comporte deux chromosomes semblables, désignés XX, alors que celle des hommes comporte deux chromosomes d'allure différente, désignés XY.

Sans décrire le processus complexe de la division cellulaire liée à la production des cellules sexuelles, processus appelé *méiose*, précisons que l'ovule contient normalement 22 autosomes et 1 chromosome X, tandis que le spermatozoïde contient 22 autosomes et 1 chromosome Y *ou* 1 chromosome X (voir la figure 4.1). Le sexe de l'enfant sera donc déterminé par le spermatozoïde qui fécondera l'ovule : un garçon si c'est un porteur de Y ; une fille si c'est un porteur de X, le second X étant nécessaire pour que les organes sexuels internes et externes se développent complètement (Harley et coll., 1992).

Des chercheurs ont trouvé un gène sur le bras court du chromosome humain Y qui jouerait un rôle important dans la séquence du développement des gonades mâles, c'est-à-dire les testicules. Ce gène de l'anatomie masculine est appelé *SRY* (pour *Sex Determining Region of Y Chromosome*) (Marchina et coll., 2009 ; Wilhelm et coll., 2007).

Selon les résultats d'une recherche menée par des scientifiques italiens et américains, il existerait aussi un ou des gènes déterminant l'anatomie féminine. Ces spécialistes ont analysé le cas de quatre personnes de sexe chromosomique masculin, mais dont les organes génitaux externes étaient féminins. Les quatre sujets possédaient pourtant une paire de chromosomes XY ainsi qu'un gène SRY fonctionnel. Trois d'entre eux possédaient sans conteste les organes génitaux externes d'une femme, tandis que ceux du quatrième étaient ambigus. Si le rôle du gène SRY est prédominant dans la détermination du sexe biologique, l'appareil génital externe de ces personnes aurait dû se développer conformément au modèle masculin. Qu'est-ce qui a provoqué cette variation dans la séquence de développement attendue ? Un examen approfondi de l'ADN des sujets a permis de distinguer sur le bras court du chromosome X des traces de

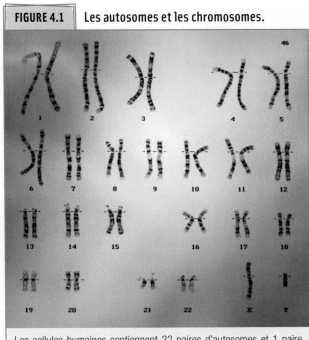

FIGURE 4.1 **Les autosomes et les chromosomes.**

Les cellules humaines contiennent 22 paires d'autosomes et 1 paire de chromosomes sexuels. Chez la femme, cette paire est formée de deux chromosomes X et, chez l'homme, d'un chromosome X et d'un chromosome Y.

matériel génétique dupliqué, soit une double dose d'un gène appelé *DSS*. Cette duplication a donc entraîné la féminisation du fœtus masculin bien que le chromosome ait été normalement constitué (Bardoni et coll., 1994).

Ces recherches suggèrent ainsi qu'un gène (ou des gènes) du chromosome X mène les gonades indifférenciées dans une direction femelle de la même manière que le gène SRY aide au développement des structures sexuelles mâles. Cela contredit donc la vieille croyance voulant que le fœtus humain soit d'abord féminin et qu'aucun gène n'entraîne la différenciation féminine.

Le sexe gonadique

Les structures qui deviendront les gonades, c'est-à-dire les ovaires ou les testicules, apparaissent quelques semaines à peine après la conception, mais elles en sont encore au stade indifférencié (voir la figure 4.2a). La différenciation ne débute que six semaines après la conception. Ce sont les gènes qui déterminent si l'amas de tissus sexuels indifférenciés se développera en gonades mâles ou femelles (Wilhelm et coll., 2007). À ce moment, un produit (ou des produits) du gène SRY d'un fœtus masculin stimule la transformation des gonades embryonnaires en testicules. En l'absence de gène SRY, et sous l'influence du gène DSS ou d'autres gènes de féminité, les tissus gonadiques indifférenciés se développent pour former les ovaires (voir la figure 4.2b).

Autosomes Désigne les 22 paires de chromosomes n'influant pas de façon marquée sur la différenciation sexuelle.

Chromosomes sexuels Paire de chromosomes (23e) déterminant la différenciation sexuelle.

FIGURE 4.2 Développement prénatal des systèmes de canaux internes masculin et féminin, depuis le stade indifférencié (avant la sixième semaine) jusqu'au stade différencié.

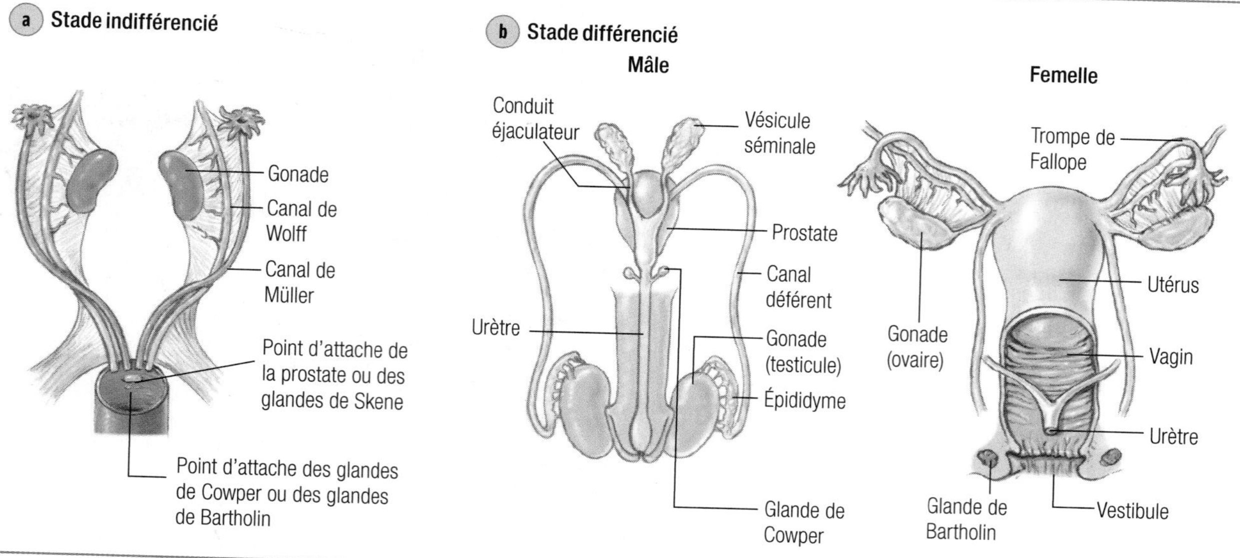

a Stade indifférencié

- Gonade
- Canal de Wolff
- Canal de Müller
- Point d'attache de la prostate ou des glandes de Skene
- Point d'attache des glandes de Cowper ou des glandes de Bartholin

b Stade différencié

Mâle
- Conduit éjaculateur
- Vésicule séminale
- Prostate
- Canal déférent
- Gonade (testicule)
- Épididyme
- Urètre
- Glande de Cowper

Femelle
- Trompe de Fallope
- Utérus
- Vagin
- Urètre
- Vestibule
- Gonade (ovaire)
- Glande de Bartholin

Dès qu'ils commencent à se développer, les ovaires et les testicules se mettent à produire leurs propres hormones sexuelles. Celles-ci joueront un rôle crucial dans le processus de différenciation sexuelle.

Le sexe hormonal

Comme toutes les autres glandes du système endocrinien, les gonades produisent des hormones qu'elles libèrent directement dans le système sanguin. Les ovaires produisent deux types d'hormones: les œstrogènes et les composés progestatifs. Les œstrogènes, dont le plus important est l'œstradiol, influent sur le développement des caractères sexuels secondaires féminins et régularisent le cycle menstruel. La progestérone joue un rôle déterminant sur le plan physiologique: elle intervient dans la régulation du cycle menstruel et le développement des cellules de l'endomètre en prévision d'une grossesse. Les testicules produisent des androgènes. La plus importante hormone du groupe est la testostérone, qui influe à la fois sur le développement des caractères sexuels secondaires de l'homme et sur son désir sexuel. Chez les deux sexes, les glandes surrénales produisent également des hormones sexuelles, dont une petite quantité d'œstrogènes et une quantité plus importante d'androgènes.

Le développement des structures internes de reproduction

Environ huit semaines après la conception, les hormones sexuelles commencent leur œuvre de différenciation sexuelle des organes internes. Les deux types de canaux illustrés dans la figure 4.2a – les canaux de Müller et les canaux de Wolff – amorcent leur différenciation pour former les structures internes de la figure 4.2b. Chez l'embryon mâle, les androgènes sécrétés par les testicules stimulent les canaux de Wolff, qui se développent alors en canaux déférents, en vésicules séminales et en canaux éjaculateurs. Les testicules sécrètent aussi la substance inhibitrice de Müller (SIM) qui provoque la résorption des canaux de Müller (Wilhelm et coll., 2007). En l'absence d'androgènes, le fœtus développe des structures femelles (Clarnette et coll., 1997). Les canaux de Müller deviennent les trompes de Fallope, l'utérus et le tiers interne du vagin tandis que le système des canaux de Wolff se résorbe.

Gonades Glandes sexuelles mâles et femelles: les testicules et les ovaires.

Œstrogènes Ensemble d'hormones qui déterminent les caractères sexuels secondaires de la femme et régularisent le cycle menstruel.

Composés progestatifs Ensemble d'hormones, dont la progestérone, que produisent les ovaires.

Androgènes Ensemble d'hormones qui favorisent le développement des organes génitaux et des caractères sexuels secondaires chez l'homme, et qui influent sur le désir sexuel chez les deux sexes. Ces hormones sont produites par les glandes surrénales chez les deux sexes et, chez l'homme, par les testicules.

Le développement des organes génitaux externes

Les organes génitaux externes se développent selon un mode similaire en transformant des structures indifférenciées en structures masculines ou féminines (voir la figure 4.3), selon qu'elles reçoivent ou non un composé issu de la testostérone, la *dihydrotestostérone* (DHT)

(Hotchkiss et coll., 2008). Sous l'action de la DHT, le bourrelet génital devient le scrotum tandis que le tubercule génital et le repli génital deviennent respectivement le gland et la hampe du pénis. En l'absence de testostérone (et fort probablement sous l'influence d'une ou de plusieurs substances activées par le DSS, ou gène de la féminité), le tubercule génital devient le clitoris et le repli génital, les petites lèvres, tandis que

---

FIGURE 4.3 Développement prénatal des organes génitaux externes masculins et féminins, du stade de la non-différenciation à celui de la différenciation accomplie.

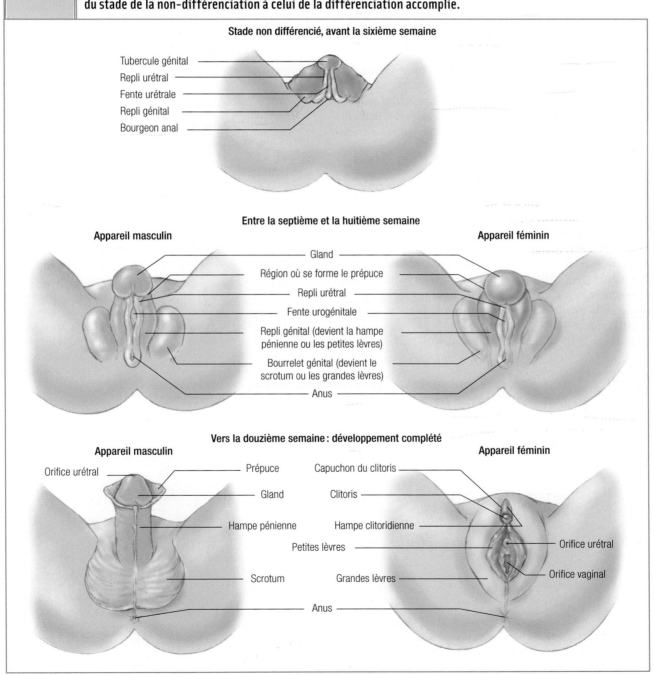

Stade non différencié, avant la sixième semaine
- Tubercule génital
- Repli urétral
- Fente urétrale
- Repli génital
- Bourgeon anal

Entre la septième et la huitième semaine

Appareil masculin — Appareil féminin
- Gland
- Région où se forme le prépuce
- Repli urétral
- Fente urogénitale
- Repli génital (devient la hampe pénienne ou les petites lèvres)
- Bourrelet génital (devient le scrotum ou les grandes lèvres)
- Anus

Vers la douzième semaine : développement complété

Appareil masculin — Appareil féminin
- Orifice urétral
- Prépuce
- Gland
- Hampe pénienne
- Scrotum
- Capuchon du clitoris
- Clitoris
- Hampe clitoridienne
- Petites lèvres
- Grandes lèvres
- Orifice urétral
- Orifice vaginal
- Anus

le bourrelet génital devient les grandes lèvres. À la douzième semaine, le processus de différenciation est achevé : le pénis et le scrotum peuvent être reconnus chez le fœtus masculin, et la vulve et le clitoris sont visibles chez le fœtus féminin.

Comme les structures des organes génitaux masculins et féminins proviennent toutes de cellules embryonnaires indifférenciées au départ, les organes génitaux des deux sexes ont certaines similitudes (voir le tableau 4.2).

La différenciation sexuelle du cerveau

D'importantes différences structurelles et fonctionnelles entre le cerveau de l'homme et celui de la femme proviennent en partie du processus de différenciation sexuelle prénatal (Becker et coll., 2008 ; Hines, 2004 ; Wisniewski et coll., 2005). Durant la phase prénatale, en effet, les hormones en circulation (œstrogènes et testostérone) exercent une grande influence sur plusieurs régions du cerveau, ce qui entraîne un développement cérébral distinct selon le sexe (Dennis, 2004 ; Hines, 2004 ; Zuolaga et coll., 2008).

De façon générale, la taille du cerveau varie considérablement selon le sexe. À l'âge de 6 ans, lorsque le cerveau humain atteint sa taille adulte, le cerveau masculin est environ 15 % plus gros que le cerveau féminin (Gibbons, 1991). Selon les chercheurs, cette différence serait due à l'action particulière des androgènes qui accélèrent le développement du cerveau des garçons (Wilson, 2003). Au moins trois régions importantes du cerveau humain présentent des différences selon le sexe : l'hypothalamus, les hémisphères droit et gauche et le corps calleux (voir la figure 4.4).

TABLEAU 4.2	Équivalence des organes génitaux.
FÉMININ	**MASCULIN**
Clitoris	Gland du pénis
Prépuce (capuchon) du clitoris	Prépuce du pénis
Petites lèvres	Hampe du pénis
Grandes lèvres	Scrotum
Ovaires	Testicules
Glandes de Skene	Prostate
Glandes de Bartholin	Glandes de Cowper

Des recherches relient les différences importantes entre l'hypothalamus de l'homme et celui de la femme à la présence ou à l'absence de testostérone dans le sang au cours de la différenciation prénatale (McEwen, 2001 ; Reiner, 1997a, 1997b). En l'absence de testostérone, l'hypothalamus produirait des cellules sensibles à la présence d'œstrogènes dans le sang. Cette différenciation prénatale, dont l'effet ne se fera sentir que beaucoup plus

> **Cerveau** Principale structure de l'encéphale ; il est divisé en deux hémisphères.
>
> **Hypothalamus** Petite structure située dans la région centrale du cerveau qui régit l'hypophyse et commande bon nombre de pulsions et d'émotions.

FIGURE 4.4 Les régions du cerveau : a) vue sagittale du néocortex cérébral, de l'hypothalamus, de l'hypophyse et du corps calleux ; b) vue de dessus des hémisphères cérébraux gauche et droit.

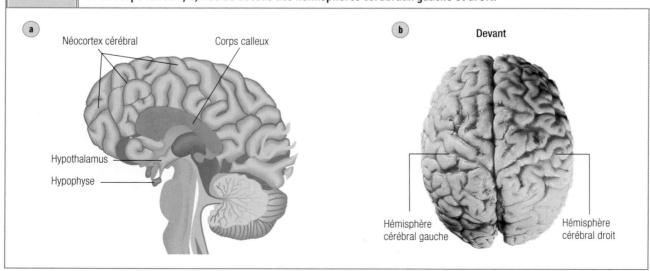

tard, est cruciale. En effet, durant la puberté, l'hypothalamus, sensible aux œstrogènes, ordonne à l'hypophyse de libérer des hormones de façon cyclique et déclenche, ce faisant, le cycle menstruel. Chez les garçons, l'hypothalamus, resté insensible aux œstrogènes sous l'effet de la testostérone, commence une production relativement régulière d'hormones sexuelles.

Les scientifiques ont fait plusieurs découvertes étonnantes concernant les différences sexuelles en étudiant une minuscule région de l'hypothalamus appelée le *noyau du lit de la strie terminale* (NLST) (Chung et coll., 2002 ; Gu et coll., 2003). Le NLST contient des récepteurs d'œstrogènes et d'androgènes, et jouerait un rôle essentiel dans la différenciation sexuelle et le fonctionnement sexuel chez l'être humain. Une région située au centre de ce noyau est beaucoup plus grande chez l'homme que chez la femme (Zhou et coll., 1995), et une autre région située à l'arrière de ce noyau est au moins deux fois plus grande chez l'homme que chez la femme (Allen et Gorski, 1990). Les chercheurs ont aussi décelé des différences selon le sexe dans la région antérieure de l'hypothalamus appelée *aire préoptique* (APO). Une zone précise de l'APO est sensiblement plus grande chez l'homme adulte que chez la femme adulte (Allen et coll., 1989 ; Swaab et coll., 1995). Ces découvertes, et d'autres semblables, ont conduit certains théoriciens à avancer que la différenciation sexuelle des comportements, tant chez l'enfant que chez l'adulte, découlerait en partie du rôle exercé par les hormones sexuelles sur le développement du cerveau au cours de la période prénatale (Cohen-Kettenis, 2005 ; Mathews et coll., 2009).

Des recherches ont aussi démontré qu'il existe d'importantes différences entre le cerveau de l'homme et celui de la femme en ce qui concerne la structure et les fonctions des hémisphères cérébraux et du corps calleux. Le cerveau, qui est composé de deux hémisphères et de la ligne qui les relie, forme la plus grande partie de l'encéphale. Les deux hémisphères, bien qu'ils ne soient pas tout à fait identiques, forment presque une image inversée l'un de l'autre (voir la figure 4.4b). Ils sont tous deux recouverts d'une couche externe appelée **cortex cérébral** (dont fait partie le néocortex), une structure de l'encéphale qui commande les fonctions intellectuelles supérieures telles que la mémoire, la perception et la pensée. Sans cortex cérébral, l'être humain perdrait l'individualité et le fonctionnement qui lui sont propres.

Comme le montre la figure 4.4, les deux hémisphères cérébraux sont quasi symétriques, les régions du côté gauche correspondant à peu près aux régions du côté droit. Des fonctions comme la parole, l'audition, la vision et la motricité correspondent à des aires spécifiques des hémisphères cérébraux. Chaque hémisphère a tendance à se spécialiser dans certaines fonctions. Par exemple, les capacités liées au langage, comme l'expression et la compréhension de la parole, sont localisées dans l'hémisphère gauche chez la plupart des gens. L'hémisphère droit, par contre, semble être le siège de la perception spatiale, notamment de la capacité à reconnaître les objets et les formes et à en interpréter les interrelations.

La latéralisation est un concept qui sert à décrire le degré de contrôle qu'exerce un hémisphère cérébral sur une fonction particulière. Par exemple, si les habiletés liées à la perception spatiale sont exclusivement régies par l'hémisphère cérébral droit d'une personne, on dira que cette fonction est fortement latéralisée chez elle. Si, au contraire, sa perception spatiale relève autant de son hémisphère gauche que de son hémisphère droit, on dira que cette fonction est bilatérale chez cette personne.

Même si chacun des hémisphères cérébraux a tendance à se spécialiser dans certaines fonctions, ce ne sont pas des systèmes complètement séparés. Le cerveau fonctionne comme un tout intégré. Une épaisse lame de fibres nerveuses appelée corps calleux relie les deux hémisphères et les met en communication (Smith et coll., 2005) (voir la figure 4.4a). Chez la plupart des gens, une fonction aussi complexe que le langage relève principalement d'aires situées dans l'hémisphère gauche, mais ce contrôle s'exerce en interaction et en communication avec l'hémisphère droit. En outre, si un hémisphère spécialisé dans une fonction subit des lésions, l'hémisphère demeuré intact peut prendre le relais et assumer cette fonction (Ogden, 1989).

Tout en gardant à l'esprit ce phénomène de latéralisation des fonctions cérébrales, soulignons que d'importantes différences structurelles ont été observées entre les cerveaux mâles et femelles. Premièrement, certaines études menées sur le cerveau de fœtus de rats et d'humains ont établi que le cortex cérébral de l'hémisphère droit a tendance à être plus épais chez le mâle (De Lacoste et coll., 1990 ; Diamond, 1991b). Deuxièmement, ce qui peut être plus significatif, d'autres études ont révélé que le volume du corps calleux présentait des différences selon le sexe chez certaines espèces animales, dont l'être humain (Coe et coll., 2002). On a ainsi démontré que cette structure du cerveau est sensiblement plus épaisse chez la femme que chez l'homme (Smith et coll., 2005). En étant plus épais, le corps calleux assure une meilleure communication

---

Hémisphères cérébraux   Chacun des côtés (droit et gauche) du cerveau.

Cortex cérébral   Couche externe recouvrant chaque hémisphère cérébral et commandant les fonctions intellectuelles supérieures.

Corps calleux   Épaisse lame de fibres nerveuses reliant les deux hémisphères cérébraux et assurant la communication entre eux.

entre les hémisphères, ce qui pourrait expliquer pourquoi la latéralisation des fonctions est moins grande chez la femme que chez l'homme (Savic et Lindstrom, 2008).

La recherche a aussi clairement établi que le degré de spécialisation des hémisphères du cerveau varie selon le sexe pour diverses tâches cognitives. Une étude récente a révélé une différence importante dans l'activité neurale des hommes et des femmes pendant qu'ils jugeaient les qualités esthétiques de stimuli artistiques ou naturels. Chez les femmes, les deux hémisphères cérébraux s'activent en même temps lorsqu'elles regardent un stimulus qu'elles trouvent beau, alors que chez les hommes l'activité neurale est fortement latéralisée dans l'hémisphère droit (Cela-Conde et coll., 2009). D'autres recherches ont montré des différences dans le degré de spécialisation des hémisphères pour les habiletés verbales et spatiales. Les femmes ont tendance à utiliser leurs deux hémisphères cérébraux pour accomplir des tâches verbales et des tâches visuospatiales, tandis que les hommes montrent une tendance à privilégier un seul hémisphère pour chacune des tâches (Savic et Lindstrom, 2008). La communication plus grande entre les deux hémisphères du cerveau féminin pourrait expliquer pourquoi les femmes subissent moins de pertes fonctionnelles que les hommes à la suite de lésions neurologiques comparables à l'un des hémisphères (Majewska, 1996).

Les chercheurs et les théoriciens se demandent si ces différences structurelles du cerveau peuvent expliquer certaines disparités observées entre les deux sexes en ce qui a trait aux processus cognitifs. Par exemple, les femmes réussissent généralement les tests d'habileté verbale mieux que les hommes, alors que c'est le contraire pour les tests d'habileté spatiale (Beller et Gafni, 2003 ; Halpern et LaMay, 2000). Pour certains chercheurs, les différences structurelles des hémisphères cérébraux et du corps calleux constituent peut-être le fondement biologique des différences constatées dans les processus cognitifs (Geer et Manguno-Mire, 1997 ; Gur et coll., 1995 ; Leibenluft, 1996). Plusieurs théoriciens, cependant, soutiennent que ces différences d'habiletés cognitives entre les sexes sont dues à des facteurs psychosociaux (Fausto-Sterling, 2000 ; Green et coll., 1999). Ils citent à cet égard quantité de faits démontrant que de telles différences se sont beaucoup atténuées durant les dernières années (Carter, 2000 ; Fausto-Sterling, 2000 ; Hyde, 2004, 2005 ; Kurtz-Costes et coll., 2008). Ainsi, les résultats aux tests de mathématiques standardisés sont les mêmes pour les filles et les garçons de la deuxième à la onzième année, selon une étude récente de la National Science Foundation (Hyde et coll., 2008).

Enfin, pour éclairer ce débat, disons que nous adhérons à l'opinion de l'éminente psychologue Carol Tavris (2005) qui affirmait qu'en ce qui concerne les comportements et les aptitudes, les similitudes entre les sexes l'emportent très largement sur les différences. Pour notre propos, d'un autre côté, rappelons que l'ensemble des études reflète des différences en matière de sexualité (valeurs, attitudes et comportements) et qu'il est bien établi que les hormones y expliquent un certain nombre de choses.

La différenciation prénatale atypique

Nous n'avons considéré jusqu'ici que la différenciation prénatale typique. Toutefois, une grande part de ce qu'on sait concernant l'impact de la différenciation sexuelle sur le développement du sentiment d'appartenance à un sexe provient des études faites sur la différenciation atypique.

Nous avons vu que la différenciation des structures sexuelles internes et externes est influencée par des signaux biologiques. Lorsque ces signaux ne suivent pas le cours normal, ils entraînent le développement de caractères sexuels ambigus ou contradictoires. Les personnes présentant de tels caractères sont parfois appelées *hermaphrodites*, du nom de cette divinité grecque dotée des attributs des deux sexes. Aujourd'hui, on utilise de plus en plus le terme intersexué pour désigner ces personnes (Morris, 2003).

On distingue l'hermaphrodisme vrai du pseudohermaphrodisme. Dans le premier cas, extrêmement rare, la personne possède à la fois des ovaires et des testicules (Blackless et coll., 2000 ; Gurney, 2007). Souvent, les organes génitaux externes sont un mélange de structures masculines et féminines. Le pseudohermaphrodisme, par contre, est plus fréquent : il touche environ une personne sur 2000 (Colapinto, 2000). Dans ce cas, les organes génitaux externes et internes sont morphologiquement ambigus, mais les gonades correspondent au sexe chromosomique. Les études portant sur le pseudohermaphrodisme ont aidé à mieux cerner les rôles respectifs de la biologie et de l'apprentissage social dans le développement du sentiment d'appartenance à un sexe. L'intersexualité pourrait être le résultat d'une combinaison atypique des chromosomes sexuels ou d'anomalies hormonales prénatales. Le tableau 4.3 présente les données relatives à cinq types de pseudohermaphrodisme.

Les anomalies des chromosomes sexuels

Des anomalies se produisent parfois au cours de la première phase de détermination du sexe biologique,

---

Intersexué Terme qui remplace *hermaphrodite* pour désigner une personne qui possède les caractères biologiques des deux sexes.

l'individu naissant avec un ou plusieurs chromosomes sexuels en trop ou un chromosome sexuel en moins. Plus de 70 affections atypiques des chromosomes sexuels ont été identifiées (Nielson et Wohlert, 1991).

Ces irrégularités peuvent avoir des conséquences sur l'anatomie, la santé et le comportement. Nous examinons deux des affections les plus étudiées : le syndrome de Turner et le syndrome de Klinefelter.

TABLEAU 4.3 Principaux syndromes de différenciation sexuelle prénatale atypique.

SYNDROME	SEXE CHROMOSOMIQUE	SEXE GONADIQUE	ORGANES GÉNITAUX INTERNES	ORGANES GÉNITAUX EXTERNES	FERTILITÉ	CARACTÈRES SEXUELS SECONDAIRES	SENTIMENT D'APPARTENANCE À UN SEXE
Syndrome de Turner	45, XO	Tissu ovarien de stries fibreuses	Utérus et trompes de Fallope	Féminins normaux	Stérile	Sous-développés ; absence de seins	Féminin
Syndrome de Klinefelter	47, XXY	Petits testicules	Masculins normaux	Pénis et testicules sous-développés	Stérile	Certaine féminisation ; l'individu peut avoir des seins et des rondeurs	Souvent masculin, bien qu'il y ait une incidence plus forte que la normale de troubles dans ce sentiment
Syndrome de l'insensibilité aux androgènes (SIA)	46, XY	Testicules non descendus	Absence d'organes normaux, masculins ou féminins	Féminins normaux et vagin peu profond	Stérile	À la puberté, développement des seins et apparition des signes normaux de maturation sexuelle, mais absence de menstruations	Féminin
Syndrome d'androgénisation du fœtus humain femelle	46, XX	Ovaires	Féminins normaux	Ambigus (souvent plus masculins que féminins)	Fertile	Féminins normaux (les individus souffrant d'un mauvais fonctionnement des glandes surrénales doivent suivre un traitement à la cortisone afin d'éviter la masculinisation)	Féminin, mais niveau élevé d'insatisfaction par rapport à ce sentiment ; orientation marquée vers les activités traditionnellement masculines
Déficit de DHT (dihydrotestostérone) chez le fœtus masculin	46, XY	Testicules non descendus à la naissance ; descente des testicules à la puberté	Présence de canaux déférents, de vésicules séminales et de canaux éjaculateurs, mais absence de prostate ; vagin partiellement formé	Ambigus à la naissance (plus féminins que masculins) ; masculinisation des organes génitaux à la puberté	Stérile	Féminins avant la puberté ; masculinisés à la puberté	Féminin jusqu'à la puberté, et généralement masculin par la suite

On estime que le **syndrome de Turner** touche un bébé féminin sur 2500 à 3000 (Morgan, 2007). Dans un tel cas, l'œuf fécondé possède 45 chromosomes au lieu des 46 habituels; l'absence d'un chromosome sexuel donne alors une combinaison de type XO. Les personnes atteintes de ce syndrome ont des organes génitaux externes féminins et sont donc considérées comme des filles. Or, leurs organes internes ne sont pas complètement développés, les ovaires sont absents ou ne sont représentés que par des tissus fibreux. Leurs seins ne se développent pas à la puberté (à moins qu'elles suivent un traitement hormonal substitutif), elles n'ont pas de menstruations et sont stériles. À l'âge adulte, ces femmes ont tendance à être beaucoup plus petites que la moyenne (Morgan, 2007).

Bien que les gonades soient inexistantes ou sous-développées dans le cas du syndrome de Turner – ce qui entraîne une déficience hormonale –, un sentiment d'appartenance à un sexe peut se développer, malgré l'absence des influences hormonales et gonadiques (les deuxième et troisième niveaux de la différenciation sexuelle biologique). Les personnes atteintes du syndrome de Turner s'identifient comme des femmes et ont les mêmes champs d'intérêt et comportements que celles ayant connu un développement biologique sans le syndrome (Kagan-Krieger, 1998). Cette donnée suggère donc qu'un sentiment d'appartenance au sexe féminin peut se développer même en l'absence des ovaires et des hormones qu'ils produisent.

Le **syndrome de Klinefelter** est une anomalie plus commune puisqu'elle touche un fœtus masculin sur 1000 (Intersex Society of North America, 2006). Un tel cas se présente lorsqu'un spermatozoïde porteur d'un chromosome Y féconde un ovule contenant deux chromosomes X au lieu d'un seul, ce qui donne une combinaison XXY. Les garçons atteints de ce syndrome présentent une anatomie masculine, mais la présence d'un second chromosome féminin fait en sorte que deux courants structuraux se développent simultanément. Le chromosome Y déclenche la formation des structures masculines, mais le second chromosome féminin freine leur développement, ce qui entraîne la stérilité et le sous-développement du pénis et des testicules. Ces personnes manifesteront donc peu d'intérêt pour l'activité sexuelle (Money, 1968; Rabock et coll., 1979), probablement en raison de leur très faible taux de testostérone.

Les hommes atteints de ce syndrome sont généralement grands et présentent certaines caractéristiques physiques féminines telles qu'une gynécomastie (poitrine féminisée) et des rondeurs aux hanches (Looy et Bouma, 2005). Un traitement à la testostérone à l'adolescence peut améliorer les caractères sexuels secondaires et augmenter la libido (Kolodny et coll., 1979). Bien que ces hommes s'identifient surtout au sexe masculin, il n'est pas rare qu'ils manifestent une certaine confusion dans leur sentiment d'appartenance à leur sexe (Mandoki et coll., 1991).

Les troubles des processus hormonaux prénataux

La présence de caractères sexuels ambigus chez les personnes intersexuées peut aussi découler d'erreurs biologiques génétiques provoquant des variations dans les processus hormonaux prénataux. Voyons trois exemples de troubles dérivant d'erreurs hormonales : le syndrome d'insensibilité aux androgènes, le syndrome d'androgénisation du fœtus féminin et le déficit en DHT chez le fœtus masculin.

Le **syndrome de l'insensibilité aux androgènes (SIA)** est un défaut génétique rare par lequel les cellules d'un fœtus masculin normal sur le plan chromosomique se montrent résistantes aux androgènes (Mazur, 2005; Zuolaga et coll., 2008). Cette anomalie entraîne une féminisation du développement prénatal, et le bébé naît avec des organes génitaux féminins d'apparence normale et un vagin peu profond. Évidemment, l'enfant sera élevé comme une fille, et ce n'est qu'à l'adolescence, lorsque les menstruations tarderont à venir, que l'anomalie sera découverte (Gurney, 2007). Plusieurs études récentes sur le SIA montrent que les personnes atteintes de ce syndrome développent un net sentiment d'appartenance au sexe féminin et se comportent en conséquence (Mazur, 2005). Dans l'une de ces études, les chercheurs ont comparé à l'aide de variables psychologiques un groupe de 22 femmes atteintes du SIA avec un groupe témoin de 22 femmes non atteintes du syndrome. Aucune différence significative n'a été relevée entre les deux groupes pour les critères psychologiques retenus, notamment le sentiment d'appartenance à un sexe, l'orientation sexuelle, les rôles sexuels et la qualité de vie en général (Hines et coll., 2003).

Syndrome de Turner Affection rare due à la présence d'un seul chromosome sexuel, un X, ce qui donne une combinaison de type XO. Chez ces personnes, les organes génitaux externes sont des organes féminins normaux, mais les organes reproducteurs internes ne se développent pas complètement.

Syndrome de Klinefelter Présence d'un chromosome Y et de deux chromosomes X, donnant une combinaison XXY; celle-ci produit des organes génitaux externes masculins, mais insuffisamment développés.

Syndrome de l'insensibilité aux androgènes (SIA) Trouble dû à un défaut génétique causant chez un fœtus masculin chromosomiquement normal une insensibilité à l'action de la testostérone, ce qui entraîne le développement d'organes génitaux externes féminins d'apparence normale.

À première vue, ces résultats semblent confirmer le caractère déterminant de l'apprentissage social dans le développement du sentiment d'appartenance à un sexe. Néanmoins, ils peuvent également servir à démontrer la grande influence des facteurs biologiques sur le développement de ce sentiment. Ainsi, chez les personnes atteintes du SIA, la faible sensibilité aux androgènes pourrait empêcher la masculinisation des structures du cerveau et, conséquemment, le développement d'un sentiment d'appartenance au sexe masculin, de la même façon qu'elle entrave le développement d'organes génitaux masculins.

Le syndrome d'androgénisation du fœtus féminin est un deuxième type de dérèglement plutôt rare par lequel les cellules d'un fœtus féminin normal sur le plan chromosomique sont exposées à des quantités importantes d'androgènes, habituellement en raison d'un dysfonctionnement congénital des glandes surrénales (Dessens et coll., 2005 ; Hines et coll., 2004). Par conséquent, les bébés atteints présentent des organes génitaux externes d'apparence masculine : le clitoris est assez gros pour être pris pour un pénis et la soudure partielle des grandes lèvres laisse croire à la présence d'un scrotum.

Après des tests médicaux, les bébés atteints sont souvent identifiés et élevés comme des filles ; des traitements comme une chirurgie mineure ou une hormonothérapie permettent d'éliminer l'ambiguïté de leurs organes génitaux.

Plusieurs études ont révélé que la grande majorité des filles atteintes du syndrome d'androgénisation prénatale développent un sentiment d'appartenance au sexe féminin ; toutefois, bon nombre d'entre elles pratiquent des activités traditionnellement masculines et rejettent les rôles habituellement attribués aux femmes (Dessens et coll., 2005 ; Hines et coll., 2004). Une minorité d'entre elles, par contre, ressentent un tel inconfort à l'égard de leur statut féminin qu'elles chercheront à développer un sentiment d'appartenance au sexe masculin et adopteront les comportements les plus masculins possible (Meyer-Bahlburg et coll., 1996 ; Slijper et coll., 1998). Ces études sur les personnes ayant été surexposées aux androgènes durant la période fœtale semblent confirmer le rôle important que jouent les facteurs biologiques dans la formation du sentiment d'appartenance à un sexe.

Le déficit en DHT chez le fœtus masculin, un troisième type de dérèglement hormonal, est causé par un défaut génétique qui empêche la transformation de la testostérone en dihydrotestostérone (DHT), nécessaire à la masculinisation des organes génitaux externes. Les testicules du fœtus masculin qui en est privé ne descendent pas avant la naissance. Le pénis et le scrotum ne se développent pas normalement et ressemblent plutôt à un clitoris et de grandes lèvres, et un vagin peu profond se développe partiellement.

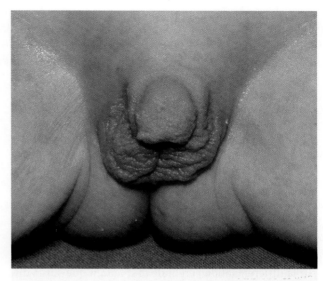

Organes externes féminins masculinisés par une surexposition aux androgènes pendant le développement fœtal.

Les bébés nés ainsi sont généralement reconnus comme des filles et grandissent comme telles. Toutefois, puisque les testicules sont fonctionnels, la production de testostérone s'accroît à la puberté et vient renverser le déficit en DHT. Un changement stupéfiant se produit alors : les testicules qui n'étaient pas descendus le font subitement et le pénis augmente de taille, modifiant l'apparence des organes génitaux externes. En gros, c'est comme si ces garçons carencés en DHT perdaient leur apparence féminine et gagnaient une apparence masculine. Quelles sont leurs réactions ?

D'après les recherches, la majorité des personnes atteintes de ce syndrome déplacent leur sentiment d'appartenance sexuelle au sexe masculin, habituellement entre l'adolescence et l'âge adulte (Cohen-Kettenis, 2005 ; Imperato-McGinley et coll., 1979). Ces constatations remettent en question la croyance très répandue que le sentiment d'appartenance développé au cours des toutes premières années de l'enfance ne peut être changé par la suite.

Syndrome d'androgénisation du fœtus féminin Trouble entraînant chez un fœtus féminin chromosomiquement normal le développement d'organes génitaux externes d'apparence masculine à la suite d'une exposition excessive aux androgènes pendant la période de différenciation prénatale.

Déficit en DHT chez le fœtus masculin Désordre entraînant chez un fœtus masculin chromosomiquement normal (XY) le développement d'organes génitaux externes d'apparence féminine en raison d'un défaut génétique empêchant la transformation de la testostérone en dihydrotestostérone (DHT).

Ces exemples de différenciation sexuelle atypique peuvent sembler contradictoires. Dans le premier, les garçons atteints de SIA développent une identité féminine cohérente avec l'éducation qu'ils ont reçue. Dans le deuxième exemple, les filles atteintes du syndrome d'androgénisation prénatal ont tendance à adopter des manières masculines, même si elles sont élevées comme des filles. Enfin, dans le troisième exemple, les garçons chromosomiques dont la masculinité biologique n'est pas apparente avant la puberté arrivent à faire passer leur sentiment d'appartenance du sexe féminin au sexe masculin, bien qu'ils aient grandi comme des filles. Ces données sont-elles vraiment contradictoires ou existe-t-il une explication plausible?

Comme nous l'avons mentionné plus haut, certaines données indiquent que les androgènes prénataux influent sur la différenciation cérébrale tout autant que sur la différenciation des structures génitales. Ainsi, selon le SIA, le défaut génétique empêcherait non seulement la masculinisation des organes génitaux, mais aussi celle du cerveau, ce qui pourrait expliquer le confort psychologique de ces garçons à l'égard de l'identité féminine qu'on leur a attribuée. De même, le syndrome d'androgénisation du fœtus féminin influerait aussi sur le développement du cerveau, ce qui expliquerait que les jeunes filles qui en sont atteintes développent un sentiment d'appartenance au monde masculin. L'énigme que représente le déficit en DHT chez le fœtus masculin peut, pour sa part, s'expliquer par un fonctionnement hormonal masculin normal, sauf en ce qui a trait au développement des organes génitaux externes, d'où le passage aisé d'un sentiment d'appartenance féminin à un sentiment d'appartenance masculin à l'adolescence.

Ces études fascinantes soulignent la complexité du développement du sentiment d'appartenance à un sexe. En effet, la différenciation sexuelle suit de nombreuses étapes, et une erreur peut se produire à n'importe laquelle d'entre elles et avoir des conséquences importantes sur le développement des structures sexuelles et cérébrales. Tout cela nous conduit à une question fondamentale: qu'est-ce qui fait qu'on est un homme ou une femme? Pour mieux comprendre cette délicate question, examinons le rôle des apprentissages sociaux dans le développement du sentiment d'appartenance à un sexe après la naissance.

L'influence de l'apprentissage social sur le sentiment d'appartenance à un sexe

Jusqu'à maintenant, nous avons tenu compte des facteurs biologiques intervenant dans la détermination du sentiment d'appartenance à un sexe. Cependant, la conscience d'être un homme ou une femme ne repose pas uniquement sur de tels facteurs. Selon la théorie de l'apprentissage social, le sentiment d'appartenance, que ce soit au sexe masculin ou au sexe féminin, ou encore à une combinaison des deux (androgynie), est avant tout le résultat des influences sociales et culturelles auxquelles on a été exposé en bas âge (Lips, 1997; Lorber, 1995).

Avant même la naissance de l'enfant, les parents et leur entourage ont des idées préconçues sur ce qui distingue les garçons et les filles, et ils transmettent ensuite ces idées à leur enfant par une multitude de moyens, certains subtils, d'autres moins. Leurs attentes influent sur l'environnement dans lequel l'enfant est élevé, depuis la couleur des murs de sa chambre jusqu'au choix de ses jouets. Elles se manifestent également dans la façon dont les parents voient leur enfant. Ainsi, au cours d'une étude, des parents étaient invités à décrire leur nouveau-né. Les parents de garçons décrivaient leur enfant comme étant «fort», «actif» et «robuste», alors que les parents de filles décrivaient celles-ci comme étant «douces» et «délicates», et ce, même si tous les bébés présentaient une taille et un tonus musculaire comparables (Rubin et coll., 1974). Il n'est pas surprenant alors de constater que les scénarios de genre influencent la façon dont les parents réagissent envers leurs enfants. Ainsi, on encouragera un garçon à ravaler ses pleurs s'il se blesse et à manifester d'autres qualités dites viriles, telles que l'autonomie et l'agressivité, alors que les filles seront incitées à se montrer tendres, dévouées et coopératives (Hyde, 2004; Mosher et Tomkins, 1988).

Vers l'âge de trois ans, la plupart des enfants ont déjà acquis un solide sentiment d'appartenance à un sexe (DeLamater et Friedrich, 2002). À partir de ce moment, cette identité se renforce d'elle-même, car la plupart des enfants cherchent à adopter le comportement qu'on leur a appris à considérer comme le plus approprié à leur sexe (DeLamater et Friedrich, 2002). Il n'est pas rare de voir des petites filles insister pour porter de belles robes ou faire la cuisine, parfois au grand désarroi de leur mère qui a adopté une façon plus pratique de se vêtir et abandonné les fourneaux pour mener une carrière. De même, les jeunes garçons sont souvent fascinés par les superhéros, les policiers et autres modèles culturels qu'ils s'efforceront d'imiter.

Les études anthropologiques menées dans d'autres cultures tendent à confirmer le rôle de l'apprentissage social dans la formation du sentiment d'appartenance à un sexe. Dans plusieurs cultures, les différences qu'on tient souvent pour acquises entre les hommes et les femmes ne vont tout simplement pas de soi. L'ouvrage de Margaret Mead, *Mœurs et sexualité en Océanie* (1969), a révélé que d'autres sociétés peuvent avoir des conceptions très différentes de ce qui est féminin ou masculin.

Dans ce compte rendu abondamment cité de son travail sur le terrain en Nouvelle-Guinée, Mead étudie deux sociétés qui réduisent au minimum les différences entre les sexes. Elle note que chez les Mundugumors, les personnes des deux sexes font preuve d'agressivité, d'insensibilité, d'un manque de tendresse et de dévouement, autant de comportements qui seraient considérés comme masculins d'après nos normes. À l'opposé, chez les Arapeshs, les hommes et les femmes font preuve de douceur, de sensibilité, de coopération, de dévouement dépourvus de toute agressivité, ce qui, dans nos sociétés, serait considéré comme des comportements typiquement féminins. Dans une troisième société qu'étudia Mead, les Tchambulis, les rôles masculins et féminins sont à l'opposé de ce qui constitue la norme en Amérique du Nord. Comme il n'existe pas de preuves de différences biologiques entre ces peuples et ceux de l'Amérique du Nord, l'interprétation radicalement différente qu'ils font de ce qui est masculin et féminin semble être le résultat de processus d'apprentissage social particuliers.

Enfin, les tenants de la théorie de l'apprentissage social invoquent diverses études portant sur des enfants nés avec des organes génitaux ambigus, auxquels on a attribué un sexe et qu'on a élevés en conséquence. Les premiers travaux dans ce domaine ont été réalisés en grande partie par une équipe de l'Université Johns Hopkins, dirigée par John Money. Au départ, Money et ses collègues croyaient qu'une personne est neutre ou indifférenciée du point de vue psychosexuel à sa naissance et que ce sont ses expériences d'apprentissage social qui déterminent son sentiment d'appartenance à un sexe et les comportements qui en découlent (Money, 1963 ; Money et Erhardt, 1972). C'est pourquoi on prêtait peu attention à la congruence entre les organes sexuels externes et les chromosomes sexuels. Comme le but de l'intervention chirurgicale était de donner une apparence naturelle aux organes sexuels, on attribuait à la plupart de ces enfants le sexe féminin parce qu'il était plus simple, autant du point de vue chirurgical qu'esthétique, et plus fonctionnel de transformer des organes génitaux ambigus en organes féminins que de construire un pénis (Nussbaum, 2000).

Bien que les parents soient davantage sensibles au choix des jouets de leurs enfants, plusieurs continuent de donner des jouets différents aux filles et aux garçons.

Money et ses collègues suivirent pendant des années les enfants ayant subi cette intervention chirurgicale et découvrirent que, dans la plupart des cas, les enfants auxquels on avait attribué un sexe différent de leur sexe chromosomique développaient un sentiment d'appartenance au sexe selon lequel ils avaient été élevés (Money, 1965 ; Money et Erhardt, 1972). D'autres résultats allant dans le même sens ont récemment été publiés. Les chercheurs ont interrogé 39 adultes ayant subi une intervention chirurgicale à Johns Hopkins alors qu'ils étaient bébés. Tous ces sujets étaient de sexe chromosomique masculin à la naissance et possédaient un micropénis avec un orifice urétral situé dessous. Certains ont été traités pour devenir des femmes du point de vue anatomique et d'autres pour devenir des hommes, et chacun s'est vu attribuer le sexe correspondant. La plupart des répondants (78 % des hommes et 76 % des femmes) ont déclaré être satisfaits du sexe qu'on leur avait attribué, de leur image corporelle, de leur fonctionnement sexuel et de leur orientation sexuelle. Sur les 39 personnes, cependant, deux ont changé de sexe à l'âge adulte (Migeon et coll., 2002).

Des recherches menées au cours des dernières années montrent cependant que certains enfants intersexués peuvent ne pas être aussi neutres du point de vue psychosexuel qu'on l'avait d'abord cru. Le suivi à long terme de plusieurs enfants intersexués traités selon le protocole en vigueur à Johns Hopkins a révélé que certains d'entre eux éprouvaient de sérieux problèmes d'adaptation au sexe qui leur avait été attribué (Diamond, 1997 ; Diamond et Sigmundson, 1997). Un cas particulièrement révélateur concerne des jumeaux homozygotes (vrais jumeaux) nés à Winnipeg. Lors de leur circoncision, une défectuosité de l'appareil à cautériser avait pratiquement détruit le tissu pénien de l'un des jumeaux. Comme il était impossible de reconstruire le pénis par chirurgie plastique, on recommanda d'élever l'enfant comme une fille et de procéder à une intervention chirurgicale visant à changer son sexe. Quelques mois plus tard, les parents commencèrent à l'élever comme une fille. On décida d'attendre que l'enfant soit plus âgé pour lui faire construire un vagin. Le suivi de ces jumeaux durant leur petite enfance révéla que, en dépit du fait qu'ils possédaient les mêmes gènes, ils avaient réagi à leur expérience distincte d'apprentissage social en développant chacun un sentiment d'appartenance à un sexe différent. De plus, l'enfant auquel on avait réassigné le sexe féminin était alors décrit comme une petite fille se développant normalement.

Si l'histoire de ces jumeaux s'arrêtait là, on disposerait de preuves convaincantes du rôle déterminant de l'apprentissage social dans le développement du sentiment d'appartenance à un sexe. Or, un suivi plus récent (Diamond et Sigmundson, 1997) révéla qu'à partir de l'âge de 14 ans, sans savoir qu'il possédait une paire de chromosomes XY et contre l'avis de ses parents et des médecins traitants, le jumeau en question décida de ne plus vivre comme une femme. Ce rejet sans équivoque de son identité féminine, doublé de l'amélioration marquée de son état affectif lorsqu'il se mit à vivre comme un homme, convainquirent les thérapeutes de la pertinence d'un autre changement de sexe. Sa réadaptation à la suite de la chirurgie fut excellente et, grâce à des traitements à base de testostérone, le jumeau devint un beau jeune homme qui, à 25 ans, épousa une femme dont il adopta les enfants et remplit avec aisance son rôle de mari et de père. Cette histoire remarquable est racontée par John Colapinto dans son ouvrage *As Nature Made Him : The Boy Who Was Raised as a Girl* (2000). Elle se termine cependant de façon dramatique puisque le jumeau en question, David Reimer, s'est suicidé le 5 mai 2004.

Ce cas illustre l'importance des études longitudinales sur les enfants auxquels on a attribué un nouveau sexe. Le suivi dont cet enfant avait fait l'objet en bas âge avait été largement diffusé dans la presse et les milieux universitaires et médicaux. Le cas avait été décrit comme la preuve évidente que le sentiment d'appartenance à un sexe était neutre au moment de la naissance et qu'il n'était pas encore influencé par les expériences liées à l'apprentissage social. Après avoir prévalu pendant de nombreuses années, cette interprétation est aujourd'hui considérée comme fautive. Même John Money, qui fut pourtant l'un des plus ardents défenseurs de cette théorie, atténua sa position vers la fin de sa carrière (Money, 1994b).

En guise de complément à ce cas célèbre qui soulève des questions quant à l'application du protocole de Johns Hopkins, mentionnons un autre cas, dont on a peu parlé, qui connut une tout autre issue. Il concerne un garçon dont le pénis avait été brûlé durant une circoncision. L'enfant, élevé comme une fille, fut interrogé par des psychologues à l'âge de 16 ans et à l'âge de 26 ans. Bien qu'il ait eu des manières garçonnières lorsqu'il était jeune et qu'il soit devenu bisexuel à l'âge adulte, il conserva toujours un sentiment d'appartenance au sexe féminin, contrairement au jumeau de Winnipeg qui adopta un sentiment d'appartenance au sexe masculin lorsqu'il devint adulte (Bradley et coll., 1998).

Une autre étude soulève des questions sur le fait d'attribuer, par intervention chirurgicale, un sexe à un enfant dont les organes génitaux sont ambigus. Cette recherche portait sur 27 enfants nés sans pénis (une affection connue sous le nom d'*exstrophie cloacale*), néanmoins de sexe masculin, comme en faisaient foi leurs testicules normaux, leurs chromosomes et leurs hormones. Peu après leur naissance, 25 d'entre eux subirent un changement de sexe par castration et furent élevés comme des filles. L'étude révèle que ces 25 personnes, âgées de 5 à 16 ans au début de l'étude, ont affiché des comportements typiquement masculins dans leurs jeux et que 14 d'entre elles ont fini par se déclarer de sexe masculin. Les deux garçons à qui l'on n'avait pas attribué un nouveau sexe, et qui ont donc été élevés comme des garçons, ont semblé mieux adaptés. Ces résultats ont amené William Reiner (2000), le chercheur principal de cette étude, à conclure qu'avec le temps et l'âge, les enfants risquent de savoir à quel sexe ils appartiennent, même si l'information qu'ils reçoivent et la façon dont ils sont élevés leur affirment le contraire.

Plusieurs chercheurs réputés affirment maintenant que les hypothèses répandues sur la neutralité de l'identité sexuelle à la naissance et l'efficacité du changement de sexe des enfants sont probablement fausses. En fait, on constate de plus en plus que malgré tout le soin déployé à élever en filles des enfants de sexe chromosomique masculin, certains, voire plusieurs d'entre eux manifestent de fortes tendances masculines au cours de leur développement et peuvent même, à la puberté, renoncer au sexe qui leur a été assigné (Colapinto, 2000 ; Diamond et Sigmundson, 1997 ; Reiner, 1997b, 2000).

Les prétendus bienfaits et le caractère éthique des traitements classiques auxquels on soumet les personnes intersexuées alimentent un débat passionné tant parmi ces dernières que parmi les chercheurs et les praticiens, comme le montre l'encadré *Au-delà des frontières*.

Question d'analyse critique

Imaginez que vous êtes responsable d'une équipe de professionnels de la santé qui doit décider de la meilleure façon de traiter un enfant intersexué. Assigneriez-vous un sexe à cet enfant et lui feriez-vous subir une intervention chirurgicale ou suivre une hormonothérapie afin de rendre son anatomie conforme au sexe biologique que vous auriez décidé de lui assigner ? Dans l'affirmative, quel sexe choisiriez-vous ? Pourquoi ? Si vous décidiez de ne pas assigner un sexe, quel type de suivi ou de stratégie proposeriez-vous d'adopter durant les années de développement de l'enfant ?

Au-delà des frontières

Stratégies de traitement pour les personnes intersexuées : débat et controverse

On vit dans un monde qui souscrit très fortement à un modèle de la condition humaine dans lequel il n'existe que deux sexes. Dans cette optique, les personnes nées avec des organes sexuels ambigus sont souvent vues comme des accidents de la nature qu'il faut « réparer ». John Money et ses collègues de l'Université Johns Hopkins furent les premiers à élaborer un protocole de traitement pour les personnes intersexuées ; celui-ci est devenu pratique courante au début des années 1960. Selon ce protocole, une équipe de professionnels, aidée des parents, « choisit » le sexe à attribuer à l'enfant intersexué. Afin de réduire le risque de problèmes futurs reliés à l'adaptation ou à l'appartenance sexuelle, on a généralement recours à la chirurgie, à l'hormonothérapie, ou à une combinaison des deux. Money et ses collègues ont affirmé que la plupart des individus traités selon ce protocole s'adaptaient relativement bien et s'identifiaient au sexe selon lequel ils avaient été élevés (Money, 1965 ; Money et Ehrhardt, 1972).

Au cours des dernières années, de sérieux doutes ont été soulevés quant aux bienfaits à long terme et au caractère éthique de ce protocole de traitement (Dreger, 2003 ; Fausto-Sterling, 2000 ; Kessler, 1998). Milton Diamond, un fervent opposant à la stratégie de traitement de John Money, a mené des études à long terme sur un certain nombre d'individus intersexués qui avaient été traités selon ce protocole thérapeutique. Ses études révèlent que quelques-uns connaissent d'importants problèmes d'adaptation qu'ils attribuent à la façon dont a été traitée leur intersexualité (Diamond, 1997, 2004 ; Diamond et Sigmundson, 1997 ; Vilain, 2001).

Les recherches de Diamond et d'autres, ainsi que le témoignage de personnes ayant souffert des traitements reçus en vertu du protocole ont déclenché un vif débat parmi les personnes intersexuées, les chercheurs et les professionnels de la santé quant au traitement le plus indiqué pour les nouveau-nés intersexués (Meyer-Bahlburg, 2005). De nombreux spécialistes adhèrent toujours au protocole de Money et affirment qu'on devrait assigner le plus tôt possible un sexe à l'enfant intersexué, de préférence avant qu'il développe un sentiment d'appartenance à un sexe, habituellement au cours de sa deuxième année. Les tenants de cette position croient que l'intervention chirurgicale et l'hormonothérapie s'avèrent nécessaires afin de réduire le plus possible le désarroi de l'enfant à l'égard de son sexe.

Diamond et d'autres chercheurs proposent une approche différente en trois volets. Premièrement, les professionnels de la santé devraient tenter de formuler la supposition la plus éclairée possible à l'égard du sexe auquel l'enfant s'identifiera, puis recommander aux parents de l'élever en conséquence. Deuxièmement, toute chirurgie des organes génitaux (susceptible d'être renversée plus tard) devrait être évitée au cours des premières années du développement de l'enfant. Troisièmement, l'enfant et ses parents devraient recevoir un counseling de qualité et de l'information pertinente pendant le développement de l'enfant afin que celui-ci puisse, le moment venu, faire un choix éclairé en matière de chirurgie ou d'hormonothérapie. Un groupe d'éminents chercheurs en intersexualité recommande fortement de ne faire aucune intervention médicale tant que l'enfant n'aura pas développé un sentiment d'appartenance à un sexe déterminé (Caldwell, 2005).

La stratégie de Diamond et le protocole normalisé de traitement soulèvent d'importantes questions. La chirurgie pratiquée sur les organes génitaux d'enfants en bas âge viole-t-elle leur droit à un consentement éclairé? Les enfants qui conserveraient des organes génitaux ambigus éprouveraient-ils des difficultés à l'école ou ailleurs si leur état venait à être connu? La société peut-elle évoluer vers un autre modèle que celui des deux sexes et reconnaître un état d'intersexualité situé entre le masculin et le féminin?

Certaines études relatent plusieurs cas de personnes non traitées qui se sont très bien adaptées à leur condition d'intersexualité (Fausto-Sterling, 2000; Laurent, 1995). Qui plus est, des personnes intersexuées qui ont été traitées selon le protocole normalisé ont, au cours des dernières années, exprimé un profond ressentiment à l'égard des interventions qu'elles ont subies pendant leur enfance (Goodrum, 2000; Looy et Bouma, 2005; Morris, 2003). En fait, de nombreuses personnes intersexuées, maintenant adultes, demandent qu'on cesse de considérer les enfants intersexués comme de la «marchandise endommagée» qu'il faut remettre en état (Goodrum, 2000).

Les militants intersexuels, qui ont fondé une organisation appelée *Intersex Society of North America* (ISNA), allèguent que les personnes intersexuées représentent des cas non pas d'anormalité, mais de diversité génitale. L'ISNA prône une approche non interventionniste où l'enfant intersexué ne serait pas soumis à une chirurgie de transformation des organes génitaux; il ou elle pourrait recourir à ce choix plus tard (Caldwell, 2005; Melby, 2002a; Nussbaum, 2000). L'ISNA

estime en outre qu'il y a violation de l'éthique médicale dans les cas suivants:

1. des enfants en bas âge sont soumis à un traitement chirurgical alors qu'ils ne sont pas en mesure de donner un consentement éclairé;

2. on refuse aux personnes intersexuées le droit de rester telles qu'elles sont avec leur identité propre;

3. on incite les parents à cacher à leur enfant des informations sur sa condition intersexuée.

Les activistes intersexuels dénoncent également avec vigueur un aspect du traitement de l'intersexualité auquel on a très peu prêté attention auparavant: la modification chirurgicale des organes génitaux peut compromettre la capacité à connaître le plaisir sexuel (Chase, 2003; Creighton et Liao, 2004). Par exemple, la réduction chirurgicale du clitoris d'une fille atteinte du syndrome adrénogénital peut entraîner une diminution des sensations érotiques et ainsi nuire au plaisir sexuel et à la capacité de cette personne d'avoir un orgasme (Minto, 2003; Morris, 2003).

La question pourrait être mal posée aux yeux de la philosophie et de la sociologie du construit social. Ce qui n'irait pas, ce n'est pas la biologie atypique, mais une sorte d'obsession sociétale et culturelle à vouloir catégoriser les humains selon qu'ils sont hommes ou femmes. Selon ce courant de pensée, il s'agit d'une idéologie destructrice qui amène la personne à se développer selon l'étiquetage sexuel qu'on tente de lui imposer, plutôt qu'en fonction de ses propres besoins et aspirations (Butler, 2004; Preciado, 2003). Le mouvement *queer*, ou altersexuel, en accord avec ces critiques, tente d'apporter une forme de changement radical de la vision sociale.

Pour l'instant, il y a plus de questions que de réponses en ce qui concerne la meilleure stratégie d'intervention auprès des enfants intersexués. Cette incertitude vient en grande partie du manque d'études à long terme portant sur les personnes intersexuées (Meyer-Bahlburg, 2005). Espérons que le temps et la recherche permettront de résoudre ce problème.

Le modèle interactionnel

Pendant des décennies, les scientifiques ont débattu de l'influence relative de l'inné (c'est-à-dire des déterminants biologiques) et de l'acquis (l'apprentissage social et l'environnement) sur le développement de l'être humain. Il semble clair aujourd'hui que le sentiment d'appartenance à un sexe est le produit de facteurs biologiques et de l'apprentissage social. La somme des connaissances acquises ne permet plus aujourd'hui de conclure que les bébés normaux sont, du point de vue psychosexuel,

neutres à la naissance. Nous avons vu qu'ils possèdent un substrat biologique complexe encore méconnu qui les prédispose à interagir avec leur environnement social selon un mode masculin ou féminin. Cependant, peu de chercheurs contemporains croient que le sentiment d'appartenance à un sexe ait un fondement exclusivement biologique. De nombreuses preuves viennent confirmer le rôle clé des expériences de vie dans la construction de l'image de soi, non seulement en tant qu'individu de sexe masculin ou féminin, mais en regard de tous les aspects de la personnalité qui façonnent les relations avec les autres. La plupart des théoriciens endossent donc un *modèle interactionnel*, qui intègre à la fois le rôle de la biologie et de l'expérience, pour expliquer le développement du sentiment d'appartenance à un sexe (Looy et Bouma, 2005 ; Ridley, 2003). Souhaitons que de futures analyses longitudinales mèneront à une meilleure compréhension de l'effet de ces deux puissantes forces sur le sentiment d'appartenance à un sexe et les comportements associés aux rôles sexuels.

Le transsexualisme et le transgenrisme

Nous avons vu que de nombreux facteurs influent sur le développement du sentiment d'appartenance à un sexe, un processus complexe, et que rien ne garantit la congruence entre le sexe biologique et ce sentiment d'appartenance. Au cours des dernières années s'est développée une plus grande conscience de la diversité des sentiments d'appartenance et des rôles attribués à un sexe. Un grand nombre de personnes se situent quelque part dans l'éventail de sentiments d'appartenance qui s'éloignent plus ou moins de la norme. La communauté de personnes dont la sexualité est non conforme aux normes culturelles, c'est-à-dire les *transsexuels* et les *transgenres*, fait de plus en plus parler d'elle, tant dans les publications médicales que dans les médias.

Un **transsexuel** est une personne dont le sentiment d'appartenance sexuelle ne correspond pas à son sexe biologique (Cole et coll., 1997). Elle se sent prisonnière d'un corps dont le sexe n'est pas le sien, un état connu sous le nom de **dysphorie de genre**. Ainsi, un transsexuel de sexe masculin sur le plan anatomique sent qu'*elle* est une femme qu'un caprice du destin a pourvue d'organes génitaux masculins, et elle désire que la société la reconnaisse comme une femme. En se basant principalement sur leur expérience clinique de traitement de personnes transsexuelles, des théoriciens soutiennent que cette vision du sentiment « d'être prisonnière du mauvais corps » pour désigner les personnes transsexuelles est incomplète et trop floue, surtout dans le cas des transsexuels hommes vers femmes (Bailey et Triea, 2007 ; Lawrence, 2007). Parmi eux, l'éminent psychologue Ray Blanchard (1991, 1995) soutient qu'il faut distinguer deux types de transsexuels hommes vers femmes : ceux du premier type sont attirés exclusivement par les hommes alors que ceux du second type présentent une paraphilie nommée *autogynéphilie,* qui est la tendance à être excité sexuellement par la pensée ou l'image de soi en femme. (Le chapitre 9 traite des paraphilies.) Bien qu'elle soit très contestée au sein de la communauté transsexuelle, cette interprétation continue de susciter des recherches et des débats chez les professionnels qui étudient et traitent le transsexualisme. Ainsi, Anne Lawrence (2007), médecin et chercheuse, elle-même transsexuelle devenue femme, a récemment soutenu que de ramener l'autogynéphilie à une dimension strictement érotique est une erreur. À ses yeux, il faut plutôt y voir une forme d'amour romantique de la part d'hommes qui « aiment les femmes et souhaitent devenir ce qu'ils aiment ».

Un grand nombre de transsexuels se soumettent à un protocole de changement de sexe, qui comprend des entrevues approfondies, un traitement hormonal ainsi qu'une modification chirurgicale des organes génitaux. Cependant, toutes les personnes souffrant de dysphorie de genre ne désirent pas nécessairement changer de sexe. Certaines souhaitent simplement avoir l'apparence physique, l'identité sociosexuelle ou la sexualité de l'autre sexe. De nombreuses personnes souffrant de dysphorie de genre, y compris la plupart des transsexuels, aspirent à ces trois aspects de l'autre sexe, mais certaines s'accommodent d'un seul ou de deux d'entre eux (Carroll, 1999).

Contrairement aux transsexuels, certains transgenres dont le sentiment d'appartenance sexuelle ne correspond pas à leur sexe biologique n'expérimentent que peu ou pas de dysphorie. Le terme **transgenre** s'applique généralement aux personnes dont l'apparence ou le comportement ne se conforme pas aux rôles sexuels traditionnels (Burdge, 2007). Il ne s'agit pas d'androgynie, dont nous traitons plus loin. En d'autres termes, les individus transgenres transgressent à divers degrés les normes culturelles ambiantes en regard de ce qu'un homme ou une femme devrait être (Goodrum, 2000). Ces transgressions peuvent comprendre le fait de se travestir, occasionnellement ou systématiquement. Voici trois formes de transgenrisme :

- Les hommes *androphiles* (attirés par les hommes) s'habillent en femmes et adoptent des rôles féminins, soit pour séduire des hommes (souvent hétérosexuels) ou, plus rarement, à des fins de divertissement (en spectacle, par exemple).

- Les hommes *gynécophiles* (attirés par les femmes) peuvent ressentir fortement le désir d'être une femme, mais s'accommodent relativement bien de leur rôle masculin ; certains sont mariés tout en s'offrant fréquemment des épisodes de travestisme en public.

Transsexuel Personne qui s'identifie à un sexe autre que celui assigné à sa naissance.

Dysphorie de genre Insatisfaction profonde qu'éprouve une personne par rapport au sexe assigné à sa naissance.

Transgenre Personne dont l'apparence physique et le comportement ne sont pas conformes aux rôles sexuels traditionnels.

– Les femmes *gynécophiles* (attirées par les femmes) manifestent des qualités masculines (allant parfois jusqu'à une identification complète), mais ne cherchent jamais à subir un changement de sexe (Carroll, 1999).

Jusqu'à récemment, on appelait *travestis* les personnes non transsexuelles qui s'habillent comme l'autre sexe. Maintenant, ce terme est surtout réservé aux personnes qui se travestissent pour obtenir une excitation sexuelle (voir la sous-section sur le travestisme fétichiste au chapitre 9). Les transgenres qui s'habillent comme une personne de l'autre sexe le font généralement pour obtenir une gratification d'ordre psychosocial plutôt que sexuel.

Certaines personnes intersexuées se considèrent aussi comme transgenres. Il peut s'agir d'individus ayant subi des interventions chirurgicales ou ayant suivi une hormonothérapie dans le but d'établir une congruence entre leur anatomie et leur sentiment d'appartenance à un sexe (Goodrum, 2000).

La différence fondamentale entre un transsexuel et un transgenre est que ce dernier ne désire pas transformer son corps pour mieux se conformer à ses attentes ou à celles de la société. Les transsexuels subissent parfois des interventions chirurgicales majeures dans le but de rendre leur corps congruent avec leur sentiment d'appartenance à un sexe donné. La plupart des transgenres, quant à eux, ne veulent pas nécessairement modifier leur anatomie sexuée, mais s'habillent, occasionnellement ou fréquemment, comme des personnes de l'autre sexe et adoptent leurs manières. Certains transgenres adoptent de façon permanente des comportements contraires à ceux que la société attribue à leur sexe biologique (Bolin, 1997).

Le sentiment d'appartenance non conforme aux normes culturelles et l'orientation sexuelle

Un grand nombre de personnes ne font pas la différence entre le sentiment d'appartenance à un sexe (particulièrement lorsqu'il est non conforme) et l'orientation sexuelle. Pour simplifier, disons que le sentiment d'appartenance à un sexe est celui, très personnel, d'être un homme, une femme, ou une combinaison des deux. L'orientation sexuelle, elle, a plus à voir avec l'attirance affective et sexuelle envers l'un ou l'autre sexe (voir le chapitre 5). Ainsi, les gais ont autant le sentiment d'appartenir au sexe masculin que les hommes hétérosexuels, et les lesbiennes ont autant le sentiment d'appartenir au sexe féminin que les femmes hétérosexuelles.

Avant de changer de sexe, la plupart des transsexuels sont attirés par des personnes de leur sexe (anatomique) qui ont un sentiment d'appartenance sexuelle différent du leur. Ainsi, une personne transsexuelle qui s'identifie au sexe féminin et se sent prisonnière d'un corps d'homme

(et que la société considère sans doute comme un homme) est probablement attirée par les hommes. En d'autres mots, cette personne est d'orientation hétérosexuelle en vertu de son sentiment d'appartenance au sexe féminin. Si elle agit conformément à cette attirance avant de subir une opération pour changer de sexe, elle risque d'être étiquetée à tort comme homosexuelle. Après le changement de sexe, la quasi-totalité des transsexuels devenus hommes recherchent des femmes pour partenaires sexuels, tandis que les transsexuels devenus femmes peuvent être attirés par l'un ou l'autre sexe, la majorité préférant les partenaires masculins (Zhou et coll., 1995). Il est important de signaler que la plupart des transsexuels qui décident de changer de sexe le font surtout pour résoudre un problème relatif à leur sentiment d'appartenance sexuelle et non pour devenir plus attirants sexuellement auprès de partenaires potentiels (Bockting, 2005).

Si les transsexuels sont en majorité hétérosexuels, la communauté transgenre, elle, est plus bigarrée et réunit gais, lesbiennes, bisexuels et hétérosexuels (Goodrum, 2000).

Le transsexualisme

Au cours des années 1960 et 1970, lorsque furent développées aux États-Unis les techniques médicales permettant de changer de sexe, les trois quarts des personnes désirant subir cette intervention étaient des personnes de sexe biologique masculin qui voulaient devenir des femmes (Green, 1974). Selon la World Professionnal Association for Transgender Health (WPATH) (2011), la proportion de personnes transsexuelles, transgenres ou non conformes aux rôles de genre est sensiblement la même dans chaque pays, mais la façon dont elles expriment leur réalité diffère grandement selon la culture. La transsexualité homme vers femme s'est beaucoup répandue dans les pays développés ; selon une estimation, 1 homme sur 12 000 aurait changé de sexe (Lawrence, 2007).

Une vaste documentation clinique s'est constituée sur les caractéristiques, les causes (étiologie) et le traitement du transsexualisme. Certains facteurs sont bien connus. On sait que la plupart des transsexuels sont des individus normaux du point de vue biologique, dont les organes sexuels internes et externes sont sains et dont l'agencement des chromosomes XX ou XY est normal (Meyer-Bahlburg, 2005). En outre, le transsexualisme est généralement un état isolé et n'est pas lié à une psychopathologie comme la schizophrénie ou la dépression profonde (Cohen-Kettenis et Gooren, 1999). Ce qu'on comprend moins, cependant, c'est pourquoi ces individus rejettent leur anatomie.

Nombre de transsexuels se sentent mal à l'aise par rapport à leur anatomie depuis leur plus tendre enfance : certains se souviennent de s'être identifiés à l'autre sexe dès l'âge de cinq, six ou sept ans. Dans certains cas, les enfants peuvent réduire l'ampleur de ce malaise en s'imaginant appartenir à l'autre sexe, mais plusieurs vont au-delà de la seule imagination et s'habillent comme l'autre sexe. De façon moins courante, l'identification prononcée à l'autre sexe peut n'apparaître qu'à l'adolescence ou à l'âge adulte.

Il existe une grande controverse à propos de la meilleure stratégie clinique à adopter dans le cas du transsexualisme. De plus, il est très important de communiquer correctement avec une personne transsexuelle ou transgenre, sans lui manquer de respect (voir l'encadré *Parlons-en*). Tout en gardant cela à l'esprit, nous allons résumer le peu de connaissances que nous possédons sur cette forme très peu courante et non conforme de sentiment d'appartenance à un sexe.

L'étiologie du transsexualisme

Les causes du transsexualisme ne sont pas clairement identifiées. Plusieurs théories ont tenté d'expliquer le transsexualisme, mais aucune preuve n'a permis de trancher la question (Cole et coll., 2000; Money, 1994b). Certains auteurs maintiennent que des facteurs biologiques peuvent jouer un rôle important dans l'apparition du phénomène. Une théorie avance que l'exposition avant la naissance à une quantité inappropriée d'hormones de l'autre sexe pourrait entraîner chez certains individus des problèmes de différenciation cérébrale (Dessens et coll., 1999; Zhou et coll., 1995). D'autres évoquent une discordance entre la différenciation sexuelle du cerveau et celle des organes génitaux (Krujiver et coll.,

2000; Meyer-Bahlburg, 2005). Une étude australienne récente vient alimenter cette hypothèse en montrant un lien possible entre la génétique et le transsexualisme (Hare et coll., 2009). Les chercheurs ont examiné l'ADN de 112 transsexuels hommes vers femmes dont le gène déterminant les récepteurs d'androgènes était plus long que la normale. Les versions plus longues de ce gène sont associées à une moins bonne production de testostérone prénatale. Une réduction de l'action de cette hormone peut avoir des effets sur le développement de l'identité en sous-masculinisant le cerveau pendant le développement prénatal et donc en participant à l'émergence d'une identité sexuelle féminine chez les hommes transsexuels.

Des chercheurs ont également avancé que le transsexualisme pourrait découler d'un taux anormal d'hormones sexuelles à l'âge adulte. Cette explication est cependant contredite par de nombreuses données indiquant des niveaux d'hormones sexuelles normaux chez les transsexuels adultes (Meyer et coll., 1986; Zhou et coll., 1995).

Selon une autre théorie, en partie corroborée par des faits, les expériences vécues durant l'apprentissage social pourraient jouer un rôle déterminant dans le développement du transsexualisme. Par exemple, l'enfant peut être élevé dans un contexte qui l'incite à adopter des comportements traditionnellement associés à l'autre sexe (Bradley et Zucker, 1997; Cohen-Kettenis et Gooren, 1999). Ces comportements seraient si encouragés et récompensés qu'il deviendrait difficile, voire impossible pour la personne de développer un sentiment d'appartenance sexuelle adéquat.

Parlons-en

Communiquer correctement avec une personne transsexuelle ou transgenre

Dans un article très instructif sur le transsexualisme et le transgenrisme, Alexander John Goodrum (2000) explique comment on devrait agir et communiquer avec les personnes ayant un sentiment d'appartenance à un sexe ou des comportements atypiques selon les scénarios de genre. En résumé, selon l'auteur:

- Il importe de s'adresser ou de faire référence correctement à une personne transsexuelle ou transgenre. Ainsi, si elle s'identifie au sexe masculin, parlez-lui ou parlez de lui comme tel; si elle s'identifie au sexe féminin, parlez-lui ou parlez d'elle comme telle. Dans le doute, vous pouvez lui demander ce qu'elle préfère. Lorsque cette personne a exprimé son choix, conformez-vous à sa demande. Si, de temps à autre, vous l'oubliez et la désignez avec le mauvais pronom, reprenez-vous. La plupart des personnes transsexuelles ou transgenres comprendront votre bévue et apprécieront vos efforts.

- Ne vous permettez jamais de dire à d'autres que tel individu est transsexuel ou transgenre. En outre, ne présumez pas que les autres connaissent le sentiment d'appartenance sexuelle de cette personne. Beaucoup de transgenres et de transsexuels vivent sans se faire remarquer; la seule manière de faire connaître leur réalité aux autres est de les en informer. Or, il appartient à la personne concernée, et à elle seule, de révéler son identité sexuelle non conforme. Le faire à sa place est très irrespectueux.

- Le bon sens et le bon goût exigent que vous ne posiez jamais à une personne transsexuelle ou transgenre des questions sur son anatomie génitale ou sa sexualité.

- En conclusion, ne faites aucune insinuation sur l'orientation homosexuelle, bisexuelle ou hétérosexuelle d'une personne. Celle qui estime nécessaire ou approprié de vous informer de son orientation sexuelle pourra choisir de le faire.

Les choix qui s'offrent aux transsexuels

Le milieu de la santé mentale ne proposait traditionnellement que deux solutions pour surmonter la dysphorie de genre: intervenir sur le plan des perceptions ou modifier le corps pour qu'il soit congruent avec le sentiment d'appartenance (Carroll, 1999). Il existe néanmoins d'autres possibilités. Dans la plupart des cas, la psychothérapie employée seule (qui peut parfois inclure le couple, la famille ou un groupe et aborder l'intériorisation de la peur de la transsexualité) ne permettra pas aux transsexuels de s'ajuster à leur corps et à leur sentiment d'appartenance à l'autre sexe. Pour ces personnes, la meilleure chose à faire peut être de modifier leur corps afin qu'il soit conforme à leur sentiment d'appartenance. Cela est possible au moyen d'une intervention chirurgicale et de traitements hormonaux visant à modifier les organes génitaux et les caractères sexuels secondaires. Cette solution, dont le nombre d'étapes varie selon les cas, est cependant complexe parce que le processus qu'elle comporte est long et coûteux.

La première étape dans le processus de changement de sexe consiste à évaluer soigneusement les motivations de la personne qui en fait la demande. Les personnes dont l'identité sexuelle est source de conflit ou de confusion sont exclues d'emblée de tout changement chirurgical de sexe. Celles qui semblent vivre un conflit véritable entre leur sentiment d'appartenance sexuelle et leur sexe biologique sont encouragées à adopter un style de vie conforme au sexe auquel elles s'identifient (notamment par leurs comportements et leur style vestimentaire). Généralement, si l'adaptation à ce nouveau style de vie réussit, la personne pourra entreprendre une hormonothérapie afin d'accentuer les caractères du sexe désiré.

Ainsi, l'homme qui veut devenir femme recevra des médicaments qui empêchent la production de testostérone et des doses d'œstrogènes qui induisent la croissance des seins, adoucissent la peau, réduisent la pilosité du visage et du corps, et arrondissent celui-ci en lui donnant une allure plus féminine. La force musculaire diminue, de même que l'intérêt sexuel, mais il n'y a aucun changement dans la voix. Les femmes qui veulent devenir des hommes sont traitées avec de la testostérone, ce qui supprime les menstruations, augmente la masse corporelle et fait apparaître la barbe. La voix devient un peu plus grave et les seins subissent une légère réduction. Les professionnels de la santé exigent que le sujet vive comme une personne de l'autre sexe pendant au moins un an tout en poursuivant l'hormonothérapie avant de procéder à une chirurgie. La procédure comporte donc deux ans d'attente avant la chirurgie: un an sans hormones plus une autre année avec hormonothérapie. À tout moment, au cours de cette période, le processus peut être renversé, mais peu de transsexuels font ce choix.

À l'affiche

Laurence anyways (2012), du réalisateur Xavier Dolan, raconte les difficultés personnelles, conjugales et sociales du personnage de Laurence qui veut se libérer de son corps d'homme pour vivre pleinement ce qu'il se sent être: une femme.

L'étape finale du protocole de changement de sexe est la chirurgie. Au Canada, les coûts d'un changement chirurgical de sexe sont défrayés dans des proportions variables selon les provinces. Les procédés ou techniques opératoires sont plus efficaces pour les hommes qui souhaitent devenir des femmes. Le scrotum et le pénis sont enlevés, et un vagin est créé par la reconstruction du tissu pelvien (voir la figure 4.5a). Pendant cette intervention, on prend soin de conserver les nerfs sensoriels de la peau du pénis, laquelle sera replacée à l'intérieur du vagin nouvellement formé. Les rapports sexuels avec pénétration seront possibles, bien que l'utilisation d'un lubrifiant puisse être nécessaire. Plusieurs transsexuels hommes vers femmes déclarent ressentir de l'excitation sexuelle et des orgasmes à la suite de l'intervention (Lawrence, 2005; Schroder et Carroll, 1999). L'hormonothérapie permet parfois un développement suffisant des seins, mais certains patients reçoivent également des implants. Bien que la pilosité ait été réduite par les traitements hormonaux, l'électrolyse est parfois nécessaire. Enfin, ceux qui le désirent pourront subir une opération additionnelle en vue de hausser le timbre de leur voix (Brown et coll., 2000).

Pour une femme qui souhaite devenir un homme, l'intervention chirurgicale consiste généralement en l'ablation des seins, de l'utérus et des ovaires, et la fermeture du vagin. La construction d'un pénis est beaucoup plus difficile que celle d'un vagin. Le pénis est habituellement façonné à partir d'un prélèvement de la peau de l'abdomen ou de l'avant-bras, ou des tissus des grandes lèvres et du périnée (voir la figure 4.5b). Ce nouveau pénis ne pourra pas connaître une érection naturelle en réponse à une excitation sexuelle. Toutefois, il est possible de fournir à cette construction pénienne une rigidité suffisante pour permettre le coït. Par exemple, on peut façonner, sur la face antérieure du corps du pénis, un petit tube cutané dans lequel une tige rigide de silicone est insérée. On peut aussi avoir recours à un implant gonflable. Si le tissu sensible du clitoris est laissé à la base du pénis chirurgicalement construit, les sensations érotiques et l'orgasme sont parfois possibles (Lief et Hubschman, 1993).

Les nombreuses études sur l'évolution de l'identité de genre à la suite d'une réassignation de sexe permettent d'être optimiste quant au succès de ce type d'intervention. En effet, ces recherches concluent pour la plupart que la majorité des personnes ayant subi cette intervention ont amélioré de façon significative leur qualité de vie (Campo et coll., 2003 ; De Cuypere et coll., 2005 ; Klein et Gorzalka, 2009 ; Lawrence, 2003 ; Wierckx, 2011).

Les rôles sexuels

Nous avons vu qu'au cours de la petite enfance, l'apprentissage social exerce une profonde influence sur le développement du sentiment d'appartenance à un sexe de sorte que, vers l'âge de deux ou trois ans, la plupart des enfants ne doutent pas de leur appartenance sexuelle. Cette influence continue de s'exercer toute la vie puisque chaque personne est amenée à adopter les comportements qui, dans une société, sont jugés normaux et appropriés pour un homme ou une femme, c'est-à-dire les rôles sexuels.

Il va sans dire que l'attribution de rôles sexuels conduit à des idées toutes faites sur la façon dont les hommes et les femmes devraient se comporter. Par exemple, en Amérique du Nord comme dans d'autres régions, les rôles traditionnels veulent que les hommes soient autonomes et agressifs et que les femmes soient dépendantes et soumises. Dès lors que ces idées sont largement acceptées au sein d'une population, elles deviennent des stéréotypes. Ce sont des «croyances préconçues que se font les

> **Stéréotype** Notion générale à l'égard d'une personne selon son sexe, sa race, sa religion, ses origines ethniques ou un critère du même ordre.

FIGURE 4.5 | Organes génitaux construits par chirurgie.

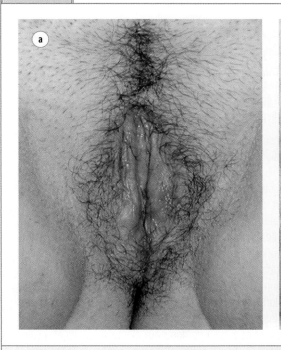 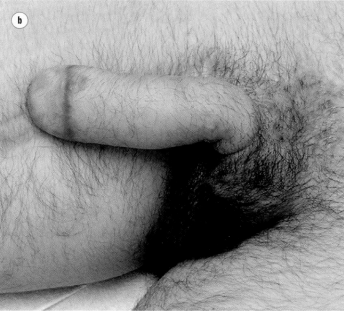

Le changement de sexe masculin à féminin a) est généralement plus convaincant que l'inverse b).

personnes ou les collectivités non à partir de l'observation de la réalité, mais de préjugés et du sens commun» (Élbaz, 2001, cité dans Tremblay et l'Heureux, 2010). Les stéréotypes ne tiennent pas compte de l'individu et font passer des traits culturels pour des traits de personnalité. Les stéréotypes liés à la différence entre les sexes ont récemment fait l'objet d'une grande étude interculturelle, décrite dans l'encadré *Pleins feux sur la recherche*.

De nombreux stéréotypes sexuels sont largement répandus parmi les membres de notre société. Les idées reçues sur les hommes les décrivent comme agressifs (à tout le moins sûrs d'eux), logiques, froids, autonomes, dominateurs, compétitifs, objectifs, sportifs, actifs et, surtout, «capables». Inversement, les femmes sont souvent considérées comme peu sûres d'elles, illogiques, émotives,

soumises, chaleureuses et dévouées. Ces stéréotypes sexuels tendent à se retrouver dans une grande variété de cultures (Jandt et Hundley, 2007). Une étude a ainsi montré avec quelle remarquable constance ces stéréotypes sont imposés dans 30 cultures différentes (Williams et Best, 1990).

Tout le monde, cependant, n'avalise pas les stéréotypes sexuels et, depuis quelques années, on observe une certaine diminution des comportements stéréotypés, particulièrement chez les jeunes gens (Ben-David et Schneider, 2005 ; Lindberg et coll., 2008). Des recherches indiquent que les stéréotypes sexistes auraient moins de prise sur les femmes et qu'elles seraient plus portées à adopter des positions égalitaires avec les hommes (Ben-David et Schneider, 2005). Malgré cette évolution observée dans la culture américaine, les stéréotypes

Pleins feux sur la recherche

Les différences sexuelles interculturelles dans les traits de personnalité

Les spécialistes des sciences sociales s'accordent généralement à dire que les différences entre les rôles sexuels traditionnels apparaissent tôt et s'incrustent souvent la vie durant. L'origine de ces différences demeure cependant controversée. D'un côté, les psychologues évolutionnistes soutiennent que plusieurs comportements et caractéristiques personnelles sont innés et hérités de nos ancêtres chasseurs-cueilleurs. De l'autre côté, les psychologues de l'apprentissage social défendent l'idée que les caractéristiques personnelles et les comportements des deux sexes sont largement façonnés par les rôles sociaux traditionnels. Les psychologues évolutionnistes posent l'hypothèse que les différences sexuées dans les traits de personnalité auraient des caractères communs dans des cultures différentes. Si, tout au long de l'évolution, la sélection naturelle a favorisé les gènes qui ont contribué à la survie des espèces, on peut s'attendre à retrouver des constantes à travers les sous-catégories de notre espèce (comprendre ici « les cultures »). Dans l'autre camp, les tenants de l'apprentissage social avancent que les différences personnelles entre les sexes diminueront à mesure que les femmes passeront plus de temps dans le monde compétitif du travail plutôt que dans les rôles traditionnels de mères au foyer.

Ces deux hypothèses ont récemment été mesurées par l'administration d'un questionnaire à l'échelle mondiale, le BFI (*Big Five Inventory*), traduit de l'anglais en 28 langues, auquel 17 637 personnes de 55 pays ont répondu. Ce formulaire d'autoévaluation visait à mesurer des traits comme l'extraversion, l'amabilité, le souci de l'autre, la tendance névrotique et l'ouverture. Les résultats de l'enquête se sont avérés très éloignés de toute prédiction reposant sur les deux perspectives

psychologiques mentionnées ici. En premier lieu, l'ampleur des différences entre les traits de personnalité de chaque sexe s'est révélée très variable d'une culture à l'autre parmi les 55 étudiées, ce qui ne cadre pas avec l'hypothèse des psychologues évolutionnistes. Le plus surprenant fut sans doute de constater que les différences entre les hommes et les femmes sont moindres dans les cultures traditionnelles, comme au Botswana ou en Inde, que dans les sociétés plus égalitaires, comme aux États-Unis ou en France. Ainsi, dans la culture patriarcale du Botswana, contrairement à ce que soutient l'hypothèse de l'apprentissage social, un homme qui travaille à l'extérieur et sa femme au foyer ont des personnalités qui se ressemblent plus qu'un couple de travailleurs au Danemark. Autrement dit, plus un homme et une femme vivent dans une culture égalitaire sur les plans du travail et des droits, plus leurs traits de personnalité semblent diverger (Schmitt et coll., 2008).

Ces résultats sont à ce point contre-intuitifs et éloignés des prédictions inspirées des perspectives de l'apprentissage social ou de la psychologie évolutionniste que certains chercheurs ont soutenu qu'ils découlaient de problèmes culturels par rapport au BFI (Tierney, 2008). David Schmitt et ses collègues concluent cependant que leur étude révèle des tendances générales valides, quoique controversées, dans un contexte de théories largement répandues. Doit-on s'attendre à ce que les différences de personnalité entre les sexes s'accentuent à mesure que l'égalité gagnera du terrain dans les sociétés qui valorisent les valeurs égalitaires et réduisent les barrières entre les hommes et les femmes? Souhaitons que d'autres recherches apportent de nouveaux éléments et aident à y voir plus clair.

sexuels y sont encore répandus (Hyde, 2004 ; Rider, 2000). En fait, de nombreuses personnes s'accommodent fort bien de leurs rôles sexuels traditionnels ; nous ne souhaitons pas dévaloriser ou remettre en question leur mode de vie, mais bien comprendre pourquoi les stéréotypes sexuels sont si répandus dans la société. C'est cette question que nous allons maintenant aborder.

L'apprentissage des rôles sexuels

On a tous déjà entendu l'argument voulant que les différences de comportement entre l'homme et la femme soient déterminées, du moins en partie, par des facteurs biologiques. Les hommes ne peuvent porter ni allaiter un enfant. De même, les différences biologiques relatives aux hormones, à la masse musculaire ainsi qu'à la structure et au fonctionnement du cerveau peuvent influer sur certains aspects du comportement. Cependant, la majorité des théoriciens considèrent que les rôles sexuels sont pour une bonne part le fruit de la socialisation, c'est-à-dire le processus par lequel les individus apprennent à répondre aux attentes de la société en matière de comportements. L'encadré *Les uns et les autres* montre qu'au sein même d'une société les attentes envers les hommes et les femmes varient d'un groupe ethnique et d'une culture à l'autre.

Comme le montrent ces exemples, l'apprentissage social et les traditions culturelles influencent les comportements liés aux rôles sexuels dans la société américaine. Il n'y a aucune raison de penser que c'est différent au Canada. Comment la société transmet-elle ces attentes ? Nous consacrons les prochains paragraphes à cinq agents de socialisation : les parents, les pairs, l'école, la télévision et la religion.

Les parents et l'apprentissage des rôles sexuels

De nombreux spécialistes des sciences sociales considèrent les parents comme d'importants agents de socialisation des rôles attribués à chaque sexe (Iervolino et coll., 2005 ; Kane, 2006). Les premiers modèles d'homme ou de femme que voit l'enfant sont généralement ses parents. Comme nous l'avons vu plus haut lorsque nous avons abordé le développement du sentiment d'appartenance à un sexe, les parents ont souvent des attentes différentes à l'égard des garçons et des filles, et ils les manifestent dans leurs interactions. En général, les parents couvent et protègent davantage leurs bébés de sexe féminin ; en revanche, ils interviennent moins auprès des garçons et leur laissent plus de liberté (Skolnick, 1992). Les résultats de recherche montrent d'ailleurs que les garçons sont habituellement plus incités que les filles à s'affirmer et à réprimer leurs émotions, alors que les filles sont davantage encouragées à adopter un comportement axé sur l'engagement social (Block, 1983 ; Leaper et coll., 1998).

De plus en plus de parents sont conscients de l'influence des jouets dans l'apprentissage des rôles sexuels. Toutefois, beaucoup d'autres donnent encore à leurs enfants des jouets qui leur inculquent des rôles sexuels précis. Par exemple, les filles se voient offrir une poupée, un service à thé ou une cuisinière miniature, alors que les garçons reçoivent un camion, une auto, un ballon ou des armes jouets. Souvent, on réprimande l'enfant qui s'amuse avec des jouets perçus comme étant réservés à l'autre sexe. Les enfants sont très sensibles à ce genre de reproche et en viennent à préférer les jeux qui correspondent aux attentes de leurs parents en matière de rôles sexuels.

La recherche a bien établi que les enfants ont une préférence marquée pour certains jouets ou jeux, généralement à partir de deux ou trois ans, ce dont conviennent à peu près tous les spécialistes des sciences sociales (Iervolino et coll., 2005 ; Tavris, 2005). En revanche, les opinions varient quant aux causes de ces préférences. Selon plusieurs auteurs, l'apprentissage social influence considérablement les choix de jouets des enfants. La psychologie évolutionniste, à cet égard, apporte un point de vue intéressant selon lequel plusieurs comportements, même ceux qui semblent provenir de l'environnement social, sont le résultat d'un long processus d'évolution de l'espèce humaine. Au cours de cette évolution, l'être humain aurait sélectionné les gènes qui le prédisposaient à adopter certains comportements spécifiques selon le sexe, assurant ainsi la reproduction de son espèce et sa survie (Bjorklund et Pellegrini, 2000).

La psychologue Gerianne Alexander (2003) a tenté d'expliquer les préférences sexuées en matière de jouets à l'aide de l'approche évolutionniste. Elle pose en gros que la préférence des garçons pour les jouets dits masculins comme les camions et les ballons, qui sollicitent l'action et peuvent être observés en mouvement, reflète l'importance, en termes d'adaptation, de développer les habiletés spatiales requises pour chasser et tuer le gibier, des tâches essentielles à la survie du groupe. De même, la préférence des fillettes pour les jouets dits féminins comme les poupées refléterait l'avantage, du point de vue de l'adaptation, de développer des comportements permettant de prendre soin et d'élever des enfants. Selon cette approche évolutionniste, le lien entre les préférences des enfants et les rôles sexuels proviendrait des rôles sociaux qui existaient chez les premiers humains, et les préférences à l'égard d'objets tels que les jouets exprimeraient une prédisposition à un rôle sexuel dit masculin ou féminin.

Socialisation Processus par lequel la société transmet à ses membres ses attentes en matière de comportements.

Les uns et les autres

Variations ethniques en matière de rôles sexuels

Tout au long de ce manuel, nous nous concentrons surtout sur les scénarios de genre en vigueur dans le courant dominant : celui des Américains d'origine européenne. Posons ici un bref regard sur les rôles sexuels au sein de trois autres groupes ethniques : les Américains d'origines hispanique, africaine et asiatique.

Dans la tradition hispano-américaine, les rôles sexuels s'incarnent dans les stéréotypes culturels du *marianismo* et du *machisme*. Le *marianismo* est un dérivé de la notion catholique romaine voulant qu'une femme doit être pure et chaste comme la Vierge Marie. Ce stéréotype impose à la femme le rôle de mère croyante, vertueuse, passive et soumise à son mari, qui agit comme gardienne de la famille et de la tradition (Bourdeau et coll., 2008 ; Raffaelli et Ontai, 2004). Le concept de machisme (notons que *macho* veut dire « homme » en espagnol) renvoie à l'image de l'homme fort, indépendant, viril et dominateur, qui est le chef de famille et celui qui prend les grandes décisions (Bourdeau et coll., 2008 ; Raffaelli et Ontai, 2004). Le machisme comprend aussi la notion d'agressivité sexuelle et le désir de conquêtes extraconjugales. La culture hispanique pratique souvent la règle du deux poids deux mesures, selon laquelle les femmes doivent être fidèles à leur mari tandis que les hommes peuvent avoir des aventures (McNeill et coll., 2001). Ce deux poids deux mesures trouve son origine dans la socialisation précoce des jeunes Hispaniques qui encourage les garçons à être sexuellement aventuriers et les filles à être vertueuses et virginales (Bourdeau et coll., 2008 ; Raffaelli et Ontai, 2004).

Bien sûr, le *marianismo* et le machisme sont des stéréotypes, et bien des Hispano-Américains n'adhèrent pas à ces scénarios de genre (Vasquez, 1994). En outre, l'assimilation, l'urbanisation et la mobilité ascendante des Hispano-Américains contribuent à atténuer l'impact de ces stéréotypes sexuels en réduisant les inégalités entre les sexes (McNeill et coll., 2001). C'est particulièrement vrai chez les jeunes Hispano-Américains qui ne partagent pas les croyances traditionnelles de leurs parents quant aux rôles sexuels (Cespedes et Huey, 2008).

Dans le deuxième groupe, celui des Afro-Américains, les femmes tiennent au sein de la famille un rôle central différent de celui des mères issues du modèle traditionnel de famille nucléaire (Bulcroft et coll., 1996 ; Reid et Bing, 2000). Depuis l'époque de l'esclavage, les Afro-Américaines ont été des remparts dans leur communauté. Puisque dans le système esclavagiste, les femmes ne pouvaient compter sur les hommes pour assurer leur bien-être économique, ceux-ci n'ont généralement pas endossé le rôle dominant dans la famille. C'est en partie pourquoi l'égalité et la parité économique caractérisent davantage les relations hommes-femmes dans la communauté afro-américaine qu'au sein d'autres groupes culturels, y compris la culture blanche dominante (Blee et Tickamyer, 1995 ; Bulcroft et coll., 1996). Cette absence historique de dépendance économique aide aussi à expliquer pourquoi beaucoup de ménages afro-américains sont gérés par des femmes qui définissent elles-mêmes leur statut.

Le taux élevé du chômage chez les hommes afro-américains – plus du double de celui des Blancs (Bureau of Labor Statistics, 2008) – constitue un facteur supplémentaire. La réalité du chômage et du maigre filet social aux États-Unis contribue indéniablement au fait que certains hommes évitent le mariage (responsabilités parentales et charges financières) et quittent le foyer. Ainsi, les comportements des Afro-Américaines témoignent souvent d'un renversement des rôles sexuels traditionnels observables auprès de la majorité blanche.

Le troisième groupe, composé d'Américains d'origine asiatique, est très diversifié tant sur le plan des traditions que du pays d'origine (Chine, Philippines, Japon, Inde, Corée, Vietnam, Cambodge, Thaïlande, etc.). Les membres de ce groupe ont tendance à accorder davantage de valeur à la famille, à la solidarité et à l'interdépendance que les Américains d'origine européenne (Bradshaw, 1994 ; Okazaki, 2002). À l'image des Hispano-Américaines, les Asio-Américaines placent leurs responsabilités familiales au-dessus de leurs aspirations personnelles (Pyke et Johnson, 2003). Ainsi, même si les Asio-Américaines sont plus nombreuses que les femmes de toute autre minorité ethnique à occuper un emploi, plusieurs passent leur vie à s'oublier pour satisfaire les besoins de leur famille. Par conséquent, une double-contrainte guette les Asio-Américaines performantes, qui se trouvent déchirées entre les valeurs américaines d'individualisme et d'indépendance et les rôles sexuels traditionnels de la culture asiatique.

Bien qu'aucun profil type n'existe, les diverses cultures asio-américaines tendent à accorder plus de liberté sexuelle aux hommes qu'aux femmes en perpétuant le postulat de la domination masculine (Ishii-Kuntz, 1997a, 1997b ; Pyke et Johnson, 2003). Les cultures asio-américaines tendent aussi vers un plus grand conservatisme sexuel, tant chez les hommes que chez les femmes, que les autres groupes ethniques des États-Unis, y compris les Blancs (Benuto et Meana, 2008 ; Okazaki, 2002). Par contre, les stéréotypes sexuels propres aux cultures asiatiques sont moins susceptibles d'être adoptés par les jeunes Asio-Américains qui adhèrent de plus en plus aux valeurs culturelles américaines (Ying et Han, 2008).

Si de plus en plus de parents tentent de ne pas inculquer à leurs enfants des stéréotypes sexuels, nombreux sont ceux qui les poussent encore vers des jeux et des tâches ménagères stéréotypés (Menvielle, 2004). Et même lorsque les parents évitent volontairement de transmettre des rôles sexuels, certains comportements semblent tellement «naturels» qu'ils se manifestent de façon inconsciente. Ainsi, un père invitera son fils à jouer au ballon, à faire la vidange d'huile de la voiture ou à tondre le gazon, alors qu'on rappellera plus souvent à une fille de garder sa chambre rangée ou de participer à la préparation du repas. Ce traitement différent selon le sexe a pour effet d'aiguiller les enfants vers des rôles d'adultes précis et distincts.

L'acquisition de rôles sexuels passe souvent par l'imitation du parent de même sexe.

L'influence des pairs

Les pairs constituent une deuxième source d'influence majeure en ce qui a trait à l'apprentissage des rôles sexuels (Arnon et coll., 2008 ; Fagot, 1995). La ségrégation volontaire des sexes constitue une manifestation précoce de l'influence des pairs (Maccoby, 1998). Cette ségrégation commence avant l'entrée à l'école et, dès la première année du primaire, les enfants choisissent dans une proportion de 95 % des compagnons de jeu de leur sexe (Maccoby, 1998). La ségrégation des sexes, qui continue tout au long des années scolaires, contribue à stéréotyper les jeux selon le sexe et, ainsi, à préparer les enfants à endosser des rôles sexuels d'adultes (Moller et coll., 1992). Les filles jouent souvent ensemble à la poupée ou à servir le thé tandis que les garçons se livrent à des compétitions sportives et jouent à la guerre. C'est par les pairs que les femmes apprennent à être dévouées et réservées et que les hommes apprennent à être compétitifs et sûrs d'eux.

Au début de l'adolescence, l'influence des pairs devient encore plus marquée (Doyle et Paludi, 1991 ; Hyde, 2004). Les jeunes accordent alors beaucoup d'importance à la conformité, et l'adhésion aux rôles sexuels traditionnels garantit leur acceptation par les pairs (Absi-Semaan et coll., 1993). La plupart de jeunes qui s'écartent du modèle correspondant à leur sexe risquent d'être ostracisés ou ridiculisés.

L'école et les manuels scolaires

Des études montrent que les garçons et les filles ne sont pas traités de la même façon en classe, ce qui contribue fortement à une socialisation différente selon le sexe (AAUW, 1992 ; Duffy et coll., 2001 ; Eccles et coll., 1999 ; Kantrowitz, 1992 ; Keller, 2002 ; Plante et coll., 2009 ; Sadker et Sadker, 1994). Ces études ont révélé plusieurs éléments, dont les suivants.

- Les enseignants choisissent plus souvent les garçons pour répondre à des questions et ils leur prodiguent plus d'encouragements qu'aux filles.
- Contrairement aux filles, les garçons qui répondent aux questions sans y avoir été invités ne sont en général pas punis.
- À l'école primaire, les enseignants tolèrent davantage les mauvais comportements chez les garçons que chez les filles.
- Les garçons reçoivent plus d'attention, d'aide et de compliments de la part de leurs enseignants.
- Les enseignants accordent plus d'attention aux filles qui agissent de façon dépendante, mais ils sont plus susceptibles de réagir aux garçons qui se comportent de façon autonome ou agressive.
- Les filles perdent souvent confiance en leurs aptitudes en mathématiques et en sciences dès la fin du primaire.

Les enfants ont tendance à choisir des compagnons de jeu de leur sexe, perpétuant ainsi la division traditionnelle des rôles sexuels.

Heureusement, certains signes montrent qu'on cherche à freiner la perpétuation des rôles sexuels stéréotypés en milieu scolaire. L'arrivée de jeunes enseignants qui sont eux-mêmes le produit d'une plus grande sensibilisation à la question des rôles sexuels contribue à la transformation graduelle de l'environnement scolaire. Des efforts concertés, au sein des écoles canadiennes comme des écoles américaines, permettent d'améliorer l'égalité des chances en mathématiques et en sciences, et de créer un environnement éducatif où filles et garçons sont encouragés à s'investir dans ces matières.

Les manuels scolaires ont eux aussi contribué à perpétuer les stéréotypes sexuels. Au début des années 1970, deux études importantes sur les manuels scolaires destinés aux enfants révélèrent que les filles y étaient généralement représentées comme dépendantes, malhabiles, dénuées d'ambition et ne réussissant pas très bien, alors que les garçons y étaient décrits de façon exactement contraire (Saario et coll., 1973 ; Women on Words and Images, 1972). Au début des années 1980, les rôles importants étaient tenus par des personnages masculins dans les deux tiers des histoires proposées dans les manuels scolaires, alors que cette proportion était de quatre cinquièmes au début des années 1970 (Britton et Lumpkin, 1984). Au cours des années 1990 et au début des années 2000, les éditeurs de manuels scolaires ont fait des efforts remarquables pour éviter les stéréotypes sexuels dans leurs ouvrages. Au Québec, une réglementation serrée encadre en outre la publication des manuels scolaires qui sont expurgés de toute forme de sexisme.

Les stéréotypes à la télévision

La télévision constitue un autre agent important de transmission des stéréotypes sexuels. Les hommes et les femmes y sont souvent représentés de façon outrageusement stéréotypée (Lauzen et coll., 2008). Les hommes y

apparaissent généralement plus actifs, plus intelligents et plus audacieux que les femmes et y jouent davantage le rôle de meneurs. Toutefois, la télévision présente de plus en plus de séries dramatiques qui brisent ces stéréotypes et mettent en vedette des personnages féminins plus complexes et plus compétents. Quoi qu'il en soit, aux heures de grande écoute, la télévision demeure un média où les hommes prédominent. Aux nouvelles et aux émissions d'information politique, les personnes-ressources consultées sur la plupart des sujets sont beaucoup plus souvent des hommes que des femmes. Les réseaux québécois se démarquent toutefois avec un nombre accru de femmes à la barre des bulletins de nouvelles, des émissions d'affaires publiques et de variétés.

La publicité télévisée a elle aussi tendance à propager les stéréotypes sexuels. Les commerciaux destinés aux jeunes présentent généralement les garçons et les filles dans des rôles sexuels stéréotypés (Pike et Jennings, 2005). La tendance qui s'observe de plus en plus en publicité présente l'homme comme un être maladroit et incapable (Berkowitz, 2006).

Considérant que la majorité des jeunes regardent la télévision plusieurs heures par jour, il n'est pas exagéré de dire que les stéréotypes sexuels qu'elle véhicule jouent un rôle important sur le plan de la socialisation. Heureusement, les télédiffuseurs présentent de moins en moins d'émissions à contenu sexiste, sans doute à cause des pressions incessantes exercées par des groupes voués à la promotion de l'égalité des sexes dans les médias.

La religion

Les religions instituées jouent un rôle prépondérant dans la vie d'un grand nombre de personnes. En dépit de leurs différences doctrinales, la plupart des religions semblent partager les mêmes points de vue en ce qui concerne les rôles sexuels (Eitzen et Zinn, 2000 ; Dawkins, 2006). Tout enfant qui reçoit une instruction religieuse est susceptible d'apprendre à accepter certains stéréotypes sexuels, et les croyants ont tendance à les accepter davantage (Robinson et coll., 2004). Dans les traditions juive, chrétienne et musulmane, ces stéréotypes consacrent la suprématie de l'homme sur la femme, Dieu y étant décrit avec des termes comme «Père», «Lui» ou «Roi» (Dawkins, 2006). L'idée selon laquelle Ève a été créée à partir d'une côte d'Adam est une adhésion claire à l'idée que la femme est inférieure à l'homme.

Il existe en ce moment un mouvement visant à changer la structure traditionnellement patriarcale de la religion dans certains pays. En 2006, Katharine Jefferts Schori a été élue archevêque de l'Église épiscopale des États-Unis, une première dans l'histoire de la communauté épiscopale mondiale (Banerjee, 2006). Geneviève Beney, une femme mariée de 56 ans, a été ordonnée prêtre à Lyon (France), sans l'approbation toutefois du Vatican, qui l'a excommuniée. Les femmes sont de plus en plus présentes dans les séminaires et les facultés de théologie, et leur nombre a plus que doublé parmi les pasteurs protestants. Le nombre de femmes rabbins a également connu une croissance importante dans le judaïsme (Ribadeneira, 1998). Les Églises cherchent de plus en plus à éliminer les propos sexistes dans leurs discours comme dans leurs écrits (Gorski, 2002).

Nous voyons donc que la famille, les amis, l'école et les manuels scolaires, la religion et la télévision (ainsi que les autres médias, que ce soit le cinéma, les magazines ou la musique populaire) contribuent souvent à transmettre et à renforcer les stéréotypes sexuels. Tout le monde est affecté à divers degrés au conditionnement des rôles sexuels et nous pourrions discuter longuement de la façon dont ce processus freine le développement optimal de chaque personne. Cependant, comme cet ouvrage traite de sexualité, nous allons plutôt, dans les lignes qui suivent, aborder la question de l'impact du conditionnement aux stéréotypes sexuels sur la vie sexuelle.

L'impact, sur nos sexualités, des attentes liées aux rôles sexuels

Les attentes liées aux rôles sexuels exercent une profonde influence sur la sexualité. La façon de concevoir l'homme et la femme ainsi que les croyances sur les comportements appropriés pour chaque sexe peuvent avoir un impact sur plusieurs aspects de la vie sexuelle. Le regard que porte une personne sur elle-même en tant qu'être sexué, ses attentes en ce qui a trait aux relations intimes, sa perception de la qualité de telles expériences de même que la réponse des autres à sa sexualité peuvent être influencés de façon appréciable par son identification en tant qu'homme ou femme.

Dans les pages qui suivent, nous analysons quelques stéréotypes de rôles sexuels et leurs effets potentiels sur les relations entre les sexes. Nous ne prétendons pas que seuls les couples hétérosexuels sont touchés par ces idées reçues. Les stéréotypes sexuels peuvent avoir une influence sur tout un chacun, peu importe l'orientation sexuelle, bien que les couples homosexuels puissent en être affectés de façon différente.

L'homme est sursexualisé, la femme est sous-sexualisée

Dans les sociétés occidentales, on a longtemps cru, à tort, que l'appétit sexuel des femmes était moins grand que celui des hommes. Même si ce stéréotype est de moins en moins ancré, il exerce toujours une influence sur un grand nombre de femmes. Comment une femme peut-elle se montrer attirée sexuellement ou rechercher son plaisir de façon active si elle croit qu'elle n'est pas

censée avoir de besoins sexuels? Certaines femmes, croyant qu'elles ne devraient pas être facilement excitées sexuellement, ont tendance à bloquer ou à dissimuler des réactions tout à fait normales.

Le stéréotype de l'hypersexualité masculine peut nuire à l'homme. Celui qui n'est pas immédiatement excité par une personne qu'il perçoit comme attirante ou disponible peut se sentir médiocre. Après tout, ne devrait-il pas être prêt lorsque se présente l'occasion d'avoir une relation sexuelle? Un tel stéréotype est dévalorisant pour l'homme et le réduit à une pure machine réagissant instantanément lorsqu'on appuie sur un bouton. Les hommes expriment fréquemment leur frustration et leur perplexité à ce sujet, comme le montre le témoignage suivant.

> Quand je sors avec une femme pour la première fois, je ne sais plus trop comment aborder la question du sexe. Je me sens poussé à poser des gestes, même si je n'ai pas nécessairement envie de le faire. N'est-ce pas ce à quoi s'attend une femme? Si je n'essaie rien, elle croira peut-être qu'il y a quelque chose qui cloche. Je me sens presque tenu de fournir des explications si je ne suis pas intéressé à faire l'amour. En général, il est plus simple de poser un geste et de la laisser décider. (Notes des auteurs)

Visiblement, cet homme se sent obligé de rechercher une relation sexuelle. Le stéréotype voulant que l'homme doive faire les premiers pas pour avoir une relation sexuelle peut être angoissant autant pour l'homme que pour la femme, comme nous allons le voir dans les lignes qui suivent.

L'homme prend l'initiative, la femme réagit

Selon la division traditionnelle des rôles sexuels dans notre société, il appartient à l'homme de prendre l'initiative en matière de relations intimes (que ce soit pour inviter l'autre à une première sortie ou pour poser les premiers gestes de nature sexuelle) et à la femme d'y répondre en acceptant ou en repoussant ses avances. Comme le révèle le commentaire ci-dessous, cela peut représenter un fardeau pour l'homme et exercer sur lui une pression indue.

> Les femmes devraient faire l'expérience de l'angoisse que cela provoque. Je suis fatigué d'être celui qui fait la proposition, étant donné qu'il existe toujours la possibilité d'un refus. (Notes des auteurs)

Une femme qui se sent obligée d'accepter le rôle passif peut éprouver de la difficulté à prendre l'initiative d'une rencontre sexuelle. Il peut être encore plus difficile pour elle de prendre une part active à l'activité sexuelle. De nombreuses femmes éprouvent de la frustration, du regret et une colère justifiée à l'égard de tels stéréotypes si profondément ancrés dans notre société. Les commentaires suivants, recueillis au cours d'une conversation entre femmes, le reflètent bien.

> J'aime demander à un homme de sortir avec moi et je l'ai souvent fait. Mais il est frustrant de constater que plusieurs d'entre eux tiennent pour acquis que, parce que je prends l'initiative, je ne pense qu'à aller au lit avec eux. (Notes des auteurs)

> Il est difficile pour moi de laisser savoir à mon homme ce que je voudrais qu'il me fasse quand nous faisons l'amour. Après tout, il est censé savoir, n'est-ce pas ? Si je le lui dis, c'est comme si j'usurpais son rôle de « celui qui sait tout ». (Notes des auteurs)

L'homme propose, la femme dispose

De nombreuses femmes grandissent avec l'idée que les hommes ne pensent qu'au sexe. Il devient alors tout à fait logique pour elles de contrôler ce qui se passe au cours de la relation sexuelle. Il ne s'agit pas ici de prendre l'initiative de certaines activités, ce qu'elles considèrent comme la prérogative de l'homme, celui qui agit. La femme se sent plutôt dans l'obligation de freiner les ardeurs de son partenaire et de veiller à ce qu'il ne l'entraîne pas dans des activités répréhensibles. Ainsi, au lieu de jouir du fait qu'il lui caresse les seins, elle se concentrera sur la façon de l'empêcher de toucher son sexe. Cette préoccupation pour le contrôle peut être très présente chez les adolescentes qui sortent avec des garçons. Il n'est donc pas surprenant qu'une femme qui passe une bonne partie de son temps à contrôler l'activité sexuelle puisse éprouver de la difficulté à prendre conscience de ses besoins lorsqu'elle consent finalement à abandonner ce rôle.

Les hommes, quant à eux, sont souvent conditionnés à considérer les femmes comme des défis sexuels et cherchent à aller aussi loin qu'ils le peuvent lors d'une relation sexuelle. Eux aussi peuvent éprouver de la difficulté à apprécier la joie d'être près d'une personne et de la toucher, préoccupés qu'ils sont par ce qu'ils vont faire ensuite. Les hommes qui ne font que répéter ce modèle de relation auront du mal à abandonner leur rôle actif et à se montrer plus réceptifs au cours d'une relation sexuelle. Ils peuvent se sentir déstabilisés par une femme qui décide d'inverser les rôles et de prendre l'initiative.

L'homme est fort et maître de soi, la femme est bienveillante, dévouée et pas très sexuelle

Un des stéréotypes sexuels les plus néfastes est sans doute celui qui veut que l'expression des émotions, de la tendresse et du dévouement soit l'apanage de la femme (Plant et coll., 2000). Bien qu'il ait été écrit il y a plus d'un siècle, un poème du Prix Nobel de littérature Rudyard Kipling à son fils exprime très bien ce que cela signifie. En voici un extrait :

Si tu peux voir détruit l'ouvrage de ta vie
Et sans dire un seul mot te mettre à rebâtir
Ou perdre en un seul coup le gain de cent parties
Sans un geste et sans un soupir ;
Si tu peux être amant sans être fou d'amour,
Si tu peux être fort sans cesser d'être tendre,
Et, te sentant haï, sans haïr à ton tour,
Pourtant lutter et te défendre ;

Si tu peux supporter d'entendre tes paroles
Travesties par des gueux pour exciter des sots,
Et d'entendre mentir sur toi leurs bouches folles
Sans mentir toi-même d'un seul mot ;

[...]

Si tu sais méditer, observer et connaître,
Sans jamais devenir sceptique ou destructeur ;
Rêver, sans laisser ton rêve être ton maître,
Penser sans n'être qu'un penseur ;
Si tu peux être dur sans jamais être en rage,
Si tu peux être brave sans jamais être imprudent,
Si tu sais être bon, si tu sais être sage,
Sans être moral ni pédant ;

Si tu peux rencontrer Triomphe après Défaite
Et recevoir des deux menteurs d'un même front,
Si tu peux conserver ton courage et ta tête
Quand tous les autres les perdront,
Alors les Rois, les Dieux, la Chance et la Victoire
Seront à tout jamais tes esclaves soumis,
Et, ce qui vaut mieux que les Rois et la Gloire,
Tu seras un homme, mon fils !

(Traduction André Maurois, 1918.)

Les hommes apprennent souvent à taire leurs émotions. Un homme qui cherche à paraître fort peut éprouver de la difficulté à se montrer vulnérable, à exprimer des sentiments profonds et des doutes. Il peut être extrêmement difficile pour un homme conditionné de la sorte de développer des relations intimes satisfaisantes. Par exemple, s'il croit qu'il ne peut afficher ses émotions, il peut tenter d'aborder la sexualité comme une activité purement physique où les émotions n'ont pas leur place. L'expérience qui en résultera pourra être très limitée et laisser les deux parties insatisfaites. Les femmes réagissent souvent de façon négative lorsqu'elles décèlent ce comportement chez un homme, car elles accordent généralement beaucoup d'importance à la franchise et à la volonté d'exprimer ses émotions dans une relation. Il faut se rappeler cependant que de nombreux hommes doivent, lorsqu'ils tentent d'exprimer des émotions enfouies depuis longtemps, lutter contre un conditionnement machiste qui leur a été imposé dès l'enfance (Tremblay et L'Heureux, 2010). Ils peuvent nier leur implication affective, mais il y en a toujours une dans le besoin d'être reconnu que demande généralement le désir sexuel. Éduqués selon les stéréotypes, ces hommes ne peuvent voir une femme que si elle se conforme à ceux-ci, autrement soit ils l'ignorent, soit ils la rejettent ou la dénigrent (Goldberg, 1990).

Les femmes, quant à elles, peuvent se sentir fatiguées de jouer le rôle de la personne dévouée, surtout quand leurs efforts ne rencontrent que peu ou pas d'écho. Celles qui ont été éduquées selon les stéréotypes, à l'inverse des hommes machistes, peuvent se refuser à tout contact sexuel en dehors d'un engagement amoureux, même si elles en ressentent plus ou moins clairement le désir (Goldberg, 1990). En l'absence d'un modèle masculin différent de celui qu'elles ont appris à reconnaître comme le bon modèle, ces femmes peuvent faire preuve d'ambivalence envers les hommes en souhaitant un compagnon imperméable au doute et à la peur pour mieux les protéger, mais aussi capable de tendresse et de vulnérabilité dévoilée (Goldberg, 1990).

Nous avons vu comment la stricte adhésion aux stéréotypes sexuels traditionnels peut limiter et restreindre l'expression de la sexualité. Cet héritage peut s'exprimer de façon plus subtile aujourd'hui, mais les attentes liées aux rôles masculins et féminins empêchent souvent les gens de grandir et d'être eux-mêmes avec les autres. Même si de plus en plus de personnes sont en rupture avec ces rôles stéréotypés et apprennent à s'accepter et à s'exprimer plus librement, on ne peut sous-estimer l'influence qu'exercent encore les rôles attribués à chaque sexe dans notre société.

De nombreuses personnes tentent maintenant d'intégrer à leur façon de vivre des comportements à la fois masculins et féminins. Cette tendance, souvent appelée *androgynie*, fait l'objet de la dernière partie de ce chapitre.

Au-delà des rôles sexuels : l'androgynie

Le mot **androgyne**, signifiant « qui possède les caractéristiques des deux sexes », est dérivé des racines grecques *andros*, qui veut dire « homme », et *gunê*, qui veut dire « femme ». Ce terme est utilisé pour traduire une certaine flexibilité dans les rôles sexuels. Les personnes androgynes ont intégré des aspects masculins et féminins à leur personnalité et à leur comportement. L'androgynie permet d'adopter le comportement qui semble le plus indiqué dans une situation plutôt que celui prescrit par le rôle sexuel stéréotypé. Ainsi, les androgynes peuvent faire preuve d'assurance au travail, mais être dévoués envers leurs amis, leur famille ou les gens qu'ils aiment. De nombreuses personnes présentent des caractéristiques correspondant aux scénarios de genre traditionnels tout en ayant des champs d'intérêt et des comportements généralement attribués au sexe opposé. En fait, il existe toutes les nuances chez les humains, depuis les individus très masculins ou très féminins jusqu'à ceux pouvant être à la fois masculins et féminins, c'est-à-dire androgynes.

La psychologue sociale Sandra Bem (1975, 1993) a développé un inventaire papier-crayon pour mesurer chez des individus leur degré de comportements masculins ou féminins, ou une combinaison des deux. D'autres outils semblables ont été conçus par la suite (Spence et Helmreich, 1978). À l'aide de ces nouveaux instruments de mesure de l'androgynie, des chercheurs ont étudié comment les androgynes se comparent avec les personnes fortement stéréotypées. Un certain nombre d'études indiquent que les androgynes démontrent plus de souplesse dans leurs comportements, sont moins prisonniers des stéréotypes, ont une plus grande estime d'eux-mêmes, prennent de meilleures décisions lorsqu'ils sont dans un groupe, ont de meilleures habiletés de communication, de plus grandes aptitudes sociales et sont plus motivés à réussir que les personnes fortement stéréotypées (Hirokawa et coll., 2004 ; Kirchmeyer, 1996 ; Shimonaka et coll., 1997). La recherche montre que les androgynes des deux sexes sont plus indépendants et moins susceptibles de se laisser influencer que les personnes qui se conforment étroitement au rôle féminin (Bem, 1975). En fait, l'androgynie comme une forte masculinité semblent favoriser une meilleure capacité d'adaptation pour les deux sexes, et ce, à tout âge (Sinnott, 1986). Par contre, les femmes et les androgynes des deux sexes seraient significativement plus dévoués que les hommes dits masculins (Bem, 1993 ; Ray et Gold, 1996).

Les recherches sur l'androgynie se poursuivent et il serait certainement hâtif de ne trouver que des avantages à ce style de comportement. Les données recueillies à ce jour laissent néanmoins penser que les personnes qui arrivent à transcender les rôles sexuels traditionnels parviennent à mieux fonctionner dans une large palette de situations. Les personnes androgynes peuvent choisir parmi un éventail plus large de comportements masculins et féminins. Ils peuvent ainsi s'affirmer, se montrer autonomes, dévoués ou tendres, non pas en vertu de normes dictées par les rôles sexuels, mais selon ce qui leur procure, à eux et à leurs proches, la plus grande satisfaction personnelle dans une situation donnée.

> **Androgyne**   Personne dont le comportement et la personnalité présentent des caractéristiques connotées masculines ou féminines.

RÉSUMÉ

Homme et femme, masculin et féminin

- Les processus par lesquels sont déterminés la masculinité ou la féminité et la manière dont ils influent sur le comportement, sexuel ou autre, sont d'une grande complexité.

- Le mot *sexe* fait référence à la masculinité ou la féminité biologique telle qu'elle est exprimée par différents attributs physiques (chromosomes, organes sexuels internes et externes, etc.).

- Le sentiment d'appartenance à un sexe est ce sentiment subjectif qu'a chaque individu d'être un homme ou une femme.

- Les rôles sexuels constituent un ensemble d'attitudes et de comportements considérés comme normaux et adéquats pour les personnes appartenant à l'un et à l'autre sexe dans une culture donnée.

- Les scénarios de genre établissent des attentes comportementales selon le sexe ; ces attentes sont définies par la culture et varient donc d'une société à l'autre et d'une époque à l'autre.

Le développement du sentiment d'appartenance à un sexe

- Les recherches menées dans le but d'isoler les nombreux facteurs biologiques influant sur l'identité de genre d'une personne ont permis de dégager six étapes ou niveaux biologiques : le sexe chromosomique (aussi appelé *sexe génétique*), le sexe gonadique, le sexe hormonal, les structures génitales internes, les organes génitaux externes et la différenciation sexuelle du cerveau.

- Dans des conditions normales, ces variables biologiques interagissent de façon harmonieuse afin de déterminer le sexe biologique. Des erreurs peuvent cependant survenir à n'importe lequel des six niveaux. Des irrégularités dans le développement du sexe biologique d'une personne peuvent grandement affecter son sentiment d'appartenance sexuelle.

- Selon la théorie de l'apprentissage social, l'identification aux rôles masculins ou féminins dépend d'abord des influences sociales et culturelles auxquelles une personne est exposée.

- La plupart des théoriciens contemporains ont adopté le modèle interactionnel selon lequel le développement du sentiment d'appartenance à un sexe est le résultat d'une interaction complexe entre des facteurs liés à l'apprentissage social et des facteurs d'ordre biologique.

Le transsexualisme et le transgenrisme

- Une personne transsexuelle est celle dont le sentiment d'appartenance sexuelle ne correspond pas à son sexe biologique, et qui se sent comme quelqu'un de l'autre sexe.

- Le terme *transgenre* désigne généralement les personnes dont l'apparence et les comportements ne correspondent pas à ceux que la société assigne à un sexe donné.

- La majorité des personnes transsexuelles sont hétérosexuelles. La communauté transgenre, plus bigarrée, compte des gais, des lesbiennes, des bisexuels et des hétérosexuels.

- La communauté scientifique n'a pas dégagé de consensus sur les causes et les meilleurs traitements du transsexualisme. Certains transsexuels ont recours à la chirurgie pour que leur sexe anatomique soit conforme à leur sentiment d'appartenance sexuelle.

Les rôles sexuels

- Une fois qu'ils sont largement acceptés, les scénarios de genre se transforment en stéréotypes, c'est-à-dire des idées préconçues basées non pas sur l'individualité de chacun, mais plutôt sur l'appartenance à un groupe plus vaste défini par l'âge, le sexe, etc.

- De nombreux stéréotypes sexuels amènent les gens à entretenir des préjugés à l'égard des autres et restreignent leurs possibilités.

- La socialisation est le processus par lequel la société transmet à ses membres ses attentes en matière de comportements. Les parents, les pairs, la télévision, la religion et l'école contribuent tous à la transmission des stéréotypes sexuels.

- Les attentes liées aux rôles sexuels exercent une influence profonde sur la sexualité. La manière dont une personne s'affirme en tant qu'être sexué, ses attentes à l'égard des relations intimes, sa perception de la qualité de ces expériences ainsi que les réactions des autres à sa sexualité sont toutes grandement influencées par la façon dont elle perçoit les rôles sexuels.

- Les androgynes ont fait éclater le cadre des stéréotypes sexuels traditionnels en intégrant à leur façon de vivre des aspects à la fois masculins et féminins.

Les orientations sexuelles

5

CHAPITRE

Le présent chapitre traite de l'orientation sexuelle, c'est-à-dire du choix d'un partenaire. Nous commençons par un examen de l'éventail des orientations sexuelles, puis nous présentons les théories et les résultats des recherches sur les facteurs déterminants de ces orientations. D'importantes questions d'attitudes sociétales sont soulevées, suivies d'informations sur les styles de vie des gais et des lesbiennes.

Un continuum d'orientations sexuelles

Nous commençons ce chapitre par une présentation du continuum homosexualité – bisexualité – hétérosexualité. *Homosexualité, bisexualité, hétérosexualité* et *asexualité* sont des termes qui désignent l'orientation sexuelle d'une personne, c'est-à-dire le sexe vers lequel elle est attirée. L'attirance exclusive et durable entre des personnes de même sexe est une orientation homosexuelle ; les mots *gais* et *lesbiennes* sont couramment utilisés pour désigner, dans cet ordre, les hommes et les femmes homosexuels. L'attirance exclusive et durable entre des personnes de sexes différents est une orientation hétérosexuelle, aussi désignée par le terme américain *straight*. La bisexualité renvoie à un degré d'attirance pour des personnes de l'un ou l'autre sexe. Pour être complètes, ces définitions doivent inclure l'attirance érotique, les comportements sexuels, l'affectivité relationnelle et une définition de soi (Diamond, 2003). Quant à l'**asexualité**, elle désigne l'absence d'attirance sexuelle envers qui que ce soit, quel que soit son sexe. Comme l'orientation sexuelle n'est qu'un des aspects de la vie d'une personne, il importe de souligner que nous utilisons ces quatre termes en tant qu'éléments descriptifs d'une partie de la personne plutôt que comme des termes définissant son identité entière.

Orientation sexuelle Attirance sexuelle envers des personnes de son propre sexe (homosexualité), de l'autre sexe (hétérosexualité) ou des deux sexes (bisexualité), ou absence d'attirance sexuelle (asexualité).

Bisexualité Attirance sexuelle envers les hommes et les femmes.

Asexualité Absence d'attirance sexuelle pour l'un ou l'autre des deux sexes.

L'homosexualité, la bisexualité et l'hétérosexualité forment un vaste spectre ou continuum. La figure 5.1 présente les sept catégories du continuum qu'Alfred Kinsey a établi pour analyser les orientations sexuelles au sein de la société américaine (Kinsey et coll., 1948). L'échelle va de 0 (contact et attirance exclusivement hétérosexuels envers les personnes de l'autre sexe) à 6 (contact et attirance exclusivement homosexuels). Entre les deux pôles prennent place différents degrés d'orientations et d'expériences homosexuelles et hétérosexuelles ; la catégorie 3 renvoie à une attirance et à une expérience à la fois homosexuelles et hétérosexuelles. L'échelle de Kinsey ne tient pas compte de l'asexualité dont nous parlons dans la prochaine section.

L'asexualité

Selon le site Web aven-fr (Asexual Visibility and Education Network), une personne asexuelle ne ressent pas de désir sexuel. À la différence du célibat, qui peut relever d'un choix personnel, l'asexualité est une partie intrinsèque de ce que nous sommes (Asexual Visibility and Education Network, 2009). La plupart des hommes et des femmes asexuels l'ont été toute leur vie. Bien qu'ils n'éprouvent pas d'attirance sexuelle pour autrui, leur intérêt s'exprime sous forme d'amitié, d'affection et de compagnonnage et même par le mariage (Jay, 2005). *Asexual and Proud!* (Asexuel et fier de l'être !) est une communauté Myspace dont le but est d'aider les personnes asexuelles à établir des liens avec d'autres personnes dans le même cas (Mar, 2007).

L'asexualité n'a pas fait l'objet de nombreuses études. L'une d'elles, menée auprès de 18 000 personnes en Grande-Bretagne, a révélé que 1 % des répondants étaient asexuels (Bogaert, 2004). Une autre étude a montré que 73 % des personnes qui se disent asexuelles n'ont jamais eu de relation sexuelle. La majorité d'entre elles (80 % des hommes et 77 % des femmes) ont dit se masturber, mais ne ressentent aucun intérêt pour une expression sexuelle à deux. La plupart des répondants ont indiqué ne ressentir aucune détresse par rapport à leur asexualité (Knudson et coll., 2007).

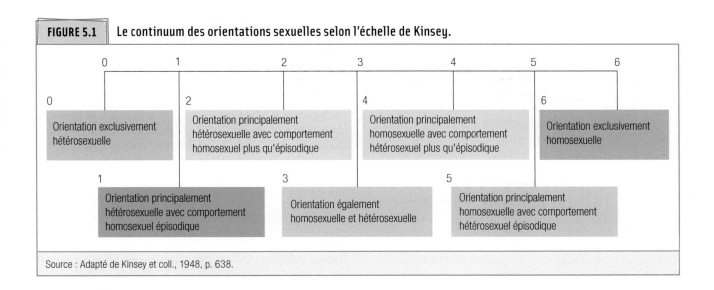

FIGURE 5.1 | Le continuum des orientations sexuelles selon l'échelle de Kinsey.

| 0 | 1 | 2 | 3 | 4 | 5 | 6 |

0 Orientation exclusivement hétérosexuelle

1 Orientation principalement hétérosexuelle avec comportement homosexuel épisodique

2 Orientation principalement hétérosexuelle avec comportement homosexuel plus qu'épisodique

3 Orientation également homosexuelle et hétérosexuelle

4 Orientation principalement homosexuelle avec comportement hétérosexuel plus qu'épisodique

5 Orientation principalement homosexuelle avec comportement hétérosexuel épisodique

6 Orientation exclusivement homosexuelle

Source : Adapté de Kinsey et coll., 1948, p. 638.

Question d'analyse critique

Où vous situeriez-vous selon l'échelle de Kinsey ?

La bisexualité

Les paramètres de la bisexualité sont difficiles à établir. Jusqu'à maintenant, il n'existe aucun consensus scientifique ou populaire sur la gamme d'expériences qui qualifient une personne d'homosexuelle, de bisexuelle ou d'hétérosexuelle plutôt que simplement curieuse, désorientée ou en train d'expérimenter (Diamond, 2008a). Une personne qui fantasme sur des partenaires de son sexe, mais qui n'a des relations sexuelles qu'avec des personnes de l'autre sexe est-elle bisexuelle ? L'adolescent qui, durant son passage au pensionnat, a eu des expériences sexuelles avec d'autres garçons, mais uniquement des relations hétérosexuelles par la suite est-il bisexuel ? Et ces femmes mariées qui se découvrent après des années une puissante attirance envers d'autres femmes, sont-elles bisexuelles ou ont-elles toujours été des lesbiennes qui s'ignoraient ?

Malgré la prévalence du nombre de personnes qui ont ressenti un quelconque degré d'attirance envers les deux sexes ou qui ont eu une activité avec les deux sexes, la plupart d'entre elles ne s'identifient pas comme bisexuelles (Fairyington, 2008). Même chez les personnes qui se reconnaissent bisexuelles, leur orientation est souvent ignorée des autres parce que la vision dominante est qu'une personne est soit homosexuelle, soit hétérosexuelle, selon le sexe de sa ou de son partenaire du moment (Plato, 2008). Pour les besoins de cet exposé, nous incluons dans les paramètres de la bisexualité les

personnes qui ont une attirance sexuelle, éprouvent de l'excitation ou ont des expériences sexuelles non exclusivement hétérosexuelles ou homosexuelles, et ce, qu'elles se considèrent comme bisexuelles ou non.

Une importante enquête américaine, menée auprès de 3645 personnes, laisse penser que l'orientation sexuelle se manifeste différemment chez les femmes et les hommes, ces derniers étant davantage polarisés dans leur attirance par un sexe ou l'autre (Lippa, 2006). En effet, l'enquête révèle que la pulsion sexuelle des hommes hétérosexuels est associée à une forte attirance pour des personnes de sexe opposé uniquement, tandis que chez les femmes hétérosexuelles, cette même pulsion serait davantage associée à une attirance indifférenciée pour l'un ou l'autre sexe. Dans le même esprit, la libido des hommes homosexuels est associée à une attirance exclusive à l'égard des hommes, tandis qu'un bon nombre de femmes homosexuelles expriment une libido associée à une attirance pour les deux sexes. Les femmes homosexuelles qui rapportent une attirance exclusive pour les femmes, donc plus typiquement reliée à leur orientation sexuelle, seraient également celles qui adoptent le plus de stéréotypes masculins.

Les hommes et les femmes se distingueraient également quant à leurs pratiques bisexuelles. Ainsi, aux États-Unis, sur une période de 10 ans, le nombre de femmes qui rapportent avoir eu au moins une expérience sexuelle avec une autre femme a triplé, passant de 4 à 11 %. De leur côté, les hommes n'affichent pas de réels changements : 6 % déclarent avoir eu au moins une expérience sexuelle avec un autre homme au cours de la décennie précédente, ce qui représente une hausse de 1 % en 10 ans (Jones, 2006). Ces chiffres contrastent avec ceux obtenus en France, où 4 % des femmes et 4,1 % des hommes ont rapporté avoir eu au moins un rapport homosexuel durant leur vie, bien qu'on observe aussi une augmentation chez les femmes par rapport au taux de 2,6 % en l992 (Bajos et Bozon, 2008). Cette différence internationale semble indiquer que la culture ambiante joue un rôle significatif.

Dans la même veine que les études présentées ci-dessus, d'autres données de recherche indiquent que les femmes s'identifiant comme hétérosexuelles ou homosexuelles peuvent ressentir une plus grande variété de formes d'attirance et d'excitation sexuelle que celles dont elles ont conscience. Une recherche en laboratoire a permis d'observer les réactions d'excitation sexuelle physiques et subjectives chez des hommes et des femmes qui regardaient différentes scènes de films : des relations sexuelles hétérosexuelles, gaies et lesbiennes, un homme se masturbant, une femme se masturbant puis des singes bonobos s'accouplant. Pendant le visionnement de chaque extrait, les sujets devaient évaluer leur niveau d'excitation subjective à l'aide d'un clavier. En même temps, les chercheurs mesuraient l'excitation génitale des participantes au moyen d'un dispositif de la taille d'un tampon hygiénique qui détectait l'engorgement sanguin et la lubrification ainsi produite ; pour les hommes, un appareil mesurait le degré de tumescence (érection) pénienne (voir la figure 1.4, à la page 25). L'étude a montré que les femmes, peu importe leur orientation sexuelle déclarée, présentaient une excitation génitale variable devant chaque extrait, y compris celui des bonobos s'accouplant. Or, selon l'évaluation subjective de leur excitation, les femmes ont indiqué n'être excitées que par les scènes correspondant à l'orientation sexuelle qu'elles avaient déclarée : les hétérosexuelles se sont dites excitées uniquement par les scènes hétérosexuelles, et les lesbiennes, que par les scènes montrant deux femmes ensemble ou se masturbant. Par contre, les hommes gais et hétérosexuels se sont dits excités par les extraits qui les ont fait réagir physiquement. En outre, les sources d'excitation correspondaient à l'orientation sexuelle des hommes : les homosexuels n'ont été excités que par les interactions entre hommes et les hétérosexuels ne l'ont été que par les scènes entre un homme et une femme et celles montrant deux femmes ensemble (Chivers et Bailey, 2005). Ces données concordent avec les résultats d'une autre étude canadienne sur ce qui pourrait s'appeler la «congruence psychophysiologique» de l'excitation sexuelle, c'est-à-dire le niveau de concordance entre ce que montrent les mesures d'excitation physiologiques et l'excitation sexuelle que disent ressentir les personnes. Cette concordance est plus marquée chez les hommes que chez les femmes (Suschinsky et Lalumière, 2012).

Une autre étude comparant les réactions d'excitation génitale des hommes se disant bisexuels avec celles d'hétérosexuels et celles d'homosexuels confirme la cohérence entre la subjectivité et les mesures physiologiques de l'excitation. Les hommes se déclarant bisexuels ont réagi plus fortement devant des scènes montrant des relations sexuelles entre hommes que ne l'ont fait les hétérosexuels devant les mêmes scènes. Par ailleurs, leur excitation devant des scènes sexuelles montrant des femmes était plus forte que ne l'était celle des hommes homosexuels. Cela correspondait à la fois aux mesures extérieures et au sentiment d'excitation. L'étude indique toutefois une certaine réactivité, quoique faible, des hommes hétérosexuels envers d'autres hommes, ce qui semble dire qu'il y aurait une base de bisexualité chez les hétérosexuels (Rieger et coll., 2005).

Les études qui tendent à démontrer que les femmes manifestent une orientation (ou attirance) sexuelle plus flexible que celle des hommes donnent lieu à des hypothèses biologiques et socioculturelles (Lippa, 2006). Selon des hypothèses biologiques, le taux d'androgènes présents chez les fœtus mâles contribuerait à masculiniser davantage les structures neurologiques de l'homme, ce qui favoriserait l'émergence d'une certaine stéréotypie dans ses comportements sexuels. Il n'y aurait pas d'équivalent neurologique aussi marqué chez les fœtus femelles (Hines, 2004). Par ailleurs, les théories socio-environnementales et celles de l'apprentissage social avancent plutôt que dans nombre de cultures, l'éducation des garçons est plus binaire que celle des filles. Ainsi, on réprime bien plus des comportements féminins chez les garçons qu'on ne le fait pour des comportements masculins chez les petites filles. La forte pression sociale qui s'exerce sur les garçons afin qu'ils adoptent les stéréotypes liés à leur sexe les inciterait à supprimer toute attirance pour des personnes de leur sexe (Lippa, 2006).

La fluidité sexuelle

L'échelle de Kinsey peut donner la fausse impression que toutes les personnes ont une orientation sexuelle stable et immuable alors qu'en fait, les tendances dans le temps la déterminent avec plus de précision qu'un moment précis de la vie (Baumgartner, 2007). La chercheuse et psychologue Lisa Diamond (2008a) utilise l'expression fluidité sexuelle pour rendre compte des variations d'attractions et de comportements sexuels envers son propre sexe et l'autre sexe à divers moments et dans diverses situations de la vie. Sa recherche montre que, pour certaines femmes, l'identité sexuelle et le sexe biologique des partenaires sexuels choisis peuvent varier dans le temps et connaître des transitions inattendues. Chez les hommes, la fluidité sexuelle est moins fréquente. Les scientifiques s'entendent généralement pour expliquer ces différences entre hommes et femmes par des

Fluidité sexuelle Variabilité dans l'investissement et l'attirance envers des personnes de son sexe et du sexe opposé à différentes périodes et situations de la vie.

variations dans les trajectoires de développement biologique (Diamond, 2008a), comme nous le voyons plus loin dans ce chapitre. On ignore dans quelle mesure la stigmatisation de l'homosexualité masculine, plus forte que celle de l'homosexualité féminine, est susceptible de restreindre la fluidité sexuelle masculine, mais il s'agit peut-être d'une variable importante.

Certaines femmes n'ayant jamais eu de relations homosexuelles peuvent développer une relation d'intimité sexuelle avec une autre femme à un certain moment de leur vie adulte. Lorsque de telles relations surviennent chez des personnalités importantes de l'industrie du divertissement, elles font l'objet de beaucoup de publicité. Pensons notamment à la conjointe de la chanteuse Melissa Etheridge, Julie Cypher, qui a quitté son mari pour cette nouvelle union ; de même, l'actrice Anne Heche et l'humoriste Ellen DeGeneres ont eu une relation qui a duré deux ans. Au terme de ces unions, Cypher et Heche ont chacune entrepris une relation avec un homme. Cependant, plusieurs femmes continuent d'avoir des relations avec d'autres femmes après une première relation homosexuelle, comme en témoigne cet exemple.

> J'ai mené une vie traditionnelle avec un mari, deux enfants et des activités communautaires. Ma meilleure amie et moi étions très actives au sein de l'association de parents et d'enseignants. À notre grande surprise, nous sommes devenues amoureuses. Nous avons gardé notre relation secrète au début et avons continué à mener nos vies de femmes mariées. Puis, nous avons toutes deux divorcé et nous sommes parties pour commencer une nouvelle vie ensemble. La meilleure image de notre situation est qu'avant la vie était comme une télé en noir et blanc, alors que maintenant elle est en couleurs. (Notes des auteurs)

Inversement, des femmes qui s'identifiaient elles-mêmes comme lesbiennes développent à l'âge adulte des relations avec des hommes. La chanteuse féministe Holly Near de même que JoAnn Loulan, une activiste lesbienne de longue date et auteure du livre *Lesbian Sex*, ont été des figures de proue de la communauté gaie pendant des années avant d'entreprendre des relations avec des hommes. Il est fréquent qu'une femme s'engage avec un homme après avoir été identifiée comme lesbienne ; on donne parfois à ces femmes le nom de « hasbienne », formé à partir des mots *has been* et *lesbienne* (Diamond, 2008a ; White, 2003 ; Chaumont, 2012).

Une recherche récente menée par Lisa Diamond montre des résultats étonnants. Diamond a suivi pendant 10 ans près de 80 femmes âgées de 18 à 25 ans. Au début de l'étude, elles vivaient toutes une relation avec une autre femme et se disaient lesbiennes, bisexuelles ou sans étiquette. À la fin de l'étude, un tiers environ se disaient

Une étude a révélé que tant les femmes hétérosexuelles que les femmes homosexuelles ont ressenti une excitation génitale en regardant des vidéos de singes bonobos en train de copuler, mais seulement lorsqu'elles voyaient une activité sexuelle compatible avec leur orientation. Il peut être intéressant de noter que, comme le montre cette photo, les bonobos sont les seuls autres animaux, avec les humains, à copuler en position du missionnaire.

toujours lesbiennes et en quête de relations sexuelles avec d'autres femmes. Toutes les autres, qui s'étaient déclarées lesbiennes, bisexuelles ou sans étiquette au début de l'étude, avaient changé de statut au moins une fois durant les 10 années de la recherche. Soulignons que ces changements étaient variés : de lesbienne à bisexuelle ou sans étiquette, de bisexuelle à lesbienne ou sans étiquette, de sans étiquette à bisexuelle ou lesbienne et, dans certains cas, de lesbienne, bisexuelle ou sans étiquette à hétérosexuelle. Certaines invoquèrent une attirance sexuelle ou amoureuse envers un homme ou une relation avec un homme pour justifier leur changement d'orientation. En revanche, les femmes qui se sont tournées vers les hommes ont conservé le même degré d'attirance pour les femmes qu'au début de l'étude (Diamond, 2008a).

L'homosexualité

> Ma vie de jeune lesbienne a été très différente de celle des jeunes lesbiennes d'aujourd'hui. Dans le temps, personne de mon entourage ne parlait d'homosexualité et je sortais avec des garçons pour faire comme mes amies. J'avais la jeune trentaine lors de ma première expérience sexuelle avec une autre femme et, malgré le bonheur de cette rencontre, je ne me croyais pas lesbienne. Il m'a fallu encore

plusieurs années avant de m'identifier comme telle et d'avoir des amis homosexuels autres que ma partenaire. Les lesbiennes d'aujourd'hui sont mieux renseignées et disposent de modèles positifs. Ça les aide à se comprendre et à s'accepter. Mais elles sont également la cible de la réaction conservatrice des opposants au mouvement gai. De mon temps, parce que l'homosexualité était taboue, les gens préféraient fermer les yeux, et ça protégeait considérablement notre droit à l'intimité et à la vie privée. Nous n'avons jamais connu le harcèlement, la violence et l'activisme homophobe qu'on rencontre aujourd'hui. (Notes des auteurs)

Selon les données de Kinsey, la catégorie exclusivement homosexuelle comprenait 2 % de femmes et 4 % d'hommes. Ces évaluations datent, cependant, et elles ont été critiquées. Plus récemment, l'enquête NHSLS a révélé des taux un peu moins élevés, soit 1,4 % de femmes et 2,8 % d'hommes qui se disent homosexuels (Laumann et coll., 1994). La figure 5.2 indique à quel âge les personnes ont ressenti pour la première fois une attirance pour quelqu'un de leur sexe.

Le mot gai est un synonyme courant d'*homosexuel*. À l'origine, c'était un mot de reconnaissance utilisé entre homosexuels et, dans l'usage populaire, il en est venu à désigner tant les femmes et les hommes homosexuels que les questions sociales et politiques relatives à l'orientation homosexuelle. Il a aussi été récupéré, surtout par les ados, qui l'emploient péjorativement dans des expressions du genre «C'est tellement gai!»

(Caldwell, 2003b ; Charlebois, 2011). On désigne souvent les femmes homosexuelles par le mot lesbiennes. Les termes péjoratifs *pédé*, *fifi*, *tapette*, *homo*, *pédale*, *tante*, *gouine*, *fifine*, *butch* sont aussi traditionnellement utilisés en signe de mépris envers les homosexuels. Dans certaines sous-cultures gaies et lesbiennes, néanmoins, des personnes les emploient entre elles d'une façon complice et humoristique (Bryant et Demian, 1998).

Beaucoup d'hommes et de femmes non hétérosexuels, nés après les années 1970, se désignent eux-mêmes de la «génération *queer*» (ou génération Q) dans leur effort pour désamorcer la charge négative du mot *queer* (mot anglais qui signifie «étrange») et tenter d'estomper les frontières entre les sous-groupes d'hommes gais, de lesbiennes, de personnes bisexuelles et de toute une variété d'individus transgenres appartenant à la «nation *queer*». L'acronyme LGBTQ (lesbienne, gai, bisexuel, transgenre et en questionnement) s'utilise dans les discussions sur les droits civiques pour désigner les personnes non hétérosexuelles (Vary, 2006). Les membres de la «génération Q» se considèrent comme différents, voire étrangers aux gais et lesbiennes de plus de 30 ans, en partie parce qu'ils sont devenus adultes durant la période de mobilisation contre le sida (Nichols, 2000).

Selon la dernière mise à jour de l'enquête de Statistique Canada sur la santé dans les collectivités canadiennes (2011a), le portrait de l'orientation sexuelle des Canadiens

> **Gai** Personne homosexuelle, typiquement un homme.
>
> **Lesbienne** Femme homosexuelle.

FIGURE 5.2 Les jeunes gais et lesbiennes des années 1990 ont ressenti leur première attirance pour une personne de leur sexe quatre ou cinq ans plus tôt que les jeunes des années 1960.

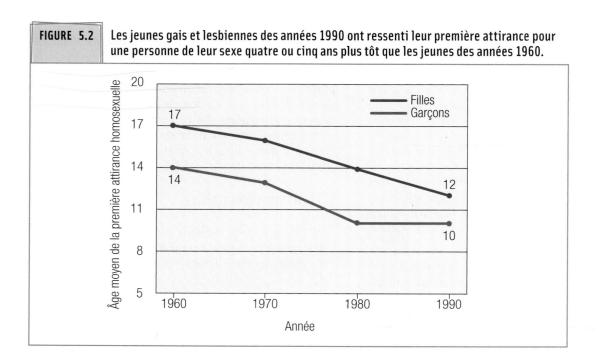

et Canadiennes se présenterait comme suit: «Dans l'ensemble, 1,1 % des Canadiens âgés de 18 à 59 ans ont déclaré qu'ils se considéraient comme des homosexuels, et 0,9 %, comme des bisexuels. Environ 1,3 % des hommes se considéraient comme des homosexuels, soit près du double de la proportion des femmes (0,7 %). Cependant, 0,9 % des femmes se sont déclarées bisexuelles, une proportion légèrement supérieure à celle des hommes (0,6 %).» D'autre part, pour ce qui est des jeunes, l'étude du Conseil des ministres de l'Éducation du Canada sur les jeunes, la santé sexuelle, le VIH et le sida au Canada révèle que parmi les élèves de 1re, 3e et 5e secondaire, moins de 3 % répondent qu'ils sont attirés par des personnes de leur sexe. D'autre part, 9 % des élèves de 1re secondaire et moins de 2 % des élèves de 3e et 5e secondaire déclarent n'être attirés ni par un sexe ni par l'autre (CMEC, 2003).

Qu'est-ce qui détermine l'orientation sexuelle ?

La croyance préjudiciable voulant que l'hétérosexualité soit «correcte» et l'homosexualité «mauvaise» a malheureusement influencé les recherches sur les causes de l'homosexualité. On a échafaudé de nombreuses théories pour tenter d'expliquer les origines de l'orientation sexuelle, particulièrement de l'homosexualité. Les résultats des recherches sont souvent contradictoires et il n'existe pas, à ce jour, de réponse scientifique concluante à cette question. Ce manque de précision serait largement attribuable aux facteurs physiologiques et environnementaux qui accompagnent le développement de l'orientation sexuelle de chaque personne. Les pages qui suivent présentent quelques théories courantes sur les causes de l'homosexualité et des recherches qui tentent de comprendre les facteurs biologiques influençant l'orientation sexuelle.

Les théories psychosociales

Les théories psychosociales sur le développement de l'orientation homosexuelle renvoient à des expériences de vie, à des modèles parentaux ou à des attributs psychologiques individuels. Le chercheur Alan Bell et ses collègues (1981) ont mené l'étude la plus complète à ce jour sur le développement de l'orientation sexuelle. Ils ont utilisé un échantillon de 979 femmes et hommes homosexuels qu'ils ont jumelé à un groupe témoin de 477 personnes hétérosexuelles. Dans le cadre d'entrevues en tête-à-tête d'une durée de quatre heures, tous les sujets ont été interrogés sur leur enfance, leur adolescence et leurs habitudes sexuelles. Les chercheurs ont

ensuite eu recours à des méthodes statistiques élaborées pour analyser les causes possibles du développement de l'homosexualité ou de l'hétérosexualité. Dans cette partie, nous citons fréquemment cette recherche en raison de son excellente méthodologie.

La théorie du choix par défaut

Certains croient que les expériences hétérosexuelles malheureuses peuvent rendre une personne homosexuelle. Des affirmations telles que «Tout ce qu'une lesbienne a besoin, c'est d'une bonne baise» et «Il n'a pas encore rencontré la femme qui lui convient» reflètent bien l'idée que les personnes n'ayant jamais eu de relations ou d'expériences hétérosexuelles satisfaisantes se rabattent sur l'homosexualité faute de mieux. Contrairement à ce mythe, les données indiquent que l'orientation homosexuelle ne témoigne ni d'un manque d'expérience hétérosexuelle ni d'un bagage d'expériences hétérosexuelles décevantes (Bell et coll., 1981). Bell et ses collègues ont découvert que les sujets homosexuels avaient eu autant de fréquentations durant l'école secondaire que les sujets hétérosexuels. Toutefois, peu de sujets homosexuels déclarèrent avoir apprécié leurs fréquentations hétérosexuelles.

On attribue parfois le lesbianisme à la peur des hommes, ou à une méfiance à leur égard, plutôt qu'à une attirance pour les femmes. Pour se convaincre de l'illogisme de ce raisonnement, il suffit de le retourner et de proposer que l'hétérosexualité féminine découle de la peur des femmes et de la méfiance qu'elles suscitent.

La première exposition muséale sur l'homosexualité chez l'animal a eu lieu en 2006 au Musée d'histoire naturelle d'Oslo, en Norvège. L'homosexualité mâle et femelle a été observée chez plus de 1500 espèces animales, et elle est bien documentée pour 500 d'entre elles. Les girafes, les perroquets, les manchots, les coléoptères et les hyènes adoptent certains des comportements bisexuels observés chez les bonobos, une sorte de chimpanzé qui a des relations sexuelles avec des congénères des deux sexes pour établir des liens sociaux (Doyle, 2006).

Le mythe de la séduction

Certains croient que les jeunes femmes et les jeunes hommes deviennent homosexuels parce qu'ils ont été séduits par des personnes homosexuelles plus âgées, ou qu'ils ont «attrapé» cela de quelqu'un d'autre, généralement une enseignante ou un enseignant que l'élève aime et respecte. Les gens qui jugent que les homosexuels ne devraient pas enseigner (environ 36 % de la population américaine) croient aux mythes de la séduction et de la contagion (Leland, 2000b). Cependant, la recherche déboulonne cette croyance en montrant que l'orientation sexuelle est le plus souvent établie avant l'âge scolaire et que la plupart des homosexuels ont leurs premières expériences sexuelles avec quelqu'un de leur propre groupe d'âge (Bell et coll., 1981).

La théorie psychanalytique de Freud

Une autre théorie répandue a trait à certains modèles d'influence familiale. La théorie psychanalytique met en cause à la fois les expériences de l'enfance et les relations avec les parents : Sigmund Freud (1964 [1905]) soutenait que la relation avec le père et la mère était cruciale à cet effet. Il croyait que dans un développement normal, chaque personne passe par une phase «homoérotique». Il alléguait que les garçons peuvent faire une fixation durant cette phase homosexuelle s'ils ont une piètre relation avec leur père et une relation excessivement étroite avec leur mère ; la même chose pourrait arriver à une fille si elle développait l'envie du pénis (Black, 1994). Or, des gais comme des hétérosexuels ont connu à l'occasion cette dynamique familiale au cours de leur enfance, et de nombreux homosexuels ne l'ont jamais expérimentée. Bell et ses collègues (1981) en conclurent que, malgré certains témoignages suggérant que l'homosexualité masculine puisse être dans certains cas liée à une relation père-fils déficiente, aucun phénomène particulier de la vie familiale ne permettait à lui seul d'expliquer le développement homosexuel ou hétérosexuel. Leurs résultats furent confirmés par une autre étude (Epstein, 2006).

Les théories biologiques

Un mode comportemental aussi complexe et variable que l'homosexualité ne peut vraisemblablement pas découler d'une seule et simple cause biologique (Schwartz, 2008). Les chercheurs ont exploré plusieurs pistes dans l'espoir de découvrir des causes biologiques à l'orientation sexuelle. Une recension menée par le chercheur canadien Bruce Bagemihl (1999) fait état de comportements homosexuels documentés scientifiquement chez plus de 300 espèces. L'homosexualité serait ainsi un fait inscrit dans la nature. Dans les sections suivantes, nous examinons les hypothèses les plus répandues et les plus pertinentes pour l'humain.

Les chercheurs mènent souvent des études sur des jumeaux pour tenter de mieux comprendre les influences relatives de l'environnement (culture) et de l'hérédité (nature) sur les comportements. Les vrais jumeaux (homozygotes) sont issus d'un seul et même ovule fécondé, qui se divise en deux fœtus dont le code génétique est identique. Par conséquent, toute différence entre eux devrait découler de facteurs environnementaux. Pour leur part, les faux jumeaux (hétérozygotes) sont issus de la fécondation de deux ovules. Leurs codes génétiques ne présentent donc pas plus de similitudes entre eux qu'avec celui de n'importe quel autre frère ou sœur. Les différences physiques et comportementales entre les faux jumeaux peuvent donc être attribuables à des facteurs génétiques, à des facteurs environnementaux ou à une combinaison des deux. Lorsqu'une caractéristique commune est plus marquée chez les vrais jumeaux (elle est dite *concordante*) que chez de faux jumeaux de même sexe, on peut présumer de la présence d'un solide fondement génétique. Inversement, quand une caractéristique présente un degré de concordance comparable chez les deux types de jumeaux, on peut raisonnablement penser que la culture exerce davantage d'influence.

C'est en Australie qu'a été menée la plus récente étude sur les jumeaux (Bailey et coll., 2000). Plus de 1500 paires de vrais et de faux jumeaux de même sexe en ont fait partie. Chaque participant a rempli un questionnaire anonyme comportant de grandes sections sur la sexualité, y compris des questions sur l'orientation sexuelle. En se fondant sur un critère strict pour définir l'orientation sexuelle, les chercheurs ont relevé des taux de concordance (le pourcentage de jumeaux qui sont tous deux homosexuels) de 20 % chez les vrais jumeaux masculins et de 0 % chez les faux jumeaux. Chez les femmes, les taux de concordance correspondants étaient de 24 % chez les vraies jumelles et de 10,5 % chez les autres (Bailey et coll., 2000). Bien qu'il n'y ait pas de concordance d'orientation sexuelle chez 80 % des vrais jumeaux et 76 % des vraies jumelles, le taux plus élevé de concordance observé chez les vrais jumeaux appuie fortement la thèse d'une probable contribution génétique dans l'orientation sexuelle.

Les recherches utilisant les technologies de scintigraphie cérébrale, d'imagerie par résonance magnétique (IRM) ou de tomographie par émission de positrons (TEP) montrent généralement des différences entre les hommes et les femmes dans les aires du cerveau liées à l'expression des émotions et aux habiletés verbales. Une étude suédoise, publiée en 2008, a eu recours à la scintigraphie cérébrale pour comparer ces aires chez des sujets homosexuels et hétérosexuels. Les chercheurs ont trouvé des caractéristiques sexuées atypiques chez les sujets homosexuels. Les structures cérébrales liées au langage et à l'expression des émotions étaient semblables chez les hommes homosexuels et les femmes hétérosexuelles. Dans une moindre mesure, les mêmes aires cérébrales des lesbiennes présentaient des similitudes avec celles des hommes hétérosexuels. Ces résultats indiquent qu'il y a dans les structures et les fonctions du cerveau adulte des différences importantes selon l'orientation sexuelle. Les chercheurs concluent que ces résultats ne peuvent être imputés principalement à l'apprentissage, et ils avancent l'hypothèse qu'il existe un lien génétique influençant les dimensions neurobiologiques de l'orientation sexuelle (Savic et Lindstrom, 2008).

La non-conformité sexuelle est le degré de différenciation par rapport aux caractéristiques masculines et féminines stéréotypées dont fait preuve une personne durant l'enfance. Le fort lien entre l'homosexualité à l'âge adulte et la non-conformité sexuelle durant l'enfance vient aussi étayer la thèse d'une prédisposition biologique à l'homosexualité (Bailey et coll., 2000; Ellis et coll., 2005). La plupart des recherches à cette fin reposent sur les souvenirs des répondants et visent à vérifier dans quelle mesure ils étaient masculins ou féminins durant leur enfance et à quel point ils appréciaient les activités traditionnellement associées aux garçons et aux filles. Comme l'exactitude des souvenirs d'enfance peut être discutable, une étude récente s'est plutôt appuyée sur des vidéos de bébés et d'enfants de 15 ans et moins. Sans connaître l'orientation sexuelle des adultes dont ils visionnaient les vidéos d'enfance, les chercheurs ont évalué la conformité ou la non-conformité aux stéréotypes des enfants. Les résultats montrent une plus grande non-conformité sexuelle durant l'enfance chez les personnes homosexuelles que chez les personnes hétérosexuelles (Rieger et coll., 2008).

Le tracé de la longueur des doigts est généralement différent chez les hommes et chez les femmes. Chez les hétérosexuelles, l'index et l'annulaire sont généralement à peu près de même longueur, alors que l'annulaire des hommes hétérosexuels est souvent considérablement plus long que leur index. La recherche montre que chez un nombre important de lesbiennes, la longueur des doigts correspond à la tendance observée chez les hommes hétérosexuels, alors que chez les hommes homosexuels, la différence entre la longueur des doigts est plus marquée que chez les hommes hétérosexuels (l'annulaire est plus long que l'index). Les chercheurs avancent que cela proviendrait d'une plus grande masculinisation du tracé de la longueur des doigts chez les homosexuels des deux sexes découlant d'une exposition prénatale à des taux d'androgènes supérieurs à la normale (Rahman et Wilson, 2003; Williams et coll., 2000). Le fait d'être droitier ou gaucher semble déterminé avant la naissance; l'observation des fœtus par ultrasons le montre par le choix du pouce tété et la mobilité plus grande d'un bras. Dans une méta-analyse d'études portant en tout sur près de 25 000 sujets, les participants homosexuels étaient gauchers dans une proportion plus grande de 39 % que chez les hétérosexuels (Lalumière et coll., 2000). Des recherches ultérieures ont montré que les gais présentent une probabilité plus grande d'être gauchers que les lesbiennes (Lippa, 2003).

Dans la plupart des recherches mentionnées – scintigraphie cérébrale, rapport de la longueur des doigts, manualité –, les gais sont plus susceptibles que les lesbiennes de présenter des caractéristiques qui ne sont pas typiques des hétérosexuels. Des facteurs biologiques peuvent donc affecter différemment les hommes et les femmes. Le déclenchement de la puberté ne se produit pas au même âge chez les lesbiennes que chez les gais et les hommes bisexuels. Dans la population en général, la puberté débute 12 mois plus tard chez les garçons que chez les filles. Cependant, un certain nombre d'études ont établi que la puberté survient plus rapidement chez les gais et les hommes bisexuels que chez les hétérosexuels, mais à peu près au même âge chez les lesbiennes et les hétérosexuelles (Bogaert et coll., 2002).

Certaines recherches ont relevé une corrélation entre l'homosexualité et le fait d'avoir des frères ou des sœurs aînés chez les hommes, mais pas chez les femmes. Statistiquement parlant, les hommes qui ont des frères plus âgés sont nettement plus susceptibles d'être homosexuels, et chaque frère plus âgé accroît cette probabilité. On n'observe pas de tels liens avec les aînés des deux sexes du côté des lesbiennes. Les chercheurs formulent l'hypothèse qu'une réaction immunitaire maternelle surviendrait de plus en plus fortement à chacune des grossesses d'un fœtus masculin, et que cette réaction immunitaire influerait sur la différenciation sexuelle prénatale du cerveau (Bogaert, 2005; Motluk, 2003; Zucker et coll., 2003). Cependant, une recherche ultérieure réalisée à partir d'un échantillon national américain représentatif, composé de dix fois plus d'hommes et de femmes que la taille d'échantillons d'autres études, n'a pas relevé de corrélation statistiquement importante entre l'homosexualité masculine et la présence de frères plus âgés, ce qui remet en question les données précédentes (Francis, 2008).

La plupart des recherches sur les femmes indiquent qu'un degré plus élevé de masculinisation hormonale chez les fœtus féminins est associé au lesbianisme. Seule exception à ce modèle: les femmes qui ont été exposées à plus d'œstrogènes parce que leur mère prenait du diéthylstilbestrol (DES) durant leur grossesse. Le DES est un œstrogène de synthèse qui a été prescrit de

Non-conformité sexuelle Absence de conformité aux rôles sociaux (stéréotypes) traditionnellement attribués aux hommes et aux femmes.

1938 à 1971 pour prévenir les fausses couches. Il n'a pas prévenu les fausses couches, mais il a augmenté l'incidence du cancer et de l'infertilité chez les filles dont la mère en prenait. L'exposition prénatale au supplément d'œstrogène a produit aussi un impact sur l'orientation sexuelle : ces femmes étaient plus portées à avoir des fantasmes homosexuels que les femmes dont la mère n'avait pas pris de DES (Meyer-Bahlburg et coll., 1996).

Des taux plus élevés d'hormones de masculinisation ou de féminisation chez les fœtus masculins sont quelquefois associés à l'homosexualité masculine (Lippa, 2003 ; Rahman et Wilson, 2003). Considérées globalement, ces données de recherche attirent l'attention sur l'importance des facteurs d'influence prénataux – hormonaux ou autres – et sur le développement du cerveau dans la détermination de l'orientation sexuelle. Aucune étude n'a cependant utilisé des mesures directes d'hormones prénatales et évalué leur impact sur différentes caractéristiques, et ce, la vie durant, pour disposer d'informations plus solides (Rahman et Wilson, 2003).

En conclusion, les chercheurs avancent l'hypothèse qu'il existe une prédisposition à l'homosexualité chez certaines personnes. En général, toutefois, les causes de l'homosexualité demeurent dans le domaine des conjectures. Au lieu de penser qu'une seule cause explique l'orientation sexuelle, il vaudrait mieux voir le continuum de l'orientation sexuelle comme le produit de l'interaction entre divers facteurs biologiques, environnementaux et culturels propres à chaque personne et variables au cours de la vie. Comme le précise la chercheuse Lisa Diamond, l'attirance et les émotions sexuelles – comme tous les modèles complexes de l'expérience humaine – sont les fruits d'échanges incessants entre des facteurs biologiques, environnementaux et culturels (2008a).

Les conséquences d'une explication biologique

Les indices donnant à penser que l'homosexualité serait de nature biologique soulèvent d'importantes questions. La neuro-endocrinologue Neena B. Schwartz est d'avis que, peu importe la provenance des études biologiques, la culture politique dominante dictera, dans une certaine mesure, à quelles fins elles serviront (Schwartz, 2008). L'homosexualité serait-elle plus acceptée si un fondement biologique était clairement déterminé ? Le cas échéant, serait-elle alors étiquetée comme une défectuosité qu'on tenterait de prévenir au moyen de traitements médicaux pour inhiber ou modifier les facteurs susceptibles d'y contribuer avant ou après la naissance ? Selon une recherche récente, les personnes croyant que les homosexuels sont nés ainsi ont de meilleurs sentiments envers eux et appuient davantage leurs droits civils, l'union civile et le mariage entre conjoints de même sexe que les personnes qui croient que l'homosexualité est

apprise ou qu'elle relève d'un choix personnel (Haider-Markel et Joslyn, 2008). Par ailleurs, certains défenseurs des droits des homosexuels soutiennent que l'argument biologique pour justifier l'égalité des droits et les garanties en vertu de la loi (« Nous sommes nés ainsi, alors cessez la discrimination contre nous ») ne font que susciter de la compassion et de la tolérance à l'égard d'une orientation « défectueuse » (Woodson, 2005).

L'idée que l'homosexualité est innée est-elle très répandue dans la population ? Tout dépend à qui on pose la question. Dans la population en général, environ 49 % des gens le pensent, comparativement à 75 % des homosexuels (Kitch, 2006 ; Leland, 2000b).

Les attitudes sociétales

Les attitudes sociétales à l'égard de l'homosexualité varient considérablement dans le monde. Comme nous l'apprend l'encadré *Les uns et les autres*, la plupart des sociétés admettent au moins certaines manifestations d'homosexualité.

Le judéo-christianisme et l'homosexualité

La tradition judéo-chrétienne dans laquelle baigne la culture nord-américaine a toujours porté un regard critique sur l'homosexualité. Du moins si l'on fait exception de cas présentés comme des couples homosexuels qui ont été sanctifiés par la suite. Quoique cela soit impossible à vérifier, l'historien John Boswell (1996), souvent cité dans la communauté homosexuelle, se base notamment sur l'iconographie et présente les martyrs saint Serge et saint Bacchus comme formant un couple. Beaucoup de spécialistes des religions croient que la condamnation de l'homosexualité a connu une recrudescence au VIIe siècle avant notre ère à l'occasion d'un mouvement de réforme entrepris par des dirigeants religieux juifs désireux de créer une communauté distincte, fermée, en marge des autres groupes de l'époque. Les activités homosexuelles faisaient alors partie des pratiques religieuses de nombreux peuples, et le rejet de ces pratiques était une façon de distinguer la religion juive (Fone, 2000 ; Kosnik et coll., 1977). Dans l'Ancien Testament, on relate le sort de deux villes, Sodome et Gomorrhe, où les hommes se livraient à des activités homosexuelles. Le mot *sodomie* désignant la pénétration anale provient du nom d'une de ces villes. Selon le texte biblique, Dieu détruisit par le feu du ciel ces villes pour en éliminer ce péché (Dawkings, 2006). L'Ancien Testament sert d'ailleurs de sérieux avertissements à ce

Les uns et les autres

Perspective interculturelle sur l'homosexualité

Les attitudes envers l'homosexualité varient considérablement d'une culture à l'autre. Nombre d'études sur d'autres cultures, incluant des cultures anciennes, ont montré une large acceptation des comportements homosexuels. Par exemple, dans la Grèce antique, la relation homosexuelle entre hommes était considérée comme l'expression d'un amour de niveaux intellectuel et spirituel supérieurs, tandis que l'hétérosexualité offrait des avantages plus pratiques tels que les enfants et la cellule familiale. Autre exemple, plus de la moitié des 225 tribus autochtones aux États-Unis acceptaient l'homosexualité masculine et 17 % l'homosexualité féminine (Pomeroy, 1965).

Certaines sociétés exigent que leurs membres s'adonnent à des activités homosexuelles. Ainsi, jusqu'à récemment, tous les hommes de la société sambia, établie dans les montagnes de Nouvelle-Guinée, avaient des activités exclusivement homosexuelles à partir de l'âge de sept ans environ jusqu'au début de la vingtaine, l'âge du mariage. Les Sambias croyaient que, pour devenir un redoutable guerrier et un bon chasseur, un garçon prépubère devait boire autant de sperme que possible du pénis de garçons postpubères. À partir de la puberté, un garçon ne devait plus faire de fellation, mais pouvait goûter au plaisir de la recevoir de ceux qui ne pouvaient pas encore éjaculer. Dès le début de leur vie érotique et durant leurs années de puissance orgasmique maximale, les jeunes hommes jouissaient assidûment et obligatoirement d'un plaisant homoérotisme. Durant cette période, regarder ou toucher une femme était tabou. Or, à mesure qu'approchait l'âge du mariage, ces jeunes avaient de puissants rêves éveillés de nature érotique à propos des femmes. Durant les premières semaines du mariage, la fellation demeurait la seule activité sexuelle du couple, à laquelle s'ajoutait ensuite le coït. Une fois mariés, les hommes cessaient toute activité homosexuelle et montraient beaucoup de désir sexuel pour les femmes ; ils n'avaient dès lors et jusqu'à la fin de leur vie que des activités hétérosexuelles (Stoller et Herdt, 1985 ; Breton, 1994).

À la lumière d'événements récents à Cuba, on peut constater combien une société peut procéder à de rapides changements concernant l'homosexualité. Dans les 35 premières années de la révolution communiste, les gais et lesbiennes étaient considérés comme des contre-révolutionnaires déviants, exclus du Parti communiste et des emplois dans la fonction publique et les universités. Certains ont été envoyés dans des camps de travail. En 1992, le chef d'État cubain de l'époque, Fidel Castro, a taxé cette homophobie de la première heure d'attitude machiste invétérée. Sa nièce, Mariela Castro, a joué un rôle clé au sein d'un organisme gouvernemental dans la promotion d'une meilleure acceptation des personnes homosexuelles et transgenres (Israel, 2006).

Les violations des droits fondamentaux des gais et lesbiennes n'en sont pas moins courantes dans de nombreux pays du monde, comme le montre la figure 5.3. L'homosexualité serait illégale dans 70 pays membres de l'Organisation des Nations Unies (Lee, 2009). On enregistre des cas de persécution extrêmes : meurtre par décapitation d'un politicien bisexuel au Brésil, « nettoyage social » des escadrons de la mort en Colombie, peine de mort infligée pour tout acte homosexuel dans cinq pays (l'Arabie saoudite, l'Iran, la Mauritanie, le Soudan et le Yémen), auxquels s'ajoutent des parties du Nigéria et de la Somalie (Bruce-Jones et Itaborahy, 2011), et persécution de militants gais dans plusieurs pays (Amnistie internationale, 2003 ; Ardebili et coll., 2007 ; El-Rouayheb, 2006 ; Luongo, 2007 ; Samuels, 2008).

La discrimination a néanmoins diminué en certains endroits. En octobre 2009, le Congrès américain a étendu aux homosexuels la protection de la loi contre les crimes basés sur la discrimination. En 2009, l'Islande devenait le premier pays du monde à se doter d'un chef de gouvernement ouvertement homosexuel, la première ministre Johanna Sigurdardottir. Selon le rapport de 2011 de l'International Lesbian, Gay, Bisexual, Trans and Intersex Association (ILGA), les actes homosexuels seraient considérés comme légaux dans 113 pays (Bruce-Jones et Itaborahy, 2011). L'Afrique du Sud s'est dotée de la protection juridique la plus complète à cet égard et l'a inscrite dans sa constitution en 1996. Par ailleurs, les couples de même sexe vivant ensemble ont un statut juridique au Canada, au Danemark, en Suède, en Suisse, en Norvège, en Espagne, en Islande, en Belgique, en France, dans deux villes d'Italie et au Brésil, premier pays d'Amérique latine à avoir adopté une telle mesure (Brooke, 2000 ; Henry, 2000 ; Power, 1998). Les partenaires de même sexe peuvent s'épouser en Afrique du Sud, en Argentine, au Portugal, en Suède, en Islande, en Norvège, à Mexico, dans certains États américains (Bruce-Jones et Itaborahy, 2011), aux Pays-Bas, en Belgique, en Espagne et au Canada ; à Madrid, un mariage sur dix unit des personnes de même sexe (Rovzar, 2007 ; Wines, 2005). Aux Pays-Bas et en Israël, la loi autorise les couples homosexuels à adopter un enfant (Deutsch, 2000). Le rapport 2011 de l'ILGA inventorie 11 autres pays où les homosexuels peuvent adopter, dont l'Afrique du Sud, l'Argentine, le Brésil, Andorre, la Belgique, le Danemark, l'Espagne, l'Islande, la Norvège, les Pays-Bas, le Royaume-Uni, la Suède, de même que la ville de Mexico et la plupart des provinces canadiennes (Bruce-Jones et Itaborahy, 2011). En 2009, 20 pays, dont la Grande-Bretagne, l'Australie, le Canada et la Nouvelle-Zélande, accueillaient des gais au sein de leur armée (Quindlen, 2009a).

En terminant, précisons que l'homosexualité masculine est plus largement passible de sanctions dans les pays islamiques et les pays africains que ne l'est l'homosexualité féminine. La moitié de ces pays ne considérerait pas cette dernière comme illégale. Le cas de l'Île Maurice en est un bon exemple ; le mariage entre hommes est illégal, mais pas celui entre femmes. De plus, un article de loi y associe la sodomie à la bestialité (Bruce-Jones et Itaborahy, 2011).

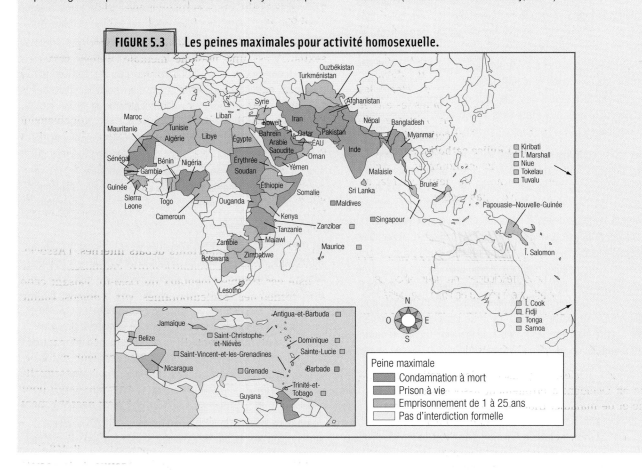

FIGURE 5.3 | **Les peines maximales pour activité homosexuelle.**

sujet : «Tu ne t'uniras pas avec un homme comme on le fait avec une femme. C'est une horreur» (LV 18, 22). (Le Lévitique interdit également de manger des crustacés [LV 11, 10] ou, pour un homme, de couper ses cheveux [LV 19, 27].) De nos jours, la position de leur religion sur l'homosexualité divise les juifs. La réforme du judaïsme a autorisé les mariages entre conjoints de même sexe en 2000, et les leaders religieux conservateurs sont en train de réévaluer leur opposition traditionnelle à ce type d'union et à la nomination de rabbins ouvertement homosexuels (Friess, 2003).

Historiquement, les lois interdisant les comportements homosexuels découlaient des interdits bibliques et prévoyaient des peines extrêmement sévères pouvant aller jusqu'à l'emprisonnement. C'était le cas au Canada jusqu'en 1969, année où l'on a retiré du Code criminel canadien les dispositions relatives à la criminalisation des relations sexuelles entre personnes de même sexe (Schabas, 1995). À travers l'histoire occidentale, on trouve même des pays où l'homosexualité entraînait la torture, voire la peine de mort.

Les positions théologiques actuelles sur l'homosexualité témoignent d'une vaste diversité d'opinions parmi les Églises chrétiennes (Haffner, 2004). Les positions diffèrent selon les confessions, mais aussi selon les groupes d'une même confession. Dans plusieurs religions traditionnelles, des groupes militent pour que leur Église accepte gais et lesbiennes parmi leur clergé, mais les fondamentalistes s'y opposent. Les conflits entre ces deux points de vue vont probablement s'accroître à mesure que les Églises tenteront d'établir des positions claires sur l'homosexualité, surtout que les jeunes croyants acceptent mieux l'homosexualité. Ainsi, 58 % des jeunes (de 18 à 29 ans) blancs évangélistes appuient les unions civiles et les mariages entre personnes de même sexe (Rauch, 2008).

La plupart des Églises protestantes d'importance au Canada acceptent l'ordination de gais et de lesbiennes. L'Église unitarienne universaliste a été parmi les premières à adopter une politique d'ouverture à l'égard des gais et lesbiennes sexuellement actifs et à se doter d'une politique officielle qui reconnaît la légitimité de leurs relations. De ce groupe d'Églises, seule l'Église unie du Canada, après un long et déchirant débat, a fini par accepter aussi comme membres du clergé les homosexuels qui ont une vie sexuelle. Toutes les autres confessions exigent, du moins dans leur politique officielle, que les gais et lesbiennes soient célibataires pour faire partie du clergé. Dans l'Église catholique romaine, où le célibat est de rigueur, seuls les hommes ont accès à la prêtrise, indépendamment de leur orientation sexuelle, et le mariage gai n'est pas reconnu.

Question d'analyse critique

Comment vos croyances religieuses ou leur absence influencent-elles votre attitude à l'égard de l'homosexualité?

Du péché à la maladie

Durant des siècles, la pensée judéo-chrétienne dominante en Occident a étroitement associé les notions de péché et de maladie. L'idée était que Dieu avait créé un monde parfait et que les maladies ne pouvaient être que le fait du diable, celui qui répand le Mal (d'où le mot «mal-adie»). Être vertueux, c'est-à-dire hétérosexuel, n'avoir des relations sexuelles que pour la procréation et qu'à l'intérieur du mariage, garantissait la santé; pécher entraînait la maladie (Comfort, 1967). Cette conception subsiste encore chez les fondamentalistes religieux américains qui croient et enseignent que le sida est une punition que Dieu inflige aux homosexuels (Dawkings, 2006).

Du début jusqu'au milieu du XXᵉ siècle, l'attitude sociétale envers l'homosexualité a changé. Considérés auparavant comme pécheurs, les homosexuels ont alors été perçus, dans une certaine mesure, comme des malades mentaux. Médecins et psychologues ont usé de traitements draconiens pour tenter de guérir la «maladie» de l'homosexualité. Au XIXᵉ siècle, on procédait à des opérations chirurgicales comme la castration pour l'éliminer. Jusqu'en 1951, on a eu recours à la lobotomie (chirurgie consistant à sectionner des fibres nerveuses du lobe frontal du cerveau) pour «guérir» les homosexuels. La psychothérapie, les électrochocs, les médicaments, les hormones,

l'hypnose, les thérapies aversives (association de stimuli homosexuels avec l'administration de décharges électriques ou de vomitifs) ont tous été utilisés à cette même fin (Murphy, 2008). Le cas d'Alan Turing (1912-1954), mathématicien anglais à l'origine du calcul informatique, constitue un exemple notoire des dégâts que causait ce type de traitements. Celui-ci a choisi de se suicider plutôt que de se soumettre à la thérapie hormonale que la cour avait ordonnée pour le «guérir» de son homosexualité.

Des décennies de recherche infirment l'idée que l'homosexualité est une maladie mentale. Seules certaines recherches ont fait état d'un taux de dépression et de pensées suicidaires légèrement plus élevé chez les gais que chez les hétérosexuels (Mills et coll., 2004; Rochman, 2003), mais cette différence est probablement attribuable à la stigmatisation sociale, ainsi qu'aux deuils et états de stress liés à l'épidémie de sida. Alan Bell et Martin Weinberg en concluent que les adultes homosexuels qui assument leur orientation, qui ne s'en désolent pas et qui ont une vie sexuelle et sociale satisfaisante ne sont pas plus troublés psychologiquement que les adultes hétérosexuels (1978).

En 1973, après d'importants débats internes, l'Association américaine de psychiatrie a rayé l'homosexualité de la liste des troubles mentaux du *DSM-III*. Faisant écho aux recherches contemporaines sur l'homosexualité – et parce que ni l'Association américaine de psychiatrie ni l'Association américaine des psychologues ne la classaient dans les maladies mentales –, la plupart des thérapeutes ont changé l'orientation de leur pratique. Ceux-ci offrent désormais à la personne homosexuelle une thérapie d'affirmation de son homosexualité pour l'aider à vivre dans une société qui lui est passablement hostile, plutôt que de tenter de la guérir en changeant son orientation sexuelle (Crisp, 2006). Ce changement dans la pratique thérapeutique est important, car il définit le problème comme étant l'attitude négative de la société à l'égard de l'homosexualité plutôt que l'homosexualité elle-même (Kort, 2004). Un parti pris hétérosexiste n'en demeure pas moins présent dans les thérapies familiales en raison de l'ignorance des thérapeutes du vécu des gais et des lesbiennes (Long et Serovich, 2003).

Quelques praticiens en santé mentale et des groupes religieux continuent toutefois d'offrir des thérapies de réorientation sexuelle pour aider les personnes homosexuelles

---

Thérapie d'affirmation de son homosexualité Thérapie aidant les homosexuels à composer avec les attitudes sociales négatives à leur endroit.

Thérapie de réorientation sexuelle Thérapie aidant les hommes et les femmes homosexuels à changer d'orientation sexuelle.

insatisfaites de leur état à contrôler, à réduire ou à annihiler leurs désirs et comportements homosexuels (Erzen, 2006 ; Nicolosi et coll., 2000a).

Des groupes religieux comme Exodus International, une organisation chrétienne non rattachée à une confession, introduisent l'enseignement religieux dans les groupes de thérapie en insistant sur les traumatismes survenus dans l'enfance qui seraient la cause de l'homosexualité : abandon du père, mère absente, agressions sexuelles ou violence parentale. Le processus de transformation vise à développer le désir hétérosexuel ou, en cas d'échec, l'abstinence. Les études sur ce type de thérapie font état de résultats assez variés : les participants disent, dans des proportions allant de 4 à 45 %, ne plus lutter contre des désirs ou des comportements homosexuels et être devenus complètement hétérosexuels, s'investir dans une relation hétérosexuelle ou, à tout le moins, être plus hétérosexuels qu'homosexuels (Nicolosi et coll., 2000b ; Shidlo et coll., 2003). (Les taux de succès les plus élevés proviennent d'études menées par des thérapeutes en réorientation sexuelle.)

Parmi ceux dont l'orientation sexuelle n'a pas été modifiée par la thérapie, on compte deux des fondateurs d'Exodus International, Michael Bussee et Garry Cooper, qui ont laissé leur femme pour vivre ensemble (Goldberg, 2006). D'autres personnes ayant suivi en vain la thérapie de réorientation disent avoir caché à leur thérapeute qu'elles conservaient des comportements homosexuels pendant leur thérapie et que celle-ci avait alimenté leur haine d'elles-mêmes (Nguyen, 2006 ; Shidlo et coll., 2003). Pour ceux qui n'ont pu changer d'orientation comme ils l'auraient souhaité, la conviction de ne pouvoir qu'« être avec Dieu ou être gai » présente des choix inconciliables. Un tel dilemme peut conduire au suicide (Clementson, 2000 ; Miller et coll., 2000). Pour le sociologue Michel Dorais (2001), un grand nombre de suicides chez les adolescents gais seraient liés à la difficulté de se reconnaître comme tels et d'assumer leur homosexualité, difficulté essentiellement attribuable aux attitudes sociales homophobes.

L'homophobie

Le terme *homophobie* renvoie à des attitudes d'aversion envers les personnes homosexuelles. L'homophobie se définit aussi comme une crainte irrationnelle des homosexuels, ou comme la peur et le dégoût de ses propres sentiments homosexuels. Elle peut être comprise comme un préjugé du même ordre que le racisme, l'antisémitisme, l'anti-islamisme et le sexisme. L'hétérosexisme est une forme d'homophobie. Il consiste à condamner et à dénigrer tout comportement, identité, relation ou communauté qui n'est pas hétérosexuel (Van Voorhis et Wagner, 2002). La reconnaissance de l'homophobie et de l'hétérosexisme comme des problèmes constitue un important changement par rapport à la vision qui voulait que l'homosexualité elle-même soit le problème.

Malheureusement, l'homophobie demeure très répandue et bouleverse souvent considérablement la vie des gais, des lesbiennes et des personnes bisexuelles (Szymanski, 2009). Elle se manifeste de bien des manières. Les manifestations d'hostilité nourrissent le harcèlement quotidien et la discrimination dont sont victimes les personnes ne répondant pas aux critères hétérosexuels jugés convenables. Dans sa forme extrême, l'hostilité peut aller jusqu'aux crimes haineux contre les gais. Les crimes haineux sont des voies de fait, des vols ou des meurtres commis sur des personnes en raison de leur race, de leur religion, de leur appartenance ethnique ou de leur orientation sexuelle (Ghent, 2003 ; Herek et coll., 1999). Plus du tiers des gais et lesbiennes ont été victimes de violence (Parrot et Zeichner, 2006). Cependant, les crimes haineux sont moins rapportés que d'autres actes violents, les victimes ne s'attendant pas à obtenir le soutien des autorités (Herek et coll., 1999). Le téléfilm américain *Soldier's Girl*, inspiré d'un meurtre commis en 1999, décrit la dynamique des crimes haineux.

Les causes de l'homophobie et des crimes haineux

On pourrait croire qu'il n'existe aucun lien entre assassiner un homme parce qu'il est homosexuel, voter de façon à permettre la discrimination envers les homosexuels en milieu de travail et insulter une lesbienne en l'appelant « gouine » ; pourtant, il y a des traits communs. Tout d'abord, cela reflète le piètre bilan de l'humanité dans l'acceptation de la diversité. Le manque de tolérance face aux différences raciales, religieuses ou ethniques est à l'origine de graves tragédies et d'actions « inhumaines » comme l'épuration ethnique, l'Holocauste et l'Inquisition. Les nombreuses religions qui définissent négativement l'homosexualité prédisposent les groupes et les personnes à adopter cette vision négative de l'autre. Celle-ci peut être intériorisée par tous : « L'homophobie n'est pas le problème exclusif des hétérosexuels. La plupart des personnes gaies, lesbiennes et bisexuelles ont intégré des croyances de leur culture et, du moins à un certain point dans leur vie, croient qu'il est mal d'être gai, lesbienne ou bisexuel » (Ryan, 2003, p. 14). La recherche montre que les personnes les plus conservatrices sur le plan religieux ont aussi les attitudes les plus négatives envers l'homosexualité (Negy et Enseinman, 2005). Les données compilées par la police révèlent une augmentation 18,2 % des crimes haineux motivés par l'orientation sexuelle de 2008 à 2009, derniers chiffres compilés par Statistique Canada et

---

Homophobie Haine ou peur irrationnelle de l'homosexualité ; peur de ses propres sentiments homosexuels.

disponibles au moment de mettre à jour cette deuxième édition (Dauvergne et Brennan, 2011). La proportion de gais, de lesbiennes et de bisexuels qui ont déclaré avoir été victimes de discrimination était environ trois fois plus importante que celle des hétérosexuels.

L'homophobie et les crimes haineux ont aussi un rapport avec les stéréotypes sexuels traditionnels : les personnes qui adhèrent à ces stéréotypes sont généralement plus hostiles envers l'homosexualité (Merek et Gonzles-Rivera, 2006). De plus, les hommes ont généralement une attitude plus négative que les femmes à l'égard de l'homosexualité, ce qui reflète peut-être la plus grande rigidité des paramètres régissant les rôles sexuels des garçons et des hommes dans notre culture (Kite et Whitley, 1998b ; Herek et Capitanio, 1999). Une recherche menée en Australie montre que les garçons de 14 à 17 ans ont plus d'attitudes négatives envers l'homosexualité que les autres groupes d'âge des deux sexes (Plummer, 2005). Au Canada, l'enquête Reginald Bibby Project Teen Canada 2000 portant sur 3600 adolescents révèle aussi une attitude plus négative chez les garçons : environ un adolescent sur deux (54 %) approuve les relations homosexuelles ; le taux d'approbation est plus élevé à l'égard de l'homosexualité féminine (66 %) que masculine (41 %). Néanmoins, 75 % des répondants, surtout chez les femmes, sont d'avis que les homosexuels ont les mêmes droits que les autres Canadiens (Bibby, 2001). D'autre part, les hommes hétérosexuels ont une attitude moins négative envers les lesbiennes qu'envers les gais (Mahaffey et coll., 2005). C'est peut-être, en partie, parce que les hommes hétérosexuels ne sont pas mal à l'aise devant le désir qu'ils éprouvent pour les femmes en général.

La principale motivation de la plupart de ceux qui commettent des crimes haineux contre les gais – que des hommes, jusqu'à maintenant – est que l'homosexualité constituerait une violation des normes masculines. Agissant souvent à deux ou en groupe, les agresseurs essaient de se rassurer sur leur virilité, tant la leur que celle de leurs amis, en agressant ceux qui ne se conforment pas au modèle rigide du rôle masculin. Les hommes transgenres sont souvent la cible d'actes violents pour les mêmes motifs. La collaboration accrue entre les personnes transgenres, les groupes qui les représentent et les associations de défense des droits des gais découle en partie de la reconnaissance de l'importance de la diversité sexuelle (Coleman, 1999).

L'homophobie et les crimes haineux témoignent aussi d'une tentative de nier ou de supprimer ses propres émotions homosexuelles. Mal à l'aise dans sa propre sexualité, la personne homophobe s'attache à ce qui «ne va pas» dans la sexualité des autres. Une étude a montré que certains hommes nourrissant une répugnance marquée pour les gais éprouvent des émotions érotiques

L'homophobie vise moins fréquemment les lesbiennes. Les gestes sexuels entre femmes sont excitants pour bien des personnes et l'évocation de la sexualité entre lesbiennes est courante dans la publicité.

envers d'autres hommes, mais les refoulent et n'ont pas conscience de cette excitation. Au cours de cette étude, les hommes ont regardé des vidéos contenant des activités sexuelles entre hétérosexuels, entre lesbiennes et entre gais. Durant le visionnement, chaque sujet portait un pléthysmographe pénien mesurant le niveau d'excitation physique provoqué par chaque scénario. Sans connaître les résultats du pléthysmographe, les sujets devaient indiquer le niveau d'excitation qu'ils ressentaient pendant chaque visionnement. Les hommes qui n'étaient pas homophobes déclarèrent ne pas avoir été excités par les vidéos gaies, ce que le pléthysmographe a confirmé. En revanche, les hommes homophobes déclarèrent la même chose, mais l'appareil a enregistré une excitation (Kantor, 1998). Selon bon nombre d'auteurs, ces résultats suggèrent que les hommes homophobes n'ont pas conscience de leur excitation homoérotique ou refusent de l'admettre. Leur agressivité envers les gais pourrait être une réaction de défense contre le malaise que suscitent en eux ces sentiments qu'ils refusent d'avoir (Kite et Whitley, 1998a). L'excitation physique ne peut pas toutefois servir de seul indicateur : ce qu'une personne ressent consciemment et ce qu'elle fait sciemment de cette excitation sont tout aussi, sinon plus importants.

Une autre forme d'homophobie consiste à éviter rigoureusement tout comportement susceptible d'être interprété comme homosexuel. En ce sens, l'homophobie peut restreindre l'expérience des personnes hétérosexuelles. Par exemple, au cours des ébats amoureux, les hommes hétérosexuels pourront être incapables d'accepter la stimulation de leurs mamelons ou se montrer réticents à laisser leur partenaire prendre l'initiative s'ils interprètent ces comportements comme des «tendances homosexuelles». Les amis de même sexe ou les membres d'une famille refuseront les étreintes cordiales; des femmes bouderont les vêtements «pas assez féminins» et des hommes, les vêtements «insuffisamment masculins»; des femmes s'abstiendront de se dire féministes de peur de passer pour lesbiennes et des hommes, d'apprécier le défilé de la fierté gaie, etc.

L'homophobie peut constituer un frein à l'intimité dans les amitiés entre hommes (Plummer, 1999). Ceux qui craignent d'être attirés par les personnes de leur propre sexe s'interdisent souvent la vulnérabilité affective nécessaire aux amitiés profondes et, ce faisant, confinent leurs relations à la compétitivité et à la camaraderie. Cette crainte est également un frein puissant à la participation des hommes au sein des groupes d'entraide qui leur sont destinés. Cela va au-delà des relations entre hommes, car comme l'écrivent Gilles Tremblay et Pierre L'Heureux (2010): «Par ailleurs bien démontré sur le plan empirique [...], le principe d'"antiféminité" ou peur du féminin qu'on retrouve chez plusieurs hommes influence leur manière d'entrer en relation avec les femmes. Plus un homme adhère à ce principe, plus il a tendance à établir une relation de séduction et de domination envers les femmes» (p. 105).

Vers une plus grande acceptation de l'homosexualité

Un sondage Angus Reid (2010) rapporte que les Canadiens sont largement plus ouverts envers les relations homosexuelles que ne le sont les Américains, bien que des améliorations en ce sens soient encore possibles. Les gens peuvent abandonner leur attitude homophobe en s'y attaquant consciemment par l'expérience ou l'éducation. En fait, ceux qui connaissent personnellement une lesbienne ou un gai sont généralement plus ouverts à l'égard de l'homosexualité (Leland, 2000b; Span et Vidal, 2003). Des actions individuelles peuvent aussi avoir un impact: l'étudiant qui invite des personnes à une fête sans se soucier de leur orientation sexuelle, la comptable qui garde une photo de sa partenaire sur son bureau au travail, le médecin hétérosexuel dont la sœur est lesbienne et qui confronte l'auteur d'une plaisanterie homophobe, ceux-là aident à faire évoluer les mentalités (Solmonese, 2005). On observe une tolérance accrue envers l'homosexualité en comparant les attitudes par groupe d'âge. Les jeunes adultes (de 18 à 29 ans) sont

Des émissions comme *Tout sur moi* aident à combattre les préjugés contre les homosexuels. Cette série québécoise, écrite par Stéphane Bourguignon et diffusée de 2006 à 2011, a été réalisée par Stéphane Lapointe.

remarquablement plus libéraux face aux droits des gais que les gens de plus de 30 ans qui, eux, sont plus tolérants que leurs aînés de 50 ans et plus. Cette plus grande ouverture d'esprit des moins de 50 ans tient peut-être au fait qu'ils sont plus susceptibles d'avoir un ami ou une connaissance homosexuels (65 %) que leurs aînés (45 %) (Leland, 2000b).

La télévision et le cinéma accordent de plus en plus de place à des personnages homosexuels ou à des personnalités homosexuelles telles qu'Ellen DeGeneres et Melissa Etheridge. Des séries américaines telles que *Dre Grey, leçons d'anatomie* et *Elles* et québécoises telles que *Tout sur moi* ou *19-2*, des films comme *C.R.A.Z.Y.*, *Philadelphie* et *Souvenirs de Brokeback Mountain* sont autant d'exemples de productions favorisant l'acceptation de l'homosexualité ou de comportements perçus comme homosexuels.

Les styles de vie

On entend parfois parler d'un «style de vie gai». De quoi s'agit-il exactement? La plupart du temps, c'est un euphémisme pour désigner la conduite sexuelle entre des partenaires de même sexe (Howey et Samuels, 2000). Comme nous l'expliquons dans cette section, les styles de vie sont aussi variés chez les homosexuels que chez les hétérosexuels. Toutes les classes sociales, professions, ethnies, religions et convictions politiques sont représentées chez les personnes homosexuelles. Les seules caractéristiques communes à tous les homosexuels sont leur désir d'épanouissement affectif et sexuel avec une personne de leur sexe et l'hostilité sociale dont ils sont victimes.

L'affirmation de son orientation sexuelle

La décision de tenir secrète son orientation sexuelle ou de la révéler a bien sûr un effet indiscutable sur le style de vie. Il y a divers degrés de clandestinité et le processus d'affirmation de son orientation sexuelle comprend trois étapes : la reconnaissance, l'acceptation et l'expression ouverte de sa propre homosexualité (Patterson, 1995). Les gais, les lesbiennes et les bisexuels décident d'affirmer ou de taire leur orientation sexuelle en prenant en compte les questions de sécurité et de tolérance, pour eux-mêmes comme pour les autres. En effet, s'il est libérateur de vivre au grand jour son homosexualité ou sa bisexualité, cela ne convient pas nécessairement à toutes les situations (Anderson et Holliday, 2003).

Une personne peut parfois éviter les conséquences sociales négatives liées à la divulgation de son homosexualité en se faisant passer pour hétérosexuelle, mais garder le secret est source de stress et peut avoir des effets dévastateurs (Malcom, 2008). L'affirmation de son orientation sexuelle dépend de circonstances individuelles, bien que l'époque ait aussi son importance, comme l'indiquent les résultats d'une étude portant sur trois générations de lesbiennes, soit :

- les lesbiennes devenues adultes avant l'ère de revendication des droits des gais dans les années 1970 ;
- les lesbiennes devenues adultes pendant la période de revendication des droits des gais, de 1970 à 1985 ;
- les lesbiennes devenues adultes après 1985.

Plus elles sont jeunes, plus tôt elles ont pris conscience de leur orientation sexuelle, ont eu leur première expérience homosexuelle, se sont identifiées comme lesbiennes et ont révélé leur orientation aux autres. Par exemple, dans le groupe le plus jeune, c'est en moyenne à l'âge de 20 ans que les femmes se sont reconnues elles-mêmes comme lesbiennes, contre 32 ans dans le groupe le plus âgé. Le changement le plus important dans le temps est qu'un nombre grandissant de femmes ont eu des expériences sexuelles avec d'autres femmes avant d'en avoir avec des hommes. Cela a été le cas pour la plupart des femmes du groupe le plus jeune, alors que les deux autres groupes plus âgés ont vécu l'inverse (Parks, 1999).

La décision d'affirmer publiquement son homosexualité est personnelle et propre à chaque situation. L'affirmation de l'orientation sexuelle comporte souvent des éléments de reconnaissance de soi, d'acceptation de soi et de révélation, comme nous l'avons précisé ci-dessus. Les sections qui suivent portent sur ces trois éléments ainsi que sur l'engagement dans la communauté gaie.

Affirmation de son orientation sexuelle Processus de prise de conscience et de révélation de son orientation sexuelle.

La reconnaissance de soi

Dans la première phase d'affirmation de son orientation sexuelle, la personne prend généralement conscience qu'elle se sent différente du modèle hétérosexuel (Meyer et Schwitzer, 1999). Certaines personnes disent avoir pris conscience de leur homosexualité dès la petite enfance. Plusieurs se rendent compte durant l'adolescence qu'il manque quelque chose à leurs relations hétérosexuelles et qu'ils sont attirés sexuellement par des camarades de même sexe (Cloud, 2005). En outre, moins un enfant se conforme aux modèles stéréotypés, plus il est généralement victime d'intimidation ou rejeté par ses camarades et ses parents (Rieger et coll., 2008).

Une fois que la personne a reconnu ses sentiments homosexuels, elle doit habituellement composer avec son homophobie personnelle et assumer son appartenance à une minorité discréditée (Herek et coll., 2009). Les hommes et les femmes homosexuels qui ont beaucoup de difficulté à s'assumer tentent parfois de se dissimuler à eux-mêmes leur orientation sexuelle. Ces personnes recherchent activement des relations sexuelles avec des personnes de l'autre sexe et il n'est pas rare qu'elles se marient pour se convaincre de leur normalité (Hudson et coll., 2007). Le film *Souvenirs de Brokeback Mountain* raconte le drame de deux hommes et leurs épouses aux prises avec ce dilemme (Butler, 2006). Plus le tabou de l'homosexualité est fort, plus grande est la probabilité que des homosexuels se marient avec une personne de l'autre sexe. Par exemple, bien que le préjugé envers l'homosexualité ait légèrement régressé en Chine, 80 % des hommes qui s'identifient comme homosexuels sont mariés ou ont l'intention de le faire (Cui, 2006).

À l'affiche

Le film *C.R.A.Z.Y.* (2005), réalisé par Jean-Marc Vallée, raconte la relation difficile entre un homme et son fils qui va jusqu'à nier son homosexualité pour garder l'estime de son père.

L'acceptation de soi

L'étape importante qui suit la prise de conscience de son homosexualité est celle de l'acceptation. Cette acceptation est souvent difficile, car elle oblige la personne à surmonter les préjugés sociétaux homophobes et négatifs qu'elle a parfois intériorisés.

> *Au début, les difficultés qu'éprouve la personne homosexuelle découlent souvent de l'attitude de réprobation très répandue par rapport à l'homosexualité... Ses propres préjugés sont à peu de choses près une réplique des préjugés que la société en général nourrit à l'égard des homosexuels.* (Traduction libre, Weinberg, 1973, p. 74.)

Quand les personnes font partie d'un groupe socialement discrédité, l'acceptation de soi est difficile, mais essentielle (Ryan et Futterman, 2001).

Il peut être problématique pour les adolescents et adolescentes d'affirmer leur orientation homosexuelle. La plupart des jeunes gais ou lesbiennes éprouvent des sentiments ambigus et ne savent pas trop où aller chercher conseil et soutien. En fait, ils subissent généralement beaucoup d'hostilité et de harcèlement (McDermott et coll., 2008; Walls et coll., 2008). À un stade du développement où le sentiment d'appartenance à leur groupe de pairs est si important, presque la moitié des adolescents gais et des adolescentes lesbiennes ont perdu au moins une amitié après avoir révélé leur orientation sexuelle (Ryan et Futterman, 1997). Le jugement éventuel de leur famille est une grande source de stress (Ueno, 2005). Certains parents somment leur enfant de quitter le foyer familial et leur coupent tout soutien financier pour leurs études.

Les lesbiennes, gais et bisexuels qui ont été rejetés par leur famille durant leur adolescence en raison de leur orientation sexuelle sont huit fois plus susceptibles de tenter de se suicider, presque six fois plus de déclarer des états dépressifs profonds et trois fois plus à risque de consommer des drogues illégales ou d'avoir des relations sexuelles non protégées, comparativement à leurs pairs qui n'ont subi que peu ou pas de rejet familial (Ryan et coll., 2009).

Malgré la discrimination à laquelle ils s'exposent, bon nombre d'adolescentes et d'adolescents homosexuels savent composer efficacement avec la situation et réussissent à développer une image de soi cohérente et positive (Savin-Williams, 2005). Ces jeunes doivent pouvoir parler avec au moins une personne adulte ouverte en qui ils ont confiance, et le soutien de leur famille est particulièrement important. Ils pourront, grâce à Internet, rompre leur isolement et établir des liens avec d'autres personnes qui pourront les soutenir. Des groupes d'entraide et des organismes ont été créés pour aider les jeunes gais à composer avec leurs difficultés. Des sites Internet québécois existent dans ce but, tels que Gai écoute et Rézo.

Au Canada, les personnes homosexuelles et bisexuelles peuvent compter sur des organismes de services, des groupes d'intérêt et des organisations nationales, comme EGALE (Equality for Gays and Lesbians Everywhere), et provinciales, telle que la Coalition for Lesbians and Gay Rights in Ontario. Des ressources Internet pancanadiennes bilingues sont aussi offertes, dont Jer's Vision.

La révélation

Après la prise de conscience et l'acceptation de soi vient la décision de faire connaître ou de taire son orientation sexuelle. Il peut arriver que des gais et des lesbiennes voient leur orientation divulguée inopinément par quelqu'un d'autre. L'expression souvent utilisée au Québec pour désigner le fait de révéler son orientation homosexuelle est *sortir du placard*. L'expression *façade publique* est parfois employée pour désigner le masque d'hétérosexualité qu'une personne choisit de maintenir sur le plan social. Il est généralement très facile de passer pour hétérosexuel, car la plupart des gens présument que tout le monde l'est. Toutefois, lorsqu'on est homosexuel, il faut décider, au fil des relations et des situations, si on se révélera ou pas (Kelly, 1998). Les personnes hétérosexuelles ne comprennent pas toujours le problème de l'affirmation de l'orientation sexuelle, comme en témoigne le commentaire suivant.

> Je ne vois vraiment pas pourquoi ils devraient le dire à quiconque. Ils pourraient bien se contenter de mener leur vie sans en faire tout un plat. (Notes des auteurs)

Dans certaines interactions quotidiennes, l'orientation sexuelle n'a aucune importance, mais l'homosexualité et l'hétérosexualité sont de puissants courants sous-jacents qui touchent plusieurs aspects de la vie. Imaginez ce que vous pourriez ressentir si vous étiez une personne homosexuelle non déclarée et qu'un ami vous faisait un commentaire désagréable sur les «tapettes» ou les «gouines». Ou qu'on vous disait: «Mais quand donc vas-tu te ranger

Plusieurs campagnes publicitaires parrainées par Gai écoute visent à combattre l'homophobie.

et te marier?» Ou qu'on vous invitait à venir accompagné à une fête de bureau. Comme le disait le sociologue John H. Gagnon (1977), à cause du discrédit dont est frappée l'homosexualité, le geste de l'affirmer (ou de la nier) a plus de poids et entraîne plus de conséquences sur le mode de vie d'une personne qu'un geste semblable ne pourrait jamais en avoir pour un hétérosexuel. L'encadré *Parlons-en* fournit des conseils utiles à ceux et celles qui souhaitent révéler leur orientation sexuelle à des amis.

À quelques exceptions près, plus une personne fait ou désire faire partie du système, plus elle risque gros en révélant son orientation sexuelle. Cela peut compromettre son emploi, sa position sociale et ses amitiés. Le degré de conservatisme de la communauté environnante ou l'époque peuvent aussi influer sur la décision de révéler ou non son orientation sexuelle et à qui (Stein, 2001). Le milieu urbain accroît souvent la probabilité qu'une personne exprime son orientation homosexuelle (Chiang, 2009).

Il peut être plus difficile de divulguer son homosexualité aux membres de sa famille qu'à d'autres personnes. Cela est une étape particulièrement marquante, comme en témoigne ce jeune homme de 35 ans.

> Dans l'ensemble, mes vacances à la maison s'étaient bien passées, mais la fin a été très éprouvante. Les allusions aux gais revenaient constamment sur le tapis. Ma mère s'acharnait particulièrement sur eux (nous) et, bien sûr, je n'étais pas d'accord avec elle. Finalement, elle m'a demandé si j'étais «l'un d'eux». J'ai dit oui. Cela a été très dur pour elle. Elle m'a posé un tas de questions, auxquelles j'ai répondu aussi calmement, honnêtement et rationnellement que j'ai pu. Nous avons passé ensemble une journée plutôt tendue. C'était pénible de la voir tant souffrir pour cela et de constater qu'elle n'avait aucune idée de l'oppression que subissent les personnes homosexuelles. Je voudrais seulement que ma mère n'ait pas eu à pâtir autant de tout cela. (Notes des auteurs)

Parlons-en

Comment révéler son orientation sexuelle à des amis

Un gai ou une lesbienne doit s'attendre à tout lorsqu'il ou elle révèle son orientation sexuelle à un ami. Il se peut que la chose trouble davantage un ami soi-disant libéral qu'une personne plus conservatrice. Il est essentiel de se rappeler que les réactions des autres sont révélatrices de leurs propres forces et faiblesses, et non des vôtres. Les conseils suivants devraient vous aider à mettre au point votre plan de révélation. Ils sont adaptés du livre de Michelangelo Signorile, *Outing Yourself* (1995).

1. *Le réseau d'entraide.* Vous devriez avoir tissé un réseau d'entraide composé d'homosexuels, surtout de personnes qui ont déjà révélé leur orientation à plusieurs personnes dans leur vie. Leur expérience pourra vous inspirer et leur soutien, vous fournir l'élan pour agir.

2. *Le premier choix.* Faites en sorte de bien choisir la première personne hétérosexuelle à qui vous révélez votre orientation. Il vaut peut-être mieux ne pas commencer par votre meilleur(e) ami(e) hétérosexuel(le), car l'enjeu est élevé. Optez pour quelqu'un qui devrait vous manifester de la compréhension. Cette personne doit aussi être fiable et discrète pour éviter qu'elle en parle aux gens de votre entourage avant vous.

3. *La visualisation.* Planifiez vos confidences en en visualisant les détails concrets. Mettez-vous en scène dans un décor familier où vous serez à l'aise avec l'autre personne. Songez au sentiment agréable que vous éprouverez d'avoir révélé un aspect de vous dont vous êtes fier (et non dont vous devez vous excuser). Exercez-vous à dire : «Je veux te dire quelque chose sur moi, parce que notre amitié compte à mes yeux. Je te fais confiance et je me sens proche de toi. Je suis lesbienne/gai.»

4. *La planification.* Choisissez le moment et prévoyez suffisamment de temps pour avoir une longue conversation, si les choses se passent bien. Choisissez l'endroit, un lieu où vous serez tous deux à l'aise. Planifiez l'après-rencontre. Assurez-vous d'avoir au moins un ami ou une amie homosexuel auprès de qui vous trouverez du soutien et à qui vous pourrez raconter ce qui s'est passé. Préparez-vous à répondre calmement à des questions comme : «Comment sais-tu que tu es gai? Depuis quand le sais-tu? Comment ça se fait? Peux-tu changer? As-tu le sida?»

5. *Misez sur la patience.* Souvenez-vous que vous faites aux gens une révélation à laquelle ils n'ont pas pu se préparer, tandis que vous avez eu tout le temps de le faire. Plusieurs seront surpris, choqués ou perplexes, et auront besoin de temps pour réfléchir et poser des questions. Une première réaction négative ne signifie pas forcément que la personne n'acceptera pas la nouvelle. Si un ami réagit négativement, mais avec respect, restez et discutez avec lui. Montrez que vous comprenez sa surprise et sa stupéfaction : «Je peux comprendre que cela te trouble.»

6. *Maîtrisez votre colère.* Si la personne devient hostile ou insultante, mettez poliment fin à la rencontre : «Je regrette que tu ne prennes pas bien cette nouvelle, et il vaut mieux que je m'en aille maintenant.» Ne lui donnez pas de raison de se fâcher contre vous en faisant preuve de mesquinerie ou d'impolitesse ou en sortant de vos gonds.

Les parents peuvent se mettre en colère ou se reprocher d'avoir «mal fait» quelque chose. Les attitudes sociales envers l'homosexualité étant de plus en plus positives, la recherche montre que les parents tendent à mieux accepter la révélation que leur fait leur enfant (Pearlman, 2005). Ce sont les familles aux attitudes les moins conservatrices et rigides qui acceptent le mieux la révélation de l'homosexualité de l'un des leurs (Willoughby et coll., 2006). Il peut être plus difficile de déclarer son homosexualité à ses parents qu'à ses enfants ou à son conjoint. Le site Rézo offre les coordonnées de ressources québécoises pour les parents désireux d'obtenir de l'aide ou des conseils. De plus, le site de la Coalition Santé Arc-en-ciel Canada fournit une mine de ressources et de renseignements sur divers sujets relatifs aux personnes GLBT.

L'engagement dans la communauté gaie

Le besoin d'appartenir à un groupe est quelque chose de profondément humain. Pour l'individu homosexuel, un sentiment d'appartenance à la communauté gaie permet d'affirmer et d'accepter son orientation, ce qu'il ne peut pas faire dans la société en général (Russel et Richards, 2003). L'engagement politique et social auprès d'autres personnes homosexuelles est une autre étape du processus d'affirmation collective de son homosexualité. Dans les grandes villes, les bars et les cafés gais et lesbiens servent différentes clientèles. Ces lieux de rencontre, comme c'est le cas pour les hétérosexuels, permettent de socialiser discrètement ou de draguer en public. Dans le passé surtout, les bars gais, de même que certaines aires de loisir particulières – restaurants ou bains publics –, étaient des lieux de rencontre très importants. Avec San Francisco, Montréal est une des villes les plus accueillantes envers la communauté gaie en Amérique du Nord. Son quartier gai est connu même hors frontières sous le nom de Village gai.

Un défilé de la fierté gaie a lieu à Montréal tous les ans.

La crise du sida a resserré les liens et accru l'engagement au sein de la communauté gaie (Fineman, 1993). Les communautés gaie et lesbienne se sont mobilisées dans un but d'éducation ; elles ont mis au point des programmes novateurs de soins pour les sidéens, créé un impressionnant réseau de soutien bénévole pour aider les personnes atteintes et ont fait pression, souvent avec beaucoup de visibilité, pour attirer l'attention sur la maladie et obtenir des fonds pour la recherche.

Les relations homosexuelles

Certaines personnes croient à tort que les couples homosexuels reproduisent les rôles stéréotypés de l'homme actif et de la femme passive. Toutefois, les couples d'aujourd'hui, quelle que soit leur orientation sexuelle, ont des relations plus égalitaires. Sur le plan des rôles, la relation homosexuelle peut même s'avérer plus souple que la relation hétérosexuelle dans notre société.

Les couples gais et lesbiens rencontrent les mêmes défis que les hétérosexuels dans la recherche d'une vie de couple satisfaisante. Ils ont en plus des problèmes précis découlant de leur appartenance à une minorité dépréciée (Mohr et Daly, 2008). Accepter son homosexualité se révèle important puisque la recherche indique que l'homophobie intériorisée (faire siens des jugements négatifs sur l'homosexualité) est associée à une augmentation des problèmes relationnels (Frost et Meyer, 2009). En l'absence d'acceptation sociale, les couples homosexuels doivent souvent composer avec les préjugés et la discrimination s'ils révèlent leurs relations (Otis et coll., 2006).

Des chercheurs ont comparé les relations amoureuses homosexuelles et hétérosexuelles. Le Gottman Institute a suivi pendant 12 ans des couples gais et lesbiens pour déterminer ce qui peut faire qu'une relation entre personnes de même sexe fonctionne ou échoue (Gottman et coll., 2004). Lorsque les chercheurs de l'institut ont comparé les résultats obtenus avec ceux de leur recherche auprès de couples hétérosexuels, ils ont découvert que la satisfaction générale à l'égard de la relation et sa qualité étaient similaires pour les couples lesbiens, gais ou hétérosexuels. Cependant, la plupart des différences observées entre les couples hétérosexuels et les couples de même sexe révèlent plus de forces chez ces derniers. Comparés aux couples hétérosexuels, les couples gais et lesbiens :

- recouraient davantage à la tendresse et à l'humour pour résoudre les conflits et les désaccords ;
- étaient plus susceptibles de demeurer positifs après un désaccord ;
- exprimaient moins d'agressivité, de peur et de comportements de domination.

Cependant, les hommes gais étaient moins habiles à se réconcilier après un désaccord que les couples hétérosexuels et lesbiens.

D'autres recherches ont montré que les partenaires dans une relation gaie ou lesbienne ont une plus grande compatibilité, une plus grande intimité et qu'ils font face à moins de conflits ; les lesbiennes étaient particulièrement à même de travailler ensemble dans l'harmonie (Balsam et coll., 2008 ; Roisman et coll., 2008). Les chercheurs avancent que les points forts des couples du même sexe pourraient s'expliquer par l'absence de conflits liés aux rôles sexuels, qui sont inhérents aux relations hétérosexuelles.

Sur le plan des interactions sexuelles, les modèles sexuels lesbiens ont tendance à présenter un plus grand nombre des caractéristiques souvent associées à un plaisir sexuel accru. Une revue des recherches comparant les expériences sexuelles des femmes lesbiennes avec celles des femmes hétérosexuelles montre que les couples lesbiens ont plus d'interactions sexuelles non génitales avant d'avoir des contacts génitaux, que leurs relations sexuelles durent plus longtemps, qu'ils sont plus à l'aise de tenir un langage érotique à leur partenaire, qu'ils s'affirment davantage sexuellement et qu'ils ont moins de problèmes d'orgasme que les femmes hétérosexuelles (Iasenza, 2000). Une autre recherche qui a comparé les aspects subjectifs des expériences sexuelles dans les relations hétérosexuelles et les relations homosexuelles indique que les hommes hétérosexuels tirent une moins grande satisfaction des aspects affectifs, sensuels et érotiques de leurs activités sexuelles que les femmes hétérosexuelles et les couples gais ou lesbiens (Holmberg et Blair, 2008).

Les différences d'attitudes et de comportements sexuels entre les gais et les lesbiennes

Des chercheurs ont comparé les attitudes et les comportements sexuels des gais et des lesbiennes. Celles-ci se distinguent des gais quant au nombre moyen de partenaires sexuels. Les lesbiennes ont tendance à avoir beaucoup moins de partenaires que les gais, et les couples lesbiens sont plus résolument monogames que les couples gais (Dubé, 2000 ; Rothblum, 2000). Les lesbiennes associent davantage l'intimité affective à la sexualité que les hommes homosexuels, ce qui rejoint le modèle hétérosexuel présenté au chapitre 7. Une étude montre d'ailleurs que les lesbiennes attendent d'avoir développé une intimité affective avec leur partenaire avant d'avoir des relations sexuelles. Bien que 46 % des gais aient développé une amitié avec leur partenaire avant d'avoir des relations sexuelles, ils sont, comme groupe, plus susceptibles que les lesbiennes d'avoir des relations sexuelles avec de simples connaissances ou des personnes qu'ils viennent juste de rencontrer (Sanders, 2000).

Au début des années 1980, une sous-culture lesbienne sexuellement radicale a vu le jour ; cette tendance n'a pas de pendant chez les hétérosexuelles. Les rapports sexuels pour le seul plaisir ou anonymes, les activités sexuelles très épicées (*kinky sex*), la sexualité en groupe, le sado-masochisme et la sexualité centrée sur les rôles sexuels sont autant de pratiques qui repoussent les limites traditionnelles de la sexualité féminine. Les associations de lesbiennes vouées à ce type d'expression sexuelle sont en pleine croissance (Bonet et coll., 2006 ; Nichols, 2000).

Avant l'épidémie de sida, certains hommes homosexuels avaient des relations sexuelles occasionnelles avec de nombreux partenaires (Bell et Weinberg, 1978 ; Kinsey et coll., 1948). Ces relations étaient souvent extrêmement brèves et avaient lieu dans des bains publics, des toilettes publiques ou des cabines de visionnement de films pornos. Il semble que ce genre de contacts sexuels brefs et fortuits connaisse une recrudescence maintenant que le sida est moins synonyme de mort (Jefferson, 2005).

La vie de famille

La famille traditionnelle est composée d'un couple d'hétérosexuels et de leurs enfants, mais il y a beaucoup d'autres types de familles dans la société contemporaine. Les enquêtes indiquent qu'aux États-Unis de 45 à 80 % des lesbiennes et de 40 à 60 % des gais vivent des relations stables et cohabitent (National Gay and Lesbian Task Force, 2003). Les homosexuels forment aussi des cellules familiales composées d'un seul parent ou d'un couple et d'enfants qui s'y trouvent pour toutes sortes de raisons. Au Canada, le recensement de la population de 2011 a dénombré 64 575 couples de même sexe. En 2011, 32,5 % de ces couples étaient mariés, près du double comparativement à 2006. Les années de 2006 à 2011 correspondent à la première période de cinq ans où les couples de même sexe ont pu se marier après la légalisation du mariage de personnes de même sexe, dans l'ensemble du Canada, en juillet 2005.

De plus en plus de couples homosexuels ont une vie de famille.

Plusieurs homosexuels ont des enfants issus de précédents mariages hétérosexuels (Kantrowitz, 1996). Un homme homosexuel désireux de devenir père peut avoir recours à une mère porteuse. Près du tiers des lesbiennes sont devenues mères biologiques soit à la suite de relations hétérosexuelles, soit par insémination artificielle (Baker, 1990). Certains individus ou couples homosexuels deviennent parents adoptifs ou nourriciers (Brooks et Goldberg, 2001 ; Sherman, 2002). La Coalition des familles homoparentales offre sur son site des conseils aux parents homosexuels.

Certaines gens mettent en doute la capacité des parents homosexuels d'assurer un environnement sain à leurs enfants. Toutefois, des études ont montré que les enfants de mères lesbiennes ne sont pas différents des autres sur le plan de l'estime de soi, des problèmes de **relations entre les sexes**, des rôles sexuels, de l'orientation sexuelle et du développement en général (Golombok et coll., 2003). Une étude québécoise sur la qualité de la relation mère-enfant menée auprès de mères homosexuelles, bisexuelles et hétérosexuelles arrive à des conclusions similaires. De fait, les mères homosexuelles ou bisexuelles ne seraient ni plus ni moins nombreuses que les mères hétérosexuelles à rapporter des problèmes avec leurs enfants. Toutes orientations sexuelles confondues, ce serait davantage la qualité du réseau social (ainsi

que divers facteurs de risque tels que l'abus d'alcool) qui serait associée à des problématiques parentales (Julien, 2008 ; Julien et coll., 2008). Par ailleurs, il apparaît que la plupart des enfants élevés par des parents gais ou lesbiens grandissent en étant hétérosexuels (Bailey et coll., 1995 ; Golombok et Tasker, 1996). Après avoir analysé des recherches sur les parents gais et lesbiens, l'American Academy of Pediatrics a reconnu que l'adoption par des couples homosexuels permettait aux enfants d'acquérir la sécurité de deux parents légalement reconnus (Contemporary Sexuality, 2002a).

Malheureusement, les enfants de parents homosexuels sont souvent victimes de préjugés qui s'expriment, par exemple, par des injures à l'école ou par l'interdiction d'autres parents que leurs enfants rendent visite à ces amis chez eux. Des efforts sont mis en œuvre pour que les choses changent. Une recherche portant sur l'homosexualité et la socialisation avec d'autres familles lesbiennes montre que la présence de programmes scolaires qui prévoient des discussions contribue à diminuer la dépréciation des enfants (Bos, Van Balen et coll., 2008).

> **Relations entre les sexes** Relations entre les femmes et les hommes vus comme des groupes sociaux et pas seulement comme des personnes de sexe différent.

RÉSUMÉ

Un continuum d'orientations sexuelles

- L'asexualité est l'absence d'attirance sexuelle pour un sexe ou l'autre.

- Le continuum de Kinsey comprend sept catégories d'orientation sexuelle, allant de l'hétérosexualité exclusive à l'homosexualité exclusive. Cette classification est basée sur une combinaison des comportements sexuels manifestes et de l'attirance.

- Une personne est bisexuelle si elle a des activités sexuelles avec des personnes des deux sexes ou si elle éprouve de l'attirance envers des personnes des deux sexes. La bisexualité est difficile à définir nettement.

- La fluidité sexuelle apparaît plus souvent chez les femmes que chez les hommes.

- Selon les estimations de l'enquête NHSLS, environ 2,8 % des hommes et 1,4 % des femmes s'identifient comme homosexuels.

Qu'est-ce qui détermine l'orientation sexuelle ?

- Plusieurs théories psychosociales et biologiques ont tenté d'expliquer l'origine de l'homosexualité.

- Certaines théories psychosociales évoquent les modèles parentaux, les expériences de vie ou les traits psychologiques de la personne.

- Les théories biologiques s'intéressent aux écarts hormonaux, tant chez le fœtus que chez l'adulte, de même qu'aux facteurs génétiques.

- L'orientation sexuelle, peu importe sa position dans le continuum hétérosexualité/homosexualité, semble reposer sur un ensemble de facteurs propres à chacun.

Les attitudes sociétales

- Les attitudes des diverses cultures vis-à-vis l'homosexualité vont de la condamnation à l'acceptation.

- La vision judéo-chrétienne actuelle présente des positions très variées à l'égard de l'homosexualité.

- L'homophobie est une peur irrationnelle de l'homosexualité, une crainte à l'égard de ses sentiments homosexuels ou un dégoût de sa propre homosexualité. L'homophobie extrême qui trouve son exutoire dans le crime haineux est souvent le fait de jeunes hommes.

- Depuis les années 1990, les médias montrent de plus en plus l'homosexualité sous un jour positif, un changement qui a conduit à une meilleure compréhension et à une plus grande acceptation de l'homosexualité.

Les styles de vie

- Contrairement à ce que laissent croire les stéréotypes, les personnes homosexuelles ont des styles de vie très variés.

- Le choix d'affirmer son orientation ou de la taire a souvent une grande influence sur le style de vie. Le processus d'affirmation de son orientation homosexuelle comprend trois étapes : la reconnaissance, l'acceptation et l'expression de son homosexualité. L'appartenance à la communauté gaie consolide l'affirmation de son orientation sexuelle.

- Les couples gais, lesbiens et hétérosexuels partagent plusieurs caractéristiques. Cependant, les couples homosexuels composeraient mieux avec les conflits que ne le font les couples hétérosexuels. Les gais et les lesbiennes se distinguent à l'égard des relations sexuelles occasionnelles ou engagées de la même façon que les hommes et les femmes hétérosexuels.

- Les familles homoparentales ne comptent pas plus d'enfants homosexuels que les autres types de familles.

Les développements sexuels au cours de la vie

CHAPITRE

6

Dans de nombreuses sociétés occidentales, y compris la nôtre, la sexualité est encore souvent vue comme quelque chose qui commence avec la puberté. Cette vision est inexacte et contraire aux observations scientifiques, et même aux observations communes. Dans le présent chapitre, nous présentons d'abord quelques comportements sexuels propres à l'enfance et à l'adolescence. Par la suite, nous nous intéressons à la sexualité à l'âge adulte et à celle des personnes âgées.

La sexualité chez le nourrisson et l'enfant

> Mon plus ancien souvenir de ce qui pourrait s'appeler un geste de nature sexuelle est de m'être frotté contre mon oreiller dans mon berceau et d'avoir ressenti quelque chose de très agréable ; je crois aujourd'hui que c'était un orgasme (en fait, je me souviens de l'avoir fait à plusieurs reprises). Je devais avoir deux ans, plus ou moins quelques mois. Ce qui est étonnant à propos de ces expériences précoces est que je dormais dans la chambre de mes parents – je m'en souviens clairement – et que je n'ai jamais été réprimandé pour ce comportement « auto-abusif ». Ou bien mes parents dormaient profondément, ou bien ils étaient très avant-gardistes en matière de sexualité. Connaissant mes parents, je pense que c'est la première hypothèse qui est juste. (Notes des auteurs)

Les recherches des dernières décennies ne laissent plus de doute : l'être humain est capable d'érotisme dès la petite enfance. Ce potentiel n'est pas systématiquement réalisé chez tous les jeunes enfants. Une combinaison de facteurs – personnalité, environnement familial et culturel, pairs, etc. – influe sur le développement de la sexualité durant l'enfance. Et ce qui se passe dès les premières années de la vie continuera d'influencer le comportement sexuel à l'âge adulte.

La sexualité du nourrisson… et du fœtus

Avec l'utilisation de l'échographie prénatale, l'érection chez un fœtus masculin est devenue une observation courante. Des érections sont aussi observées chez des bébés dès leur naissance.

Chez la plupart des gens, la capacité d'avoir une réponse sexuelle est présente dès la naissance (DeLamater et Friedrich, 2002 ; Newman, 2008 ; Thanasiu, 2004). Durant les deux premières années de la vie, période dite du nourrisson, plusieurs filles et garçons découvrent les plaisirs de la stimulation génitale (Yang et coll., 2005). Il s'agit de poussées ou de frottements de la zone génitale contre un objet, tels un oreiller ou une poupée, comme dans le témoignage ci-dessus. Les poussées du bassin et d'autres signes d'excitation sexuelle chez le nourrisson, par exemple la lubrification vaginale ou l'érection pénienne, sont souvent mal interprétés ou simplement ignorés. Toutefois, les observateurs attentifs noteront ces marques de sexualité chez les très jeunes bébés (Ryan, 2000 ; Thanasiu, 2004). On a pu constater chez des nourrissons des deux sexes ce qui ressemble à s'y méprendre à un orgasme (Newman, 2008). Le nourrisson ne peut, bien entendu, confirmer verbalement la nature sexuelle de son activité. Toutefois, celle-ci est tellement similaire à la réponse sexuelle de l'adulte que son caractère sexuel ne laisse guère de doutes. Alfred Kinsey et son équipe, dans leur livre sur la sexualité féminine, rapportent en détail les observations d'une mère à propos de sa fillette de trois ans, occupée à n'en pas douter à une activité masturbatoire.

> *Couchée sur le ventre, genoux repliés, elle se mit à effectuer des poussées pelviennes rythmiques environ toutes les secondes. C'étaient avant tout des poussées du bassin et les jambes étaient tendues en position fixe. Les poussées vers l'avant s'effectuaient à un rythme soutenu et régulier que la petite n'interrompait que le temps de replacer ses organes génitaux sur la poupée contre laquelle elle se pressait ; la reprise après chaque poussée était spasmodique et saccadée. Il y eut 44 poussées à un rythme soutenu, une brève pause, 87 poussées suivies d'un léger temps d'arrêt, puis un moment de concentration et de respiration intense, accompagné de spasmes soudains signalant l'approche de l'orgasme. Elle était complètement*

absorbée durant cette dernière phase de l'activité. Elle avait le regard vague, fixe et vide. Le soulagement et la relaxation qui suivirent l'orgasme étaient évidents. (Traduction libre, Kinsey et coll., 1953, p. 104-105.)

Kinsey décrit aussi des manifestations de la sexualité d'un nourrisson de sexe masculin.

Mis à part l'absence d'éjaculation, l'orgasme du nourrisson ou de tout autre jeune garçon ressemble à s'y méprendre à l'orgasme chez l'adulte. Le comportement est constitué d'une série de changements physiologiques qui prennent place graduellement avec l'adoption de mouvements corporels rythmés accompagnés de pulsations péniennes et de poussées du bassin, d'une altération évidente des capacités sensorielles, d'une tension finale particulière des muscles de l'abdomen, des hanches et du dos, suivie d'un soudain relâchement accompagné de spasmes, incluant des contractions anales régulières – et se terminant avec la disparition de tous les symptômes. Un bébé agité se calme dès la première stimulation sexuelle, perd tout intérêt pour d'autres activités, entreprend des poussées pelviennes rythmiques, se tend à l'approche de l'orgasme, est pris de convulsions, est souvent agité de violents mouvements des bras et des jambes et pleure parfois au moment de l'orgasme. (Traduction libre, Kinsey et coll., 1948, p. 177.)

Il est impossible de déterminer le sens de ces premières expériences sexuelles pour les nourrissons, mais il est assez certain qu'elles sont agréables. Beaucoup d'enfants des deux sexes s'y adonnent tout naturellement si leurs parents ou les personnes qui prennent soin d'eux ne s'y opposent pas.

Il est clair que les nourrissons sont incapables de différencier le plaisir sexuel des autres formes de plaisir sensuel. Plusieurs soins quotidiens du nourrisson, comme l'allaitement, le bain, la toilette ou le changement de couches, comportent des stimulations tactiles qui, bien qu'essentiellement sensuelles, peuvent entraîner une réponse génitale ou sexuelle (Frayser, 1994 ; Martinson, 1994).

La sexualité durant l'enfance

Qu'est-ce qui constitue un comportement sexuel sain et normal chez l'enfant ? Voilà une question à laquelle on ne peut apporter de réponse définitive, vu la rareté des données sur la sexualité durant l'enfance. La recherche en ce domaine demeure parcellaire pour de nombreuses raisons, la principale étant la difficulté d'obtenir du financement pour la recherche fondamentale sur la sexualité de l'enfant ; ici comme ailleurs, les lignes directrices qui guident la recherche rendent la conduite de ce type d'étude difficile. Il y a quelques années, aux États-Unis, une équipe a surmonté ces obstacles en interrogeant un

Il est possible que les contacts chaleureux et agréables qu'on a connus dans l'enfance, particulièrement avec ses parents, conditionnent le plaisir qu'on retire de l'intimité sexuelle à l'âge adulte.

vaste échantillon de mères d'enfants âgés de 2 à 12 ans. L'encadré *Pleins feux sur la recherche* présente des résultats de cette étude riche en information.

Le développement sexuel de l'enfant est varié et soumis à diverses influences (Bancroft, 2003). Il semble toutefois se dégager une certaine séquence commune dans ce développement, bien que les connaissances dans ce domaine soient quelque peu limitées. Il faut garder à l'esprit que l'histoire sexuelle de chaque individu est unique et qu'elle peut donc s'écarter du modèle commun. Il est aussi important de comprendre que, mis à part ce que nous en disent les personnes qui prennent soin des petits, notre connaissance du comportement sexuel dans l'enfance repose en grande partie sur des souvenirs d'adultes. Et comme nous l'avons dit au chapitre 1, il peut être très difficile pour les adultes de se remémorer avec exactitude des expériences survenues de nombreuses années auparavant.

L'enfant apprend à exprimer ses sentiments affectueux et sensuels par le baiser et l'étreinte. L'accueil qui sera fait à ses manifestations de tendresse pourra vivement conditionner l'expression de sa sexualité. En effet, les dispositions d'une personne à donner et à recevoir de l'affection, une fois adulte, semblent liées à ses premiers contacts chaleureux et agréables avec des gens significatifs, particulièrement ses parents (DeLamater et Friedrich, 2002 ; Newman, 2008). Plusieurs chercheurs croient que les enfants privés de contact réconfortant (qu'on ne caresse

Pleins feux sur la recherche

Le comportement sexuel des enfants : un échantillon contemporain

Le psychologue William Friedrich et ses collaborateurs (1998) de l'Institut Mayo ont soumis à un vaste échantillon de mères un questionnaire sur les comportements de nature sexuelle qu'elles avaient observés chez leurs enfants. On a ainsi obtenu des données sur les comportements sexuels de 834 enfants de 2 à 12 ans n'ayant pas été victimes d'agressions sexuelles. On a demandé aux mères combien de fois elles avaient vu leurs enfants s'adonner à 38 comportements sexuels différents, durant les 6 mois précédents. Quand 20 mères ou plus déclaraient avoir observé un comportement donné, les chercheurs considéraient celui-ci comme une manifestation normale de l'expression sexuelle chez les enfants. Voici les principaux résultats de cette importante étude.

Un large éventail de comportements sexuels a été observé et la fréquence de ceux-ci variait selon l'âge des enfants. Comme le montre le tableau 6.1 ci-dessous, les comportements les plus fréquents étaient l'autostimulation, l'exhibitionnisme (consistant souvent à montrer ses parties intimes à un autre enfant ou à un adulte) et des comportements liés à l'espace personnel, comme toucher les seins de sa mère ou ceux d'une autre femme. Les comportements sexuels importuns – par exemple, l'enfant qui met sa main sur les organes génitaux d'un autre enfant – furent moins fréquemment observés.

Chez les deux sexes, la fréquence des comportements sexuels observés était inversement liée à l'âge, culminant à cinq ans pour ensuite décliner durant les sept années suivantes. Selon les auteurs de l'étude, cette diminution n'indique pas nécessairement que les enfants ont moins de comportements sexuels en vieillissant, mais qu'ils s'y adonnent avec plus de discrétion. Les enfants plus âgés passent également plus de temps avec leurs pairs, et leurs parents ont donc moins d'occasions de les observer.

Les chercheurs n'ont relevé aucun lien significatif entre l'origine ethnique et les comportements sexuels observés. Le lien entre les attitudes maternelles envers la sexualité et la fréquence de ces comportements est cependant indéniable. Les mères qui disaient ne pas s'en faire avec la nudité dans la famille, par exemple, ou qui ne voyaient pas d'inconvénient à dormir ou à prendre un bain avec leurs enfants ont rapporté un plus grand nombre d'activités sexuelles chez ces derniers.

Les auteurs de cette étude ont conclu que le comportement sexuel explicite, particulièrement chez les jeunes enfants, semble être un aspect normal du développement. Cette constatation est particulièrement intéressante à une époque où les agressions sexuelles d'enfants font partie des préoccupations bien réelles de nombreux parents et des corps enseignant et médical. En conclusion, Friedrich et ses collègues font remarquer qu'il est important que les parents (et les autres adultes) comprennent que l'enfant de cinq ans qui touche à l'occasion ses parties génitales, même au retour d'une fin de semaine chez l'autre parent, n'a pas pour autant été agressé.

TABLEAU 6.1 Pourcentage des mères ayant observé un comportement donné au moins une fois, dans les six derniers mois.

COMPORTEMENT OBSERVÉ	GARÇONS			FILLES		
	2 À 5 ANS	6 À 9 ANS	10 À 12 ANS	2 À 5 ANS	6 À 9 ANS	10 À 12 ANS
Touche ses organes génitaux en public	26,5	13,8	1,2	15,1	6,5	2,2
Touche ses organes génitaux à la maison	60,2	39,8	8,7	43,8	20,7	11,6
Touche les organes génitaux d'autres enfants	4,6	8,0	1,2	8,8	1,2	1,1
Touche les organes génitaux des adultes	7,8	1,6	0,0	4,2	1,2	0,0
Touche les seins	42,4	14,3	1,2	43,7	15,9	1,1
Montre ses organes génitaux aux autres enfants	9,3	4,8	0,0	6,4	2,4	1,1
Montre ses organes génitaux aux adultes	15,4	6,4	2,5	13,8	5,4	2,2
Se masturbe manuellement	16,7	12,8	3,7	15,8	5,3	7,4
Se masturbe avec un objet	3,5	2,7	1,2	6,0	2,9	4,3
Parle d'actes sexuels	2,1	8,5	8,9	3,2	7,2	8,5
Met sa bouche sur les seins	5,7	0,5	0,0	4,3	2,4	0,0
En sait beaucoup sur la sexualité	5,3	13,3	11,4	5,3	15,5	17,9

Source : Adapté avec l'autorisation de W. Friedrich et coll., 1998.

pas ou qu'on ne prend pas dans ses bras) durant les premiers mois et les premières années de la vie peuvent éprouver des difficultés à établir des relations intimes plus tard (Harlow et Harlow, 1962 ; Houde et Drapeau, 2012 ; Prescott, 1989). De plus, d'autres recherches suggèrent que l'affection et la violence physique sont, dans une certaine mesure, mutuellement exclusives. Ainsi, une étude portant sur 49 sociétés différentes a révélé qu'il y avait peu de violence adulte dans les cultures où les enfants étaient élevés affectueusement. Inversement, elle était manifeste dans celles où les enfants étaient privés de contacts physiques affectueux (Prescott, 1975).

La masturbation

> Je garde ma cousine de 21 mois et je l'ai surprise à se caresser l'intérieur du vagin avec une débarbouillette. Fait-elle cela pour découvrir son corps ou bien a-t-elle été attouchée [sic] ? J'avoue que j'ai une certaine crainte à l'idée de la garder encore. Merci. (Site Élysa)

Le mot masturbation décrit la stimulation de ses propres parties génitales pour obtenir du plaisir sexuel. *Autoérotisme* est un autre terme pour désigner la masturbation. Nous exposons quelques points de vue sur la masturbation, puis nous en donnons les buts et expliquons certaines techniques d'autostimulation.

Selon Jean-Yves Desjardins (2007), dès que l'enfant acquiert le contrôle de ses mouvements, il est susceptible de pratiquer une forme quelconque d'autostimulation. Parfois, les bébés se caressent, comme mentionné plus haut, mais la manipulation rythmique des organes génitaux propre à la masturbation adulte ne se produit généralement pas avant l'âge de deux ans et demi ou trois ans (DeLamater et Friedrich, 2002 ; Martinson, 1994).

La masturbation est l'une des manifestations sexuelles les plus courantes durant l'enfance (Thanasiu, 2004). L'étude présentée dans l'encadré *Pleins feux sur la recherche* ci-contre indique qu'environ 16 % des mères ont déclaré avoir vu leurs enfants de deux à cinq ans se masturber manuellement (Friedrich et coll., 1998). Diverses autres études ont révélé que le tiers des répondantes et les deux tiers des répondants disaient s'être masturbés avant l'adolescence (Elias et Gebhard, 1969 ; Friedrich et coll., 1991). Selon une enquête récente menée auprès d'étudiants du collégial, un peu plus de filles (40 %) que de garçons (38 %) ont déclaré s'être masturbées avant leur puberté (Bancroft et coll., 2003a). Une revue récente de plusieurs études montre qu'une «proportion substantielle» de personnes a expérimenté l'orgasme avant la puberté, souvent par la masturbation (Janssen, 2007).

La réaction des parents à l'autoérotisme de l'enfant peut avoir une très grande influence sur le développement de sa sexualité. Dans notre société, la plupart des parents et des personnes qui s'occupent des enfants ont tendance à les dissuader de s'y adonner ou à interdire ce genre d'activité, et même à s'en inquiéter auprès d'autres adultes, la trouvant inusitée. Les parents ne parlent généralement pas de la masturbation à leurs enfants. Quand ils le font, c'est souvent de manière désobligeante. Repensez à votre jeunesse. Vos parents ne vous ont-ils jamais dit qu'ils acceptaient cette activité ? Aviez-vous l'impression qu'ils admettaient l'autoérotisme chez leurs enfants ? Probablement pas. La plupart du temps, les parents gratifient l'enfant qui se masturbe d'un regard désapprobateur ou d'une tape sur la main, ou lui disent «d'arrêter de faire ça». Ces gestes de condamnation n'échappent pas aux enfants, pas même aux très jeunes dont les capacités langagières ne sont pas encore développées.

Comment les adultes peuvent-ils montrer qu'ils comprennent cette forme d'autoexploration si naturelle et normale ? D'abord, en s'abstenant de réprouver l'habitude qu'ont les bébés et les enfants en bas âge de caresser leurs parties génitales. Plus tard, en répondant aux questions des enfants concernant leur corps, il peut être souhaitable de mentionner le potentiel de plaisir émanant des organes génitaux («C'est bon quand tu te touches là»). En respectant l'intimité des petits – par exemple, en frappant avant d'entrer dans leur chambre –, on leur permet d'être à l'aise durant cette activité très personnelle. Les adultes peuvent montrer qu'ils acceptent ouvertement l'activité autoérotique de leur enfant, comme dans l'exemple suivant.

> Un jour, mon fils de sept ans est venu me rejoindre sur le divan pour regarder un match de football. Il venait de sortir de la douche et, serviette en main, finissait de se sécher. Alors qu'il paraissait absorbé par ce qui se passait à l'écran, j'ai remarqué qu'il se caressait le pénis d'une main. Tout à coup, son regard a croisé le mien alors que je le regardais. Il a eu un sourire gêné. Je ne savais pas trop comment réagir, alors j'ai simplement dit : «C'est agréable, n'est-ce pas ?» Il n'a rien dit, pas plus qu'il n'a continué à se caresser, mais il a souri un peu plus. Je dois admettre que j'hésitais au départ à lui signifier mon approbation pour ce genre de comportement. Je craignais qu'il ne commence à se masturber devant d'autres personnes. Mais mes craintes se sont avérées infondées puisqu'il a continué cette activité en privé. Je suis heureux de savoir qu'il peut expérimenter les plaisirs que lui procure son corps sans le désagréable sentiment de culpabilité avec lequel son père a grandi. (Notes des auteurs)

> **Masturbation** Stimulation de ses parties génitales dans le but d'obtenir du plaisir sexuel.

Certains craignent, comme dans l'exemple ci-dessus, que les enfants ne se mettent à se masturber devant les autres s'ils savent que leurs parents acceptent ce comportement. C'est une réaction bien naturelle. Personne n'a vraiment envie de devoir intervenir parce que Jade ou Samuel se masturbe devant leur grand-mère. Toutefois, les enfants sont généralement assez conscients des convenances pour agir très discrètement dans un domaine aussi intime et personnel que l'autoérotisme. La plupart d'entre eux sont capables de faire preuve de plus de discernement que le croient leurs parents. Mais advenant qu'un enfant se masturbe en présence d'autres personnes, les parents doivent alors agir avec circonspection et lui indiquer clairement que c'est l'endroit qui est mal choisi, et non l'activité. Une façon de réagir avec tact et sensibilité est de dire à l'enfant : « Je sais que tu as du plaisir, mais c'est une façon très personnelle d'avoir du plaisir. Trouvons un endroit où tu pourras avoir l'intimité dont tu as besoin » (Planned Parenthood Federation of America, 2002).

Beaucoup d'enfants se masturbent. On réussira rarement à éliminer ce comportement en le leur interdisant, en les menaçant de punition, ou en prétendant que la masturbation peut les mener à la dégénérescence mentale ou physique. Tout ce qu'on risque ainsi, c'est d'amplifier le sentiment de culpabilité et l'anxiété associés à ce comportement (Singer, 2002).

Les jeux sexuels

Outre l'autostimulation, les enfants prépubères s'adonnent à des jeux qu'on peut considérer comme sexuels (Sandnabba et coll., 2003 ; Thanasiu, 2004). Ils s'y adonnent avec des amis des deux sexes ou avec leurs frères et sœurs du même âge (Thanasiu, 2004). Cela peut se produire dès l'âge de deux ou trois ans, mais plus généralement entre quatre et sept ans (DeLamater et Friedrich, 2002). Alfred Kinsey (1948, 1954) indique que 45 % des femmes et 57 % des hommes de son échantillon ont déclaré s'être adonnés à ces expériences avant l'âge de 12 ans. D'autres recherches ont révélé que 61 % des étudiants de niveau collégial avaient participé à certains jeux sexuels avec d'autres enfants avant l'âge de 13 ans (Greenwald et Leitenberg, 1989), que 83 % des élèves d'une école secondaire en Suède (81 % des garçons, 84 % des filles) avaient aussi eu des jeux sexuels avant l'âge de 13 ans (Larsson et Svedin, 2002) et que 56 % des membres d'un groupe de professionnels se rappelaient avoir eu des activités considérées comme sexuelles avec d'autres enfants avant l'âge de 12 ans (Ryan et coll., 1988). À l'occasion de ces jeux, les enfants montraient leurs organes génitaux ou les faisaient examiner (sous prétexte de jouer au docteur), et simulaient le coït en se frottant mutuellement les parties génitales. La plupart des adultes, surtout les parents, ont tendance à s'inquiéter de la nature apparemment sexuelle de ces

jeux ; pour les enfants, cependant, le côté ludique de ces gestes importe bien davantage que leur contenu sexuel. Pour le professeur belge, pédopsychiatre et docteur en psychologie Jean-Yves Hayez (2004), à la préadolescence, l'enfant a une attitude « scientifique » devant la sexualité. Il essaie (en théorie et en pratique) de comprendre bien plus qu'il ne recherche une véritable sexualisation érotique.

La curiosité envers ce qui est défendu joue probablement un rôle important dans ces jeux (Comfort, 1967). Cette curiosité suscite l'exploration sexuelle précoce (Hayez, 2004). La curiosité envers les attributs sexuels des autres, surtout ceux de l'autre sexe, est parfaitement normale (DeLamater et Friedrich, 2002 ; Hayez, 2004 ; Thanasiu, 2004). Plusieurs garderies et classes de prématernelle disposent maintenant de salles de bains communes, permettant ainsi aux enfants d'apprendre leurs différences anatomiques de façon naturelle au jour le jour.

Question d'analyse critique

Imaginez que vous êtes le parent d'un garçon de sept ans et que vous venez de le surprendre en train de « jouer au docteur » avec une petite amie de son âge. Tous deux ont enlevé leurs sous-vêtements et s'examinent attentivement l'un l'autre. Que faites-vous ? Agiriez-vous différemment selon le sexe de votre enfant ?

Outre leur intérêt manifeste pour les comportements sexuels, beaucoup d'enfants de cinq à sept ans commencent à reproduire dans leurs agissements le modèle du mariage hétérosexuel prédominant dans notre société parce qu'ils veulent faire « comme les adultes » (Hayez, 2004). La chose est claire quand ils « jouent au papa et à la maman », jeu typique des enfants de cet âge. Certains des jeux sexuels décrits plus tôt prennent place dans le cadre de cette activité.

Autour de huit ou neuf ans (certaines sources parlent de six ans), les filles et les garçons commencent à jouer séparément, quoique l'intérêt romantique envers l'autre sexe continue d'exister (DeLamater et Friedrich, 2002 ; O'Sullivan et coll., 2007). Et si l'attrait des jeux sexuels avec autrui diminue, la curiosité envers la sexualité demeure importante. C'est l'âge des nombreuses questions sur la procréation et la sexualité (Gordon et Gordon, 1989 ; Hayez, 2004).

La plupart des enfants de 10 et 11 ans s'intéressent vivement aux changements corporels, particulièrement ceux ayant trait aux organes sexuels et aux caractères sexuels secondaires, comme la pilosité aux aisselles et la

Chez beaucoup d'enfants, l'aspect ludique d'une interaction comme celle-ci l'emporte sur toute connotation sexuelle.

La sexualité à l'adolescence

L'adolescence est la période des changements physiologiques spectaculaires et du développement du rôle social. Dans les sociétés occidentales, elle marque le passage de l'enfance à la maturité et s'étend habituellement de l'âge de 12 à 20 ans. La plupart des changements physiques majeurs de l'adolescence ont lieu durant les premières années de cette période. Par contre, des changements importants en matière de comportements et de rôles sociaux se produisent durant toute cette étape de la vie. Dans notre société, l'adolescence dure longtemps alors que dans d'autres cultures (comme c'était le cas dans la société occidentale de l'ère préindustrielle), l'enfant assume le rôle d'adulte beaucoup plus tôt, souvent au moment de la puberté et même avant, dans certains cas.

Les changements physiques

La puberté (du latin *pubescere*, «se couvrir de poils») est le terme couramment utilisé pour désigner la période de rapides changements physiques du début de l'adolescence. On ne connaît pas encore tous les mécanismes qui déclenchent la séquence de ce développement, mais on sait que l'hypothalamus y joue un rôle clé. En général, quand l'enfant a entre 8 et 14 ans, l'hypothalamus se met à sécréter davantage d'hormones, ce qui amène l'hypophyse à libérer dans le sang d'importantes quantités de gonadostimuline (Westwood, 2007). Cette hormone, chimiquement identique chez les garçons et les filles, stimule l'activité des gonades. Chez les garçons, elle accroît la production de testostérone, tandis que, chez les filles, elle stimule les ovaires qui commencent à produire d'importantes quantités d'œstrogènes. Vers 9 ou 10 ans, la présence de ces hormones se met à augmenter à l'approche de la puberté (Bancroft, 2003). La puberté commence généralement vers 10 ou 11 ans chez les filles, et un peu plus tard chez les garçons, en moyenne vers 12 ans (Westwood, 2007). Une étude récente a montré que la puberté a tendance à survenir plus tôt que la norme chez les filles qui font de l'embonpoint (Diaz et coll., 2008).

Sous l'effet de l'augmentation des taux d'hormones mâles et femelles, des signes extérieurs de la maturation sexuelle mâle et femelle commencent à apparaître. Ces

formation des seins. Ils sont souvent impatients de voir apparaître chez eux ces signes annonciateurs de l'adolescence. Beaucoup d'enfants prépubères deviennent alors extrêmement embarrassés par leur corps et très réticents à le montrer aux autres. Vivre séparément de l'autre sexe fait loi et les enfants de cet âge protestent souvent avec véhémence contre toute allusion à un quelconque intérêt romantique de leur part envers l'autre sexe (Goldman et Goldman, 1982 ; Hayez, 2004).

Les jeux sexuels entre amis de même sexe sont courants durant ces dernières années de l'enfance (DeLamater et Friedrich, 2002 ; Sandnabba et coll., 2003). En fait, au cours de cette période où l'homosociabilité est particulièrement marquée, ils sont probablement plus fréquents qu'entre amis des deux sexes (DeLamater et Friedrich, 2002). Dans la plupart des cas, ces jeux sont transitoires et bientôt remplacés par les premières fréquentations hétérosexuelles de l'adolescence (Reinisch et Beasley, 1990). Toutefois, chez certains enfants, ils peuvent être annonciateurs d'une orientation homosexuelle ou bisexuelle qui s'épanouira durant l'adolescence et à l'âge adulte (voir le chapitre 5). En elles-mêmes, cependant, ces expériences sexuelles de jeunesse avec des amis de même sexe sont rarement déterminantes de l'orientation homosexuelle (Bell et coll., 1981 ; Van Wyk, 1984). Nous conseillons aux parents qui remarquent de tels comportements d'éviter les réactions hostiles et de ne pas y voir des activités homosexuelles de type adulte.

La découverte de soi et les interactions avec les pairs sont manifestement très importantes durant l'enfance, alors que commence le développement de la sexualité. L'influence de ces facteurs se poursuit pendant l'adolescence.

Puberté   Période de changements rapides du début de l'adolescence pendant laquelle les organes reproducteurs deviennent matures.

Gonadostimuline   Hormone hypophysaire stimulant l'activité des gonades (testicules et ovaires).

changements – formation des seins, mue de la voix, pilosité faciale, corporelle et pubienne – sont appelés caractères sexuels secondaires. L'apparition des poils pubiens chez les deux sexes et des bourgeons mammaires (légère protubérance sous le mamelon) chez les filles est habituellement le premier signe de la puberté. Une poussée de croissance suit également, sous l'effet des hormones sexuelles, de l'hormone de croissance et d'une troisième substance appelée *facteur 1 protéine de liaison des facteurs de type insuline* (Caufriez, 1997) ou IGF-1 (pour *Insulin-like growth factor 1*). Un taux insuffisant d'hormone de croissance est associé à une petite taille durant la jeunesse qui peut être corrigée par l'administration d'hormones de croissance au moment de la puberté (Coelho et coll., 2008 ; Lindgren et Lindberg, 2008). La poussée de croissance prend fin, de nouveau sous l'influence des hormones sexuelles, lesquelles commandent la fermeture des extrémités des os longs. La taille des organes génitaux externes augmente aussi : chez le garçon, le pénis et les testicules se développent, alors que chez la fille les petites et grandes lèvres grossissent (voir la figure 6.1).

La seule chose qui distingue clairement la puberté des garçons et celle des filles est la croissance. Parce que les œstrogènes facilitent davantage que la testostérone la sécrétion de l'hormone de croissance par l'hypophyse, les filles commencent à grandir beaucoup plus vite dès les premiers signes de puberté. Même si l'ampleur de la poussée de croissance est à peu près comparable chez les deux sexes, elle commence environ deux ans plus tôt chez les filles (Westwood, 2007). C'est ainsi qu'en moyenne, les filles de 12 ans sont considérablement plus grandes que les garçons du même âge.

Stimulés par l'afflux hormonal, les organes internes des deux sexes se transforment encore davantage durant la puberté. Chez les filles, les parois vaginales s'épaississent, l'utérus augmente de volume et devient plus musclé. D'alcalin qu'il était, le pH vaginal devient acide à mesure que les sécrétions vaginales et cervicales s'accroissent au rythme des changements hormonaux. Les menstruations débutent ensuite ; l'apparition des premières règles est appelée *ménarche* (voir le chapitre 2). Les premières menstruations peuvent être irrégulières et se produire sans ovulation. Le cycle menstruel de certaines adolescentes demeure irrégulier durant plusieurs années avant de se stabiliser et de devenir prévisible. Voilà pourquoi les méthodes de contraception fondées sur le cycle menstruel manquent singulièrement de fiabilité pour les filles de ce groupe d'âge. La plupart des filles

---

Caractères sexuels secondaires Changements physiques autres que génitaux qui indiquent une maturité sexuelle, comme la pilosité corporelle, les seins, la voix plus grave.

FIGURE 6.1 Les changements hormonaux de la puberté, déclenchés par l'action de l'hypothalamus sur l'hypophyse, stimulent une croissance rapide et le développement des caractères sexuels secondaires.

Acné
Barbe
Mue de la voix
Poils aux aisselles, sur la poitrine, développement musculaire
Toison pubienne
Accroissement de la taille du pénis, du scrotum et des testicules
Éjaculation

Hypophyse
Glandes surrénales
Testicules
Ovaires

Acné
Poils aux aisselles
Formation des seins
Arrondissement du galbe du corps
Toison pubienne
Accroissement de la taille de l'utérus, du clitoris, des petites lèvres et des grandes lèvres
Menstruation

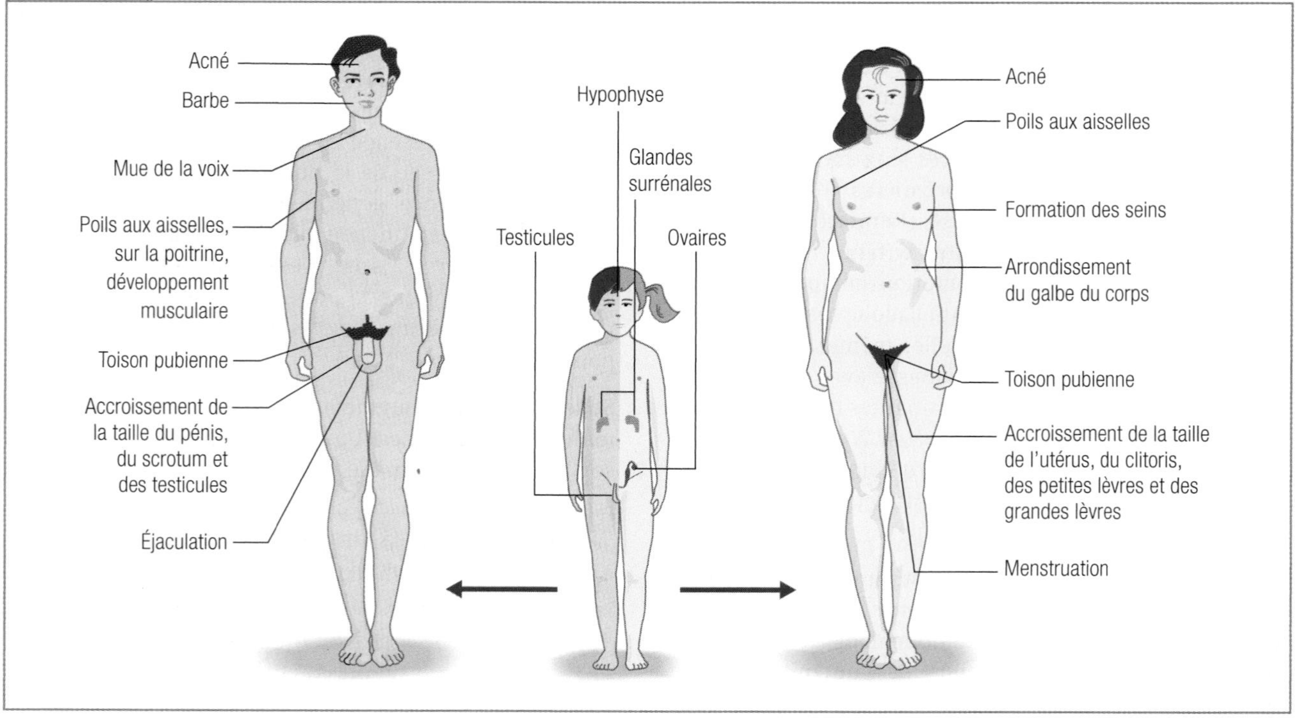

ont leurs premières règles vers 12 ou 13 ans, mais l'âge de la ménarche varie beaucoup (Chumlea et coll., 2003).

Chez les garçons, la taille de la prostate et des vésicules séminales s'accroît considérablement durant la puberté. Bien que certains garçons aient parfois des orgasmes durant l'enfance, l'éjaculation n'est possible que lorsque la prostate et les vésicules séminales commencent à fonctionner sous l'effet de l'augmentation du taux de testostérone. En général, la première éjaculation se produit un an après le début de la poussée de croissance, habituellement vers l'âge de 13 ans, mais comme pour les menstruations, l'âge exact varie beaucoup (Janssen, 2007). La présence de sperme dans l'éjaculat survient généralement vers l'âge de 14 ans (Wheeler, 1991). Il semble y avoir une période d'infertilité chez plusieurs garçons et filles, après la première éjaculation ou la ménarche. Néanmoins, on trouve des spermatozoïdes viables dès le début de la puberté dans l'éjaculat de certains garçons.

La mue de la voix causée par l'élargissement du larynx se produit chez les deux sexes, mais elle est plus évidente chez les garçons, dont la voix passe rapidement de l'aigu au grave et du grave à l'aigu, et peut devenir source d'embarras. La pilosité, faciale chez les garçons, et axillaire (aisselles) chez les deux sexes, survient environ deux ans après l'apparition de la toison pubienne. L'accroissement de l'activité des glandes sébacées peut causer des boutons ou de l'acné.

Toutes ces transformations physiques sont à la fois des sources de fierté et d'inquiétude pour les adolescents et adolescentes, de même que pour leurs proches. Les jeunes sont souvent embarrassés par tant de changements, et ceux qui ont une puberté précoce ou tardive par rapport à la moyenne le sont tout particulièrement.

Des changements sur le plan de la sociabilité ont également lieu. Souvent, les amitiés entre garçons et filles se transforment, et les adolescents et adolescentes deviennent – du moins pour un temps – plus homosociaux, recherchant davantage les contacts avec les personnes de leur propre sexe. Cette phase ne dure pas très longtemps, cependant. L'adolescence est également marquée par d'importants changements dans les comportements.

Les changements de comportements

L'adolescence est une période exploratoire durant laquelle l'activité sexuelle – tant par autostimulation que par stimulation mutuelle des partenaires – s'intensifie. Bien que la sexualité adolescente soit en grande partie la suite logique de la sexualité enfantine, elle acquiert alors une signification nouvelle. Le cerveau, dans son ensemble, montre des changements majeurs de l'enfance à la maturité sexuelle. Le cortex, qui régule les comportements sociaux, s'épaissit et avec lui les fonctions cognitives se développent.

Examinons quelques aspects de la sexualité qui se développent particulièrement durant l'adolescence, notamment le double standard sexuel, la masturbation, les jeux sexuels, les relations sexuelles suivies, la relation coïtale et l'homosexualité.

La discrimination sexuelle

Les enfants font l'apprentissage des stéréotypes sexuels dès leur plus jeune âge, mais c'est à l'adolescence, avec l'importance accrue de la sexualité, que la différenciation des rôles sexuels peut se cristalliser. La politique du deux poids deux mesures en matière sexuelle est révélatrice des scénarios de genre: on observe en effet que les normes sont généralement permissives pour les hommes et restrictives pour les femmes (Greene et Faulkner, 2005; Muehlenhard et coll., 2003). Comme nous le voyons au chapitre 10, les attentes en matière de sexualité, culturellement différentes pour les garçons et les filles, peuvent influencer les hommes et les femmes tout au long de leur existence. La sexualité naissante de l'adolescence absorbe l'essentiel de ces valeurs sociales polarisées. Une revue de 30 études publiées depuis 1980 montre clairement que la discrimination sexuelle influe sur la sexualité des adolescentes, des adolescents et des adultes (Crawford et Popp, 2003). Des données recueillies au cours des dernières années tendent cependant à montrer que le deux poids deux mesures est en perte de vitesse en Amérique du Nord, surtout chez les femmes (Davidson et coll., 2008; Greene et Faulkner, 2005).

Puisque la discrimination sexuelle continue d'exercer son influence, jetons un coup d'œil sur quelques-uns de ses effets potentiels sur les adolescents. Chez les hommes, le but de la sexualité peut être la conquête sexuelle. Les jeunes hommes qui ne sont pas entreprenants ou qui n'ont aucune expérience sexuelle risquent donc d'être affublés d'une étiquette négative du genre «fif». Les pairs contribuent souvent à renforcer des attitudes et comportements masculins stéréotypés en approuvant l'agressivité et l'indépendance. Pour certains jeunes hommes, parler de leurs rencontres sexuelles est plus important que l'activité elle-même.

> L'image que j'avais de moi était en jeu : belle gueule, drôle, sportif, toujours prêt à faire la fête, mais toujours vierge. Tout le monde tenait pour acquis que j'étais expert dans l'art de faire l'amour. J'ai joué le jeu en laissant toujours sous-entendre : «Oui, on l'a fait et je t'assure, c'était super!» (Notes des auteurs)

Le message et les attentes sont souvent très différents pour les femmes. Le témoignage suivant rend compte de la politique du deux poids deux mesures telle que perçue par une femme.

> Cela me paraissait bien étrange : la société valorisait la virginité chez les filles, mais les gars avaient le feu vert pour perdre la leur. Je viens d'une famille nombreuse et mon frère était l'aîné. Je me souviens quand la rumeur a commencé à décrire mon frère comme un *play-boy* (il avait environ 18 ans). Loin de s'en inquiéter, mes parents semblaient plutôt fiers. Mais lorsque mes sœurs et moi avons voulu commencer à sortir, nos parents sont devenus méfiants. Je me souviendrai toujours du sentiment qui m'habitait ; je me disais que si j'avais des enfants, je ne permettrais pas une telle injustice et n'accorderais pas une telle importance à la virginité féminine. (Notes des auteurs)

Beaucoup de jeunes femmes sont confrontées au même dilemme. Elles apprennent à avoir l'air *sexy* pour attirer les garçons, mais se sentent ambivalentes à l'égard d'une certaine liberté sexuelle. En refusant d'avoir des rapports sexuels, la jeune femme redoute que son ami se désintéresse d'elle et cesse de la voir. Si, au contraire, elle lui cède, elle craint de se faire une réputation de fille facile.

La masturbation

Bien que bon nombre d'adolescents n'aient pas de rapports sexuels avant l'âge de 19 ans, beaucoup se masturbent. Comme nous l'avons vu plus tôt dans ce chapitre, la masturbation est une manifestation courante de la sexualité durant l'enfance. Pendant l'adolescence, ce comportement tend à devenir plus fréquent. Le taux de fréquence de la masturbation chez les filles est considérablement plus bas que chez les garçons pour tous les groupes d'âge, y compris les adolescentes (Leitenberg et coll., 1993 ; Simon et Gagnon, 1998). À la fin de l'adolescence, presque tous les garçons et approximativement trois filles sur quatre se sont masturbés (Coles et Stokes, 1985 ; Janus et Janus, 1993).

La masturbation peut être une voie d'expression sexuelle importante durant l'adolescence. En plus de fournir un exutoire à la tension sexuelle, l'autostimulation est une excellente façon de découvrir son propre corps et le potentiel sexuel qu'il recèle. Les adolescents peuvent essayer différentes façons d'atteindre le plaisir et accroître ainsi leur connaissance d'eux-mêmes. Cette connaissance pourrait leur être utile plus tard, lors d'interactions sexuelles avec un ou une partenaire.

Les jeux sexuels non coïtaux

Il existe d'autres formes d'expressions sexuelles non coïtales que les jeunes utilisent pour entrer en contact et parfois comme substitut aux rapports sexuels. Les jeux sexuels désignent des contacts physiques érotiques pouvant inclure baisers, étreintes, touchers, stimulations manuelles ou buccogénitales – mais sans qu'il y ait coït. Au Québec, on dit parfois « se taponner » ou « se poigner » pour parler de ces séances de pelotage. Peut-être que l'un des changements les plus remarquables quant au répertoire sexuel des adolescents est le recours à la stimulation buccogénitale. De nombreuses enquêtes ont révélé que la fréquence de ce comportement a spectaculairement augmenté chez les adolescentes et adolescents (Brady et Halpern-Felsher, 2007 ; Halpern-Felsher et coll., 2006).

Beaucoup d'adolescents et d'adolescentes considèrent que les relations buccogénitales sont plus acceptables lors d'aventures amoureuses et qu'elles sont significativement moins risquées que le coït en termes de santé et de conséquences sociales et affectives (Brady et Halpern-Felsher, 2007 ; Knox et coll., 2008). Malheureusement, plusieurs ne semblent pas conscients des risques de transmission d'infections, comme le VIH, l'herpès génital et la gonorrhée, que comportent les contacts buccogénitaux (voir le chapitre 12).

Les jeux sexuels sont très appréciés de certains jeunes parce qu'ils offrent la possibilité d'expérimenter l'intimité sexuelle tout en restant techniquement vierge. La notion de virginité est par contre ambiguë pour plusieurs raisons. La plus importante est qu'elle laisse entendre que le « vrai sexe » relève d'une seule activité – le coït ou la pénétration du pénis dans le vagin – et que la virginité est liée uniquement au coït hétérosexuel. Qu'en est-il alors des lesbiennes, des gais et des hétérosexuels qui n'ont jamais connu le coït, mais qui ont expérimenté d'autres formes de comportements sexuels, telles que la masturbation mutuelle, les contacts buccogénitaux, la pénétration anale et les contacts entre les organes génitaux ? Ces personnes sont-elles toutes « techniquement vierges » ? Que dire alors d'une femme qui n'a connu qu'une seule pénétration vaginale et qu'il s'agissait d'un viol ? A-t-elle perdu sa virginité même si elle n'était pas consentante ?

L'idée que des personnes puissent se livrer à toutes les formes imaginables de rapports sexuels tout en demeurant « vierges » apparaît comme une notion discutable et même anachronique. Peut-être le temps est-il venu d'accorder moins d'importance à ce mot porteur de jugements de valeur et d'exclusion.

Les relations sexuelles

La tendance au deux poids deux mesures en matière sexuelle subsiste encore, mais les études indiquent aussi qu'en général les jeux sexuels et les rapports coïtaux se produisent maintenant davantage dans le cadre d'une relation suivie que ce n'était le cas à l'époque de Kinsey. Il semble que les adolescents d'aujourd'hui ont plus tendance à partager leur intimité sexuelle avec quelqu'un

---

Jeux sexuels   Contacts physiques sans coït tels que des baisers, des touchers et la stimulation buccogénitale.

qu'ils aiment ou pour qui ils éprouvent un attachement affectif (Laumann et coll., 1994 ; Overbeck et coll., 2003). Une récente étude américaine révèle que 80 % des filles et 66 % des garçons disent qu'une des principales motivations à avoir des relations sexuelles était d'avoir un compagnon ou une compagne qu'ils aimaient (Patrick et coll., 2007). Une autre étude américaine menée auprès de plus de 8000 adolescents rapporte que la plupart d'entre eux ont eu une relation romantique avant la fin de leur adolescence et qu'ils ont manifesté des comportements romantiques, comme se tenir la main, s'embrasser et s'afficher publiquement comme un couple, avant d'avoir des relations sexuelles. Cette étude a aussi montré que la tendance à s'assurer d'une base sécurisante en développant une relation amoureuse avant d'en arriver à la dimension sexuelle se retrouvait chez les adolescents de plusieurs cultures, notamment asiatique, hispanique et chez la population noire (O'Sullivan et coll., 2007).

Des changements notables d'attitudes et de comportements chez les deux sexes sont en train de réduire le décalage entre les hommes et les femmes. Les adolescentes font plus volontiers l'amour avec quelqu'un pour qui elles éprouvent de l'affection ; elles croient moins devoir « se garder » pour une relation amoureuse. De même, les

Beaucoup d'adolescents entretiennent de tendres relations avec une compagne ou un compagnon.

adolescents ont de plus en plus tendance à faire l'amour dans le cadre d'une relation tendre ou amoureuse, plutôt que d'avoir des rencontres sexuelles avec des connaissances de fortune ou des inconnues, comme c'était le cas auparavant (Laumann et coll., 1994 ; O'Sullivan, 2007). Malgré ce qui précède, les relations sexuelles occasionnelles ou de passage demeurent relativement fréquentes chez les adolescents (voir le chapitre 8) (George et coll., 2006 ; Puentes et coll., 2008).

L'incidence du coït chez les adolescentes et les adolescents

Une enquête de Statistique Canada publiée en 2008 révèle qu'en 2005, 43 % des adolescents (filles et garçons) de 15 à 19 ans ont dit avoir eu au moins une relation sexuelle, comparativement à 47 % en 1996-1997. Cette diminution est attribuable à une plus faible activité sexuelle déclarée chez les adolescentes (passant de 51 à 43 %) en 2005, alors que l'activité sexuelle des adolescents s'est maintenue à 43 %. Les résultats font également ressortir que l'activité sexuelle augmente avec l'âge : pendant la période couverte par l'enquête, près du tiers des 15 à 17 ans ont déclaré avoir eu des relations sexuelles contre environ les deux tiers des 18 et 19 ans.

Au Québec, en 2005, 58 % des adolescents ont dit avoir eu des relations sexuelles, un taux supérieur à celui établi pour le Canada, sans le Québec. L'Ontario et la Colombie-Britannique affichent pour la même période des taux de 37 % et 40 % respectivement, tandis que les autres provinces ont un taux se rapprochant de celui de l'ensemble du pays. De 1996-1997 à 2005, les taux ont augmenté de 31 à 49 % en Nouvelle-Écosse, et diminué de 41 à 37 % en Ontario (Rotterman, 2008).

Les raisons d'accomplir le coït

Les adolescents et adolescentes ont des rapports coïtaux pour de nombreuses raisons. L'afflux d'hormones sexuelles, particulièrement la testostérone, accroît le désir sexuel et l'excitabilité chez les deux sexes. Certains sont motivés par la curiosité et le sentiment d'être mûrs pour l'expérience. Ce sont du moins les raisons qu'ont invoquées environ la moitié des hommes et le quart des femmes ayant participé à l'enquête NHSLS (Laumann et coll., 1994). Beaucoup d'adolescents considèrent le rapport coïtal comme une manifestation naturelle de tendresse ou d'amour (O'Sullivan, 2007). Presque la moitié des répondantes et le quart des répondants de l'enquête NHSLS ont déclaré que c'était là la principale raison de leur premier rapport coïtal (Laumann et coll., 1994). L'envie de se comporter en « adulte », la pression des pairs, l'insistance du ou de la partenaire et un sentiment d'obligation envers un partenaire loyal sont d'autres raisons susceptibles d'inciter les adolescents à avoir une relation coïtale (Lammers et coll., 2000 ; Rosenthal et coll., 1999).

Les facteurs prédisposant les adolescents au coït précoce ou tardif

Les chercheurs ont découvert plusieurs facteurs psychologiques qui semblent prédisposer les très jeunes adolescents au rapport coïtal. En voici quelques-uns: la pauvreté, les conflits familiaux, la vie au sein d'une famille monoparentale ou recomposée, le peu d'instruction des parents, le manque de surveillance parentale, la toxicomanie, la piètre estime de soi et le sentiment de désespoir (Hingson et coll., 2003; McBride et coll., 2003; O'Donnell et coll., 2006; Regnerus et Luchies, 2006). Parmi les autres facteurs, citons le faible rendement scolaire, le peu de crédit accordé à l'éducation (Lammers et coll., 2000; Steele, 1999), la tolérance des comportements antisociaux, la fréquentation de pairs délinquants (French et Dishion, 2003), la consommation excessive d'émissions de télévision à fort contenu sexuel (Ashby et coll., 2006; Chandra et coll., 2008) et le fait d'avoir été victime d'une agression sexuelle (Boyer et Fine, 1992; Lammers et coll., 2000). Les adolescentes qui fréquentent un partenaire de quelques années plus âgé qu'elles sont beaucoup plus susceptibles d'avoir des rapports coïtaux que celles ayant un partenaire de leur âge (Kaestle et coll., 2002; Ryan et coll., 2008).

Les recherches donnent aussi un aperçu des caractéristiques et des expériences des adolescents qui choisissent d'attendre avant d'avoir des rapports coïtaux. Quelques études indiquent qu'une profonde croyance religieuse, une pratique religieuse assidue de même qu'un sentiment d'appartenance spirituelle à un groupe d'amis réduisent en général la probabilité de rapports sexuels précoces (Bancroft, Herbenick et Reynolds, 2003; Davidson et coll., 2008). Les résultats d'une enquête nationale américaine ont révélé qu'une puberté tardive, la réprobation parentale du coït chez les ados, le bon rendement scolaire et les croyances religieuses bien ancrées contribuaient tous à retarder le premier rapport coïtal (Resnick et coll., 1997). Selon une autre étude menée aux États-Unis auprès de 26 000 élèves de la septième à la douzième année, les facteurs qui contribuent le plus à reporter le moment du premier coït comprennent le statut socioéconomique supérieur, le bon rendement scolaire, les attentes élevées des parents et le sentiment d'être aimé par au moins un adulte (Lammers et coll., 2000). Plusieurs autres études ont aussi permis d'établir un lien positif entre le report de l'activité sexuelle chez les adolescents et d'excellents rapports et échanges interpersonnels parents-enfants (Karofsky et coll., 2000; Regnerus et Luchies, 2006; Usher-Seriki et coll., 2008). Malheureusement, la place et le rôle accru d'Internet dans la vie des adolescents semblent exercer un effet néfaste sur les relations parents-enfants, comme le montre l'encadré *Au-delà des frontières*.

Question d'analyse critique

Vous êtes parent et votre ado vous demande: «Comment je saurai si je dois avoir des rapports sexuels?» Que lui répondez-vous? Justifiez votre réponse.

Au-delà des frontières

Les adolescents en ligne: réseaux sociaux et communication

Une enquête menée en 2009 pour le compte du CEFRIO révèle qu'au Québec, 91% des répondants ont accès à Internet haute vitesse à la maison. Chez les 12 à 24 ans, le principal usage est, de loin, la recherche d'information et le courriel (80% des répondants et 89% des répondantes), suivi par d'autres activités de communication telles que le clavardage (72% des garçons et 77% des filles) et le réseautage de type Facebook ou Myspace (57% des garçons et 67% des filles) (Roy, 2009).

Selon plusieurs spécialistes des sciences sociales, même si les adolescents trouvent souvent de l'information et du soutien valables sur Internet, la communication électronique pourrait bien améliorer la communication entre pairs au détriment de la communication avec les parents (Subrahmanyam et Greenfield, 2008).

Les nouvelles fonctions de communication qui s'ajoutent sans cesse sur Internet sont de plus en plus populaires auprès des adolescents, dont un grand nombre passent beaucoup de temps sur les courriels, les blogues et les réseaux sociaux. Outre leurs conséquences négatives sur les relations familiales, de telles activités se traduisent souvent par un déclin des communications en personne avec les pairs. Par conséquent, l'augmentation des communications et du réseautage social en ligne pourrait bien entraîner une diminution des compétences interpersonnelles dans le monde réel. Par ailleurs, les contacts établis dans le cyberespace peuvent comporter des dangers pour les adolescents, comme nous l'expliquons au chapitre 11.

En contrepartie, pour les adolescents qui vivent du rejet social, ce type d'échanges virtuels peut atténuer les effets négatifs de leur isolement (Subrahmanyam et Greenfield, 2008).

L'homosexualité

Diverses études indiquent qu'entre 6 et 11 % des filles et 11 et 14 % des garçons ont eu des contacts sexuels avec une personne de leur sexe durant l'adolescence (Haffner, 1993 ; Hass, 1979). La grande majorité de ces contacts se sont produits avec des pairs plutôt qu'avec des adultes. Toutefois, ces données ou les comportements auxquels elles renvoient ne constituent pas une indication nette de l'orientation sexuelle définitive. Les contacts homosexuels peuvent en effet être expérimentaux et transitoires, ou encore refléter une orientation sexuelle durable. Plusieurs personnes homosexuelles n'expriment pas leurs sentiments et leur attirance avant l'âge adulte, et beaucoup d'hétérosexuels ont eu dans leur jeunesse une ou plusieurs expériences sexuelles avec une personne de leur sexe (voir le chapitre 5).

Les gais, les lesbiennes et les bisexuels se heurtent fréquemment à des réactions hostiles par rapport à leur orientation. Il est donc parfois plus difficile pour eux de développer harmonieusement leur sexualité. Contrairement à d'autres sociétés, la nôtre, même si elle a une réputation d'ouverture, n'accueille pas bien l'homosexualité chez les jeunes, ce qui s'observe particulièrement chez les garçons adolescents (Charlebois, 2011), et d'ailleurs pas beaucoup mieux l'hétérosexualité à l'adolescence. Ceux qui s'écartent du modèle hétérosexuel dominant pourront donc se sentir doublement exclus du fait de leur orientation sexuelle et parce qu'ils s'adonnent à des activités sexuelles.

Les épisodes de dépression, l'abus de stupéfiants et les tentatives de suicide ne sont pas rares chez les jeunes gais, lesbiennes et bisexuels aux prises avec la difficulté de concilier leur sexualité avec les attentes de leurs pairs et de leurs parents (Espelage et coll., 2008 ; Rienzo et coll., 2006 ; Rivers et Noret, 2008). Ne pas être comme tout le monde, sur le plan affectif, est très pénible, et les jeunes homosexuels risquent de se sentir exclus et méprisés par leurs pairs. Les adolescents soupçonnés d'homosexualité sont fréquemment victimes de violences verbales ou physiques (Dorais, 2001 ; Poteat, 2008 ; Rivers et Noret, 2008). Beaucoup de jeunes gais et lesbiennes sont incapables de discuter ouvertement de leur orientation sexuelle avec leurs parents. Ceux et celles qui le font sont souvent rejetés par leur famille, émotivement comme physiquement (Dempsey, 1994 ; Frankowski, 2004), et il arrive qu'ils en viennent à quitter la maison, volontairement ou non, parce que leurs parents ne peuvent accepter leur sexualité. Certains sont parfois même violentés par des membres de leur famille (Saewyc et coll., 2008 ; Safren et Heimberg, 1999). Bien que les parents puissent réagir avec désapprobation et colère lorsqu'ils apprennent que leur enfant est homosexuel, plusieurs finissent par s'en remettre et soutiennent de nouveau leur enfant (LaSala, 2007).

Les jeunes d'orientation homosexuelle ont souvent du mal à trouver une personne de confiance avec qui partager leurs préoccupations et à qui demander conseil (Espelage et coll., 2008 ; Safren et Heimlberg, 1999).

Cependant, comme nous l'avons mentionné au chapitre 5, les adolescents et adolescentes homosexuels ou bisexuels peuvent trouver dans les clavardoirs et les forums de discussion des sources d'aide et d'information particulièrement utiles. De plus, depuis quelques années, l'homosexualité jouit d'une plus grande visibilité et est présentée sous un meilleur jour dans les médias. Plusieurs personnalités du monde du spectacle, de la politique et des sports ont fait connaître publiquement leur homosexualité et peuvent maintenant servir de modèles aux jeunes. Il faut espérer que cette plus grande acceptation sociale aidera les jeunes homosexuels à mieux vivre leur adolescence.

Les retombées du sida sur les comportements sexuels des adolescents

Nombre de professionnels de la santé sont d'avis que les adolescents nord-américains risquent davantage d'être infectés par le VIH, virus qui cause le sida (Trepka et coll., 2008). Au Canada, au 31 décembre 2009, parmi les 65 674 cas de séropositivité signalés à l'Agence de santé publique du Canada, 1018 (1,6 %) étaient des jeunes âgés de 15 à 19 ans.

Plusieurs enquêtes montrent que les adolescents possèdent les connaissances de base sur le sida et savent quelles sont les activités à haut risque de transmission du VIH. Cela ne suffit pas pour autant à changer leurs comportements. Selon plusieurs études américaines, les adolescents des écoles secondaires, des collèges et des universités aux États-Unis se croient pour la plupart à l'abri d'une infection au VIH, de sorte qu'ils ne cherchent pas à modifier leurs comportements sexuels (Feroli et Burstein, 2003 ; Trepka et coll., 2008).

Le concept de la fabulation personnelle (Elkind, 1967) pourrait s'appliquer à l'analyse que font les adolescents des risques liés à leurs activités sexuelles. Ce système de pensée très égocentré leur fait croire qu'ils sont à l'abri des conséquences des comportements à risque. Ainsi, plusieurs adolescents continuent d'avoir des pratiques sexuelles à risque, non pas par ignorance à l'égard du VIH et des autres infections transmissibles sexuellement (ITS), mais parce qu'ils considèrent qu'ils sont peu (voire pas du tout) susceptibles d'en subir les conséquences négatives (Feroli et Burstein, 2003).

Les comportements à risque de transmission du VIH sont, notamment, les relations coïtales sans condom, la consommation d'alcool, de cocaïne ou d'autres drogues – qui altèrent le jugement et réduisent l'inhibition des pulsions, augmentant par le fait même les comportements sexuels à risque –, le partage d'aiguilles contaminées par les utilisateurs de drogues intraveineuses, les relations sexuelles avec de multiples partenaires ou des inconnus (Goldstein et coll., 2007; Grossbard et coll., 2007; Trepka et coll., 2008). La tendance, chez les jeunes, à vivre la première relation sexuelle de plus en plus tôt en inquiète plusieurs : les personnes actives sexuellement depuis l'âge de 15 ans cumulent généralement un plus grand nombre de partenaires sexuels au cours de leur vie que ceux qui vivent leur première expérience plus tard (O'Donnell et coll., 2003). (Le chapitre 12 traite du comportement à risque que constitue l'exposition à de multiples partenaires sexuels.)

Conscients des risques que courent les adolescentes de contracter le VIH (ou une autre ITS), la plupart des conseillers dans les cliniques de santé familiale leur recommandent maintenant l'usage du condom, même si elles prennent un contraceptif oral. Malheureusement, ce conseil est rarement suivi pour diverses raisons. Plusieurs jeunes femmes ne veulent pas avoir à négocier le port du condom avec leurs partenaires, malgré les inconvénients mineurs que cela comporte, et se disent suffisamment à l'abri d'une grossesse non désirée (Ott et coll., 2002; Zimmerman, 2007). Une étude menée en 2002 auprès de 436 adolescentes sexuellement actives a révélé que l'usage du condom était moins fréquent chez celles qui prenaient un contraceptif oral que chez celles qui n'en prenaient pas (Ott et coll., 2002).

L'utilisation de moyens de contraception

Le condom (préservatif) et les contraceptifs oraux (la pilule) sont les deux principales méthodes contraceptives utilisées par les jeunes Canadiennes. La tendance est à l'utilisation accrue du condom chez les 15 à 19 ans au Canada, avec un taux de 72 % en 2003 et de 75 % en 2005. Pour ces deux années, le taux est parfois légèrement à la baisse, comme à l'Île-du-Prince-Édouard avec 88 % puis 87 %, parfois sensiblement à la hausse, comme en Nouvelle-Écosse où il est passé de 77 à 90 %, ou stable, comme au Québec avec 66 % (Rotterman, 2008). D'autres études indiquent plutôt un taux de 71 % au Québec (Lévy et coll., 2011). L'*Enquête sur la santé dans les collectivités canadiennes* de 2005 révèle que chez les femmes de 15 à 24 ans ayant eu des relations sexuelles au cours des 12 mois précédents, 71,9 % auraient utilisé un contraceptif oral (Guillemette et Bossé, 2009, dans Lévy et coll., 2011). La contraception d'urgence, souvent appelée *le plan B* (voir aussi le chapitre 13), aurait été employée au moins une fois par 32 % des femmes de niveau collégial (Lambert et coll., 2007, dans Lévy et coll., 2011).

Il reste que beaucoup d'adolescents attendent souvent plusieurs mois après être devenus sexuellement actifs avant de se renseigner sur la contraception, et certains ne le font même jamais. Les idées fausses sur les risques pour la santé de certaines méthodes contraceptives (par exemple, les contraceptifs oraux et les dispositifs intra-utérins [DIU]), la crainte de l'examen pelvien, l'embarras à l'idée de demander ou d'acheter des contraceptifs et le désir de confidentialité empêchent de nombreux adolescents de solliciter des conseils sur la contraception (Alan Guttmacher Institute, 2006; Iuliano et coll., 2006; Jones et coll., 2005).

On a également découvert que plusieurs caractéristiques ou facteurs personnels pouvaient influer sur l'utilisation ou le rejet de la contraception. Les adolescentes dont les relations sexuelles sont peu stables ou qui n'ont que des rapports sexuels épisodiques sont généralement de mauvaises utilisatrices de la contraception (Glei, 1999; Klein, 2005). De plus, celles dont le partenaire est plus âgé de trois ans et plus sont moins susceptibles de recourir à la contraception que celles ayant un partenaire sensiblement de leur âge (Manlove et Terry-Humen, 2007; Ryan et coll., 2008). Vivre une relation avec un partenaire plus âgé pourrait impliquer un pouvoir amoindri sur la relation sexuelle et un plus faible contrôle sur les décisions en matière de contraception (Manlove et coll., 2004). Les garçons et les filles qui ont des rapports coïtaux précoces sont moins susceptibles de recourir aux moyens contraceptifs que ceux et celles qui les ont plus tard (Manlove et Terry-Humen, 2007; Ryan et coll., 2007). Sous l'effet de l'alcool, les jeunes ont aussi plus tendance à adopter des comportements sexuels à risque (Hingson et coll., 2003; LaBrie et coll., 2005).

À l'affiche

La vidéo éducative *Drogues, alcool, sexe et risques* (2003), du réalisateur Normand Corbeil, illustre la situation d'un adolescent qui perd la volonté d'utiliser le condom sous l'influence de l'alcool et de la marijuana.

Les recherches ont révélé que les adolescents engagés dans des relations stables et durables sont moins susceptibles d'utiliser le condom pour prévenir la grossesse et les infections transmissibles sexuellement et par le sang (ITSS) que ceux qui ont des relations occasionnelles. Ces données laissent entendre que les adolescents en couple privilégient la confiance, le romantisme et l'amour plutôt que de penser à se protéger contre une grossesse non désirée et les ITSS, et adopteraient donc des comportements à risque (Zimmerman et coll., 2007). Enfin, plusieurs jeunes femmes sexuellement actives croient qu'elles n'ont pas le droit de discuter ou de contrôler des aspects de leurs relations sexuelles avec leurs partenaires masculins, et ce manque d'assurance sur le plan sexuel expliquerait leur usage irrégulier de contraceptifs (Manlove et Terry-Humen, 2007 ; Rickert et coll., 2002).

Les discussions parents-enfants sur la contraception ont un impact positif sur l'utilisation des contraceptifs par les jeunes (Halpern-Felsher et coll., 2004 ; Manlove et Terry-Humen, 2007). La réussite scolaire et le fait que les parents soient très scolarisés sont aussi des facteurs contribuant à l'utilisation de contraceptifs chez les adolescents (Klein, 2005 ; Manlove et Terry-Humen, 2007). La recherche montre également que les adolescents de familles où la responsabilité personnelle constitue une valeur importante sont de meilleurs utilisateurs de contraceptifs (Whitaker et coll., 1999 ; Wilson et coll., 1994). Enfin et surtout, plus les adolescents en savent sur la contraception, plus ils sont susceptibles d'y recourir régulièrement et efficacement (Lagana, 1999).

Les parents devraient-ils fournir des moyens de contraception à leurs adolescents et adolescentes qui ont des fréquentations ou qui sortent régulièrement avec quelqu'un ? Justifiez votre réponse.

Des stratégies pour réduire les grossesses chez les adolescentes

Un grand nombre de spécialistes de la sexualité adolescente s'entend pour dire que l'éducation sexuelle visant à sensibiliser les jeunes à la contraception et à d'autres aspects de la sexualité sera beaucoup plus efficace si celle-ci est présentée comme un élément positif de la nature humaine plutôt que comme quelque chose de répréhensible ou de honteux.

L'adoption par les adolescents de pratiques sexuelles sans risque devrait être une question de santé plutôt que de politique ou de religion. La recherche montre d'ailleurs que les adolescentes qui ont bénéficié d'une éducation sexuelle approfondie risquent beaucoup moins de tomber enceintes que celles n'ayant pas eu cette chance, surtout si l'information est dispensée avant le début de la vie sexuelle active (Masters et coll., 2008 ; Zimmerman et coll., 2008).

Pour réduire le nombre de grossesses non désirées chez les adolescentes, on doit également tenir compte du fait que les garçons ont un important rôle à jouer en matière de contraception. Ces derniers considèrent souvent que la responsabilité de la contraception incombe à leur partenaire. D'ailleurs, la plupart des recherches sur la grossesse durant l'adolescence portent principalement, sinon exclusivement, sur les jeunes femmes enceintes, rarement sur les jeunes hommes ayant contribué au résultat. La compréhension des différentes causes des grossesses à l'adolescence s'en trouve donc limitée. Les recherches futures devraient cibler davantage les attitudes et comportements sexuels masculins qui contribuent au taux élevé de grossesse chez les adolescentes.

Enfin, une recherche montre que la disponibilité des condoms à l'école secondaire peut réduire les grossesses chez les adolescentes et diminuer les ITSS, dont le VIH/sida. C'est pourquoi les condoms devraient être disponibles dans les écoles secondaires. Les résultats de plusieurs études confirment que leur distribution n'accélère pas la fréquence des relations sexuelles ni n'abaisse l'âge des premières relations (Vamos et coll., 2008).

La sexualité à l'âge adulte

> Après 44 ans de mariage, maintenant que les enfants se sont établis, nous pouvons vraiment prendre du bon temps. Nous sortons souvent dîner, puis nous rentrons à la maison, nous dansons sur la musique des années 1940, nous bavardons, nous nous embrassons, nous nous donnons des massages et avons parfois même des rapports sexuels. Nos ébats amoureux peuvent durer des heures et nous sommes tous les deux entièrement comblés. (Notes des auteurs)

Les relations intimes prennent plusieurs formes et occupent une place considérable dans la vie de nombreux adultes. La situation de famille d'un adulte – célibataire, marié ou vivant avec quelqu'un – est importante sur le plan social et identitaire. Nous examinons ici plusieurs styles de vie à l'âge adulte et étudions les effets du vieillissement sur les relations intimes.

Vivre seul

Au recensement de 2011, les adultes célibataires (c'est-à-dire âgés de 20 ans et plus et jamais mariés) représentaient une tranche importante de la population canadienne. Ainsi, les 7 816 050 personnes qui se déclaraient célibataires représentent 28 % des 27 869 340 adultes recensés (Statistique Canada, 2011). Il s'agit d'une tendance à la hausse qui se confirme à chaque recensement. Au Québec, la proportion de célibataires est aussi de 29 %, mais elle inclut la cohorte des 15 à 19 ans (Institut de la statistique du Québec, 2012). Jusqu'à récemment, les femmes qui poursuivaient des études universitaires étaient moins susceptibles de se marier, ce qui n'est plus le cas aujourd'hui, bien qu'elles le fassent plus tard que la moyenne (Romano, 2009).

Sur le plan de la sexualité, le célibat englobe un éventail de modes de vie qui procurent divers degrés de satisfaction personnelle. Certaines personnes vivant seules sont célibataires par choix ou parce qu'elles n'ont pas rencontré de partenaire avec qui elles ont envie de partager leur vie. D'autres sont engagées dans une relation à long terme avec une ou un partenaire sexuel exclusif. Certains s'adonnent à la monogamie sérielle, passant d'une relation sexuelle exclusive à l'autre. D'autres encore préfèrent mener de front plusieurs relations sexuelles et affectives avec des partenaires différents. Enfin, certaines personnes célibataires entretiennent une relation privilégiée avec un ou une partenaire tout en ayant à l'occasion des rapports sexuels avec d'autres. Le degré d'activité sexuelle des célibataires varie beaucoup, tout comme chez les gens mariés. Les études tendent à montrer que les gens mariés sont plus actifs et plus satisfaits sexuellement que les célibataires (Laumann et coll., 1994; Schachner et coll., 2008). En ce qui a trait aux rencontres sans lendemain et à la vie de célibataire, une étude indique des différences selon le sexe: 81 % des hommes comparativement à 54 % des femmes disent avoir apprécié l'expérience, mais les femmes sont plus susceptibles de dire qu'elles ont regretté leur rencontre sans lendemain (Campbell, 2008).

La cohabitation (de couple)

Il existe diverses appellations pour désigner les personnes de même sexe ou de sexe différent qui vivent en couple. Selon différentes sources et les auteurs, les expressions *union de fait* et *union libre* ou le mot **cohabitation** (sous-entendu «de couple») sont courants. Dans le présent ouvrage, nous employons le mot *cohabitation*, mais pour respecter les préférences des auteurs ou des sources cités, les autres expressions sont aussi utilisées.

Au cours des dernières décennies, ce mode de vie, autrefois exceptionnel, a fait de plus en plus d'adeptes et est de mieux en mieux accepté. Le Québec est le champion mondial de la cohabitation. Lors du dernier recensement,

19,6 % des couples y vivaient en union libre (Institut de la statistique du Québec, 2012). Les principales raisons qui motivent les couples à cohabiter sont le désir de passer plus de temps ensemble et l'aspect pratique (Rhoades et coll., 2009). Près de la moitié des gens qui cohabitent pour la première fois envisagent de se marier avec la personne avec qui ils vivent (Guzzo, 2009). Les couples en cohabitation peuvent, dans certaines provinces au Canada et dans plusieurs pays, s'engager mutuellement par un contrat qui s'inspire des liens légaux du mariage. Il s'agit de l'union de fait.

Les ressemblances et les différences entre la cohabitation et le mariage

L'union de fait a effacé les frontières entre le mariage et le célibat, et développé ses caractéristiques propres. Les personnes vivant en union de fait et les couples mariés se ressemblent en ce que les partenaires ont généralement la même éducation et appartiennent à la même ethnie. Les conjointes en union libre ont généralement un partenaire aussi ou moins scolarisé qu'elles, alors que les femmes mariées ont tendance à épouser un homme plus scolarisé qu'elles. Cette différence entre les conjointes en union libre et les femmes mariées indique que l'engagement légal qui unit les conjoints s'accompagne peut-être d'exigences plus restrictives.

La recherche indique que la fréquence des conflits et le degré de satisfaction des personnes qui vivent en union libre et des gens mariés sont similaires. Comparés à ces derniers, les conjoints en union libre ont des attitudes moins traditionnelles quant aux rôles sexuels, un moins grand désir d'avoir des enfants et partagent les tâches domestiques de façon plus équitable (Blackwell et Lichter, 2000). Cependant, la recherche a montré que plus les gens vivent longtemps ensemble sans être mariés, plus ils déclarent souffrir d'instabilité, de mécontentement et d'un manque d'interactions au sein de la relation, comparativement aux personnes mariées (Brown, 2003; Willetts, 2006). Ces insatisfactions, que le couple éprouve et qu'un mariage ne saurait par ailleurs résoudre, peuvent expliquer ce qui retarde le passage au mariage.

La plupart des couples en cohabitation considèrent leur relation comme sexuellement exclusive. Or, une enquête américaine nationale indique que les personnes qui cohabitent sont moins susceptibles d'être fidèles que

---

Cohabitation Situation de deux personnes vivant en couple (avec ou sans relations sexuelles) sans être mariées (union de fait, union libre).

Union de fait Situation d'un couple non marié vivant sous le même toit dans une relation d'engagement mutuel, pas nécessairement officialisée.

les gens mariés, principalement parce qu'elles s'investiraient moins dans la relation (Treas et Giesen, 2000).

Il y a un consensus voulant que le mariage comporte un plus grand degré d'engagement et de stabilité que la cohabitation, ce qui pourrait expliquer qu'il continue d'exercer un si grand attrait, sauf au Québec, où l'indice de nuptialité des célibataires (probabilité qu'ils se marient au moins une fois avant l'âge de 50 ans) est très faible. Voici ce qu'écrit Chantal Girard de l'Institut de la statistique du Québec (2007) sur cet indice : «Les indices sont très bas ; ils expriment que seulement 28 % des hommes et 30 % des femmes se marieraient légalement si les taux des dernières années restaient constants. Les indices ont diminué graduellement au fil des années et sont passés sous la barre des 500 pour 1000 en 1983, tant chez les hommes que chez les femmes.» Une légère remontée du nombre de mariages au Québec s'observe toutefois depuis ce creux (St-Amour, 2012).

L'impact de la cohabitation avant le mariage

Selon plusieurs recherches, les couples qui cohabitent avant de se marier éprouvent plus de difficultés une fois mariés et présentent un plus grand risque de divorce que ceux qui se marient sans avoir cohabité (Amato et coll., 2003 ; Cobb et coll., 2003). On ignore si les personnes qui cohabitent avant de se marier ont des caractéristiques personnelles qui les rendent plus enclines à divorcer ou si c'est la cohabitation proprement dite qui augmente le risque de divorce, mais il reste que les mariages qui ont été précédés d'une période de vie commune sont deux fois plus susceptibles de se terminer par un divorce. Il y a cependant une exception : les couples hétérosexuels dont la femme a eu pour seul partenaire sexuel l'homme qu'elle a épousé ne présentent pas un risque plus grand de divorcer (Teachman, 2003).

Fonder ou non une famille pendant la période de cohabitation précédant le mariage semble avoir un impact sur la qualité de la relation conjugale. Une étude récente auprès de 3500 femmes montre que les couples qui ont cohabité sans avoir d'enfant pendant cette période ont une même qualité de vie conjugale que les couples n'ayant pas cohabité avant de se marier. En revanche, les couples qui ont eu un enfant pendant la cohabitation ont des relations conjugales moins satisfaisantes que les couples n'ayant pas cohabité avant de se marier (Tach et Halpern-Meekin, 2009).

Question d'analyse critique

À votre avis, pourquoi la cohabitation avant le mariage n'augmente-t-elle pas les chances de stabilité du couple ?

Le mariage

Le mariage est une institution en évolution qu'on retrouve dans presque toutes les sociétés. Il a rempli dans l'histoire plusieurs fonctions, tant pour la société que pour les personnes. Le mariage sert généralement de base à la société et permet la formation de cellules familiales stables à partir desquelles les normes sociales sont transmises. C'est en effet de leurs parents mariés ou de la parenté que la plupart des enfants apprennent les règles et les mœurs sociales. Le mariage structure aussi la cellule familiale en un partenariat économique intégrant l'éducation des enfants, l'accomplissement des tâches domestiques et l'acquisition d'un revenu.

Selon l'Institut Vanier (2010), la situation canadienne sur ce plan se résumait en 2007 comme suit : «... un record de 84,6 % des familles biparentales comptaient sur deux revenus ou plus» et «plus de quatre femmes sur dix (43 %) âgées de 25 à 44 ans» travaillent à temps partiel parce qu'elles «doivent prendre soin de leurs enfants ou [encore] pour d'autres raisons familiales». Le mariage définit aussi les droits de succession à la propriété familiale. Les mariages arrangés sont fréquents dans certaines régions du monde et ont prévalu en Europe avant le XIXe siècle. Dans les classes sociales de l'élite, les parents arrangeaient le mariage de leurs enfants afin de développer des alliances entre familles, consolider leur pouvoir politique et préserver leur fortune, voire assurer la paix entre des pays. Dans les classes sociales défavorisées (la classe moyenne n'existait pas avant le XXe siècle), le mariage avait aussi une fonction économique ; les principales motivations pour se marier reposaient sur la production d'un bassin de jeunes travailleurs et sur la mise en commun de compétences, de ressources et de proches serviables (Coontz, 2005).

Plusieurs sociétés modernes se préoccupent de la façon dont le mariage influe sur l'ordre social et cherchent à en modifier l'impact, comme le souligne l'encadré *Les uns et les autres.*

Le mariage dans les cultures collectivistes et individualistes

Les scientifiques qui étudient les cultures ont identifié deux caractéristiques opposées permettant de les différencier : le collectivisme et l'individualisme. Le but du mariage n'est pas le même selon qu'une culture est collectiviste ou individualiste. Dans les cultures de type collectiviste, comme celles de l'Inde contemporaine, de la Thaïlande, des Philippines, du Moyen-Orient ainsi que de certaines régions de l'Asie et de l'Afrique, les intérêts du groupe ou de la collectivité passent avant ceux de l'individu. Dans de telles cultures, le mariage a pour fonction d'unir des familles plutôt que deux personnes. Souvent, les parents arrangent le mariage de

Les uns et les autres

Le mariage en crise

Plusieurs pays considèrent que le statut et la fonction du mariage sont en crise, mais pas tous pour les mêmes raisons. Par exemple, en Espagne, les planificateurs économiques voudraient bien que les 50 % de femmes âgées de 25 à 29 ans qui sont célibataires se marient plus tôt et aient plus d'enfants afin de stimuler la croissance économique. En Allemagne, en Australie, en Russie, en France et au Japon, les gouvernements sont préoccupés par le déclin de la natalité ; quelques-uns fournissent même de l'aide financière et offrent des logements et des garderies aux gens qui ont des enfants, et ce, quel que soit l'état matrimonial des parents. En Russie, les parents d'un deuxième enfant reçoivent 9200 $, jouissent d'un congé de maternité prolongé et d'une allocation pour voir au soin des enfants (Niedowski, 2006). En République tchèque, par contre, on encourage les gens à vivre seuls dans l'espoir de réduire le taux de divorce, qui est de 50 %. Chez nous, le Régime québécois d'assurance parentale, notamment pour aider économiquement les couples à avoir des enfants, a prolongé la durée du congé parental après une naissance ; en outre, la province s'est dotée d'un système de garderies qui offre des tarifs subventionnés pour un certain nombre de parents. L'âge moyen des mères au premier enfant est de 30 ans et les tendances citées plus haut sont toujours à la hausse (Institut de la statistique du Québec, 2012).

Plusieurs pays se préoccupent des différents obstacles au mariage des hommes. Les dirigeants de l'Arabie saoudite et des Émirats arabes unis demandent aux familles de réduire la dot payée par le fiancé afin de permettre aux jeunes hommes de se marier. En Italie, les analystes critiquent les quelque 33 % d'hommes célibataires de 30 à 35 ans qui préfèrent continuer à profiter des talents de cuisinière et de femme de maison de leur mère. En Chine et en Inde, les millions d'hommes qui pourraient ne pas trouver à se marier vers 2020 en raison du déséquilibre démographique préoccupent les gouvernements comme la population (Hesketh et Xing, 2006). La Fondation Bill et Melinda Gates a financé une étude dans une région rurale de l'Inde qui a montré que, chez les enfants de moins de 6 ans, on comptait 628 filles pour 1000 garçons. Cette différence s'explique par le plus grand nombre de fœtus féminins avortés et tués à la naissance en raison des préférences culturelles très marquées pour les garçons (Coontz, 2005). En Inde, selon la tradition hindoue, les fils ont l'importante responsabilité d'allumer le bûcher funéraire de leurs parents. Les garçons sont tenus de pourvoir au bien-être de la famille, alors que les filles doivent fournir une dot en se mariant, ce qui représente une perte financière pour la famille. Le gouvernement indien offre aux familles des bourses d'études destinées aux filles dans le but de susciter davantage de naissances féminines. Mais la tradition plusieurs fois centenaire associant les enfants mâles à un statut social plus élevé est très difficile à changer.

Environ 60 millions de filles dans le monde sont mariées si jeunes qu'elles courent des risques particuliers pour leur santé physique et économique. Au Niger, 82 % des filles sont mariées avant l'âge de 18 ans ; dans une région de l'Éthiopie, 50 % des filles prennent mari avant l'âge de 15 ans et 7 % des filles au Népal le font avant l'âge de 10 ans. Lorsqu'elles se marient, la plupart des filles quittent l'école, ce qui réduit leurs possibilités économiques futures (International Center for Research on Women, 2009). Au Cameroun, où 46 % des filles sont mariées de force avant l'âge de 18 ans, les mères apposent des pierres chaudes sur les seins de leurs filles pour essayer de ralentir leur croissance et de retarder leur mariage (Wu, 2008). Les jeunes épouses dont le corps n'a pas fini de se développer accouchent souvent dans des conditions propices aux traumatismes : le travail peut durer plusieurs jours et causer la mort de l'enfant à naître en plus d'endommager la filière pelvigénitale de façon permanente (Pathfinder International, 2006). Les très jeunes filles sont généralement mariées à des hommes beaucoup plus âgés qu'elles ; l'âge et la polygamie du mari augmentent le risque qu'il ait contracté le VIH et le transmette à sa jeune épouse peu après le mariage (Ali, 2006 ; Clark et coll., 2006).

Les Nations Unies, l'UNICEF et d'autres organismes font campagne au Moyen-Orient et dans diverses régions d'Afrique et d'Asie pour empêcher les mariages de filles âgées de 13 ans et moins et pour qu'elles aient droit au consentement libre et éclairé (Veneman, 2009).

En Afghanistan, cette fillette de 11 ans a dû abandonner l'école pour se fiancer à un homme de 40 ans son aîné.

leurs enfants. Dans l'Inde contemporaine, par exemple, 90 % des mariages sont arrangés et 70 % des célibataires croient que ces unions réussissent mieux que les mariages «d'amour» (Cullen et Masters, 2008). Lorsque, dans une culture collectiviste, l'individualisme s'installe, les unions peuvent devenir moins stables, comme on peut le constater en Chine où le relâchement des contrôles gouvernementaux et l'influence croissante de l'Occident ont entraîné une augmentation de 21 % du nombre de divorces pour la seule année 2004 (Beech, 2005).

À l'opposé, dans les cultures individualistes comme celles du Canada, de l'Europe, de l'Australie, du Brésil «européen» et des États-Unis, les désirs et les objectifs personnels l'emportent sur ceux de la famille. Dans ces cultures, on accorde beaucoup plus d'importance aux sentiments amoureux comme fondement du mariage que dans les cultures collectivistes (Levine et coll., 1995). Il s'agit d'un phénomène récent dans la longue histoire de l'humanité. En effet, ce n'est pas avant la fin du xviiie siècle que les choix personnels basés sur l'amour ont remplacé les intérêts familiaux comme fondement du mariage dans le monde occidental (Coontz, 2006).

La polygamie

Les cultures collectivistes sont plus susceptibles de pratiquer la polygamie (c'est-à-dire le mariage entre un homme et plusieurs femmes). Bien qu'elle soit peu connue dans le monde occidental, la polygamie a été la forme de mariage la plus répandue à travers les âges et elle prévaut toujours au Moyen-Orient et dans certaines parties de l'Afrique. L'islam permet à un homme d'avoir jusqu'à quatre femmes; sa fortune personnelle et sa capacité à faire vivre plusieurs femmes déterminent habituellement combien il en épousera (Toure, 2008).

La polygamie compte ses opposants même dans les pays où elle constitue la norme. Par exemple, au Swaziland, un pays africain, le droit d'un homme à la polygamie est inscrit dans la nouvelle Constitution. Cependant, bien que le roi ait 14 épouses, sa fille, la princesse Sikhanyiso, âgée de 24 ans en 2012, a déjà exprimé son opposition à cette tradition. Les opposants à la polygamie – notamment des femmes des milieux ruraux et urbains – considèrent cette pratique comme un prétexte aux aventures extraconjugales. Les hommes épousent leurs petites amies pour un temps limité, puis les rejettent pour en marier d'autres. La principale raison pour laquelle les femmes s'opposent à la polygamie est leur désir de satisfaire leurs besoins amoureux et sexuels sans avoir à partager un homme avec d'autres femmes, une motivation qui reflète la tendance à l'individualisme dans les cultures collectivistes. Une étude qui a comparé les épouses de Bédouins arabes polygames et monogames a montré que les femmes en mariage polygame étaient plus dépressives et anxieuses, qu'elles vivaient des difficultés familiales, qu'elles avaient une moins bonne estime personnelle et une moins grande satisfaction conjugale que les femmes en mariage monogame (Al-Krenawi et Slonim-Nevo, 2008).

Au Canada, le Code criminel interdit la polygamie. Outre des cas illégaux dénombrés essentiellement parmi les groupes issus de pays où la pratique est permise, l'Église fondamentaliste de Jésus-Christ des saints des derniers jours, une dénomination de l'Église mormone, à Boun-tiful, en Colombie-Britannique, a revendiqué le droit de pratiquer la polygamie en vertu de la liberté de religion garantie par la Charte canadienne des droits et liber-tés, mais un jugement de la Cour suprême de Colombie-Britannique, rendu en novembre 2011, confirme que la loi interdisant la polygamie respecte la Charte. Il y a aussi un temple mormon dans la région métropolitaine de Montréal. Des recours en justice n'ont pas permis encore de trancher le statut juridique de la polygamie mormone même si un rapport de 2006 du département de la Justice du Canada en recommandait la décrimina-lisation (Soukup, 2006).

Peu de cultures reconnaissent la polyandrie (le fait pour une femme d'avoir plusieurs maris); encore plus rares sont les cultures qui permettent aux femmes d'avoir des activités sexuelles hors mariage. Une culture matriar-cale présente dans une région éloignée en Chine inverse la conception mormone du mariage, comme le précise l'encadré *Les uns et les autres*.

Le mariage dans le monde occidental

Le mariage fondé sur l'amour renferme les promesses d'un engagement durable avec un partenaire régulier, la gratification sexuelle et la possibilité de fonder une famille, le tout avec la sécurité qu'apporte une institution sociale légitime. Globalement, les personnes mariées sont plus heureuses et en meilleure santé physique et psychologique que les gens non mariés (Pew Research Center, 2006). Les hommes mariés gravissent les éche-lons de leur carrière plus rapidement et ont de meilleurs revenus que les célibataires (Elder, 2005). Ces avantages ne valent cependant que dans certaines conditions. Les personnes dont le mariage est dysfonctionnel ont une moins bonne santé que ceux dont le mariage est harmo-nieux, comme le montre une enquête longitudinale. Plus encore, les effets négatifs d'un mariage dysfonctionnel sont cumulatifs dans le temps et s'aggravent avec l'âge (Umberson et coll., 2006).

Les nouvelles attentes à l'égard du mariage

Un fossé profond sépare l'idéal nord-américain du mariage et la réalité. La cohabitation, le nombre élevé de divorces et les aventures extraconjugales sont des réalités très courantes et contraires à l'idéal traditionnel du mariage.

Les uns et les autres

Quand les femmes choisissent

Dans une région reculée de la Chine, sur les rives d'un lac en haute altitude entouré de montagnes, les Mosuo observent l'une des plus atypiques pratiques du mariage au monde. Cette ancienne **société matriarcale** comprenant environ 50 000 personnes existe depuis près de 2000 ans et continue de prospérer de nos jours. En raison de leur situation isolée, les Mosuo ont résisté à l'imposition du modèle patriarcal traditionnel répandu ailleurs en Chine. Comme il s'agit d'une société matriarcale, ce sont les femmes qui transmettent leur nom à leurs enfants et qui gèrent les affaires économiques et sociales de la famille étendue. Tous les enfants de chaque femme vivent toute leur vie dans la maison de leur mère.

Après une cérémonie d'initiation au monde adulte, vers l'âge de 13 ans, chaque jeune fille se voit attribuer une chambre personnelle dans la maison familiale. Là, elle peut inviter les amoureux de son choix à passer la soirée et la nuit avec elle. À l'aube, son amoureux retourne dans la maison de sa propre mère, où il vit. Selon cette tradition, qu'on pourrait appeler «mariage ambulatoire», l'homme doit se rendre à la maison de la femme pour y passer la nuit. La femme entreprend un mariage ambulatoire en jetant un regard vers l'élu ou en lui touchant la paume de la main d'une manière particulière. Les hommes ne peuvent jamais prendre l'initiative, mais ils peuvent décliner une invitation.

Lorsqu'une femme mosuo devient enceinte et donne naissance à un enfant, elle continue de vivre dans la maison de sa mère, et ses frères l'aident à élever son enfant. Le père biologique n'assume aucun rôle paternel, sauf envers les enfants de ses propres sœurs. Les seules raisons pour lesquelles les hommes et les femmes se rencontrent sont l'amour et l'intimité sexuelle, non le soin des enfants. En conséquence, les mariages ambulatoires commencent et se terminent facilement: la femme s'aperçoit que les visites nocturnes de son amoureux cessent ou ce dernier peut se cogner le nez à une porte verrouillée (Bennion, 2005).

Vêtue pour une grande fête annuelle, cette femme mosuo choisit l'homme avec qui elle désire passer la nuit dans sa chambre, à la maison de sa mère.

Société matriarcale   Société dans laquelle le nom de famille se transmet par les femmes et où celles-ci assument la gestion économique et sociale de la collectivité.

Les couples actuels se marient en s'attendant à ce que leurs besoins sexuels, affectifs, spirituels, sociaux, financiers, et peut-être aussi de coparentage, soient pleinement satisfaits (Edwards, 2000; Gager et Sanchez, 2003). Dans une étude récente, les répondants ont été trois fois plus nombreux à déclarer que le but principal du mariage était le bonheur mutuel et la plénitude plutôt que les enfants (Crary, 2007). De plus, plusieurs souhaitent que le mariage soit garant du bonheur. L'ironie est qu'alors même que grandissent les attentes à l'égard du mariage, les structures sociales sur lesquelles l'institution s'appuyait se sont affaiblies. Le soutien que procuraient les familles étendues et les petites communautés, aujourd'hui tricotées moins serré, n'est plus ce qu'il était, si bien que le mariage doit répondre à une plus grande variété de besoins. Les couples sont souvent contraints de faire appel à des ressources externes pour les tâches domestiques, la garde des enfants ou pour obtenir de l'aide financière et un soutien affectif. Alors que le partage du quotidien dans le mariage peut enrichir et combler certains couples, le défi que cela représente peut en désillusionner bien d'autres (Patz, 2000). En outre, comme les gens vivent aujourd'hui beaucoup plus longtemps, les conjoints mariés doivent constamment s'ajuster aux besoins de l'autre, et ce, sur une période beaucoup plus longue.

L'arrivée des enfants constitue un défi important pour les couples (Ali, 2008). Une analyse de 90 enquêtes révèle que la satisfaction conjugale diminue de 42 % avec la naissance du premier enfant et décroît graduellement avec chaque nouvel enfant. Près de 50 % des couples nouvellement parents vivent autant de tensions conjugales que les couples qui suivent une thérapie pour régler leurs problèmes conjugaux (Doss et coll., 2009 ; Picker, 2005). Selon une autre recherche, les parents les plus susceptibles de rester heureux comme couple sont ceux où le mari comprend ce que vit intérieurement sa conjointe, l'admire et maintient activement le sentiment amoureux (Gottman et Silver, 2005).

Le comportement sexuel et la satisfaction dans le mariage

Comparativement aux groupes des recherches de Kinsey, les couples nord-américains d'aujourd'hui semblent posséder un répertoire de comportements sexuels beaucoup plus vaste et avoir des rapports sexuels plus nombreux. La fréquence et la durée des activités précoïtales ont augmenté. Plus de gens prennent en effet plaisir à ces activités, qu'ils ont cessé de considérer comme un simple prélude au coït. La stimulation buccale des seins et la stimulation manuelle des organes génitaux sont plus fréquentes ; il en est de même des contacts buccogénitaux, que ce soit la fellation ou le cunnilingus (Clements, 1994 ; Laumann et coll., 1994).

Satisfaction sexuelle et bonheur conjugal vont souvent de pair ; tout comme dans les relations hors mariage, la satisfaction sexuelle est liée à une satisfaction relationnelle, à un engagement amoureux et à la stabilité (Aponte et Machado, 2006 ; Sprecher, 2002). Les données de l'enquête NHSLS montrent que la satisfaction sexuelle est plus grande chez les personnes mariées que chez les célibataires, mais qu'elle diminue avec le temps (Liu, 2003).

La satisfaction sexuelle des hommes et des femmes mariés n'est pas la même. La recherche indique que le degré de satisfaction des femmes mariées est inférieur à celui que déclarent leurs maris (Liu, 2003). Cette différence est un sujet complexe et les causes en sont inconnues. Liu avance que la satisfaction moindre des épouses découle de deux facteurs : premièrement, elles ont moins souvent d'orgasmes que les hommes et, deuxièmement, elles investissent généralement davantage dans la relation, ce qui peut les amener à nourrir de plus grandes attentes quant à la qualité des relations sexuelles.

Les mariages sans relations sexuelles ne sont pas rares. Un psychologue qui a interrogé des personnes âgées de 25 à 55 ans s'est dit stupéfait du nombre de couples mariés ayant déclaré ne pas avoir eu de relations sexuelles depuis des années (Murray, 1992). L'Américain Robert Reich, ex-secrétaire d'État au Travail, a proposé un acronyme qui exprime bien la réalité des pressions que vivent les couples surmenés en les qualifiant de DINS, pour *dual income no sex* (deux revenus, pas de sexe) (Deveny, 2003). Les exigences du travail, la lessive, la tondeuse à réparer, les relations avec deux familles, les amis et combien d'autres activités contribuent à réduire le temps et l'énergie disponibles pour des moments d'intimité. Il faut noter, par contre, qu'un manque d'activités sexuelles ne veut pas dire nécessairement qu'un mariage est malheureux. Pour certains couples, le sexe n'est pas et n'a peut-être jamais été une priorité. De plus, pour reprendre les termes du psychologue mentionné plus haut, il y a plusieurs façons d'avoir des rapports entre humains. Ces couples ne veulent pas sacrifier un mariage qui fonctionne bien à d'autres égards (Murray, 1992).

Le mariage est en général un défi et, en dépit des difficultés qu'il présente, plusieurs couples homosexuels y aspirent. Au Canada, c'est chose possible ; au Québec seulement, 498 mariages entre personnes de même sexe ont été célébrés en 2011 (St-Amour, 2012). D'autres pays aussi ont légalisé les mariages entre personnes de même sexe : l'Afrique du Sud, l'Argentine, la Belgique, le Brésil, l'Espagne, quelques États américains, le Mexique, la Norvège, les Pays-Bas, la Suède, le Portugal, l'Islande et la Slovénie. Certains pays ont une législation accordant aux couples homosexuels des droits et privilèges semblables à ceux des couples mariés, notamment l'Allemagne, l'Angleterre, la Croatie, le Danemark, la Finlande, la France, la Hongrie, Israël, la Nouvelle-Zélande et la Suisse.

Les officiers de la Gendarmerie royale du Canada, Jason Tree et David Connors, se sont mariés le 30 juin 2006. Ils avaient commencé à se fréquenter huit ans plus tôt à l'université.

La non-monogamie

La non-monogamie désigne les interactions sexuelles en dehors du couple, que celui-ci soit marié, en cohabitation ou qu'il se considère comme un couple. Le terme *relation extraconjugale* fait référence à une liaison sexuelle qu'une personne mariée entretient avec une personne autre que son conjoint. *Non-monogamie* est un terme général qui ne précise pas les modalités de l'activité, qui peut être clandestine ou connue et approuvée par les partenaires mariés. La relation hors couple peut être occasionnelle ou comporter un profond engagement affectif ; elle peut être de courte ou de longue durée.

La plupart des sociétés ont envers la sexualité extraconjugale des normes restrictives, habituellement plus sévères pour les femmes que pour les hommes. L'exemple du Pakistan est éloquent : traditionnellement, les femmes reconnues adultères encouraient la peine de mort ou l'emprisonnement. En 2006, l'ancien président pakistanais Pervez Musharraf a modifié la loi et plus de 6000 femmes emprisonnées pour adultère pourraient être mises en liberté sous caution (Bureau de coordination des affaires humanitaires des Nations Unies, 2006). À l'opposé de cet exemple, quelques sociétés autorisent la sexualité extraconjugale, comme on le précise dans l'encadré *Les uns et les autres*.

Les relations extraconjugales consensuelles

Lorsque les deux conjoints sont au courant des engagements sexuels extraconjugaux de leur partenaire et y consentent, on dit qu'ils ont des relations extraconjugales consensuelles. Il existe à ce chapitre toutes sortes d'ententes possibles. Nous en présentons brièvement trois formes : l'échangisme, le mariage ouvert et le polyamour.

L'échangisme

L'échangisme est une forme de relation extraconjugale consensuelle à laquelle s'adonne un couple marié (De Visser et McDonald, 2007). L'accent est mis sur le plaisir sans intimité affective (Megan, 2008). On parle d'échange de partenaires lorsque le mari et la femme ont des relations sexuelles avec d'autres couples, simultanément et dans un même lieu – généralement dans une maison privée, un club ou parfois dans le cadre de « congrès d'aventures sensuelles ». Selon une enquête menée en ligne auprès de quelque 1400 échangistes, les principales motivations pour cette pratique sont le désir de variété et la réalisation de fantasmes. Les hommes et les femmes se situaient au haut de l'échelle de satisfaction sexuelle et conjugale, mais les hommes étaient plus susceptibles d'avoir suggéré l'échangisme en premier, et plus de la moitié des femmes pratiquant l'échangisme se considéraient elles-mêmes comme bisexuelles (Fernandes, 2008).

Non-monogamie   Le fait d'avoir des relations sexuelles en dehors du couple.

Relations extraconjugales consensuelles   Relations sexuelles ayant lieu hors des liens du mariage avec le consentement des deux conjoints.

Échangisme   Échange de partenaires mariés pour des relations sexuelles.

Les uns et les autres

La sexualité extraconjugale dans d'autres cultures

Les aborigènes de la Terre d'Arnhem approuvent les relations sexuelles extraconjugales pour les deux époux. Ils reconnaissent la variété des expériences et la rupture de la monotonie qu'offrent les engagements extraconjugaux. Plusieurs indiquent que cela augmente l'appréciation et l'attachement qu'ils ont envers leur conjoint.

Pour leur part, les Marquisiens de la Polynésie n'autorisent pas ouvertement les aventures extraconjugales, mais les acceptent néanmoins tacitement. Les Marquisiennes prennent souvent comme amoureux des jeunes garçons, des amis de leur mari ou des relations de celui-ci. À l'inverse, le mari peut avoir des relations sexuelles avec des jeunes filles non mariées ou ses belles-sœurs. La culture marquisienne reconnaît ouvertement les pratiques de changement de partenaires et d'hospitalité sexuelle, celle-ci consistant à offrir aux visiteurs non accompagnés une relation sexuelle avec l'hôte du sexe opposé. Certaines communautés inuites ont aussi pratiqué l'hospitalité sexuelle, où l'hôtesse, une femme mariée, avait une relation avec un visiteur masculin (Gebhard, 1971).

Les Turus de Tanzanie centrale, quant à eux, considèrent le mariage essentiellement comme une coopération économique et un lien social. L'affection entre conjoints est généralement vue comme déplacée ; la plupart des membres de cette société croient que l'amour et l'affection mettent en danger la relation conjugale. Les Turus ont développé un système d'amour romantique, appelé *mbuya*, qui leur permet de trouver de l'affection hors du foyer sans compromettre la stabilité du mariage qu'ils doivent privilégier. Dans cette culture, les maris comme leurs femmes ont de telles relations externes (Gebhard, 1971).

Dans *Vicky Cristina Barcelona*, du réalisateur Woody Allen, deux touristes américaines, un peintre espagnol et son ex-femme cherchent l'amour sans trouver de réponses simples. Le film a remporté un Golden Globe en 2008.

Le mariage ouvert et le polyamour

En 1972, le livre *Open Marriage* de George et Nena O'Neill porta à l'attention du public le concept du mariage ouvert, selon lequel des conjoints s'autorisent mutuellement à avoir des relations sexuelles extraconjugales.

Depuis quelques années, beaucoup de gens utilisent le terme polyamour pour décrire les relations amoureuses multiples et consensuelles. Les adeptes du polyamour distinguent ce type de relations des autres relations non monogames par l'importance qu'ils accordent à l'engagement affectif dans leurs multiples relations (Megan, 2008). La documentation polyamouriste fait la promotion de relations responsables, honnêtes et éthiques, constituées de trios, de groupes de couples et de familles volontairement constituées (Wise, 2006). Les adeptes du polyamour sont censés ne rien cacher de ce qu'ils font ni avec qui ils le font (Williams, 2008). C'est le gouvernement néerlandais qui, en 2005, a été le premier à reconnaître une union basée sur le polyamour, soit un contrat de cohabitation entre un couple et une troisième personne. La signature du contrat a été suivie d'une cérémonie et d'une lune de miel à trois (Hanus, 2006a).

Les relations extraconjugales non consensuelles

Dans la relation extraconjugale non consensuelle, une personne mariée a une liaison sexuelle hors mariage sans le consentement (et probablement à l'insu) de son conjoint ou de sa conjointe. Les gens utilisent divers termes pour décrire ce comportement : tromper, commettre l'adultère, être infidèle, avoir des aventures, sauter la clôture, etc. Ces étiquettes généralement négatives reflètent la réprobation que suscite ce type de relations chez plus de 90 %

de la population nord-américaine, pour qui les relations extraconjugales sont toujours ou presque toujours une mauvaise chose (Treas et Glesen, 2000). Sur le plan personnel, ce type de relations est très variable, allant de la rencontre unique d'un soir à la relation durable comportant un engagement affectif (Allen et Rhoades, 2008).

Il est difficile de savoir précisément combien de personnes sont ou ont été adultères. Par exemple, une enquête menée auprès de 5000 femmes mariées a montré que dans le cadre d'un entretien face à face, 1 % ont déclaré avoir été infidèles au cours de la dernière année ; or, ce taux a grimpé à 6 % lorsque les mêmes femmes ont répondu à un questionnaire anonyme en ligne (Whisman et Snyder, 2007). Quant à l'enquête NHSLS, sur un échantillon de 3432 Américains âgés de 18 à 59 ans, le taux déclaré d'adultère à un moment ou un autre du mariage se situait à 25 % chez les hommes et à 15 % chez les femmes (Laumann et coll., 1994). Des sondages récents donnent des résultats comparables, mais la recherche actuelle indique une augmentation du taux d'adultère sur la durée d'une vie, pour les hommes et femmes de plus de 60 ans et de moins de 35 ans, et le taux a augmenté plus rapidement chez les femmes que chez les hommes (Ali et Miller, 2004 ; Parker-Pope, 2008).

Une enquête internationale (Durex, 2006) situe le taux d'adultère avoué au Canada à 18 %, près de la moyenne mondiale qui est de 22 %. Selon les pays, ce taux varie de 7 %, en Israël, à 58 %, en Turquie.

« Non, mais il devrait y avoir une loi contre les mariages sans sexe. »

Mariage ouvert Mariage dans lequel les deux conjoints ont, d'un commun accord, des contacts intimes avec d'autres personnes et entre eux.

Polyamour Terme utilisé pour décrire les relations amoureuses multiples et consensuelles.

L'accès à Internet et à des sites Web spécialement destinés à ceux qui recherchent des aventures extraconjugales offre de nouvelles possibilités pour développer des relations intimes hors de la relation légitime (Paul, 2004). Même une relation secrète par l'entremise de courriels peut acquérir une grande charge émotionnelle et amener les personnes à passer de l'échange de confidences à l'amour romantique (Teich, 2006b).

Bien que, selon une enquête, 41 % des adultes (plus d'hommes que de femmes) ne considèrent pas qu'avoir une relation en ligne équivaut à tromper son partenaire, la plupart des thérapeutes conjugaux disent avoir observé une augmentation importante du nombre de couples en crise venus les consulter après que l'un des conjoints a découvert une liaison amorcée sur Internet (Cooper, 2004). Si Internet facilite grandement la tâche de ceux qui recherchent une aventure extraconjugale, il en favorise aussi la découverte par le conjoint, la conjointe ou un employeur. Un complément d'information, en format vidéo, est disponible dans les séries *Maux d'amour* et *Websexo.ca*.

À l'affiche

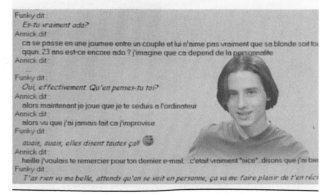

Chat, couple et infidélité, une vidéo éducative réalisée en 2003 par Normand Corbeil, présente une situation d'ambiguïté et de questionnement sur la réalité des communications de séduction en ligne. Avec témoignages.

L'impact des relations extraconjugales

Une relation extraconjugale peut avoir de lourdes conséquences pour ceux qui s'y engagent, notamment une diminution de l'estime de soi, un profond sentiment de culpabilité, un stress occasionné par la nécessité de garder l'aventure secrète, des dommages à la réputation, la perte d'un amour et des complications dues aux ITSS. La dynamique du secret nuit généralement à la qualité de la relation du couple. Cacher et mentir (même par omission) détériore le lien entre les conjoints tout en amplifiant l'intensité affective et l'illusion d'intimité avec la ou le partenaire extraconjugal. Le psychiatre Frank Pittman, auteur de *Privates Lies : Infidelity and the Betrayal of Intimacy*, soutient qu'on devient plus distant avec celle ou celui à qui l'on ment, et plus intime avec celle ou celui à qui l'on dit la vérité (Pittman, 1990). Il y a l'attrait dit du fruit défendu. Des chercheurs ont montré que les personnes consacrent plus de temps à penser à un ex-amant d'une liaison tenue secrète qu'à ceux de liaisons connues du conjoint officiel (Wegner et coll., 1994). Les chercheurs ont également réalisé une étude contrôlée auprès d'étudiants universitaires. Ceux-ci étaient placés en duo mixte pour jouer aux cartes et devaient faire du pied à leur partenaire pendant la partie. Dans certains cas, les contacts sous la table étaient secrets, dans d'autres cas, ils étaient connus de tous. Les couples qui ont fait du pied secrètement se sont déclarés plus attirés par leur partenaire que ceux qui avaient fait la manœuvre ouvertement.

Les thérapeutes conjugaux diffèrent d'opinions quant à la nécessité d'avouer une infidélité à son conjoint. Cependant, la recherche montre que les couples qui consultent un thérapeute conjugal à la suite d'un aveu ou de la découverte d'une aventure sexuelle retirent plus de bénéfices des rencontres que les couples qui consultent pour d'autres motifs. Toutefois, lorsqu'un des conjoints en thérapie conjugale maintient une aventure secrète (révélée en confidentialité aux chercheurs), la démarche du couple est moins susceptible de progresser. La recherche indique aussi qu'une union survit mieux lorsque la personne infidèle révèle son aventure à l'autre, plutôt que lorsque le conjoint trompé découvre l'infidélité (Aaronson, 2005).

Quelle que soit la façon dont elle apprend l'infidélité de son conjoint, la personne trompée se sent souvent anéantie. Diverses émotions peuvent l'habiter, comme le sentiment de ne pas avoir été à la hauteur, le rejet, une colère extrême, du ressentiment, de la honte et de la jalousie. Selon ce que dit la recherche, dans les couples hétérosexuels, les hommes ont plus tendance à croire qu'une infidélité de leur partenaire est motivée par les sentiments, alors que les femmes croient plutôt qu'une infidélité de leur conjoint est motivée par le sexe. La détresse psychologique des hommes et des femmes est plus grande si l'infidélité de leur partenaire repose sur des motifs différents de leurs attentes. La plupart des femmes étaient désemparées à l'idée que leur partenaire puisse tomber amoureux d'une autre, et les hommes à la perspective que leur partenaire puisse avoir une aventure sexuelle (Cramer et coll., 2008).

Les personnes divorcées attribuent souvent leur rupture à une aventure extraconjugale. Cela ne veut pas dire nécessairement que la découverte d'une infidélité met fin à un mariage ou en détériore complètement la qualité.

Dans certains cas, une telle crise peut s'avérer bénéfique si elle motive le couple à rechercher les causes de la discorde dans la relation et à tenter d'y trouver une solution, une démarche qui peut, à la limite, consolider le mariage (Kalb, 2006).

La sexualité des personnes âgées

Dans les derniers âges de la vie, la plupart des gens notent des changements dans le déroulement de leur réponse sexuelle (voir le chapitre 3). Certaines personnes comprennent et acceptent la nature de ces changements. D'autres en sont troublées. Une part importante des sentiments de confusion et de frustration vécus par les personnes âgées découle du discours dominant voulant que la sexualité n'existe pas (ou n'a pas sa place) quand on est vieux (Kellett, 2000).

Pourquoi le vieillissement est-il si souvent associé à l'asexualité? Une partie de la réponse vient de la culture nord-américaine qui continue de croire que sexe égale procréation et qui proclame que les personnes âgées n'ont pas de besoins sexuels ni d'intérêt envers la sexualité. «On qualifie d'*âgisme* l'attitude stéréotypée qui se traduit par le dégoût, le rejet et le malaise profond des jeunes adultes et des adultes d'âge moyen» envers d'autres personnes du fait de leur âge (Badeau et Bergeron, 1991, p. 20), surtout si celles-ci se montrent ouvertement sexuelles (Badeau et Bergeron, 1991). Les médias associent souvent la sexualité, l'amour et les idylles à la jeunesse. Avec l'accroissement continu du nombre d'aînés dans nos sociétés, les publicités montrent plus souvent des personnes âgées radieuses et sensuelles (Jarrell, 2000). Et comme la génération dite de la révolution sexuelle fait aujourd'hui partie de la tranche des aînés, la notion d'asexualité du troisième âge devient caduque (Kingsberg, 2002; Zilbergeld, 2001). La sexualité demeure présente à tout âge. Se référant à Willy Pasini (1979), Denise Badeau et André Bergeron écrivent, au sujet de la sexualité des femmes âgées, que «l'érotisme prend sa source dans l'imaginaire et dans la vie fantasmatique, lesquels ne sont nullement atténués par l'âge».

Deux poids deux mesures

Plus tôt dans ce chapitre, nous avons abordé la question du deux poids deux mesures dans l'expression de la sexualité adolescente. Or, ce déséquilibre qui s'exerce aussi envers les personnes âgées inflige des contraintes particulières aux femmes, comme c'est le cas dans les autres groupes d'âge. Même si la femme conserve ses capacités sexuelles tout au long de sa vie, la culture continue d'associer le fait d'être *sexy* à la jeunesse. La

culture populaire représente le plus souvent la femme âgée soit comme une dame bienveillante qui prodigue de bons soins, soit comme une manipulatrice sans scrupules, rarement comme une personne ayant une vie sexuelle. En fait, la femme âgée est peu visible dans les médias. Les actrices de plus de 40 ans ne comptent que pour 9 % de tous les rôles dans les films, contre 30 % pour les hommes du même groupe d'âge (Jeffery, 2006).

À l'affiche

Les petits ruisseaux (2010), un film de Pascal Rabaté relatant la redécouverte de deux septuagénaires qui reprennent goût aux choses de la vie, de l'amour et de la sexualité.

Chez les hommes, l'âge est souvent vu comme un facteur de séduction. Bien que les fabricants de cosmétiques tentent d'imposer des produits masquant le vieillissement masculin, il reste que les cheveux gris et les rides sont fréquemment associés à la distinction et considérés comme des signes d'une grande expérience de vie et de sagesse. Ainsi, il est relativement commun d'associer le *sex-appeal* chez les hommes à leur réussite et à leur statut social, bien que leur intérêt sexuel risque d'être vu négativement dans certains cas (Badeau et Bergeron, 1991). Il en va différemment pour les femmes qui réussissent sur le plan professionnel: on les perçoit comme une menace et elles risquent de repousser certains partenaires sexuels masculins.

Les couples formés d'un homme âgé influent et d'une jolie jeune femme reflètent cette mentalité du deux poids deux mesures. Le mariage d'un homme de 55 ans avec une femme de 25 ans provoque moins de réactions que la situation inverse. Par ailleurs, une enquête a montré que 34 % des femmes de plus de 40 ans fréquentent des hommes plus jeunes qu'elles et que les femmes qui se marient avec un homme plus jeune sont plus nombreuses qu'autrefois (Coontz, 2006; Mahoney, 2003).

Réagissant à ce type de discrimination, l'écrivaine Susan Sontag proposa un changement d'attitude :

> *Les femmes ont une autre option. Elles peuvent chercher à développer leur intelligence plutôt qu'une belle apparence, à être compétentes plutôt qu'aidantes, à être fortes plutôt que simplement gracieuses, à être ambitieuses pour elles-mêmes plutôt qu'à travers leurs relations avec les hommes et les enfants. Elles peuvent accepter de vieillir sans honte et rejeter sans équivoque les conventions émanant de cette discrimination qu'impose la société aux femmes vieillissantes. Au lieu d'être des filles et de le rester aussi longtemps que possible, jusqu'à ce que l'âge finisse par les humilier, elles peuvent devenir femmes plus tôt dans la vie et demeurer des adultes actives profitant de la longue vie érotique dont elles sont capables.* (Traduction libre, Sontag, 1972.)

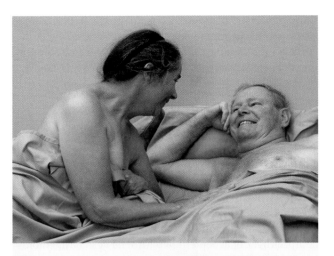

Le besoin d'affection et d'intimité sexuelle ne se dément pas durant le troisième âge, souvent propice au partage et au rapprochement.

L'activité sexuelle durant le troisième âge

Que nous apprend la recherche sur la sexualité des personnes âgées dans notre société ? Pour beaucoup d'entre elles, la sexualité est essentielle à une vie riche et pleine. En fait, les recherches ont montré que l'activité et l'intérêt sexuels s'intègrent naturellement au processus de vieillissement (Beckman et coll., 2006 ; Nusbaum et coll., 2005). Une enquête nationale américaine menée auprès d'un échantillon représentatif d'hommes et de femmes de 60 ans et plus indique qu'environ la moitié d'entre eux sont sexuellement actifs. Dans cette enquête, les personnes étaient considérées comme sexuellement actives si elles s'adonnaient à des rapports coïtaux, buccogénitaux, anaux ou à la masturbation au moins une fois par mois (Dunn et Cutler, 2000). Au Québec, une enquête menée auprès de 110 personnes âgées par les sexologues Denise Badeau et André Bergeron (1991), au milieu des années 1980, corrobore ces données. Voici, par ailleurs, un témoignage d'une femme de 76 ans en ce sens :

> Quand je me suis mariée il y a 47 ans de cela, mon mari et moi avions 29 ans et étions tous les deux vierges. On m'avait appris que le sexe était pour la procréation uniquement, ce qui n'a pas facilité notre adaptation mutuelle. Pendant des années, les enfants et, pour mon mari (un bourreau du travail), la carrière monopolisaient beaucoup de temps et d'énergie, si bien que le sexe ne constituait pas une part importante de notre vie de couple. À 76 ans aujourd'hui, nous avons la chance d'avoir du temps, une bonne santé et la sécurité financière, et notre vie sexuelle est merveilleuse et joue un grand rôle dans notre plénitude ; vraiment, ce sont les meilleures années de notre existence. (Notes des auteurs)

Une étude portant sur la satisfaction sexuelle des femmes mariées de 50 ans et plus a révélé que leur satisfaction était corrélée, par ordre décroissant d'importance, à la satisfaction conjugale globale, à une plus grande fréquence orgasmique pour elles-mêmes et leur mari, et à des rapports coïtaux et non coïtaux plus fréquents (DeLamater et coll., 2008 ; Young et coll., 2000). Néanmoins, le nombre de personnes sexuellement actives diminue à chaque décennie, comme le montre le tableau 6.2. Bien des octogénaires demeurent sexuellement actifs tout en s'adaptant aux changements physiologiques normaux liés au vieillissement (voir le chapitre 3) (Badeau et Bergeron, 1991).

De nombreuses personnes âgées ont des fréquentations et plusieurs utilisent des sites de rencontre sur Internet. Selon une enquête, 22 % des hommes et 14 % des femmes se fréquentent principalement pour trouver quelqu'un avec qui se marier ou cohabiter (Kantrowitz, 2006b). Les relations amicales non sexuelles avec des gens des deux sexes favorisent les gestes de tendresse, l'intimité affective, la

TABLEAU 6.2	Pourcentage des adultes sexuellement actifs après 60 ans.	
	HOMMES	**FEMMES**
Sexagénaires sexuellement actifs	71 %	51 %
Septuagénaires sexuellement actifs	57 %	30 %
Octogénaires sexuellement actifs	25 %	20 %

Source : Dunn et Cutler, 2000.

stimulation intellectuelle et la socialisation. Un réseau d'amis aide à réduire la solitude et à maintenir un enthousiasme face à la vie. La recherche montre d'ailleurs que les gens qui ont des amis proches, une sorte de famille choisie, vivent plus longtemps que ceux qui n'ont que leur conjoint ou conjointe et leurs enfants (Tyre, 2006).

L'activité sexuelle des personnes d'âge mûr est aussi confirmée, malheureusement, par l'accroissement des cas d'infection au VIH et des cas de sida dans ce groupe d'âge (Yared, 2004). Environ 61 % des personnes âgées célibataires et sexuellement actives disent avoir des relations sexuelles non protégées (Kantrowitz, 2006b). Dix pour cent des gens âgés de plus de 50 ans présentent un ou plusieurs facteurs de risque, mais peu d'entre eux auront recours à un test de dépistage. La majorité des professionnels de la santé ne font pas ce type de test chez les personnes âgées, mais plusieurs organismes de santé publique leur offrent des séances d'information sur les mesures à prendre pour avoir des rapports sexuels sans risque (Levy, 2001 ; McGinn et Skipp, 2002).

Question d'analyse critique

Comment expliquer que les hommes âgés cherchent davantage à se marier ou à vivre avec quelqu'un que les femmes âgées ?

Les facteurs de maintien de l'activité sexuelle

La recherche montre de façon constante une forte corrélation entre le niveau d'activité sexuelle au début de l'âge adulte et celui du troisième âge (Bretschneider et McCoy, 1988 ; Kinsey et coll., 1948 ; Leiblum et Bachmann, 1988). Le maintien d'activités sexuelles tout au long de la vie pourrait témoigner d'une pulsion sexuelle plus grande et d'une attitude positive à l'égard de la sexualité puisque les deux exercent une influence considérable sur le désir et la réponse sexuels (DeLamater et Sill, 2005).

Le plus important facteur influant sur l'activité sexuelle des personnes âgées est généralement la santé. Une santé défaillante ou la maladie agissent plus sur la sexualité que le vieillissement lui-même (Badeau et Bergeron, 1991 ; DeLamater et coll., 2008 ; Kontula et Haavio-Mannila, 2009). Faire régulièrement de l'exercice, bien manger, maintenir un poids santé et consommer peu ou pas d'alcool contribuent à se garder en forme, en plus d'agir positivement sur le désir et la réponse sexuels (Harvard Health Publication, 2006).

Les personnes âgées adoptent souvent de nouvelles méthodes pour maintenir ou améliorer leur plaisir sexuel, malgré les changements physiologiques progressifs. Le sexe oral, les contenus sexuellement explicites, les fantasmes, la stimulation manuelle, l'utilisation d'un vibrateur sont autant de moyens qu'elles peuvent intégrer à leur vie sexuelle. En même temps que les contacts génitaux diminuent en nombre, les activités non génitales telles que les baisers, les caresses, les étreintes gardent tout leur attrait, ou deviennent même plus fréquentes (Kellett, 2000). L'ouverture à de nouvelles expériences sexuelles et le développement de nouvelles stratégies avec un ou une partenaire complice jouent un rôle clé dans le maintien de la satisfaction sexuelle (Trudel et coll., 2008).

Les gais et les lesbiennes âgés

Tous les adultes, quelle que soit leur orientation sexuelle, connaissent les difficultés du vieillissement, de même que ses bons côtés. Toutefois, pour les gais et les lesbiennes, cette étape de la vie présente certaines particularités. La stigmatisation qu'ils ont vécue au cours de leur vie les a peut-être mieux préparés que les hétérosexuels à vivre les changements qui accompagnent le vieillissement et à faire face aux pertes qui y sont liées (Altman, 1999). De nombreux gais et lesbiennes ont développé un plus grand réseau d'entraide et d'amis que les personnes hétérosexuelles (Alonzo, 2003). Des centres pour personnes âgées homosexuelles ont également fait leur apparition (Lisotta, 2007).

Globalement, les études montrent que les gais et les lesbiennes âgés ont une vie qui les satisfait autant, sinon davantage, que les personnes du même groupe d'âge dans la population en général (Woolf, 2001). Une étude menée auprès d'hommes gais âgés révèle que le nombre de partenaires diminue avec le temps, mais que l'activité sexuelle se maintient, et 75 % des sujets se disent satisfaits de leur vie sexuelle. La plupart de ces hommes ont dit socialiser surtout avec des pairs du même âge. Cette socialisation ainsi que la présence d'un partenaire du même âge sont des aspects importants de leur satisfaction ; le marché sexuel des bars et des saunas, où la jeunesse et l'apparence physique sont les critères de désirabilité, s'avère d'ailleurs souvent inhospitalier pour les gais plus âgés (Berger, 1996).

En tant que groupe, les lesbiennes âgées bénéficient de certains avantages par rapport aux femmes hétérosexuelles. Selon la recherche, elles préfèrent les partenaires de leur âge (Daniluk, 1998). Aussi, en raison de la plus grande longévité des femmes, une lesbienne âgée court moins de risques de devenir veuve tôt. Et si la mort frappe, le bassin de partenaires disponibles n'est pas aussi restreint que pour les femmes hétérosexuelles. Comme les femmes ont moins tendance que les hommes à rechercher la beauté physique, les lesbiennes souffrent moins de la discrimination sexuelle qui afflige les hétérosexuelles (Berger, 1996).

RÉSUMÉ

La sexualité chez le nourrisson et l'enfant

- Aucune donnée de recherche ne permet de valider le point de vue traditionnel voulant que la sexualité ne s'exprime pas chez les nourrissons et durant l'enfance.

- Les nourrissons des deux sexes sont capables de plaisir et de réactions sexuels. On peut observer l'orgasme chez certains d'entre eux.

- L'autostimulation des organes génitaux n'est pas rare chez les garçons et les filles durant les deux premières années de la vie.

- Les dispositions d'une personne à donner et à recevoir de l'affection à l'âge adulte semblent conditionnées par le plaisir qu'elle a tiré de ses contacts avec les autres dans l'enfance, particulièrement avec ses parents.

- La masturbation est l'une des expressions sexuelles les plus courantes de l'enfance. La façon dont les parents réagissent à cette manifestation peut être déterminante pour le développement de la sexualité de l'enfant.

- Les jeux sexuels entre enfants peuvent avoir lieu dès l'âge de deux ou trois ans, mais ils sont plus fréquents de cinq à sept ans.

- La séparation entre les sexes tend à s'accentuer vers l'âge de huit ou neuf ans. Toutefois, l'intérêt romantique pour l'autre sexe et la curiosité en matière sexuelle demeurent très élevés durant cette étape du développement.

- La période de 10 à 11 ans est marquée par un vif intérêt pour les modifications corporelles, la séparation entre les sexes et la fréquence des expériences homoérotiques.

La sexualité à l'adolescence

- La puberté englobe les changements physiques découlant de l'augmentation du taux d'hormones dans l'organisme. Ces changements comprennent la maturation des organes génitaux, laquelle marque le début des menstruations chez les filles et de l'éjaculation chez les garçons.

- La discrimination en matière de rôles sexuels pousse souvent les hommes à faire de la conquête le but du sexe et place les femmes devant une double impasse : accepter ou refuser les avances sexuelles.

- Le pourcentage d'adolescents et d'adolescentes qui se masturbent s'accroît entre 13 et 19 ans.

- Les jeux sexuels non coïtaux sont une forme d'expression courante chez les jeunes.

- Aujourd'hui, les relations sexuelles entre adolescents sont plus susceptibles d'avoir lieu dans le cadre d'une relation suivie qu'à l'époque de l'enquête Kinsey.

- Au cours des cinq dernières décennies, le nombre de personnes qui, à 19 ans, avaient eu des relations sexuelles s'est accru de façon importante.

- Pendant les années 1990 et au début des années 2000, le taux de relations coïtales s'est stabilisé chez tous les adolescents, sauf chez les plus jeunes.

- Les relations homosexuelles qui ont lieu durant l'adolescence peuvent être de simples expériences ou l'expression d'une orientation sexuelle permanente.

- Le taux de grossesse chez les adolescentes canadiennes est d'environ la moitié de celui des Américaines, l'un des plus élevés du monde.

- De nombreux adolescents n'utilisent pas le condom, et plusieurs adolescentes n'utilisent aucun moyen contraceptif.

- Le faible taux d'utilisation des moyens contraceptifs chez les adolescents est lié à plusieurs facteurs, notamment la crainte de l'examen pelvien, l'embarras à l'idée d'acheter des moyens de contraception et le désir de confidentialité.

La sexualité à l'âge adulte

- Vivre seul est souvent considéré comme une période transitoire avant ou après le mariage, mais c'est aussi un choix de vie pour de nombreuses personnes.

- La proportion d'hommes et de femmes dans la vingtaine qui ne se sont jamais mariés a augmenté spectaculairement depuis les années 1970.

- Il semble que le risque de rupture conjugale soit plus élevé chez les gens ayant vécu en union de fait avant de se marier que chez les couples qui se sont immédiatement mariés. On ne peut cependant pas expliquer cette corrélation.

- Plusieurs gouvernements dans le monde considèrent que le mariage est en crise et essaient d'agir sur son rôle social.

- Dans une société matriarcale unique en Chine, les hommes et les femmes vivent sous le toit maternel. Une femme choisit l'homme qui l'intéresse et celui-ci peut venir passer la nuit avec elle. Au matin, il rentre chez lui. Cela dure aussi longtemps qu'ils éprouvent de l'attirance ou de l'amour l'un envers l'autre.

- Les attentes à l'égard du mariage et des besoins qu'il doit combler, de même que la faiblesse du réseau de soutien pour les couples et leurs enfants constituent des obstacles à la réussite des unions.

- Les couples mariés adoptent aujourd'hui une plus grande variété de comportements sexuels qu'auparavant.

- Une relation extraconjugale est consensuelle lorsque les deux conjoints sont au courant et d'accord.

- L'échangisme est une pratique selon laquelle des couples ont des relations sexuelles avec d'autres couples simultanément et dans un même lieu.

- Une relation extraconjugale dans le contexte du mariage ouvert ou du polyamour peut comporter des aspects affectifs, sociaux et sexuels.

- La relation extraconjugale qui se produit à l'insu ou sans le consentement du conjoint est dite non consensuelle.

- L'enquête NHSLS a montré que 25 % des hommes mariés et 15 % des femmes mariées ont eu une aventure extraconjugale à un moment ou un autre.

- On ignore dans quelle mesure les problèmes de couple sont la cause ou le résultat d'un adultère.

- Internet facilite tant l'établissement de relations extraconjugales que leur découverte par le conjoint trompé.

La sexualité des personnes âgées

- L'expression de la sexualité change avec l'âge, et de nombreuses personnes âgées continuent d'apprécier leurs relations sexuelles.

- Une bonne santé physique est souvent le facteur le plus déterminant dans le maintien d'une vie sexuelle satisfaisante.

- Les gais et les lesbiennes sont peut-être mieux préparés à composer avec le vieillissement en raison des diverses difficultés qu'ils ont connues par le passé et du réseau d'amis qu'ils ont souvent tissé au cours de leur vie.

7

Les conduites sexuelles

SOMMAIRE

Les gens expriment leur sexualité de nombreuses façons. Les émotions et le sens qu'ils donnent au comportement sexuel varient aussi grandement. Dans ce chapitre, nous soulignons l'importance du contexte dans l'expression de la sexualité et analysons divers comportements sexuels, tant sur le plan individuel qu'en couple. Intéressons-nous d'abord à l'expression de la sexualité dans un contexte d'abstinence.

L'abstinence

On qualifie d'*abstinentes* les personnes physiquement matures qui renoncent volontairement aux rapports sexuels ou ne peuvent en avoir pour diverses raisons (isolement, absence de partenaires, maladie, etc.). Dans certains cas, l'abstinence peut sembler une solution viable en attendant un contexte propice à une relation sexuelle. En règle générale, on n'a pas tendance à considérer l'abstinence comme une forme d'expression sexuelle. Toutefois, quand elle résulte de la décision délibérée de se refuser à tout comportement sexuel, elle est en soi une manifestation personnelle de sexualité. Il y a deux degrés d'abstinence. Dans l'abstinence sexuelle complète, la personne ne se livre ni à la masturbation ni à des contacts sexuels avec une autre personne. Dans l'abstinence sexuelle partielle, elle se masturbe, mais n'a pas de contact sexuel avec autrui.

L'abstinence est généralement associée à la ferveur religieuse ; l'adhésion à un ordre religieux ou la prêtrise commande souvent de faire vœu de chasteté. L'idéal religieux du célibat est de transformer l'énergie sexuelle en une énergie qui servira au bien de l'humanité (Abbott, 2000). Mère Teresa et le Mahatma Gandhi, en Inde, ont incarné cet idéal et sont toujours admirés pour leur autorité morale (Sipe, 2008).

Historiquement, des femmes ont choisi l'abstinence pour éviter les contraintes du mariage et des rôles sexuels associés à la maternité. Au Moyen Âge, une femme qui voulait recevoir une éducation devenait religieuse. Dans les couvents, les sœurs avaient accès à une bibliothèque et pouvaient correspondre avec des théologiens instruits. Les femmes mariées étaient privées de tels privilèges. Élisabeth Ire d'Angleterre, dite la reine vierge, a évité le mariage afin de conserver son pouvoir politique, mais elle a eu plusieurs relations amoureuses non coïtales pendant son règne. Elle faisait elle-même vérifier périodiquement sa virginité par des gens de la cour (Abbott, 2000).

Aujourd'hui, bien des considérations peuvent amener à choisir l'abstinence. Ainsi, certains vont vouloir pratiquer l'abstinence jusqu'au mariage pour des motifs moraux ou religieux. D'autres, que des relations sexuelles ont pu troubler ou décevoir, désireront prendre le temps d'établir de nouvelles relations sans que le facteur sexuel vienne brouiller les cartes (Terry, 2007). Parfois, des personnes sont tellement préoccupées par d'autres aspects de leur vie que la sexualité devient secondaire pour elles. Des considérations liées à la santé, comme la crainte d'une grossesse ou des infections transmissibles sexuellement et par le sang (ITSS), peuvent aussi influer sur la décision de ne pas avoir de relations sexuelles.

Certaines personnes trouvent enrichissant d'avoir des périodes d'abstinence. Elles peuvent alors en profiter pour se recentrer sur elles-mêmes et explorer des plaisirs personnels, apprendre à apprécier la solitude, l'autonomie et l'intimité, ou accorder la priorité au travail et aux relations interpersonnelles sans échange sexuel. L'amitié peut apporter de nouvelles dimensions à l'accomplissement personnel. En tant que choix possible d'expression de la sexualité, l'abstinence est souvent très mal comprise. Cependant, elle demeure un choix personnel valable.

Les rêves érotiques et les fantasmes

Certaines expériences sexuelles se passent dans l'esprit, accompagnées ou non de comportements sexuels. Les rêves érotiques et les fantasmes sont ces créations mentales, fruits de l'imaginaire ou d'expériences de vie, ou suscitées par des livres, des dessins, des photographies ou des films.

Abstinence sexuelle complète Renonciation complète à l'activité sexuelle ; la personne ne se masturbe pas et n'a aucun contact sexuel avec une autre personne.

Abstinence sexuelle partielle Renonciation partielle à l'activité sexuelle ; la personne n'a aucun contact sexuel avec une autre, mais elle se masturbe.

Les rêves érotiques

Les rêves érotiques et, à l'occasion, l'orgasme peuvent se produire durant le sommeil, indépendamment de la volonté. Une étude rapporte que 93 % des hommes et 86 % des femmes ont des rêves érotiques (Schredl et coll., 2004). Une personne peut s'éveiller durant un rêve érotique et noter des signes d'excitation : érection, lubrification vaginale, mouvements du bassin. Un orgasme peut aussi survenir pendant le sommeil : on parle alors d'un orgasme nocturne. Celui-ci s'accompagne habituellement d'une éjaculation, d'où l'expression *rêve mouillé* ou *éjaculation nocturne*. Les femmes ont aussi des orgasmes nocturnes, mais ceux-ci sont moins faciles à déterminer en raison de l'absence de signes clairs. Les femmes les plus susceptibles d'avoir des orgasmes nocturnes ont aussi plus de relations sexuelles et d'orgasmes issus de la masturbation que celles ayant moins d'orgasmes nocturnes (Wells, 1983).

Les fantasmes

Les fantasmes érotiques se produisent généralement durant un rêve éveillé, la masturbation ou une activité sexuelle avec une autre personne. Selon des résultats de recherche, environ 95 % des hommes et des femmes ont des fantasmes sexuels (Leitenberg et Henning, 1995). La vie fantasmatique ne semble pas différer selon l'orientation sexuelle, sauf en ce qui a trait au sexe du partenaire imaginé (Leitenberg et Henning, 1995).

Les fantasmes érotiques sont des productions mentales à contenu sexuel explicite ou symbolique. Cette faculté qu'a l'humain de se représenter mentalement des désirs érotiques fait de l'imaginaire une véritable zone érogène (Crépault et Samson, 1999). Les fantasmes érotiques et la rêverie ont plusieurs fonctions. D'abord, ils contribuent à l'éveil et à l'activation de l'excitation érotique ; ils permettent l'évacuation partielle des désirs irréalisés et irréalisables ; ils peuvent combler certains besoins psychoaffectifs conscients ou non tels que les besoins de valorisation de soi, de dépendance, de consolidation de l'identité sexuelle et de sécurité. Les fantasmes érotiques se prêtent bien aussi aux usages défensifs, car ils permettent de combler un vide, de surmonter l'ennui ou une expérience sexuelle traumatisante (Birnbaum, 2007 ; Crépault et Samson, 1999 ; Khar, 2008). Ainsi, par ses fantasmes, la personne peut se donner l'illusion d'être aimée et désirée, d'avoir beaucoup de charme ou de *sex-appeal*. En imaginant des regards séducteurs, un premier baiser ou une nouvelle position coïtale, certaines personnes seront peut-être plus à l'aise quand viendra le temps d'en faire réellement l'expérience (Leitenberg et Henning, 1995). Les fantasmes érotiques servent également à se préparer à de nouvelles expériences sexuelles.

Les fantasmes sexuels permettent d'exprimer des « désirs interdits ». Le côté interdit peut d'ailleurs rendre un fantasme plus excitant. Les gens qui entretiennent des relations sexuelles exclusives peuvent ainsi fantasmer sur leurs anciens amants ou d'autres personnes qui les attirent en demeurant fidèles à leur partenaire. Les fantasmes ayant trait aux « désirs défendus » sont nombreux : une personne peut s'imaginer avoir des relations sexuelles lascives en groupe, avec une personne d'un autre sexe que d'habitude, avec un étranger, des amis ou des connaissances, un membre de la famille et même avec des animaux, sans que cela porte à conséquence.

Une autre fonction des fantasmes est d'aider à se libérer des attentes liées aux rôles masculins et féminins (Pinhas, 1985). Le fantasme féminin d'agresser sexuellement et le fantasme masculin d'être agressé sexuellement vont à contre-courant des stéréotypes sexuels. Dans son premier livre sur les fantasmes masculins, l'auteure Nancy Friday mentionne qu'un des principaux thèmes est l'abdication masculine du contrôle en faveur de la passivité :

> *Cela peut sembler érotisant et stimulant d'être celui qui choisit la femme, qui décide quand, où et comment cela se passera. Mais son rôle à elle n'est-il pas moins risqué ? L'homme est comme celui qui recommande un nouveau restaurant à des amis. Qu'arrive-t-il s'il n'est pas à la hauteur des attentes qu'il a suscitées ? Le rôle macho est d'être l'as de la performance. Le coût caché est de donner à la femme le rôle de critique.* (Traduction libre, Friday, 1980, p. 274.)

La recherche montre que près de deux fois plus de femmes que d'hommes ont le fantasme d'être forcées à avoir des relations sexuelles (Knafo et Jaffe, 1984 ; Maltz et Boss, 1997). Ce fantasme n'a pas la même signification chez les deux sexes. Pour les femmes qui ont reçu des messages ambigus sur leur nature sexuelle, ce genre de fantasme est une façon de se déresponsabiliser et de ne pas se sentir coupables (Critelli et Bivona, 2008). Selon une étude, les femmes qui disent avoir le fantasme d'être contraintes à une relation sexuelle ont en général des sentiments plus positifs envers leur partenaire que celles n'ayant pas ce genre de fantasme (Gold et coll., 1991). Il est important de savoir toutefois que le fait d'avoir des fantasmes sexuels de soumission ne signifie aucunement que la femme désire être agressée (Gold et coll., 1991). En effet, dans le fantasme, la femme écrit le scénario et contrôle ce qui lui arrive, ce qui n'est pas le cas de la victime d'une agression sexuelle.

Les différences et les ressemblances entre les fantasmes sexuels masculins et féminins

Les situations qui vous portent à fantasmer sont-elles de type masculin ou féminin ? Lisez les deux descriptions qui suivent et déterminez celle qui vous incite le plus au fantasme.

A Pour des raisons obscures, vous vous retrouvez soudain seul(e) dans un lieu paradisiaque. Vous découvrez que cet endroit est habité par des gens qui font de vous leur chef suprême. Vous obtenez alors tous les pouvoirs, plus rien ne vous est interdit. Dans ces conditions, imaginez une mise en scène érotique qui serait la plus stimulante pour vous, celle qui réunit les composantes susceptibles de vous apporter le maximum de plaisir.

ou

B Seul(e) depuis longtemps, vous êtes en voyage; la soirée est douce, la musique et les odeurs sont enveloppantes. Vous avez besoin de vous retrouver, de ne plus faire de compromis. L'autre danse; son corps est souple et ferme. Son regard rempli de désir pour vous est presque douloureux: une émotion d'intensité, une invitation au plaisir. Des souvenirs de moments particulièrement érotiques cherchent à occuper votre esprit, vos sens. Et si…

Cet exercice tiré d'un cours de formation en sexologie fait ressortir des particularités de l'homme et de la femme. La première situation inspire plus d'hommes que de femmes, et la seconde plus de femmes que d'hommes. Et vous, laquelle avez-vous choisie?

La vie fantasmatique des hommes et celle des femmes ont certains points communs. Premièrement, la fréquence des fantasmes est semblable chez les deux sexes durant une activité sexuelle avec une autre personne (Leitenberg et Henning, 1995). Deuxièmement, les sujets de fantasmes sont aussi diversifiés. Différents rapports de recherche portant sur les fantasmes sexuels font toutefois ressortir certaines différences (Crépault et Samson, 1999; Leitenberg et Henning, 1995; Pasini et Crépault, 1987):

- Les hommes ont plus de fantasmes érotiques en dehors des activités sexuelles que les femmes. Cette différence semble être liée à leur plus grande habileté à codifier érotiquement les stimulations sexuelles, peut-être parce qu'ils ont appris, au cours du processus de socialisation, à être plus audacieux et moins inhibés que les femmes. Cela peut aussi être lié à l'influence hormonale, comme le laisse voir la diminution des fantasmes avec le vieillissement chez plusieurs.

- Les fantasmes des femmes portent généralement sur ce que l'autre va leur faire et sur l'intérêt que leur propre corps suscite chez leur partenaire, tandis que ceux des hommes sont souvent plus actifs et portent davantage sur le corps de la femme et sur ce qu'ils voudraient lui faire.

- La majorité des hommes et des femmes disent avoir occasionnellement des fantasmes érotiques lors des activités sexuelles. Toutefois, un certain nombre d'hommes sont incapables d'évaluer la fréquence des fantasmes chez leur partenaire alors que les femmes y parviennent très aisément.

- Les hommes commencent à fantasmer à l'adolescence, souvent durant des activités de masturbation, tandis que les femmes ont des fantasmes plus tardivement.

- Chez les femmes, les fantasmes sont plus fréquents en phase préorgasmique, alors qu'ils surviennent à n'importe quel moment de l'activité sexuelle chez les hommes.

- Au début de la relation sexuelle, chez les hommes comme chez les femmes, les fantasmes présentent à l'esprit des scènes qui pourraient se passer dans la réalité, mais plus l'excitation progresse, plus les inhibitions se relâchent, ce qui permet la transgression d'interdits moraux ou sociaux.

- Quatre hommes sur cinq déclarent avoir recours, au moins à l'occasion, à des fantasmes lors de leurs activités sexuelles avec leur conjointe actuelle, tandis que les femmes sont moins d'une sur deux à le faire.

- Les quatre fantasmes les plus fréquents chez les deux sexes consistent à s'imaginer avec un ou une autre partenaire, à revivre une relation sexuelle antérieure, à revoir des scènes tirées de films érotiques ou pornographiques et à avoir une relation buccogénitale. Les autres fantasmes récurrents chez les hommes sont dans l'ordre: se représenter une partie du corps féminin, avoir des activités sexuelles avec une femme très attirante, se trouver en présence de plusieurs femmes à la fois, éjaculer dans la bouche d'une partenaire et être séduit par une femme. Chez les femmes, il s'agit plutôt d'imaginer des scènes tendres et romantiques, d'être séduites, d'être désirées par plusieurs hommes à la fois, de regarder les autres faire l'amour et d'être soumises à un homme.

- Les femmes accordent une grande importance à la dimension affective et aux aspects relationnels, alors que les hommes ont des fantasmes qui mettent en scène des actes sexuels plus explicites.

- Les hommes s'abandonnent généralement davantage à des fantasmes de domination, tandis que les femmes ont un penchant pour les fantasmes où elles se déresponsabilisent du plaisir, c'est-à-dire ceux où elles sont soumises à la volonté de l'autre.

- Les fantasmes sexuels des hommes se concentrent sur les actes sexuels explicites, les corps nus et le plaisir sexuel, tandis que ceux des femmes sont à plus forte teneur affective et romantique.

- Les hommes, davantage que les femmes, ont des fantasmes mettant en scène plusieurs partenaires sexuels.

Il serait d'ailleurs intéressant de refaire ces études à l'ère d'Internet.

Comme nous l'avons mentionné plus haut, la fréquence du fantasme d'être contraint ou de contraindre à l'acte sexuel diffère grandement selon le sexe. Bien que ce genre de fantasme puisse en quelque sorte constituer un renversement des rôles sexuels, il est généralement le reflet magnifié des stéréotypes sociaux voulant que l'homme soit actif et la femme passive. Les femmes qui ont une vie fantasmatique riche sont plus scolarisées, ont commencé à se masturber au cours de l'enfance et continuent à le faire régulièrement ; elles parviennent relativement bien à l'orgasme lors d'une relation sexuelle et, de manière générale, elles disent avoir une vie sexuelle satisfaisante.

Les fantasmes : utiles ou nuisibles ?

On considère généralement les fantasmes érotiques comme des aspects sains et utiles de la sexualité (Goleman, 2006 ; Renaud et Byers, 2001). Ceux qui se sentent peu coupables d'avoir des fantasmes durant leurs relations sexuelles en nourrissent davantage. Leur degré de satisfaction et de performance sexuelle est plus élevé ; ils atteignent plus facilement l'orgasme et sont généralement plus actifs au cours des relations sexuelles (Crépault et Samson, 1999 ; Cado et Leitenberg, 1990).

Les agressions sexuelles subies pendant l'enfance s'accompagnent parfois, chez l'adulte, de fantasmes sexuels envahissants et indésirables. Parvenir à développer de nouveaux fantasmes sexuels basés sur l'acceptation de soi et l'amour peut alors s'inscrire dans une démarche thérapeutique (Boss et Maltz, 2001). Comme pour la plupart des autres aspects de la sexualité, ce qui fait qu'un fantasme est profitable ou nuisible à la relation dépend de sa signification et des objectifs poursuivis par les partenaires. Claude Crépault, un cofondateur du département de sexologie de l'UQAM, a développé, au début des années 1980, une approche thérapeutique de type psychodynamique dans le traitement des divers troubles sexuels. Le but de cette approche est de découvrir, dans un premier temps, les conflits inconscients à l'origine des troubles sexuels que présente la personne, puis de neutraliser ces conflits en travaillant sur l'imaginaire érotique. La personne est ainsi appelée à comprendre le rôle de ses fantasmes dans sa sexualité et à apprendre à s'en servir pour améliorer sa qualité de vie sexuelle. Cette approche porte le nom de *sexoanalyse* (Crépault, 1997, 2007).

Certaines personnes décident d'intégrer concrètement un fantasme particulier dans leur relation sexuelle avec un ou une partenaire. Vivre un fantasme peut être une source de plaisir ; par contre, si cela rend l'autre mal à l'aise ou va à l'encontre de son système de valeurs, les conséquences peuvent être négatives. Chacun doit soupeser les avantages et les inconvénients qu'il y a à concrétiser ainsi ses fantasmes. Il y a des gens pour qui les fantasmes sont plus excitants lorsqu'ils demeurent comme tels, sans actualisation.

Plusieurs technologies et activités liées à Internet offrent un compromis entre les fantasmes privés et leur réalisation. Le partage de ses fantasmes sexuels sur Internet – à l'occasion de clavardages, de jeux érotiques multijoueurs ou à l'aide d'une caméra Web – nécessite de se dévoiler à des étrangers. Or, le fait de communiquer ainsi ses fantasmes à des inconnus peut amener certaines personnes à les dévoiler à leur partenaire réel, ce qu'elles n'osaient pas faire auparavant.

Lorsque les fantasmes surviennent durant une relation sexuelle, certains sont convergents avec ce qui est en train de se produire, mais d'autres en sont complètement dissociés. Ces fantasmes divergents demandent plus d'efforts mentaux. Celui ou celle qui s'y livre est beaucoup moins disponible sensuellement parlant, car ces fantasmes entravent les sensations corporelles. L'activité fantasmatique devient alors le seul soutien à l'excitation sexuelle. Elle se substitue complètement aux sensations corporelles, ce qui peut conduire à des dysfonctions sexuelles (Crépault et Samson, 1999).

Bien que la plupart des rapports de recherche indiquent que l'imaginaire érotique joue un rôle positif, certains fantasmes sont parfois associés à des relations sexuelles pauvres et à d'autres problèmes (Perel, 2003). Ainsi, des hommes ont de la difficulté à atteindre l'orgasme parce que les fantasmes dont ils ont besoin pour parvenir à un niveau élevé d'excitation ne concordent pas avec le comportement sexuel de leur partenaire (Perelman, 2001). Les fantasmes non partagés durant le rapport sexuel pourraient aussi éroder la confiance entre les partenaires et l'intimité de la relation. D'ailleurs, les résultats d'une étude ont révélé qu'en ce qui a trait à l'interprétation des fantasmes sexuels de leur partenaire, les étudiants appliquaient allègrement la politique du deux poids deux mesures. En effet, les participants des deux sexes considéraient comme normaux et sans conséquence pour l'exclusivité de leur relation les fantasmes qu'ils nourrissaient envers une personne autre que leur partenaire. Le type de fantasmes qu'ils jugeaient le plus menaçant était celui que leur partenaire entretient à l'égard d'un ami commun ou d'un autre étudiant plutôt que sur un improbable rival comme une vedette du cinéma (Yarab et Allgeier, 1998).

La plupart des gens font la différence entre le monde des fantasmes et le monde réel de sorte qu'ils s'abstiennent de réaliser des fantasmes potentiellement nuisibles pour eux ou pour autrui. Il arrive cependant que le fantasme oriente une personne vers une conduite dangereuse pour les autres. C'est notamment le cas des agresseurs sexuels. Les personnes qui se croient capables de commettre de tels actes devraient demander de l'aide psychologique professionnelle.

La masturbation

Durant l'histoire judéo-chrétienne, la masturbation a été source d'opprobre et objet de censure. Voilà qui explique les faussetés qui circulent toujours à son sujet, de même que la honte et la crainte considérables qu'elle suscite chez beaucoup de personnes. Plusieurs des attitudes négatives par rapport à la masturbation sont attribuables aux conceptions du judaïsme et du christianisme selon lesquelles la procréation est l'unique fin légitime de la sexualité. Comme la masturbation n'est manifestement pas liée à la conception, on la condamna (Weisner-Hanks, 2000). À une époque, on croyait que la semence masculine était faite de petits êtres humains et que le ventre maternel servait à les nourrir pour qu'ils grandissent (Allgeier et Allgeier, 1989). Toute éjaculation hors du corps féminin étant alors vue comme une sorte de meurtre de milliers de petits êtres, il fallait donc la combattre par tous les moyens. Au milieu du XVIIIᵉ siècle, surtout sous la plume d'un médecin européen nommé Samuel Tissot, les «fléaux» de la masturbation défrayèrent la chronique scientifique. Pendant des générations, cette vue négative modela les attitudes sociales et médicales en Europe et en Amérique du Nord, comme en témoigne l'extrait suivant tiré d'une encyclopédie médicale datant de 1918, où les «symptômes» de la masturbation sont décrits en ces termes :

> *Bientôt, la santé se détériore nettement; le patient souffrira de débilité générale, d'un ralentissement de la croissance, de faiblesse des membres inférieurs, de nervosité et de tremblements des mains, d'une perte de mémoire, d'une inaptitude à l'étude ou à l'apprentissage, d'un état d'agitation, de faiblesse des yeux et de troubles de vision, de maux de tête et d'incapacité à dormir ou à s'éveiller. Puis viennent les douleurs aux yeux, la cécité, la stupidité, la phtisie, l'affection rachidienne, l'amaigrissement, l'éjaculation involontaire, la perte de tout énergie ou entrain, la folie et l'idiotie – bref l'inéluctable naufrage du corps et de l'esprit.* (Traduction libre, Wood et Ruddock, 1918, p. 812.)

Au XIXᵉ siècle, on considérait l'abstinence sexuelle, les aliments simples et la bonne forme physique comme les composantes essentielles de la santé. Le révérend Sylvester Graham, un Américain qui faisait la promotion des farines de grains entiers et dont le nom demeure associé à une marque de biscuits, écrivait que l'éjaculation disséminait de «précieuses substances vitales». Il conjurait les hommes de renoncer à la masturbation et même aux rapports conjugaux de façon à éviter la dégénérescence morale et physique. John Harvey Kellogg, un médecin, poussa plus loin les enseignements de Graham et créa les flocons de maïs qui devaient être un remède contre la masturbation et le désir sexuel, consommés de préférence avec seulement de l'eau tiède. On recommandait par ailleurs d'autres techniques de contrôle de la masturbation qui consistaient à s'envelopper les parties génitales de bandages, à s'attacher les mains durant la nuit, à pratiquer la clitoridectomie, à enduire le clitoris de phénol (un acide pouvant causer des brûlures) et à suturer le prépuce; on proposait également des dispositifs mécaniques (Planned Parenthood Federation of America, 2003).

Sigmund Freud et la plupart des premiers psychanalystes ont reconnu que la masturbation n'était pas nuisible à la santé physique et ils la considéraient comme normale durant l'enfance. Toutefois, ils croyaient qu'elle pouvait mener ceux qui la pratiquaient à l'âge adulte à souffrir d'un développement sexuel «immature» et d'une inhabileté à établir de bonnes relations sexuelles. Pour Richard von Krafft-Ebing, médecin de la même époque et auteur du manuel *Psycopathia Sexualis*, une des premières classifications modernes des déviances sexuelles, la masturbation était la cause de la plupart des maux qui accablent l'humanité (Brecher, 1969). Les recherches indiquent que la masturbation n'est ni bénéfique ni nuisible à l'adaptation sexuelle du jeune adulte (Leitenberg et coll., 1993).

Les opinions contemporaines sur la masturbation demeurent contradictoires et la condamnation traditionnelle est encore en vigueur. En 1976, le Vatican a émis sa *Déclaration sur certaines questions d'éthique sexuelle* dans laquelle la masturbation est décrite comme un acte intrinsèquement et profondément immoral. Cette position a été réitérée en 1993 par le pape Jean-Paul II qui a condamné la masturbation en la qualifiant de moralement inacceptable. Bon nombre de chrétiens fondamentalistes partagent cette opinion et renoncent à la masturbation.

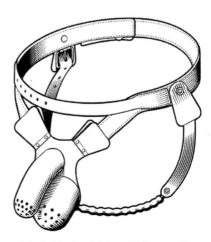

Ce fourreau métallique à serrure, muni de courroies en cuir, a été homologué en 1910. Il était conçu pour empêcher les patients des hôpitaux psychiatriques de se masturber.

Je ne me masturbe pas, parce que je tiens de l'Église et de mes parents que l'amour sexuel dans le mariage est une manifestation de l'amour de Dieu. Toute autre forme de sexualité réduit le sens que j'y trouverai avec mon épouse. (Notes des auteurs)

Par contre, plusieurs voient la masturbation comme une composante positive et saine de la sexualité. Par exemple, selon Betty Dodson, auteure et éducatrice en sexualité, la masturbation est la première activité sexuelle naturelle. C'est par elle qu'on découvre l'érotisme, qu'on apprend à répondre sexuellement, à s'aimer soi-même et à construire son estime de soi (Dodson, 1974).

Les buts de la masturbation

Les gens se masturbent pour diverses raisons, parmi lesquelles l'excitation et l'orgasme occuperont toujours une place importante. Les gens y voient le plus souvent un moyen de relâcher la tension sexuelle (Michael et coll., 1994), mais c'est aussi une façon de mieux se connaître. L'éducatrice sexuelle Eleanor Hamilton recommande la masturbation aux adolescents pour relâcher la tension et être à l'aise avec leurs organes sexuels (1978). De fait, l'autostimulation permet d'en apprendre énormément sur ses réactions sexuelles. Elle est souvent d'une grande aide pour les femmes qui apprennent à atteindre l'orgasme et pour les hommes qui veulent expérimenter des façons d'augmenter leur contrôle éjaculatoire. (Nous présentons la masturbation en tant que moyen d'accroître la satisfaction sexuelle au chapitre 10.) Enfin, plusieurs personnes trouvent que la masturbation les aide à s'endormir le soir, car elle leur procure le même sentiment de relaxation qu'une relation sexuelle (Ellison, 2000; Freeman, 2009).

La satisfaction tirée d'une séance d'autoérotisme est parfois plus grande que celle que procure une relation sexuelle, comme en témoigne ce qui suit.

J'avais toujours considéré la masturbation comme une manifestation sexuelle de second ordre. Jusqu'au jour où, en comparant mon agréable expérience de masturbation matinale avec l'échange sexuel peu satisfaisant que j'avais eu en soirée avec un partenaire, j'ai compris que ce genre de jugement est très relatif. (Notes des auteurs)

Certaines personnes considèrent que la détente sexuelle distincte que leur offre la masturbation peut les aider à prendre de meilleures décisions concernant leurs rapports sexuels avec d'autres. De même, dans une relation, la masturbation peut contribuer à niveler les effets d'un intérêt sexuel divergent. Elle peut être une expérience partagée:

Lorsque, contrairement à moi, mon partenaire n'a pas envie de faire l'amour, il me prend dans ses bras

et m'embrasse pendant que je me masturbe. Aussi parfois, après avoir fait l'amour, j'ai envie de me caresser pendant qu'il m'étreint. C'est tellement meilleur que de se faufiler en solitaire vers la salle de bains. (Notes des auteurs)

Question d'analyse critique

Selon vous, qu'est-ce que les parents devraient dire à leurs enfants à propos de la masturbation?

Les gens qui s'adonnent à la masturbation craignent souvent de le faire trop. Même dans les écrits qualifiant la masturbation de normale, l'excès est souvent présenté comme malsain. Mais on définit rarement ce qu'on entend par «excès». Il est physiologiquement impossible de «trop» se masturber (Comfort, 1967). Si une personne se masturbait au point que cela nuirait à un aspect quelconque de sa vie, il y aurait probablement lieu de s'inquiéter. La masturbation serait alors le symptôme ou le signe d'un problème plutôt que le problème lui-même. Par exemple, quelqu'un qui éprouverait une très grande angoisse pourrait se masturber dans l'espoir de trouver le calme et le réconfort. Le problème dans ce cas serait une intense anxiété émotionnelle – pas la masturbation.

La plupart des hommes et des femmes, en couple ou non, se masturbent à l'occasion. C'est à partir de la vingtaine que les femmes ont tendance à le faire davantage. Kinsey croyait que cela pouvait être attribuable à leur plus grande sensibilité érotique, à l'apprentissage des possibilités de l'autostimulation à travers les jeux sexuels avec un partenaire et à la diminution des inhibitions sexuelles. Toutefois, plusieurs considèrent que la masturbation est inappropriée dans le cas des personnes qui ont un partenaire sexuel. Certains croient qu'ils ne devraient pas s'engager dans une activité sexuelle à laquelle leur partenaire ne participerait pas ou encore que le plaisir sexuel qu'elles tirent de la masturbation le prive en quelque sorte d'une certaine jouissance. D'autres interprètent à tort le désir de leur partenaire de se masturber comme un signe que quelque chose ne va pas dans leur relation. Il est courant que les gens continuent à se masturber une fois en couple. En fait, les individus dont les activités sexuelles avec un partenaire sont les plus fréquentes sont aussi ceux qui se masturbent le plus souvent (Laumann et coll., 1994). De plus, une étude a révélé que les femmes mariées qui se masturbent jusqu'à l'orgasme ont une plus grande satisfaction sexuelle et conjugale que celles qui s'en abstiennent (Hurlbert et Whittaker, 1991). À moins que cela n'interfère avec le plaisir que procure l'intimité sexuelle lors d'une relation, on peut considérer que la masturbation est une composante normale du répertoire sexuel de chacun.

Des techniques d'autoérotisme

Il y a plusieurs techniques de masturbation. Le choix d'un mode excitatoire (par exemple, archaïque ou mécanique, voir le chapitre 3) dépend de chaque personne (Desjardins, 2007).

Les hommes prennent généralement la hampe de leur pénis d'une main, comme l'illustre la figure 7.1. Certains enduisent leur organe de lotion ; d'autres préfèrent une friction naturelle. La stimulation s'obtient par des mouvements alternatifs de haut en bas le long de la hampe du pénis en variant le rythme et la pression des caresses (mode mécanique classique). L'homme peut aussi caresser le gland et le frein du pénis et titiller le scrotum ou tirer dessus par petits coups. Ou, au lieu de se servir de ses mains, il peut frotter son pénis contre le matelas ou un oreiller (mode archaïque ou mode mixte archaïco-mécanique).

Les femmes disposent d'une grande variété de techniques d'autostimulation. Généralement, elles effectuent des mouvements circulaires d'une main, d'avant en arrière et de haut en bas sur le mont de Vénus et la région clitoridienne (voir la figure 7.2).

Le gland du clitoris est rarement stimulé directement, bien qu'il puisse l'être indirectement lorsque le capuchon le recouvre. Certaines femmes frottent la région clitoridienne contre un drap, un oreiller ou un autre objet. D'autres se masturbent en pressant les cuisses l'une contre l'autre et en contractant les muscles de la paroi pelvienne qui sous-tendent la vulve (mode archaïque).

Contrairement à la mise en scène pornographique courante, peu de femmes utilisent la pénétration vaginale pour atteindre l'orgasme par la masturbation.

Pour augmenter le plaisir et la variété, nombre d'individus et de couples se servent aussi de vibrateurs (mode mécanique) et de divers jouets sexuels. Bien que certains hommes aiment la sensation du vibrateur sur leurs organes génitaux, ce genre d'appareils est surtout apprécié des femmes. Plusieurs d'entre elles ont aussi découvert que les jets d'eau projetés par le pommeau d'une douche à main (ou douche-téléphone) procurent des sensations agréables lorsqu'ils sont dirigés sur la vulve. Les enquêtes révèlent qu'aux États-Unis 53 % des femmes et 45 % des hommes ont utilisé un vibrateur en solitaire ou dans le cadre d'une relation sexuelle et que son utilisation est associée à une fonction sexuelle positive (Herbenick et coll., 2009 ; Reece et coll., 2009). Quatre-vingt-dix pour cent des femmes qui se masturbent avec un vibrateur sont à l'aise d'en parler avec leur partenaire et bon nombre de couples intègrent les vibrateurs dans leurs jeux sexuels (Berman, 2004). Le sociologue Pepper Schwartz invite les hommes à ne pas se sentir menacés par l'inclusion du vibrateur dans leur relation avec leur partenaire : « Messieurs, ce n'est pas un compétiteur, c'est un collègue » (Schwartz, 2006). Si vous voulez utiliser un vibrateur, expérimentez-en plusieurs types et essayez les nombreuses façons de les employer. En déplaçant le vibrateur sur différentes zones de votre corps ou de vos organes génitaux, vous découvrirez ce qui est particulièrement excitant pour vous. Vous pourrez accroître votre plaisir en bougeant le pelvis ou le vibrateur.

FIGURE 7.1 La masturbation masculine.

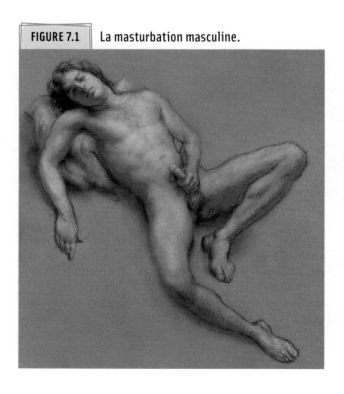

FIGURE 7.2 La masturbation féminine.

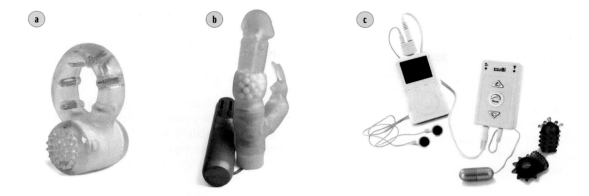

a) L'anneau de cet objet se fixe à la base du pénis et le tonnelet stimule le clitoris.
b) Les vibrateurs se présentent sous différentes formes. L'émission *Sexe à New York* a fait connaître celui-ci, dit «le lapin».
c) Branché au baladeur numérique, l'iBuzz produit des vibrations au rythme de la musique choisie.

Autrefois, le vibrateur a été considéré comme une innovation médicale bien commode. De l'ère d'Hippocrate aux années 1920, les médecins traitaient les femmes frappées d'«hystérie», un mal jugé alors très répandu, en leur massant l'appareil génital jusqu'à ce qu'elles atteignent l'orgasme, qu'on appelait *paroxysme hystérique* – un diagnostic aujourd'hui désuet. (Les médecins de l'époque voyaient dans la relaxation postorgasmique de la femme la confirmation de l'efficacité de leur traitement.) Dans les années 1880, le vibrateur était reconnu comme l'un des instruments médicaux les plus efficaces, puisqu'il permettait de raccourcir la durée de semblables visites au cabinet du médecin (Otto, 1999).

Le vibrateur n'est que l'un des objets servant à l'autostimulation sexuelle. Depuis toujours, le godemiché, ou similipénis, est utilisé pour accroître l'excitation sexuelle. On emploie aussi de petits godemichés pour la stimulation anale. Pendant des milliers d'années, les femmes, en Chine et au Japon, ont eu recours aux boules de *ben wa* ou boules de geishas pour parvenir au plaisir. Ces deux boules, l'une vide et l'autre remplie d'un liquide lourd, s'insèrent dans le vagin tandis que la femme est étendue dans un hamac ou assise sur une balançoire, de façon que le mouvement fasse bouger les boules et lui procure des sensations internes. Les hommes peuvent aussi se masturber à l'aide d'objets en latex ou en caoutchouc simulant les organes génitaux féminins. Certains gadgets sexuels plus élaborés permettent de stimuler simultanément plusieurs zones génitales, et on en développe constamment de nouvelles variétés (Otto, 1999). L'iBuzz, une sorte de petite capsule, produit des vibrations en synchronisme avec un iPod, lecteur MP3 ou autre baladeur numérique, se porte à l'intérieur des sous-vêtements ou se place à l'intérieur du vagin. L'intensité des vibrations suit celle du volume sonore.

Même si toutes sortes de gens apprécient la masturbation, tout le monde ne désire pas s'y adonner. Parfois, lorsqu'un professionnel tente d'aider les gens désireux de se débarrasser de leurs sentiments négatifs face à l'autoérotisme, il peut avoir l'air de leur dire qu'ils devraient se masturber. Ce n'est pas le cas. La masturbation est une forme d'expression sexuelle, pas une obligation.

L'expression sexuelle interpersonnelle

Ma sexualité a pris plusieurs dimensions durant ma vie. Ma masturbation infantile était un désir secret et coupable dont je ne me suis jamais confessée. «Jouer au docteur» avait un côté coquin qui m'intriguait et m'excitait. Les heures brûlantes passées à s'embrasser et à se peloter durant l'adolescence et les premières années à l'université ont développé ma conscience sexuelle. J'ai eu mon premier rapport sexuel avec un ami que j'aimais et en qui j'avais confiance. Ça a été une expérience physique et affective profonde, à laquelle, 30 ans plus tard, je repense toujours avec un vif plaisir. Comme beaucoup de jeunes adultes des années 1960 et 1970, ma sexualité s'exprimait dans un cadre où les rapports sexuels occasionnels alternaient avec les périodes d'abstinence. Le mariage m'a apporté le confort et les défis de l'engagement; ma sexualité s'alliait alors à l'intense désir d'être enceinte; puis la première grossesse, la naissance et l'allaitement ont élargi grandement mes horizons sexuels. Maintenant, jonglant avec la famille, la carrière, les intérêts personnels et les rendez-vous chez le coiffeur, ma

> sexualité me fait l'effet d'un tranquille ronronne-ment d'arrière-fond. J'aspire à la retraite et à plus de temps et d'énergie, car j'attends plus de la vie qu'un baiser matinal après le café. (Notes des auteurs)

Jusqu'à maintenant, nous avons examiné diverses façons d'exprimer sa sexualité en solo. Toutefois, un grand nombre de comportements sexuels ont lieu dans le cadre de relations interpersonnelles. Dans cette par-tie, nous traitons des expressions les plus courantes du comportement sexuel interpersonnel.

Bien que nous présentions diverses techniques sexuelles dans les pages suivantes, il faut retenir que l'interaction sexuelle n'a pas de sens en soi ; elle s'inscrit dans la moti-vation et les intentions des partenaires et dans la relation qu'ils entretiennent. Comme l'explique un auteur :

La sexualité peut être motivée par l'excitation ou l'ennui, le besoin physique ou la tendresse, le désir ou le devoir, la solitude ou le plaisir. Elle peut être un exercice de pouvoir ou un échange égalitaire, un relâchement purement machinal de tension ou une fusion profondément affective, une façon de s'épuiser avant le sommeil ou un moyen de se revigorer. La relation sexuelle peut être vue comme une récompense ou un encouragement, comme un don désintéressé ou une faveur ; ce peut aussi être une manifestation d'égoïsme, d'insécurité ou de narcissisme. La sexua-lité peut exprimer et signifier presque n'importe quoi. (Traduction libre, Fillion, 1996, p. 41.)

Le tableau 7.1 présente les 15 principales motivations (sur 237) qu'ont invoquées des étudiants universitaires pour avoir une relation sexuelle. À noter que 20 des 25 premières motivations exprimées étaient les mêmes chez les deux sexes (Meston et Buss, 2007).

La hiérarchie de Maltz

Pour que les comportements sexuels contribuent à l'affir-mation de soi et à la consolidation de la relation, le contexte dans lequel ils prennent place est extrêmement important. L'auteure et sexothérapeute Wendy Maltz a schématisé l'expression de la sexualité en délimitant des niveaux constructifs et des niveaux destructifs (Maltz, 2001). Elle considère l'énergie sexuelle comme une force neutre ; cependant, l'intention et les conséquences rat-tachées au comportement sexuel peuvent aller dans des directions positive ou négative. Par exemple, la relation sexuelle au sein d'un couple peut être intensément pas-sionnée ; elle peut aussi constituer un viol.

TABLEAU 7.1 Les 15 principales raisons qu'invoquent les étudiants universitaires pour avoir des relations sexuelles.

	FEMMES	HOMMES
1	J'étais attirée par la personne.	J'étais attiré par la personne.
2	Je voulais ressentir du plaisir physique.	C'est bon.
3	C'est bon.	Je voulais ressentir du plaisir physique.
4	Je voulais lui montrer mon affection.	C'est agréable.
5	Je voulais lui exprimer mon amour.	Je voulais lui montrer mon affection.
6	J'étais sexuellement excitée et désirais libérer cette tension.	J'étais sexuellement excité et désirais libérer cette tension.
7	Je désirais baiser pour baiser.	Je désirais baiser pour baiser.
8	C'est agréable.	Je voulais lui exprimer mon amour.
9	J'ai réalisé que j'étais amoureuse.	Je voulais jouir.
10	J'étais dans l'ambiance du moment.	Je voulais faire plaisir à ma (mon) partenaire.
11	Je voulais faire plaisir à mon (ma) partenaire.	Son apparence m'excitait.
12	Je voulais un rapprochement, une intimité affective.	Je voulais du pur plaisir.
13	Je voulais du pur plaisir.	J'étais dans l'ambiance du moment.
14	Je voulais jouir.	Je voulais un rapprochement, une intimité affective.
15	J'étais excitée par l'aventure.	J'étais excité par l'aventure.

Les trois niveaux positifs de l'interaction sexuelle se fondent sur le choix mutuel, le souci de l'autre, le respect et la sécurité. Comme on le voit à la figure 7.3, au niveau +1, *Épanouissement en conformité avec le rôle sexuel*, les rôles sexuels s'appuient sur les mœurs sociales et religieuses voulant (dans les relations hétérosexuelles) que l'homme prenne l'initiative et que la femme soit réceptive. À ce niveau, les interactions sexuelles sont caractérisées par le respect mutuel et l'absence de contrainte et de ressentiment ; il y règne un solide sentiment de sécurité et une grande prévisibilité. La sexualité a alors très souvent pour buts la grossesse et l'assouvissement de la pulsion sexuelle.

Le niveau +2, *Faire l'amour*, est centré sur le plaisir mutuel découlant de la créativité et de l'expérimentation pour chacun des partenaires. Le comportement social traditionnel est délaissé au profit d'une sexualité qui s'ouvre sur une expérience érotique euphorisante. Les partenaires se révèlent plus profondément en communiquant et en exprimant leur propre sexualité, ce qui crée une plus grande intimité.

Le niveau +3, *Intimité sexuelle authentique*, procure le sentiment partagé d'un lien profond tant avec soi-même qu'avec son ou sa partenaire et rend hommage au corps par l'expérience érotique. Le plaisir de la sensualité englobe une profonde expression d'amour réciproque. L'honnêteté et l'ouverture affectives sont extrêmement importantes et chaque partenaire éprouve la sensation d'une profonde plénitude. L'intimité sexuelle authentique peut être le moment culminant de l'expérience ou caractériser l'ensemble des ébats amoureux.

Maltz souligne que les interactions sexuelles peuvent aussi être des épreuves bouleversantes ou traumatisantes, souvent imposées à une personne par une autre. Du côté négatif de l'échelle, chaque niveau est de plus en plus destructif et nocif. Le niveau −1, *Interaction impersonnelle*, se caractérise par le manque de respect et l'irresponsabilité envers soi-même et envers l'autre. Ici, les individus ne tiennent pas compte des possibles conséquences négatives pour eux-mêmes et leur partenaire – grossesse non désirée ou risque de contracter des infections transmissibles sexuellement comme le VIH. C'est à ce niveau que les partenaires supportent des relations sexuelles rebutantes ou mentent sur des questions vitales pour le ou la partenaire (état de santé ou sens de la liaison sexuelle). Ces expériences se soldent par des sentiments de malaise et d'anxiété. L'alcool et la drogue sont souvent présents dans les expériences sexuelles que les personnes regrettent plus tard (Kaiser Family Foundation, 2003).

Au niveau −2, *Interaction agressante*, une personne exerce consciemment sur une autre une contrainte psychologique dans le but d'asseoir sa domination. Le viol d'une personne que l'on connaît sans recours à la violence

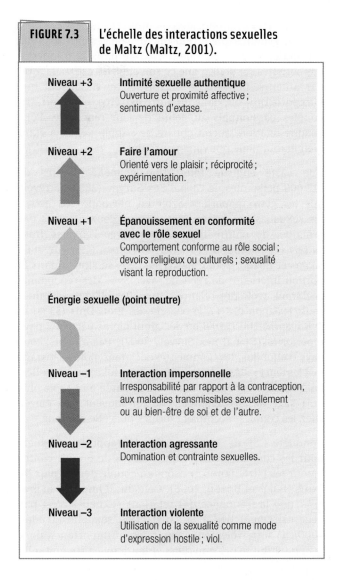

FIGURE 7.3 L'échelle des interactions sexuelles de Maltz (Maltz, 2001).

Niveau +3 **Intimité sexuelle authentique**
Ouverture et proximité affective ; sentiments d'extase.

Niveau +2 **Faire l'amour**
Orienté vers le plaisir ; réciprocité ; expérimentation.

Niveau +1 **Épanouissement en conformité avec le rôle sexuel**
Comportement conforme au rôle social ; devoirs religieux ou culturels ; sexualité visant la reproduction.

Énergie sexuelle (point neutre)

Niveau −1 **Interaction impersonnelle**
Irresponsabilité par rapport à la contraception, aux maladies transmissibles sexuellement ou au bien-être de soi et de l'autre.

Niveau −2 **Interaction agressante**
Domination et contrainte sexuelles.

Niveau −3 **Interaction violente**
Utilisation de la sexualité comme mode d'expression hostile ; viol.

et l'inceste en sont des exemples. Les paroles dégradantes et coercitives en font également partie. Suivant sa logique tordue, la personne qui exploite l'autre rationalise ou nie le mal qu'elle lui inflige. L'expérience porte généralement atteinte à l'estime de soi de la personne maltraitée.

Le niveau −3, *Interaction violente*, se produit quand l'énergie sexuelle est utilisée sciemment pour exprimer l'hostilité. Les organes sexuels deviennent des armes ou des cibles. Le viol en est l'exemple extrême.

La fréquence des activités sexuelles

Avant d'aller plus loin dans la présentation de certains résultats, une mise en garde s'impose. L'esprit humain est ainsi fait que tous, à la lecture de statistiques, se comparent avec la moyenne et, plus ou moins consciemment, la considère comme ce qui est normal. C'est commettre une erreur que de voir les chiffres sous cet angle. Il n'y a aucune normalité dans la fréquence des activités sexuelles, que ce soit chez les asexuels (qui, par ailleurs, peuvent se masturber aussi souvent que n'importe qui) ou, dans un autre extrême, chez certains couples passionnels au début de leur rencontre. Pour chaque relation, aucun chiffre ne s'applique. Cela étant bien établi, nous pouvons poursuivre.

Une vaste enquête internationale menée auprès de 317 000 personnes, le Global Sex Survey (2005), a révélé que les gens rapportent avoir en moyenne 103 activités sexuelles par année, soit presque deux activités par semaine, un chiffre qui concorde avec l'enquête française Contexte de la Sexualité en France (CSF) de 2006 (Bajos et Bozon, 2008). Les Canadiens se situent dans la portion inférieure de l'échelle, avec 59 % des répondants déclarant avoir des relations sexuelles chaque semaine ; seuls le Japon (34 %), le Nigeria, les États-Unis (53 %) et le Royaume-Uni (55 %) en déclarent moins parmi 26 pays répertoriés (Global Sex Survey, 2007). Par ailleurs, tous pays confondus, les hommes se déclarent moins satisfaits que les femmes de la fréquence de leurs relations sexuelles. La fréquence est également liée à la durée du couple plus qu'à l'âge des partenaires : elle est souvent plus élevée chez les couples récemment formés puis elle diminue.

L'enquête CSF de 2006 rapporte 12 rapports mensuels pour les couples formés depuis moins de 6 mois contre 8 pour les partenaires qui sont en couple depuis plus de 5 ans (Bajos et Bozon, 2008). Cela dit, il importe de préciser que la fréquence des relations sexuelles n'est pas nécessairement liée à la satisfaction sexuelle (Trudel, 2000). D'autres éléments apparaissent importants, dont la compatibilité des conjoints et leur ouverture mutuelle face aux besoins de l'autre. À cet effet, les données de 2007 de l'enquête Global Sex Survey révèlent que seulement 44 % des répondants se disent satisfaits de leur vie sexuelle.

Regarder, embrasser, toucher

Les comportements sexuels partagés que nous présentons, à l'exception du coït et de l'expression sexuelle des gais et des lesbiennes, concernent tout le monde sans égard à l'orientation sexuelle. En fait, parce que l'expression sexuelle entre deux partenaires de même sexe ne porte pas sur l'omniprésente pénétration (pénis-vagin) du modèle hétérosexuel, le répertoire sexuel des gais et des lesbiennes est souvent plus vaste et créatif que celui des hétérosexuels (Nichols, 2000 ; Sanders, 2000).

L'ordre de présentation des activités sexuelles, dans les pages qui suivent, n'en fait en rien une progression à respecter. Par exemple, un couple hétérosexuel peut désirer une stimulation orale génitale *après* le coït plutôt qu'avant. Par ailleurs, aucune des activités présentées ne doit nécessairement faire partie de chaque rencontre ou relation sexuelle : une relation sexuelle complète peut inclure l'une ou l'autre, ou plusieurs de ces activités, avec ou sans orgasme. Comme le relate une sexothérapeute :

> *Lorsqu'on commence à voir le sexe comme la création de plaisir érotique mutuel plutôt que comme une usine à orgasmes, il apparaît alors comme un continuum de possibilités. On peut découvrir qu'une simple stimulation génitale – voire non génitale – peut être étonnamment érotique et relaxante.* (Traduction libre, Ellison, 2000, p. 317.)

De plus, puisque l'ensemble de la relation influe sur la sexualité, on gagnerait à voir comme des préliminaires la façon dont les partenaires se sont traités mutuellement depuis leurs dernières relations sexuelles (Joannides, 1996).

Le regard

Établir un premier contact par le regard serait une façon de faire dans toutes les cultures (Fisher, 2008). Comme le soulignent Robert Epstein, professeur et ex-rédacteur en chef de la revue *Psychology Today* (cité par Bohler, 2009), et le psychologue David Schnarch (1991), le regard chez l'humain fait partie des messages pouvant conduire à l'intimité, à l'affection, voire à l'amour. Regarder l'autre dans les yeux pendant environ deux minutes ouvre la porte aux états émotionnels. Il s'agit d'une activité très puissante d'ouverture à l'autre, qui permet à chacun de se rendre disponible pour aller plus loin dans le partage de ce qui est intime et personnel. Faire cet échange de regards profonds tout en étant dans son espace personnel permet d'interpeller en toute confiance la sexualité des deux. Si l'intimité affective a été éveillée, la rencontre sexuelle qui s'ensuit sera empreinte de sentiments.

Deux chercheurs canadiens, Selina Tombs et Irwin Silverman (2004), ont montré que les pupilles dilatées sur des photos retouchées ou non ont un grand pouvoir d'attraction sur la personne qui les voit. La dilatation des pupilles serait le résultat de l'action de la dopamine. Le journaliste scientifique Sébastien Bohler (2009, p. 55) résume ainsi l'action de se regarder et de se désirer mutuellement, le regard étant alors qualifié de « précopulatoire » :

> *À chaque seconde, une dose supplémentaire de dopamine est libérée dans votre cerveau et le sien. Deux secondes dénotent un intérêt certain de la part de votre interlocuteur, trois secondes : il ou elle est franchement attiré(e). Quatre secondes, il ou elle est fou (folle) de vous. Cinq secondes, vous commencez sérieusement à vous demander où vous allez passer la nuit.*

Le baiser

La plupart des gens se rappellent leur premier baiser romantique, probablement avec un sentiment d'inconfort. Pourtant, le baiser peut être une expérience intense, érotique et profonde. Les lèvres et la bouche sont généreusement pourvues de terminaisons nerveuses sensibles pouvant faire des baisers une expérience des plus voluptueuses avec d'infinies variations. Le *Kâma Sûtra*, célèbre traité indien de techniques philosophicoérotiques, répertorie 17 sortes de baisers (Ards, 2000). Le baiser à bouches closes est plus tendre et affectueux, tandis que le baiser lingual ou profond, à bouches ouvertes, est généralement plus intense sexuellement. Le baiser peut s'étendre à toutes les régions du corps et comprendre un ensemble d'activités buccales comme le léchage, la succion et le mordillement.

Les attitudes par rapport au baiser et les manières d'embrasser en Occident ne sont nullement universelles. Le baiser bouche à bouche est absent de l'art érotique hautement explicite des anciennes civilisations de la Chine et du Japon. Encore au xxᵉ siècle, le baiser sur la bouche était considéré si négativement au Japon que la célèbre sculpture de Rodin, *Le baiser*, n'a pas été présentée au public lors d'une exposition sur l'art européen tenue en ce pays en 1920. Dans d'autres cultures – chez les Lepcha d'Eurasie, les Chewa et les Thongas d'Afrique, et les Siriono d'Amérique du Sud –, le baiser est considéré comme malsain et dégoûtant (Tiefer, 1995).

Le toucher

La peau est le plus grand des organes sensoriels impliquant l'affectivité (Houde et Drapeau, 2012). Le toucher est l'un des premiers et des plus importants sens dont on fait l'expérience dès la naissance. Des nourrissons qui ont été alimentés, mais privés de cette stimulation fondamentale en sont morts. Une étude classique a montré que les bébés singes et d'autres primates dont on a satisfait les besoins physiques, mais qui ont été privés d'un contact physique avec leur mère deviennent extrêmement mal adaptés en grandissant (Harlow et Harlow, 1962). Voici l'évaluation que font Masters et Johnson du toucher:

Le toucher est une fin en soi. C'est une forme primordiale de communication, une voix silencieuse qui nous sauve du piège des mots tout en permettant l'expression des sentiments du moment. Il comble le fossé de l'individualité physique auquel nul n'échappe en établissant littéralement un sens de solidarité entre deux individus. Le toucher est un plaisir sensuel consistant à explorer les textures de la peau, la souplesse des muscles, le galbe du corps, sans autre but que de se délecter des perceptions tactiles. (Traduction libre, Masters et Johnson, 1976, p. 253.)

Il existe différents types de touchers, lesquels comportent quatre dimensions: la localisation, l'intensité, la direction et le caractère agréable ou désagréable (Bohler, 2009). L'insula, une zone du cerveau très sollicitée par les émotions, détermine le caractère subjectif du toucher. C'est à ce niveau qu'un toucher sera perçu comme désagréable ou, au contraire, agréable ou même érotique. Les zones érogènes du corps sont particulièrement réceptives au toucher. Par exemple, environ 81 % des femmes et 51 % des hommes indiquent qu'une stimulation de leur poitrine et de leurs mamelons provoque ou augmente leur excitation sexuelle (Levin et Meston, 2006). Pour être sexuel, un toucher ne doit pas nécessairement être dirigé vers une zone érogène. Comme toute la surface du corps est sensible, un toucher – pratiquement n'importe où – peut susciter l'intimité et l'excitation sexuelles. Chacun a toutefois ses préférences; une personne peut trouver un toucher hautement excitant à un certain moment, puis le trouver déplaisant à un autre, selon son état émotif. Il appartient à chaque partenaire d'en parler ouvertement.

Dans les relations lesbiennes, le toucher est particulièrement recherché et apprécié, et il peut procurer aux partenaires davantage de plaisir et un orgasme plus fort que ne peuvent en connaître les femmes hétérosexuelles. Selon Shere Hite (1976), une chercheuse américaine en sexualité, il y aurait une plus grande satisfaction sexuelle entre femmes parce que leurs relations sexuelles durent généralement plus longtemps et sollicitent davantage la

TABLEAU 7.2 Comparaison de la dernière relation sexuelle de femmes lesbiennes et hétérosexuelles.

	LESBIENNES	HÉTÉROSEXUELLES
Plus d'un orgasme	32 %	19 %
Stimulation buccogénitale	48 %	20 %
Durée de 15 minutes ou moins	4 %	14 %
Durée de plus d'une heure	39 %	15 %

Sources: Données sur les lesbiennes tirées d'un sondage effectué pour le magazine *Advocate* (Lever, 1994); données sur les hétérosexuelles fournies par l'enquête NHSLS (Laumann et coll., 1994).

Le regard et le toucher peuvent être sources de plaisir et d'intimité tant pour la personne qui donne que pour celle qui reçoit.

sensualité du corps dans son ensemble. Le tableau 7.2 compare les réponses et comportements sexuels de femmes lesbiennes et hétérosexuelles.

Contrairement au stéréotype selon lequel l'expérience sexuelle entre hommes est entièrement centrée sur la génitalité, l'érotisme extragénital et la tendresse sont des aspects importants du contact sexuel de nombreux homosexuels. Comparativement aux autres hommes, les gais démontrent souvent plus de variété, d'expression de soi et de plaisir personnel dans leurs rapports sexuels (Sanders, 2000). Les hommes gais considèrent comme important de s'étreindre, de s'embrasser, de se blottir l'un contre l'autre et de se caresser tout le corps. Comme l'indiquent les résultats d'une enquête, 85 % des homosexuels interrogés préfèrent ce genre d'interactions à toute autre catégorie de comportements sexuels (Lever, 1994).

Frotter ses parties génitales contre celles de son partenaire ou contre une autre partie de son corps peut faire partie de l'échange sexuel de n'importe quel couple, et c'est une pratique répandue dans les relations sexuelles

entre femmes. On appelle *tribadisme* la pratique consistant à se stimuler contre le corps de l'autre ou contre sa région génitale. De nombreuses lesbiennes apprécient ce type de jeu sexuel, car il procure des contacts sur tout le corps et est extrêmement sensuel. Certaines femmes trouvent les mouvements de poussée très excitants ; d'autres chevauchent une jambe de la partenaire et s'y frottent délicatement. Certaines encore frottent leur clitoris sur l'os pubien de leur partenaire (Loulan, 1984).

La stimulation manuelle des organes génitaux féminins

Les touchers génitaux qui suscitent l'excitation varient grandement selon les femmes. Les préférences de chacune sont même susceptibles de varier d'un moment à l'autre. Les femmes peuvent préférer des mouvements délicats ou fermes à différents endroits de la région vulvaire. La stimulation directe du clitoris est désagréable pour certaines d'entre elles ; des touchers au-dessus ou sur les côtés du clitoris sont souvent préférables. L'insertion d'un doigt dans le vagin peut aussi amplifier l'excitation. Lorsqu'elles approchent de l'orgasme, la plupart des femmes ont généralement besoin qu'un toucher à la pression régulière et au rythme constant soit maintenu jusqu'à ce que l'orgasme soit atteint (Ellison, 2000).

Les tissus vulvaires sont délicats et sensibles. S'il n'y a pas assez de lubrification pour rendre la vulve glissante, elle peut s'irriter facilement. On peut utiliser un lubrifiant à base d'eau, une lotion sans alcool ni parfum, ou encore de la salive pour enduire les doigts et la vulve de façon à rendre le toucher plus agréable. La stimulation ou la pénétration anale sont érotiques pour certaines femmes, mais pas pour d'autres. Il est important de ne pas toucher la vulve ou le vagin avec le doigt ou tout objet dont on s'est servi pour la stimulation anale, car les bactéries présentes dans le rectum peuvent causer des infections si elles sont introduites dans le vagin.

La stimulation manuelle des organes génitaux masculins

Les hommes ont aussi des préférences individuelles quant à la stimulation manuelle et, tout comme les femmes, ils peuvent désirer des touchers plus fermes ou plus délicats – des caresses plus rapides ou plus lentes – tandis que leur excitation monte. Ils peuvent aimer les caresses délicates ou fermes sur la hampe du pénis et sur le gland, et des touchers légers ou de petits étirements du scrotum comme le montre la figure 7.4. D'autres trouvent qu'une lubrification avec de la lotion ou de la salive accroît le plaisir. (Advenant le cas où un coït suivrait, la lotion ne doit pas être irritante pour les tissus génitaux de la femme.) Pour certains hommes, le gland est désagréablement sensible au toucher, immédiatement après l'orgasme. Certains aiment aussi la stimulation manuelle ou la pénétration de l'anus.

La stimulation buccogénitale

La bouche et les organes génitaux sont deux zones érogènes primaires, des régions généreusement dotées de terminaisons nerveuses sensorielles. Les couples psychologiquement à l'aise avec la stimulation buccogénitale peuvent donc en tirer beaucoup de plaisir. Le contact buccogénital peut procurer l'excitation et l'orgasme, comme le constate une femme dans le témoignage suivant :

> Je crois que les hommes sont trop attachés à faire jouir une femme par la méthode classique. Je connais un tas de femmes, moi comprise, qui n'ont connu l'orgasme que grâce à des relations buccogénitales (la masturbation mise à part). J'aime les sons, le spectacle, les odeurs et les sensations propres à ce type de rapport. (Notes des auteurs)

La stimulation buccogénitale peut être faite individuellement (par un partenaire à l'autre) ou simultanément. Certaines personnes préfèrent se livrer individuellement à des caresses buccogénitales, de façon à ressentir davantage leurs effets quand elles les donnent ou les reçoivent (voir la figure 7.5). D'autres apprécient particulièrement la réciprocité de la relation buccogénitale simultanée, qu'on appelle parfois la position du « 69 », à cause des positions corporelles que suggère ce nombre (voir la figure 7.6). Il existe une variété d'autres positions, dont la position latérale où une cuisse sert d'oreiller. À mesure que l'excitation s'intensifie durant la stimulation buccogénitale mutuelle, les partenaires doivent prendre soin de ne pas sucer ou mordre l'autre trop vigoureusement.

FIGURE 7.5 Le sexe oral.

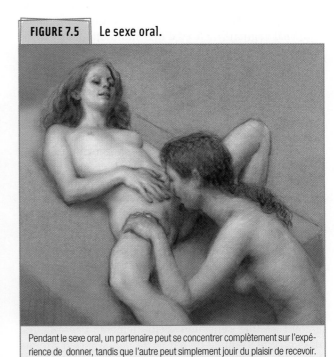

Pendant le sexe oral, un partenaire peut se concentrer complètement sur l'expérience de donner, tandis que l'autre peut simplement jouir du plaisir de recevoir.

FIGURE 7.4 Les stimulations manuelles.

Les stimulations manuelles peuvent être une façon très agréable pour les partenaires d'explorer leurs sensations.

FIGURE 7.6 Stimulation buccogénitale simultanée dans la position du « 69 ».

On utilise des termes différents pour désigner la stimulation buccogénitale des hommes et celle des femmes. Le **cunnilingus** (du latin *cunnus*, «vulve», et *lingere* signifiant à la fois «lécher» et «sucer») désigne la stimulation buccale de la vulve: clitoris, petites lèvres, vestibule et orifice vaginal. Beaucoup de femmes trouvent la chaleur, la douceur et la moiteur des lèvres et de la langue de leur partenaire extrêmement voluptueuses et efficaces pour susciter l'excitation sexuelle ou l'orgasme. En fait, la recherche indique que les femmes sont plus susceptibles d'avoir un orgasme lorsque la relation sexuelle inclut le cunnilingus (Richters et coll., 2006). Les différentes stimulations comprennent des mouvements de langue circulaires ou de va-et-vient rapides ou lents appliqués à la région clitoridienne, la succion du clitoris ou des petites lèvres et l'introduction de la langue dans l'ouverture vaginale. Pour certaines femmes, une stimulation manuelle vaginale doublée d'une stimulation buccale de la région clitoridienne est particulièrement excitante.

La **fellation** (du latin *fellare*, «sucer») désigne la stimulation buccale du pénis et du scrotum. Cette stimulation consiste, par exemple, à lécher et à sucer délicatement ou vigoureusement le gland de même que le frein et la hampe du pénis; la ou le partenaire peut aussi lécher les testicules ou les prendre dans sa bouche. Certains hommes aiment la stimulation buccale du gland combinée à la stimulation manuelle de la hampe pénienne, des testicules ou de l'anus. Chez les hommes homosexuels, la fellation est le mode d'expression sexuelle le plus répandu (Lever, 1994).

Il vaut généralement mieux que la personne qui fait la fellation contrôle les mouvements de son partenaire en tenant le pénis près de ses lèvres de façon à l'empêcher d'entrer trop profondément dans sa bouche, ce qui pourrait être désagréable. Elle évitera ainsi un haut-le-cœur et une sensation d'étouffement. Par ailleurs, alors qu'elle s'efforce de garder le pénis hors d'atteinte de ses dents, des poussées trop vigoureuses du pénis risquent de lui déchirer les lèvres.

Les couples ont des goûts différents en ce qui concerne l'éjaculation dans la bouche. Plusieurs n'y trouvent rien à redire et certains la trouvent excitante; d'autres, par contre, la rejettent. Le couple peut convenir que celui qui fait l'objet de la stimulation avertit son ou sa partenaire lorsqu'il sent l'orgasme venir afin de se retirer de la bouche du ou de la partenaire juste avant l'éjaculation. Quant aux couples qui sont à l'aise avec l'éjaculation dans la bouche, l'éjaculat peut être avalé ou pas, selon le désir de chacun. Le goût de l'éjaculat varie d'un homme à l'autre et dépend des facteurs présentés dans le tableau 7.3.

Certaines personnes expriment des réserves importantes à l'égard de la stimulation buccogénitale. Il faut se rappeler que les comportements sexuels ne menant pas à la grossesse dans le mariage ont traditionnellement été considérés comme des actes dénaturés et immoraux. De nombreuses personnes croient donc que la relation sexuelle buccogénitale est condamnable. D'autres réticences découlent de la conviction que cette stimulation n'est pas hygiénique ou que les organes génitaux ne sont pas beaux. Plusieurs croient que ces organes sont sales parce qu'ils se trouvent près de l'orifice urétral et de l'anus. Toutefois, les soins d'hygiène de base, à l'aide d'eau et de savon, en assurent la propreté. Il peut cependant être difficile pour qui entretient une vision négative de son pénis ou de sa vulve d'accueillir avec plaisir une stimulation buccogénitale.

Certains hétérosexuels rejettent également la relation buccogénitale parce qu'ils y voient un acte homosexuel, même si elle est le fait de couples hétérosexuels. Bien que beaucoup d'homosexuels aient des rapports buccogénitaux, cette activité n'est pas pour autant de nature homosexuelle. Ce sont plutôt les sexes des partenaires qui s'y adonnent qui déterminent la nature de l'activité.

Malgré ces attitudes négatives, le contact buccogénital apparaît de plus en plus fréquent depuis l'enquête de Kinsey. Une étude récente a révélé que la signification et la fréquence de ce type de contact ont beaucoup changé au cours des dernières décennies. Par exemple, la plupart des adultes considèrent le sexe oral comme plus intime que la pénétration, alors que les adolescents pensent le

---

Cunnilingus Stimulation buccale de la vulve.

Fellation Stimulation buccale du pénis.

TABLEAU 7.3	Facteurs qui influent sur le goût du sperme.
SOURCE DU GOÛT DÉPLAISANT, AMER OU SALÉ DE L'ÉJACULAT	**SOURCE DU GOÛT MOYENNEMENT DOUX DE L'ÉJACULAT**
Café, alcool, cigarettes, malbouffe et drogues récréatives.	Un à deux litres d'eau par jour.
Viande rouge et produits laitiers.	Fruits, particulièrement le jus d'ananas.
Ail, oignon, chou, brocoli, chou-fleur, asperges.	Cannelle, cardamome, menthe poivrée, citron, persil, céleri.

Source: Tarkovsky, 2006.

contraire (Chambers, 2007 ; Gelperin, 2005). Les femmes nées avant 1950 n'ont presque jamais pratiqué la stimulation buccogénitale durant leurs études secondaires ou avant leur mariage. Si cela s'est produit, c'était à la suite d'un engagement dans une relation durable. Selon une étude récente, 55 % des jeunes de 15 à 19 ans ont eu des relations buccogénitales, 5 % de plus que ceux ayant eu des relations avec pénétration (Duberstein et coll., 2008). Les attitudes et comportements des étudiants et étudiantes universitaires diffèrent à l'égard du sexe oral. Globalement, le plaisir est la motivation la plus répandue chez les deux sexes pour recevoir une stimulation buccogénitale, mais les femmes sont moins réceptives à cette perspective que les hommes (Chambers, 2007). Chez les étudiants, la relation buccogénitale serait même considérée comme un moyen d'éviter le rapport sexuel et de préserver techniquement leur virginité (Ellison, 2000). Quoi qu'il en soit, il faut se rappeler que, malgré la popularité croissante de ce type de contact sexuel, il n'est pas essentiel de le pratiquer pour qu'une relation sexuelle soit pleinement satisfaisante. Il est important que chacun respecte ses limites et ses goûts en matière de sexualité.

Comme le contact buccogénital entraîne un échange de fluides organiques, il existe un risque de transmettre le VIH (le virus du sida) ou d'en être infecté. Ce virus peut entrer dans la circulation sanguine par de petites lésions buccales ou génitales. Bien que le risque de transmission du VIH par cette pratique soit très faible, seuls les partenaires monogames non porteurs du virus sont à l'abri de tout risque lorsqu'ils s'y adonnent. Nous y revenons au chapitre 12.

La stimulation anale

L'enquête Global Sex Survey (2005) a montré que 35 % des répondants avait expérimenté le sexe anal. Quarante-sept pour cent des répondants américains et 41 % des répondants canadiens ont rapporté avoir déjà pratiqué la sodomie. Une autre enquête menée auprès de 813 femmes inscrites à un cours sur la santé féminine a montré que 32 % d'entre elles avaient eu une relation anale (Flannery et coll., 2003). Dans la population gaie, la stimulation anale est moins fréquente que les relations buccogénitales et la masturbation mutuelle (Lever, 1994).

L'anus est généreusement pourvu de terminaisons nerveuses capables de susciter des sensations érotiques. Certaines femmes disent avoir connu l'orgasme grâce à une relation sexuelle anale (Masters et Johnson, 1979), et les hommes tant hétérosexuels qu'homosexuels parviennent souvent à l'orgasme pendant la pénétration anale. Des personnes et des couples ont également recours à la stimulation anale pour l'excitation ou pour ajouter de la variété à d'autres comportements sexuels. La caresse manuelle de l'extérieur de l'orifice anal ou l'insertion d'un ou de plusieurs doigts dans l'anus

peuvent procurer beaucoup de plaisir à certaines personnes durant la masturbation ou les ébats sexuels.

Comme l'anus est tapissé de tissus délicats, la stimulation anale nécessite un soin particulier. Pour éviter toute douleur ou blessure, il faut prévoir un lubrifiant à base d'eau non irritant et procéder doucement lors de la pénétration. Il vaut mieux lubrifier tant l'anus que le pénis ou l'objet à insérer. Le partenaire qui est l'objet de la pénétration anale peut pousser (comme pour déféquer) de façon à relaxer le sphincter. Le ou la partenaire qui effectue la pénétration doit procéder doucement et graduellement, en gardant le pénis ou l'objet incliné suivant l'angle du colon (Morin, 1981). Il est essentiel que les accessoires sexuels utilisés pour la stimulation anale aient une base plus large que la pointe, autrement l'objet pourrait glisser dans l'ouverture anale et être happé à l'intérieur par le sphincter anal, ce qui nécessiterait une visite aux urgences.

Le sexe anal comporte des risques importants. Les couples ne devraient jamais avoir de rapports sexuels vaginaux immédiatement après un rapport anal, car les bactéries présentes dans l'anus causent souvent des infections vaginales. La stimulation buccale de l'anus, appelée *analingus* ou *analinctus*, est très risquée ; on peut en effet contracter ou propager par voie bucco-anale diverses infections intestinales, l'hépatite ou des infections transmissibles sexuellement, même si l'on a pris soin de se laver. L'utilisation d'une digue dentaire peut aider à prévenir la contamination virale ou bactérienne.

Les hommes hétérosexuels et les couples gais qui souhaitent réduire le risque de transmettre ou de contracter ce virus potentiellement mortel devraient s'abstenir de pratiquer les relations anales ou alors utiliser un condom et ne pas éjaculer pendant la pénétration. Les précautions à prendre contre la propagation du VIH sont présentées en détail au chapitre 12.

Le coït et les positions coïtales

Pour le rapport pénien-vaginal, ou coït, les couples peuvent adopter de nombreuses positions (voir les figures 7.7 à 7.10). Les trois positions préférées des étudiants et étudiantes universitaires sont présentées dans le tableau 7.4. Chaque position offre diverses possibilités d'expression physique et affective. Le goût pour une position particulière peut changer selon l'humeur du moment. Voici ce qu'en pense un homme de 30 ans.

> Chez moi, les différentes positions sexuelles signifient et évoquent généralement des émotions particulières. Quand je suis sur le dessus, je me sens plus combatif ; quand je suis en dessous, je suis plus sensuellement réceptif. La position latérale me porte à la douceur et à l'intimité. J'aime partager ces trois dimensions de mon être avec mon amante. (Notes des auteurs)

FIGURE 7.7 Position coïtale face à face, où l'homme est au-dessus.

FIGURE 7.8 Position coïtale face à face, où la femme est au-dessus.

FIGURE 7.9 Position coïtale face à face, sur le côté.

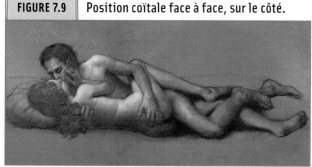

FIGURE 7.10 L'intromission en position arrière peut être plus confortable pendant la grossesse.

TABLEAU 7.4 Des étudiantes et étudiants de niveau universitaire répondent à la question « Quelle est votre position sexuelle préférée ? ».

	HOMMES	FEMMES
L'homme au-dessus	25 %	48 %
La femme au-dessus	45 %	33 %
En levrette	25 %	15 %

Source : Elliott et Brantley, 1997.

Les préférences sont aussi souvent liées à l'état de santé, à l'âge, au poids, à la grossesse ou aux partenaires. Dans plusieurs positions, un des partenaires sera plus à même de décider du rythme, de l'angle ou du style de mouvements que prendra la stimulation devant mener à l'excitation. Dans d'autres positions, le contrôle du rythme des poussées s'effectue d'un commun accord. Certaines positions se prêtent à la stimulation manuelle du clitoris durant le coït, par exemple quand la femme est au-dessus, assise, bien en croupe, sur le corps de l'autre.

Beaucoup de couples aiment une position qui leur permet d'avoir un contact visuel et de regarder le corps de l'autre. La position face à face, sur le côté, peut offrir un rapport particulièrement détendu, alors que chacun des partenaires dispose d'une main pour caresser le corps de l'autre. La pénétration par l'arrière est une bonne position durant la grossesse alors que la pression contre l'abdomen de la femme est désagréable. Le coït peut s'accomplir qu'il y ait ou non orgasme de l'un ou des deux partenaires.

Mais il n'y a pas que le choix des positions ; les aspects coopération et considération de l'autre sont aussi importants, surtout lors de l'intromission. La femme peut souvent mieux guider le pénis de son partenaire dans son vagin en bougeant son corps ou à l'aide de sa main. Si le pénis glisse et en ressort, ce qui peut facilement se produire dans certaines positions, il est habituellement plus simple que la femme aide à le réintroduire dans le vagin.

Le rapport sexuel : la voie tantrique

La notion selon laquelle l'orgasme mâle est l'ultime et unique fin des rapports sexuels est étrangère à la philosophie et à l'exercice de la sexualité tantrique (Yarian et Anders, 2006). Dans son livre intitulé *L'art de l'extase sexuelle* (2007), Margo Anand explique que le tantrisme, qui vit le jour autour de l'an 5000 avant notre ère, est une voie orientale pour parvenir à l'illumination spirituelle. D'après cette philosophie, le monde serait né d'un acte d'amour érotique entre un dieu et une déesse, et l'expression sexuelle peut devenir une forme de méditation spirituelle et la voie menant à une conscience plus profonde (Kuriansky et Simonson, 2005).

Dans la sexualité tantrique, l'homme apprend à contrôler et à retarder son propre orgasme et à rediriger l'énergie sexuelle à travers son corps et celui de sa partenaire. Avant le rapport sexuel, les amants se stimulent lentement et érotiquement. Quand tous deux sont prêts pour le rapport sexuel, la pénétration douce et détendue s'accomplit sous la direction de la femme. Le couple maintient

Intromission	Introduction du pénis dans le vagin.

La sexualité tantrique : le cycle infini. Sur cette peinture indienne de la fin du XVIIIᵉ siècle, Shiva et Shakti transcendent leur étreinte sexuelle.

d'abord les moments de poussée au minimum, accumulant l'énergie par des mouvements internes comme la contraction du faisceau pubien. Les couples harmonisent leur respiration, trouvent un rythme commun d'inspiration et d'expiration, tandis qu'ils visualisent la diffusion par tout leur corps de la chaleur, de l'excitation et de l'énergie emmagasinées dans leurs organes génitaux. Les mouvements deviennent plus vifs et enjoués, puis ralentissent ou s'arrêtent pour qu'il y ait relaxation avant que l'homme ne parvienne à l'orgasme. Les partenaires éprouvent des sentiments d'intimité profonde, d'abandon et d'extase, plongeant chacun son regard dans celui de l'autre et savourant une «profonde détente du cœur» (Anand, 2007). La recherche indique que la pratique du yoga tantrique améliore les aspects physiques et psychologiques de l'expérience sexuelle (Yekenkurul, 2007).

RÉSUMÉ

L'abstinence

- On entend par abstinence le renoncement à l'activité sexuelle ou l'impossibilité d'en avoir. L'abstinence peut être complète (aucune masturbation ni contact sexuel interpersonnel) ou partielle (la personne se masturbe). Dans de nombreuses circonstances, l'abstinence est un moyen positif d'exprimer sa propre sexualité.

Les rêves érotiques et les fantasmes

- Les rêves érotiques s'accompagnent souvent d'une excitation sexuelle et d'un orgasme durant le sommeil. Les fantasmes érotiques ont plusieurs fonctions :

ils peuvent amplifier l'excitation sexuelle, aider à surmonter l'anxiété ou contrebalancer une relation sexuelle décevante, servir de préparation à de nouvelles expériences sexuelles, permettre aux désirs interdits de s'exprimer sous une forme acceptable ou aider à se libérer des attentes rattachées aux rôles sociaux.

La masturbation

- La masturbation est la stimulation de ses propres organes génitaux pour obtenir un plaisir sexuel.

- Dans le passé, la masturbation a été extrêmement décriée. Toutefois, sa signification et ses buts sont aujourd'hui considérés plus positivement.

- La masturbation est une activité qui se poursuit à l'âge adulte, bien qu'elle varie en fréquence selon l'âge et le sexe.

L'expression sexuelle interpersonnelle

- La sexualité peut être l'expression d'un sentiment profond d'amour de soi et de l'autre comme l'expression de la domination et de la contrainte. La hiérarchie de Maltz distingue six niveaux de signification de l'expression sexuelle.

- Le regard est un puissant facteur d'appel au rapprochement, pratiqué dans toutes les cultures.

- La surface entière du corps est un organe sensoriel; le baiser et le toucher sont les formes fondamentales de la communication et de l'intimité entre les personnes.

- Les préférences quant au rythme, à la pression et aux zones de stimulation manuelle des organes génitaux varient d'une personne à l'autre.

- Le contact buccogénital est devenu plus courant ces dernières années. Les scrupules par rapport à ce type de contact découlent habituellement de l'idée fausse que cette façon de faire n'est pas hygiénique, que c'est une pratique homosexuelle ou contraire à la morale.

- Le cunnilingus est la stimulation buccale de la vulve; la fellation est la stimulation buccale des organes génitaux masculins.

- Les couples s'adonnent à la stimulation anale pour faire monter l'excitation, pour parvenir à l'orgasme ou par désir de variété. La prudence nécessite une hygiène rigoureuse pour éviter d'introduire des bactéries anales dans le vagin. Pour réduire les risques de transmission du VIH, les couples devraient éviter le rapport sexuel anal, sinon utiliser un préservatif et pratiquer le retrait avant l'éjaculation.

- La diversité des positions coïtales aide à éviter la monotonie dans les rapports sexuels. Les positions les plus courantes sont les positions face à face, les positions latérales et la pénétration par l'arrière.

- La sexualité tantrique recherche l'intimité sexuelle intense et prolongée.

L'amour, la communication et l'intimité sexuelle

8

L'amour, l'intimité et les relations sexuelles sont des aspects importants et complexes de la vie des gens. Dans ce chapitre, nous examinons ces interactions humaines à partir de différents points de vue et nous présentons certaines recherches qui se sont intéressées à ces questions. Nous nous penchons sur des questions telles que : Qu'est-ce que l'amour ? Quels sont les différents types d'amour ? Pourquoi devient-on amoureux de telle personne plutôt que de telle autre ? Quel rôle la sexualité joue-t-elle dans une relation ? Quel rapport y a-t-il entre jalousie et amour ? Et, enfin, quels facteurs jouent sur le développement de l'intimité dans une relation et quels comportements ou qualités aident à la préserver durant des années ?

Qu'est-ce que l'amour ?

Oh, l'amour est plein de détours !
Il n'est personne d'assez sage
Pour savoir tout ce qui est en lui,
Car il pensait à l'amour
Jusqu'à ce que les étoiles eussent disparu
Et que les ombres aient dévoré la lune.

William Butler Yeats, «Brown Penny»
(Traduction Jacqueline Genet, 2003.)

À travers l'histoire, l'amour a intrigué bien des personnes. Ses joies et ses douleurs ont inspiré des artistes, des poètes, des romanciers, des producteurs de films et d'autres penseurs des relations humaines. De fait, l'amour est l'un des thèmes les plus présents dans l'art et la littérature de nombreuses cultures. Nous avons tous été influencés de façon importante par l'amour sous diverses formes, à commencer par celui que nous avons reçu enfants. Nos meilleurs comme nos pires moments dans la vie peuvent être reliés à l'amour.

Mais qu'est-ce que l'amour ? Comment peut-on le définir ? L'amour est un état d'esprit particulier fait d'émotions fortes et de comportements spécifiques. C'est un phénomène difficile à décrire ou à expliquer. Comme le suggèrent les extraits suivants, l'amour prend un sens différent selon chacun.

L'amour est patient, l'amour est bon, il n'est pas envieux, il ne se vante pas, il n'est pas orgueilleux ; l'amour ne fait rien de honteux, il n'est pas égoïste,

il ne s'irrite pas, il n'éprouve pas de rancune ; l'amour ne se réjouit pas du mal, mais il se réjouit de la vérité. L'amour permet de tout supporter, il nous fait garder en toute circonstance la foi, l'espérance et la patience. (Corinthiens 13,4-7)

Amour : Folie temporaire qu'on peut guérir par le mariage ou en retirant le patient du champ d'influence qui est à la source de l'indisposition. (Ambrose Bierce, traduction Bernard Sallé, 1989.)

L'amour est l'état où le bonheur d'une personne est indispensable au vôtre. (Robert A. Heinlein, traduction Frank Straschitz, 1970.)

Si l'amour est difficile à définir, peut-on le mesurer de manière significative ? Certains spécialistes des sciences sociales s'y sont essayés avec des résultats divers (Davis et Latty-Mann, 1987 ; Hatfield et Sprecher, 1986). La plus audacieuse tentative a probablement été celle menée il y a plusieurs années par le psychologue Zick Rubin (1970, 1973), qui a conçu un questionnaire en 13 points (l'échelle de l'amour) pour évaluer le désir d'intimité d'une personne envers une autre, son attachement et son souci de l'autre. Une recherche à propos du dicton populaire affirmant que les amants passent beaucoup de temps à se regarder dans les yeux a permis de valider cette échelle (Rubin, 1970). Des couples étaient observés à travers un miroir sans tain alors qu'ils attendaient pour participer à une expérience psychologique. Les résultats ont révélé que les personnes peu amoureuses (celles qui avaient un résultat en dessous de la moyenne sur l'échelle de l'amour) se regardaient beaucoup moins dans les yeux que les personnes très amoureuses (celles dont le résultat sur l'échelle était au-dessus de la moyenne).

Le Baiser, un tableau de Gustav Klimt.

L'amour a été la source d'inspiration de plusieurs grands chefs-d'œuvre de la littérature, des beaux-arts et de la musique.

Les années à venir nous procureront peut-être une variété de nouvelles perspectives sur ce qu'est l'amour, en grande partie grâce à l'augmentation du nombre de scientifiques, surtout des psychosociologues, qui ont commencé à l'étudier.

Les types d'amour

> Chez moi, l'attirance physique précède le sentiment amoureux. Mais la beauté physique seule ne suffit pas à me rendre amoureux. J'ai besoin d'intimité affective avec la personne. La confiance est aussi un aspect essentiel d'une relation pouvant mener à l'amour. Une bonne partenaire devrait également partager certains de mes champs d'intérêt, et moi, certains des siens. Enfin, et c'est peut-être l'essentiel, pour devenir vraiment amoureux, je dois pouvoir établir une bonne communication dans ma relation avec l'autre. (Notes des auteurs)

L'amour prend plusieurs formes. Il y a l'amour entre un parent et un enfant, et l'amour entre les membres de la famille. L'amour entre amis, ce que les Grecs de l'Antiquité appelaient *philia*, est celui qui incite à se soucier du bien-être de l'autre. Les amoureux peuvent éprouver deux types d'amour, soit l'amour-passion et l'amour-amitié. Dans cette section, nous nous penchons sur ces deux formes et présentons ensuite deux théories ou modèles contemporains de l'amour.

L'amour-passion

L'amour-passion, qu'on appelle aussi *amour romantique* ou *choc amoureux*, est un état de fusion intense avec l'autre et de désir ardent. Il se caractérise par de vifs sentiments de tendresse, d'exaltation, d'anxiété, de désir sexuel et de ravissement. Ce type d'amour s'accompagne souvent d'une excitation physiologique généralisée comprenant accélération du pouls, transpiration, rougissement, estomac à l'envers et surexcitation. Les pensées ou déclarations typiques associées à cet état sont, par exemple, «je passe par toute la gamme des émotions»; «j'ai parfois l'impression de ne pas pouvoir contrôler mes pensées, je ne pense qu'à lui ou elle, cela tient de l'obsession»; «j'ai toujours envie de lui faire des caresses et d'en recevoir»; «je suis extrêmement déprimé quand les choses ne vont pas bien dans ma relation»; «personne ne pourrait l'aimer comme moi» (Alberoni, 1993). Cet état comprend habituellement aussi une forte composante de désir sexuel.

L'amour-passion est généralement intense au début de la relation. Il semble que moins on connaît l'autre, plus on l'aime passionnément. Durant ce choc amoureux, tout se passe comme si les gens fermaient les yeux sur les défauts de l'autre et évitaient les conflits. La logique et la raison cèdent le pas à l'excitation. Il arrive que l'on considère l'objet de sa passion comme la source d'un épanouissement personnel total.

Il ne faut donc pas s'étonner que l'amour-passion soit souvent de courte durée, généralement l'affaire de quelques mois plutôt que de quelques années. Au fur et à mesure que la familiarité se développe dans le couple, cet amour qui repose sur l'ignorance de la personnalité véritable de l'autre se modifie forcément. Or, les gens ferment souvent les yeux sur cet aspect temporaire de l'amour-passion, surtout les jeunes qui n'ont pas l'expérience des longues relations amoureuses. Convaincus de la permanence de la passion, de nombreux couples qui brûlent d'amour-passion n'hésitent pas à s'engager (ils se fiancent, emménagent ensemble, se marient, etc.). Et la déception risque de les atteindre par la suite. Lorsque le ravissement fait place à la routine et qu'émergent les contrariétés et les conflits caractéristiques des relations suivies, il arrive que les amants se mettent à douter de leur partenaire.

> **Amour-passion** État de fusion intense avec l'autre; aussi appelé *amour romantique* ou *choc amoureux*.

Les premières semaines et les premiers mois de ma relation avec lui étaient incroyables. J'avais l'impression d'avoir trouvé le conjoint parfait, quelqu'un qui comblait les vides dans ma vie. Puis, après un certain temps, il s'est mis à me tomber sur les nerfs, et nous avons commencé à nous disputer à chaque rencontre. Nous avons mis quelque temps à comprendre que nous nous voyions enfin comme des personnes réelles et non plus comme des compagnons de rêve. (Notes des auteurs)

Certains couples réussissent à traverser cette période et finissent par trouver une base solide sur laquelle construire une relation d'amour durable. D'autres découvrent, consternés, qu'ils n'ont jamais rien eu d'autre en commun que leur passion. Malheureusement, quand la passion s'estompe, de nombreuses personnes croient que c'est la fin de l'amour, plutôt qu'une possible transition vers une autre forme d'amour.

Deux psychologues, Usha Gupta et Pushpa Singh de l'Université du Rajasthan en Inde, ont utilisé l'échelle de l'amour romantique de Rubin pour mesurer l'évolution de cette forme d'amour dans les différents types de mariages célébrés dans ce pays. Les résultats indiquent que l'amour y évolue comme en Occident, qu'il est fort au début, puis en déclin rapide. En Inde, toutefois, la plupart des mariages sont arrangés et ne sont donc pas basés sur l'amour. L'étude de Gupta et Singh a révélé que l'amour commence faiblement dans ces unions, puis augmente avec les années au point que, après 10 ans de mariage, il est environ deux fois plus fort chez les couples « mariés par arrangement » que chez les couples « mariés par amour » (Gupta et coll., 1982).

L'amour-amitié

L'amour-amitié est une émotion moins intense que l'amour-passion. Il se caractérise par une tendresse bienveillante et un attachement profond reposant sur une connaissance intime de l'être aimé. Il implique une appréciation réfléchie du partenaire. L'amour-amitié est souvent fait de tolérance envers les défauts de l'autre, de même que d'un désir de surmonter les difficultés et les conflits inhérents à toute relation. Dans ce type d'amour, les partenaires s'investissent continuellement dans leur relation. Bref, l'amour-amitié est souvent durable, tandis que l'amour-passion est presque toujours transitoire.

Question d'analyse critique

Selon vous, quelles sont les principales différences entre l'amour-passion et l'amour-amitié ? Parmi les caractéristiques que vous avez énumérées, lesquelles vous semblent essentielles à une relation amoureuse réussie et durable ?

Dans une relation d'amour-amitié, les rapports sexuels sont généralement empreints de sentiments associés à une connaissance approfondie de l'autre, et particulièrement à la confiance que procure le fait de savoir ce qui lui plaît. Cette connaissance fondamentale et cette confiance peuvent favoriser la discussion sur des sujets délicats concernant la sexualité. Dans l'ensemble, le plaisir sexuel renforce le lien dans une relation d'amour-amitié. Bien que les rapports sexuels soient généralement moins excitants que dans l'amour-passion, les partenaires les considèrent souvent comme plus riches, plus signifiants et plus profondément satisfaisants, comme l'indique le témoignage suivant.

Après l'échec de mon premier couple, j'ai vraiment apprécié l'ivresse de la nouveauté en matière de relations sexuelles, surtout après toutes les frustrations que j'avais connues dans ma première relation. Pourtant, même si la fièvre de cette période me manque parfois, je n'y reviendrais jamais s'il me fallait pour cela sacrifier la sérénité et la profondeur de l'intimité sexuelle que je connais dans mon mariage depuis maintenant 17 ans. (Notes des auteurs)

Bien que nombre de relations commencent par une période d'amour-passion qui se transforme plus tard en amour-amitié, certaines procèdent à l'inverse. Il arrive en effet que l'amour-amitié se développe d'abord entre deux personnes qui se rencontrent souvent en tant que connaissances, amis ou collègues. L'attirance sexuelle n'est pas au premier plan dans ce cas, ou les circonstances la reportent à l'arrière-plan. Dans une telle relation, l'amour repose sur la connaissance de l'autre plutôt que sur l'ivresse de l'inconnu. L'amour-passion peut aussi prendre une pause, puis revenir en force lorsque les circonstances évoluent en laissant plus d'espace au couple pour se redécouvrir.

La théorie triangulaire de l'amour de Sternberg

Le psychologue Robert Sternberg (1986, 1988) a approfondi la distinction entre l'amour-passion et l'amour-amitié en élaborant un intéressant cadre théorique permettant de conceptualiser ce que les gens éprouvent lorsqu'ils se disent amoureux. Selon Sternberg, l'amour est constitué de trois dimensions ou composantes : la passion, l'intimité et l'engagement (voir la figure 8.1).

- La **passion** est la composante motivationnelle de l'amour. Elle nourrit les sensations, l'attirance physique

Amour-amitié Type d'amour caractérisé par une bienveillante tendresse et un attachement profond reposant sur une connaissance intime de l'être aimé.

Passion Composante motivationnelle de l'amour, selon la théorie triangulaire de Sternberg.

FIGURE 8.1 Triangle de l'amour de Sternberg.

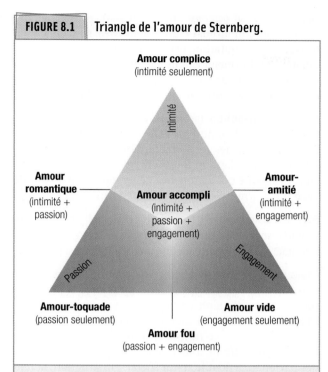

Amour complice
(intimité seulement)

Intimité

Amour romantique
(intimité + passion)

Amour accompli
(intimité + passion + engagement)

Amour-amitié
(intimité + engagement)

Passion

Engagement

Amour-toquade
(passion seulement)

Amour vide
(engagement seulement)

Amour fou
(passion + engagement)

Selon le triangle de l'amour de Sternberg, les diverses combinaisons des trois composantes de l'amour (passion, intimité et engagement) produisent différents types d'amour. À noter que l'absence des trois composantes indique l'indifférence, autrement dit le non-amour.

et le désir sexuel. La personne ressent un profond désir d'union avec l'être aimé. Dans un certain sens, la passion est comme une dépendance : étant une source de désir et de stimulation intenses, elle peut susciter un fort sentiment de «besoin» chez la personne.

- **L'intimité** est la composante affective qui procure le sentiment d'être lié à une autre personne. Elle est faite de sentiments chaleureux, de partage et de rapprochement affectif. L'intimité comprend aussi le désir d'aider l'être aimé et une disposition à partager ses pensées et ses sentiments intimes avec lui.

- **L'engagement** est l'aspect réfléchi ou cognitif de l'amour. C'est la décision consciente d'aimer l'autre et de préserver à long terme la relation malgré les difficultés qui pourraient survenir.

Selon Sternberg, la passion a tendance à surgir rapidement et intensément dans les premiers moments de la relation amoureuse pour décliner alors que la relation évolue. Inversement, l'intimité et l'engagement continuent à croître avec le temps, bien qu'à des rythmes différents (voir la figure 8.2). La théorie de Sternberg propose ainsi une base conceptuelle pour étudier le passage de l'amour-passion à l'amour-amitié. L'amour-passion, composé de romantisme et d'attirance physique, atteint vite un sommet et décline ensuite rapidement. À mesure que la passion

s'apaise, l'intimité et l'engagement croissent chez de nombreux couples et leur relation évolue vers l'amour-amitié (Sprecher et Regan, 1998). Si l'intimité ne s'installe pas et que les partenaires ne décident pas d'un commun accord de s'engager l'un envers l'autre, leur relation risque d'être compromise lorsque la passion s'étiolera et que les conflits émergeront. Par contre, l'engagement, l'attachement et le souci de l'autre peuvent soutenir une relation dans les périodes de mécontentement ou de conflit.

Les trois composantes de l'amour selon Sternberg sont des dimensions importantes d'une relation amoureuse, mais elles varient à divers degrés, créant différents modèles de relations. Elles peuvent d'ailleurs varier à long terme à l'intérieur d'une même relation. Sternberg considère que de telles variations produisent différents types d'amour – ou du moins des différences dans la façon dont chaque personne vit ses expériences amoureuses (voir la figure 8.1). L'absence des trois composantes, que Sternberg nomme le *non-amour*, est ce que la plupart des gens ressentent envers des personnes qui ne font que traverser leur vie. Quand seule l'intimité est présente, la relation est de l'ordre de l'amour complice, en d'autres termes de l'*amitié*. Si la passion existe, sans l'intimité ou l'engagement, c'est l'*amour-toquade* ou le coup de foudre. La présence de l'engagement sans la passion et l'intimité donne un *amour vide* (tel qu'il peut se présenter dans une relation

FIGURE 8.2 Théorie de Sternberg.

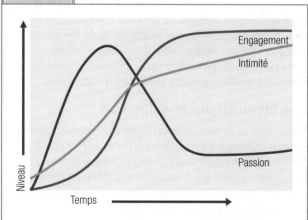

Engagement

Intimité

Niveau

Temps

Passion

Selon la théorie de Sternberg, la passion, une des composantes de l'amour, atteint rapidement un sommet dans la relation, puis elle décline, tandis que l'intimité et l'engagement continuent de croître avec le temps.

Intimité Composante affective de l'amour, selon la théorie triangulaire de Sternberg.

Engagement Composante cognitive de l'amour, selon la théorie triangulaire de Sternberg.

statique de longue durée). Si l'intimité et l'engagement sont présents, mais sans la passion, on éprouve alors de l'*amour-amitié* (ce qui est souvent le cas des couples heureux qui ont vécu plusieurs années ensemble). Lorsque la passion et l'engagement sont présents, mais sans l'intimité, l'expérience relationnelle, désignée *amour fou*, est caractérisée par des jeux de séduction ou des situations dans lesquelles on adule et désire ardemment une personne à distance. L'amour caractérisé par une passion et une intimité sans aucun engagement est considéré par Sternberg comme un *amour romantique*. Enfin, quand chacune des trois composantes est présente, on parle d'un *amour accompli*, le plus complet des types d'amour, celui que les gens recherchent, mais qu'ils trouvent difficile à atteindre et à garder.

La recherche empirique a fourni un certain appui au modèle de l'amour de Sternberg. Une étude sur des couples qui se fréquentaient a indiqué que la présence de deux des composantes de l'amour de Sternberg – intimité et engagement – était annonciatrice de la stabilité et de la longévité de la relation (Hendrick et coll., 1988). Une autre étude a établi que les couples mariés montraient un degré plus élevé d'engagement envers leur partenaire que les personnes non mariées, une conclusion conforme au modèle de Sternberg (Acker et Davis, 1992). Cette même étude a relevé que, même si l'intimité continue à grandir dans les relations de longue durée, la passion diminue chez les deux sexes, et ce, beaucoup plus rapidement chez les femmes que chez les hommes. Dans d'autres recherches sur la théorie triangulaire de Sternberg, on a remarqué que la façon dont les couples définissent les trois composantes de base de l'amour est relativement stable au fil du temps (Reeder, 1996) et que la compatibilité d'un couple augmente si les deux partenaires possèdent un degré semblable de passion, d'intimité et d'engagement (Drigotas et coll., 1999).

Les façons d'aimer selon Lee

Plutôt que de tenter de décrire les différents modèles ou types d'amour, le psychologue John Alan Lee (1974, 1988, 1998) a élaboré une théorie décrivant six façons d'aimer qui caractérisent les relations humaines intimes. Selon Lee, les gens ont une façon d'aimer, un style amoureux, qui se retrouve parmi ces catégories.

Style romantique (*eros*) Ils sont avides de beauté physique et recherchent la personne idéale. Les amoureux romantiques érotiques se délectent de la beauté et des plaisirs sensuels que leur apporte le corps de leur amant, et ils sont généralement très affectueux et communicatifs avec leur partenaire.

Style ludique (*ludus*) Ils aiment draguer et avoir de nombreuses conquêtes sexuelles avec lesquelles ils ne s'engageront que peu ou pas. L'amour est un divertissement, séduire est un plaisir à savourer et les relations demeurent occasionnelles et fugaces.

Style possessif (*mania*) Ils ont tendance à rechercher les relations amoureuses obsessionnelles, souvent caractérisées par l'agitation et la jalousie. Ils ont une vie amoureuse tourmentée dans laquelle toute manifestation d'affection de la part de l'amant procure l'extase, tandis que le moindre désintérêt les met au supplice.

Style amour-amitié (*storge*) Ils mettent du temps à développer de la tendresse et à s'engager, mais ont tendance à établir des relations durables. Ce type d'amour ne connaît ni fièvre ni tourment, c'est une relation paisible et sereine qui commence généralement par l'amitié et se transforme avec le temps en tendresse et en amour.

Style altruiste (*agapè*) Ils font preuve d'oubli de soi et d'un profond souci de donner à l'autre sans rien espérer en retour. C'est un amour patient, jamais astreignant ni jaloux.

Style pragmatique (*pragma*) Ils sont enclins à choisir leurs amants suivant des critères rationnels et pratiques (des champs d'intérêt communs, par exemple) susceptibles d'apporter la satisfaction mutuelle. Pour ces individus, l'amour est une transaction. Ils tentent de conclure la meilleure affaire amoureuse possible en cherchant des partenaires dont le statut social, l'instruction, la religion et les goûts sont compatibles avec les leurs.

Que se passe-t-il quand les deux personnes engagées dans une relation tendent naturellement vers des façons d'aimer différentes? Selon Lee, la question est cruciale. Il croit que les relations amoureuses échouent fréquemment parce que trop souvent les gens ne tiennent pas le même langage quand ils parlent d'amour (Lee, 1974). Il arrive, en effet, que les efforts qu'ils font conjointement pour construire un engagement durable soient minés par un impossible combat pour intégrer leurs façons d'aimer contradictoires. Ainsi, la satisfaction et la réussite des relations amoureuses tiennent souvent à la découverte du partenaire qui a la même attitude ou approche et la même définition de l'amour que soi (Lee, 1974).

La mise au point d'un outil de recherche, l'*Échelle des attitudes en amour*, pour mesurer les six styles amoureux selon Lee (Hendrick et Hendrick, 2003, 1986) a permis d'effectuer des études empiriques de sa théorie. L'une d'elles, fort intéressante, semble corroborer l'hypothèse de Lee selon laquelle la compatibilité des façons d'aimer influe sur le succès d'une relation (Davis et Latty-Mann, 1987; Hendrick et Hendrick, 2003). Selon cette étude, les étudiants de niveau universitaire préfèrent fréquenter des personnes dont le style amoureux ressemble au leur (Hahn et Blass, 1997; Hendrick et Hendrick, 2003). D'autres résultats permettent de constater que le style amoureux chez les étudiants diffère selon le sexe. Une recherche a ainsi montré que les étudiantes ont tendance à adopter les styles amour-amitié, pragmatique ou possessif alors que les étudiants sont plutôt de style amour-amitié ou ludique (Hendrick et Hendrick, 2003). Une autre étude a également révélé des différences selon le sexe dans cette population, les femmes adoptant les styles amour-amitié, pragmatique ou romantique, et les hommes les styles ludique et altruiste (Lacey et coll., 2004).

Plus récemment, une étude interculturelle des styles amoureux selon la classification de Lee, menée auprès d'étudiants britanniques, portugais et indiens, n'a fait ressortir aucune différence significative entre le groupe britannique et le groupe portugais (Neto, 2007). Par contre, la comparaison des étudiants indiens et de leurs homologues européens a révélé des différences culturelles importantes. Par exemple, les participants indiens étaient beaucoup plus portés à sélectionner l'amour pragmatique que les Britanniques ou les Portugais. Ce résultat reflète les attentes culturelles en Inde, où le mariage repose davantage sur les devoirs familiaux que sur le désir personnel d'intimité, plus courant dans les cultures européennes. Les participants indiens étaient aussi plus portés vers l'amour altruiste, caractérisé par l'abnégation au profit de l'autre, que ne l'étaient les participants des deux échantillons européens. Ces résultats soutiennent l'affirmation voulant que l'amour soit vu différemment dans les cultures asiatiques, où l'accent est davantage mis sur le couple ou le groupe (cultures collectivistes) que dans les cultures européennes, où l'individu a la préséance sur le couple ou le groupe (cultures individualistes).

Être amoureux : pourquoi et avec qui ?

Pourquoi tombe-t-on amoureux et s'éprend-on d'une personne plutôt que d'une autre ? Ces questions sont extrêmement complexes. Certains auteurs croient qu'on tombe amoureux pour surmonter un sentiment de solitude et d'isolement. Selon le psychanalyste Erich Fromm (1965), l'union avec une autre personne serait le plus profond besoin des humains. Rollo May, également psychanalyste et écrivain, auteur de *Love and Will* (1969), croit aussi que lorsqu'ils connaissent la solitude, les gens aspirent au refuge que leur offre l'union amoureuse. Pour d'autres observateurs, la solitude n'est pas inhérente à la condition humaine, mais serait plutôt une conséquence de notre société individualiste et extrêmement mobile (Seepersad et coll., 2008). Ceux-ci font valoir les liens que tous les gens entretiennent avec leur entourage grâce aux relations sociales, à la langue et à la culture. Suivant ce point de vue, les relations amoureuses ne sont qu'un aspect du réseau social d'une personne plutôt qu'un «remède» à la solitude.

L'amour peut être expliqué, du moins en partie, à l'aide de différentes théories psychosociales. Mais la raison pour laquelle on tombe amoureux pourrait bien aussi relever, jusqu'à un certain point, de processus neurochimiques complexes qui se produisent dans le cerveau

quand on est attiré par une personne. Nous présentons quelques découvertes concernant la chimie de l'amour dans la section qui suit.

La chimie de l'amour

Personne ne met en doute le rôle clé que jouent les odeurs dans l'attirance ou la répulsion qu'inspire une personne. «Autrefois, les dames plaçaient une pomme sous l'aisselle afin d'imprégner le fruit de l'odeur corporelle et de l'offrir à l'objet de leur cœur» (Xhauflaire-Uhoda et coll., 2005, p. 946). Toutefois, les molécules «agissantes» sont parfois inodores et ne produisent pas le même effet chez tout le monde. Certains parfums n'auraient démontré leur efficacité que si on leur adjoint une molécule baptisée 10X tirée de la sueur d'aisselles masculines, augmentant de 50 % leur taux de séduction réussie suivie d'un rapport sexuel. Des femmes auraient obtenu des résultats similaires grâce à la phéromone baptisée Athena 10:13 (Bohler, 2009). L'effet est inconscient et ressemble à un coup de foudre par son intensité et sa soudaineté. Les phéromones d'une personne n'ont des effets que sur une partie des gens qui les respirent. Les femmes réagissent positivement aux phéromones provenant d'hommes dont la structure biologique se rapproche de celle de leur père tout en demeurant différente (Jacobs et coll., 2002).

Les gens submergés par l'intense passion d'un amour naissant disent souvent qu'ils se sentent transportés ou qu'ils éprouvent une sorte d'euphorie naturelle. Selon plusieurs auteurs, ce genre de réactions pourrait bien s'expliquer, du moins en partie, par la chimie du cerveau (Liebowitz, 1992 ; Vincent, 1988 ; Walsh, 1991 ; Damasio, 2003). D'après ces auteurs, l'exultation première et l'ivresse que procurent l'excitation, la légèreté et l'euphorie caractéristiques de l'amour passionnel découlent du déferlement de trois importantes substances chimiques du cerveau : la noradrénaline, la dopamine et surtout la phényléthylamine (PÉA). Ces neurotransmetteurs, grâce auxquels les cellules du cerveau communiquent entre elles, sont chimiquement similaires aux amphétamines et procurent donc le même genre d'effets, tels que l'euphorie, le plaisir grisant et l'allégresse. Comme le fait remarquer le criminologue Anthony Walsh, quand une personne rencontre quelqu'un qui l'attire, il y a libération de PÉA dans le cerveau (Toufexis, 1993). De plus, comme nous l'avons appris au chapitre 3, l'ocytocine et la dopamine contribuent à l'excitation sexuelle, ce qui ajoute du feu à la passion.

L'euphorie et l'excitation sexuelle accrue – comme l'effet des amphétamines – ne durent généralement pas peut-être, en partie, parce que le corps finit par développer une tolérance à la PÉA et aux neurotransmetteurs qui y sont associés, comme il le fait avec les amphétamines. Il est probable qu'avec le temps, le cerveau soit de moins en moins capable de satisfaire à la demande toujours accrue de PÉA nécessaire pour produire l'émoi particulier de l'amour. Ainsi, l'euphorie qu'on ressent au début d'une relation finit par diminuer. Voilà qui explique biologiquement, de façon plausible, pourquoi l'amour-passion est de courte durée.

Le psychiatre Michael Liebowitz fait un autre parallèle avec l'usage des amphétamines. Il fait remarquer que l'anxiété, le désespoir et la douleur qui suivent la perte – ou même l'idée de la perte – d'une relation d'amour-passion s'apparentent à ce qu'éprouve, durant le sevrage, une personne dépendante des amphétamines. Dans les deux cas, la privation de substances chimiques euphorisantes entraîne parfois une longue période de douleur affective, une sensation de manque.

Y aurait-il dans le cerveau d'autres substances chimiques permettant d'expliquer pourquoi certaines relations survivent à l'euphorie de l'amour-passion? Selon Walsh et Liebowitz, la réponse est oui. Il se pourrait, en effet, que le passage de l'engouement à l'attachement profond, une caractéristique des longues relations amoureuses, tienne à ce que le cerveau se met graduellement à produire davantage d'un autre groupe de neurotransmetteurs appelés *endorphines*. Ces substances chimiques, de la même famille que la morphine, sont des inhibiteurs qui contribuent à produire un sentiment de sécurité, de tranquillité et de paix. Cela peut aider à comprendre pourquoi les amants abandonnés sont si malheureux après qu'on les a quittés : ils sont désormais privés de leur dose quotidienne de substances chimiques réconfortantes.

Comme nous l'avons vu au chapitre 2, la dopamine et l'ocytocine sont des substances chimiques présentes dans le cerveau qui contribuent à l'excitation sexuelle et au sentiment amoureux. Les résultats d'une étude confirment le rôle important de la dopamine dans la chimie de l'amour. Les auteurs de cette étude ont utilisé l'imagerie par résonnance magnétique (IRM) pour scruter le cerveau d'hommes et de femmes alors qu'ils regardaient des photographies d'un amoureux et celles d'un ami intime. Ce sont les photographies des amoureux, et non celles d'amis intimes, qui ont «allumé» les régions du cerveau riches en dopamine (Bartels et Zeki, 2004).

L'ocytocine, sécrétée par l'hypothalamus lors de câlins et de gestes d'intimité physique, joue un rôle important en facilitant l'attachement social et en stimulant les sentiments amoureux (Lucentini, 2005; Young, 2009). La PÉA, la dopamine, l'ocytocine et autres substances chimiques du cerveau pourraient-elles un jour entrer dans la fabrication de «philtres d'amour» pharmaceutiques? La recherche a déjà démontré qu'un vaporisateur nasal contenant de l'ocytocine peut rehausser le rapport affectif et la confiance entre les personnes, et des entrepreneurs commercialisent sur le Web des produits comme l'*Enhanced Liquid Trust*, une sorte d'eau de

Cologne contenant de l'ocytocine qui prétend améliorer l'intimité dans les relations (Young, 2009). Des études sont en cours en Australie pour déterminer si l'ocytocine en vaporisation nasale peut être un adjuvant utile à la thérapie conjugale traditionnelle (Young, 2009). La possibilité que des produits commerciaux aient pour effet d'influencer et d'améliorer la qualité des relations romantiques comporte des implications intéressantes qui devront faire l'objet d'études ultérieures.

S'il est difficile d'expliquer pourquoi les gens deviennent amoureux et pourquoi ils s'éprennent de telle personne plutôt que de telle autre, on sait que plusieurs facteurs ont souvent une grande importance, dont la proximité et la familiarité, la ressemblance, l'humour, la réciprocité et l'attirance physique.

La proximité et la familiarité

Lorsqu'ils énumèrent les facteurs qui les ont attirés vers une personne, les gens omettent généralement la proximité, ou le voisinage géographique, bien que ce soit l'une des plus importantes variables. On établit souvent d'étroites relations avec les gens qu'on fréquente dans son voisinage, à l'école, au travail ou dans les lieux de culte. Lorsque deux personnes se permettent mutuellement, de façon délibérée et consciente d'envahir leur espace personnel, les sentiments d'intimité peuvent croître (Epstein, 2010).

Pourquoi la proximité est-elle un si puissant facteur d'attirance interpersonnelle? Les spécialistes en relations sociales ont apporté à cette question plusieurs explications plausibles. L'une d'elles est simplement que la familiarité est source d'affection ou d'amour. Les recherches ont révélé que lorsqu'on est exposé de façon répétée à de nouveaux stimuli – qu'il s'agisse de pièces musicales, de tableaux ou de visages humains –, on finit par les aimer (Bornstein, 1989; Brooks et Watkins, 1989). Ce phénomène, appelé **effet de la simple exposition**, explique en partie pourquoi une personne est attirée par les gens qui sont très proches d'elle.

La proximité influe aussi sur l'attirance personnelle parce que les gens se rencontrent souvent dans des lieux où ils ont des activités qui reflètent leurs champs d'intérêt communs. L'enquête NHSLS (voir le chapitre 1) tend à valider cette observation, notamment par les questions concernant l'endroit où les gens avaient le plus de chances de rencontrer un partenaire intime. Edward Laumann et ses

---

Proximité Voisinage géographique de deux personnes; facteur important dans l'attirance interpersonnelle.

Effet de la simple exposition Phénomène par lequel une exposition répétée à un nouveau stimulus tend à faire croître chez une personne le goût de ce stimulus.

collègues (1994) ont classé les données en deux groupes : lieux à forte présélection et lieux à faible présélection. Les lieux à forte présélection étaient ceux où les gens partageaient des activités communes telles que l'exercice physique (s'entraîner au même centre) ou l'apprentissage (étudier dans la même classe, la même école). Les lieux à faible présélection touchaient les endroits où divers groupes de personnes pouvaient se rassembler, comme les bars ou les centres de villégiature. Comme on peut s'y attendre, Laumann et ses collègues ont constaté que les lieux à forte présélection étaient plus propices aux rencontres de partenaires sexuels que les lieux à faible présélection.

La ressemblance

La ressemblance a également de l'influence sur le type de personne dont nous devenons amoureux. Contrairement à l'adage populaire qui veut que les contraires s'attirent, nous avons tendance à aimer les gens qui nous ressemblent sur le plan de la culture, de l'intelligence, des valeurs, des croyances, des attitudes et des goûts (Amodio et Showers, 2005 ; Ariely, 2008 ; Byrne, 1997). Nous sommes également enclins à nous unir aux personnes dont le niveau d'attirance physique s'apparente au nôtre (Feingold, 1992 ; Garcia et Markey, 2007). Cette tendance pourrait être liée à notre crainte d'être rejetés si nous abordions quelqu'un que nous percevons comme plus attirant que nous (Bernstein et coll., 1983).

Nous sommes aussi plus attirés par les gens qui nous ressemblent sur le plan de l'âge, de la scolarité et de la foi religieuse. La ressemblance des caractéristiques personnelles ou la tendance à s'associer avec des personnes dont les attributs sociaux et personnels sont semblables aux nôtres s'appelle l'*homophilie*. Le tableau 8.1 présente les données de l'enquête NHSLS concernant l'homophilie sur le plan de l'âge, de la scolarité et de la religion pour différents types de relations. Cette enquête montre également que les gens tendent à s'associer avec des personnes de couleur et d'ethnie semblables.

Les gens qui deviennent amoureux l'un de l'autre ont souvent des champs d'intérêt communs.

Pourquoi sommes-nous attirés par les personnes qui nous ressemblent ? Chose certaine, les gens ayant des attitudes et des goûts semblables tendent à participer aux mêmes types d'activités et de loisirs. Encore plus important, nous communiquons généralement mieux avec les personnes dont les idées et les opinions sont semblables aux nôtres, et la communication est un aspect crucial du maintien d'une relation. Il est également rassurant d'être avec des personnes qui nous ressemblent, parce que cela nous permet de confirmer notre vision du monde, de valider nos propres expériences et de conforter nos opinions et nos croyances (Amodio et Showers, 2005).

Les similitudes que nous percevons chez les autres nous attirent particulièrement parce que nous nous attendons à ce que les personnes qui nous ressemblent nous acceptent et nous apprécient (Sprecher et McKinney, 1993). Ces attentes sont souvent comblées, comme en témoignent diverses recherches montrant que les personnes qui partagent certains traits personnels et sociaux ont plus tendance à rester ensemble que celles qui n'en ont pas (Weber, 1998).

TABLEAU 8.1 Pourcentage de couples ayant des traits communs en ce qui concerne l'âge, la scolarité et la religion selon divers types de relations.

TRAITS COMMUNS	TYPES DE RELATIONS			
	MARIAGE	COHABITATION	UNION DE LONGUE DURÉE	UNION DE COURTE DURÉE
Âge (pas plus de cinq ans de différence entre les partenaires)	78 %	75 %	76 %	83 %
Scolarité (pas plus d'un niveau de scolarité de différence)	82 %	87 %	83 %	87 %
Religion (même confession religieuse)	72 %	53 %	56 %	60 %

Source : Adapté de Laumann et coll., 1994.

À l'affiche

Dan face à la vie (2007) réalisé par Peter Hedges. Une comédie romantique mettant en vedette Steve Carrell dans le rôle d'un veuf, père de trois filles, qui fait la connaissance et tombe amoureux d'une belle jeune femme interprétée par Juliette Binoche. Dans cette histoire, les deux personnages deviennent amoureux en grande partie parce qu'ils ont des goûts communs (la lecture, la communication, l'amour des enfants, etc.) et parce qu'ils ont vraiment besoin l'un de l'autre.

L'humour

Un adage dit «Femme qui rit, femme au lit». Qu'en est-il vraiment? Les auteurs et chercheurs américains Jeannette et Robert Lauer ont montré que les conjoints d'unions heureuses et durables se font rire souvent (Epstein, 2010). Par ailleurs, des psychologues rapportent que les hommes qui réussissent à séduire les femmes sont souvent ceux qu'on retrouve au milieu de groupes d'hommes, notamment des amis, qu'ils font rire, et que les femmes se faisant le plus fréquemment aborder sont des «rieuses» qu'on entend rire de loin (Bohler, 2009). Tout comme l'excitation sexuelle, le rire libère de la dopamine.

La réciprocité

La perception qu'une personne s'intéresse à nous joue un rôle dans l'attirance qu'on éprouve pour elle. Les gens ont tendance à réagir positivement à la flatterie, aux compliments et aux autres expressions de sympathie et d'affection. Dans l'étude de l'attirance interpersonnelle, ce concept renvoie au principe de **réciprocité** selon lequel nous avons tendance à réagir positivement à l'expression d'affection ou d'amour (Byrne et Murnen, 1988). À leur tour, les réactions de réciprocité peuvent déclencher le développement de la relation.

En réagissant chaleureusement aux gens qui semblent bien disposés à notre égard, nous les amenons souvent à nous aimer davantage. De plus, l'estime de soi est liée à l'attachement et à l'appréciation que les autres nous

témoignent. Savoir que quelqu'un nous apprécie augmente notre sentiment d'appartenance ou notre sentiment d'être socialement intégré dans une relation et renforce alors l'estime de soi (Baumeister et Leary, 1995).

L'attirance physique

Comme on peut s'y attendre, l'attirance physique joue souvent un rôle de premier plan dans l'union de deux êtres (Swami et Furnham, 2008). Même si l'on entend souvent dire que la beauté est superficielle, des expériences ont montré que les gens séduisants sont plus recherchés comme amis et amants, et qu'ils sont perçus comme plus aimables, intéressants, sensibles, équilibrés, heureux, *sexy*, compétents et socialement habiles que les personnes d'apparence ordinaire ou peu séduisante (Baron et coll., 2006; Marcus et Miller, 2003; Sangrador et Yela, 2000).

Pourquoi la beauté physique est-elle un si puissant facteur d'attirance? Il y a d'abord là une question d'esthétique. Nous aimons tous regarder quelque chose ou quelqu'un que nous jugeons beau. De plus, beaucoup de gens semblent croire que les belles personnes ont plus de qualités personnelles désirables que celles qui sont moins attirantes. Il se peut aussi que nous soyons attirés par les jolies personnes parce qu'elles nous offrent la possibilité de gagner du prestige par association. Et peut-être que ces personnes, parce qu'elles ont été très bien traitées par les autres durant toute leur vie, ont plus confiance en elles-mêmes et se sentent mieux dans leur peau, ce qui se traduit par des relations particulièrement satisfaisantes. Enfin, il est établi scientifiquement que les gens considèrent spontanément la beauté physique comme un signe de santé et que, toutes choses étant égales par ailleurs, nous sommes attirés par les gens sains (Marcus et Miller, 2003; Swami et Furnham, 2008).

Des chercheurs se sont employés à déterminer si les deux sexes sont impressionnés de façon égale par la beauté. Plusieurs études ont révélé que lors du choix d'un ou d'une partenaire en vue d'un rapport sexuel ou d'une relation à long terme, les étudiants valorisaient beaucoup plus l'apparence physique que les étudiantes. Celles-ci accordaient plus de valeur à la chaleur humaine, à l'ambition, au statut social, au revenu potentiel et aux traits de personnalité (Eastwick et coll., 2008; McGee et Shevlin, 2009). Toutefois, la sensibilité à la beauté masculine varierait selon la période du cycle menstruel.

> **Réciprocité**   Principe selon lequel une personne recevant des marques d'affection ou d'amour aura tendance à y répondre de façon similaire.
>
> **Attirance physique**   Beauté physique perçue qui est importante dans l'attirance que deux personnes éprouvent l'une envers l'autre.

D'autres études ont également montré que la beauté physique est plus importante pour les Américains que pour les Américaines (Coutinho, 2007 ; Fisher et coll., 2008).

Question d'analyse critique

Comment croyez-vous que cette différence s'observe aussi chez les hommes et les femmes d'autres cultures ?

Une étude interculturelle portant sur les différences entre les sexes quant aux préférences en matière de partenaire hétérosexuel a bien montré que, partout sur la planète, il est plus important pour les hommes que pour les femmes d'avoir des partenaires à la fois jeunes et physiquement séduisants. Dans cette étude, menée par le psychologue David Buss (1994), on a demandé aux sujets des 37 échantillons sélectionnés en Afrique, en Asie, en Europe, en Amérique du Nord et du Sud, en Australie et en Nouvelle-Zélande de coter un large éventail d'attributs personnels qu'ils aimeraient retrouver chez une ou un partenaire potentiel. Ces caractéristiques comprenaient notamment la fiabilité, la beauté, l'âge, un avenir prometteur sur le plan financier, l'intelligence, la sociabilité et la chasteté.

Tous les hommes, sans exception, dans toutes les cultures examinées, accordaient plus d'importance à la jeunesse et à l'apparence physique de leur partenaire que ne le faisaient les femmes (Buss, 1994). Au contraire, ces dernières valorisaient davantage les partenaires un peu plus âgés, qui avaient un avenir prometteur sur le plan financier, et étaient fiables et travaillants. Cela ne signifie pas pour autant que l'attirance physique ne comptait pas pour les femmes de ces diverses cultures. En fait, plusieurs d'entre elles la considéraient comme importante, mais moins que la responsabilité financière et la fiabilité.

Pourquoi cette apparente uniformité dans tant de cultures sur ce qui plaît aux hommes et aux femmes chez un éventuel partenaire ? Et comment interpréter les différences entre les sexes ? Buss propose un raisonnement sociobiologique, c'est-à-dire qu'il explique le comportement d'une espèce en fonction de ses besoins en matière d'évolution. Selon lui, l'évolution oriente les préférences quant aux partenaires autant chez les humains que chez d'autres animaux. Les mâles sont attirés par les femelles jeunes et physiquement attrayantes parce que ces caractéristiques laissent augurer une reproduction réussie. Bref, une jeune femme a plus d'années à consacrer à la reproduction qu'une femme plus âgée. De plus, des caractéristiques comme une peau douce et sans taches, un bon tonus musculaire et des cheveux lustrés sont des indices de bonne santé, et donc autant de signes de la valeur reproductive de la personne. Par ailleurs, les femmes sont généralement attirées par les hommes plus âgés et bien établis, car des caractéristiques comme la richesse, un bel environnement ou un rang social élevé sont des gages de sécurité pour les enfants. La jeunesse et l'attrait physique d'un homme importent moins aux femmes, parce que la fertilité masculine est moins liée à l'âge que la fertilité féminine.

Des études ont, de plus, révélé que pour les femmes américaines, des traits comme l'ambition et la capacité à être un bon pourvoyeur comptaient davantage dans le choix d'un partenaire que pour les hommes (Buss et Schmidt, 1993 ; Eastwick et coll., 2008 ; McGee et Shevlin, 2009).

Les modes d'attachement et l'amour

L'attachement est un terme qui désigne le lien émotif intense qui existe entre deux individus, comme celui qui se tisse entre un enfant et son parent, ou entre deux amoureux (Rholes et coll., 2006). Il est possible d'éprouver de l'attachement sans amour, mais il est peu pensable que l'amour d'une personne pour une autre puisse exister en l'absence d'attachement. Bien qu'il soit difficile de mesurer et d'analyser l'amour lui-même, les chercheurs ont obtenu d'importants résultats en étudiant divers aspects de l'attachement, tels que la façon dont il se développe, les conséquences de son absence et les différents modes d'attachement. Dans les pages suivantes, nous examinons les principaux résultats des recherches concernant l'attachement et les relations humaines.

Les modes d'attachement

La manière dont nous développons de l'attachement remonte à notre enfance et a un impact majeur sur notre façon d'établir une relation avec la personne aimée. Plusieurs des connaissances scientifiques sur la manière dont se développent nos modes d'attachement et la façon dont ils nous influenceront plus tard proviennent du travail de la psychologue développementaliste Mary Ainsworth (Ainsworth, 1979, 1989 ; Ainsworth et coll., 1978). Ainsworth a employé un protocole de laboratoire qu'elle a intitulé « la situation étrange ». Dans ce protocole expérimental, un enfant d'un an est placé dans un environnement peu familier et son comportement est alors évalué dans des conditions diverses : en présence de sa mère, en présence de sa mère et d'un étranger, en présence d'un étranger seulement ou totalement seul.

Ainsworth a ainsi découvert que les enfants en bas âge réagissent différemment à ces situations inhabituelles pour eux. Ceux qui se distinguaient par un *attachement sécurisant* ont utilisé leur mère comme base de sécurité pour explorer gaiement leur nouvel environnement et

Attachement Lien émotif intense entre deux individus, comme celui d'un enfant avec son parent, ou entre amoureux.

s'amuser avec les jouets dans la pièce. Une fois séparés de leur mère, ces enfants ont semblé se sentir en sécurité, ont exprimé une détresse modérée et ont paru confiants que leur mère reviendrait prendre soin d'eux et les protéger. Lorsqu'ils ont retrouvé leur mère, ces enfants ont recherché son contact et ont souvent repris l'exploration de leur environnement. Les enfants qui se distinguaient par un *attachement insécurisant* ont réagi différemment. Ils ont montré plus d'appréhension et ont eu moins tendance à laisser leur mère pour aller explorer. Le départ de leur mère les a profondément troublés et a provoqué des pleurs bruyants. À son retour, ils ont souvent exprimé de l'hostilité ou de l'indifférence.

L'analyse des données de la recherche d'Ainsworth sur la «situation étrange» a permis de diviser la catégorie des enfants inquiets en deux sous-groupes, soit ceux exprimant un attachement *anxieux-ambivalent* (qui manifestaient une inquiétude extrême quand leur mère les laissait) et ceux exprimant un attachement *anxieux-évitant* (qui semblaient vouloir un contact physique étroit avec leur mère, mais étaient peu disposés à le rechercher, apparemment parce qu'ils percevaient son détachement ou son indifférence).

Comment expliquer ces différences dans les modes d'attachement? La réponse se trouve probablement dans une combinaison de facteurs faisant intervenir l'inné et les pratiques parentales. Certains enfants sont plus naturellement disposés que d'autres à développer un attachement sécurisant; ainsi, des nouveau-nés réagissent mieux que d'autres lorsque des gens les prennent ou les câlinent. La manière dont les mères s'occupent de leur enfant à la maison constitue un autre facteur contribuant aux différentes réactions des bébés à la «situation étrange». Les mères des enfants *confiants* (attachement

Selon les recherches sur l'attachement, la qualité des contacts affectueux, tels que les caresses et les étreintes entre le bébé et ses parents, influence les interactions de cette nature entre amoureux à l'âge adulte.

sécurisant) avaient tendance à être plus sensibles et plus réceptives à leurs besoins. Par exemple, certaines nourrissaient leur bébé quand il avait faim plutôt qu'à heures fixes. Elles étaient également plus enclines à caresser leur enfant en dehors des moments consacrés à l'alimentation ou au changement de couche. En revanche, les mères des enfants inquiets (attachement insécurisant) avaient tendance à être moins sensibles et réceptives à leurs besoins, et à y répondre de manière inconstante. Par exemple, elles ne nourrissaient leur enfant que lorsqu'elles le voulaient et ignoraient parfois ses cris exprimant la faim. Ces mères étaient également plus susceptibles d'éviter le contact physique avec leur bébé. (Certains feront un parallèle avec les expériences et observations de Harry et Margaret Harlow, mentionnées au chapitre 7.)

L'établissement d'un lien de confiance et d'un attachement sécurisant entre un enfant et un parent semble avoir des effets manifestes sur le développement futur du petit. Plusieurs études ont prouvé que les enfants manifestant un attachement sécurisant apprennent que les parents sont une source de sécurité et de fiabilité. Ils sont également susceptibles de faire preuve d'une compétence sociale beaucoup plus grande que les enfants ayant développé l'un ou l'autre des types d'attachement insécurisant (Aspelmeier et Kerns, 2003 ; Sroufe, 1985). Les enfants de type *anxieux-ambivalent*, qui ont appris que les parents répondent de manière inconstante à leurs besoins, se montrent souvent indécis face à de nouvelles situations et ont fréquemment des réactions négatives, telles que des accès de colère, un besoin obsessif d'être près de leurs parents et une inconstance dans leurs réactions qui reflète leur ambivalence sur la façon de répondre aux autres. Les enfants de type *anxieux-évitant*, souvent négligés par leurs parents, développent une vision négative des autres et sont peu disposés à les laisser s'approcher d'eux.

Ces divers modes d'attachement qui se développent pendant l'enfance tendent à se poursuivre tout au long de la vie et ont un impact considérable sur la capacité de chacun à créer des liens affectueux avec un partenaire.

Les relations intimes chez l'adulte en tant que mode d'attachement

Nombre de spécialistes des relations humaines ont analysé les relations amoureuses chez l'adulte en tant que mode d'attachement (par exemple, Aspelmeier et Kerns, 2003 ; Feeney et Noller, 1996). Selon cette approche, les gens reprennent les modes d'attachement acquis dans leur relation parent-enfant et les appliquent aux personnes avec lesquelles ils créent des liens sur les plans émotionnel et sexuel. En ce sens, les partenaires amoureux ne font que reproduire le mode d'attachement de leur enfance (Aspelmeier et Kerns, 2003 ; Collins et coll., 2006 ; Perel, 2006 ; Lavallée, 2001 ; Van Ecke, 2007).

Les modes d'attachement entre amoureux ou partenaires adultes peuvent correspondre à l'un ou l'autre des trois types définis précédemment. Les adultes qui ont développé un attachement sécurisant semblent être mieux outillés pour établir des relations stables et satisfaisantes. Ces personnes trouvent qu'il est relativement facile de se rapprocher des autres et de se sentir à l'aise avec ceux qui vivent près d'elles. Elles se sentent en confiance dans leurs relations et ne craignent pas d'être abandonnées. En revanche, les adultes ayant un mode d'attachement de type *anxieux-ambivalent* ont souvent une piètre image d'eux-mêmes et se montrent *inquiets* dans leurs relations. Ces personnes peuvent vouloir se rapprocher d'un partenaire, mais elles hésitent à le faire de peur d'essuyer un refus. Elles peuvent essayer de surmonter cette ambivalence en faisant désespérément des tentatives de rapprochement et en renonçant même parfois à leur indépendance dans ce processus. Les adultes de type *anxieux-évitant* se sentent inquiets à l'égard de tout rapprochement ou de toute proximité affective d'un partenaire, faisant ainsi écho au troisième mode d'attachement. Ces adultes ont de la difficulté à faire confiance à quelqu'un ou à dépendre d'une autre personne. Ils voient souvent les autres négativement et considèrent qu'il est dangereux de les laisser devenir proches et de partager de l'intimité. Cette caractéristique recoupe les résultats d'une étude canadienne récente auprès de couples mariés montrant que les adultes de type *anxieux-ambivalent* font état d'un faible niveau de satisfaction sexuelle (Butzer et Campbell, 2008).

Les adultes de type *anxieux-évitant* aspirent à l'indépendance. La recherche révèle qu'un peu plus de la moitié des adultes des États-Unis ont développé un attachement sécurisant, qu'environ un quart sont du type *anxieux-évitant* et un cinquième du type *anxieux-ambivalent* (Hazan et Shaver, 1987). Le tableau 8.2 décrit comment les trois modes d'attachement influencent les relations interpersonnelles.

Une recherche indique que les conjoints ont généralement le même mode d'attachement, ce qui constitue une autre preuve que la similarité influence le choix de la personne dont on devient amoureux (Gallo et Smith, 2001 ; Latty-Mann et Davis, 1996). Le type de couple le plus répandu était composé de personnes qui avaient un mode d'attachement sécurisant (Chappell et Davis, 1998). Cela n'est pas étonnant puisque les personnes confiantes tendent à répondre positivement aux autres et se sentent à l'aise avec la proximité. Ainsi, leur mode d'attachement les rend plus désirables comme amoureux que les personnes ayant l'un des autres modes d'attachement. Dans une étude portant sur 354 couples, environ la moitié d'entre eux étaient composés de partenaires ayant un mode d'attachement sécurisant. Comme prévu, aucun couple ne comprenait deux partenaires de type *anxieux-ambivalent* ou *anxieux-évitant*, sans doute parce que ce genre d'union ne peut fonctionner. Les gens ayant un mode d'attachement sécurisant ont déclaré un degré plus élevé de satisfaction relationnelle, surtout lorsque leur partenaire avait le même mode d'attachement qu'eux (Kirkpatrick et Davis, 1994).

TABLEAU 8.2 Influence des modes d'attachement sur les relations intimes entre adultes.

ATTACHEMENT SÉCURISANT	ATTACHEMENT DE TYPE ANXIEUX-AMBIVALENT	ATTACHEMENT DE TYPE ANXIEUX-ÉVITANT
Considèrent qu'il est assez facile de se rapprocher des autres. Sont à l'aise lorsque les autres les approchent.	Veulent se rapprocher des autres, mais croient que les autres ne veulent pas se rapprocher d'eux.	Se sentent très mal à l'aise face à la proximité des autres.
Se sentent en sécurité dans les relations et ne craignent pas l'abandon.	S'inquiètent du fait que leur partenaire ne les aime pas vraiment et qu'il puisse les laisser.	Croient que l'amour est seulement transitoire et que leur partenaire partira inévitablement un jour.
Sont à l'aise avec le fait d'être dépendants l'un de l'autre.	Peuvent fusionner complètement et être engloutis par leur partenaire.	S'inquiètent de devenir dépendants l'un de l'autre.
La relation amoureuse est caractérisée par du bonheur, de la satisfaction, de la confiance et un appui émotif réciproque. La relation dure en moyenne 10 ans.	La relation amoureuse est caractérisée par des charges émotionnelles en montagnes russes, une attirance sexuelle obsessive et de la jalousie. La durée moyenne de la relation est d'environ 5 ans.	Veulent généralement moins de rapprochement que leur partenaire. Craignent l'intimité et vivent des charges émotionnelles en dents de scie. La durée moyenne de la relation est d'environ 6 ans.

Sources : Adapté d'Ainsworth (1989), Ainsworth et coll. (1978), Shaver et coll. (1988).

La dynamique des relations amoureuses

Dans les paragraphes suivants, nous explorons certains problèmes inhérents aux relations amoureuses en nous concentrant sur deux sujets en particulier. Tout d'abord, nous discutons de la relation entre l'amour et la sexualité. Ensuite, nous examinons la manière dont la jalousie affecte les relations et ce qui peut être fait, dans la mesure du possible, pour la contrer.

Quelle relation y a-t-il entre l'amour et la sexualité ?

Bien qu'on associe naturellement sexualité et amour, le lien n'est pas toujours net. Il est vrai qu'on peut avoir des relations sexuelles sans être amoureux de son ou sa partenaire. La pratique relativement courante du **sexe sans lendemain**, où des relations sexuelles sans amour se vivent en différents contextes (vacances, rencontre d'un soir, etc.), en est un exemple (Lambert et coll., 2003). Il en va de même du phénomène des **partenaires purement sexuels** qui comporte une interaction sexuelle entre personnes qui se considèrent comme des amis, mais pas comme des amoureux (McGinty et coll., 2007 ; Puentes et coll., 2008). (Cette traduction très approximative du terme *fuck friend* est d'ailleurs parfois contestée.) Les chercheurs sont très intrigués par ce genre de relation où se combinent les avantages de l'amitié et des avantages sexuels, sans les responsabilités et l'engagement propres à une relation amoureuse (Hughes et coll., 2005). Les recherches montrent que les partenaires purement sexuels sont très courants sur les campus universitaires. Sur quatre campus étudiés, le pourcentage des étudiants ayant eu une relation de ce type était de 51 %, 54 %, 60 % et 61,7 % (Afifi et Faulkner, 2000 ; McGuinty et coll., 2007 ; Mongeau et coll., 2003 ; Puentes et coll., 2008).

Dans l'une de ces études menées auprès d'étudiants universitaires, les chercheurs ont constaté que les femmes et les hommes ont une vision différente des relations sexuelles entre amis. Les participants à l'étude prêtaient à ces relations un plus grand investissement affectif, axé sur l'amitié, alors que les hommes étaient portés à voir la relation comme étant occasionnelle et plus axée sur le sexe (McGuinty, 2007). Selon les auteurs d'une étude corroborant la tendance des partenaires purement sexuels, cette dernière reflète les stéréotypes traditionnels (Lehmiller et coll., 2011). Une autre étude menée auprès de plus de 1000 étudiants universitaires montre que comparativement à ceux qui ne s'adonnent pas à ce type de relation, ses adeptes étaient plus susceptibles d'être de sexe masculin, hédonistes, portés aux relations sans lendemain, qu'ils n'étaient pas romantiques, qu'ils étaient enclins à la jalousie et que la sécurité financière était une valeur dominante de leur vie (Puentes et coll., 2008). Les auteurs de cette étude concluent que les amitiés sexuelles sont surtout sexuelles et que

les personnes qui s'y adonnent sont des hédonistes non romantiques ayant une vision pragmatique des relations.

L'amour peut aussi exister en dehors de toute attirance ou expression sexuelle (voir les types d'amour décrits plus haut). Toutefois, la relation amoureuse idéale, dans notre perception collective dominante, intègre à la fois les sentiments amoureux et la satisfaction sexuelle.

Le sentiment amoureux et l'attirance sexuelle se confondent souvent, particulièrement au début d'une relation. Une recherche auprès d'étudiants d'universités indique qu'autant les femmes que les hommes considèrent le désir et l'attirance sexuels comme des ingrédients importants de l'amour romantique (Regan, 1998). L'interaction complexe entre l'amour et la sexualité soulève plusieurs questions. L'intimité sexuelle approfondit-elle la relation amoureuse ? Les hommes et les femmes ont-ils des conceptions différentes du lien entre la sexualité et l'amour ? Convient-il d'avoir des relations sexuelles sans amour ? Tâchons ici d'éclaircir ces questions et d'autres qui s'y rapportent.

L'intimité sexuelle approfondit-elle la relation amoureuse ?

> Je connaissais Christian depuis quelque temps et je me croyais prête à avoir des rapports sexuels avec lui. À la fin d'une soirée passée ensemble, je lui ai donc demandé si je pouvais dormir chez lui, et il a dit oui. J'étais vraiment excitée quand nous nous sommes mis au lit. J'avais beaucoup de plaisir à explorer les lignes de son corps et le grain de sa peau. Cependant, quand nous avons commencé à nous toucher le sexe, je me suis sentie mal à l'aise. Si nous continuions ainsi, nous allions dépasser le niveau d'intimité émotionnelle que j'éprouvais. J'avais l'impression qu'il me faudrait abandonner le sentiment de grande intimité que je ressentais pour aller plus loin. Je devais choisir entre intimité et contact génital. Notre intimité comptait davantage pour moi. J'ai donc dit à Christian que je voulais que nous nous connaissions mieux avant d'aller plus loin sexuellement. (Notes des auteurs)

Le témoignage de cette femme indique qu'elle a décidé de reporter un engagement sexuel plus avancé à un moment où elle se sentirait plus à l'aise dans la relation. De nombreuses personnes prennent le chemin inverse et passent rapidement à l'intimité sexuelle. Dans certains cas, cela

---

Sexe sans lendemain   Interaction sexuelle de courte durée, dépourvue d'amour.

Partenaires purement sexuels   Personnes qui ne se considèrent pas comme des amoureux et qui ont des interactions sexuelles mutuellement désirées.

permet d'approfondir la relation, mais c'est loin d'être assuré. Dans les faits, lorsque la relation devient sexuelle avant que le couple ait pu établir un bon lien intime, les individus peuvent se sentir encore plus loin l'un de l'autre émotionnellement. Il y a même parfois un lien adverse entre amour et sexualité, selon la psychothérapeute Esther Perel (2006, p. 44) : « L'amour a besoin de proximité, le sexe de distance. » Dans le même sens, Claude Crépault fait remarquer que l'amour peut être fusionnel, alors que le désir peut exiger une individuation, c'est-à-dire l'affirmation de son propre désir sans se perdre dans l'autre (Crépault, 1997).

Comme nous l'avons mentionné au chapitre 1, la socialisation sexuelle incite les femmes à moins de sexualité non relationnelle. Il y a raisonnablement lieu de croire que les gens tentent parfois de justifier leur comportement sexuel en se déclarant amoureux, ce qui serait plus fréquent chez les femmes pour se donner et donner l'image d'une bonne personne (Perel, 2006). Il est probable que certains couples se fréquentent, cohabitent, se fiancent ou même se marient de façon prématurée, dans le but non avoué de se convaincre de la profondeur de leur amour et de légitimer ainsi leur activité sexuelle.

Les hommes et les femmes ont-ils des conceptions différentes de la relation entre sexualité et amour ?

Les hommes et les femmes entretiennent généralement des conceptions quelque peu différentes du lien entre sexualité et amour (Hendrick et Hendrick, 1995 ; Regan et Berscheid, 1995). Ainsi, les hommes, plus que les femmes, définissent le sentiment amoureux et la qualité de l'implication amoureuse en termes de satisfaction sexuelle (Fischer et Heesacker, 1995 ; Goldberg, 1990 ; McCabe, 1999). Des études confirmant ces données indiquent qu'il est plus facile pour les hommes que pour les femmes d'avoir des rapports sexuels pour le plaisir et la détente physique, sans engagement émotif (Buss, 1999 ; Townsend, 1995). Les hommes, dont la socialisation privilégie l'action plus que l'attachement, auraient tendance à minimiser leurs propres besoins affectifs et présenteraient ainsi la sexualité comme plus physique (Goldberg, 1990). Cependant, cette différence entre les sexes diminue avec l'âge ; les femmes plus âgées ont davantage tendance que les jeunes femmes à considérer le plaisir physique comme une motivation importante pour avoir des relations sexuelles (Murstein et Tuerkheim, 1998). Il est possible qu'une meilleure connaissance de leur corps, des apprentissages plus variés et approfondis et une maturité psychologique plus affirmée expliquent cette tendance chez les femmes plus âgées.

D'autres études ont confirmé que malgré les différences dans la façon dont les hommes et les femmes perçoivent le lien entre amour et sexualité, les deux sexes s'entendent sur ce qu'ils considèrent comme les ingrédients essentiels d'une relation amoureuse enrichissante et réussie (Regan,

1998 ; Sprecher et coll., 1995). Parmi les éléments jugés très importants chez les deux sexes se trouvent une bonne communication, l'engagement et une intimité affective et physique de bonne qualité (Byers et Demmons, 1999 ; Fischer et Heesacker, 1995 ; McCabe, 1999).

La conception de l'amour et de la sexualité varie-t-elle selon l'orientation sexuelle ?

> Je ne dirais pas que j'ai des préjugés contre les homosexuels. Toutefois, jusqu'à un certain point, je désapprouve leur style de vie, lequel semble souvent rempli d'aventures sans lendemain où la sexualité prend le pas sur la tendresse. Certains homosexuels masculins de ma connaissance ont eu plus de partenaires ces dernières années que je n'en ai eu durant toute ma vie. (Notes des auteurs)

Cette opinion fait écho à la croyance répandue parmi les hétérosexuels voulant que les liaisons sexuelles des femmes et des hommes homosexuels soient avant tout basées sur l'attirance physique et soient souvent dépourvues d'attachement, d'amour, d'engagement sincère et de satisfaction générale. De nombreux chercheurs ont dénoncé cette conception en montrant que les homosexuels, comme les hétérosexuels, recherchent des relations marquées par l'amour, la confiance, le souci de l'autre et comprenant plusieurs dimensions de partage en plus de l'intimité sexuelle (Kurdek, 1995b ; Zak et McDonald, 1997). Les gais, comme les hommes hétérosexuels, sont plus enclins que les lesbiennes ou les femmes hétérosexuelles à séparer la sexualité et l'amour. Il s'agirait plus d'une question de différence entre les sexes que d'orientation sexuelle. La socialisation masculine s'exprime de façon plus affirmée entre hommes seulement qu'entre hommes et femmes. Cela ne fait que confirmer la divergence déjà observée entre les hétérosexuels des deux sexes sur cette même question.

En effet, tandis que les hommes sont généralement plus enclins que les femmes à séparer sexualité et amour, comme nous l'avons vu plus tôt, les hommes gais démontrent une inclination fortement marquée à le faire. Certains gais, surtout avant que ne se déclare l'épidémie du sida, avaient de fréquentes aventures sexuelles sans amour ni attachement affectueux (Bell et Weinberg, 1978 ; Gross, 2003). Plutôt que d'indiquer que les hommes gais ne valorisent pas l'amour, cette étude révèle simplement que certains d'entre eux considèrent que la relation sexuelle est une fin en soi. Par contre, la plupart des lesbiennes reportent l'engagement sexuel tant que l'intimité émotionnelle n'est pas établie avec la partenaire (Zak et McDonald, 1997). Selon plusieurs chercheurs, ces différences entre les lesbiennes et les gais découlent de modèles sociaux liés aux rôles sexuels, qui valorisent davantage les rapports sexuels occasionnels chez les hommes que chez les femmes.

Ils avancent, de plus, que les hommes hétérosexuels souhaiteraient autant que les hommes homosexuels avoir des rapports sexuels occasionnels sans amour si les femmes y consentaient et si la plupart des couples hétérosexuels ne considéraient pas leur relation comme exclusive (Foa et coll., 1987 ; Leigh, 1989).

Enfin, l'amour joue un rôle prédominant dans la vie des personnes homosexuelles parce qu'il sert de révélateur de l'orientation gaie ou lesbienne. Plusieurs personnes ayant une orientation hétérosexuelle ont eu des contacts sexuels avec des personnes de leur sexe. C'est particulièrement vrai au cours de l'enfance et de l'adolescence, alors que ce type de contact peut être expérimental et transitoire, ou l'expression d'une orientation qui durera toute la vie (voir le chapitre 5). Ces activités sexuelles avec des personnes de même sexe ne suffisent pas en soi à déterminer l'orientation sexuelle. Par contre, le fait de devenir amoureux d'une personne de son propre sexe permet vraiment d'établir l'orientation homosexuelle de quelqu'un (Troiden, 1988).

La jalousie dans les relations amoureuses

La jalousie est une réaction émotive d'aversion qu'éprouve une personne devant la liaison réelle ou imaginée de son partenaire avec une tierce personne (Bringle et Buunk, 1991). Plusieurs personnes croient que la jalousie est un indicateur de l'amour ressenti et que son absence indique un manque d'amour (Buss, 2000 ; Knox et coll., 2007). Les gens ont généralement des attitudes ambivalentes envers la jalousie, y voyant tantôt un signe d'insécurité, tantôt une preuve d'amour, parfois les deux simultanément (Puente et Cohen, 2003). Toutefois, la jalousie a davantage trait aux blessures d'amour-propre, ou à la crainte de perdre ce qu'on veut contrôler ou posséder, qu'à l'amour. Par exemple, une personne qui s'aperçoit que son conjoint se plaît en compagnie de quelqu'un d'autre peut devenir jalouse parce qu'elle ne se sent pas à la hauteur. Comme nous l'avons mentionné à propos de la réciprocité, on entre et reste dans une relation parce que cela procure un sentiment d'appartenance et rehausse l'estime de soi. On compte souvent sur son partenaire pour valider une perception positive de soi. En conséquence, une personne peut se croire menacée et sentir une perte potentielle de réciprocité et d'image de soi positive si elle perçoit que son partenaire pense à la remplacer (Boekhout et coll., 1999).

Certaines personnes sont plus portées à la jalousie que d'autres. Ainsi en est-il des individus qui souffrent de sentiments d'insécurité ou d'incompétence à cause de la piètre opinion qu'ils ont d'eux-mêmes (Brehm et coll., 2002 ; Buss, 1999). Cela nous ramène à un point auquel nous avons déjà fait allusion, à savoir qu'une saine estime de soi est primordiale dans la création de bonnes relations intimes. Par ailleurs, les gens qui constatent un grand écart entre ce qu'ils sont et ce qu'ils voudraient être sont aussi portés à la jalousie. Comme on peut s'y attendre, de tels individus ont aussi une piètre estime

d'eux-mêmes. Enfin, les gens qui chérissent des valeurs comme la richesse, la renommée, la popularité et l'apparence physique sont plus susceptibles de se montrer jaloux dans une relation (Salovey et Rodin, 1985).

La jalousie est fréquemment un facteur qui accélère l'émergence de la violence dans les mariages et les fréquentations (Knox et coll., 2007 ; Puente et Cohen, 2003 ; Vandello et Cohen, 2003). La recherche montre que la violence déclenchée par la jalousie est plus communément dirigée contre sa ou son propre partenaire ou amant que contre la ou le rival (Mathes et Verstrate, 1993 ; Paul et Galloway, 1994).

Les nombreux effets négatifs de la jalousie sont évidents, mais les moyens de composer avec les sentiments de jalousie sont loin de l'être autant. L'encadré *Parlons-en* offre des conseils aux gens qui veulent endiguer les sentiments de jalousie, les leurs ou ceux de leur partenaire.

L'expression de la jalousie selon le sexe

On ne réagit pas tous à la jalousie de la même manière, et de nombreuses études ont permis de dégager certaines différences entre les réactions des femmes et celles des hommes. En général, les femmes ont plus tendance à admettre leur sentiment de jalousie que les hommes (Barker, 1987 ; Clanton et Smith, 1977). De plus, la jalousie d'une femme porte davantage sur la liaison affective de son partenaire avec une autre, tandis que la jalousie de l'homme est plus susceptible de viser la liaison sexuelle de sa partenaire avec un autre (Cramer et coll., 2008 ; Shackelford et coll., 2002).

Autre différence entre les sexes par rapport au modèle de la jalousie : les femmes s'attribuent souvent le blâme quand un problème de jalousie surgit, tandis que les hommes jettent le blâme sur la tierce partie ou le comportement de leur partenaire (Barker, 1987 ; Daly et coll., 1982). Les femmes sont également plus portées à susciter délibérément la jalousie chez leur partenaire (Sheets et coll., 1997 ; White et Helbick, 1988). Peut-être est-ce parce que les jalouses souffrent d'un sentiment d'incompétence tout en ayant l'impression de ne pas compter suffisamment. En tentant d'inciter à la jalousie, elles cherchent probablement à soutenir leur estime de soi et à reporter sur elles l'attention du partenaire qu'elles rendent inquiet par leurs actions. Les hommes aussi éprouvent souvent un sentiment d'inaptitude lorsqu'ils souffrent de la jalousie. Toutefois, le rapport entre les deux est souvent inverse chez eux : la jalousie précède le sentiment d'incompétence (White et Helbick, 1988).

Question d'analyse critique

Selon les recherches, les femmes sont plus portées que les hommes à avouer leur jalousie. À votre avis, comment pourrait-on expliquer cette différence entre les sexes ?

Parlons-en

Comment déjouer le démon de la jalousie

Il est courant que le démon de la jalousie montre sa face hideuse au moins une fois au cours d'une relation. Il est parfois très difficile de composer avec la jalousie, parce que les sentiments qu'éprouvent les jaloux découlent souvent d'une profonde impression d'inaptitude inhérente à la personne plutôt qu'à la relation. La personne que des sentiments d'insécurité poussent à la jalousie se détourne souvent de son ou sa partenaire ou passe à l'attaque en proférant des accusations ou des menaces, quand ce n'est pas les deux. Ces comportements inadéquats provoquent fréquemment une réaction similaire chez le ou la partenaire non jaloux – retrait ou contre-attaque. Il vaudrait pourtant mieux pour la personne jalouse de reconnaître ses propres sentiments de jalousie et de tenter d'en déterminer la source. Ainsi, le jaloux peut prendre l'initiative de la discussion en disant, par exemple : « Sophie, j'ai peur pour nous, et je m'inquiète un peu en pensant à tout le temps que tu passes à travailler tard avec tes collègues, et spécialement avec ce Mathieu ! » Cette façon de mettre cartes sur table, sans menaces ni accusations, va probablement inciter Sophie à rassurer son partenaire, et un dialogue positif pourrait s'ensuivre.

Dans de nombreuses situations, la personne jalouse n'admettra pas le problème et n'exprimera pas le désir d'y remédier. Si c'est le cas, il est essentiel de commencer par motiver la personne à s'efforcer d'éliminer le douloureux sentiment de jalousie et les comportements destructeurs qu'ils suscitent souvent. Robert Barker (1987), un psychothérapeute conjugal, donne de précieux conseils à ce sujet dans son livre *The Green-Eyed Marriage : Surviving Jealous Relationships*. Selon Barker, une personne jalouse sera plus portée à vouloir remédier à son problème et acceptera l'aide des autres si :

- *Elle croit qu'elle n'a pas à craindre de perdre le ou la partenaire qu'elle aime.* Il ne sert souvent à rien de tenter de convaincre la personne jalouse que la relation n'est pas en danger ; cela peut même se révéler contre-productif. Il est plus efficace de faire allusion, de temps à autre, à l'avenir qu'on envisage ensemble. Ainsi, le conjoint non jaloux, qui prévoit prendre l'initiative d'une discussion sur la jalousie à un certain moment, pourrait commencer par dire, lorsque l'occasion s'y prête, des choses du genre : « Ce sera formidable quand les enfants auront grandi et que nous aurons plus de temps, juste pour nous. »

- *Elle est convaincue que le problème émane de la relation plutôt que de défauts de son caractère.* Une personne jalouse sera plus encline à essayer de s'en sortir si les deux conjoints reconnaissent que la jalousie est un problème commun. Le partenaire non jaloux peut amener l'autre à penser cela en disant, par exemple : « C'est notre problème et nous devons tous deux nous efforcer de le régler. »

- *Elle se croit sincèrement aimée et respectée.* Comme la jalousie découle de sentiments d'incompétence et d'insécurité personnelle, le partenaire non jaloux peut réduire ces émotions négatives et nourrir l'estime de soi et la confiance en soi de l'autre en lui réaffirmant régulièrement son affection verbalement, émotionnellement et physiquement.

- *Elle n'est pas acculée à la honte ou à la culpabilité.* Il est compréhensible que les personnes qui font indûment l'objet de jalousie se mettent en colère et soient tentées de contre-attaquer en utilisant le sarcasme, le ridicule ou le dénigrement, dans l'idée de susciter chez leur partenaire jaloux suffisamment de culpabilité et de honte pour qu'il cesse ses accusations injustifiées. Malheureusement, en provoquant la colère et en mettant l'autre sur la défensive, ce genre de contre-attaque négative aura probablement l'effet inverse. Pis encore, ainsi repoussés dans leurs retranchements, les jaloux pourraient avoir plus de difficulté à reconnaître leur besoin de changer.

- *Elle est capable d'empathie envers la personne blessée par son comportement jaloux.* Quand les gens jaloux sont capables de comprendre la douleur que leur comportement cause à leur conjoint, le désir de changer augmente. La difficulté pour le partenaire non jaloux est de favoriser le développement de l'empathie plutôt que celui de la culpabilité. Il peut pour cela exprimer sa peine et sa douleur, mais sans en attribuer la responsabilité au partenaire jaloux. Par exemple, Sophie pourrait dire à son conjoint jaloux : « Je t'aime vraiment, Gabriel, et je trouve terriblement difficile de travailler tard, car je sais que tu es à la maison et que tu aimerais que nous y soyons ensemble. J'ai de la peine de penser que mon travail puisse parfois paraître plus important que notre relation. »

Une fois que la motivation à changer est établie et que le couple engage un dialogue destiné à contrer la jalousie, plusieurs des stratégies de communication esquissées dans les pages qui suivent peuvent faciliter le processus. Certaines des suggestions concernant les révélations sur soi, l'écoute, la rétroaction et les questions à poser peuvent aider à déterminer ce que chaque partenaire désire et attend de la relation. Par exemple, après avoir exprimé ses craintes, Gabriel pourrait dire à Sophie que cela l'apaiserait si elle passait moins de temps à travailler avec Mathieu après les heures de bureau ou si elle était aussi en présence d'autres collègues dans ces moments-là.

Préserver la satisfaction dans la relation

Les relations humaines présentent de nombreux défis. La construction d'une appréciation de soi en est un, de même que le développement de relations agréables et satisfaisantes avec la famille, les pairs, les enseignants, les collègues, les employeurs et les autres personnes de son réseau social. Un autre défi consiste à développer des relations intimes particulières avec les amis et, lorsqu'on le souhaite, des relations sexuelles. Enfin, plusieurs doivent relever le défi de maintenir la satisfaction et l'amour dans une relation sérieuse. Dans cette section, il est question des facteurs contribuant à préserver la satisfaction à long terme dans une relation. Nous traitons aussi de l'importance de la variété sexuelle dans une relation.

Les ingrédients de l'amour qui dure

Les composantes d'une relation amoureuse durable sont l'acceptation de soi, l'appréciation mutuelle, l'engagement, une bonne communication, des attentes réalistes, des champs d'intérêt communs, l'égalité dans la prise de décision et la capacité à résoudre les conflits. Ces caractéristiques ne sont pas statiques; elles évoluent, changent et interagissent au fil du temps. Souvent, il faut délibérément les cultiver.

Selon une revue des enquêtes sur la satisfaction conjugale, les mariages réussis qui résistent au temps ont aussi les caractéristiques suivantes (Karney et Bradbury, 1995) :

- Les parents des deux conjoints ont eu des mariages heureux et réussis.
- Les conjoints ont des attitudes, des champs d'intérêt et des styles de personnalité similaires.
- Les deux conjoints sont satisfaits de leurs échanges sexuels.
- Le couple dispose d'un revenu suffisant et régulier.
- La femme n'était pas enceinte au moment du mariage.

Dans une autre étude, les chercheurs ont demandé à un groupe de 560 femmes et hommes d'évaluer l'importance d'un certain nombre d'éléments dans la réussite d'un mariage ou d'une relation amoureuse durable. Il en est ressorti qu'une relation jugée de grande qualité devrait contenir les éléments suivants (Sprecher et coll., 1995) :

- Une bonne communication : savoir communiquer ouvertement et honnêtement, et avoir la volonté d'aborder les questions et les sujets difficiles.
- De la camaraderie : avoir des champs d'intérêt communs et aimer faire beaucoup d'activités ensemble.
- L'expression sexuelle : vivre ensemble une sexualité spontanée et variée, et se sentir sexuellement attirant l'un pour l'autre.

Selon une autre étude portant sur 300 couples mariés et heureux, la clé de la réussite et du bonheur conjugaux serait que les conjoints se considèrent comme le meilleur ami de l'autre. Les qualités particulièrement appréciées chez le conjoint étaient le souci de l'autre, la générosité, l'intégrité et le sens de l'humour. Les membres de ces couples avaient conscience des défauts de leur conjoint, mais ils croyaient que leurs qualités l'emportaient. Plusieurs ont déclaré que leur conjoint était devenu plus intéressant avec le temps. Ils préféraient les activités en commun aux activités individuelles, ce qui semblait refléter la richesse de leur relation. La plupart des couples étaient généralement satisfaits de leur vie sexuelle et, pour certains, la passion charnelle s'était intensifiée au fil du temps (Lauer et Lauer, 1985).

Il est essentiel de maintenir de nombreuses interactions positives pour jouir d'une relation pleinement satisfaisante. Le dicton voulant que ce soient les petites choses qui comptent a beaucoup de sens dans ce contexte. Quand un partenaire dit à l'autre «Tu ne m'aimes plus», cela signifie souvent «Tu ne fais plus autant les choses que tu faisais pour témoigner de ton amour». Il s'agit habituellement de gestes si ténus qu'on ne les remarque même pas. Toutefois, quand les couples font de moins en moins de choses pour que l'un et l'autre se sentent aimés (ou quand ils cessent complètement d'en faire), la carence est fréquemment ressentie comme un manque d'amour. L'interaction affectueuse et attentionnée aide à alimenter le sentiment d'amour.

> Le genre de choses qui me donnent le sentiment que mon compagnon m'aime toujours peuvent paraître anodines, mais elles ne le sont pas pour moi. Quand il se lève pour m'accueillir au retour à la maison, quand il me prend le bras pour traverser la rue, quand il me demande «Est-ce que je peux te donner un coup de main?», quand il me dit que j'ai l'air formidable, quand il m'étreint au milieu de la nuit, quand il me remercie pour une tâche quotidienne, je me sens aimée de lui. Ces petites choses, une fois additionnées, font une grande différence pour moi. (Notes des auteurs)

Il est aussi utile de parler avec son ou sa partenaire, de lui faire savoir ce qu'on trouve agréable ou de lui suggérer de nouvelles idées. La règle d'or «fais aux autres ce que tu voudrais qu'ils te fassent» ne s'applique pas toujours, car les préférences des gens sont souvent très différentes. Nul ne peut lire les pensées. Il se peut que votre partenaire ne sache pas ce que vous voulez tant que vous ne le lui aurez pas exprimé. Lorsqu'on apprécie quelqu'un et qu'on a du plaisir avec lui autrement que sexuellement, cela nourrit généralement l'intérêt et les interactions sexuels. De nombreux couples déclarent manquer de désir pour l'intimité sexuelle quand ils ne se sentent pas proches affectivement.

L'intimité et l'affection dans un vieux couple sont le fruit de nombreuses années d'expérience partagées.

L'importance de la variété sur le plan sexuel

Bien des gens qui s'engagent dans une relation amoureuse croient que, parce qu'ils s'aiment, ils en retireront naturellement un intense plaisir sexuel. Mais, comme nous l'avons vu dans le présent chapitre, l'excitation du début doit éventuellement céder le pas à des efforts réalistes et soutenus pour préserver la vitalité et les gratifications d'une relation qui marche bien. Une fois qu'une personne s'est engagée envers un partenaire, elle n'a plus accès à la variété que pourrait lui apporter une suite de relations. Certains doivent alors trouver la variété autrement. Le besoin de variété sexuelle dans le couple est reconnu de tout temps. Dans *Le mariage parfait*, un succès de librairie publié au siècle dernier, Theodore Van de Velde (1873-1937) proposait une gradation dans la progression des activités sexuelles au cours des années de mariage (Brecher, 1969).

Les couples ne ressentent pas tous le besoin de variété sexuelle. Beaucoup sont très à l'aise dans leur routine et n'ont pas envie de changer leurs habitudes. Toutefois, tous ceux qui désirent apporter plus de variété à leur vie sexuelle pourront tirer profit des suggestions qui suivent.

La communication est cruciale, et les partenaires doivent se parler de leurs besoins et de leurs sentiments, y compris de leur désir d'essayer quelque chose de différent.

De façon générale, la routine tue le désir, car le sexe devient une habitude au lieu d'un désir spontané. La spontanéité est liée à la perception de l'authenticité du désir de l'autre. On peut exprimer un désir spontané en évitant les moments et les endroits routiniers. Faire l'amour ailleurs que dans le lit (sur le plancher de la buanderie ou sous la douche, ou en bordure d'un sentier de montagne) et à des moments variés (à l'aube au chant des oiseaux ou à midi, ou au beau milieu de la nuit quand on s'éveille et ressent de l'appétit sexuel) se révèle souvent bénéfique.

D'un autre côté, il peut également être bon de prévoir des moments d'intimité – sexuels et non sexuels – de façon à préserver la solidité de la relation. Les partenaires peuvent ainsi se donner des rendez-vous et faire consciemment les gestes romantiques qui leur venaient naturellement au début de la relation. Il s'agit d'investir du temps et de l'énergie dans la relation amoureuse.

La question de la «normalité» morale ou statistique ne doit pas freiner l'expression de la sexualité. Trop souvent, les gens s'empêchent d'essayer quelque chose de nouveau parce qu'ils ont l'impression que certaines activités sont «anormales». En réalité, il revient à chaque personne de juger de ce qui est normal pour elle. Les sexologues contemporains s'entendent pour dire que toute activité sexuelle est normale tant qu'elle donne du plaisir et qu'elle ne cause pas de malaise, émotionnel ou physique, ou de mal à l'un ou l'autre des partenaires. Le bien-être émotionnel est important, car l'exploration de comportements trop contraires à ses valeurs et à ses habitudes peut être source de malaise et de conflit plutôt que d'intimité et de plaisir (Barbach, 1982). Perel (2006) va plus loin lorsqu'elle remet en cause l'obsession de l'égalité et de ce qu'elle appelle la «démocratie» dans le couple. Le désir érotique ne doit pas être confondu avec des notions appartenant à la vie sociale ; il est d'abord une connexion avec soi-même et cela peut vouloir dire s'éloigner de l'idée qu'on se fait de ce qu'est une «bonne personne».

Nous ne voulons pas sous-entendre que tout le monde doit être sexuellement actif et avoir une vie sexuelle variée pour être vraiment heureux ; ce n'est pas notre propos. Comme nous l'avons vu, certaines personnes sont à l'aise et satisfaites dans les échanges sexuels qui leur sont familiers. D'autres estiment que la sexualité est peu importante comparativement à d'autres aspects de leur vie et choisissent de ne pas mettre d'efforts particuliers à rechercher le plaisir. Toutefois, si votre sexualité est une grande source de plaisir dans votre vie, peut-être ces suggestions et certaines autres dans ce manuel vous seront-elles utiles.

Le désir de variété sexuelle diffère-t-il chez les hommes et les femmes ? Une recherche interculturelle décrite dans l'encadré *Pleins feux sur la recherche*, à la page suivante, permet de le penser.

Pleins feux sur la recherche

Les différences entre les hommes et les femmes quant au désir de variété sexuelle

Un certain nombre de psychologues évolutionnistes ont émis l'hypothèse que les stratégies de séduction des hommes et des femmes ont évolué différemment ; une différence marquée sur le plan motivationnel concernerait la recherche de relations sexuelles passagères. Selon cette perspective, les hommes recherchant des compagnes pour des relations passagères sont souvent motivés par un désir de variété sexuelle, qui se reflète dans leurs tendances à solliciter de nombreuses partenaires et à consentir aux activités sexuelles assez rapidement. D'autre part, la recherche de relations passagères chez les femmes serait fondamentalement motivée par le désir de sélectionner des hommes dont le statut social est élevé ou qui possèdent d'excellentes qualités génétiques (Schmitt, 2003 ; Schmitt et coll., 2001).

Cette interprétation a récemment été appuyée par une étude transculturelle menée auprès de 16 288 personnes choisies dans 10 grandes régions du monde, soit l'Amérique du Nord, l'Amérique du Sud, l'Europe de l'Ouest, l'Europe de l'Est, l'Europe méridionale, le Moyen-Orient, l'Afrique, l'Océanie, l'Asie du Sud et du Sud-Est et l'Asie de l'Est. Cette recherche a été conduite par le psychologue évolutionniste David Schmitt (2003). Celui-ci a utilisé un questionnaire anonyme de neuf pages, traduit dans les langues locales, pour évaluer trois variables fondamentales :

1) le nombre de partenaires sexuels désirés à différents intervalles (mesure du « nombre de partenaires ») ;

2) la durée de la relation avant la première relation sexuelle coïtale (mesure du « temps connu ») ;

3) l'importance accordée à la recherche active d'un partenaire pour une relation à court terme (mesure « recherche à court terme »).

Les résultats de cette recherche montrent de manière marquante les différences psychologiques entre les hommes et les femmes quant à la recherche de relations à court terme. Cela est tout particulièrement vrai pour ce qui est de leur désir de variété sexuelle, et ces différences semblent être universelles. Les résultats de Schmitt ont révélé que les hommes ont non seulement un plus grand désir que les femmes de varier leurs partenaires sexuelles, mais il leur faut aussi moins de temps qu'elles pour consentir à une relation coïtale, et ils ont plus tendance à rechercher activement des partenaires passagères que les femmes (Schmitt, 2003).

Schmitt en conclut que sa recherche confirme fortement le point de vue de la psychologie évolutionniste voulant que les stratégies de relations à court terme développées par les hommes soient reliées à un désir de variété sexuelle. Par exemple, même chez les participantes ayant répondu qu'elles « recherchaient fortement » un partenaire passager, moins de 20 % d'entre elles désiraient avoir plus d'un partenaire sexuel au cours du mois suivant. En revanche, chez les hommes, dans la catégorie « recherchant fortement », plus de 50 % désiraient plus d'une partenaire sexuelle au cours du mois suivant. Ce pourcentage a grimpé à 69 % pour une période de six mois et à 75 % pour une période d'un an. Chez les répondantes, les pourcentages augmentaient peu pour les mêmes périodes.

L'importance de communiquer en sexualité

La communication sexuelle peut grandement contribuer à la satisfaction qu'on retire d'une relation intime. Les gens affirment souvent qu'une bonne communication sur leurs préoccupations et désirs sexuels est un précieux apport au développement et à la préservation d'une relation satisfaisante et durable (Byers, 2005 ; Oattles et Offman, 2007). Nous ne voulons pas dire par là qu'un dialogue approfondi est essentiel à tout échange sexuel ; il y a des moments où la communication verbale peut être plus nuisible qu'utile. Néanmoins, les partenaires qui ne parlent jamais des aspects sexuels de leur relation se privent d'une occasion d'améliorer l'intimité et le plaisir que leur procurerait la connaissance de leurs besoins et désirs réciproques.

Selon nous, le point central de cet exposé est que l'empathie mutuelle – c'est-à-dire la conviction profonde de chacun des partenaires d'être important pour l'autre – constitue le fondement d'une bonne communication sur le plan sexuel. Comme en témoigne l'encadré *Parlons-en*, l'empathie mutuelle demeure lorsque les deux partenaires expriment leur amour et leur appréciation de l'autre.

> **Empathie mutuelle** Dans une relation, conviction profonde de chacun des partenaires d'être apprécié de l'autre.

Les bienfaits des manifestations d'affection

La recherche montre invariablement que recevoir des manifestations d'affection et d'amour (qu'on pourrait appeler une communication affectueuse) d'un être cher comble un profond besoin humain et procure un large éventail de bienfaits psychologiques, biologiques et relationnels (Floyd, 2006 ; Floyd et coll., 2007).

Différentes études ont montré que, comparés aux gens qui ne reçoivent pas ce type de démonstrations, ceux qui font l'objet de manifestations d'affection constantes présentent un moins grand risque d'être malades et de souffrir de stress psychologique, de dépression, de solitude ou d'alcoolisme ; ils sont aussi moins susceptibles de vivre de la violence interpersonnelle et font preuve d'une plus grande capacité à guérir de blessures ou de maladies (Downs et Javidi, 1990 ; Floyd et coll., 2007 ; Schwartz et Russek, 1998 ; Shuntich et coll., 1998).

Les manifestations d'affection par des moyens verbaux ou non verbaux (contacts physiques, étreintes, etc.) semblent procurer les bienfaits mentionnés ci-dessus de diverses façons. Premièrement, l'échange gratuit de marques d'affection est une caractéristique commune chez les couples qui présentent un degré élevé d'intimité affective et de satisfaction interpersonnelle. Les partenaires dans ces couples sont particulièrement vigilants ou attentifs au bien-être physique et émotionnel de l'autre (Floyd et Morman, 2000). De plus, les personnes qui reçoivent et donnent souvent des marques d'appréciation et d'amour ont tendance à avoir une meilleure estime d'elles-mêmes et à être plus confiantes et heureuses, autant de traits de personnalité qui augmentent leur capacité à bien composer avec leurs besoins physiques et émotionnels (Floyd et coll., 2007).

En définitive, la recherche montre aussi que la communication affectueuse peut aider le corps à se défendre contre les effets négatifs du stress, notamment par la réduction du rythme cardiaque et de la production des hormones de stress. Ces deux réponses augmentent souvent en réaction aux événements stressants. Kory Floyd, un chef de file dans la recherche sur les bienfaits de la communication affectueuse, concluait récemment que le comportement affectueux dans une relation intime est bénéfique pour la santé et le bien-être (Floyd et coll., 2007).

Les codes d'attraction

La communication sexuelle ne se réduit pas à se raconter sexuellement, à dire ce qui nous plaît ou nous déplaît. Si parler est essentiel, plusieurs autres composantes font partie d'une communication sexuelle ou érotique.

Les codes d'attraction, sexuelle ou amoureuse, sont des éléments perçus comme extérieurs à la personne et qui déclenchent le désir ; le corps d'un autre, l'apparence vestimentaire et les comportements sont autant de codes d'attraction. Lorsqu'une personne réagit à ces codes, elle se sent en contact avec l'autre, bien que ce soit parfois à sens unique comme dans le cas d'un coup de foudre.

Les codes d'attraction sont largement associés aux éléments culturels. Pour être pleinement efficaces, ils supposent donc que les personnes reconnaissent des systèmes de valeurs comparables. Les valeurs sont des éléments qui codent les messages sexuels : chaque société et chaque culture possèdent des modes vestimentaires ou comportementales associées à la sexualité et qui sont valorisés ; le sein féminin, par exemple, est parfois un élément d'érotisation alors qu'ailleurs, il remplit essentiellement une fonction nourricière. C'est la combinaison des valeurs et des codes communs qui entraîne la proximité, la familiarité et la similarité.

La communication sexuelle non verbale

Parfois, un contact de la main ou un sourire peuvent véhiculer une foule d'informations. Le ton de la voix, les gestes, l'expression du visage et les changements dans la respiration sont aussi d'importants éléments du processus de communication.

> Je peux habituellement dire quand ma chérie a envie d'amour. Son visage est alors empreint d'une douceur spéciale et sa voix est plus rauque. Elle me touche davantage avec ses mains, et c'est comme si son corps devenait plus accessible et plus vulnérable. Il y a du vrai dans tous ces trucs qu'on raconte sur le langage corporel. Elle a rarement besoin d'exprimer verbalement son désir de faire l'amour, parce que je comprends généralement ce qu'elle veut. (Notes des auteurs)

Codes d'attraction Ensemble de ce qui, chez une personne, suscite l'intérêt sexuel, comme l'apparence, la personnalité, le statut social, etc. Certains éléments peuvent faire appel au verbal ou non.

> Parfois, lorsque je veux que mon amoureux me touche à un certain endroit, je ne fais qu'approcher cette partie de mon corps de ses mains ou changer de position. Parfois, je guide sa main pour lui montrer quel genre de stimulation je veux. (Notes des auteurs)

Ces exemples sont révélateurs de la richesse de sens que la communication non verbale peut apporter à la sexualité. Dans cette section, nous nous intéressons à quatre composantes importantes de la communication sexuelle non verbale : l'expression du visage, la distance interpersonnelle, le toucher et les sons.

L'expression du visage

Malgré l'indiscutable variété d'expressions faciales, nous avons pour la plupart appris à reconnaître les émotions qu'elles transmettent. Le rapprochement et l'intimité entre amoureux sont susceptibles d'accroître encore cette habileté.

On peut ainsi mesurer rapidement le niveau de plaisir de son ou sa partenaire en observant son visage durant l'activité sexuelle. Si l'on constate le ravissement complet, il est probable qu'on poursuivra le même type de stimulation. Sinon, on voudra passer à autre chose ou peut-être inciter l'autre à donner quelques indications verbales.

L'expression du visage fournit aussi de précieuses informations lorsqu'on discute avec son ou sa partenaire de questions sexuelles. Si son visage reflète la colère, l'anxiété ou toute autre perturbation, il pourrait être bon d'en parler immédiatement («Je vois bien que tu es en colère. Pouvons-nous en parler?»). Inversement, un visage qui exprime de l'intérêt, de l'enthousiasme ou de la sympathie encouragera vraisemblablement l'autre à partager un sentiment ou une inquiétude. Il est bon aussi d'être attentif aux messages non verbaux qu'on peut transmettre lorsque son ou sa partenaire confie ses pensées ou ses sentiments. Il arrive qu'un dialogue qui pourrait se révéler utile soit interrompu simplement parce qu'un des partenaires a serré les mâchoires ou froncé les sourcils à un moment inopportun.

L'expression du visage reflète nos émotions et constitue un élément très important de la communication non verbale.

La réduction de l'espace interpersonnel est souvent un signe d'attirance et parfois de désir d'un contact plus intime.

La distance interpersonnelle

Les psychologues sociaux et les experts en communication ont beaucoup à dire sur l'*espace personnel*. Essentiellement, cette notion renvoie à la distance, variant d'une culture à l'autre, que nous avons tendance à maintenir avec les gens, selon la nature de nos relations (réelles ou souhaitées) avec eux. L'espace intime dans lequel nous admettons nos amis chers et nos amants permet davantage les contacts que la distance que nous maintenons avec les personnes que nous n'aimons ou ne connaissons pas.

Généralement, lorsqu'une personne tente de réduire la distance qui la sépare d'une autre, c'est un signe non verbal d'attirance ou de désir d'un contact plus intime. Inversement, si quelqu'un recule lorsque son interlocuteur s'approche, on conclura habituellement à un manque d'intérêt ou à un rejet discret.

Les amoureux, dont l'espace interpersonnel est généralement minimal, peuvent utiliser ces indices pour signaler leur désir d'intimité. Quand un des partenaires se rapproche, en offrant son corps aux touchers et aux caresses de l'autre, le message de désir d'intimité physique (pas nécessairement de rapports sexuels) est très manifeste. De même, quand il ou elle se met en boule à l'autre extrémité du lit, c'est peut-être une façon de dire : «S'il te plaît, garde tes distances ce soir.»

Le toucher

Toucher quelqu'un n'est jamais émotionnellement neutre (Houde et Drapeau, 2011). Le toucher est un puissant moyen de communication sexuelle non verbale entre les amants. Les mains peuvent transmettre des messages extraordinaires. Par exemple, en accroissant le rythme des caresses, une personne peut signaler à son ou sa partenaire son désir d'une plus grande stimulation. En étendant le bras pour l'attirer à elle, elle lui indique ses dispositions pour un contact plus intime. Dans les premiers stades d'une relation, le toucher peut aussi servir à exprimer un désir de rapprochement.

> Lorsque je rencontre un homme qui m'intéresse, j'utilise le contact pour lui transmettre mes sentiments. Toucher son bras pour insister sur un point de discussion ou laisser mes doigts frôler légèrement sa main sur la table sont des façons de faire connaître mes sentiments. (Notes des auteurs)

Le toucher sert également à désamorcer la colère et à régler les désaccords entre des amants provisoirement fâchés.

> J'ai découvert qu'un léger contact, amoureusement administré à ma partenaire, fait des merveilles pour nous réunir après une dispute. La toucher, c'est ma façon de rétablir le lien. (Notes des auteurs)

Les sons

Bien des gens aiment produire des sons ou en entendre durant l'activité sexuelle. Pour certains, l'accélération de la respiration, les gémissements, les grognements et les cris de l'orgasme sont extrêmement excitants. Ces sons peuvent par ailleurs être de bons indices de la réaction du partenaire à l'activité sexuelle. Il y a des personnes que l'absence de sons contrarie tout à fait :

> Mon homme n'émet presque jamais de sons quand nous faisons l'amour. Je trouve cela très ennuyeux. En fait, ça me rebute complètement. Parfois, je ne peux même pas dire s'il est ou non parvenu à l'orgasme. S'il ne bougeait pas, j'aurais vraiment l'impression de faire l'amour à un cadavre. (Notes des auteurs)

Certaines personnes s'efforcent consciemment de réprimer les sons qui pourraient leur échapper durant les ébats amoureux. Ce faisant, elles se privent d'une forme de communication sexuelle non verbale qui pourrait être très évocatrice et agréable. Et il n'est pas rare que ce silence délibéré nuise aussi à l'excitation sexuelle du partenaire, comme l'illustre le témoignage précédent.

Nous avons mentionné plus haut qu'entre amants, tout n'avait pas à être dit. Toutefois, l'expression du visage, la distance interpersonnelle, le toucher et les sons ne

Le toucher est un puissant véhicule de la communication sexuelle non verbale.

peuvent transmettre toute la complexité des besoins et des émotions qui tissent une relation intime ; les mots sont également nécessaires. Comme le faisait remarquer l'auteur Bernie Zilbergeld, les actes et les gestes font l'affaire en tant que compléments de la communication verbale, mais, comme substituts, ils ne sont pas vraiment à la hauteur (Zilbergeld, 1978).

La communication verbale sur la sexualité

Les principales raisons pour lesquelles la communication sexuelle verbalisée est difficile tiennent notamment à la socialisation sexuée, à la pauvreté du vocabulaire utilisé pour parler de sexualité et à la crainte de s'exprimer sur le sujet.

Les modes de communication selon le sexe

Lorsqu'il s'agit d'exprimer ses besoins en matière de sexualité, les différences dans les modes communicationnels des hommes et des femmes peuvent compliquer les choses (Dallaire, 2007 ; Goldberg, 1990). Pour le psychologue et auteur Herb Goldberg, la socialisation amène une polarisation des besoins et des messages que s'adressent les hommes et les femmes (1990). Exprimer ses besoins ne se ferait qu'à travers le prisme déformant des apprentissages différenciés selon le sexe. Il est en effet particulièrement difficile, certains diront impossible, d'exprimer ses besoins en faisant fi des stéréotypes sexuels.

La façon dont les hommes et les femmes échangent avec les autres est un facteur qui peut entraver la communication entre partenaires hétérosexuels (Canary et Dindia, 1998 ; James et Cinelli, 2003 ; Greene et Faulkner, 2005 ; Tannen, 1994, 2001). Selon Deborah Tannen (1990, 1994), professeure de linguistique à l'Université Georgetown de Washington, les hommes et les femmes n'ont pas les mêmes objectifs de communication. Les hommes utilisent la parole pour véhiculer de l'information, pour asseoir leur prestige dans un groupe, pour défier les autres et pour qu'on les respecte. Selon cette perspective, la communication devient une compétition où il faut éviter de perdre la face. Dans un pareil contexte, on peut s'attendre à ce qu'un homme soit très réticent à demander des conseils ou des suggestions sur la manière de se comporter dans telle situation (sexuelle ou autre), à accepter qu'on lui dise de faire quelque chose ou à adopter un comportement qui s'apparente, même de façon éloignée, à être inférieur à quelqu'un ou à se laisser marcher sur les pieds.

Par contre, Tannen soutient que de nombreuses femmes utilisent la parole pour parvenir à l'intimité, pour la partager, pour nourrir le rapprochement, pour évaluer la distance émotive entre elles et l'être aimé, et pour éviter le rejet. Socialement, les femmes n'ont généralement pas appris à se servir de la parole pour se défendre contre la domination et le contrôle. En fait, elles ont recours au dialogue pour se rapprocher de l'autre et pour estimer à quel point elles sont près ou loin d'un partenaire qu'elles chérissent. En exprimant ses préoccupations, la femme cherche à créer un climat de partage, à établir un rapport et à sentir qu'elle n'est pas seule. Elle veut pour réponse «Je comprends: j'ai connu ça, moi aussi», une réaction qui met les deux interlocuteurs sur le même pied et leur permet de tisser des liens égalitaires. Tandis que la femme ne recherche souvent que la compréhension ou une disposition à discuter ouvertement d'une question qui lui tient à cœur, son partenaire masculin aura tendance à lui apporter conseils et solutions. Par

cette réponse, l'homme endosse le rôle de celui qui est plus cultivé, plus raisonnable, plus en contrôle: bref, le rôle de celui qui marque un point, et cela contribue à l'effet de distanciation (Tannen, 1990). La femme peut minimiser cet effet réducteur de la relation en disant clairement à son partenaire que lorsqu'elle lui parle de problèmes intimes ou émotionnels, elle ne veut pas qu'il se mette en mode «solution». Elle préfère qu'il l'écoute et qu'il soit ouvert à discuter et à partager, d'égal à égal, les points de vue concernant les problèmes.

Depuis la publication de l'étude de Tannen, plusieurs autres recherches ont exploré les différences des modes de communication selon le sexe. En fait, les recherches indiquent qu'il y a plus de similitudes que de différences entre les modèles de communication des femmes et des hommes (MacGeorge et coll., 2004). Les hommes et les femmes peuvent avoir une véritable communication sur un large éventail de sujets, y compris l'intimité sexuelle. Être conscient des différences décrites par Tannen ne peut qu'améliorer la communication entre les deux sexes.

Le vocabulaire et la communication sexuelle

La pauvreté du vocabulaire pour parler de la sexualité est un autre obstacle à une véritable communication sexuelle. Une fois adultes, alors que nous sommes avides de communiquer nos besoins et nos sentiments par rapport à la sexualité, nous ne savons guère comment nous y prendre. Les mots mêmes que nous avons appris pour décrire la sexualité sont souvent associés à des émotions négatives plutôt que positives. Beaucoup ont appris à ricaner en employant les mots tabous de la sexualité ou à en faire le vocabulaire de la colère, de l'agression et de l'insulte. On comprend alors qu'une personne puisse être mal à l'aise d'utiliser ces mêmes mots pour décrire une activité partagée avec un partenaire qui lui est cher.

Alors, quand on veut parler de sexualité avec quelqu'un, on peine à trouver les termes qui conviendraient à la forme la plus intime de dialogue. L'éventail de mots auxquels on a recours pour décrire l'anatomie génitale est un bon indice de l'attitude ambiguë de notre société par rapport à la sexualité. Les deux extrêmes prédominent: le langage familier d'une part, et la terminologie clinique d'autre part.

Dans notre culture, il est courant de se sentir intimidé ou embarrassé lorsqu'on parle de sexualité avec des amis ou des amants. Toutefois, cet embarras est rarement inévitable ou insurmontable. Par exemple, certaines personnes donnent à leur sexe ou à celui de leur partenaire des surnoms comme «Albert», «petite marmotte», «Pipo» ou «chatonne» afin d'éviter tout lien avec les termes péjoratifs ou grivois en usage. Quand les partenaires d'un couple donnent un surnom à leurs parties génitales – en choisissant des termes faciles à dire et à connotation positive –, cela peut faciliter la communication en créant une atmosphère enjouée (*Contemporary Sexuality*,

La communication entre partenaires hétérosexuels peut être entravée par les façons différentes qu'ont les hommes et les femmes d'entrer en relation avec les autres.

1999b). Chez des couples qui éprouvent des problèmes sexuels, on a démontré qu'il y a des avantages à employer des noms amusants pour désigner les parties génitales (Godow, 1999). Pour que ce truc de communication réussisse, il faut que les deux partenaires se sentent à l'aise avec les termes choisis.

Parler à son amoureux et toucher son corps procurent de la joie et du plaisir. C'est un moment merveilleux pour développer l'intimité tout en se renseignant sur ses besoins et ses préférences. C'est une manière particulièrement agréable de découvrir les mots appréciés de l'autre.

Comment entame-t-on une discussion sur un sujet comme la sexualité? Voyons quelques façons de briser la glace. Ces suggestions valent pour toute relation, qu'elle soit récente ou plus ancienne.

Savoir en parler

Quand les gens sont mal à l'aise à l'égard d'un sujet, la meilleure chose à faire est souvent de commencer par parler de cette difficulté. Ce peut être une bonne idée d'amorcer la discussion en tentant de comprendre *pourquoi* il est difficile de discuter de sexualité. Chaque partenaire a ses raisons propres et les expliquer peut aider à renforcer la relation. Peut-être les partenaires peuvent-ils échanger sur leurs précédentes tentatives de discussion avec leurs parents, des professeurs, des médecins, des amis ou des partenaires sexuels. Ils pourraient aussi aborder graduellement la communication sexuelle en ayant d'abord des discussions sur des sujets rassurants, moins personnels (comme les méthodes de contraception, les lois sur la pornographie, etc.). Plus tard, quand ils se sentiront plus à l'aise, ils auront plus de facilité à parler de leurs sentiments et de leurs besoins personnels.

Lire et discuter

Comme beaucoup de gens trouvent plus facile de lire sur la sexualité que d'en parler, les articles et les livres sur le sujet peuvent favoriser les conversations personnelles. Les partenaires peuvent lire la documentation chacun de leur côté et en discuter ensuite, ou la lire ensemble et discuter de leurs réactions personnelles. Passer d'un livre ou d'un article aux sentiments personnels est souvent moins contraignant que d'aborder immédiatement ses préoccupations.

On peut aussi engager le dialogue avec son ou sa partenaire en parlant de l'éducation et des valeurs sexuelles reçues au moyen de questions comme celles-ci: Quel genre d'éducation sexuelle dispensait-on chez toi ou à l'école? Quel genre de relation tes parents avaient-ils entre eux? Détectais-tu une composante sexuelle dans leur relation? Quand as-tu découvert la sexualité et quelles ont été tes réactions? Plusieurs autres sujets pourraient s'ajouter à cette courte liste, selon les sentiments et les besoins de chacun.

En lisant ensemble sur des sujets délicats, on peut faciliter la discussion.

S'ouvrir à l'autre

Les questions directes mettent souvent les gens sur la sellette. Si votre partenaire vous demandait «Aimes-tu l'amour oral?» ou «Que penses-tu de l'amour oral?», vous pourriez trouver difficile de lui répondre franchement, simplement parce que vous ne savez pas ce qu'il ou elle en pense. Si le sujet de la question a de fortes charges émotives, il pourrait être très malaisé de répondre, et ce, que la demande ait été brillamment formulée ou non. C'est la teneur de la question et non la technique de communication qui pose problème. Avec les sujets délicats, il vaut souvent mieux commencer par dire ce qu'on ressent et ce qu'on pense.

> Pendant très longtemps, j'ai évité le sujet de l'amour oral avec mon amoureuse. Je n'avais absolument aucune idée de ce qu'elle en pensait. Je craignais d'aborder le sujet de peur de passer pour un pervers. Mais je ne pouvais plus tolérer le fait de ne pas connaître ses sentiments. J'ai alors abordé le sujet en parlant de l'ambiguïté de mes sentiments à ce propos, comme de sentir que ce n'était pas une chose naturelle tout en ayant vraiment envie d'essayer. Finalement, elle avait des sentiments semblables, mais elle craignait de m'en parler. Après, nous avons ri du fait que nous avions tous les deux peur de casser la glace. Une fois que nous en avons parlé, il a été facile d'ajouter cette forme de stimulation à notre vie sexuelle. (Notes des auteurs)

Découvrir ce qu'aime son ou sa partenaire est un aspect important de l'intimité sexuelle.

S'ouvrir à l'autre nécessite quelques concessions mutuelles. Il est beaucoup plus facile de partager ses sentiments sur des sujets délicats quand le partenaire est disposé à s'ouvrir également (Maisel et coll., 2008). Il faut convenir que ce genre de démarche n'est pas sans risques et qu'on peut occasionnellement se sentir vulnérable en révélant ses pensées et ses sentiments personnels. Toutefois, la perspective d'un dialogue ouvert et honnête peut valoir l'embarras qu'une personne pourrait ressentir en prenant l'initiative de se révéler d'abord. Les recherches indiquent clairement que la révélation de soi concernant les désirs et besoins sexuels est associée positivement à la satisfaction sexuelle du couple (Bauminger et coll., 2008; Greene et Faulkner, 2005; Oattles et Offman, 2007). D'autres études indiquent également que lorsqu'un partenaire discute ouvertement de ses sentiments, l'autre tend à le faire aussi (Derlego et coll., 1993; Hendrick et Hendrick, 1992).

Il est de plus en plus fréquent que les gens aient des conversations intimes en ligne. L'absence de contact visuel peut augmenter tant la rapidité que l'intensité émotionnelle des révélations sur soi (Ben-Ze'ev, 2003). Ainsi, les discussions sexuelles en ligne ont, entre autres inconvénients, celui d'inciter les gens à se révéler de façon prématurée ou imprudente. Cependant, l'anonymat relatif du cyberespace peut aussi amener des personnes à exprimer leurs sentiments personnels sur des questions sexuelles. Cela peut être particulièrement vrai pour des hommes qui trouvent difficile de discuter de leurs sentiments (Basow et Rubenfeld, 2003; Levant, 1997; Bowman, 2008). La question des relations en ligne est abordée plus en détail dans l'encadré *Au-delà des frontières* ci-contre.

Discuter de ses préférences sexuelles

Lorsqu'ils planifient une sortie, de nombreux couples trouvent naturel d'échanger sur leurs préférences: «Aimerais-tu aller au concert ou préférerais-tu le ciné?», «Dans quelle rangée aimerais-tu t'asseoir?», «Préfères-tu des mets végétariens ou italiens?» En fin de soirée, ils évalueront probablement leur sortie en toute franchise: «Le percussionniste était formidable!», «Je crois qu'on devrait s'éloigner des haut-parleurs la prochaine fois», «Tu parles: c'est bien la dernière fois que je choisis les langoustines!» Et pourtant, bien des couples ne songeraient même pas à échanger sur leur plaisir sexuel réciproque.

Admettons qu'il y a une marge entre discuter d'une soirée et débattre de ses préférences sexuelles. Néanmoins, des gens ont bel et bien ce type de dialogue sur la sexualité. Certaines personnes n'hésitent pas à discuter de leurs préférences sexuelles avec un nouvel amant avant de faire l'amour. Elles pourront parler des zones de leur corps qui réagissent le mieux, dire comment elles aiment être touchées, indiquer leurs positions sexuelles préférées, la façon la plus agréable pour elles de parvenir à l'orgasme, leurs moments et leurs lieux favoris pour faire l'amour, ce qui les excite ou les rebute particulièrement et une variété d'autres choses qu'elles aiment ou n'aiment pas.

Cette démarche ouverte et franche a l'avantage de permettre au couple de se concentrer sur les activités les plus agréables plutôt que d'avoir à les découvrir après de laborieux essais et erreurs. Toutefois, il y a des gens qui trouveront ce genre de dialogue trop clinique, considérant même qu'il les prive de l'excitation et de l'expérimentation sexuelles liées à la découverte mutuelle. De plus, ce qui plaît à une personne varie généralement selon le partenaire, les circonstances, le moment, etc. Il peut donc être difficile de déterminer ses propres préférences à l'avance.

Certains couples jugent bon de parler de ce que chacun ressent après une relation sexuelle. Les partenaires se disent alors ce qu'ils ont aimé et ce qui pourrait être amélioré. Chacun peut profiter de l'occasion pour renforcer ce qui a été plutôt satisfaisant («J'ai aimé ta façon de me toucher à l'intérieur des cuisses»). C'est pourquoi des moments de rétroaction réciproque peuvent être extrêmement profitables et contribuer à approfondir l'intimité entre deux personnes.

Question d'analyse critique

Les couples ont-ils avantage à parler de ce qu'ils aiment et de ce qu'ils n'aiment pas dans leur vie sexuelle, ou devraient-ils se montrer plus sélectifs dans leurs sujets de discussion? La nature de votre relation amoureuse (simple fréquentation, cohabitation, mariage) pourrait-elle influer sur ce que vous choisissez de dire ou de taire à votre partenaire?

Au-delà des frontières

Les relations par Internet

Internet a créé une communauté virtuelle qui a radicalement augmenté les moyens de rencontrer un partenaire potentiel et de parler de sexualité (Albright, 2008 ; Ross et coll., 2007). Plus tôt dans ce chapitre, nous avons décrit comment la proximité géographique influence notre attirance envers quelqu'un. Le cyberespace a créé un monde de proximité virtuelle dans lequel les gens peuvent se sentir proches tout en étant séparés par des centaines ou des milliers de kilomètres (Wright, 2004).

Des internautes peuvent être tentés de visiter des sites spécialisés dans les rencontres en y voyant l'occasion de communiquer avec d'autres personnes qui partagent leurs goûts. Certains peuvent naviguer sur le Web à la recherche d'une relation sérieuse (Benotsch et coll., 2002). D'autres peuvent être motivés par le désir de discuter de fantasmes sexuels ou de partager certains comportements sexuels en ligne (Ross, 2005). L'absence des contraintes qui accompagnent l'interaction en personne peut expliquer la popularité croissante des relations médiatisées par ordinateur (RMO). L'anonymat des relations en ligne permet à ceux et celles qui connaissent des difficultés avec les relations directes d'améliorer leur capacité à établir des liens sociaux et à développer en ligne des liens d'attachement très forts (Fleming et Rickwood, 2004 ; Ross et coll., 2007).

La communication en ligne peut contribuer au développement de relations amoureuses en éliminant l'influence de l'apparence physique dans le processus de séduction. En l'absence de cette dimension de l'attirance interpersonnelle, la perception qu'on se fait de l'autre peut être fortement influencée par l'imaginaire, conférant à cette personne encore plus de puissance attractive (Ben-Ze'ev, 2004 ; Ross et coll., 2007). Sans l'influence du visuel, les relations romantiques/érotiques peuvent se développer à partir d'une intimité émotionnelle plutôt que de l'attirance physique (Munger, 1997). La RMO peut également échapper à l'influence des stéréotypes sexuels, qui jouent souvent un rôle dans les interactions directes entre les sexes.

Ces avantages de la RMO sont contrebalancés par ses inconvénients sous-jacents. Par exemple, les relations érotiques/ intimes peuvent se développer avec une telle rapidité qu'un sain jugement n'aura pas le temps de s'exercer (Benotsch et coll., 2002 ; Genuis et Genuis, 2005). Cette rapide intensification de la relation peut se produire en raison du sentiment de sécurité que procurent l'anonymat (relatif) de l'échange et le confort du foyer lorsqu'on veut révéler ses pensées intimes. Il y a ainsi un risque d'érotisation accélérée de la relation, sans que les partenaires aient pu se connaître suffisamment pour développer le sentiment de confiance nécessaire à une relation satisfaisante. Cette « pseudo-intimité érotisée » peut devenir difficile à maintenir lorsque la relation amoureuse évolue vers une relation en personne (Cooper et Sportolari, 1997).

La communication en ligne présente un autre inconvénient potentiel dans la mesure où les gens peuvent tricher lorsqu'ils donnent de l'information sur leurs champs d'intérêt personnels, leur métier, leur situation de famille ou leur âge. En outre, les rencontres en personne de partenaires d'Internet comportent certains risques. Les médias rapportent de nombreux cas d'agression, de violence ou de harcèlement issus de relations par Internet. Les recherches indiquent également que la probabilité d'avoir une relation sexuelle à risque et sans l'utilisation d'un préservatif est plus grande lors d'une première rencontre avec une personne qu'on a connue en ligne (Chiasson et coll., 2003 ; Genuis et Genuis, 2005 ; Horvath et coll., 2008).

Le phénomène des relations en ligne est en pleine évolution et les recherches à venir nous fourniront sans aucun doute une meilleure compréhension de l'impact du Web sur la vie intime des gens. Le conseil que nous pouvons donner à quiconque entre en relation par Internet est d'y aller lentement, de communiquer honnêtement avec son ou sa partenaire et de l'inciter à faire la même chose, de se dévoiler prudemment ; bien sûr, si un internaute décide de rencontrer son ou sa partenaire en personne, il devrait choisir un endroit public sûr et exclure tout contact sexuel dont il n'a pas envie et toute pression.

Prendre la responsabilité de son propre plaisir

> Quand un couple est vraiment en harmonie, il n'a pas besoin de parler de ses désirs sexuels. Chacun sent les désirs de l'autre et y pourvoit. La parole a tendance à gâcher ces moments magiques. (Notes des auteurs)

La situation décrite ci-contre relève davantage d'un monde idéal que de la réalité. Les gens ne lisent pas dans les pensées d'autrui et l'intuition, comme moyen de communication, laisse à désirer. La personne qui s'attend à ce que l'autre connaisse intuitivement ses besoins lui dit, en fait : « Je n'ai pas à t'exprimer mes besoins, c'est à toi de les connaître », ce qui sous-entend : « Si mes besoins ne sont pas comblés, c'est ta faute, pas la mienne. »

Inutile de dire combien cette attitude potentiellement destructive peut mener à une sexualité nourrie de ressentiments, de malentendus et d'insatisfactions.

La meilleure façon de satisfaire ses besoins sexuels est de les exprimer. Deux personnes disposées à communiquer leurs désirs et à prendre la responsabilité de leur propre plaisir créent le cadre requis pour accéder à une intimité sexuelle épanouissante. La décision d'assumer la responsabilité de son propre plaisir est un pas important, tout comme le choix des moyens pour exprimer ses besoins. La façon dont une demande est formulée modèle généralement la réaction qu'elle suscite.

RÉSUMÉ

Qu'est-ce que l'amour ?

- Zick Rubin a développé un questionnaire en 13 points pour mesurer l'amour.

- L'amour-passion se caractérise par de vifs sentiments de ravissement qui ont tendance à être de courte durée.

- L'amour-amitié se caractérise par une tendresse et un attachement profonds.

- Selon la théorie triangulaire de Sternberg, l'amour comporte trois dimensions : la passion et l'intimité, qui en sont respectivement les dimensions motivationnelle et affective, et l'engagement, qui en est la dimension cognitive. Les combinaisons de ces trois dimensions donnent lieu à sept types d'amour.

- John Alan Lee a élaboré une théorie décrivant six façons d'aimer : l'amour romantique, l'amour ludique, l'amour-amitié, l'amour pragmatique, l'amour possessif et l'amour altruiste.

- Dans un couple, les partenaires ont souvent un mode d'attachement de même type. Les unions les plus répandues sont celles où les deux partenaires ont un mode d'attachement sécurisant.

- La liaison amoureuse serait due à un besoin de combler sa solitude, à un désir de justifier son engagement dans une relation sexuelle ou à une attirance sexuelle.

- L'intense sensation qui accompagne la passion amoureuse peut avoir des bases neurochimiques. Il y aurait alors une augmentation forte et subite, dans le cerveau, de noradrénaline, de dopamine et, surtout, de phényléthylamine (PÉA). La passion qui évolue vers l'attachement profond serait le résultat de l'augmentation progressive de l'endorphine dans le cerveau.

- Les facteurs qui contribuent à l'attirance interpersonnelle sont la proximité et la familiarité, la similarité, l'humour, la réciprocité et l'attirance physique. Bien souvent, nous entretenons des relations amoureuses avec des gens que nous voyons fréquemment, qui partagent nos goûts et nos opinions, qui nous font rire, qui semblent nous apprécier et qui nous attirent physiquement.

- Notre mode d'attachement, qui prend sa source dans l'enfance, détermine en grande partie notre manière d'entrer en relation avec nos partenaires amoureux.

- Les enfants qui ont développé des liens sécurisants avec leurs parents font preuve, à l'âge adulte, de meilleures capacités sociales que ceux qui ont développé des liens ambivalents-anxiogènes ou d'évitement avec leurs parents.

- Les adultes qui ont développé un attachement sécurisant sont plus à même d'établir des relations de couple satisfaisantes. Ils sont à l'aise avec les autres dans l'intimité, ne se sentent pas menacés par une relation et n'ont pas peur d'être abandonnés.

- Les adultes dont le mode d'attachement est de type anxieux-ambivalent ont souvent une piètre image d'eux-mêmes, se sentent en danger dans une relation et sont ambivalents dans leur rapports intimes avec les autres.

- Les adultes dont le mode d'attachement est de type anxieux-évitant perçoivent souvent négativement les autres, leur font peu confiance et n'aiment pas dépendre d'une autre personne.

- Les personnes qui ont un mode d'attachement sécurisant rapportent un degré plus élevé de satisfaction dans leur relation, surtout si les deux partenaires utilisent ce mode.

- Il existe différentes interprétations du rapport entre l'amour et le sexe. La plupart des étudiants interrogés dans les enquêtes citées dans ce chapitre disent que l'amour enrichit les relations sexuelles, mais qu'il n'est pas nécessaire pour jouir du sexe.

- Les femmes associent davantage l'amour et le sexe que les hommes, mais la recherche montre que cette différence s'estompe de plus en plus.

- Les homosexuels et les lesbiennes, comme les hétérosexuels, sont généralement en quête de relations faites d'amour, de confiance mutuelle et d'un souci de l'autre, où le partage prend différentes formes, outre l'intimité sexuelle.

- Certains considèrent que la jalousie est un signe d'amour, mais elle exprimerait plutôt la peur de perdre l'autre ou le contrôle qu'on exerce sur lui.

- La jalousie contribue souvent à accélérer l'émergence de la violence entre conjoints.

- Les recherches ont révélé que les hommes et les femmes réagissent différemment à la jalousie.

- Les ingrédients généralement présents dans une relation amoureuse durable sont, notamment, l'acceptation de soi, l'acceptation de l'autre, l'appréciation de l'autre, l'engagement, une bonne communication, des attentes réalistes, l'égalité dans la prise de décision, des champs d'intérêt communs et la capacité d'affronter les conflits efficacement.

- La variété est souvent un ingrédient majeur pour maintenir le bonheur sexuel dans une relation à long terme. Pour certains couples, par contre, la sécurité qu'apporte la routine est plus satisfaisante.

L'importance de communiquer en sexualité

- La communication sexuelle contribue au plaisir et à la satisfaction qu'on retire d'une relation intime ; la communication sexuelle peu fréquente ou inefficace est une raison courante d'insatisfaction par rapport à la vie sexuelle.

- Le fondement d'une véritable communication sexuelle est l'empathie mutuelle, cette assurance tacite que chacun des partenaires se soucie de l'autre.

- La communication sexuelle et érotique débute avec les codes d'attraction et s'en nourrit. Toute communication érotique comprend des dimensions culturelle et personnelle.

- La communication sexuelle ne se limite pas aux mots. L'expression du visage, la distance interpersonnelle, le toucher et les sons transmettent aussi de l'information.

- La communication non verbale prend toute sa valeur lorsqu'elle complète la communication verbale plutôt que de la remplacer.

- La façon différente dont les hommes et les femmes entrent en relation avec les autres peut nuire à la communication. Les hommes utilisent souvent la parole pour fournir conseils et informations et pour préserver leur avantage. Par comparaison, les femmes s'en servent pour créer le rapprochement et partager l'intimité.

- La pauvreté du vocabulaire sexuel nuit à une communication efficace.

- Il est souvent difficile de parler de sexualité. Une bonne façon de commencer est de soulever le problème, de lire sur la sexualité et d'en discuter, et d'échanger sur ses expériences sexuelles passées.

- La révélation de soi peut aider le ou la partenaire à faire connaître ses besoins. Il peut être précieux d'échanger sur ses fantasmes, en exprimant d'abord ses désirs les plus inoffensifs.

- On aura plus de facilité à formuler ses demandes en assumant la responsabilité de son propre plaisir.

Le commercial et l'atypisme en sexualité

CHAPITRE

9

SOMMAIRE

Jusqu'à maintenant, nous avons abordé la sexualité sous plusieurs aspects : biologique, psychologique, développemental, socioculturel, etc. Dans ce chapitre, nous nous intéressons au commerce du sexe, c'est-à-dire à l'échange d'argent contre de l'excitation sexuelle. Comme nous le verrons, ce type de commerce suscite de nombreuses controverses. Nous traitons aussi d'un autre aspect de la sexualité, soit les comportements sexuels atypiques, c'est-à-dire qui sortent de l'ordinaire ou des normes en vigueur. Le sexe commercial et le sexe atypique sont liés entre eux par la loi économique de la rareté. Selon cette loi, une activité qui est hors norme et hors de l'ordinaire acquiert une valeur économique d'échange dans la mesure où plus une chose est rare, plus cette chose est susceptible d'être recherchée, et donc de susciter le développement d'un marché (Munger, 1995). Ces deux aspects du sexe ont aussi en commun d'avoir permis le développement d'un extraordinaire réseau d'échanges, de partage et de collaboration entre les adeptes sur Internet. Nous analysons quelques aspects sociaux et légaux de ce type d'activités.

Le commerce du sexe

Il est question ici de deux activités lucratives entourant le sexe : la pornographie, qui désigne toute représentation qui vise à provoquer l'excitation sexuelle, et la prostitution, qui consiste à offrir des services sexuels en échange d'argent.

La pornographie

> Je n'apprécie vraiment pas la pornographie, elle ne m'excite pas. J'aime les femmes nues en personne et dans un lit, mais en voir dans la porno me laisse froid. La pornographie est vraiment dégradante pour les femmes et elle transmet des faussetés sur elles. (Notes des auteurs)

> Je me suis rendu compte que lorsque nous regardons de la pornographie, mon partenaire et moi, je deviens extrêmement excitée et je me permets d'exprimer le côté débridé de ma sexualité. Une fois, j'étais si excitée que j'ai pris le contrôle de la soirée en lui faisant faire tout ce que je voulais, comme être rude, dominateur ou sensible. Nous avons aussi essayé différents endroits dans la pièce, comme la table à café, le fauteuil ou le sofa. On s'est retrouvés défaits, nus au milieu du plancher, endormis et enlacés dans les bras l'un de l'autre. Je sens que mon partenaire et moi avons réellement tiré profit de l'inclusion de la pornographie dans notre sexualité. Nous sommes devenus si à l'aise, intimes et amoureux en sachant que le sexe est une bonne chose. (Notes des auteurs)

En général, le mot **pornographie** désigne tout document écrit, visuel ou sonore montrant une activité sexuelle ou des organes génitaux dans le but de provoquer l'excitation sexuelle. Une zone d'interprétation pouvant fluctuer existe cependant, comme le suggère une remarque attribuée à André Breton : « La pornographie, c'est l'érotisme des autres. »

Selon que les organes génitaux sont montrés ou pas, certains font une distinction entre la pornographie dure ou intégrale (*hard core*) et la pornographie légère ou suggestive (*soft core*). Il est aussi possible de distinguer la pornographie selon qu'elle est dégradante ou non. La pornographie dégradante réduit le sujet au rôle d'objet et l'avilit. La pornographie interraciale véhiculant les stéréotypes raciaux en est un exemple (Cowan et Campbell, 1994). La pornographie violente comporte des agressions et de la brutalité. Elle peut comprendre des scènes de viol, de coups et blessures,

---

Pornographie Matériel (écrits, images, etc.) sexuellement explicite destiné à provoquer une excitation sexuelle.

et même de démembrement et de meurtre. Les fantasmes de violence et d'agression sont répandus dans les salons de clavardage, certains portant des noms tels que «Torturer les femmes» ou «Fille suçant son père» (Michaels, 1997). En fait, une étude comparant des revues pornographiques, des vidéos et des forums de discussion sur Usenet (*forums*) a montré qu'il y a considérablement plus de violence sexuelle dans ces forums que dans les deux autres types de médias (Barron et Kimmel, 2000).

Le matériel érotique

Le matériel dit érotique constitue une sous-catégorie du matériel sexuellement explicite. Il s'agit d'un autre genre de pornographie, qui peut être dure (*hard core*) ou légère (*soft core*), selon le cas. Le matériel érotique est voué à l'éros ou à l'«amour-passion» (Steinem, 1998). Dans ce type de matériel, les scènes sexuelles sont empreintes de respect mutuel, d'affection et d'équilibre de pouvoir entre les sexes (Stock, 1985). La pornographie réalisée par des femmes est souvent comparable à celle des réalisateurs masculins, mais certaines, parmi celles qui participent à la production d'œuvres sexuellement explicites, y ont introduit de nouveaux thèmes (Sun et coll., 2008; Klinger, 2003; Milne, 2005). Par exemple, les films pornographiques pour adultes de Femme Productions (États-Unis) mettent l'accent sur la sensualité, le plaisir féminin et l'affirmation de soi. Des films comme *Nina Hartley's Guide to Better Cunnilingus* et *The Sluts and Goddesses Video Workshop* font la promotion du plaisir et de l'excitation sexuels féminins.

Est-ce que le matériel érotique n'intéresse que les femmes? Non, selon une étude faite auprès d'étudiants universitaires. Ceux-ci, qui étaient tous âgés d'au moins 21 ans, ont regardé quatre extraits vidéo, chacun comportant une combinaison différente de scènes d'amour et d'affection intenses ou légères avec des scènes sexuelles très explicites (*hard core*) ou légèrement explicites (*soft core*). L'étude a montré que les hommes comme les femmes ont coté les vidéos à la fois sexuellement très explicites et très romantiques comme les plus excitantes. À la lumière de ces résultats, les chercheurs ont émis l'hypothèse que les universitaires des deux sexes ont intégré l'amour et l'affection à l'excitation sexuelle (Quackenbush et coll., 1995). Une autre enquête par entrevues réalisée auprès de 150 hommes des États-Unis, du Canada et d'Europe a révélé que la pornographie que les hommes appréciaient le plus était celle où les hommes et les femmes participaient également et celle où les hommes profitaient de l'affirmation sexuelle des femmes. Les hommes qui appréciaient ce type de vidéo insistaient sur l'importance de voir des femmes ressentir un plaisir sexuel authentique (Loftus, 2002).

Les films pornographiques et l'orientation sexuelle

Les films produits pour les clientèles hétérosexuelle, gaie ou lesbienne diffèrent par certaines caractéristiques générales.

Beaucoup de porno hétérosexuelle montre en gros plans diverses positions de relations coïtales, orales et anales. Relations sexuelles entre deux femmes, triolisme et sexualité de groupe font souvent partie de la recette. Les personnages féminins éprouvent généralement un très grand désir sexuel pour les participants et leur corps occupe le devant de la scène. La plupart des vedettes pornos ont des corps stéréotypés, minces et une poitrine grossie par implants mammaires. L'érotisation du corps masculin y est rare et les acteurs masculins sont souvent d'apparence plus banale. La «scène payante», le gros plan de l'éjaculation masculine à l'extérieur du vagin de la femme ou de sa bouche, est la marque par excellence de la porno masculine hétérosexuelle (Paul, 2005).

L'industrie de la porno gaie se compare en importance à celle de la porno hétérosexuelle et offre le même éventail de films à petit budget et de films d'une certaine qualité. La plus grande partie de la porno gaie recourt à des acteurs très soignés, beaux et musclés. Elle met l'accent sur l'érotisation du corps masculin et le désir sexuel variant de l'agressivité à la tendresse. Certaines sous-catégories de films présentent une plus grande variété de corps. Par exemple, la porno *bear* montre des hommes imposants et très poilus (Blue, 2003).

Il y a beaucoup moins de films pornos pour le public lesbien et ils sont généralement à petit budget et moins bien fignolés que la porno pour les hétérosexuels et pour les gais. La plupart des films pornos lesbiens mettent en scène des femmes qui sont de réelles partenaires sexuelles dans la vie. Ils présentent de manière réaliste et diversifiée les interactions sexuelles lesbiennes au lieu d'offrir des performances qui excitent le spectateur. Plusieurs types de beauté et de sexualité y sont montrés: une grande variété de corps et de styles, du très masculin au très féminin, investit les films (Stites, 2007). Les jeux de rôle, les dialogues, l'habillement et les accessoires érotiques y ont plus d'importance que l'intrigue. Les pratiques sexuelles moins risquées y sont monnaie courante (Blue, 2003).

Pornographie hétérosexuelle, gaie et lesbienne: ce sont là des catégories générales qui sont loin de rendre compte de la très grande diversité des sujets érotiques abordés. La pornographie spécialisée témoigne des ressources illimitées de l'imaginaire humain (Hanus, 2006b). Elle touche à tous les sujets imaginables: bondage et asservissement, fétichisme, sadomasochisme, transgenres, dessins animés japonais, etc. (Blue, 2003; Hongo, 2006). Ces catégories permettent de se faire une idée des différents types de matériel sexuellement explicite existants, mais dans la vie, les réactions individuelles à la pornographie sont beaucoup plus diversifiées. La pornographie de l'un

---

Érotique   Se dit des représentations de la sexualité empreintes de respect et d'affection.

est l'érotisme d'un autre, et l'érotisme d'une personne peut en faire vomir une autre (Kipnis, 1996). Et ce qui peut être inoffensif dans un contexte donné (par exemple, un couple utilisant un DVD érotique pour explorer différentes façons de faire l'amour) peut se révéler dangereux dans un autre (lorsque de jeunes enfants le trouvent et le regardent).

La pornographie juvénile

Au Canada, la production, la vente, la distribution et la simple possession d'images à teneur sexuelle montrant des jeunes de moins de 18 ans constituent des infractions selon le Code criminel. Il en va de même pour ce qui est des images d'organes sexuels ou de la région anale présentées à des fins sexuelles. Les textes et les dessins de pornographie juvénile sont également prohibés (Schabas, 1995). Au Canada, Interpol Ottawa inclut ce type de crime dans ses dossiers prioritaires.

Internet permet aux adeptes de la pornographie juvénile d'accéder facilement à ce matériel illégal. Il s'agit d'une industrie en croissance dans le monde qui dépasse les 20 milliards de dollars annuellement. Les prédateurs sexuels s'en prennent à des enfants aussi jeunes que 18 mois et ils exploitent sexuellement des enfants en temps réel (Brockman, 2006). La surveillance d'Internet peut être couronnée de succès et a mené à plusieurs arrestations de producteurs de pornographie infantile. La prévention est importante et la Technology Coalition, un regroupement d'entreprises en ligne, développe et implante des solutions technologiques pour contrer l'utilisation d'Internet à des fins de pornographie juvénile. Depuis quelques années, surtout depuis l'arrivée des webcams à faible coût, des jeunes se sont mis à vendre des images sexuellement explicites d'eux-mêmes.

Le gouvernement canadien a adopté une loi criminalisant le leurre d'enfant sur Internet. Elle vise au premier chef les pédophiles se faisant passer pour des jeunes afin de gagner la confiance des personnes mineures dans le but de les agresser sexuellement par la suite. Comme dans plusieurs autres pays, un site canadien (www.cyberaide.ca) est voué à la dénonciation de la pédophilie sur Internet.

Internet a augmenté de façon exponentielle l'accès à du matériel sexuellement explicite. À travers l'histoire, tout progrès technologique a permis d'accroître l'accès à ce type de matériel et de réduire le contrôle exercé par les gouvernements ou l'Église.

Un survol historique

Les représentations de la sexualité sous forme d'images ou de dessins ne datent pas d'hier ; on en retrouve même dans les fresques murales des cavernes de la préhistoire. Le *Kâma Sûtra*, le célèbre manuel philosophico-érotique indien datant de la fin du IVe siècle, allie sexualité et spiritualité en exposant dans le détail des techniques sexuelles permettant d'atteindre le nirvana. Au Japon, les *shungas*, des peintures et des gravures sur bois datant des XVe et XVIe siècles et représentant de façon très explicite le coït, sont considérés comme des chefs-d'œuvre. Les Grecs et les Romains de l'Antiquité utilisaient abondamment les thématiques sexuelles dans l'ornementation et la décoration des bâtiments publics et des objets domestiques.

Avec le triomphe du christianisme et la chute de l'Empire romain, l'Église catholique a étendu son autorité suprême sur tout l'Occident. Durant le Moyen Âge, elle contrôlait la production écrite et les beaux-arts, qui reflétaient évidemment ses idées restrictives en matière de sexualité. À cette époque, les écrits étaient rédigés à la main par des moines, et la richesse de l'Église catholique lui permettait de commander la majorité des œuvres d'art. Le monopole de l'Église sur la diffusion de l'écrit a cependant cessé vers 1450, lorsque Johannes Gutenberg a inventé la presse à imprimer et les caractères mobiles (Lane, 2000). On a d'abord imprimé différentes éditions de la Bible, puis des histoires pornographiques, ce qui aurait contribué à l'alphabétisation des masses. Vers le milieu du XVIe siècle, la parution des livres échappait tellement à l'influence de l'Église que le pape Paul IV a publié le premier *Index* des livres interdits (Lane, 2000).

Ces sculptures érotiques ornent un temple hindou qui fait partie de l'ensemble monumental de Khajuraho, situé dans le nord de l'Inde, et datant de plus de 3000 ans.

Dans la première moitié du XVIIIe siècle, une autre découverte technologique, la photographie, a contribué à répandre la pornographie. Les daguerréotypes et les photographies érotiques se sont mis à proliférer tant et si bien que le Congrès américain a promulgué la première loi interdisant l'envoi postal d'obscénités (Johnson, 1998).

En 1953, avec le lancement de *Playboy*, le commerce de la pornographie est sorti de l'ombre pour devenir l'industrie multimilliardaire qu'on connaît aujourd'hui. La génération qui avait participé à la Seconde Guerre mondiale a acheté 50 000 exemplaires du premier numéro du magazine. Le lectorat de *Playboy* a continué de croître durant les années 1960 et Hugh Hefner, l'éditeur du magazine, est bientôt devenu multimillionnaire. Puis le public a eu accès, en toute légalité, à des films sexuellement explicites qui, avant la sortie en 1973 du film *Deep Throat* (*Gorge profonde*), n'étaient diffusés que clandestinement. Cette invraisemblable histoire d'une femme ayant le clitoris logé dans la gorge fut la première production cinématographique pour adultes présentée en salle, devant grand public. Énorme succès financier, *Deep Throat* a rapporté 600 millions de dollars et ouvert la voie à la pornographie moderne. Il a également eu pour effet de repousser les limites du contenu sexuel dans les films grand public. En français, des films comme *Histoire d'O*, *Emmanuelle* et *Valérie* en sont des exemples. L'augmentation du contenu sexuel a suscité l'opposition des groupes religieux et politiques de droite, ceux-ci affirmant que la pornographie est immorale, qu'elle a des effets nocifs sur les adultes et qu'elle augmente le nombre de crimes à proximité des cinémas pour adultes et des boutiques érotiques.

Au Canada, la Cour suprême semble donner raison à ce point de vue, du moins indirectement. Dans l'arrêt de 1992 précisant les critères devant guider les juges pour délimiter ce qui est acceptable en matière d'obscénité, la Cour affirme que si du matériel contient des scènes dégradantes ou déshumanisantes, celles-ci ne doivent pas être tolérées par la société (Schabas, 1995). Conformément au vocabulaire légal, la Cour parle d'*obscénités* et non de *pornographie*; aucune loi canadienne ne définit la pornographie en dehors de la pornographie juvénile. Aux yeux de la loi, c'est ce qui est obscène (c'est-à-dire ce qui va à l'encontre des mœurs acceptées) qui correspond en gros à l'usage courant du mot *pornographie* (Schabas, 1995).

Les nouvelles technologies et le matériel sexuellement explicite

Alors même qu'on tente de réprimer la pornographie, les nouvelles technologies viennent en compliquer le contrôle (Krause, 2008), tout en rendant cette activité encore plus lucrative. Ainsi, l'avènement de la télévision par câble, puis du magnétoscope et récemment d'Internet a permis à des gens qui ne seraient probablement jamais entrés dans un cinéma ou une librairie pour adultes d'accéder à la pornographie dans l'anonymat le plus complet. Une enquête américaine de 2008 révèle que 75 % des hommes et 41 % des femmes ont sciemment regardé de la pornographie sur Internet (Albright, 2008). Les adeptes de sites qui diffusent en direct à l'aide de webcams peuvent jouer les réalisateurs et demander aux protagonistes de faire telle ou telle chose pendant qu'ils sont filmés et observés. Sur l'ensemble des moteurs de recherche, 25 % des requêtes se rapportent à l'imagerie sexuelle; on dénombrait, en 2008, 4,2 millions de sites pornographiques accessibles sur le Web (Young, 2008). L'industrie de la pornographie produit bon an mal an 11 000 films (ou vidéos), alors qu'Hollywood en produit 400 par année (Paul, 2004). Ces chiffres ne sont pas très récents, la réalité actuelle est au-delà de ces données. Présentement, une location de vidéocassette ou de DVD (Blu-Ray) sur cinq est classée X. De nouvelles chaînes à contenu adulte ont été lancées exclusivement en fonction de la technologie de la vidéo sur demande, accessible par câble ou satellite; le Québec n'est pas en reste avec la chaîne Vanessa, en ondes depuis octobre 2010. La porno est désormais accessible sur les téléphones cellulaires, les baladeurs numériques, les tablettes numériques et les consoles de jeu portables. La diffusion de matériel sexuellement explicite sur les appareils mobiles de poche est devenue une affaire extrêmement lucrative et compte pour 23 % du total des revenus du marché pour adultes (Piccionelli, 2006; Ross, 2008). Les percées technologiques et le marché de la vente directe de matériel sexuellement explicite constitueraient une industrie dont la valeur est estimée entre 10 et 20 milliards de dollars (Byassee, 2008). Les estimations de revenus annuels de l'industrie du sexe sur Internet, selon diverses sources, varient de 1 à 97 milliards de dollars US (Wondracek et coll., 2010). Les sites pour adultes sont également de très gros propagateurs de virus, chevaux de Troie et autres logiciels malveillants (Wondracek et coll., 2010), posant ainsi de sérieux problèmes de sécurité.

Le matériel à contenu sexuellement explicite: utile ou nuisible?

L'impact de la pornographie chez ceux qui en consomment constitue un sujet de controverse important. Certains arguments plaident en faveur de son utilité et d'autres font valoir le contraire. La pornographie permet à une personne d'avoir une stimulation sexuelle sans risquer d'être rejetée ou critiquée par sa ou son partenaire, tout en évitant une éventuelle ITSS. Il n'y a pas d'érection manquée, la femme n'a aucune difficulté à atteindre l'orgasme, personne n'a peur de paraître trop gros. Il n'y

Obscénité Paroles ou gestes qui violent les normes de tolérance de la société.

a pas de grossesse, personne ne demande à se marier ou n'essaie de fixer un rendez-vous pour la prochaine fin de semaine (Paul, 2005). La pornographie peut aussi procurer une variété sans fin de fantasmes sexuels. Dans une relation, le matériel érotique peut même procurer l'excitation sexuelle pendant la masturbation, lorsque l'un des partenaires n'a pas envie ou est à l'extérieur de la ville.

Des personnes et des couples trouvent que la pornographie ou le matériel érotique les a aidés à développer leurs expériences sexuelles. Une étude révèle que 37 % des hommes et 28 % des femmes ont agrandi leur répertoire érotique en fréquentant des sites de sexe sur Internet. Des personnes peuvent aussi améliorer leur capacité de communication sexuelle en échangeant sur leurs intérêts sexuels en ligne dans l'anonymat : après l'avoir fait, environ 50 % des femmes et 44 % des hommes ont communiqué à leur partenaire des désirs sexuels qu'ils avaient jusque-là gardés secrets (Gowen, 2005). Les vidéos sexuellement explicites à vocation éducative peuvent améliorer la communication et l'expérimentation sexuelles dans un couple.

L'exposition des jeunes à la pornographie

Avant l'existence d'Internet, des jeunes pouvaient avoir vu un exemplaire de *Playboy* avant d'avoir donné ou reçu leur premier baiser. Aujourd'hui, nombre d'entre eux sont exposés à une large palette de contenus pornographiques avant leur première expérience sexuelle. Internet et les technologies sans fil font partie du quotidien des jeunes des pays développés, ce qui les expose comme jamais auparavant à du matériel sexuellement explicite. La consommation de pornographie sur Internet peut avoir des conséquences négatives sur l'image de soi et les relations intimes entre adultes ; des thérapeutes conjugaux et des avocats spécialisés en divorce ont constaté une augmentation des cas où la pornographie en ligne a joué un rôle important dans la décision de consulter ou de divorcer (Eberstadt, 2009 ; Hanus, 2006b). Pour des jeunes, cependant, l'exposition à l'intense stimulation sexuelle de la pornographie en ligne avant d'avoir goûté aux expérimentations typiques de leur âge pourrait avoir des conséquences plus lourdes sur le développement de leur sexualité que chez les adultes dont la sexualité s'est développée avant l'existence de la pornographie sur Internet. On assiste essentiellement à une expérimentation sociale non planifiée dont on ne peut prédire les résultats (Jakob Pastötter, communication personnelle, 2009).

Aux États-Unis (les chiffres canadiens seraient probablement similaires), 90 % des jeunes de 16 ans ont déjà vu de la pornographie sur Internet. L'âge moyen à la première exposition était de 11 ans (Sullivan, 2008). L'exposition à la pornographie sur Internet peut être accidentelle. Tout internaute sait qu'il est possible de tomber sur de la pornographie sans l'avoir cherchée. Une étude américaine a montré qu'environ les deux tiers des garçons américains de 16 et 17 ans n'auraient nullement cherché ou désiré la pornographie qu'ils ont vue alors qu'ils naviguaient sur Internet. Ces images peuvent surgir lors de recherches sur d'autres sujets, en cliquant sur des liens, par des fenêtres publicitaires et des pourriels (Wolak et coll., 2007).

Qu'elle soit accidentelle ou non, l'exposition des jeunes à la pornographie constitue une grande source d'inquiétude dans la mesure où ils en viennent à présumer que ce qu'ils voient est « normal » et représentatif de ce que la sexualité devrait être. De façon générale, plus une personne voit une chose, plus elle a tendance à la considérer comme normale. Par exemple, comme le montre la figure 9.1, plus les jeunes regardent de la pornographie, plus ils ont tendance à penser que leurs parties génitales (pénis ou vulve) devraient être comme celles des acteurs et actrices de porno. (Même 5,2 % des jeunes hommes et 11,8 % des jeunes femmes qui n'avaient jamais vu de pornographie estiment que leurs organes génitaux devraient ressembler à ceux des vedettes de porno.) Les jeunes femmes sont plus susceptibles que les jeunes hommes de croire que la vulve des actrices pornos constitue l'« idéal » (Drey et coll., 2008). Un grand nombre des jeunes femmes qui envisagent de recourir à la chirurgie plastique le font pour cette raison plutôt que d'apprécier la forme et la taille uniques de leurs lèvres (Gohman, 2009). De plus, après avoir vu de la pornographie, les femmes et les hommes hétérosexuels sont plus susceptibles d'être critiques à l'égard du corps des femmes en général (Albright, 2008).

L'exposition au matériel sexuellement explicite sur Internet peut favoriser, chez certains jeunes, un déclenchement précoce de la vie sexuelle et des attitudes problématiques à l'égard de la sexualité. Une étude a montré une corrélation entre l'exposition à du matériel sexuellement explicite et la précocité de l'âge au premier rapport sexuel chez garçons et filles, et une précocité beaucoup plus prononcée du sexe oral chez les garçons (Kraus et Russel, 2008). L'exposition précoce à la pornographie durant l'adolescence est aussi associée à l'adoption de rôles sexuels plus traditionnels chez les deux sexes et à davantage de harcèlement sexuel de la part des hommes (Brown et L'Engle, 2009). Il se peut aussi que les jeunes qui présentent ces caractéristiques soient plus portés à rechercher de la pornographie sur Internet : la recherche a montré une corrélation et non un rapport de causalité.

Les chercheurs constatent également que de jeunes adultes – et les adultes en général – vivent des problèmes sexuels relatifs à la pornographie. Les thérapeutes sexuels ont commencé à voir des jeunes dont les problèmes découlent de leur consommation de pornographie. Celle-ci peut engendrer une préférence pour la masturbation devant la porno plutôt que pour des relations sexuelles (Albright, 2008). Un coup d'œil sur les questions posées sur des sites de consultation en sexualité permet de constater que ce sont surtout des hommes qui en viennent à privilégier la pornographie en ligne au

FIGURE 9.1 Pourcentage d'adolescents qui croient que leurs parties génitales devraient être comme celles des vedettes de la porno, corrélé avec la fréquence du visionnement.

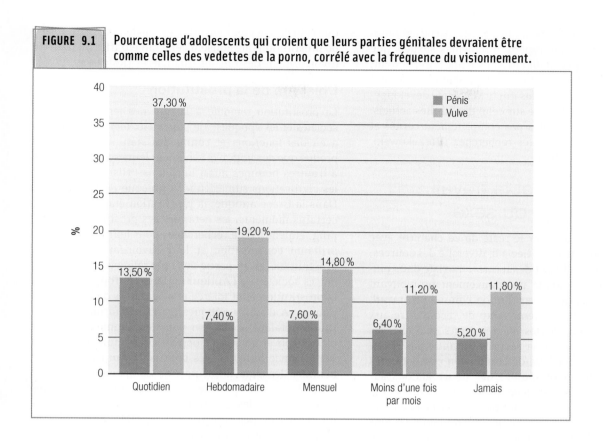

détriment de leur vie de couple. Une autre enquête a montré qu'un tiers des hommes disent se masturber en regardant de la pornographie (Brenot, 2011). Dans certains cas, la pornographie devient une nécessité plutôt qu'une simple préférence, par exemple lorsqu'un jeune homme ne peut s'exciter autrement que par les stimuli intenses et variés que procure la pornographie et qu'il ne parvient plus à maintenir une érection pendant une relation sexuelle avec sa partenaire (Drey et coll., 2008).

L'influence de la pornographie

Un autre problème survient lorsque des gens recourent à la coercition pour pousser leur partenaire à adopter des comportements que montre la pornographie (par exemple, éjaculer au visage d'une femme, avoir des relations sexuelles avec d'autres ou pratiquer la sexualité anale) (Paul, 2005). La recherche indique que dans les relations hétérosexuelles, les hommes sont plus susceptibles que les femmes de faire pression sur leur partenaire pour adopter des comportements sexuels qu'ils ont vus dans les films pornographiques. Lorsque la pornographie présente des femmes sexuellement disponibles et excitées par tout ce que les hommes font, alors qu'en réalité les femmes ne réagissent pas de cette façon, les hommes peuvent se sentir inadéquats ou bernés, et tant les hommes que les femmes peuvent douter de la normalité de leur propre sexualité. Par exemple, une jeune femme peut penser que quelque chose cloche chez elle si ses

expériences de sexe anal ne sont pas aussi indolores et agréables que dans les films pornos (Castelman, 2005 ; Drey et coll., 2008). De telles influences de la cyberpornographie peuvent même détériorer une relation, comme le montre le témoignage suivant.

> Du début au milieu de ma vingtaine, j'ai passé beaucoup de temps (et dépensé pas mal d'argent) à payer des femmes pour jouer des scénarios sexuels par l'entremise d'une webcam afin d'agrémenter mes séances de masturbation. Je considérais cela comme une façon saine, sûre et simple de satisfaire mes besoins sexuels plutôt que de compter sur des rendez-vous pour avoir des relations sexuelles. Puis j'ai rencontré Jennifer et j'ai craqué pour elle. Après plusieurs mois, j'ai commencé à m'ennuyer dans notre sexualité ordinaire et je lui ai demandé de jouer le rôle de l'écolière que j'avais apprécié lors des séances de webcam. Elle a essayé de son mieux, mais j'étais irrité de voir qu'elle n'avait pas le tour, et je lui ai donné l'impression qu'elle n'était pas assez *sexy* pour moi. Je n'avais pas réalisé que je ne pouvais m'attendre à ce qu'elle incarne un fantasme aussi bien que le font les professionnelles de la webcam. C'est un compromis, mais je préfère avoir des relations sexuelles avec une femme qui tient vraiment à moi plutôt qu'avec une bonne actrice. (Notes des auteurs)

Certains hommes devenus adultes avant l'arrivée d'Internet éprouvent le même type de problèmes sexuels que ceux mentionnés plus haut chez des jeunes. Cependant, les conséquences de ce profond changement social auront probablement un impact plus important sur le développement sexuel des jeunes que sur celui des adultes actuels. Ces effets ne sont toutefois pas complètement cernés et devront faire l'objet d'autres recherches (Borzekowski, 2006 ; Drey et coll., 2008).

La prostitution et le travail dans l'industrie du sexe

Il est nécessaire d'aborder le reste de ce chapitre avec une prudence particulière liée à la diversité des sources, au choix des approches et des termes. Il existe dans plusieurs régions du monde un mouvement promouvant la reconnaissance de la prostitution comme un travail, ce qui impliquerait du même coup de reconnaître aux «travailleuses du sexe» les mêmes droits qu'à tous les travailleurs, notamment la sécurité garantie par l'État. Comme une grande partie de la question comporte des dimensions morales et soulève des interrogations sur la culture et la société actuelle, l'usage des chiffres et la façon de mener des études sont parfois sujets à caution, chaque source tentant de privilégier son choix, disons «idéologique». La plus grande prudence d'interprétation est essentielle dans chaque cas.

Le choix éditorial ici est de respecter et de refléter, par leur approche et leur vocabulaire respectif, les options des contre et des pour. C'est à chacune et chacun d'en tirer ce qui lui semble le plus indiqué. C'est ainsi que nous préférons une pluralité d'appellations plutôt que leur uniformisation.

La prostitution consiste à échanger des services sexuels contre de l'argent. Quand on pense à la prostitution, on imagine généralement une femme vendant ses services sexuels à un homme, bien que les transactions entre deux hommes soient aussi très courantes. Il est plus rare qu'une femme paie pour les services sexuels d'un homme. L'expression *travailleurs du sexe* désigne les personnes qui pratiquent la prostitution et diverses activités connexes, telles que la danse nue, les communications à teneur sexuelle par téléphone ou en ligne, les massages érotiques et des jeux de rôles dans les vidéos pornos. La plupart de ceux qui ne quittent pas le milieu après quelques mois passent souvent d'une activité à l'autre (Farley, 2004).

Or, les relations dans lesquelles le rapport sexuel est une monnaie d'échange ne se limitent pas au cadre de la prostitution proprement dite. Les femmes échangent leurs faveurs sexuelles contre des ressources financières de nombreuses façons. On pourrait avancer que c'est ce que fait la femme qui marie un bon pourvoyeur plutôt que l'élu de son cœur, ou que c'est également à une forme de prostitution que consent celle qui étouffe son désir de divorcer pour des raisons financières (Ridgeway, 1996).

L'histoire de la prostitution

La prostitution remonte à la nuit des temps. Selon les sociétés et les époques, «le plus vieux métier du monde» a eu des fonctions et connu des statuts divers. Il est prouvé que des hommes vendaient leurs services sexuels à d'autres hommes aussi loin dans l'Histoire que dans les civilisations sumérienne et grecque (Pandey, 2007). Dans la Grèce antique, la prostitution était tolérée et, à certains moments, les hétaïres, des prostituées de haut rang, étaient même recherchées pour leur intellect, leur brillante conversation et leur savoir-faire sexuel. La prostitution faisait partie des rites religieux de quelques autres sociétés de l'Antiquité. Dans l'Europe médiévale, la prostitution était tolérée et avait cours dans les bains publics. À d'autres époques, certaines formes de prostitution étaient un moyen pour les femmes d'acquérir du pouvoir et un statut social. Par exemple, pendant la Renaissance italienne, les courtisanes procuraient aux hommes les plus influents une compagnie de nature sexuelle, sociale et intellectuelle. Instruites, charmantes et spirituelles, les courtisanes étaient des artistes, des interprètes ou des écrivaines (Valhouli, 2000). Il y a un rapprochement à faire, avec prudence, avec les geishas du vieux Japon. Dans l'Angleterre victorienne, la prostitution était perçue comme un exutoire social et sexuel scandaleux mais nécessaire. On jugeait en effet préférable qu'un bourgeois ait des rapports sexuels avec une prostituée plutôt qu'avec la femme ou la fille d'un de ses pairs (Brecher, 1969 ; Taylor, 1970).

Les clients des travailleurs du sexe

S'il existe des travailleurs du sexe, c'est qu'il y a une demande pour leurs services. Le sexe en échange de l'argent procure au client un contact sexuel sans attente d'intimité ou d'engagement futur ; il élimine le risque de rejet et offre au client la possibilité d'avoir des activités sexuelles qu'il n'aurait pas avec sa partenaire habituelle (Califia, 2002). La recherche indique que la prostitution est plus florissante dans les régions où la sexualité est sévèrement contrôlée : le taux de prostitution est plus élevé en Afrique et en Chine. Les chercheurs en concluent que l'égalité entre les hommes et les femmes pourrait réduire considérablement la prostitution (Wellings et coll., 2007). Combien d'hommes recourent à la prostitution ? Une enquête menée auprès d'un échantillon représentatif d'hommes autour du monde révèle qu'environ 10 % d'entre eux ont échangé de l'argent contre du sexe pendant les 12 derniers mois (Carael et coll., 2006).

Prostitution	Échange de services sexuels contre de l'argent.

L'enquête française de 2006, Contexte de la Sexualité en France (CSF), indique que 3,3 % des hommes y ont eu recours à la prostitution au cours des 5 années précédentes et que ce sont les 20 à 34 ans qui représentent la plus forte clientèle (Bajos et Bozon, 2008). Dans une étude sur la fréquence du recours à la prostitution aux États-Unis, 93 % des hommes qui retenaient les services de prostituées le faisaient une fois par mois ou plus (Freund et coll., 1991).

Les femmes sont beaucoup moins susceptibles que les hommes de payer pour des services sexuels. Le tourisme sexuel féminin est par contre en forte hausse. Des femmes blanches célibataires, divorcées ou mariées, principalement d'Europe et d'Amérique du Nord, visitent certains endroits du tiers-monde, tel que Mombasa au Kenya ou certaines destinations d'Amérique centrale, pour avoir des aventures sexuelles avec des *beach boys* qui les compliment et leur tiennent compagnie en échange de cadeaux ou d'argent. Les Afro-Américaines sont plus susceptibles de faire du tourisme sexuel en Jamaïque et les Japonaises se rendent habituellement à Bali (Hari, 2006). Comme le dit une cinquantenaire qui, lors d'un récent voyage à Cuba, s'est fait courtiser par un serveur de 30 ans : « Ici, au Québec, je suis une mère alors qu'à Cuba, je suis une femme » (N. Corbeil, communication personnelle, 2012). Dans des cas similaires,

À l'affiche

Réalisé par Laurent Cantet, *Vers le sud* (2006), d'après le roman de Dany Laferrière, *La chair du maître*, raconte l'histoire de deux touristes américaines cinquantenaires en quête de tendresse et de sexe, qui développent des relations « amoureuses » annuelles avec un jeune adonis haïtien.

des femmes n'hésitent pas à « aider » financièrement leur prétendant qui, lui, n'hésite pas à aller jusqu'au lit en guise de reconnaissance.

La statue Imperia, installée dans le port de Constance, en Allemagne, représente une courtisane italienne du XVe siècle. Elle tient un pape nu (le pape Martin V) dans une main et un empereur (Sigismond) dans l'autre, symbolisant ainsi son pouvoir sur les chefs de l'Église et de l'État. Cette œuvre du sculpteur Peter Lenk est en place depuis 1993.

Les femmes adeptes du tourisme sexuel et les hommes qu'elles engagent minimisent souvent le côté commercial de leurs relations. Un chercheur a révélé que les hommes s'imaginent souvent recevoir des cadeaux pour l'aide qu'ils apportent à ces femmes, et celles-ci croient qu'elles aident les hommes et l'économie locale en leur donnant cadeaux et argent (Michel, 2006 ; Hari, 2006).

La prostitution selon le sexe

Les prostitués adultes se distinguent les uns des autres par des caractéristiques comme la visibilité en public, l'argent qu'ils gagnent et leur classe sociale. Certaines personnes se prostituent à mi-temps et, par ailleurs, poursuivent des études, occupent un emploi conventionnel ou mènent une vie sociale normale. Celles qui le font à l'occasion, de façon temporaire, et qui ont d'autres qualifications professionnelles peuvent plus aisément quitter le métier. Nombre de ces hommes et de ces femmes ne se considèrent pas comme des prostitués, ou des «professionnels». D'autres, à l'inverse, revendiquent haut et fort un statut social reconnu (Parent et coll., 2010 ; Mensah et coll., 2011). Les prostitués à temps plein qui ont rejeté les valeurs traditionnelles (mariage, hétérosexualité, travail stable, etc.) et qui s'identifient à la sous-culture (l'arrestation policière favorise cette identification) sont généralement des personnes peu instruites et peu qualifiées, qui pourraient difficilement se trouver un autre emploi. Selon une étude, 89 % des travailleurs du sexe aimeraient quitter «la profession» (Farley, 2004) (voir le tableau 9.1). Mais sans autres ressources, plusieurs estiment difficile de s'affranchir complètement de la prostitution (Burnette et coll., 2009 ; Farley, 2004 ; Thukral, 2008). D'autres sources, parmi les travailleuses du sexe, adoptent un point de vue proprostitution et refusent de soutenir que, dans leur ensemble, elles aimeraient quitter la profession (Lopez, 2007).

Les femmes qui font le trottoir et les prostitués masculins (*hustlers*) sollicitent respectivement les hommes hétérosexuels et les gais dans la rue et dans les bars ; s'ajoutent à ces lieux les saunas gais, les parcs et les toilettes publiques. Parmi les travailleurs du sexe, ce sont ces prostitués qui demandent le moins d'argent pour leurs services. Les hommes travaillent rarement pour un ou une proxénète et, contrairement à une idée répandue, il en va de même pour la plupart des filles de rue (seuls 10 % de l'ensemble des prostitués à Montréal ont un proxénète) (Mensah, 2007). Ces travailleurs du sexe (femmes et hommes) sont les plus susceptibles d'être victimes d'agression et de vol de la part de clients ou des proxénètes (Valera et coll., 2001). Il n'est pas rare que les journaux signalent le meurtre d'une prostituée ou que la police donne la chasse à un tueur en série qui s'en prend à ce genre de travailleuse du sexe (Green, 2000).

Les prostituées de rue sont exposées aux mauvais traitements de leurs clients et de leur proxénète.

TABLEAU 9.1 Les réponses des travailleuses du sexe à la question « Qu'est-ce qui pourrait vous aider à abandonner la prostitution ? ».
CE QUI AIDERAIT LES FEMMES À ABANDONNER LA PROSTITUTION (PAR ORDRE DÉCROISSANT D'IMPORTANCE)
L'apprentissage d'un métier.
Une maison ou un endroit sûr.
Des soins de santé.
Du counseling personnalisé.
De l'aide judiciaire.
Du soutien de la part des pairs.
Un traitement contre la dépendance à la drogue ou à l'alcool.
Des cours d'autodéfense.
Des soins et des services pour enfants.
La légalisation de la prostitution.
Une protection contre les agressions physiques des proxénètes.

Source : Farley, 2004.

Au Canada, de 1986 à 2006, plus de 140 prostituées ont été victimes de meurtre, ce qui représente un risque de 60 à 120 fois plus élevé que pour la population en général. Moins de la moitié des cas sont résolus, contre 80 % pour les autres types d'homicides (Mensah, 2007). Statistique Canada ne comptabilise plus ces données depuis quelques années. Parce qu'ils sont plus visibles, les prostitués de rue des deux sexes se font souvent arrêter. Au cours de leur vie, la plupart se feront arrêter plus d'une fois, seront condamnés à une brève sentence d'emprisonnement, puis relâchés.

Le **bordel** est un établissement dans lequel travaille un groupe de prostituées. Au Canada, les bordels sont considérés comme des maisons de débauche (terme désignant des activités immorales) et sont de ce fait illégaux. Le simple fait de s'y trouver sans motif valable constitue un crime. Au moment de rédiger ces lignes, deux jugements rendus en Ontario ont déclaré cette partie de la loi anticonstitutionnelle. Il faudra toutefois attendre ce qu'en dira la Cour suprême puisque le gouvernement fédéral a porté la cause en appel.

Certains salons de massage érotique sont en quelque sorte des bordels en version service rapide. Une fois installé dans la salle de massage, le client négocie souvent le tarif d'une stimulation manuelle ou buccogénitale jusqu'à l'éjaculation. Le client pourra aussi fréquemment demander à la masseuse de se dévêtir. Le coït pourra ou non faire partie du «massage».

Les «escortes» féminines ou masculines qui offrent leurs services aux hommes gagnent généralement plus que les autres types de prostitués (femmes et hommes). Souvent issues de la classe moyenne, les femmes qui travaillent comme escortes peuvent accompagner leurs clients en société – généralement des hommes en bonne santé, d'âge moyen ou plus vieux – aussi bien que vendre leurs services sexuels. Il y a un rapprochement à faire avec le phénomène des courtisanes de la Renaissance européenne. Les escortes sont habituellement recommandées par un contact personnel ou une agence d'escortes et ont souvent plusieurs clients réguliers (Blackmun, 1996). Elles sont plus susceptibles que les autres types de prostituées de se voir offrir de beaux objets, des vêtements, des bijoux ou même un lieu de résidence par leurs clients réguliers. Étant moins visibles, elles risquent moins de se faire arrêter par la police que celles qui font le trottoir.

Une étude a établi que les hommes travaillant en agence ont en moyenne six clients par mois, que leurs rencontres durent environ une heure et que le sexe oral est leur principale activité. La plupart des escortes évitent le sexe anal. Environ 80 % des escortes n'aiment pas avoir des relations sexuelles avec leurs clients, préférant plutôt

ceux qui recherchent un accompagnement sans sexe pour converser, se distraire ou voyager (Hagen, 2006).

Une étude menée dans neuf pays montre que 47 % des travailleurs du sexe ont débuté avant l'âge de 18 ans (Farley, 2004). Environ 95 % d'entre eux ont été victimes d'agression sexuelle et la plupart ont été rejetés par leur famille, surtout après que leurs parents eurent appris qu'ils ou elles étaient gais, lesbiennes, bisexuels ou transgenres (Mok, 2006). Cependant, les adolescents issus des classes moyennes ou aisées sont de plus en plus nombreux à s'adonner au commerce du sexe et semblent se vendre pour le côté excitant et l'argent vite gagné qu'ils en tirent et qu'ils peuvent dépenser à leur gré sans l'interférence de leurs parents. Certaines filles invitent même des clients chez elles pendant que leurs parents sont au travail (Smalley, 2003).

À l'affiche

La prostitution est souvent un mode de survie chez les fugueuses et fugueurs, comme en témoigne *Hommes à louer,* un documentaire de l'Office national du film du Canada (2008). Son réalisateur, Rodrigue Jean, a suivi pendant un an des jeunes travailleurs du sexe.

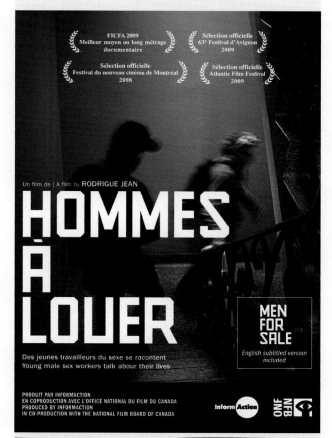

| **Bordel** | Lieu où travaillent plusieurs prostituées. |

L'industrie du sexe sur Internet

Internet est en train de transformer le plus vieux métier du monde. Les sites Web proposent des escortes très variées en termes d'attributs physiques et intellectuels et de spécialités sexuelles (bondage, sadomasochisme, réalisation de fantasmes). L'un de ces sites contient 36 000 noms d'escortes masculines réparties dans 121 villes autour du monde (Hagen, 2006). Les modèles qui travaillent en direct par vidéoconférence demandent de 25 à 50$ l'heure, mais ne reçoivent en réalité qu'une petite partie de cet argent (Reynolds, 2006). Les travailleurs du sexe, hommes et femmes, fonctionnent de plus en plus à partir de sites personnels (Morrison et Whitehead, 2007). La négociation se fait directement par courriels, éliminant ainsi la nécessité de payer pour figurer sur le site Web d'une entreprise, d'un proxénète ou d'un bordel (Reynolds, 2006). Un travailleur du sexe pour le compte d'une entreprise en ligne rapporte à celle-ci au moins 300$ l'heure. Qu'ils soient au service d'une entreprise ou aient leur site personnel, les travailleurs du sexe sur Internet exercent leur métier dans des conditions beaucoup plus sûres et moins oppressantes que leurs pendants de l'industrie du sexe. Bien que les arrestations de travailleurs du sexe sur Internet soient peu fréquentes, le Web fournit de bonnes pistes aux policiers qui peuvent se faire passer pour des clients (Linskey, 2006). Cette stratégie est par ailleurs largement utilisée par les brigades spécialisées dans la lutte à la cyberpédophilie.

L'émergence du travail du sexe

Une combinaison de facteurs psychologiques, sociaux, environnementaux et économiques font que quelqu'un devient travailleur du sexe. Certains auteurs jugent que c'est une question de choix personnel et de droit à la libération sexuelle (Mensah, 2011 ; Lim, 1998 ; Parent, 2010). Le travail dans l'industrie du sexe peut donner un sentiment de puissance, notamment lorsqu'il s'agit de négocier le montant demandé et le service offert (Deshotels et Forsyth, 2006). Le désir de recevoir de l'attention de la part des clients peut être une motivation (Andreas, 2005). Les jeunes gais peuvent trouver une acceptation de leur sexualité à travers les compliments et l'appréciation des clients, aux antipodes des sentiments homophobes qu'ils ont connus dans leur entourage lorsqu'ils étaient plus jeunes (Steele et Kennedy, 2006).

Des impératifs économiques sont généralement la principale raison qui amène une personne à travailler dans l'industrie du sexe et qui l'incite à continuer (Kempner, 2005). La recherche exhaustive de Melissa Farley sur les travailleurs du sexe dans neuf pays (Canada, Colombie, Allemagne, Mexique, Afrique du Sud, Thaïlande, Turquie, États-Unis et Zambie) conclut que la raison la plus répandue est de gagner de l'argent. Il s'agit le plus souvent d'un terrible besoin de survie : 75 % des prostitués (femmes et hommes) étaient sans logis lorsqu'ils ont commencé ce type d'activités (Farley, 2004). Dans le tiers-monde, les enfants sont particulièrement vulnérables ; ceux et celles qui vivent dans la rue dépendent de la prostitution pour survivre (Kudrati et coll., 2008).

Selon Farley, l'idée voulant que les travailleurs et travailleuses du sexe choisissent ce métier pour payer leur drogue est fausse. Différentes études ont montré que la prostitution précède la toxicomanie et l'alcoolisme chez 39 à 60 % des personnes. Les travailleurs et travailleuses du sexe ont souvent commencé à consommer des stupéfiants et de l'alcool pour composer avec le profond malaise que leur procure leur travail (Farley, 2004).

Le statut juridique du travail dans l'industrie du sexe

Dans l'état actuel du droit, en attendant que la Cour suprême tranche sur la constitutionnalité de certaines dispositions du Code criminel (voir plus haut), la prostitution comme telle n'est pas illégale au Canada. Par contre, offrir des services sexuels, les négocier en public (le client est aussi criminalisé) ou en vivre est illégal. Cohabiter avec une personne qui se prostitue crée la présomption d'en vivre et est donc illégal. Se trouver dans un endroit où la prostitution se pratique est aussi illégal.

À partir des années 1980 et 1990, «le débat sur le travail du sexe prend une ampleur internationale dans la foulée de la mondialisation et de l'accroissement marqué de la migration des travailleurs et travailleuses. On retrouve alors une position qu'on désigne comme néoabolitionniste et qui promeut l'élimination de la "prostitution"» (Parent, 2010, p. 10). Une autre position fait valoir la décriminalisation du «travail du sexe» (Mensah, 2007 ; Nadeau, 2001 ; Parent, 2010). Ses tenants recommandent que celui-ci soit reconnu comme un travail comme les autres et considèrent que les personnes qui l'exercent le choisissent librement dans la majorité des cas. Cette reconnaissance, qui existe dans certains pays, permettrait aux travailleurs du sexe de bénéficier d'une meilleure protection légale, d'exercer leur métier dans de meilleures conditions et de s'associer librement (l'Argentine est un exemple). D'autres chercheurs universitaires croient que le travail du sexe ne peut être considéré comme une activité librement consentie et qu'on doit continuer à tenter de l'éradiquer au nom des droits à l'égalité et à la dignité humaine et de la lutte contre le trafic sexuel mondial (Geadah, 2003 ; Poulin, 2004, 2006). Une position en quelque sorte mitoyenne, comme celle de la Suède, veut que les prostituées soient considérées comme des victimes, mais qu'elles ne doivent pas pour autant être traitées en criminelles. Par contre, ceux qui utilisent leurs services sont passibles de poursuites judiciaires. Au Québec, le Conseil sur le statut de la femme appuie ce principe.

En certains lieux, comme les Pays-Bas, l'Allemagne et l'État du Nevada aux États-Unis, la prostitution est légalisée, mais demeure soumise à des lois pénales. La prostitution entre adultes consentants y est perçue comme moralement répugnante, mais également comme une activité humaine inévitable. Les prostituées gagnent certains avantages dans un régime légalisé lorsqu'elles ont accès à une caisse de retraite, à des congés de maladie et à des prestations d'assurance-emploi (Weitzer, 2007). Les gouvernements qui légalisent la prostitution perçoivent des impôts supplémentaires. Aux Pays-Bas, par exemple, ces impôts supplémentaires sont estimés à 57 millions de dollars par année (Global Agenda, 2003).

Pour leur part, la Nouvelle-Zélande, la Nouvelle-Galles-du-Sud et d'autres régions de l'Australie ont décriminalisé le travail du sexe, en grande partie pour des raisons de santé publique et sous la pression d'organismes regroupant des travailleurs du sexe. L'argument de base invoqué pour la décriminalisation est qu'il s'agit d'une activité privée entre adultes consentants. Par conséquent, le rôle du gouvernement est d'assurer la santé publique et la sécurité des travailleurs du sexe. En étant légalement décriminalisés, ces travailleurs ont alors les mêmes droits et responsabilités en matière de travail, de santé et de sécurité que n'importe quel autre travailleur. Par contre, la prostitution de personnes de moins de 18 ans, la prostitution sous la contrainte et la traite de personnes demeurent illégales en vertu du droit criminel.

La décriminalisation a un impact positif sur la vie des travailleuses du sexe (Fitzgerald et coll., 2009). Premièrement, lorsqu'une d'entre elles désire changer de travail, elle n'a pas de casier judiciaire, ce qui facilite sa recherche d'emploi. Elle peut aussi bénéficier des programmes d'éducation et de formation destinés à celles qui souhaitent quitter l'industrie du sexe. Deuxièmement, le gouvernement fixe un cadre réglementaire pour la santé des travailleuses du sexe. Par exemple, le ministre de la Santé de la Nouvelle-Zélande a promulgué un règlement obligeant les travailleuses du sexe et leurs clients à utiliser le condom sous peine d'une amende de 2000 $. Lorsqu'elles doivent insister pour que des clients portent un condom, les travailleuses du sexe peuvent leur remettre la brochure du ministère de la Santé, ce qui réduit les risques de conflits.

Troisièmement, les travailleuses du sexe peuvent compter sur la protection des forces de l'ordre au lieu de craindre d'être mises en état d'arrestation. En Nouvelle-Zélande, les travailleuses dans la rue préfèrent maintenant exercer leur métier dans des lieux bien éclairés avec présence policière plutôt que d'essayer de se cacher des policiers. Puisqu'elles n'agissent plus dans l'illégalité, ces travailleuses ont des recours légaux contre les clients, les proxénètes et autres tenanciers de bordel. Par exemple,

une prostituée a pu poursuivre un client – et gagner sa cause – après que celui-ci eut discrètement retiré son condom pendant la relation.

La Nouvelle-Zélande a récemment achevé une étude rétrospective de cinq ans mesurant l'impact de la décriminalisation du travail du sexe en 2003 sur la santé publique et le bien-être des travailleuses du sexe (Gillian et coll., 2009). Le rapport précise les avantages de cette décriminalisation. Le taux d'utilisation du condom et de pratiques sexuelles sans risque est considérablement élevé chez les prostituées, ce qui représente un atout pour la santé publique en réduisant la transmission des ITSS. Elles sont plus en mesure de refuser des clients ou des demandes particulières. Elles peuvent travailler dans des lieux bien éclairés et obtenir la protection de la police au besoin au lieu de craindre de se faire arrêter ou harceler. Elles peuvent déclarer leur revenu, payer de l'impôt et révéler leur occupation. Par contre, un aspect du travail du sexe ne change pas : la stigmatisation sociale à l'égard des travailleuses du sexe.

Les coûts personnels du travail dans l'industrie du sexe

Les travailleuses et travailleurs du sexe ont des conditions de travail et des expériences fort variées (Weitzer, 2007). La décriminalisation et la légalisation de la prostitution améliorent considérablement la santé et la sécurité des personnes qui la pratiquent, mais la plupart des prostituées des quatre coins du monde doivent composer avec les inconvénients qui accompagnent le statut criminel de leurs activités. Les travailleurs et travailleuses du sexe peuvent développer des problèmes de santé physique et mentale associés à la violence, au stress chronique, à l'exposition aux ITSS et au manque de contrôle sur leurs conditions de travail (Ward et Day, 2006 ; Wong et coll., 2006). La recherche à cet égard porte sur les pays où la prostitution n'est pas décriminalisée.

Les deux tiers des prostituées de l'étude de Farley menée dans neuf pays répondaient aux critères diagnostiques du trouble de stress post-traumatique (TSPT), qui survient à la suite d'un traumatisme puissant. Les symptômes persistants du TSPT sont le phénomène d'intrusion (la personne revit l'événement traumatisant), une difficulté à se concentrer, des troubles du sommeil, des cauchemars, de l'hypervigilance, de l'anxiété, de l'apathie, etc.

La prostitution et le VIH/sida

Le VIH/sida est un autre danger que courent les prostitués (femmes et hommes). Des preuves incontournables montrent que dans un pays donné, le nombre d'infections chez les prostituées est corrélé avec la prévalence du VIH (Talbott, 2007). Nous ne disposons pas de données fiables pour le Canada, mais, ici comme ailleurs, les prostitués qui ont le plus désespérément besoin d'argent, soit parce qu'ils sont sans papiers, pauvres, plus vieux ou toxicomanes, sont les plus enclins à accepter des pratiques sexuelles à risque (Chapkis, 1997). Une étude faite au Mexique a révélé que les prostituées recevaient une prime allant de 23 à 46 % pour des pratiques sexuelles à risque, ce qui fait passer les revenus annuels d'un peu plus de 14 000 à 51 000 $ (Gertler et coll., 2005). Les programmes d'éducation au sécurisexe ou de distribution de condoms féminins auprès des prostituées ont démontré qu'ils augmentaient les pratiques sexuelles sans risque (Hoke et coll., 2007).

Bien que la plupart des personnes qui se prostituent soient poussées à le faire en raison de difficultés économiques extrêmes, d'autres y sont pratiquement forcés par la tromperie ou la violence, comme le montre l'encadré *Au-delà des frontières*.

Au-delà des frontières

La prostitution : l'exploitation sexuelle des femmes et des enfants dans le monde

Les 60 ans d'histoire du trafic sexuel moderne comprennent l'établissement par la police et des hommes d'affaires japonais de bordels pour les troupes américaines à la fin de la Seconde Guerre mondiale, en août 1945. À l'instar des «femmes de réconfort», des esclaves sexuelles mises à la disposition des troupes japonaises pendant la guerre, chacune des dizaines de milliers de femmes japonaises procurait du sexe à bon marché à 15 à 60 soldats américains chaque jour. Le commandement des troupes d'occupation américaines a d'abord toléré le recours à la prostitution pour ses militaires et distribué de la pénicilline aux femmes et des condoms aux hommes en service. Au printemps 1946, le général Douglas MacArthur a fermé ces bordels en raison des plaintes des aumôniers militaires, de l'image négative qu'en récoltaient les militaires et du taux élevé d'ITSS au sein des troupes. Avec l'occupation militaire américaine de la Corée du Sud, il y aurait actuellement plus d'un million de travailleuses et travailleurs du sexe dans les divers *camp towns* adjacents à la centaine de bases américaines à travers le monde (Michel, 2006); il s'agit principalement de femmes victimes de la traite de personnes en provenance d'Europe de l'Est et des Philippines (Farr, 2004).

Les trafiquants du sexe sont des criminels qui recrutent des femmes et des enfants dans des pays socialement et économiquement sous-développés ou politiquement instables en leur promettant un emploi. Les organisations de trafiquants prennent plusieurs formes, allant de l'entreprise familiale à des réseaux multinationaux hautement sophistiqués du crime organisé (Hodge, 2008). Des individus corrompus occupant des postes de confiance — agents de police, gardes-frontières, agents d'immigration, agents de voyages et banquiers — sont également mêlés au trafic sexuel. Une victime enrôlée comme prostituée peut rapporter de 75 000 à 250 000 $ par année à son «employeur», ce qui attise l'intérêt des personnes impliquées à tous les niveaux (Farr, 2004). On estime qu'à l'échelle mondiale, l'exploitation des enfants et des femmes par le trafic sexuel génère des profits annuels de 7 à 10 milliards de dollars américains (Cwikel et Hoban, 2005).

Au lieu de leur fournir un emploi légitime, les trafiquants vendent ces femmes et enfants à d'autres qui les forcent à travailler dans l'industrie du sexe, principalement dans des pays plus riches et plus stables ou dans des lieux reconnus pour le tourisme sexuel (Farr, 2004). Par exemple, après la chute du communisme en Europe au cours des années 1990, les trafiquants promettaient à des femmes pauvres d'Europe de l'Est qu'elles auraient un emploi légitime à l'Ouest (Thompson, 2008). Certaines femmes sont également entraînées dans la prostitution sous couvert de promesses de mariage dans un pays étranger. Les trafiquants recourent aussi à l'enlèvement. Profitant du chaos causé par l'occupation américaine de l'Iraq, par exemple, des bandes de trafiquants ont enlevé, avant 2006, quelque 2000 filles du pays (Bennett, 2006). Les filles issues de groupes ethniques minoritaires sont les proies les plus faciles pour les trafiquants en raison des possibilités économiques limitées de leur pays d'origine et de leur faible statut social.

Les trafiquants achètent également des enfants à des parents qui ne peuvent en assumer la charge financière. Les orphelins dont les parents sont morts du sida ou dans des guerres interethniques en Afrique et en Europe de l'Est sont aussi des proies faciles (Hodge, 2008; Rios, 1996). Au Canada, les personnes les plus à risque d'être victimes de la traite sont «celles qui sont désavantagées socialement ou économiquement, comme les femmes, les jeunes et les enfants autochtones, les migrants et les nouveaux immigrants, les fugueurs, les enfants pris en charge par les services d'aide à l'enfance, ainsi que les filles et les femmes qui pourraient être attirées vers les grands centres urbains ou y migrer volontairement» (Sécurité publique Canada, 2012). Il y a eu une augmentation notable du nombre de jeunes garçons prostitués pour répondre à la demande du tourisme sexuel (Lim, 1998). Au Népal, on estime qu'environ 7000 filles aussi jeunes que 9 ans sont vendues chaque année à des «employeurs» qui leur promettent un bon travail; elles se retrouvent dans des bordels de Mumbai en Inde, où des hommes atteints du VIH ont des relations sexuelles avec elles, croyant que de tels rapports avec une vierge peuvent les guérir (Kottler, 2008). Lorsqu'elles sont infectées, les

▶ filles sont souvent renvoyées chez elles. Le trafic sexuel semble donc jouer un rôle de premier plan dans la propagation du VIH et autres ITSS en Asie du Sud (Silverman et coll., 2008).

Il est impossible de déterminer l'ampleur réelle du nombre de femmes et d'enfants victimes de la traite de personnes dans le monde. Les pays cibles sont généralement riches et industrialisés. Un rapport de la CIA a estimé qu'aux États-Unis seulement, 50 000 femmes et enfants provenant de 40 pays travaillent comme esclaves dans l'industrie du sexe, et leur nombre grandit chaque année. Dans les villes touristiques du pays ou les villes hôtes de congrès, on estime que le tiers des prostitués de rue sont des enfants (Hodge, 2008 ; Leuchtag, 2003).

Les femmes et les enfants victimes de ce trafic subissent des torts considérables. Selon les études menées dans divers pays auprès de femmes victimes de la traite de personnes, les conditions de confinement proches de l'esclavage, les mauvais traitements et les viols systématiques que ces femmes subissent pendant des mois ou des années entraînent des problèmes psychologiques et physiques qui perdurent même lorsqu'elles parviennent à échapper à ce milieu. Les femmes se reprochent souvent de ne pas avoir su détecter la tromperie des tactiques de recrutement. Pendant le transit, elles risquent de se faire arrêter aux frontières et de trouver la mort en raison des modes de transport dangereux. Les trafiquants confisquent leurs papiers d'identité et menacent de les tuer ou de tuer leur famille si elles tentent de s'échapper. Pour s'assurer de leur docilité, ils les privent de nourriture, les maintiennent isolées et les droguent de force. Plus de 96 % d'entre elles ont été physiquement ou sexuellement agressées et toutes ont été contraintes à des actes sexuels, dont des rapports sexuels non protégés, des relations sexuelles anales, du sexe oral et des viols collectifs. La plupart doivent recevoir 10 à 25 clients par nuit, certaines plus de 40 à 50. Vingt-cinq pour cent ont eu au moins une grossesse non désirée et subi un avortement. Près de 40 % d'entre elles ont des pensées suicidaires pendant ou après leur calvaire (Tsutsumi et coll., 2008 ; Van Hook et coll., 2006 ; Zimmerman et coll., 2003).

Les trafiquants trouvent dans la pauvreté une multitude de possibilités pour exploiter des personnes vulnérables (Footner, 2008 ; Gjermeni et coll., 2008 ; Michel, 2006). Les organisations féminines et d'autres groupes de défense des droits de la personne n'ont cessé de revendiquer une meilleure éducation et une plus grande autonomie économique des femmes pour briser la relation entre la pauvreté et l'exploitation sexuelle. Des organisations privées actives dans de nombreux pays ont élaboré des programmes pour aider les femmes à échapper à la traite de personnes.

Ici, le gouvernement canadien s'est doté d'un plan d'action national de lutte contre la traite des personnes. Celui-ci vise notamment à mettre sur pied une équipe chargée de contrer cette forme d'exploitation, à accroître les mesures de prévention auprès des collectivités vulnérables, à offrir un plus grand soutien aux victimes et à renforcer la coordination avec des partenaires nationaux et internationaux (Sécurité publique Canada, 2012).

Pour terminer, soulignons ce cas exceptionnel de trois adolescentes d'Ottawa qui, selon les accusations portées contre elles en juin 2012, auraient agi comme proxénètes et exploité un réseau de prostitution forcée. Cet exemple commande une réflexion sur de nouvelles réalités.

La sexualité atypique

Nous avons vu jusqu'ici l'aspect commercial de la sexualité. Une des caractéristiques de cette activité est de miser sur la relative rareté de certains comportements, condition de base pour que des gens soient prêts à payer pour en profiter. On voit mal quelqu'un payer pour quelque chose qui se trouve partout. La rareté relative s'applique aussi à un autre aspect de la sexualité, celui de l'atypisme, des pratiques hors norme.

Qu'est-ce qu'un comportement sexuel atypique ?

La loi exprime une volonté de normalisation présente dans toute société. Elle codifie ce qui est considéré comme inacceptable dans une société donnée à une époque donnée. Elle a pour fonction de définir un ordre de fonctionnement. En matière de sexualité, surtout, elle se place à la frontière du privé et du public. La prostitution et les activités qui l'accompagnent, nous le voyons, suscitent des jugements réprobateurs. De plus, les personnes qui la pratiquent sont souvent confrontées à des demandes sexuelles hors de l'ordinaire. Tout comme la pornographie, la prostitution est un lieu où s'exprime ce qui est hors norme, à l'abri (relatif) du jugement réprobateur, justifié ou non, d'une société. Mais ce ne sont pas les seuls domaines où la sexualité hors norme s'exprime. Dans ce qui suit, nous allons aborder d'autres pratiques sexuelles controversées, parfois interdites par la loi, parfois classées comme hors norme selon les critères cliniques, parfois les deux. Débutons par ce témoignage :

> Mon dernier partenaire sexuel appréciait énormément l'urolagnie. Comme j'avais déjà vu des films de G.G. Allen, j'étais bien au courant de l'existence de cette pratique, mais jamais il ne m'était venu à l'idée que j'aimerais y participer. Lorsque mon partenaire m'a révélé son désir de boire mon urine, j'ai

été prise de court. J'étais reconnue pour essayer des choses que je pourrais trouver un peu atypique, alors j'ai accepté. J'étais très inquiète et incertaine quant à la façon de faire. Des pensées telles que « Si sa demande est une plaisanterie, il va me prendre pour une idiote » et « Et si je rate complètement » me passaient par la tête. J'étais paralysée par la nervosité, ce qui faisait que j'avais de la difficulté à uriner. Mon anxiété a fini par s'atténuer et j'ai pu me détendre et me laisser aller. Sa réaction m'a stupéfiée. Il a commencé à se masturber avec force et il a bu mon urine dans un état d'extase. Je ne l'avais jamais vu aussi excité. Le plus surprenant a été à quel point j'ai aimé cela. Bien que je ne puisse pas imaginer jouer son rôle, c'était une expérience réellement agréable et stimulante. (Notes des auteurs)

Ce témoignage d'une expérience sexuelle peu fréquente, provenant d'une étudiante inscrite dans un cours sur la sexualité, peut refléter aux yeux des lecteurs un comportement sexuel anormal ou peut-être même déviant. Nous croyons qu'il vaut mieux considérer ce témoignage comme un exemple de sexualité atypique. Soulignons, cependant, qu'il s'agit d'un comportement à risque : le VIH a été détecté dans l'urine des personnes qui en étaient infectées. La prudence est donc de mise. Voyons maintenant brièvement ce que peuvent être des comportements sexuels atypiques.

Une définition de la paraphilie

Dans la présente section, nous examinons des comportements sexuels qui ont parfois été qualifiés de déviants, d'aberrants, d'anormaux ou de pervers. Pervers vient du latin *pervertere* (retourner, renverser) ; il désignait à l'origine des individus agissant à l'encontre de l'ordre du monde (Marmion, 2009). De nos jours, on utilise le terme paraphilie pour désigner ces types d'expression sexuelle moins fréquents. Signifiant littéralement « en dehors de l'amour usuel ou courant », le mot *paraphilie* indique que ces comportements sexuels atypiques ne sont généralement pas fondés sur une relation tendre ou aimante, mais qu'ils sont les signes d'un comportement psychosexuel jugé pathologique, s'accompagnant d'une souffrance psychologique du sujet lui-même, dans lequel l'excitation ou la réponse sexuelle, ou les deux, sont conditionnées par une activité hors de l'ordinaire, singulière (American Psychiatric Association, 2000), voire bizarre ou perverse, selon le point de vue (Money, 2004). Le terme *paraphilie* se rencontre surtout dans la documentation en psychologie et en psychiatrie. Selon notre expérience de rencontres et de discussions entourant ces comportements sexuels, nous avons observé que la plupart des membres de notre société n'adoptent aucun de ces comportements, à tout le moins pas dans leur forme parfaitement exprimée. C'est pourquoi, dans ce chapitre, nous avons classé les paraphilies dans les comportements sexuels atypiques.

Quatre points doivent être éclaircis au sujet des comportements sexuels atypiques en général avant d'aborder des exemples plus précis. Les pratiques que nous décrivons dans cette section représentent les extrêmes de comportements sexuels atypiques, dont la gravité peut varier, allant de tendances légères et épisodiques à des formes généralisées et systématiques. Bien qu'il s'agisse de comportements atypiques, il est possible de reconnaître en soi, à divers degrés, certains des sentiments ou manifestations qui y sont associés. Il pourra s'agir de tendances épisodiques, ou en grande partie réprimées, ou n'émergeant qu'au cœur des fantasmes les plus secrets.

Le second élément à retenir concerne l'état de nos connaissances sur ces comportements. Dans l'exposé qui suit, nous présumons que les sujets sont de sexe masculin, car c'est le cas de la plupart des personnes inculpées pour comportement sexuel atypique ou paraphilie (American Psychiatric Association, 2000 ; Côté, 2001 ; J. Miller, 2009). Selon la sexologue Hélène Côté (2001, p. 88), « le fait qu'il y ait peu de cas connus ou rapportés ne signifie pas pour autant que l'érotisation atypique féminine est exceptionnelle. La dénégation sociale a contribué en partie à [cette perception] ». Reconnaissons que cette présomption est peut-être faussée par la partialité des dénonciations et des plaintes en la matière. Il est ainsi beaucoup moins probable que soient signalés à la police des cas d'exhibitionnisme féminin, alors que l'exhibitionnisme masculin l'est presque immanquablement (Côté, 2001). Par ailleurs, les études sur la paraphilie féminine sont rares ; l'une d'elles a été menée à Ottawa par Paul Fedoroff, Alicja Fishell et Beverley Fedoroff, et publiée en 1999. Le masochisme sexuel, dont nous traitons dans ce chapitre, serait la forme de sexualité atypique la plus susceptible d'être exprimée par des femmes (J. Miller, 2009). Selon le psychologue et sexologue John Money (1981), le comportement sexuel atypique pourrait être plus fréquent chez les hommes parce que chez eux, la différenciation érotosexuelle (le développement de l'excitation sexuelle en réaction à divers types d'images ou de stimuli) est plus complexe et sujette à plus d'erreurs de construction que chez les femmes.

Un troisième élément digne de mention est que les comportements atypiques sont souvent interreliés. Il semble en effet que lorsqu'une paraphilie se manifeste, d'autres risquent aussi de se présenter simultanément ou

---

Paraphilie Terme désignant une forme d'expression sexuelle peu commune, mais essentielle à la satisfaction sexuelle de ceux qui la pratiquent, qui implique explicitement ou implicitement un jugement médical ou de psychopathologie.

Comportement sexuel atypique Comportement sexuel qui ne se rencontre habituellement pas chez la plupart des gens dans une société donnée et à une époque donnée.

consécutivement (Bradford et coll., 1992 ; Kafka, 2009). La recherche menée auprès d'hommes dont la paraphilie a attiré l'attention des médecins ou des autorités judiciaires a montré que plus de la moitié d'entre eux avaient plus d'une paraphilie et qu'un sur cinq avait fait l'expérience de quatre paraphilies ou plus (Abel et Osborn, 2000). Selon une hypothèse, en se livrant à un comportement atypique (par exemple l'exhibitionnisme), le sujet perd une partie de ses inhibitions, ce qui le rend plus susceptible de s'adonner à une autre paraphilie, par exemple le voyeurisme (Stanley, 1993).

La dernière considération concerne l'effet des comportements sexuels atypiques sur les personnes qui les manifestent et sur celles qui en font les frais. Ces pratiques sont souvent, pour ceux qui s'y adonnent, l'unique moyen de parvenir au plaisir sexuel. Le comportement est fréquemment une fin en soi. Comme il est très probable que les paraphiles s'aliènent les autres par ces agissements inusités, il est difficile pour eux d'établir des relations sexuelles ou intimes satisfaisantes avec des partenaires. Leur expression sexuelle est, par la force des choses, solitaire, obsessionnelle, voire irrépressible. Certains de ces comportements supposent que l'espace personnel d'un autre individu sera perturbé contre son gré et de façon importune. Dans la section qui suit, nous faisons la distinction entre les paraphilies coercitives et les paraphilies non coercitives. Le tableau 9.2 donne un aperçu des paraphilies présentées dans ce chapitre.

Question d'analyse critique

Selon vous, l'incidence plus élevée chez les hommes de comportements sexuels atypiques peut-elle découler d'un conditionnement culturel et social ? Justifiez votre réponse.

TABLEAU 9.2 Résumé des caractéristiques de quelques paraphilies.

NOM	DESCRIPTION	CLASSIFICATION
Fétichisme	Excitation sexuelle centrée sur des objets inanimés ou des parties du corps.	Non coercitive
Travestisme fétichiste	Excitation sexuelle à s'habiller comme l'autre sexe.	Non coercitive
Sadisme sexuel	Association du plaisir sexuel à la douleur physique, psychique ou à l'humiliation sexualisée infligée à autrui.	Non coercitive
Masochisme sexuel	Association du plaisir sexuel au fait d'être soumis à la douleur physique, psychique ou à l'humiliation sexualisée.	Non coercitive
Asphyxie autoérotique (asphyxiophilie, hypoxyphilie)	Augmentation de l'excitation sexuelle par la privation d'oxygène.	Non coercitive
Clystérophilie (klysmaphilie)	Plaisir sexuel associé au fait de recevoir ou d'administrer un lavement intestinal.	Non coercitive
Coprophilie (scatophilie) et urophilie (urolagnie)	Excitation sexuelle associée au contact des fèces ou de l'urine respectivement.	Non coercitive
Exhibitionnisme	Excitation sexuelle associée à l'exposition de ses parties génitales devant une personne non consentante.	Coercitive
Appels obscènes	Excitation sexuelle engendrée par la profération de propos obscènes à un auditeur non consentant.	Coercitive
Voyeurisme	Excitation sexuelle associée à l'observation de la nudité ou de l'activité sexuelle de personnes sans leur consentement.	Coercitive
Frotteurisme	Excitation sexuelle obtenue en se pressant ou se frottant contre une autre personne dans un endroit public et sans son consentement.	Coercitive
Zoophilie	Contact sexuel entre une personne et un animal.	Coercitive
Nécrophilie	Plaisir sexuel obtenu en regardant un cadavre ou en ayant des relations sexuelles avec lui.	Coercitive

Les paraphilies coercitives et non coercitives

La présence ou l'absence de coercition est une caractéristique déterminante des paraphilies. De nombreuses paraphilies sont des activités strictement solitaires. D'autres se font entre adultes consentants qui prennent part au comportement marginal, qui l'observent ou qui le tolèrent tout au plus. Aux yeux de plusieurs personnes, ces comportements atypiques sont considérés comme relativement bénins ou inoffensifs parce qu'ils ne comportent aucune coercition. Le témoignage présenté plus haut relève clairement de cette catégorie. Mais, comme nous le verrons, ces pratiques non coercitives s'accompagnent parfois de conséquences négatives pour les personnes qui s'y adonnent.

Certaines paraphilies sont, en revanche, carrément contraignantes et coercitives, car des personnes y sont soumises contre leur gré. C'est ce qui se produit dans le voyeurisme ou l'exhibitionnisme. Des études indiquent d'ailleurs que les victimes de tels actes sont souvent psychologiquement traumatisées par l'expérience. Certaines ont l'impression d'avoir été violentées, craignent d'être agressées physiquement ou se mettent à appréhender la récurrence de semblables incidents désagréables. Voilà pourquoi les paraphilies qui s'exercent sous la contrainte sont illégales, bien que de nombreuses personnes qui en font l'objet n'en sont souvent pas autrement troublées. Cela dit, comme plusieurs de ces comportements coercitifs ne donnent pas lieu à des contacts physiques ou sexuels avec l'agresseur, ils sont généralement considérés par les autorités comme des infractions sexuelles mineures (parfois qualifiées de simples nuisances). Cependant, les données montrent que certains auteurs de ces «simples nuisances» passent à des agressions sexuelles plus graves, si bien qu'il y aurait lieu de se demander si ces délits sont effectivement «mineurs» (Bradford et coll., 1992; Fedora et coll., 1992). Nous discutons de cet aspect plus loin dans le chapitre.

Dans cette section consacrée aux paraphilies coercitives et non coercitives, nous examinons la manière dont chacun de ces comportements s'exprime, les caractéristiques communes à leurs adeptes et différents facteurs soupçonnés de contribuer à l'émergence du comportement. Nous traitons au chapitre 11 de formes plus graves de coercition sexuelle, comme le viol, l'inceste et l'agression sexuelle sur des enfants.

Les paraphilies non coercitives

Nous présentons dans cette partie quatre paraphilies non coercitives assez courantes: le fétichisme, le travestisme fétichiste, le sadisme sexuel et le masochisme sexuel. Nous décrivons ensuite quatre paraphilies moins courantes.

Le fétichisme

Le fétichisme désigne un comportement sexuel par lequel une personne parvient à l'excitation sexuelle en investissant d'une sorte de pouvoir érotique un objet inanimé ou une partie du corps humain. Comme pour bien d'autres comportements atypiques, il est souvent difficile de déterminer ce qui délimite les activités normales ayant un parfum de fétichisme et les activités franchement fétichistes. Ce témoignage exprime une perception d'ambiguïté:

> Question et réflexion sur le pied féminin. Faire l'amour implique la participation de la totalité du corps: la bouche, les seins, les fesses, l'anus, le rectum, le vagin (même durant les menstruations), le pénis et les pieds. Les pieds sont bourrés de terminaisons nerveuses, et s'ils sont bien entretenus, ils sont très agréables à voir, à caresser avec les mains, à prendre en bouche, et ils peuvent être utilisés pour la masturbation.
>
> Dans notre société, les pieds ont mauvaise presse au lit, contrairement à la vision asiatique. Pourtant, l'image du pied féminin est abondamment utilisée en publicité: pour nous vendre des meubles, de la gomme à mâcher, les services d'une chaîne de pharmacie, etc. Le printemps arrive, les magazines féminins exhibent à qui mieux mieux les pieds des femmes et les chaussures les plus *sexy* qui soient, sans oublier bien sûr de mentionner à quel point les pieds font partie de l'arsenal de séduction des femmes. Ces dernières d'ailleurs le savent très bien et ne se gênent pas pour les utiliser en première ligne durant la manœuvre d'approche. Illogisme féminin menant à la frustration masculine. Une fois au lit: «Je ne supporte pas qu'on me touche les pieds, les pieds, ça pue et c'est fait pour marcher, espèce de malade mental.»
>
> Pourquoi ce tabou? Pourquoi cette incohérence? Pourquoi parler de fétichisme du pied comme pour désigner des hommes détraqués? Parle-t-on de fétichisme du sein?
>
> Je terminerai en disant que j'ai une amie lesbienne qui se pose les mêmes questions. (Site Élysa)

Bien des gens sont sexuellement excités à la vue de sous-vêtements ou de certaines parties du corps, comme les pieds, les jambes, les fesses, les cuisses et les seins. Beaucoup d'hommes et certaines femmes utilisent des vêtements et d'autres accessoires lorsqu'ils se masturbent ou

Fétichisme Comportement sexuel par lequel une personne n'est sexuellement excitée, de façon exclusive ou presque exclusive, que par un objet inanimé ou une partie du corps.

qu'ils ont une activité sexuelle avec un ou une partenaire. Il n'y a véritablement *fétichisme* que lorsque la personne a une fixation sur certains objets ou parties du corps, à l'exclusion de toute autre chose (Lowenstein, 2002). Dans certains cas, la personne sera incapable d'excitation sexuelle ou d'orgasme si elle est privée de son fétiche. Dans d'autres cas, si l'érotisation du fétiche est moins exclusive, l'excitation demeurera possible, mais elle sera moins forte. Chez certains, le fétiche remplace purement et simplement le contact avec une personne, mais il peut être délaissé si un ou une partenaire devient disponible. Parmi les fétiches les plus communs, mentionnons la lingerie féminine, les chaussures (surtout à talons hauts), les bottes (souvent associées à la domination), les cheveux, les bas (surtout les bas résille noirs) et une palette d'accessoires et de vêtements en cuir, en soie et en caoutchouc ou latex (American Psychiatric Association, 2000; Seligman et Hardenburg, 2000).

Comment le fétichisme se développe-t-il? Cela peut se produire lorsqu'un fétiche, objet ou partie du corps, a été intégré à un fantasme auquel le sujet a recours pour parvenir au plaisir lors d'une séance de masturbation. L'orgasme vient ici renforcer l'association fétichiste (Juninger, 1997). Il s'agit en quelque sorte d'un conditionnement classique suivant lequel tel objet ou telle partie du corps est associé au plaisir sexuel. Dans certains cas, l'explication peut provenir de l'enfance. En effet, certains enfants apprennent à associer l'excitation sexuelle à des objets (sous-vêtements ou chaussures) appartenant à une personne importante sur le plan affectif, comme leur mère ou leur sœur aînée (Freund et Blanchard, 1993). C'est un processus qu'on appelle parfois *transformation symbolique*. Ici, le fétiche est investi du pouvoir ou de l'essence de la personne à laquelle il appartient, de sorte que l'enfant (généralement un garçon) éprouve pour cet objet ce que lui inspire la personne elle-même (Gebhard et coll., 1965).

Des objets ou une partie du corps humain, comme les pieds, peuvent être une source d'excitation sexuelle pour certaines personnes.

Si ces schèmes s'enracinent suffisamment, le garçon n'aura que peu ou pas d'interactions sexuelles avec autrui durant ses années de croissance et, même une fois adulte, il continuera peut-être à préférer les fétiches aux contacts sexuels avec d'autres humains.

Il est rare que le fétichisme conduise à un acte dangereux. Il arrive parfois qu'une personne aille jusqu'à commettre un vol pour s'approprier un objet fétiche, comme le montre ce témoignage.

> Il y a quelques années de cela, nous avions un voleur de sous-vêtements dans le voisinage. Vous ne pouviez pas suspendre un soutien-gorge sur la corde sans craindre de le perdre. Il prenait aussi les petites culottes, mais les soutiens-gorge semblaient avoir sa préférence. J'en ai parlé avec d'autres femmes du voisinage qui avaient le même problème. Ce type devait en avoir une pleine chambre. Je n'ai jamais entendu dire qu'il s'était fait prendre. Il a dû décider de changer de quartier, car les vols ont cessé du jour au lendemain. (Notes des auteurs)

Le vol est le délit le plus souvent associé au fétichisme (Lowenstein, 2002). Dans des cas rares, une personne pourra poser un geste bizarre comme de couper une mèche de cheveux sans le demander à sa propriétaire. Dans les cas extrêmes, un homme ira jusqu'au meurtre, mutilant sa victime pour prélever et conserver certaines parties du corps qu'il utilisera pour nourrir ses fantasmes pendant qu'il se masturbe.

Le travestisme fétichiste

Jusqu'à récemment, le terme *travesti* désignait toute personne portant les vêtements de l'autre sexe, quelles que soient ses motivations (affirmation de soi, divertissement, excitation sexuelle, etc.). On utilise maintenant l'expression travestisme fétichiste pour désigner les personnes qui se parent de vêtements de l'autre sexe pour s'exciter sexuellement. C'est cette composante d'excitation sexuelle qui distingue le comportement de ces personnes de celui des hommes qui s'habillent en femmes pour faire du spectacle, des gais qui le font occasionnellement pour draguer d'autres hommes ou par cabotinage, et des transsexuels qui, comme nous l'avons vu au chapitre 4, y voient un moyen d'atteindre une certaine plénitude physique et affective.

Les médias grand public et le cinéma traitent fréquemment du travestisme. À Radio-Canada, par exemple, la série *Cover Girl,* présentée en 2006-2007, montrait l'univers caricaturé de travestis.

> **Travestisme fétichiste**   Comportement par lequel une personne obtient du plaisir sexuel en s'habillant comme l'autre sexe.

Parmi les objets fétiches les plus communs se trouvent la lingerie féminine et les chaussures à talons hauts. Les fétichistes peuvent être excités par ces objets inanimés.

Le travestisme fétichiste englobe une palette de comportements. Certaines personnes préfèrent se vêtir complètement des tenues de l'autre sexe. Elles en font souvent une activité solitaire dans l'intimité de leur foyer. Il peut leur arriver à l'occasion de sortir en ville ainsi vêtues, mais c'est plutôt inhabituel. En général, le travestisme fétichiste est une activité sporadique qui suscite l'excitation sexuelle et se termine par la masturbation ou un rapport sexuel avec un partenaire. Dans de nombreux cas, la personne s'excite en ne portant qu'un vêtement, peut-être un slip ou un soutien-gorge. Comme ce comportement contient une importante composante fétichiste (Freund et coll., 1996), l'Association américaine de psychiatrie (2000) a formalisé le lien entre ces deux paraphilies (travestisme et fétichisme) en instituant la catégorie diagnostique de «travestisme fétichiste». Ce qui distingue le travestisme fétichiste du fétichisme proprement dit, c'est que la personne doit porter le vêtement fétiche pour s'exciter, elle ne peut se contenter de le regarder ou de le caresser.

Les critères de diagnostic du travestisme fétichiste, tels que définis par l'Association américaine de psychiatrie (2000), sont les suivants : présence durant au moins six mois, chez l'homme hétérosexuel, d'intenses et récurrents fantasmes, pulsions sexuelles ou comportements à base de travestisme. Ces fantasmes, pulsions sexuelles ou comportements perturbent ou dérèglent de façon pathologique d'importants aspects du fonctionnement de la personne.

De nos jours, plusieurs membres de la communauté transgenre (voir le chapitre 4), de plus en plus présente dans les revues professionnelles et les médias populaires, soutiennent que le travestisme est une source légitime d'excitation sexuelle plutôt que le signe d'un désordre psychologique ou d'un trouble du comportement. Ils rejettent ainsi l'étiquette de travestisme fétichiste et ce qu'elle implique d'anormal. Par ailleurs, selon les critères

diagnostiques mentionnés plus haut, le travestisme fétichiste ne s'observe que chez les hommes hétérosexuels. Cela semble se vérifier pour l'ensemble des sociétés actuelles sur lesquelles nous avons des données. La documentation clinique rapporte cependant quelques rares cas de femmes s'habillant en hommes pour avoir du plaisir sexuel (Bullough et Bullough, 1993 ; Stoller, 1982).

Plusieurs études menées auprès de populations cliniques et non cliniques semblent indiquer que le travestisme fétichiste se rencontre principalement chez les hommes hétérosexuels et mariés (Brown, 1990 ; Bullough et Bullough, 1997 ; Doctor et Prince, 1997). Comme pour le fétichisme et plusieurs autres comportements atypiques, le développement du travestisme fétichiste révèle souvent une forme de conditionnement. Le renforcement, sous forme d'excitation ou d'orgasme, peut avoir accompagné certaines activités de travestisme tout au début du développement de l'intérêt sexuel, comme l'illustre le témoignage suivant.

Plusieurs adeptes du travestisme fétichiste jugent que cette pratique constitue une façon appropriée et légitime de s'exciter sexuellement et non le signe d'un trouble de comportement ou d'un désordre psychologique.

> Enfant, vers 11 ou 12 ans, j'étais fasciné et excité par les photos dans les revues montrant des femmes en sous-vêtements. Me masturber en les regardant était fameux. Plus tard, j'ai intégré les sous-vêtements de ma mère à mes petits rituels de masturbation ; au début, je ne faisais qu'y toucher avec ma main libre, puis je me suis mis à les porter et à me regarder ainsi dans le miroir pendant que je me stimulais manuellement. Maintenant que je suis adulte, j'ai de nombreuses relations sexuelles satisfaisantes avec des femmes sans avoir recours au déguisement. Mais occasionnellement, quand je suis seul, je me travestis de nouveau et cela continue d'être vraiment excitant. (Notes des auteurs)

Une recherche sur Internet montre le développement d'une quasi-culture alternative autour de ce qu'on appelle des *fetish cafe*. Là, des soirées thématiques s'organisent autour d'une pratique fétichiste. Les règles sont plus ou moins souples, mais souvent la tenue vestimentaire doit refléter le thème retenu. Les participants adoptent également un comportement lié au thème.

Le sadisme et le masochisme sexuels

Le sadisme et le masochisme sont souvent abordés conjointement dans la catégorie du sadomasochisme (aussi appelé SM), parce que ce sont deux variantes d'un même phénomène associant expression sexuelle et souffrance ; de plus, la dynamique des deux comportements se ressemble et se complète. Dans l'exposé qui suit, nous utilisons fréquemment l'abréviation SM pour les désigner. Cela ne veut pas nécessairement dire, par contre, qu'une personne qui pratique l'un pratique aussi l'autre, le sadisme et le masochisme étant en réalité deux comportements distincts. Le *DSM-IV* présente ces deux paraphilies en deux catégories distinctes : sadisme sexuel et masochisme sexuel. Le masochisme est la seule paraphilie qui se manifeste à une certaine fréquence chez les femmes (American Psychiatric Association, 2000). Les gens qui pratiquent le SM utilisent souvent les termes « bondage-domination-sadisme-masochisme », ou BDSM, pour désigner ce type d'activités (Gross, 2006).

Il est difficile de déterminer quels comportements relèvent du sadisme sexuel ou du masochisme sexuel, car de nombreuses personnes se prêtent à une certaine forme d'interaction agressive durant les jeux amoureux (les morsures d'amour, par exemple) qu'on ne qualifierait cependant pas de sadomasochistes. Alfred Kinsey et ses collègues (1948, 1954) ont établi que 22 % des hommes et 12 % des femmes de leur échantillon avaient une réaction érotique aux histoires à thématique sadomasochiste. De même, plus de 25 % des sujets des deux sexes disaient être attisés érotiquement par les morsures durant les rapports sexuels (Gross, 2006). Morton Hunt (1974) indique que 10 % des hommes et 8 % des femmes de son échantillon (composé d'adultes de moins de 35 ans) disaient retirer du plaisir sexuel d'activités SM lors d'interactions avec une ou un partenaire. Une autre étude portant sur 975 hommes et femmes a montré que 25 % des sujets pratiquaient une forme quelconque de SM à l'occasion (Rubin, 1990). Il y a des indications selon lesquelles les personnes fascinées par le SM sont plus nombreuses à explorer leur intérêt pour ces pratiques, la facilité d'accès à Internet y étant pour quelque chose (Gross, 2006 ; Kleinplatz et Moser, 2004).

Bien que les pratiques sadomasochistes puissent être dangereuses physiquement, la plupart des personnes qui s'y adonnent ne dépassent généralement pas les limites auxquelles elles avaient mutuellement consenti préalablement, se contentant de se livrer en compagnie d'un ou d'une partenaire de confiance à des actes légèrement ou même symboliquement sadomasochistes. Sous sa forme la plus bénigne, le sadisme sexuel se résume souvent à infliger une souffrance plus symbolique que réelle. Les gens ayant des dispositions masochistes pourront être excités sexuellement s'ils se font flageller, si on les coupe, si on les pique avec une aiguille, si on les attache ou si on leur donne la fessée. Le degré de douleur nécessaire à l'obtention d'un état d'excitation sexuelle peut varier, allant de souffrances très légères et symboliques jusqu'aux corrections ou mutilations graves, lesquelles sont rares, cependant. Font également preuve de masochisme sexuel les personnes qui, pour être sexuellement excitées, doivent être méprisées, humiliées et contraintes de se soumettre à des actes avilissants ou dégradants (Money, 1981). L'idée répandue voulant que tout genre de douleur, physique ou morale, puisse exciter sexuellement les personnes prédisposées au masochisme est fausse. La douleur doit faire partie d'une mise en scène dont l'objectif délibéré est le plaisir sexuel.

Dans une autre variante masochiste, certaines personnes trouvent plaisir à être attachées, ligotées ou entravées dans leurs mouvements d'une quelconque façon. Ce comportement, appelé *bondage*, nécessite généralement l'aide d'une autre personne qui attache ou ligote son ou sa partenaire et lui administre des corrections, par exemple des fessées ou des coups de fouet (Santilla et coll., 2002). Une étude menée auprès de 975 hommes et femmes a révélé que 25 % d'entre eux se livraient à des pratiques de bondage durant leurs relations sexuelles (Rubin, 1990).

De nombreux adeptes du SM ne se limitent pas à des comportements exclusivement sadiques ou masochistes. Certains alternent les deux rôles, souvent par nécessité, car ils n'ont pu trouver de partenaire préférant uniquement infliger de la souffrance ou s'en faire infliger. La plupart de ces gens semblent préférer l'un ou l'autre rôle, mais certains apprécient les deux (Mosher et Levitt, 1987 ; Taylor et Ussher, 2001).

La recherche indique que les personnes aux tendances sexuelles sadiques sont moins nombreuses que leurs pendants masochistes (Sandnabba et coll., 1999). Ce déséquilibre est peut-être à l'image de la morale ambiante : il apparaît certainement plus acceptable d'être puni que de perpétrer une agression mentale ou physique contre un autre. Aussi, les personnes ayant besoin d'une douleur intense pour atteindre un état d'excitation sexuelle risquent d'avoir de la difficulté à obtenir la coopération d'un partenaire. Certaines en sont donc réduites à s'infliger elles-mêmes de la douleur en se brûlant ou en se mutilant. De même, celui qui a besoin d'infliger de grandes douleurs pour parvenir à un état d'excitation sexuelle trouvera difficilement un partenaire consentant, même contre rémunération. Les meurtres sadiques qui font occasionnellement la une de certains journaux servent parfois à assouvir ce type de besoin (Money, 1990). Dans ces cas, c'est souvent la violence meurtrière elle-même qui permet l'orgasme.

Le sadomasochisme est perçu très négativement par bien des gens dans nos sociétés occidentales actuelles. Cette perception est surtout présente, cela se comprend, chez les personnes pour qui la sexualité doit être un échange d'amour et de tendresse entre deux partenaires qui souhaitent se donner mutuellement du plaisir. En général, on voit le SM comme une forme de perversion sexuelle qui entraîne des douleurs et des souffrances profondes et la déshumanisation. On tient généralement pour acquis que les personnes se livrant à ces pratiques sont plus souvent des victimes que des participants volontaires.

Un groupe de chercheurs a contesté cette opinion en affirmant que le modèle médical classique du sadomasochisme en tant que pathologie repose sur un échantillon beaucoup trop limité de sujets qui ont consulté des médecins pour des troubles de la personnalité ou de sérieux problèmes psychologiques. Selon ces chercheurs, il est trompeur de tirer des conclusions sur le SM comme sur d'autres comportements sexuels atypiques à partir d'un tel échantillon. Ils ont donc mené leur propre recherche et l'ont étendue à un environnement non clinique, interrogeant différents adeptes du sadomasochisme et les observant dans diverses mises en scène. Ils ont pu constater que quelques sadomasochistes correspondaient à l'image traditionnelle qu'on en avait, mais que la plupart de ceux qui participaient à ces séances y trouvaient simplement une façon d'améliorer leurs jeux sexuels en y ajoutant des éléments de domination et de soumission et des jeux de rôle qu'ils choisissaient ensemble d'explorer (Weinberg et coll., 1984). Une autre étude portant sur 164 hommes membres de clubs sadomasochistes a révélé qu'il s'agissait de personnes socialement bien intégrées et que leur comportement sadomasochiste était surtout une façon de stimuler leur vie sexuelle (Sandnabba et coll., 1999).

De nombreux adeptes des activités SM le font pour vivre une expérience de domination ou de soumission plutôt que pour la douleur (Weinberg, 1987, 1995). C'est d'ailleurs ce que fait ressortir ce témoignage d'une étudiante inscrite à un cours sur la sexualité.

> J'ai parfois des fantasmes sadomasochistes. Je veux avoir du sexe « animal » en étant sous le contrôle de mon mari. Je veux qu'il me « force » à faire des choses. La domination et de légères douleurs agrémenteraient la scène. J'ai lu des livres et j'ai discuté de cela avec des gens, et je suis terrifiée par plusieurs aspects de cette pratique, mais avec la relation de confiance que j'ai avec mon mari, je ne serais pas craintive. Cela semble un jeu idiot, mais c'est si excitant d'y penser. Peut-être, un jour, cela arrivera-t-il. (Notes des auteurs)

Certaines personnes trouvent un plaisir sexuel dans les tenues et les rôles liés au ligotage.

L'étude du comportement sexuel chez plusieurs espèces animales révèle la présence de comportements agressifs et dangereux avant l'accouplement (Gross, 2006). Quelques théoriciens ont avancé que ce genre d'activité a une fonction neurologique, augmentant des réactions inhérentes à l'excitation sexuelle telles que la pression artérielle, la tension musculaire et l'hyperventilation (Gebhard et coll., 1965). Pour diverses raisons (comme le sentiment de culpabilité, l'anxiété ou l'apathie), des

Une méthode dangereuse (2012). Ce film réalisé par David Cronenberg relate une liaison entre une figure dominante de la psychologie, Carl Jung, une patiente masochiste qui devient à son tour une thérapeute, Sabina Spielrein, et le fondateur de la psychanalyse, Sigmund Freud.

personnes peuvent avoir besoin de stimuli non sexuels pour atteindre une excitation sexuelle suffisante. Certains croient aussi que l'opposition ou la tension entre des partenaires fait s'épanouir la sexualité et que le SM n'est qu'une manifestation de ce principe poussé à l'extrême (Tripp, 1975).

La peur, surtout le sentiment d'être en danger de mort, semble associée à une excitation sexuelle puissante, comme en témoigne cet appel lancé par une femme sur le site Web Élysa.

> Je voudrais savoir s'il est possible d'avoir un orgasme très intense à la suite d'une peur panique. Je m'explique. Il y a quelques semaines, j'ai failli me noyer dans une rivière pendant une inondation. J'ai glissé et je suis tombée à l'eau. Heureusement, j'ai pu m'accrocher à une branche. Pendant que j'essayais de sortir de l'eau, j'étais paniquée et j'ai cru mourir. À ce moment-là, j'ai ressenti une espèce de volupté et je me rappelle avoir uriné très fort, et il y a eu cet orgasme d'une intensité énorme… je ne peux pas le décrire. J'ai réussi à sortir de l'eau et quelques minutes après j'ai été prise de tremblements et j'ai joui une autre fois sans rien faire pour ça. À présent, j'aimerais connaître de nouveau ces deux orgasmes tellement ils étaient forts. Je fantasme presque sur la noyade. Je voudrais savoir si ce qui m'est arrivé est normal et surtout j'aimerais savoir si d'autres femmes ont eu les mêmes sensations en ayant eu très peur. Merci de votre réponse. (Élysa, 2008)

Il n'existe pas d'explication scientifique validée de ce phénomène. Chez la plupart des gens, la peur est antiérotique. Par contre, une expérience célèbre ouvre une piste. Deux chercheurs, Donald Dutton et Arthur Aron (1974), ont voulu vérifier la théorie selon laquelle, dans certaines conditions, des émotions non sexuelles peuvent être perçues comme de l'amour ou de l'attirance sexuelle. Ils ont fait circuler des volontaires masculins soit sur un pont instable surplombant une rivière dangereuse, soit sur un pont solide surplombant une rivière tranquille. Les sujets rencontraient un interviewer sur le pont, c'était parfois un homme parfois une femme, qui leur «demandait de remplir un court questionnaire, puis d'écrire une petite histoire en se basant sur une photographie représentant une jeune femme qui se couvrait le visage d'une main et qui tendait l'autre main» (Allgeier et Allgeier, 1992).

Cette expérience a été menée en double aveugle. Les outils utilisés pour mesurer l'excitation sexuelle dans les récits inventés par les hommes ont montré que ceux qui se trouvaient sur le pont expérimental (le pont dangereux) avaient un récit à contenu sexuel beaucoup plus important que celui des hommes qui avaient marché sur le pont solide, mais, et cela est significatif, seulement si l'interviewer rencontré sur le pont dangereux était une femme. Dans les semaines ayant suivi l'expérience, ces mêmes hommes ont aussi eu nettement plus tendance à contacter l'intervieweuse féminine que les hommes du pont solide (Dutton et Aron, 1974).

Une telle réaction rappelle les nombreux récits de personnes qui développent une attirance mutuelle après avoir connu ensemble des épisodes de danger, ou les récits dans lesquels un valeureux chevalier délivre une jeune fille (une princesse, de préférence) en danger pour ensuite se marier, avoir beaucoup d'enfants et vivre heureux… Enfin, des réactions paradoxales d'excitation sexuelle pouvant aller jusqu'à l'orgasme sont rapportées dans diverses études sur les agressions sexuelles, et ce, sans qu'aucune attirance et encore moins le désir ou l'acceptation puissent être invoqués, mais où la peur et la douleur étaient présentes (Desaulniers, 1998).

Le sadomasochisme pourrait aussi être, pour ceux qui s'y adonnent, un moyen d'échapper à l'intransigeance et à la rigidité morale du rôle qu'ils assument quotidiennement en public. Cela expliquerait pourquoi, dans ce contexte, les hommes jouent davantage les rôles masochistes que les femmes (Baumeister, 1997; Friday, 1980). Ces rituels de domination et de soumission seraient «un moyen subversif d'appréhender une société qui glorifie la maîtrise, déprécie la dépendance et réclame l'égalité» (Perel, 2006, p. 108). Une théorie du même ordre veut que le sadomasochisme soit une façon de décrocher d'un contrôle de soi très poussé. Comme dans l'ivresse ou d'autres comportements où la personne essaie de s'évader d'elle-même, le masochisme bloque des pensées et des sentiments indésirables, surtout ceux qui génèrent de l'anxiété ou de la culpabilité, ainsi que les sentiments d'incompétence ou d'insécurité (Baumeister, 1988).

Des études cliniques de personnes qui pratiquent le sadomasochisme révèlent parfois que le lien entre la sexualité et la souffrance a pu être établi lors des premières expériences sexuelles. Ainsi, l'enfant ou l'adolescent qui a été puni pour s'être adonné à certaines activités sexuelles (comme la masturbation) pourrait en venir à faire une telle association. L'enfant pourrait même ressentir de l'excitation sexuelle pendant la punition : par exemple, l'érection ou la lubrification se produira quand on lui découvrira le postérieur et qu'on lui administrera la fessée (la fessée est une activité SM répandue).

De nombreux adeptes du SM (peut-être même la majorité) n'ont pas besoin de ces pratiques pour connaître l'excitation sexuelle ou l'orgasme. L'inclination pour les pratiques SM coexiste souvent avec des désirs et des comportements plus traditionnels (Kleinplatz et Moser, 2004). Ceux qui ne s'y livrent qu'à l'occasion reconnaissent qu'une bonne part de l'excitation et de l'attrait érotiques de ces pratiques tient à ce qu'elles sortent de l'ordinaire. Par contre, le comportement masochiste est parfois un moyen d'expiation pour les personnes ayant un rapport à la sexualité très négatif. Considérant le sexe comme immoral et répréhensible, elles obtiennent ainsi du plaisir tout en étant châtiées, ou elles subissent d'abord un châtiment leur donnant ensuite droit au plaisir. De même, les gens qui s'adonnent au sadisme trouvent ainsi moyen de punir leur partenaire parce qu'il commet le mal. Enfin, les personnes qui se sentent profondément inaptes sur le plan personnel ou sexuel tenteront, en dominant l'autre de façon sadique, d'étouffer provisoirement ces sentiments d'infériorité.

D'autres paraphilies non coercitives

Dans cette section, quatre autres paraphilies non coercitives sont présentées. Elles sont généralement rares.

L'asphyxie autoérotique

L'asphyxie autoérotique (aussi nommée *asphyxiophilie* ou *hydroxyphilie*) est une paraphilie extrêmement rare et périlleuse : ses adeptes, presque toujours des hommes, tentent de réduire leur apport d'oxygène au cerveau pendant un état d'excitation sexuelle extrême (American Psychiatric Association, 2000 ; Hucker, 2009). L'arrêt d'oxygénation s'accomplit généralement par strangulation à l'aide d'une chaîne, d'une courroie en cuir, d'un garrot, ou par pendaison au moyen d'un nœud coulant. Il arrive aussi que l'asphyxie soit pratiquée à l'aide d'un sac de plastique ou en comprimant la cage thoracique. La personne peut s'adonner à ces activités de privation d'oxygène en solitaire ou en compagnie d'un partenaire. Les données disponibles indiquent que cette pratique est surtout le fait d'hommes blancs (Sauvageau et Racette, 2006).

Les données disponibles ne nous permettent pas de déterminer les motivations derrière cette pratique. Ceux qui s'y adonnent le révèlent rarement à leurs proches ou à leur thérapeute, gardant pour eux ce qui les motive à agir de la sorte (Garza-Leal et Landron, 1991 ; Saunders, 1989). Pour certains, l'augmentation de l'excitation sexuelle et de l'intensité de l'orgasme semble être le but recherché. Le cas échéant, l'accessoire utilisé pour stopper l'arrivée d'oxygène au cerveau (une corde, par exemple) est généralement enserré autour du cou pendant la masturbation, puis relâché au moment de l'orgasme. Les personnes développent souvent des techniques très élaborées pour se libérer de l'étranglement juste avant de perdre connaissance.

L'augmentation de l'excitation sexuelle par la privation d'oxygène tend à confirmer qu'on pourrait intensifier l'orgasme en inhalant du nitrite d'amyle (*poppers*), un médicament servant au traitement des douleurs angineuses. On sait que cette substance réduit temporairement l'oxygénation du cerveau en dilatant les artères périphériques amenant le sang à celui-ci. On a aussi avancé que l'asphyxie autoérotique était une variante assez rare de masochisme sexuel où les participants exécutent des rituels associés au ligotage (American Psychiatric Association, 2000 ; Cosgray et coll., 1991). Des adeptes de cette pratique tiennent parfois un journal personnel dans lequel ils décrivent des fantasmes de ligotage très élaborés et, dans certains cas, des fantasmes où ils se font asphyxier ou malmener par quelqu'un d'autre.

Il faut retenir que la mort est souvent l'issue de cette pratique peu courante et dangereuse (Cooper, 1996 ; Garos, 1994 ; Hucker, 2009). Les morts accidentelles surviennent en raison d'un mauvais fonctionnement du matériel ou d'une erreur dans la façon de faire le nœud coulant ou le garrot. Les données recueillies pour les États-Unis, l'Angleterre, l'Australie et le Canada indiquent qu'un à deux décès par million d'habitants sont attribuables à cette pratique chaque année (American Psychiatric Association, 2000 ; Hucker, 2009).

La clystérophilie

La clystérophilie (klysmaphilie) est une forme d'expression sexuelle très rare par laquelle l'individu retire du plaisir sexuel en recevant des lavements intestinaux (Agnew, 2000). Parfois, mais c'est moins courant, l'excitation

---

Asphyxie autoérotique Augmentation de l'excitation sexuelle et de l'intensité de l'orgasme par la réduction de l'apport d'oxygène au cerveau.

Clystérophilie Obtention du plaisir sexuel au moyen de lavements intestinaux.

érotique résulte du fait d'administrer des lavements. L'observation de nombreux adeptes de la clystérophilie révèle que plusieurs ont eu une mère inquiète et aimante qui leur a administré de fréquents lavements alors qu'ils étaient tout jeunes. Il se peut que l'érotisation de l'expérience, chez certains, soit née de l'association des soins dévoués et de la stimulation anale, et qu'à l'âge adulte ces personnes expriment le besoin d'un lavement soit comme substitut, soit comme préalable indispensable au rapport sexuel.

La coprophilie et l'urophilie

La coprophilie et l'urophilie désignent des activités par lesquelles les personnes parviennent à l'excitation sexuelle respectivement au contact de matières fécales et d'urine. Les personnes coprophiles atteignent des paroxysmes d'excitation sexuelle à regarder quelqu'un déféquer ou en déféquant sur quelqu'un. Dans certains cas rares, elles parviennent à l'excitation quand quelqu'un défèque sur elles. Dans la pratique de l'urophilie, l'excitation vient lorsque le sujet urine sur quelqu'un ou que quelqu'un urine sur lui. Les initiés feront parfois allusion à la «pluie d'or». On ne s'entend pas sur les causes de ces paraphilies très inusitées.

Les paraphilies coercitives

Dans la présente section, nous présentons d'abord trois formes très courantes de comportements paraphiles coercitifs: l'exhibitionnisme, les appels obscènes et le voyeurisme. Nous traitons par la suite de trois autres types de paraphilies coercitives, soit le frotteurisme, la zoophilie et la nécrophilie.

L'exhibitionnisme

L'exhibitionnisme désigne le comportement de celui (presque toujours un homme) qui exhibe ses organes génitaux en présence d'une observatrice involontaire (d'ordinaire une femme ou une fillette) (American Psychiatric Association, 2000; Marshall et coll., 1991). Généralement, l'homme qui s'est ainsi exhibé obtient une gratification sexuelle en se masturbant peu après. Il revoit alors en esprit les réactions de sa victime, ce qui accroît son excitation. Il existe des cas où l'exhibition des organes génitaux suffit à déclencher un orgasme, et un certain nombre d'exhibitionnistes se masturbent en même temps qu'ils s'exhibent (American Psychiatric Association, 2000; de Silva, 1999). En associant l'excitation sexuelle et l'orgasme à l'acte exhibitionniste lui-même ou à un fantasme le mettant en scène dans des actes d'exhibitionnisme, le sujet consolide son goût pour ce comportement (Blair et Lanyon, 1981). L'outrage à la pudeur peut se produire dans des lieux divers ayant, pour la plupart, la particularité de permettre une fuite aisée. Le métro, les rues relativement désertes, les parcs et les voitures dont une portière est ouverte sont tous propices à l'exhibitionnisme. Il arrive aussi que l'exhibition survienne dans une habitation privée, comme le montre cet extrait.

> Un soir, j'ai eu le choc d'ouvrir la porte de mon appartement à un homme nu. Je l'ai regardé juste assez longtemps pour constater qu'il ne portait rien sur lui et je lui ai claqué la porte au nez. Je suis certaine que mon air horrifié était ce qu'il recherchait. Mais c'est difficile de se contenir lorsque vous ouvrez la porte à un homme nu. (Notes des auteurs)

Question d'analyse critique

Les gens admettent généralement plus aisément l'exhibitionnisme des femmes que celui des hommes. Par exemple, si une femme observe un homme qui se déshabille devant une fenêtre, elle aura beau jeu de l'accuser d'exhibitionnisme. Toutefois, si les rôles sont inversés et que c'est une femme qui se déshabille à la fenêtre, l'homme qui la regarde fera probablement figure de voyeur. Que pensez-vous de cette façon d'interpréter les comportements?

Beaucoup de gens ont des tendances exhibitionnistes; certains s'adonnent au nudisme, d'autres paradent devant leurs amants admiratifs ou se parent de vêtements provocants et de maillots suggestifs. Toutefois, ces comportements sont admis en société, car notre culture ne répugne pas toujours à exploiter et à exalter l'érotisme du corps humain. Pour qu'un comportement exhibitionniste soit considéré comme illicite, il faut généralement qu'il soit observé par des témoins non consentants. Le Code criminel canadien va dans ce sens en précisant les conditions qui rendent la nudité acceptable sur le plan juridique. Sans entrer dans les détails, soulignons qu'une personne qui se produit nue sur une scène devant des gens qui savent à l'avance que c'est ce qu'elle fera (par exemple, dans un bar de danseuses nues) ne peut être poursuivie en justice pour exhibitionnisme (Schabas, 1995). Une différence notable existe si l'exhibitionnisme a lieu en présence d'enfants de moins de 14 ans, un article du Code criminel en traite spécifiquement (Schabas, 1995).

Coprophilie Obtention du plaisir sexuel par le contact avec des matières fécales.

Urophilie Obtention du plaisir sexuel par le contact avec l'urine.

Exhibitionnisme Exhibition de ses parties génitales devant quelqu'un sans son consentement.

Les exhibitionnistes cherchent souvent à choquer, à susciter la crainte ou la terreur. La meilleure façon de réagir à ce type d'agression est de calmement ignorer l'agresseur et de passer tranquillement son chemin.

refermant tout de suite son imperméable, le risque de rejet est limité d'autant. Certains hommes agissent ainsi dans le but d'affirmer leur masculinité. D'autres, se sentant seuls et délaissés, le font pour avoir un peu d'attention. Un petit nombre d'hommes ressentent de la haine et de l'hostilité envers les gens, surtout envers les femmes, qui n'auraient pas su leur accorder d'attention ou qui les auraient fait souffrir émotionnellement. Dans ces conditions, l'exhibitionnisme peut représenter pour eux une façon de se venger, en choquant ou en effrayant celles qu'ils considèrent comme la principale source de leur malaise. Ajoutons que l'exhibitionnisme n'est pas rare chez les personnes perturbées émotionnellement, intellectuellement déficientes ou psychologiquement désorientées. Dans ces cas, le comportement traduit une conscience limitée de ce que la société considère comme des gestes acceptables, une faille dans l'autocontrôle éthique, ou les deux.

Contrairement à l'image répandue de l'exhibitionniste tapi dans l'ombre et prêt à agripper de malheureuses victimes pour les agresser, la plupart des exhibitionnistes ne font que s'exposer eux-mêmes (American Psychiatric Association, 2000). Le mot *victime* peut toutefois être approprié dans le sens où les témoins du comportement exhibitionniste sont susceptibles d'être émotionnellement traumatisées (Cox, 1988 ; Marshall et coll., 1991). Certaines se sont senties en danger d'être violées ou autrement agressées. Un petit nombre, surtout les jeunes enfants, peuvent développer des réactions négatives (peur, dégoût) à l'égard des organes sexuels.

Les enquêteurs ont observé que certains exhibitionnistes, probablement une petite minorité, agressent physiquement leurs victimes (Brown, 2000). De plus, il semble probable que certains exhibitionnistes masculins passent à des agressions plus graves comme le viol et la violence envers les enfants (Abel, 1981 ; Bradford et coll., 1992).

Quelle est la meilleure réaction à offrir à un exhibitionniste ? Il est important de garder à l'esprit que la plupart de ceux qui manifestent un comportement exhibitionniste cherchent à provoquer une réaction d'excitation, de choc, de peur ou de terreur. Bien qu'il soit difficile de faire comme si de rien n'était, la meilleure façon de réagir est de poursuivre ses activités normalement. Bien sûr, il importe de s'éloigner immédiatement de la personne et d'aviser les autorités policières ou les responsables de la sécurité de ce qui vient de se produire.

Les appels obscènes

Les gens qui font des appels téléphoniques obscènes s'apparentent aux exhibitionnistes et, à ce titre, certains professionnels considèrent les appels obscènes comme une sous-catégorie de l'exhibitionnisme. La loi canadienne les considère plutôt comme une infraction au droit à la propriété (Schabas, 1995). Les auteurs d'appels obscènes parviennent généralement à l'excitation sexuelle quand leurs

Les données dont nous disposons sur ce comportement proviennent largement des études sur les contrevenants qui ont été appréhendés, ce qui constitue sans doute un échantillon non représentatif. Ce problème d'échantillonnage est fréquent dans le cas des comportements atypiques définis comme criminels. Selon ces données limitées, la plupart des exhibitionnistes seraient des hommes dans la vingtaine ou la trentaine ; plus de la moitié d'entre eux sont ou ont été mariés (Murphy, 1997). Leurs relations sexuelles sont plutôt insatisfaisantes. Plusieurs sont issus d'un milieu caractérisé par une atmosphère puritaine où la sexualité était un objet de honte.

Divers facteurs interviennent dans le développement du comportement exhibitionniste. Plusieurs personnes ont un tel sentiment d'inaptitude qu'elles ne cherchent pas à rencontrer d'autres personnes par peur d'être rejetées (Minor et Dwyer, 1997). Vu sous cet angle, l'exhibitionnisme serait une tentative d'avoir un quelconque échange sexuel, ne serait-ce qu'un court instant. En réduisant au minimum le contact, par exemple en ouvrant et en victimes réagissent en se montrant horrifiées ou choquées, et plusieurs d'entre eux se masturbent pendant ou immédiatement après avoir «réussi» un échange téléphonique. Comme le révèle une étude fouillée, ces paraphiles sont généralement des hommes affligés de profonds sentiments d'inaptitude et d'insécurité (Matek, 1988; Prince et coll., 2002). Les appels téléphoniques obscènes sont souvent pour eux la seule façon d'avoir une forme quelconque d'échange sexuel. Ils sont habituellement plus tendus et hostiles que les exhibitionnistes dans leurs relations avec l'autre sexe, comme le montre l'exemple suivant.

> J'ai reçu un appel d'un homme, un soir. Il paraissait tout à fait normal jusqu'à ce qu'il commence à me raconter un tas de saletés. Juste au moment où j'allais lui raccrocher au nez, il me lance : «Ne raccroche pas! Je sais où tu habites (il me donne mon adresse) et que tu as deux petites filles. Si tu ne veux pas les retrouver en morceaux, tu vas écouter ce que j'ai à dire. Et je m'attends à ce que tu sois disponible pour répondre tous les soirs à la même heure. » C'était un cauchemar. Il appelait soir après soir. Parfois, il me demandait de l'écouter pendant qu'il se masturbait. J'ai fini par ne plus être capable d'en prendre plus longtemps et j'ai contacté les policiers. Ils n'ont pas pu l'attraper, mais ils lui ont fait peur, j'en remercie le ciel. J'étais en train de devenir folle. (Notes des auteurs)

Heureusement, il est rare qu'un tel individu donne suite à ses menaces verbales en attaquant physiquement sa victime.

Quelle est la meilleure façon de se comporter lors d'un appel téléphonique obscène? La plupart des compagnies de téléphone donnent des conseils à ce sujet. Mais comme celles-ci sont débordées de demandes d'assistance pour ce genre d'appels, on doit souvent faire preuve de patience. Quelques bons trucs peuvent toutefois vous éviter d'avoir à dépendre d'une aide externe.

Très souvent, l'auteur de l'appel obscène a choisi votre nom au hasard dans l'annuaire ou, s'il vous connaît, il veut simplement voir comment vous réagirez. Votre première réaction est donc déterminante. Il espère que sa victime sera horrifiée, terrorisée ou dégoûtée; il vaut donc généralement mieux ne pas réagir ouvertement. En lui raccrochant brutalement au nez, vous lui montrez qu'il vous a atteinte et cela l'encouragera. Raccrochez doucement, comme si de rien n'était, et si le téléphone sonne de nouveau immédiatement après, ne répondez pas. Il est probable que l'homme se lassera et se mettra à la recherche d'une victime plus sensible.

D'autres tactiques peuvent aussi s'avérer efficaces. La première, utilisée avec succès par une étudiante, est de simuler la surdité: «Qu'est-ce que vous dites? Parlez

Bien qu'un appel obscène suscite l'horreur, la colère ou le dégoût, il est généralement préférable de ne pas réagir émotivement. Un interlocuteur qui n'obtient pas la réaction qu'il attend est moins susceptible de rappeler.

plus fort. Je suis dure d'oreille, vous savez!» Raccrocher le combiné en disant que vous allez répondre sur un autre appareil (ce que vous ne ferez jamais) peut être une solution à envisager. Enfin, filtrer les appels au moyen d'une boîte vocale ou d'un afficheur peut aussi se révéler très utile. Le harceleur raccrochera s'il n'y a pas de réaction émotionnelle au bout du fil.

Si cela ne suffit pas et que vous êtes toujours importunée par des appels obscènes, vous devrez passer à une autre étape. Votre compagnie de téléphone peut vous aider en remplaçant votre numéro par un numéro confidentiel, et cela, sans frais. Produire un bruit strident (à l'aide d'un sifflet, par exemple) n'est probablement pas une bonne idée, car cela peut être très douloureux ou même endommager le tympan de votre interlocuteur; de plus, vous risquez que l'importun réagisse en utilisant la même méthode. Le repérage d'appels, un service offert par la plupart des compagnies téléphoniques, peut vous aider en cas de menaces ou d'appels obscènes répétés. Après avoir raccroché, vous composez *57 (ce numéro peut varier selon les compagnies de téléphone), et l'origine de l'appel sera automatiquement détectée par la compagnie. Une fois que celle-ci aura enregistré un certain nombre d'appels de la même origine, un avis écrit sera transmis à leur auteur, lui signifiant qu'il a été identifié et qu'il sera poursuivi en justice s'il n'arrête pas. Au Canada, le harceleur est clairement informé de la possibilité de poursuites civiles ou même criminelles. Le repérage des appels est difficile s'ils sont faits depuis un téléphone public, et il est impossible pour les appels faits à partir d'un téléphone cellulaire.

Le voyeurisme

Le voyeurisme consiste à retirer du plaisir sexuel en épiant la nudité ou les activités sexuelles de personnes inconnues sans leur consentement (American Psychiatric Association, 2000). Au Canada, le voyeurisme n'est une infraction criminelle que si la personne observée l'est sans son consentement (Schabas, 1995). Il est ainsi impossible, par exemple, d'accuser de voyeurisme les clients d'un bar de danseuses nues. Comme une certaine forme de voyeurisme est socialement acceptée (en témoignent la popularité des films cotés R ou NC-17 aux États-Unis et les sites de nature sexuelle sur Internet), il est parfois difficile de déterminer à partir de quand le voyeurisme devient problématique (Arndt, 1991 ; Forsyth, 1996). Disons, cependant, qu'il y a

comportement sexuel atypique lorsque le voyeurisme est préféré à toute relation sexuelle avec une autre personne ou lorsqu'il faut prendre des risques pour s'y adonner (ou les deux). Le degré d'excitation sexuelle que procure ce comportement est souvent proportionnel au risque d'être découvert, ce qui explique sans doute pourquoi la plupart des voyeurs ne sont pas attirés par les camps et plages naturistes, où il est permis de regarder des personnes nues (Tollison et Adams, 1979).

Le voyeurisme est un comportement généralement masculin (Davison et Neale, 1993). Le voyeur épie aux fenêtres des chambres à coucher, se tient près de l'entrée des toilettes pour femmes et perce des trous dans les murs des cabines d'essayage des grands magasins. Certains hommes parcourent des circuits élaborés plusieurs soirs par semaine, dans l'espoir qu'ils auront la rare chance de contempler par une fenêtre un corps nu ou des ébats amoureux. Depuis quelques années, certains voyeurs utilisent des caméras vidéo miniatures pour s'immiscer subrepticement dans l'intimité de nombreuses personnes à leur insu. Voir à cet effet l'encadré *Au-delà des frontières*.

> **Voyeurisme** Obtention de plaisir sexuel par l'observation, sans leur consentement, de personnes dénudées ou en train d'avoir des relations sexuelles.

Au-delà des frontières

Le vidéovoyeurisme

Les développements technologiques ont ajouté une nouvelle variante au voyeurisme : le voyeurisme par l'utilisation de la caméra vidéo. De petites caméras vidéo, quasi invisibles parfois, sont de plus en plus utilisées pour épier l'intimité des gens. Les images enregistrées peuvent se retrouver sur Internet, être transmises par téléphones cellulaires ou copiées sur des cassettes ou des DVD. Les caméras miniatures peuvent être dissimulées dans des endroits tels que les détecteurs de fumée, les plafonniers, les vestiaires de gymnase, etc. ; il est désormais facile pour les personnes sans scrupules de se procurer ces appareils et de satisfaire leur penchant voyeur. Elles peuvent faire ainsi de nombreuses victimes. Ce type de délit a été porté à l'attention du public il y a quelques années lorsque des médias ont rapporté le cas de clientes de salons de bronzage ayant été filmées à leur insu pendant qu'elles se dévêtaient. Les journaux rapportent de plus en plus de cas de caméras cachées dans des salles de bains, des douches, des vestiaires, des chambres à coucher ou sous un bureau.

Les gens qui utilisent ces « caméras voyeuses » le font pour leur propre plaisir ou pour de l'argent. Les développements technologiques en matière de vidéo ont entraîné l'apparition d'un

nouveau marché lucratif où des entrepreneurs plus ou moins moraux vendent des séquences filmées de la vie privée de personnes sur des supports comme des DVD, des disques Blu-Ray ou sur des sites Internet payants. Le nombre de captations voyeuristes, autorisées ou non, accessibles en ligne a explosé. Pour faire le test, tapez le mot « voyeur » dans votre moteur de recherche préféré et il en ressortira des milliers de résultats. La plupart des sites de vidéos voyeuristes sont basés sur un mode de paiement à la pièce ou sur abonnement, et un internaute peut y accéder pour regarder les activités de personnes, souvent des femmes séduisantes, ignorant qu'on les observe.

Bien des victimes en colère et humiliées découvrent malheureusement qu'elles ont peu de recours juridiques contre ces entreprises sans scrupules lorsque celles-ci diffusent à partir de pays où les lois sont très permissives à cet égard. Au Canada, le Code criminel contient des articles interdisant la diffusion de ce type de matériel ; au Québec, le Code civil stipule qu'il faut obtenir la permission écrite de toute personne avant de la photographier ou de la filmer, même en l'absence de toute connotation sexuelle.

Ici encore, les gens qui ont une tendance au voyeurisme s'apparentent aux exhibitionnistes (Arndt, 1991 ; Langevin et coll., 1979). Comme eux, ils ont développé très peu d'habiletés sociosexuelles et se sentent profondément inférieurs et inaptes, particulièrement à l'égard d'une partenaire sexuelle potentielle (Kaplan et Krueger, 1997). Ce sont souvent de jeunes hommes, généralement au début de la vingtaine (Davison et Neale, 1993 ; Dwyer, 1988). Ils épient rarement une connaissance, préférant se rabattre sur des inconnues. En général, le voyeurisme n'est pas associé à d'autres comportements antisociaux. La plupart des voyeurs se contentent simplement d'observer, en gardant leurs distances. Cependant, il arrive que certains commettent des infractions plus graves, comme un cambriolage, un incendie criminel, des voies de fait et même un viol (Abel et Osborn, 2000 ; Langevin, 2003).

Il est difficile de cerner un facteur précis à l'origine du voyeurisme, d'autant plus que tout le monde exprime plus ou moins des tendances voyeuristes de façon contrôlée. L'adolescent ou le jeune adulte qui présente un tel comportement ressent souvent (comme beaucoup de gens) une grande curiosité à l'égard des activités sexuelles, mais du même coup il se sent angoissé et peu sûr de lui. Le comportement voyeuriste, qu'il se manifeste directement ou par l'entremise d'une caméra cachée, donne à son auteur un plaisir par procuration, car il est généralement incapable d'avoir de véritables relations sexuelles sans ressentir une vive anxiété. Dans quelques cas, le comportement voyeuriste est renforcé par un sentiment de supériorité et de pouvoir sur les personnes secrètement observées.

Question d'analyse critique

Est-il acceptable, sur le plan éthique, de fréquenter des sites Internet qui proposent la transmission en direct de scènes filmées par des caméras cachées ou des vidéos non autorisées montrant des personnes dans leur vie privée ? Justifiez votre réponse.

D'autres paraphilies coercitives

Terminons cet exposé sur les paraphilies coercitives en présentant brièvement trois autres comportements impliquant une intrusion dans l'intimité d'autres personnes. Les deux premiers, le frotteurisme et la zoophilie, sont à vrai dire fréquents. Le troisième, la nécrophilie, est non seulement très rare, mais également une forme extrêmement aberrante d'expression sexuelle.

Le frotteurisme

Le frotteurisme est une paraphilie coercitive répandue qui passe souvent inaperçue. Ses adeptes, généralement de sexe masculin, se donnent du plaisir sexuel en se pressant

ou en se frottant contre une inconnue entièrement vêtue. Cela se produit habituellement dans un lieu public bondé tel qu'un ascenseur, un autobus, le métro ou dans de grands rassemblements, des manifestations sportives ou des concerts en plein air. La forme la plus courante de contact se fait entre le pénis non dénudé de l'homme et les fesses ou les jambes d'une femme. Il est moins courant que l'homme se serve de ses mains pour toucher les cuisses, le pubis, les seins ou les fesses d'une femme. Souvent, le toucher semble fortuit, et la victime ne s'en rend pas compte ou n'y prête pas attention. En revanche, il arrive qu'elle se sente molestée et qu'elle se mette en colère (Freund et coll., 1997).

Les hommes qui s'adonnent au frotteurisme parviennent parfois à l'excitation et à l'orgasme au moment du contact. La plupart du temps, ils intègrent mentalement leur geste à des fantasmes auxquels ils s'abandonnent plus tard durant une séance de masturbation. Ces hommes ont beaucoup en commun avec les exhibitionnistes. Ils se sentent souvent socialement et sexuellement incompétents. Les contacts brefs et furtifs qu'ils ont avec des inconnues dans des endroits bondés leur permettent d'intégrer, sans crainte et sans risque, d'autres personnes à leur sexualité.

Comme pour d'autres activités atypiques, il est difficile d'estimer jusqu'à quel point le frotteurisme est un comportement répandu. Une enquête menée auprès d'étudiants universitaires a établi que 21 % d'entre eux avaient déjà manifesté un comportement frotteuriste au moins une fois (Templeman et Sinnett, 1991).

La zoophilie

La zoophilie, parfois appelée *bestialité*, comporte un échange sexuel entre des humains et des animaux (American Psychiatric Association, 2000). Ce comportement est considéré comme criminel au Canada (Schabas, 1995). Il est raisonnable de penser que les animaux, dans ce cas, sont des participants non consentants et que les actes auxquels ils sont soumis sont à la fois coercitifs et importuns. Il apparaît donc tout à fait justifié de classer cette paraphilie dans la catégorie coercitive.

Dans l'échantillon de Kinsey, 8 % des hommes et près de 4 % des femmes reconnaissaient avoir déjà eu des rapports sexuels avec des animaux. Ce genre de comportement était plus fréquent chez les hommes élevés à la ferme (17 % d'entre eux déclaraient être parvenus à l'orgasme à la suite de contacts avec un animal). Les animaux les plus souvent utilisés à des fins sexuelles avec des humains sont les chèvres, les moutons, les ânes, les grosses volailles (canards et oies), les chiens et les chats. Les hommes sont plus susceptibles d'avoir des rapports péniens-vaginaux ou à se faire lécher les organes génitaux par des animaux de la ferme (Hunt, 1974 ; Kinsey et coll., 1948 ; Miletski, 2002). Les femmes zoophiles sont plus susceptibles d'avoir des contacts avec des animaux de compagnie : elles se feront lécher les organes génitaux par eux ou masturberont un chien, par exemple. Plus rarement, certaines femmes dressent un chien pour qu'il les monte et accomplisse avec elles le coït (Gendel et Bonner, 1988; Kinsey et coll., 1954).

Le contact sexuel avec des animaux n'est habituellement qu'une expérience transitoire de jeunes gens en mal de partenaire (Money, 1981). La plupart des adolescents et adolescentes qui expérimentent la sexualité par la zoophilie passent, à l'âge adulte, à des relations sexuelles avec des partenaires humains. La véritable zoophilie, ou zoophilie non transitoire, n'est présente que lorsque le contact sexuel avec les animaux est préféré à toute autre forme d'expression sexuelle. Ce comportement, très rare, ne s'observe généralement que chez les gens affligés de profonds problèmes psychologiques ou qui ont une vision complètement déformée de l'autre sexe. Par exemple, le cas d'un homme qui ressent une haine pathologique des femmes peut exprimer sa façon de les rejeter en leur préférant un animal comme partenaire sexuel. Par ailleurs, certains hommes ayant eu des contacts sexuels avec des animaux ne correspondent pas à ce profil. Une enquête récente menée sur Internet auprès de 114 hommes qui se définissaient comme zoophiles a montré que si la majorité d'entre eux préféraient les contacts sexuels avec un animal, le besoin d'affection et la recherche du plaisir, et non une quelconque haine envers les femmes, étaient les principaux motifs de cette préférence (Williams et Weinberg, 2003).

La nécrophilie

La nécrophilie est une variation sexuelle extrêmement rare par laquelle une personne trouve un plaisir sexuel en observant ou en ayant un rapport sexuel avec un cadavre. Au Canada, cette pratique est illégale et définie comme un crime d'outrage, d'indécence ou d'indignité envers un cadavre (Schabas, 1995). Cette paraphilie peut pousser ceux qui en sont atteints à exhumer des corps récemment inhumés dans les cimetières ou à se faire embaucher à la morgue ou dans des entreprises de pompes funèbres (Tollison et Adams, 1979). Néanmoins, l'immense majorité de ceux qui s'occupent des dépouilles mortelles ne présente pas de tendances nécrophiles.

Les annales judiciaires rapportent quelques affaires d'hommes aux tendances nécrophiles qui ont tué une personne pour disposer de son cadavre (Milner et Dopke, 1997). Selon des experts en pathologie criminelle, le tristement célèbre Jeffrey Dahmer, qui tuait et mutilait ses jeunes victimes masculines, était motivé par des pulsions nécrophiles incontrôlables. Comme il est très difficile de se procurer une dépouille mortelle, certains nécrophiles cherchent plutôt à assouvir leur comportement déviant au moyen d'un simulacre. Certaines prostituées acceptent de se prêter au jeu. Elles se poudrent le corps pour simuler la pâleur cadavérique, se couvrent d'un linceul et demeurent parfaitement immobiles durant tout le rapport sexuel, car tout mouvement de leur part ferait probablement tomber l'excitation sexuelle de leurs clients.

Les hommes qui se livrent à la nécrophilie sont presque toujours affligés de graves troubles affectifs (Goldman, 1992). Ils se considèrent comme sexuellement et socialement incompétents, et ils détestent et craignent les femmes tout à la fois. Pour eux, la partenaire sexuelle idéale est sans vie, donc soumise et inoffensive (Rosman et Resnick, 1989; Stoller, 1977).

La compulsion sexuelle existe-t-elle?

Depuis quelques années, notamment avec la disponibilité en ligne de contenus à teneur sexuelle, la presse spécialisée et les médias se sont beaucoup intéressés à ce qu'on appelle la *compulsion sexuelle*, parfois aussi nommée *dépendance sexuelle*, *hypersexualité* (à ne pas confondre avec l'hypersexualisation) ou, chez Claude Crépault (1993), *intoxication sexuelle*. Cette idée que des gens puissent être la proie d'insatiables besoins sexuels ne date pas d'hier, comme en font foi les termes *nymphomanie*, *satyriasis* ou *donjuanisme*, le premier applicable aux femmes, les deux derniers, aux hommes. Beaucoup de professionnels réprouvent ces catégorisations, qu'ils jugent méprisantes et susceptibles de culpabiliser inutilement des individus jouissant d'une vie sexuelle active. De plus, ils objectent qu'on ne peut qualifier d'excessifs des rapports sexuels, alors même qu'on ne dispose pas de critères nets établissant ce que seraient des niveaux «normaux» d'activités sexuelles. Les critères sur lesquels se fonde le diagnostic d'*hypersexualité* – nymphomanie et satyriasis – sont subjectifs et entachés de jugements de valeur. La définition de ces termes repose donc généralement sur des considérations plus morales que scientifiques; c'est pourquoi bon nombre de sexologues les critiquent vivement (Klein, 1991, 2003; Levine et Troiden, 1988). Le psychothérapeute Marty Klein (2003) est particulièrement critique envers le mouvement contre la compulsion sexuelle qui, selon son point de vue, exploite la peur des gens face à leur propre sexualité en la présentant comme une pathologie malsaine. Néanmoins, le concept de compulsion sexuelle a acquis sa légitimité avec la publication, en 1983, de *Sexual Addiction* (S'affranchir du secret: sexualité compulsive) de Patrick Carnes, réédité depuis sous le titre *Out of the Shadows: Understanding Sexual Addiction*.

Selon Carnes, beaucoup de ceux qui manifestent certains des comportements sexuels atypiques ou les paraphiles décrits dans ce chapitre (y compris les cas extrêmes comme l'agression sexuelle d'enfants) présentent les symptômes de la compulsion psychologique. Déprimés, anxieux, isolés et souffrant d'une piètre estime de soi, ces gens trouvent dans l'euphorie sexuelle un soulagement provisoire analogue à celui que procure la consommation d'alcool ou de cocaïne.

Les idées de Carnes sur la compulsion sexuelle ont suscité beaucoup d'intérêt au sein de sa communauté professionnelle. Tandis que Carnes et ses disciples cherchent à faire accepter la compulsion sexuelle comme une catégorie diagnostique légitime, ses détracteurs font valoir que la documentation sur la compulsion sexuelle persiste à éviter les recherches empiriques et à présenter des hypothèses comme des faits (Chivers, 2005). Beaucoup de sexologues croient que la compulsion sexuelle ne devrait pas faire l'objet d'une catégorie diagnostique distincte, car elle est à la fois rare et apparentée aux autres troubles obsessionnels, comme la dépendance au jeu et les troubles de l'alimentation, et qu'une telle étiquette enlève à la personne la responsabilité de ses pulsions sexuelles «incontrôlables» qui font des victimes (Levine et Troiden, 1988 ; Satel, 1993). Cette dernière conception a prévalu et l'Association américaine de psychiatrie (2000) a décidé de ne pas créer de catégorie pour l'hypersexualité dans la plus récente édition du *DSM-IV-TR*, la principale référence en matière de classification des troubles psychologiques.

Un certain nombre de professionnels reconnaissent la validité des arguments contre le concept de dépendance sexuelle, mais constatent néanmoins que des personnes peuvent être excessives dans leurs activités sexuelles. Le sexologue Eli Coleman (1990, 1991, 2003), entre autres, préfère décrire ces comportements comme des symptômes de compulsion sexuelle plutôt que comme une dépendance. Selon lui, une personne présentant des comportements sexuels excessifs se sent souvent honteuse, sans valeur, incompétente et seule. Ces sentiments négatifs lui causent une profonde souffrance affective qu'elle veut à tout prix «anesthésier». Comme certains se tournent vers l'alcool, la nourriture ou le jeu pour soulager leur souffrance affective, d'autres choisissent la sexualité. Se tourner vers

cette «solution» procure un soulagement temporaire des douleurs psychologiques, qui ressurgiront plus intenses, entraînant un besoin plus grand d'activités sexuelles pour trouver un apaisement toujours temporaire. Malheureusement, ces actes répétitifs et compulsifs vont à l'encontre du but recherché, car ils suscitent la honte et compromettent les possibilités de rapports intimes en empêchant le développement normal et sain des relations interpersonnelles.

D'autres sexologues, notamment John Bancroft et Zoran Vukadinovic (2004), croient qu'en raison du manque de recherches empiriques, la notion actuelle de dépendance sexuelle n'a pas vraiment de valeur scientifique. Ces auteurs proposent qu'en attendant d'avoir plus de données scientifiques pour juger de la validité de ces concepts, on devrait s'en tenir à l'expression générale «perte de contrôle» pour parler de ce genre de comportement sexuel problématique.

Parce que le sexe est devenu un sujet extrêmement populaire chez les internautes, quelques professionnels croient qu'une nouvelle forme de dépendance ou de compulsion s'est développée. L'encadré *Au-delà des frontières* se penche sur cette question.

Nous pouvons nous attendre à ce que les professionnels de la sexualité continuent encore quelque temps à discuter de la façon de diagnostiquer, de décrire et d'expliquer les problèmes de sexualité excessive ou hors contrôle. Des brochures gouvernementales traitent de la question, par exemple *La dépendance sexuelle et affective*, d'Annick Bourget (2005). Des publications présentées comme scientifiques en traitent aussi, soit pour l'affirmer (Mc Dougall, 1993), soit pour en explorer le sens (Lemay, 1997). Même si le débat sur la réalité du phénomène se poursuit, des plans de traitement sont proposés aux «sexoliques» (néologisme québécois désignant les dépendants sexuels). L'approche la plus souvent retenue s'inspire de celle développée par le mouvement des Alcooliques anonymes.

Au-delà des frontières

Dépendance et compulsion liées au cybersexe : un exutoire inoffensif des tensions sexuelles ou un comportement sexuel problématique ?

Des employés modèles, d'éminents professionnels, des personnes occupant des fonctions hautement valorisées (médecins, professeurs, chercheurs, etc.) perdent leur emploi et leur statut lorsqu'ils se font prendre à fréquenter des sites Internet spécialisés dans la pornographie infantile. Des enquêtes ont révélé que de nombreuses personnes passent beaucoup de temps, tant à la maison qu'au travail, à naviguer sur des sites à contenu sexuel explicite, particulièrement ceux impliquant des enfants. De tels comportements inquiètent de plus en plus les spécialistes en santé mentale.

Les sites Internet à contenu sexuel sont les plus largement visités sur le Web. La recherche montre qu'un tiers des internautes visitent de tels sites (Cooper, 2002, 2003 ; Philaretou, 2005). Ce genre d'utilisation d'Internet dénote-t-il un problème de comportement ou un problème de société ? À l'inverse, certains suggèrent que le cybersexe est un loisir inoffensif servant d'exutoire aux pulsions sexuelles des internautes (par exemple, grâce aux salons de clavardage ou à la masturbation devant des images sexuelles), et ce, à l'abri des ITSS et des risques associés aux relations humaines (Waskul, 2004).

▶ Naviguer sur Internet permet aussi l'exploration en ligne de fantasmes sexuels dans la sécurité et l'intimité du foyer (Quittner, 2003).

Or, on découvre une facette moins anodine du cybersexe quand on constate que pour un nombre restreint mais toujours croissant d'utilisateurs – ceux qui recourent au Web principalement pour obtenir une stimulation érotique et un exutoire sexuel –, le faible coût, l'accessibilité et l'anonymat d'Internet créent une nouvelle forme de compulsion-dépendance sexuelle. Plusieurs de ces internautes utilisent le cybersexe à l'exclusion de toute autre relation (Cooper, 2002, 2003 ; Dew et Chaney, 2004 ; Philaretou, 2005).

Il est difficile d'évaluer avec précision la proportion d'internautes qui vivent des difficultés associées à leur fréquentation de sites à contenu sexuel. Une grande majorité de ceux qui le font ne semble pas en subir d'inconvénients (Waskul, 2004). Une étude a cependant révélé que de 6 à 10 % des utilisateurs déclarent être inquiets des conséquences négatives que peuvent avoir leurs activités sexuelles en ligne (Dew et Chaney, 2004). De plus, des études indiquent que 1 % des internautes qui fréquentent les sites à contenu sexuel sont à ce point dépendants du cybersexe que leur capacité à fonctionner au quotidien en est gravement perturbée (Carnes, 2001 ; Cooper et coll., 2000). Certains passent des heures chaque jour à visiter des sites à contenu sexuel, à se masturber devant des images sexuellement explicites ou à se livrer à des échanges sexuels en ligne dans des clavardoirs.

L'excitation, la stimulation et les orgasmes que peut procurer le contenu sexuel virtuellement infini du Web risquent d'avoir des répercussions dévastatrices sur la vie personnelle et familiale des internautes (Cooper, 2002 ; Woodward, 2003). Les partenaires de ces personnes disent se sentir ignoré(e)s, abandonné(e)s,

dévalorisé(e)s et trahi(e)s par la dépendance de leur compagnon ou compagne envers le cybersexe (Brody, 2000 ; Cooper, 2002). Le site Élysa contient bon nombre de plaintes en ce sens. Certaines personnes consacrent tellement de temps au cybersexe qu'elles finissent par négliger les membres de leur famille, leurs responsabilités et leur travail (Philaretou, 2005).

Le cybersexe présente, entre autres conséquences négatives, le danger d'évoluer vers des rencontres en personne, ce qui peut comporter de sérieux risques de transmission d'ITSS et d'agressions sexuelles (Cooper, 2002 ; Genuis et Genuis, 2005).

Les praticiens en santé mentale ont exprimé des préoccupations sur la dépendance au cybersexe chez les adolescents (Abelman, 2007 ; Fleming et Rickwood, 2004 ; Jancin, 2005). Certains cliniciens avancent que les adolescents, surtout les garçons, deviennent dépendants du cybersexe. Selon la psychothérapeute Ann Freeman, il est courant de rencontrer des jeunes dépendants au cybersexe qui se masturbent trois ou quatre fois par jour devant des sites à contenu sexuel (dans Jancin, 2005). De tels comportements sexuels reposant sur le Web peuvent entraîner l'isolement social, des conduites sexuelles malsaines, la solitude et la dépression ; les jeunes peuvent aussi devenir la proie de cyberprédateurs pédophiles (Fleming et Rickwood, 2004 ; Jancin, 2005 ; Subrahmanyam et Greenfield, 2008). (Le chapitre 11 traite plus longuement des pédophiles dans le cyberespace.)

Espérons que les futures recherches sur le cybersexe apporteront une réponse plus claire à la question de savoir si l'exploration sexuelle en ligne est un exutoire relativement bénin ou un comportement sexuel possiblement nocif. Pour le moment, nombre de professionnels attirent notre attention sur les conséquences potentiellement négatives d'une dépendance au cybersexe.

RÉSUMÉ

Le commerce du sexe

- Le terme *pornographie* désigne tout matériel (écrit, visuel, sonore) contenant des scènes sexuelles explicites dans le but d'exciter sexuellement.

- Il y a dans l'érotisme une composante de tendresse, de respect et de plaisir mutuels.

- Il existe une pornographie qui s'adresse aux femmes ou aux hommes hétérosexuels ; une autre s'adresse aux gais et une autre aux lesbiennes. Chaque type de pornographie présente ses propres caractéristiques.

- Internet accroît l'accessibilité à la pornographie juvénile, mais aussi la capacité de repérer et de poursuivre les producteurs de ce type de matériel.

- Peu après leur invention, la presse à imprimer, la photographie, le cinéma, la télé par câble, le magnétoscope et Internet ont été employés pour la production de pornographie.

- Le caractère positif ou négatif du matériel à contenu sexuellement explicite fait l'objet d'une controverse.

- La prostitution est un échange de services sexuels contre de l'argent. Les travailleurs de l'industrie du sexe sont issus de différents milieux et leurs conditions de travail sont variables.

- Selon la recherche, environ 10 % des hommes ont eu recours à la prostitution dans les 12 derniers mois.

- Le tourisme sexuel pour les femmes est devenu une pratique courante dans certains pays en voie de développement.

- L'expression *travailleurs du sexe* comprend les prostitués de rue (femmes et hommes), les escortes féminines et masculines, les femmes qui travaillent dans des bordels ou des salons de massage, les personnes qui dansent nues avec ou sans contact, celles qui tiennent des conversations téléphoniques érotiques ou qui s'exhibent devant une webcam.

- Près de la moitié des travailleurs du sexe ont débuté dans le métier avant l'âge de 18 ans.

- Internet a transformé l'industrie du sexe et modifié les conditions de certains travailleurs du sexe en leur offrant plus d'autonomie et de sécurité.

- Le statut juridique de la prostitution varie d'un pays à l'autre.

- La décriminalisation de la prostitution en Nouvelle-Zélande a amélioré la santé et la sécurité des travailleuses du sexe en plus de faciliter la vie de celles qui souhaitaient changer de métier.

- Des impératifs économiques constituent la principale motivation des travailleurs du sexe.

- Un fort pourcentage de travailleurs du sexe développe des symptômes de choc post-traumatique sous l'effet du stress chronique, de la violence et du danger inhérents au commerce du sexe.

- Les travailleurs du sexe gagnent plus d'argent en acceptant des pratiques sexuelles à risque.

- Le trafic sexuel de femmes et d'enfants est un problème mondial, et les trafiquants s'en prennent aux personnes que la pauvreté, la guerre et l'instabilité politique ont rendues vulnérables.

La sexualité atypique

- Les paraphilies, qui sont des comportements sexuels atypiques, comprennent une variété d'activités sexuelles qui, dans leurs formes les plus développées, sont peu répandues dans la population.

- De tels comportements peuvent se manifester à des degrés divers, allant de la légère tendance épisodique aux comportements ancrés et réguliers.

- À l'exception du masochisme, ce sont très généralement les hommes qui se livrent aux paraphilies.

- Les paraphilies non coercitives sont souvent des activités solitaires ou des comportements auxquels des adultes acceptent de participer, ou qu'ils se contentent d'observer ou de tolérer.

- Le fétichisme, le travestisme fétichiste, le sadisme sexuel, le masochisme sexuel, la clystérophilie, la coprophilie et l'urophilie sont tous des variantes de paraphilies non coercitives.

- Le fétichisme est une forme de comportement sexuel atypique par lequel une personne parvient à l'excitation en se concentrant sur un objet inanimé ou sur une partie du corps humain au point que ce soit indispensable à sa satisfaction sexuelle.

- Le fétichisme découle souvent d'un conditionnement. L'association entre un fétiche et l'excitation sexuelle est renforcée par l'orgasme auquel l'individu parvient en se masturbant.

- Le travestisme fétichiste consiste à obtenir l'excitation sexuelle en s'habillant comme l'autre sexe. Il s'agit généralement d'une activité solitaire à laquelle un homme hétérosexuel s'adonne, en secret, à la maison.

- Le sadomasochisme (SM) est un comportement sexuel par lequel une personne parvient à l'excitation grâce à la souffrance mentale ou physique qu'on lui inflige ou qu'elle inflige à un ou une partenaire.

- La plupart des adeptes du sadomasochisme considèrent ce comportement comme une forme d'épanouissement sexuel volontairement et mutuellement recherché par les partenaires.

- Pour certains de ses adeptes, le sadomasochisme est un exutoire permettant d'échapper temporairement aux rôles stricts et contraignants qu'ils assument dans la vie courante.

- Les adeptes du sadomasochisme peuvent avoir besoin de stimuli non sexuels pour obtenir une excitation sexuelle suffisante. Ils peuvent aussi croire confusément que le sexe est immoral et répréhensible.

- Les individus qui se livrent au sadomasochisme ont parfois connu dans leur enfance des expériences où sexualité et souffrance étaient associées.

- L'asphyxiophilie est une paraphilie rare et potentiellement mortelle par laquelle une personne, presque toujours un homme, tente d'accroître son excitation sexuelle et l'intensité de son orgasme en se privant volontairement d'oxygène.

- La clystérophilie est une paraphilie qui consiste à parvenir au plaisir sexuel au moyen de lavements.

- La coprophilie et l'urophilie consistent à trouver l'excitation sexuelle au contact de matières fécales et d'urine, respectivement.

- Les paraphilies coercitives sont intrusives en ce sens qu'elles imposent à des participants non consentants des comportements comme le voyeurisme et l'exhibitionnisme. Ces actes peuvent nuire aux victimes et celles-ci peuvent même subir des traumatismes psychologiques.

- L'exhibitionnisme, les appels obscènes, le voyeurisme, le frotteurisme, la zoophilie et la nécrophilie sont tous des paraphilies coercitives, c'est-à-dire qui impliquent la contrainte.

- L'exhibitionnisme est un comportement généralement associé aux hommes et consiste à exhiber ses organes génitaux devant une personne non consentante. Il s'agit le plus souvent de jeunes hommes qui se sentent inadéquats et vulnérables sur le plan sexuel. Leurs relations sexuelles sont plutôt insatisfaisantes.

- L'exhibitionniste tire son plaisir sexuel de la réaction apeurée, dégoûtée ou choquée de ses victimes. L'agression physique n'est habituellement pas associée à l'exhibitionnisme.

- Les personnes qui font des appels obscènes présentent des caractéristiques similaires à celles des exhibitionnistes. Bien qu'il y ait une composante hostile dans l'appel obscène, l'importun passe rarement de l'agressivité verbale à l'agressivité physique.

- Le voyeur tire son plaisir sexuel à observer les activités sexuelles ou les corps dénudés de personnes, habituellement des étrangers. Les voyeurs sont généralement des hommes ayant développé peu d'habiletés sociosexuelles et qui éprouvent un fort sentiment d'infériorité et d'inadaptation.

- Le frotteurisme consiste à s'exciter sexuellement en se pressant ou se frottant contre une personne sans son consentement dans les endroits publics bondés.

- La zoophilie comporte un contact sexuel entre des humains et des animaux ; elle est habituellement une expérience transitoire chez des jeunes qui n'ont pas de partenaire sexuel.

- La nécrophilie consiste à obtenir une satisfaction sexuelle par la contemplation d'un cadavre ou par son utilisation à des fins sexuelles.

- Suivant la notion de compulsion sexuelle, les symptômes de la dépendance psychologique seraient présents chez certaines personnes ayant une activité sexuelle excessive. On retrouve en effet chez eux des sentiments de dépression, d'anxiété, de solitude et d'inutilité dont ils arrivent à se soulager provisoirement grâce à l'euphorie sexuelle.

- Selon de nombreux sexologues, la compulsion sexuelle ne doit pas faire l'objet d'une catégorie diagnostique distincte.

Des difficultés sexuelles et leurs solutions

10

SOMMAIRE

La santé sexuelle – un état de bien-être physique, émotionnel et mental relatif à la sexualité – ne se limite pas à cerner les troubles sexuels et à les traiter (Sadovsky et Nusbaum, 2006). Dans ce chapitre, cette définition de l'Organisation mondiale de la santé (OMS) nous servira de repère pour analyser certains troubles sexuels relativement répandus, leurs causes ainsi que les moyens de prise en charge personnelle et les approches thérapeutiques susceptibles de les résoudre.

La satisfaction sexuelle

> J'aurais aimé que ma première fois soit meilleure. J'aurais voulu avoir une relation sexuelle avec quelqu'un que j'appréciais, à tout le moins, plutôt qu'avec quelqu'un qui voulait simplement coucher avec moi. Nous étions tous les deux passablement éméchés, mais pas assez ivres pour oublier à quel point je suis venu rapidement. La rumeur a circulé sur cette expérience et je n'ai plus eu de relations sexuelles pendant longtemps. Ma première blonde après cet épisode n'en a pas fait grand cas et, après quelque temps, j'ai été plus détendu et j'ai pu tenir plus longtemps. (Notes des auteurs)

L'enquête NHSLS a montré la prévalence de certains problèmes sexuels selon diverses catégories démographiques (voir le tableau 10.1). Il faut noter que des personnes peuvent avoir un problème sexuel sans pour autant en être perturbées ou sexuellement insatisfaites. Par exemple, l'enquête rapporte que 43 % des femmes disent avoir souffert d'un quelconque dysfonctionnement sexuel. Cependant, lors d'une enquête téléphonique ultérieure (moins rigoureuse que celle de la NHSLS) menée auprès d'une population aléatoirement sélectionnée, l'Institut Kinsey a demandé aux répondantes féminines si elles considéraient comme un problème leur manque d'intérêt sexuel, d'excitation ou d'orgasmes. Un peu plus de 24 % ont alors déclaré en souffrir (Bancroft, Loftus et Long, 2003). L'enquête de l'Institut Kinsey a révélé que les femmes dont le bien-être affectif laissait à désirer et qui vivaient une relation difficile avec leur partenaire étaient plus susceptibles de se dire malheureuses sur le plan sexuel. La recherche montre effectivement que les problèmes sexuels peuvent avoir un lien avec le bien-être global. Les personnes qui ont des problèmes sexuels se déclarent moins satisfaites de leur vie en général que celles qui n'en ont pas (Hellstrom et coll., 2006 ; Mallis et coll., 2006).

En lisant ce chapitre, il est important de se rappeler que la satisfaction sexuelle est quelque chose de subjectif et qu'elle est une composante importante de la définition d'un problème sexuel (Gierhart, 2006 ; Shabsigh, 2006). Une personne ou un couple peuvent avoir des problèmes sexuels et être satisfaits de leur vie sexuelle, ou ne pas avoir de problèmes sexuels et être très insatisfaits de leurs expériences sexuelles (Balon, 2008 ; Basson et coll., 2003). La figure 10.1 montre le degré de satisfaction sexuelle d'hommes et de femmes dans le monde. Si vous désirez connaître votre degré de satisfaction en cette matière, remplissez le questionnaire d'autoévaluation proposé dans l'encadré *Votre santé sexuelle* à la page 270.

Les différents types de difficultés sexuelles

Dans cette section, nous abordons quelques-uns des problèmes que vivent des personnes relativement au désir, à l'excitation, à l'orgasme et à la douleur physique durant le coït. Dans la réalité, ils se rejoignent souvent l'un l'autre : les problèmes de désir et d'excitation influent sur l'orgasme, et les difficultés liées à l'orgasme peuvent avoir un effet sur l'intérêt sexuel et la capacité d'être excité. Par exemple, environ 44 % des hommes qui ont des problèmes érectiles ont également des éjaculations précoces (Fisher et coll., 2006). De plus, la frontière entre ce qui est normal et ce qui relève d'un trouble n'est pas clairement définie sur le plan clinique (Althof et coll., 2005). Ainsi, combien de fois un homme doit-il avoir des difficultés érectiles pour qu'on parle de dysfonctionnement érectile ? Dans quel contexte est-il normal de ne pas avoir d'érection ?

TABLEAU 10.1 La prévalence des troubles sexuels selon diverses caractéristiques démographiques.

	MANQUE D'INTÉRÊT POUR LE SEXE		ANORGASMIE		DYSFONCTIONNEMENT ÉRECTILE	DYSPAREUNIE	ÉJACULATION PRÉCOCE
	F (%)	H (%)	F (%)	H (%)	HOMMES (%)	FEMMES (%)	HOMMES (%)
GROUPES D'ÂGE *							
18-29	32	14	26	7	7	21	30
30-39	32	13	28	7	9	15	32
40-49	30	15	22	9	11	13	28
50-59	27	17	23	9	18	8	31
SCOLARITÉ							
Secondaire non complété	42	19	34	11	13	18	38
Secondaire complété	33	12	29	7	9	17	35
Collégial/universitaire	24	14	18	7	10	10	27

* Les difficultés sexuelles sont plus fréquentes chez les jeunes femmes et chez les hommes plus âgés.

Source : Laumann et coll., 1999.

FIGURE 10.1 Des hommes et des femmes de partout dans le monde ont répondu à la question « Dans quelle mesure trouvez-vous votre relation de couple agréable sur le plan physique ? ».

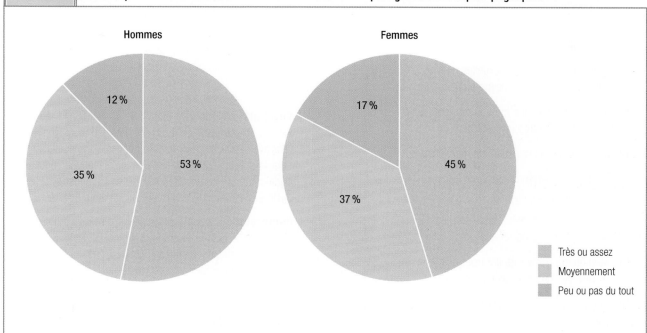

La Pfizer Global Survey of Sexual Attitudes and Behaviors, première enquête d'envergure mondiale de ce type, a été menée auprès de 26 000 hommes et femmes répartis dans 29 pays des quatre coins du monde.

Source : Global Survey of Sexual Attitudes and Behaviors, étude financée par Pfizer Inc. © 2002 Pfizer Inc.

Votre santé sexuelle

Autoévaluation – Indice de satisfaction sexuelle

Grâce au questionnaire ci-dessous, vous pouvez mesurer le degré de satisfaction que vous procure votre vie sexuelle avec votre partenaire. Il ne s'agit pas d'un test : il n'y a donc ni bonnes ni mauvaises réponses. Évaluez chaque énoncé aussi soigneusement et rigoureusement que possible en inscrivant après chacun le nombre correspondant au barème suivant :

1 = Rarement ou jamais   2 = Pratiquement jamais   3 = Parfois   4 = La plupart du temps   5 = Pratiquement toujours

1. J'ai l'impression que mon ou ma partenaire aime notre vie sexuelle.

2. Ma vie sexuelle est très stimulante.

3. Nous avons tous deux beaucoup de plaisir à faire l'amour.

4. J'ai l'impression de n'être qu'un objet sexuel pour mon ou ma partenaire.

5. J'ai l'impression que le sexe est une chose sale et dégoûtante.

6. Ma vie sexuelle est monotone.

7. Nos rapports sexuels sont brefs et trop rapidement expédiés.

8. J'ai l'impression que ma vie sexuelle est pauvre.

9. Je trouve mon ou ma partenaire très excitant(e).

10. J'aime les techniques sexuelles que mon ou ma partenaire aime ou utilise.

11. J'ai l'impression que mon ou ma partenaire m'en demande trop sexuellement.

12. Je pense que la sexualité est merveilleuse.

13. Mon ou ma partenaire accorde trop d'importance au sexe.

14. J'essaie d'éviter les contacts sexuels avec mon ou ma partenaire.

15. Mon ou ma partenaire est trop rude ou brutal(e) quand nous faisons l'amour.

16. Mon ou ma partenaire est extraordinaire sur le plan sexuel.

17. J'ai l'impression que le sexe fait naturellement partie de notre relation.

18. Mon ou ma partenaire n'a pas envie de faire l'amour quand j'en ai envie.

19. J'ai l'impression que notre vie sexuelle enrichit vraiment beaucoup notre relation.

20. Mon ou ma partenaire semble éviter les contacts sexuels avec moi.

21. Mon ou ma partenaire n'a pas de mal à m'exciter sexuellement.

22. J'ai l'impression que mon ou ma partenaire est satisfait(e) sur le plan sexuel avec moi.

23. Mon ou ma partenaire est très sensible à mes besoins et désirs sexuels.

24. Mon ou ma partenaire ne me comble pas sexuellement.

25. J'ai l'impression que ma vie sexuelle est ennuyeuse.

Résultats : Les énoncés 1, 2, 3, 9, 10, 12, 16, 17, 19, 21, 22, 23 doivent être inversement cotés. (Par exemple, si vous avez attribué 5 à un de ces énoncés, vous le noterez 1.) Cela fait, assurez-vous de n'avoir omis aucune réponse. Additionnez ensuite toutes les notes et soustrayez 25. Cette évaluation a démontré sa validité et sa fidélité.

Interprétation : Les résultats peuvent s'échelonner de 0 à 100, le score le plus élevé indiquant l'insatisfaction sexuelle. Un résultat d'environ 30 ou plus est l'indice d'une insatisfaction par rapport à sa vie sexuelle.

Source : Adapté de Hudson, 1992.

Les problèmes sexuels que nous présentons varient quant à la durée et aux situations que vivent les personnes. Une difficulté peut perdurer toute la vie (elle est alors dite «primaire») ou, au contraire, survenir à un moment particulier (elle est alors dite «secondaire»). Une personne peut avoir un problème avec n'importe quel partenaire, quelle que soit la situation (le problème est alors de «type généralisé»), ou encore dans des situations précises ou avec un certain type de partenaires (il est alors de «type situationnel» ou «circonstanciel») (American Psychiatric Association, 2000). La classification et les appellations que nous utilisons ici proviennent de *Second International Consultation on Sexual Medicine: Sexual Dysfunctions in Men and Women* (Lue, Basson et coll., 2004), de l'International Society for Sexual Medicine, et du *DSM-IV*; nous y avons ajouté quelques catégories et appellations que nous jugions pertinentes.

Pour qu'une difficulté soit considérée comme un trouble de la sexualité, elle doit survenir en dépit du fait qu'il y a eu une stimulation psychologique et physique adéquate. La recherche a mis en lumière l'importance des stimulations physiques. Ainsi, les femmes qui déclarent avoir régulièrement des orgasmes utilisent une plus grande variété de techniques sexuelles que celles qui n'en ont pas aussi régulièrement (Fugl-Meyer et coll., 2006). De plus, avec une stimulation plus longue avant l'orgasme, les orgasmes féminins tendent à être plus intenses qu'avec une stimulation de courte durée (Laan, 2009). En revanche, une étude rapporte que 42 % des femmes vivant de la détresse ou des problèmes sexuels mentionnent des «préliminaires insuffisants» (Witting, Santtila et Varjonen, 2008). Une stimulation psychologique adéquate est essentielle. Par exemple, un homme qui éjacule rapidement après que sa partenaire lui a demandé de faire vite ne se trouve pas dans une situation de stimulation physique et psychologique adéquate, et ne peut donc pas être considéré comme un éjaculateur précoce du fait de cette seule expérience. Autre exemple: un diagnostic de manque de désir sexuel ne conviendrait pas à une femme qui est constamment poussée, par son partenaire, à manifester sa sexualité d'une façon qui lui plaît, à lui, mais qui ne la stimule pas et ne lui procure pas de plaisir.

Les difficultés liées au désir sexuel

La présente section traite de l'inhibition du désir sexuel, de l'insatisfaction quant à la fréquence de l'activité sexuelle et du trouble de l'aversion sexuelle.

Le trouble du désir sexuel hypoactif

Le trouble du désir sexuel hypoactif (TDSH) se caractérise par l'absence ou la quasi-absence de pensées sexuelles, de fantasmes et d'intérêt *avant* l'activité sexuelle, doublée

Le trouble du désir sexuel hypoactif reflète souvent des problèmes relationnels.

d'un manque de désir *durant* celle-ci (Basson et coll., 2004). Plusieurs hommes et femmes qui ne ressentent pas d'appétit sexuel peuvent éprouver du plaisir et devenir excités une fois l'activité sexuelle amorcée. Jusqu'à récemment, le TDSH était défini exclusivement par le manque d'intérêt sexuel, de pensées et de fantasmes en dehors de l'activité sexuelle. Vu sous cet angle, il s'agit d'une difficulté répandue tant chez les hommes que chez les femmes et du motif de consultation en thérapie le plus fréquent (Giargiari et coll., 2005; McCarthy, 2006). Bien que ce type de difficultés soit plus répandu chez les femmes (voir le tableau 10.1), un nombre important d'hommes éprouvent eux aussi un désir sexuel hypoactif et consultent à cette fin (McCarthy et McDonalds, 2009).

L'enquête Contexte de la Sexualité en France (CSF), menée en 2006 auprès de 12 000 personnes, révèle que 29 % des femmes rapportent avoir «parfois» connu une absence ou une insuffisance de désir sexuel au cours de la dernière année, comparativement à 20,1 % des hommes.

Trouble du désir sexuel hypoactif Manque d'intérêt sexuel avant et pendant l'activité sexuelle.

Par ailleurs, 6,8 % des femmes disent avoir «souvent» connu ce type de problème comparativement à 1,9 % des hommes (Bajos et Bozon, 2008).

La dysharmonie sexuelle

Les partenaires sexuels n'ont pas toujours les mêmes attentes quant à la fréquence, à la nature et au moment de leurs activités sexuelles, une situation nommée *dysharmonie sexuelle* (King, 2007). L'incompatibilité dans un couple à l'égard de ces préférences peut contribuer à l'insatisfaction sexuelle, même lorsque l'une ou l'autre de ces préférences ne constitue pas en soi un problème sexuel. Les différences homme-femme se font sentir lorsqu'il est question de fréquence : l'enquête Global Sex Survey de 2005 a montré que 41 % des hommes contre 29 % des femmes aimeraient avoir des relations sexuelles plus souvent (Durex, 2006). Le couple peut bien entendu s'accommoder de ces divergences de goûts, mais il arrive qu'elles soient de véritables sources de conflit ou d'insatisfaction, chacun accusant l'autre de ne «jamais» vouloir ou, au contraire, de «toujours» vouloir.

Le trouble de l'aversion sexuelle

Lorsque le simple fait de penser au sexe suscite la crainte et le désir d'éviter tout contact sexuel, on dit qu'il y a trouble de l'aversion sexuelle. L'aversion sexuelle connaît plusieurs degrés, qui vont du malaise à la répulsion, au dégoût et à la peur extrême et irrationnelle de l'acte sexuel. Parfois, la seule pensée d'un contact sexuel peut faire naître une angoisse et une panique intenses. Sudation, accélération du rythme cardiaque, nausées, étourdissements, tremblements et diarrhée sont les symptômes physiologiques de l'aversion sexuelle.

Les difficultés durant la phase d'excitation

L'inhibition de l'excitation sexuelle se produit lorsqu'il y a absence ou manque chronique d'excitation physiologique, de sensations érotiques, ou lorsque la personne n'arrive pas à se sentir excitée intérieurement. L'absence de lubrification vaginale ou de conscience subjective des manifestations physiques de l'excitation peut être le signe d'un trouble de l'excitation sexuelle chez la femme (Basson, 2002), alors que chez l'homme, l'incapacité d'avoir ou de maintenir une érection en est la manifestation typique.

Le trouble de l'excitation sexuelle chez la femme

Comme nous l'avons mentionné aux chapitres 2 et 3, chez les femmes, la lubrification vaginale est le premier signe physiologique d'excitation sexuelle. L'incapacité persistante d'obtenir ou de maintenir la vasocongestion et la lubrification est un signe de trouble de l'excitation

sexuelle chez la femme. Par contre, lorsque les signes physiques de l'excitation sont présents, mais que la sensation de plaisir ou d'excitation sexuels est absente ou fortement diminuée, on parle alors de trouble subjectif de l'excitation sexuelle chez la femme. La présence des deux troubles porte le nom de trouble combiné de l'excitation sexuelle chez la femme (Basson et coll., 2004).

Le trouble de l'excitation sexuelle persistante

Le trouble de l'excitation sexuelle persistante se caractérise par une excitation génitale – picotements, battements, pulsations – spontanée, envahissante et non voulue, en l'absence de désir sexuel (Leiblum et Goldmeier, 2008). Le fait d'avoir un ou plusieurs orgasmes n'enlève pas l'inconfort, et l'excitation peut persister pendant des heures ou des jours (Basson, 2009). Ce trouble a été identifié pour la première fois en 2001 et les professionnels de la santé ont diagnostiqué environ 400 cas féminins depuis. Les femmes qui ont été examinées avaient des évaluations physiologiques et psychiatriques normales, quoique la consommation ou l'arrêt de consommation d'antidépresseurs ISRS ont été reliés à l'apparition du trouble de l'excitation sexuelle persistante (Leiblum et Goldmeier, 2008). Les recherches préliminaires semblent indiquer que des femmes souffrant du syndrome des jambes sans repos et d'une vessie hyperactive seraient plus sujettes à ce trouble, ce qui laisse supposer une cause commune aux trois phénomènes. Mentionnons que, du point de vue épidémiologique, le syndrome des jambes sans repos est plus fréquent au Québec, pour des raisons héréditaires (Young, Vilariño-Güell et coll., 2009) et qu'alors il peut y avoir une plus grande proportion de personnes également touchées par le trouble de l'excitation sexuelle persistante. Des examens par IRM et échographie transvaginale ont montré la présence de varices pelviennes (des veines anormalement dilatées) chez des femmes atteintes de ce trouble (Waldinger et coll., 2009).

Trouble de l'aversion sexuelle   Peur extrême et irrationnelle de toute activité sexuelle.

Trouble de l'excitation sexuelle chez la femme   Incapacité d'obtenir ou de maintenir une lubrification-engorgement sur le plan génital.

Trouble subjectif de l'excitation sexuelle chez la femme   Absence ou diminution des sensations subjectives de l'excitation physique.

Trouble combiné de l'excitation sexuelle chez la femme   Absence ou diminution des sensations subjectives et des réactions physiologiques de l'excitation sexuelle.

Trouble de l'excitation sexuelle persistante   Excitation génitale spontanée, envahissante et non désirée.

Le trouble de l'érection

On parle de trouble de l'érection, ou dysfonctionnement érectile (DE), lorsqu'un homme ne parvient pas, depuis au moins trois mois, à obtenir ou à maintenir une érection suffisante pour permettre une pénétration (Lue et coll., 2004). On estime qu'un homme sur cinq âgé de plus de 20 ans présente un dysfonctionnement érectile, qui est un motif fréquent de consultation en sexothérapie (Saigal et coll., 2006). L'incidence de ce trouble augmente avec l'âge, comme le montre la figure 10.2. Un homme dans la cinquantaine risque deux fois plus d'en souffrir qu'un homme dans la vingtaine. L'âge semble donc être le principal facteur de risque. En ce sens, la Massachusetts Male Aging Study (MMAS), la première étude longitudinale aussi vaste menée auprès d'hommes âgés de 40 à 70 ans, conclut que 52 % des hommes de 40 ans et plus présentent un DE (Alarie, 2003). Ce taux de prévalence englobe tous les types de dysfonctionnements érectiles, qu'ils soient faibles, modérés ou totaux (ces derniers, les moins fréquents, désignant une impuissance complète) (Feldman et coll., 1994). L'enquête révèle par ailleurs que plus les hommes vieillissent, plus ils sont susceptibles de souffrir d'un DE total. Les autres facteurs de risque les plus couramment associés au dysfonctionnement érectile sont les problèmes cardiovasculaires, le diabète, la dépression, la prise de médicaments, les problèmes liés à la prostate (hypertrophie ou cancer) ou un déficit d'androgènes (Costa et coll., 2005 ; Feldman et coll., 1994). Nous y revenons plus loin dans ce chapitre. Par ailleurs, en France, chez les hommes de 60-69 ans, la proportion de DE est de 6 % (Bajos et Bozon, 2008). Ce résultat peut s'expliquer, du moins partiellement, par des différences culturelles dans la définition même du DE.

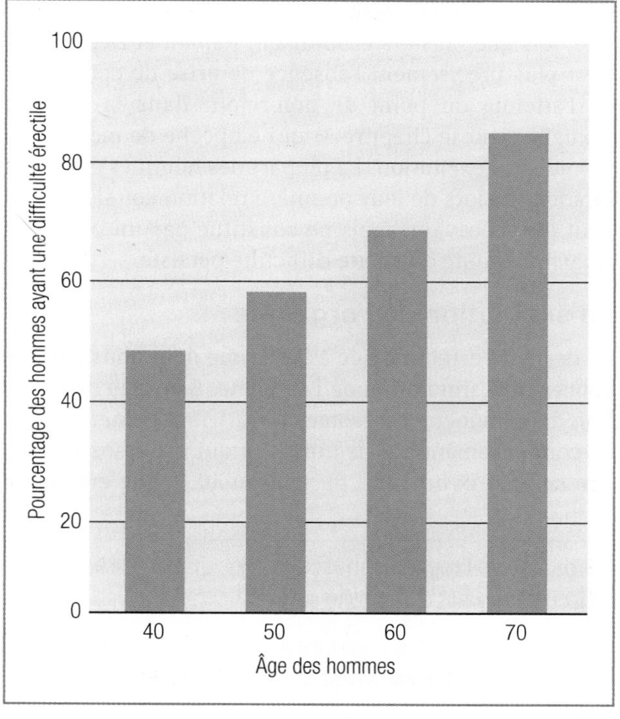

Des protocoles ont été mis au point pour évaluer les facteurs physiques du trouble de l'érection. Certaines méthodes mesurent les érections nocturnes puisque les hommes ayant des érections pendant le sommeil ne sont généralement pas sujets à un trouble d'origine organique. D'autres méthodes mesurent la pression et le flux sanguin péniens afin de déterminer si la difficulté érectile est attribuable à un problème vasculaire. On utilise aussi l'injection de médicaments provoquant des érections pour détecter d'éventuels problèmes. Si aucune érection ne se produit après une injection, alors il s'agit probablement d'un problème vasculaire (Lue, Giuliano et coll., 2004).

Les difficultés durant la phase orgasmique

D'autres difficultés sexuelles concernent la réponse orgasmique, et ce type de trouble touche autant les hommes que les femmes. Quelques-unes de ces difficultés sont marquées par l'absence totale ou la rareté d'orgasmes. D'autres se caractérisent par une atteinte trop rapide ou trop lente de l'orgasme. Nous considérons aussi la simulation de l'orgasme comme un problème sexuel.

Les troubles de l'orgasme féminin

Les troubles de l'orgasme féminin se caractérisent par l'absence ou le retard marqué de l'orgasme, ou sa faible intensité malgré une forte sensation subjective d'excitation provenant de tout type de stimulation (Basson et coll., 2004). Selon une recherche menée aux États-Unis, de 5 à 10 % des femmes américaines n'ont jamais eu d'orgasme, que ce soit par autostimulation ou par stimulation de la part d'un partenaire, mais les données indiquent que ce nombre est en baisse depuis les années 1960 (LoPiccolo, 2000). Cette baisse apparente serait attribuable aux excellents livres et vidéos d'autoapprentissage destinés aux femmes désirant parvenir à l'orgasme, mais aussi aux innombrables articles publiés dans la presse féminine pour mieux connaître son corps.

FIGURE 10.2   L'incidence du dysfonctionnement érectile selon l'âge (Kim et Lipshultz, 1997).

Trouble de l'érection   Incapacité prononcée ou récurrente pendant au moins trois mois d'avoir une érection suffisante pour permettre une pénétration.

Troubles de l'orgasme féminin   Absence ou retard marqué de l'orgasme ou orgasme de faible intensité.

On parle d'un *trouble de l'orgasme situationnel* lorsqu'une femme atteint l'orgasme par la masturbation, mais pas par la stimulation de la part d'un partenaire. Les femmes qui n'ont pas souvent d'orgasme peuvent aussi avoir de la difficulté à l'atteindre: environ 25 % des femmes ont eu des problèmes d'orgasme au cours de la dernière année (Laumann et coll., 1994). Une étude menée aux États-Unis a révélé que les femmes les plus susceptibles de connaître des difficultés à cet égard étaient plus jeunes, célibataires et moins scolarisées que les femmes qui n'ont pas de problème d'orgasme. L'expérience est un facteur clé, comme le laisse sous-entendre, dans une enquête française, le fait que ce soit surtout les jeunes femmes qui parviennent le moins souvent à l'orgasme (Bajos et Bozon, 2008). Pour plusieurs femmes, l'atteinte de l'orgasme nécessite un apprentissage: une enquête révèle que près de 62 % des femmes avaient plus de 18 ans lors de leur premier orgasme (Ellison, 2000). Le tableau 10.2 montre l'incidence de l'orgasme chez des étudiants universitaires.

La plupart des thérapeutes sexuels croient que les femmes qui apprécient les relations sexuelles et qui atteignent l'orgasme autrement que par le coït n'ont pas de problème sexuel (Hamilton, 2002; LoPiccolo, 2000). Beaucoup plus de femmes atteignent l'orgasme par la masturbation, la stimulation de la part d'un partenaire et le cunnilingus que par le coït (Fugl-Meyer et coll., 2006). Pour de nombreuses femmes, la stimulation que procure le coït est tout simplement moins efficace que la stimulation manuelle ou buccale de la région clitoridienne. Comme le rappelait la sexologue et psychiatre Helen Kaplan, des millions de femmes ont une grande sensibilité sexuelle et sont souvent multiorgasmiques, mais elles n'ont pas d'orgasme pendant le coït à moins de recevoir en même temps une stimulation clitoridienne (1974). Malheureusement, les hommes et les femmes ne le comprennent pas toujours: 23 % des participantes à une étude canadienne ont déclaré que le fait d'avoir rarement un orgasme pendant le coït constituait pour elles un problème (Gruszecki et coll., 2005).

Les troubles de l'orgasme masculin

Les troubles de l'orgasme masculin, qu'on appelle aussi *éjaculation retardée*, renvoient généralement à l'incapacité de l'homme à éjaculer pendant une activité sexuelle (Sandstrom et Fugl-Meyer, 2007). Huit pour cent des hommes éprouvent cette difficulté (Laumann et coll., 1994). Les termes *anorgasmie coïtale masculine* (difficulté à atteindre l'orgasme pendant le coït) et *rapports sexuels sans orgasmes* (difficulté à atteindre l'orgasme par la stimulation manuelle ou buccale de la part du partenaire) décrivent mieux la réalité que l'expression générique *troubles de l'orgasme masculin* (Apfelbaum, 2000).

L'éjaculation précoce

L'éjaculation précoce est la plus répandue des difficultés sexuelles masculines (Strassberg, 2007). Selon l'International Society for Sexual Medicine, l'éjaculation précoce est celle qui survient rapidement et qui s'accompagne d'une incapacité pour l'homme d'exercer un contrôle sur le moment où elle se produit, d'une détresse psychologique ou de l'évitement de l'intimité sexuelle en raison de cette éjaculation rapide (C. McMahon, 2008). En général, environ 22 % des hommes sexuellement actifs ont des éjaculations précoces (Steggall et coll., 2008) et, parmi eux, 30 % éjaculent sans même avoir une pleine érection (Lue, Basson et coll., 2004).

La recherche montre que les hommes souffrant d'éjaculation précoce sous-estiment l'intensité de leur excitation sexuelle, ressentent rapidement une forte excitation lors de la stimulation pénienne et éjaculent avant d'atteindre une pleine excitation sexuelle de sorte qu'ils éprouvent une moins grande satisfaction orgasmique que les hommes qui n'ont pas de problème d'éjaculation rapide. Ces faits laissent entendre que des facteurs physiologiques pourraient être en cause (Rowland et coll., 2000). Pour la plupart des sexothérapeutes novateurs des dernières décennies, tels que Masters et Johnson, Kaplan et Desjardins, c'est plus précisément l'absence de prise de conscience de l'atteinte du point de non-retour dans la réponse sexuelle (voir le chapitre 3) qui empêche de moduler la montée de l'excitation. La plupart des hommes éjaculent rapidement lors de leur première relation coïtale, ce qui peut être décevant, mais ne constitue pas un problème sexuel, à moins que cette difficulté persiste.

La simulation de l'orgasme

La dernière difficulté liée à l'orgasme dont nous parlons concerne la simulation de l'orgasme. Bien que quelques hommes feignent l'orgasme, on attribue généralement ce comportement aux femmes, ce qui est assez juste si l'on se fie aux données du tableau 10.3. Une enquête a

TABLEAU 10.2	Des étudiants universitaires ont répondu à la question « Avez-vous déjà eu un orgasme ? ».	
	FEMMES (%)	**HOMMES (%)**
Oui	87	94
Non	13	6

Source: Elliott et Brantley, 1997.

Troubles de l'orgasme masculin Incapacité de l'homme à éjaculer pendant une activité sexuelle.

Éjaculation précoce Éjaculation prématurée en raison de l'incapacité de l'homme à contrôler le moment où elle se produit.

TABLEAU 10.3 Réponse fournie par des étudiants universitaires à la question « Avez-vous déjà simulé un orgasme ? ».		
	OUI	NON
Hétérosexuelles	60 %	40 %
Lesbiennes ou bisexuelles	71 %	29 %
Hétérosexuels	17 %	83 %
Gais ou bisexuels	27 %	73 %

Source : Elliott et Brantley, 1997.

permis d'établir que 75 % des femmes ayant déjà simulé l'orgasme l'avaient fait plus de 50 fois, et que 10 % d'entre elles l'avaient fait à chaque relation sexuelle ou presque (Ellison, 2000).

Les femmes qui y recourent disent le faire le plus souvent pour ne pas décevoir ou blesser leur partenaire (Ellison, 2000). Plusieurs personnes feignent l'orgasme parce qu'elles sont ou se croient tenues à certaines prouesses. Le désir d'en finir avec la relation sexuelle, une communication déficiente ou une méconnaissance des techniques sexuelles, la quête d'approbation de son ou sa partenaire ou le désir de masquer l'effritement de la relation sont autant d'autres motifs (Ellison, 2000).

Souvent, la personne qui simule l'orgasme entre dans un cercle vicieux. Comme l'autre ignore qu'elle feint l'orgasme, il refait les gestes qu'il croit efficaces, et la partenaire continue à feindre pour couvrir son mensonge. Le couple s'emprisonne dans une dynamique d'illusions difficile à rompre. Bien que des femmes et des hommes qui feignent l'orgasme voient leur comportement comme une solution acceptable dans leur situation personnelle, d'autres estiment que feindre est en soi un problème. À tout le moins, l'orgasme simulé crée une distance affective au cours de moments d'intimité et de passion potentiels (Sytsma et Taylor, 2008 ; Masters et Johnson, 1976).

La dyspareunie

La dyspareunie est le terme médical désignant un rapport sexuel douloureux ; des hommes comme des femmes peuvent souffrir de ce problème, mais il est plus fréquent chez les femmes.

La dyspareunie masculine

Peu répandue chez les hommes, la dyspareunie se manifeste surtout chez des hommes non circoncis dont le prépuce est trop serré, ce qui entraîne une sensation de douleur durant l'érection. Dans de tels cas, une

intervention chirurgicale mineure peut être indiquée. La douleur peut aussi être liée à une hygiène déficiente, causant une accumulation de smegma sous le prépuce, ou à une infection sous celui-ci entraînant l'irritation du gland pendant l'excitation sexuelle. On peut prévenir ce problème en tirant le prépuce vers le bas et en nettoyant régulièrement le gland avec de l'eau et du savon. Des problèmes comme des infections de l'urètre, de la vessie, de la prostate ou des vésicules séminales peuvent causer des sensations de brûlure, d'irritation ou de douleur pendant ou après l'éjaculation (Davis et coll., 2009 ; Davis et Noble, 1991). Des conseils médicaux appropriés peuvent aider à éliminer ces sources d'inconfort pendant le coït.

La maladie de La Peyronie, caractérisée par l'apparition d'une plaque fibreuse ou d'un dépôt calcaire au-dessus des corps caverneux du pénis et entre eux, est une autre source possible d'inconfort ou de douleur. Cette fibrose cause des douleurs et une incurvation du pénis pendant l'érection qui peuvent nuire à celle-ci et même au coït. La maladie de La Peyronie est généralement due à une extension traumatique du pénis pendant le coït ou à une intervention médicale à l'urètre (Rees, 2008). Certains traitements médicaux permettent parfois de traiter efficacement ce problème (L. Levine, 2007).

La dyspareunie féminine

L'expérience de la douleur lors d'une pénétration partielle du vagin, pendant ou après le coït, est courante chez les femmes, et parmi celles qui ressentent de telles douleurs, un grand nombre en souffrent depuis leur premier coït (Bergeron, 2009). Lorsque le problème est grave et constant, la dyspareunie risque d'être source d'une profonde détresse (Brauer et coll., 2009). La douleur durant l'intromission ou lors du coït est généralement causée par un manque d'excitation ou de lubrification. Certains états physiologiques comme l'insuffisance hormonale peuvent réduire la lubrification. Pour pallier cette difficulté, on peut recourir à une gelée lubrifiante à base d'eau, mais ce n'est là qu'une solution provisoire. Pour vraiment résoudre ce problème, il faut trouver la cause de la douleur et prendre les mesures pour y remédier.

Plusieurs autres facteurs sont susceptibles de causer de l'inconfort pendant la pénétration. Une infection bactérienne ou à levures, ou une trichomonase (voir le chapitre 12) peuvent provoquer une inflammation des parois du vagin et rendre le coït douloureux. Les mousses contraceptives, les crèmes vaginales, les gelées spermicides, les condoms et les diaphragmes risquent aussi d'irriter le

Dyspareunie Douleur ou inconfort pendant le coït.

Maladie de La Peyronie Présence anormale de tissus fibreux ou de dépôts calcaires dans le pénis.

vagin. Une douleur à l'entrée du vagin peut être due à la rupture incomplète de l'hymen, à une infection des glandes de Bartholin ou à la présence de tissu cicatriciel périphérique (Kellog-Spadt, 2006). L'accumulation de smegma sous le capuchon du clitoris peut aussi causer une irritation pendant les mouvements du coït. Un nettoyage délicat avec de l'eau et du savon permet de prévenir ce problème.

Environ 10 % des femmes ressentent une vive douleur à l'entrée du vagin, connue sous le nom de vestibulodynie, et c'est peut-être la cause la plus répandue des coïts douloureux (Bergeron, 2009). Habituellement, une petite région rougeâtre s'avère très sensible à la moindre pression ; cette zone est parfois si petite qu'elle peut être difficile à déceler, même par un professionnel de la santé. L'utilisation de médicaments topiques ou une excision de la zone hypersensible comptent parmi les traitements possibles (Goldstein et coll., 2006).

Une douleur dans la région pelvienne durant les poussées coïtales peut résulter d'une irritation des ovaires ou d'un étirement des ligaments fixant l'utérus. Une femme n'éprouvera cette forme de douleur que dans certaines positions ou à des moments particuliers du cycle menstruel. Elle pourra éviter ce qui cause la douleur si elle exerce un contrôle sur la position et les mouvements pendant le coït. L'endométriose, caractérisée par une croissance anormale de tissus utérins dans différentes parties de la cavité abdominale, constitue une autre source de douleurs pelviennes. Cette prolifération de tissus qui ne se développent normalement qu'à l'intérieur de l'utérus empêche les organes internes de bouger librement et peut causer des douleurs durant le coït. On prescrit parfois des contraceptifs oraux pour contrôler la prolifération de ces tissus durant le cycle menstruel (Reiter et Milburn, 1994).

Les interventions chirurgicales visant à retirer les tumeurs cancéreuses de l'utérus ou des ovaires peuvent également entraîner la dyspareunie (Giraldi et coll., 2009). Les douleurs pendant le coït peuvent être dues à des infections de l'utérus causées, notamment, par la gonorrhée (voir le chapitre 12). En fait, les douleurs pelviennes sont souvent le premier symptôme physique que ressent une femme infectée par la gonorrhée. Si l'infection laisse beaucoup de tissus cicatriciels, une chirurgie peut être indiquée. Par ailleurs, les ligaments fixant l'utérus à la cavité pelvienne sont parfois déchirés durant un accouchement ou un viol, ce qui risque aussi de rendre le coït douloureux. Ce problème se règle partiellement ou complètement par une intervention chirurgicale.

Enfin, certains facteurs psychologiques sont susceptibles de contribuer à la dyspareunie. Le fait d'avoir subi au cours de l'enfance des influences qui ont suscité la crainte du rapport sexuel (une éducation sexuelle inadéquate, par exemple) et des problèmes relationnels qui ont nui à l'expérience sexuelle peut aussi entraîner un coït douloureux. En fait, il semble que la dyspareunie est dans la plupart des cas le fruit de la combinaison de facteurs physiques et psychologiques (Binik et coll., 2000).

Le vaginisme

Le vaginisme se définit comme de fortes contractions involontaires des muscles du premier tiers du vagin lors des relations sexuelles. L'approche sexocorporelle distingue deux types de vaginisme : le vaginisme d'angoisse et le vaginisme phobique. La contraction peut être si forte que toute tentative d'introduire le pénis dans le vagin devient très douloureuse ou même insupportable pour la femme. Les contractions douloureuses du vagin sont l'expression d'une réaction conditionnée et involontaire, généralement liée à un historique de pénétration douloureuse (van Lankveld et coll., 2006). Une femme souffrant de vaginisme aura généralement un spasme similaire durant l'examen pelvien (Weiss, 2001). Même l'insertion d'un doigt dans le vagin peut causer une douleur considérable. Il est important que les deux partenaires d'un couple sachent que le coït, les tampons hygiéniques et l'examen pelvien ne devraient pas être douloureux. S'ils le sont, il est essentiel d'en déterminer la cause.

Il est à noter que bien qu'une femme souffrant de vaginisme puisse apprendre à prévenir les contractions, elle ne les provoque pas consciemment. En fait, les femmes qui s'efforcent de surmonter le problème en ayant des relations sexuelles malgré la douleur risquent d'obtenir l'effet contraire et d'alimenter un cercle vicieux qui empire le vaginisme. La sexualité imposée au sein d'un couple marié peut contribuer au problème. Par exemple, une étude des problèmes sexuels dans la culture islamique traditionnelle a montré que 58 % des femmes mariées sans leur consentement souffrent de vaginisme (Aziz et Gurgen, 2009). Selon les données de l'OMS, les femmes excisées sont aussi généralement plus sujettes au vaginisme (OMS, 2001).

Certaines femmes atteintes de vaginisme sont sexuellement réceptives et parviennent à l'orgasme par une stimulation manuelle ou buccale, tandis que d'autres sont incapables de désir ou d'excitation (Leiblum, 2000). Parce que la plupart des couples considèrent le coït comme une composante très importante de leur vie sexuelle, le problème du vaginisme peut devenir très préoccupant, même pour les partenaires qui ont d'autres moyens d'expression sexuelle.

Vestibulodynie Douleurs intenses ressenties dans une petite zone à l'entrée du vagin lors de la pénétration.

Vaginisme Contractions spasmodiques involontaires des muscles du premier tiers du vagin, rendant toute pénétration difficile.

Les causes des difficultés sexuelles

Dans les paragraphes qui suivent, nous considérons quelques facteurs physiologiques, culturels, personnels et relationnels susceptibles de contribuer aux difficultés sexuelles. Il peut arriver que ces facteurs interagissent de façon notable. Par exemple, toute forme de difficulté physiologique peut fragiliser la réponse sexuelle et rendre la personne plus vulnérable aux déséquilibres découlant d'émotions ou de situations négatives. Aussi, un homme ayant un diabète modéré pourra avoir une bonne érection lorsqu'il est reposé et détendu, mais être incapable d'en avoir une lorsqu'il est stressé, par exemple, après une dure journée de travail ou à la suite d'une discussion avec son ou sa partenaire. Il ne faut pas non plus perdre de vue qu'il est habituellement difficile de déterminer une cause spécifique à une difficulté sexuelle puisqu'un même facteur peut entraîner un problème chez une personne, mais pas chez une autre (Vardi et coll., 2008 ; Waldinger, 2008).

Les facteurs physiologiques

Quiconque éprouve des problèmes sexuels devrait d'abord faire un bilan de santé et se soumettre à un examen gynécologique ou urologique, car des facteurs physiques en sont souvent la cause. Parmi eux se trouvent des facteurs hormonaux, vasculaires et neurologiques (Beckman et coll., 2006). Selon la recherche, malheureusement, le tiers seulement des personnes aux prises avec des difficultés sexuelles en parlent à leur médecin.

La réalisation d'un plus grand nombre de recherches sur la part des composantes physiologiques dans les problèmes sexuels a permis de montrer que certaines difficultés, qu'on croyait auparavant imputables à des causes psychologiques, avaient également des causes physiques. Par exemple, l'éjaculation précoce est associée à l'hyperthyroïdie et s'améliore lorsqu'un traitement ramène les sécrétions thyroïdiennes à la normale (Cihan et coll., 2009). Il pourrait même y avoir une composante génétique chez certains hommes. Comparés aux hommes qui n'ont jamais souffert d'éjaculation précoce, ceux qui connaissent ce problème sont plus susceptibles d'avoir un génotype associé à une plus faible activité d'un neurotransmetteur, la sérotonine, dans l'aire du cerveau associée à l'éjaculation (Janssen et coll., 2009).

Des recherches récentes laissent penser que des variations individuelles, comme la sensibilité au toucher, peuvent jouer un rôle dans les difficultés sexuelles. Par exemple, certains hommes aux prises avec un problème d'éjaculation rapide peuvent présenter une hypersensibilité biologique innée qui les amène à éjaculer rapidement (Waldinger et Schweitzer, 2006). Des preuves indiquent en outre que certaines femmes ayant de la difficulté à devenir sexuellement excitées présentent un degré plus faible de sensibilité générale au toucher (Frohlich et Meston, 2005). Les études en cours permettront d'approfondir les connaissances sur les aspects physiologiques des difficultés sexuelles. Nos connaissances actuelles relatives aux effets de maladies, de médicaments et de handicaps sur la sexualité des hommes dépassent celles dont nous disposons sur la sexualité des femmes, car les recherches sur le fonctionnement de la sexualité masculine ont été plus nombreuses (Heiman, 2009).

L'association de bonnes habitudes de vie et d'une bonne santé sexuelle

De bonnes habitudes de vie sont fortement liées à une bonne santé sexuelle. Une saine alimentation et le maintien d'un

Malheureusement, les effets positifs du cyclisme sur la santé cardiovasculaire et la résistance physique s'accompagnent d'un coût à payer sur le fonctionnement sexuel. La pression exercée par la selle sur les organes génitaux peut endommager des nerfs et nuire à la circulation sanguine, ce qui risque de causer des difficultés sexuelles. Les cyclistes doivent utiliser une selle appropriée pour prévenir ce problème.

poids santé grâce à l'exercice sont les fondements d'un bon fonctionnement sexuel. Par exemple, le gras corporel, surtout à l'abdomen, réduit le taux de testostérone (hormone responsable du désir sexuel) chez les hommes. Un tour de taille élevé et l'inactivité physique sont associés à une plus grande probabilité de troubles érectiles (Janiszewski et coll., 2009). Une étude menée pendant 14 ans auprès de plus de 22 000 hommes en bonne santé a révélé que ceux qui étaient obèses couraient 90 % plus de risques de souffrir de troubles érectiles. À l'opposé, les hommes qui présentaient le taux le plus élevé d'activité physique étaient 30 % moins susceptibles que les autres de souffrir de dysfonctionnement érectile (Bacon et coll., 2006).

Éviter l'usage du tabac et des drogues récréatives est une autre saine habitude qui peut contribuer au bon fonctionnement sexuel. Par exemple, les femmes qui ne fument pas, qui ont un historique de consommation modérée d'alcool et qui présentent un poids santé sont moins à risque d'avoir des insatisfactions ou des difficultés sexuelles (Addis et coll., 2006). Le tabagisme peut entraîner des effets négatifs notables sur le fonctionnement érectile. Les fumeurs sont en effet deux fois plus susceptibles d'avoir des difficultés érectiles que les non-fumeurs (Harte et Meston, 2008a). Le tableau 10.4 présente d'autres drogues récréatives qui peuvent nuire au fonctionnement sexuel.

Les maladies chroniques

Au cours de leur vie, beaucoup de gens devront composer avec une maladie chronique. En s'attaquant au système nerveux, hormonal ou circulatoire, celle-ci perturbe le fonctionnement sexuel. Certains médicaments peuvent aussi avoir des effets négatifs sur le désir ou la réponse sexuels. Toute douleur ou fatigue associée à la maladie peut prendre le pas sur les pensées et les sensations

érotiques et limiter les activités sexuelles (Schover, 2000). Par exemple, le dysfonctionnement érectile est souvent associé au diabète, à l'hypertension et aux problèmes cardiovasculaires. De fait, les professionnels de la santé voient souvent l'incapacité à avoir une érection comme le signe d'un problème de santé sérieux, particulièrement d'une maladie cardiovasculaire (Jackson, 2009; Montorsi et coll., 2006). En revanche, les recherches montrent qu'une cause d'ordre psychologique est plus souvent à l'origine des problèmes que vivent les hommes qui ont du mal à maintenir leurs érections (Corona et coll., 2006).

Les paragraphes suivants exposent les conséquences de certaines maladies sur la sexualité.

Le diabète

Le diabète est une maladie du système endocrinien qui découle d'une incapacité du pancréas à sécréter suffisamment d'insuline. Cette maladie cause des dommages aux nerfs sacrés et au système circulatoire qui entraînent, chez environ 50 % des hommes atteints, une diminution de la capacité à avoir une érection ou une incapacité complète. Certains hommes peuvent avoir des éjaculations rétrogrades (éjaculations dans la vessie). Une forte consommation d'alcool et un mauvais contrôle de la glycémie augmentent les risques de problèmes érectiles chez les hommes diabétiques. Quant aux femmes diabétiques, elles sont plus susceptibles d'avoir des problèmes de désir sexuel, de lubrification et d'orgasme (Alarie, 2003; Cooper, 2008; Diabetes Care, 2009). Elles sont aussi plus sujettes aux mycoses, aux infections vaginales et aux troubles de sensibilité génitale (Diabete2-patients.com).

Le cancer

Le cancer et son traitement peuvent être particulièrement dévastateurs sur la sexualité parce qu'ils dérèglent les fonctions hormonales, vasculaires et cérébrales nécessaires

TABLEAU 10.4	Les effets sur la sexualité de l'abus de certaines substances et drogues illicites.
DROGUE	**EFFETS**
Alcool	L'abus chronique d'alcool cause des changements hormonaux (réduction de la taille des testicules et inhibition de la fonction hormonale) et endommage de façon permanente les systèmes circulatoire et nerveux.
Marijuana	Abaisse le taux de testostérone chez les hommes et réduit le désir sexuel chez les deux sexes.
Tabac	Entraîne des effets néfastes sur les petits vaisseaux sanguins du pénis; réduit la fréquence et la durée des érections (Mannino et coll., 1994).
Cocaïne	Cause des troubles érectiles et inhibe l'orgasme chez les deux sexes.
Amphétamines	Les fortes doses et la consommation chronique inhibent l'orgasme et réduisent l'érection et la lubrification.
Barbituriques	Amoindrissent le désir sexuel, causent des troubles érectiles et retardent l'orgasme.

Source : Finger et coll., 1997.

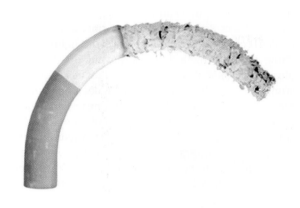

Une cigarette ramollie permet d'illustrer les effets du tabagisme sur le fonctionnement sexuel masculin.

au bon fonctionnement sexuel. La chimiothérapie et la radiothérapie peuvent provoquer la perte des cheveux, des changements cutanés et de la fatigue, toutes choses qui peuvent affecter négativement les sensations et l'intérêt sexuels (Incrocci, 2006). Certaines chirurgies peuvent laisser des cicatrices permanentes, des mutilations corporelles ou nécessiter une stomie (une ouverture corporelle faite par chirurgie pour permettre l'évacuation des déchets organiques après une ablation du côlon ou de la vessie), tout cela pouvant laisser une image corporelle négative (Ogden et Lindridge, 2008). Les douleurs causées par le cancer ou son traitement peuvent aussi nuire grandement au désir et à l'excitation sexuels (Fleming et Pace, 2001).

Si tous les types de cancer peuvent nuire au fonctionnement sexuel, les cancers des organes reproducteurs ont souvent les pires impacts. Par exemple, les hommes qui ont eu un cancer de la prostate doivent généralement composer avec l'absence d'éjaculation, ou une réduction importante, et sont de 10 à 15 fois plus susceptibles d'avoir des problèmes sexuels après les traitements médicaux (chirurgie ou chimiothérapie), à commencer par un dysfonctionnement érectile (Glina, 2006; Harvard Health Publications, 2006).

La sclérose en plaques

La sclérose en plaques (SP) est une maladie neurologique du cerveau et de la moelle épinière qui endommage la gaine de myéline recouvrant les fibres nerveuses. La vision, les sensations et les mouvements volontaires sont affectés. Les études ont révélé que la plupart des patients atteints de SP voient leur fonctionnement sexuel altéré et que près de la moitié d'entre eux ont des problèmes sexuels. Une personne atteinte de cette maladie peut devoir composer avec la perte ou une diminution de l'intérêt sexuel, des sensations dans la région génitale, de l'excitation ou des orgasmes; elle peut aussi, à l'inverse, souffrir d'une hypersensibilité aux stimulations génitales (Smeltzer et Kelley, 1997).

L'accident vasculaire cérébral

L'accident vasculaire cérébral (AVC) survient lorsque le tissu cérébral est détruit à la suite d'un blocage de l'apport sanguin au cerveau ou d'une hémorragie cérébrale (rupture d'un vaisseau provoquant un saignement). L'AVC laisse souvent la personne avec une mobilité réduite, une perte ou une altération des sensations, des troubles d'élocution et un état dépressif. Les personnes qui survivent à un AVC font souvent état d'un déclin de la libido, de l'excitation et de la fréquence de leurs activités sexuelles (Rees et coll., 2007; Giaquinto et coll., 2003).

Les médicaments

Au moins 200 médicaments sur ordonnance ou en vente libre ont des effets négatifs sur la sexualité (Finger et coll., 2000). Pas moins de 25 % des cas de dysfonctionnement érectile seraient reliés aux effets secondaires de médicaments (Miller, 2000). Les professionnels de la santé ne précisent pas toujours ces effets sur la sexualité, aussi les patients doivent-ils aborder eux-mêmes la question lorsqu'on leur prescrit des médicaments. Il n'est pas rare qu'un autre médicament puisse faire l'affaire tout en produisant moins d'effets négatifs ou des effets moins importants sur la libido, l'excitation et l'orgasme.

La médication psychiatrique

Les antidépresseurs de la classe des inhibiteurs sélectifs de la recapture de la sérotonine (ISRS) entraînent fréquemment une réduction de l'excitation et de l'intérêt sexuels, et retardent ou empêchent l'orgasme chez près de 60 % des utilisateurs (Corona et coll., 2009; Kantrowitz et Wingert, 2005). Le ginkgo biloba (à raison de 240 à 900 mg par jour) et le bupropion (Wellbutrin, Zyban, etc.) peuvent parfois contrer ces effets sur la réponse sexuelle; pour les hommes, le sildénafil (Viagra) et autres médicaments du même ordre jouent également ce rôle (Balon et Segraves, 2008; Heiman, 2008). Les médicaments antipsychotiques entraînent fréquemment une absence de désir et d'érection, de même qu'un retard ou une absence d'éjaculation et d'orgasme. Des tranquillisants comme le diazépam (Valium) et l'alprazolam (Xanax) peuvent perturber la réponse orgasmique.

Les médications variées

Les médicaments contre l'hypertension artérielle peuvent aussi influer sur la libido et l'excitation sexuelle ou nuire à l'atteinte de l'orgasme. Certains sont plus nuisibles que d'autres sur le plan sexuel.

De plus, les médicaments pour traiter les maladies gastro-intestinales et les antihistaminiques sont susceptibles de perturber la libido et l'excitation sexuelle. Quant à la méthadone, elle affaiblit souvent le désir sexuel, perturbe l'excitation, empêche l'orgasme et retarde l'éjaculation.

Les handicaps

Les handicaps importants tels que les blessures médullaires, la paralysie cérébrale, la cécité et la surdité ont une grande variété d'effets sur la réactivité sexuelle. Certaines personnes atteintes de ces handicaps peuvent arriver à maintenir ou à retrouver une vie sexuelle satisfaisante, alors que d'autres voient l'expression de leur sexualité considérablement réduite, sinon détruite. Voyons quelques-uns de ces problèmes ainsi que les possibilités d'adaptation qui s'offrent aux personnes concernées.

Les blessures médullaires

Les personnes atteintes d'une blessure médullaire voient leur motricité et leur sensibilité réduites parce que les dommages causés à la moelle épinière empêchent la communication neurale entre le corps et le cerveau. Même si les blessures médullaires n'influent pas nécessairement sur le désir sexuel et l'excitation psychologique, une personne qui en est atteinte peut souffrir d'incapacité physiologique en ce qui a trait à l'excitation et à l'orgasme ; le degré d'incapacité varie considérablement

À l'affiche

Dans *Murderball* (2007), documentaire réalisé par Henry Alex Rubin et Dana Adam Shapiro, un homme tétraplégique évoque avec plaisir sa vie sexuelle et parle librement des façons de contourner ses limites.

selon la nature et l'endroit de la lésion neurologique (Alexander et Rosen, 2008 ; Ducharme, 2012). Selon des études récentes, 86 % des femmes et des hommes atteints d'une blessure médullaire éprouvent du désir sexuel, plus de la moitié d'entre eux ressentent de l'excitation par stimulation physique, environ 30 % deviennent sexuellement excités à la suite de stimulations psychologiques et 33 % ont des orgasmes ou des éjaculations (Mathieu et coll., 2006). Les inhibiteurs de la PDE5 (commercialisés sous les noms Viagra, Cialis, Levitra et Staxyn) peuvent augmenter l'excitation et les érections chez les hommes (DeForge et Blackmer, 2005 ; Ducharme, 2012).

La recherche de pointe sur les femmes ayant une lésion complète de la moelle épinière indique qu'une autostimulation vaginale/cervicale peut produire un orgasme (voir le chapitre 3). Les techniques d'imagerie médicale ont montré que l'activité cérébrale pendant l'orgasme est la même chez les femmes sans lésion médullaire que chez celles ayant une lésion complète de la moelle épinière. Les données physiologiques indiquent que le nerf vague constituerait alors une voie alternative menant du vagin et du col de l'utérus au cerveau, contournant ainsi la moelle épinière (Whipple et Komisaruk, 2006).

Si un des partenaires du couple est un blessé médullaire, il est surtout conseillé de redéfinir et d'élargir les formes d'expression de la sexualité. Ainsi, l'amplification sensorielle – c'est-à-dire l'accroissement de la réactivité sexuelle sur la face interne des bras, la poitrine, le cou ou une autre région qui a conservé une certaine sensibilité – peut améliorer le plaisir et l'excitation (Rosengarten, 2007).

La paralysie cérébrale

La paralysie cérébrale est le résultat de lésions cérébrales survenues avant ou à la naissance, ou pendant la petite enfance. Elle se caractérise par une défaillance modérée ou grave du contrôle musculaire volontaire. Des mouvements involontaires peuvent perturber l'élocution, l'expression faciale, l'équilibre et les mouvements. Sous l'effet de fortes contractions musculaires, les membres peuvent s'agiter brusquement ou se crisper maladroitement. Dans certains cas, l'intelligence sera affectée, mais pas toujours. Malheureusement, on considère souvent à tort qu'une personne atteinte de paralysie cérébrale a une faible intelligence en raison de sa difficulté physique à communiquer.

Les sensations génitales ne sont pas touchées par la paralysie cérébrale. Cependant, les spasmes et la déformation des bras peuvent rendre difficile ou même impossible la masturbation sans aide, et il se peut qu'en raison de problèmes similaires aux hanches et aux genoux certaines positions coïtales soient douloureuses ou difficiles. Chez les femmes atteintes, les contractions chroniques des muscles entourant l'entrée du vagin risquent d'entraîner des douleurs lors du coït. La personne atteinte peut envisager diverses options, dont l'essai de différentes positions, le placement d'oreillers sous les jambes pour atténuer les spasmes et l'exploration d'autres formes d'échanges sexuels. Avec l'aide de sa ou son partenaire pour adopter une position confortable, la personne, en se concentrant sur le plaisir ressenti dans la région génitale, peut oublier momentanément la douleur. L'adaptation sexuelle d'une personne atteinte de paralysie cérébrale ne relève pas uniquement de facteurs physiques, mais aussi du soutien que son environnement lui fournit sur le plan des contacts sociaux et de l'intimité. Ainsi, ces personnes sont susceptibles d'avoir besoin de quelqu'un pour les aider à se placer lorsqu'elles désirent avoir des relations sexuelles (Joseph, 1991 ; Renshaw, 1987).

La cécité et la surdité

La privation sensorielle liée à la cécité et à la surdité peut avoir des répercussions sur la sexualité, surtout si les incapacités ne permettent pas à la personne d'acquérir l'autonomie et les diverses habiletés nécessaires à l'interaction sociale (Mona et Gardos, 2000). Cependant, les autres sens peuvent jouer un rôle encore plus important, comme l'explique cet homme aveugle de naissance :

> *Pendant l'amour, mes autres sens – le toucher, l'odorat, l'ouïe et le goût – sont des canaux privilégiés par lesquels je deviens excité. Les caresses de ma partenaire et la façon dont elle me touche, c'est terriblement excitant, peut-être plus encore que pour une personne qui voit. Le contact de ses seins sur mon visage, la fermeté de ses mamelons dans mes mains, le frôlement de ses cheveux sur ma poitrine… ce ne sont que quelques-uns des moyens par lesquels j'expérimente les incroyables plaisirs du sexe.* (Traduction libre, Kroll et Klein, 1992, p. 132.)

Des stratégies à l'intention des personnes gravement malades ou handicapées

Les personnes et les couples peuvent mieux composer avec les limitations sexuelles qu'impose une maladie chronique ou un handicap en les acceptant et en misant sur les mesures à leur disposition. Par exemple, les couples peuvent minimiser les effets de la douleur en choisissant les moments les plus opportuns de la journée pour avoir des activités sexuelles, en utilisant des moyens de contrôle de la douleur tels que la chaleur humide ou des analgésiques, en trouvant des positions confortables et en se concentrant sur le plaisir génital ou sur des images érotiques pour se distraire de la douleur (Schover et Jensen, 1988). Comme nous le voyons plus loin, dans la section «Vers l'épanouissement sexuel», il importe d'élargir le sens de la sexualité et d'aller au-delà de l'excitation et de la relation génitale en y ajoutant d'autres dimensions telles que les pensées érotiques et les touchers sensuels ; il est également utile

Une bonne communication et de la créativité peuvent aider les personnes et les couples à minimiser les impacts des maladies et des handicaps sur la sexualité.

d'intégrer une certaine souplesse dans les rôles sexuels et d'innover dans les techniques sexuelles. Comme l'explique une femme atteinte de paralysie cérébrale :

> *Mon handicap rend les choses plus intéressantes en quelque sorte. Il nous faut essayer plus fort et je crois que nous en profitons plus parce que nous le faisons. Nous devons tous les deux être très attentifs à l'autre, nous devons prendre tout notre temps. Cela nous rend moins égoïstes et plus respectueux de l'autre, ce qui renforce notre relation dans d'autres sphères.* (Traduction libre, Shaul et coll., 1978, p. 5.)

Les facteurs culturels

La culture et la famille exercent une forte influence sur notre façon de percevoir et d'exprimer notre sexualité. Par exemple, notre société a du mal à percevoir la sexualité des personnes handicapées et a donc tendance à les «angéliser» en les désexualisant (Dupras, 2000). En fait, personne n'échappe aux perceptions sociales. Voyons ici comment certaines influences culturelles occidentales se répercutent sur notre sexualité et favorisent l'émergence de certains problèmes sexuels.

La façon dont les autres réagissent à l'exploration que fait l'enfant de sa génitalité peut conditionner sa manière de considérer ses organes sexuels.

Plusieurs de nos attitudes fondamentales à l'égard de la sexualité se forment durant l'enfance. En grandissant, les enfants reçoivent de leur famille d'importantes leçons de relations humaines. Ils observent et intègrent les modèles qu'ils voient autour d'eux. Ils remarquent la façon dont leurs parents utilisent le toucher et ce qu'ils semblent éprouver l'un pour l'autre. Ainsi, une équipe de recherche a pu établir que les femmes qui ont peu de désir sexuel interprétaient les attitudes de leurs parents envers le sexe et leurs échanges affectueux de façon plus négative que les autres femmes (Stuart et coll., 1998). Selon plusieurs chercheurs thérapeutes, les personnes qui ont des problèmes sexuels ont souvent été élevées dans un environnement d'orthodoxie religieuse où le sexe est vu comme un péché (Fox et coll., 2006; Hunt et Jung, 2009).

Deux poids deux mesures en matière sexuelle

Les recherches menées à travers le monde montrent que l'égalité entre les sexes est un facteur important de satisfaction sexuelle tant pour les hommes que pour les femmes. Dans les cultures à domination masculine, telles qu'on en rencontre en Asie, en Afrique et au Moyen-Orient, les personnes qui se disent satisfaites de leur vie sexuelle sont beaucoup moins nombreuses qu'en Occident, où elles comptent pour les deux tiers de

la population (Laumann et coll., 2006). En même temps qu'une plus grande égalité entre les sexes s'est installée au Québec, au Canada et aux États-Unis, quoiqu'à des degrés variables, la politique du deux poids deux mesures a grandement diminué (voir le chapitre 4).

Malgré tout, il semble que plusieurs personnes continuent culturellement à nourrir des attentes distinctes envers les hommes et les femmes. Ainsi, on associe toujours les nombreuses conquêtes à la virilité et à la réussite sexuelle masculine, alors qu'on incite les femmes à plus de retenue en ce domaine sous peine de passer pour des traînées.

> *Les productions érotiques présentent les hommes comme étant toujours prêts pour le sexe, leur seul problème étant de ne pas en avoir assez. Nous avons intériorisé cette règle et la plupart d'entre nous croient que nous devons toujours être capables de réagir sexuellement, n'importe où et n'importe quand, indépendamment de nos sentiments envers nous-mêmes et envers nos partenaires, ou de toute autre considération.* (Traduction libre, Zilbergeld, 1978, p. 41.)

Ces attentes font en sorte que l'homme a tendance à envisager le contact sexuel en tant que performance, sa priorité absolue étant «d'agir en homme». Pour ce faire, il lui faut d'abord se départir de toute caractéristique perçue comme féminine, telle que la tendresse ou la sensibilité. Tenu de dominer et de ne compter que sur lui-même, l'homme peut difficilement abandonner ce rôle, ne serait-ce qu'un instant, pour s'informer des préférences sexuelles de sa partenaire. Les restrictions qu'imposent ces conceptions stéréotypées nourrissent souvent chez les deux sexes des sentiments d'impuissance, de frustration et du ressentiment (Bonierbale et coll., 2006; Goldberg, 1990).

Au contraire, l'intimité sexuelle qui transcende les stéréotypes sexuels – quand les deux partenaires sont à la fois actifs et réceptifs, entreprenants et tendres, enjoués et sérieux – permet à l'homme et à la femme de réaliser tout leur potentiel d'humanité (Kasl, 1999; McCarthy, 2001). Les couples de même sexe n'ont pas à se battre contre de tels stéréotypes pour exprimer leur sexualité. Comme ils n'ont ni modèle rigide calqué sur des stéréotypes ni notion préétablie de la façon dont un contact sexuel «devrait» se dérouler, ils bénéficient souvent d'un répertoire sexuel plus varié que les couples hétérosexuels (Nichols, 2000).

L'expression de notre sexualité est aussi conditionnée par l'idée que toute relation sexuelle digne de ce nom doit se terminer par un coït et que les femmes préfèrent nettement ce contact. Cette idée, comme nous le précisons souvent dans le présent ouvrage, limite le comportement sexuel, mène à une stimulation inadéquate des femmes et fait peser de lourdes attentes sur la relation coïtale. Selon la sexothérapeute Leonore Tiefer, l'attention accordée aux traitements médicaux qui améliorent l'érection, comme le sildénafil (Viagra), ne fait que renforcer cette obsession du coït. Elle rappelle que, pour chaque dollar investi dans le perfectionnement du phallus, la même somme devrait être consacrée à aider les femmes dont le partenaire se montre inapte à les embrasser, à leur écrire des mots d'amour, à leur caresser le clitoris de façon érotique ou à changer la couche de bébé pour leur permettre de se reposer (Tiefer, 1995).

La pression et l'angoisse de la performance

En réduisant les sensations de plaisir à celles du coït uniquement, «l'angoisse de la performance» peut inhiber l'excitation et la réponse sexuelles. Par exemple, la conviction, chez une femme, de devoir atteindre l'orgasme pendant une expérience sexuelle – et se dépêcher de l'avoir – risque de faire obstacle aux sensations physiques et aux émotions pouvant l'exciter (Lavie-Ajayi et Joffe, 2009). Les hommes sont plus susceptibles que les femmes d'être distraits par l'idée de performer pendant l'acte sexuel, selon une étude menée par les chercheuses Marta Meana et Sarah Nunnink (2006).

Un problème sexuel passager, par exemple l'incapacité à atteindre l'orgasme ou à maintenir une érection en raison de la fatigue ou d'un manque circonstanciel d'intérêt, peut susciter suffisamment d'anxiété pour que le problème se produise de nouveau lors de la prochaine rencontre sexuelle (Benson, 2003). Les problèmes de dysfonctionnement érectile naissent souvent de l'inquiétude qui suit un premier incident, comme l'illustre cet extrait.

> Un soir, lorsque j'avais 20 ans, ma compagne et moi étions dans sa chambre, chez ses parents, lorsque nous avons décidé de faire l'amour. Elle me dit de ne pas faire de bruit, car sa mère était dans la pièce à côté. Après quelques minutes d'activité, j'ai perdu mon érection. J'ai complètement paniqué. Par la suite, ma compagne m'a prêté un manuel sur la sexualité humaine, et j'ai pu relativiser et voir que mon problème était dû à une situation défavorable. (Notes des auteurs)

L'inaptitude à atteindre l'orgasme peut provenir d'une pression trop forte à performer et d'une incapacité à penser à soi et à tenter d'amplifier son excitation au lieu de se concentrer sur le plaisir de l'autre (Apfelbaum, 2000).

Les facteurs individuels

Outre les influences culturelles sur les sentiments et l'expression de la sexualité, des facteurs psychologiques personnels peuvent entraîner des difficultés sexuelles.

Nos connaissances sur la sexualité et notre rapport à celle-ci ont bien sûr une influence sur notre expression sexuelle. Même le niveau de scolarité et la classe sociale conditionnent les attitudes, les comportements et les problèmes sexuels. Nous avons vu, dans les chapitres précédents, que plus leur niveau de scolarité et leur statut social sont élevés, plus les couples ont tendance à varier les positions coïtales et à utiliser des méthodes de stimulation non coïtales. Ainsi, dans les cas où les difficultés découlent de l'ignorance ou d'une mauvaise compréhension des choses, les gens pourront régler leur insatisfaction sexuelle en s'informant sur des points précis. Par exemple, en vieillissant, les femmes apprennent à mieux se connaître et ont donc généralement de moins en moins de problèmes sexuels (Leland, 2000a).

L'image de soi

L'expression *image de soi* renvoie aux sentiments et aux croyances que nous entretenons sur nous-mêmes. L'image de soi influe sur nos relations et notre sexualité (Coleman, 2007; Foley, 2003). Les recherches ont montré que l'estime de soi et la confiance en soi étaient corrélées positivement avec une plus grande satisfaction sexuelle et l'absence de problèmes sexuels. Par exemple, une femme bien dans sa peau, persuadée de son droit au plaisir sexuel et qui prend une part active dans l'atteinte de son épanouissement sexuel, aura probablement une vie sexuelle plus satisfaisante que celle qui n'a pas ces sentiments envers elle-même (Nobre et Pinto-Gouveia, 2006; Sanchez et coll., 2006). Inversement, un problème sexuel peut affecter l'image de soi (Althof et coll., 2006). Ainsi, une étude sur l'utilisation du sildénafil (Viagra) révèle qu'avant le traitement, les hommes qui avaient un trouble érectile montraient un plus faible niveau d'estime de soi, tel que mesuré par un test, que les hommes sans trouble érectile; or, après 10 semaines de traitement, leur niveau d'estime de soi était aussi élevé que celui des hommes sans trouble érectile (Capellen et coll., 2006).

L'image corporelle est un aspect de l'image de soi qui peut avoir une grande influence sur la sexualité. Plus une personne est préoccupée par son corps, moins elle peut se laisser aller au plaisir physique et émotionnel pendant une activité sexuelle (Seal et Meston, 2007). Dans les cultures occidentales, où minceur et beauté sont souvent synonymes de désirabilité, le corps des femmes est beaucoup plus scruté, évalué et sexualisé que celui des hommes. L'obsession des femmes à l'égard de leur poids se manifeste bien avant l'âge adulte; même aux stades de la vie où garçons et filles ont le même pourcentage de graisse corporelle, les filles sont plus insatisfaites de leur poids et de leur image corporelle que les garçons (Rierdan et coll., 1998; Wood et coll., 1996). Selon Eve Ensler, auteure des *Monologues du vagin*, les femmes aiment se croire libres alors qu'elles sont prisonnières des médias qui décrètent l'image qu'elles devraient projeter et qui déterminent ce qu'elles devraient acheter pour atteindre et conserver cette image (2006).

Des études ont montré que le fait de se comparer avec des modèles minces peut entraîner des problèmes d'image corporelle (Bergstrom et coll., 2009). L'image des femmes dans les médias s'éloigne de plus en plus de celle de la femme de taille moyenne et a contribué à accentuer la perception que la minceur est importante. Au début des années 1980, le poids moyen des mannequins était de 8 % inférieur au poids moyen des Américaines; l'écart est maintenant de 23 % (Jeffery, 2006). En 2006, dans un geste sans précédent, l'événement Madrid Fashion Week imposait un critère de poids minimal à ses modèles. Les organisateurs ont exclu les mannequins trop minces dont les mensurations étaient en deçà des recommandations de l'Organisation mondiale de la santé quant au rapport taille-poids. Plus de 30 % des mannequins qui avaient participé à l'événement l'année précédente ont été disqualifiées, dont des modèles réputés comme la Britannique Kate Moss. En 2012, Israël a légiféré pour interdire le recours aux mannequins trop maigres.

La maigreur des mannequins vedettes est frappante par rapport aux mannequins d'il y a 30 ans.

Il est courant pour une femme d'être gênée lorsqu'elle est nue dans un moment d'intimité physique avec son partenaire; et plus grande est la gêne à l'idée d'être nue avec un partenaire, moins grande est la satisfaction sexuelle (Penhollow et Young, 2008). Une recherche menée auprès d'étudiantes universitaires dans le Midwest américain indique que 35 % d'entre elles ont révélé être intimidées dans des moments d'intimité physique avec leur partenaire, se disant d'accord avec des affirmations telles que «Si un partenaire mettait ses mains sur mes fesses, je me dirais qu'il peut sentir que je suis grosse» et «Je préfère que mon partenaire soit sur moi parce qu'alors il voit moins mon corps». Cette recherche a montré une relation entre l'image corporelle et la capacité à bien vivre sa sexualité. Les femmes qui se préoccupent moins de leur image corporelle se perçoivent comme de bonnes partenaires sexuelles, s'affirment plus avec leur partenaire et ont plus d'expériences hétérosexuelles que celles qui se soucient de leur apparence, et ce, même chez des femmes de poids similaire (Wiederman, 2000). La familiarité et l'attachement à un partenaire peuvent faire une différence: les femmes qui avaient une relation de couple exclusive se déclaraient moins embarrassées pendant l'activité sexuelle que celles qui n'avaient pas une relation exclusive (Steer et Tiggemann, 2008).

Les tendances récentes suggèrent que l'image masculine véhiculée par les médias contribue aussi à nourrir un sentiment d'insécurité chez les hommes à l'égard de leur image corporelle, au point de compromettre leur vie sexuelle. Par exemple, les étudiants universitaires qui consacrent plus de temps à lire des magazines pour hommes, à regarder des vidéoclips et des émissions de télévision aux heures de grande écoute se sentent moins à l'aise à l'égard de leur pilosité et de leur transpiration que ceux qui sont moins exposés à ces médias (Schooler et Ward, 2006). Les hommes qu'on voit dans les magazines et à la télé n'ont généralement pas de poils visibles. La pilosité corporelle masculine fait souvent l'objet de blagues, comme dans le film *40 ans et encore puceau*, dans lequel le protagoniste se fait épiler la poitrine à la cire chaude dans le but d'être plus attirant pour les femmes. L'insatisfaction des hommes envers leur propre corps est d'ailleurs ressortie dans les résultats d'une étude sur les préférences corporelles; la plupart des sujets ont dit préférer des photos montrant des hommes ayant 14 kilos de muscles de plus qu'eux (O'Neill, 2000). Une étude a montré que les hommes qui étaient davantage satisfaits de leur force physique, de leur stature et de leur fréquence d'entraînement, et qui étaient plus à l'aise avec leur nudité étaient aussi plus satisfaits sur le plan sexuel que ceux qui ne l'étaient pas à l'égard de ces variables (Penhollow et Young, 2008).

Même en considérant que la plupart des femmes n'accordent pas une importance majeure à la taille du pénis, les inquiétudes des hommes à ce sujet nuisent à leur excitation et à leur

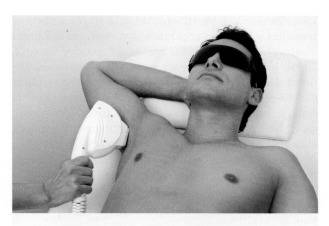

L'épilation n'est plus un rituel esthétique réservé aux femmes.

plaisir. Dans une enquête menée auprès de 52 000 hommes et femmes hétérosexuels, seulement 55 % des hommes se sont dits satisfaits de la taille de leur pénis, alors que 85 % des femmes étaient satisfaites de la taille du pénis de leur partenaire (Lever et coll., 2006). Contrairement aux pénis de grosseur normale représentés dans les œuvres d'art classiques telles que le célèbre *David* de Michel-Ange, la pornographie peut donner une fausse image de ce qu'est un pénis de taille moyenne puisque les acteurs de films pornos sont choisis en raison de leur sexe surdimensionné.

Une étude menée auprès de 27 000 hommes âgés de 20 à 75 ans et répartis dans huit pays (États-Unis, Angleterre, Allemagne, France, Italie, Espagne, Mexique et Brésil) conclut de façon positive que les hommes ne perçoivent pas leur masculinité comme elle est dépeinte dans les médias populaires. Les hommes interrogés ont montré qu'ils valorisaient plusieurs qualités autres que l'attrait physique et les prouesses sexuelles. Être un homme d'honneur, autonome et respecté de ses amis, avoir une bonne santé et une relation positive avec sa conjointe étaient des aspects plus importants pour eux (Sand et coll., 2005). L'Occident ne détient pas le monopole des préoccupations pour la beauté, comme le montre l'encadré *Les uns et les autres*.

Les difficultés d'ordre affectif

L'enquête NHSLS fait ressortir une corrélation entre l'absence de bonheur et les problèmes sexuels. Les résultats ne permettent pas de déterminer quelle variable influence l'autre, mais on sait que les femmes et les hommes qui ont des problèmes sexuels sont, en général, beaucoup plus malheureux que ceux qui n'en ont pas (Laumann et coll., 1999). L'intelligence émotionnelle – la capacité à nommer ses émotions, à les accepter et à les gérer – semble avoir un impact important sur la sexualité. Une étude a révélé que les femmes qui nommaient et géraient le mieux leurs émotions avaient des orgasmes plus fréquents pendant le coït et par la masturbation que celles qui étaient moins habiles à le faire (Burri et coll., 2009). La recherche a montré que les hommes qui souffraient d'inhibition de l'orgasme avaient de la difficulté à se détendre, à jouer et à lâcher prise (Sandstrom et Fugl-Meyer, 2007).

Les uns et les autres

Souffrir pour être belle

Le Brésil comporte 7500 kilomètres de côtes et la préférence des hommes brésiliens pour les postérieurs généreux a rendu la chirurgie esthétique des fesses très populaire dans les villes de ce pays. L'une des deux méthodes suivantes est utilisée : prélever des cellules graisseuses dans les cuisses et les injecter dans les fesses, ou insérer des implants. En Asie, la chirurgie la plus répandue chez les femmes consiste à débrider les paupières pour leur donner une apparence plus occidentale. En Afrique du Sud, les femmes considèrent qu'une peau plus pâle est un idéal de beauté et recourent à des crèmes décolorantes et à des savons contenant une substance qui a été interdite parce qu'elle endommageait la peau et qu'elle défigurait (R. Jones, 2003).

Les petites annonces personnelles en Chine mentionnent souvent la taille : plus on est grand, mieux c'est. Des centaines de femmes n'hésitent pas à recourir à la chirurgie pour faire allonger leurs jambes de 5 à 10 cm. Une équipe de cinq chirurgiens passe trois heures à scier, à percer et à rattacher les os ; ensuite, une armature est posée autour de la jambe et vissée à travers la peau en rejoignant l'os. L'armature force la jambe à s'étirer pendant que l'os se régénère, processus qui prend au moins un an.

Les yeux, avant et après le débridage.

Le manque de désir sexuel et l'absence de réponse sexuelle sont d'ailleurs des symptômes cliniques de la dépression. Des événements stressants comme le décès d'un proche, un divorce ou des problèmes d'ordre familial ou professionnel peuvent également annihiler l'intérêt sexuel (De Jong, 2009). Le stress extrême et les traumatismes, comme ceux vécus par les anciens combattants, risquent aussi d'entraîner des problèmes sexuels (Helfing, 2008; Letourneau et coll., 1997).

Les traumatismes provoqués par des agressions sexuelles

Les conditions essentielles à une interaction sexuelle positive – consentement mutuel, égalité, respect, confiance et sécurité – sont absentes lorsqu'il y a agression sexuelle sur des enfants. Les garçons et les filles victimes de tels actes se voient voler la possibilité d'explorer leur sexualité à un rythme qui convient à leur âge et à leur niveau de développement (Maltz, 2003). Selon l'enquête NHSLS, 12 % des hommes et 17 % des femmes ont été agressés sexuellement avant l'adolescence (Laumann et coll., 1999). Les personnes lesbiennes, gaies et bisexuelles sont plus susceptibles d'avoir subi de tels abus durant l'enfance que les autres adultes (Balsam et coll., 2005). Il est important de noter que toutes les agressions sexuelles subies durant l'enfance ne se traduisent pas par des problèmes sexuels à l'âge adulte. La recherche montre que les femmes qui ont été victimes de telles agressions ont plus de sentiments négatifs, se disent moins satisfaites sur le plan sexuel et sont de deux à quatre fois plus à risque de souffrir de douleurs pelviennes chroniques, de dépression, d'anxiété et d'une faible estime de soi (Leonard et coll., 2008; Meston et coll., 2006; Reiter et Milburn, 1994). Les recherches sur les hommes qui ont été agressés sexuellement lorsqu'ils étaient jeunes sont plus limitées, mais elles indiquent que ces victimes ont souvent des doutes profonds sur leur masculinité (Lew, 2004). De plus, ces hommes éprouvent fréquemment une aversion pour les comportements sexuels qui ressemblent à ceux qu'ils ont subis. Des odeurs, des sons, des images, des émotions ou des sensations peuvent ressurgir de leur passé sexuel et empêcher toute émotion positive ou tout plaisir sexuel (Courtois, 2000a, 2000b; Koehler et coll., 2000).

Même les adolescentes qui ont des relations sexuelles avec leur petit ami par crainte de l'irriter si elles lui disaient non connaîtront de l'anxiété et de la dépression par la suite. Une étude a révélé qu'environ 41 % des adolescentes de 14 à 17 ans ont eu des activités sexuelles non désirées et que 10 % d'entre elles y auraient été contraintes par leur petit ami. Ces adolescentes sont aussi plus susceptibles de contracter une infection transmise sexuellement et d'avoir une grossesse non désirée, leurs partenaires étant moins portés à utiliser le condom (Blythe et coll., 2006).

La recherche fait aussi état de graves conséquences sexuelles chez les personnes qui ont été victimes d'agressions sexuelles à l'âge adulte (Lutfey et coll., 2006). Une recherche menée auprès de 372 femmes victimes d'une agression sexuelle a révélé que pas moins de 59 % d'entre elles ont eu des problèmes sexuels par la suite. De ce groupe, 70 % liaient ces troubles à l'agression. Les problèmes les plus fréquemment évoqués étaient la peur d'avoir une relation sexuelle et l'absence de désir ou d'excitation (Becker et coll., 1986). En outre, les séquelles de l'agression sont souvent durables : 60 % des victimes de viol ont souffert de problèmes sexuels pendant plus de trois ans après l'agression (Becker et Kaplan, 1991).

Soulignons enfin que les problèmes subséquents aux agressions sexuelles subies durant l'enfance ou à l'âge adulte sont souvent difficiles à comprendre et à vivre pour les partenaires (Haansbaek, 2006).

Les facteurs relationnels

Outre les attitudes et les sentiments personnels, des facteurs relationnels influent sur la satisfaction sexuelle et la qualité d'une relation sexuelle. Les études montrent que la plus grande satisfaction à l'égard de la relation dans son ensemble est liée à une plus grande satisfaction sexuelle et à moins de problèmes sexuels (Witting, Santtila et Alanko, 2008). Ces facteurs varient souvent en fonction des partenaires et de leur façon de réagir. Par exemple, un couple peut terminer une dispute par une relation sexuelle passionnée, alors qu'un autre décidera de faire chambre à part pendant une semaine. De plus, lorsqu'un partenaire éprouve une difficulté sexuelle – par exemple, un manque d'intérêt et une difficulté érectile –, l'intérêt de l'autre partenaire et sa capacité à être excité en seront probablement affectés (Fisher, Rosen, Wood et coll., 2006; McCabe et Matic, 2008).

« Ne t'en fais pas trop. Si nous avions été destinés à avoir du plaisir au lit, nous aurions probablement épousé quelqu'un d'autre. »

Le ressentiment latent, le manque de respect ou de confiance, l'antipathie à l'égard du partenaire peuvent entraîner le désintérêt sexuel et des problèmes d'excitation ou d'orgasme. Un partenaire peut même se servir, consciemment ou non, de son propre manque d'intérêt sexuel pour blesser ou punir l'autre. Il est également possible qu'un partenaire qu'on presse fréquemment de se prêter à des contacts sexuels, ou qui se sent coupable de refuser, se désintéresse de ce genre de relation et voie son désir s'affaiblir de plus en plus. Par ailleurs, une personne qui manque de pouvoir et de contrôle sur sa relation peut perdre tout désir ou réponse sexuels et regagner ainsi un certain contrôle sur la dimension sexuelle de la relation (Marzucco, 2005 ; LoPiccolo, 2000). Une trop grande dépendance des partenaires l'un envers l'autre peut aussi être la source de problèmes sexuels ; les partenaires ont besoin d'un équilibre entre l'unité et la séparation (DeVita-Raeburn, 2006). Même en l'absence de conflit particulier, un manque d'intimité affective peut perturber le désir et la réponse sexuels (S. Levine, 2007).

Lorsque le désir sexuel hypoactif (TDSH) n'est pas causé par un déficit hormonal, il témoigne souvent de problèmes relationnels non résolus et de modèles d'interaction négatifs (Dennerstein et coll., 2009 ; Hayes et coll., 2008). Une étude a révélé que les femmes souffrant de TDSH montrent plus d'insatisfaction à l'égard des aspects relationnels de leur vie de couple que les femmes ayant d'autres types de problèmes sexuels, telle la difficulté à atteindre l'orgasme (Stuart et coll., 1998). Dans cette étude, la diminution du désir était associée à quelques caractéristiques de la relation au sein du couple, dont les suivantes :

- Le partenaire de la femme n'était pas affectueux, sauf avant le coït.
- La communication et la résolution de conflits étaient insatisfaisantes.
- Le couple ne nourrissait pas sa relation amoureuse, sa dimension romantique ou l'intimité affective.

La communication déficiente

Sans véritable communication verbale ou non verbale, les rencontres sexuelles des couples reposent sur des présomptions, sur leurs expériences antérieures et sur la pensée magique, toutes susceptibles de rendre les expériences sexuelles routinières et insatisfaisantes. La recherche indique que la satisfaction sexuelle est corrélée avec l'expression de ses préférences sexuelles (MacNeil et Byers, 2009). Plusieurs problèmes de communication découlent des rôles sexuels stéréotypés, dont le mythe voulant que le sexe soit une responsabilité masculine et que l'affirmation de soi sur le plan sexuel ne soit pas quelque chose de féminin (Kaplan, 1974). Ainsi, une femme anorgasmique a plus de difficulté à communiquer son désir de stimulation clitoridienne directe qu'une femme qui connaît l'orgasme (Kelly et coll., 1990).

La crainte d'une grossesse ou d'une ITSS

La crainte d'une grossesse peut nuire au plaisir tiré du coït, surtout si le couple n'utilise pas une méthode contraceptive efficace (Sanders et coll., 2003). Par ailleurs, plusieurs couples qui tentent en vain de concevoir un enfant finissent par développer de l'anxiété, particulièrement s'ils doivent modifier leurs habitudes sexuelles et planifier leurs relations coïtales pour favoriser la conception.

La crainte des ITSS et du sida peut aussi inhiber l'excitation sexuelle dans les relations tant homosexuelles qu'hétérosexuelles. Pour les personnes qui ne vivent pas une relation exclusive, le danger est bien réel. Le chapitre 12 fournit des conseils pour adopter des pratiques sexuelles sans risque.

L'orientation sexuelle

Une femme ou un homme peut également vivre des insatisfactions ou des problèmes sexuels à l'intérieur d'une relation hétérosexuelle en raison d'un désir de relations avec des personnes de son sexe (Althof, 2000). Bien que les groupes de défense des droits des homosexuels et que les récentes modifications législatives aient beaucoup fait évoluer les mentalités, l'orientation homosexuelle est loin d'être acceptée inconditionnellement dans notre société. On s'expose donc à la désapprobation sociale, voire à la discrimination, lorsqu'on décide de s'engager dans des relations homosexuelles. Comme nous l'avons vu au chapitre 5, pour éviter ces conséquences, certaines personnes homosexuelles tentent de vivre des relations hétérosexuelles même si elles n'ont aucune attirance pour l'autre sexe.

Des difficultés sexuelles peuvent aussi se manifester chez une personne qui vit une relation homosexuelle, mais qui n'a pas réussi à se défaire des idées négatives qu'elle a intériorisées à l'égard de cette orientation (Nichols, 1989), comme l'explique cette femme :

Ça m'a pris dix ans de combat avec moi-même pour accepter mon lesbianisme. J'ai essayé de sortir avec des hommes, mais un sentiment particulier, significatif, faisait toujours défaut. J'ai eu plusieurs relations avec des femmes qui n'ont pas abouti. Puis, j'ai rencontré Carole. Je l'appréciais et la respectais, et elle m'attirait beaucoup. J'aspirais à une relation à long terme ; nos sentiments étaient réciproques et nous étions bien ensemble. Côté sexe, c'était fantastique, jusqu'à ce qu'elle me déclare son amour. Alors, un interrupteur s'est fermé dans mon esprit, je ne ressentais plus d'intérêt pour elle. En thérapie, j'ai réalisé que c'était le poids des sentiments négatifs liés à la désapprobation de ma mère qui me refroidissait et qui m'empêchait d'être pleinement heureuse et comblée dans une relation homosexuelle. J'ai assumé ces sentiments et je peux maintenant avoir une vie sexuelle épanouie à l'intérieur d'une relation amoureuse stable pour la première fois de ma vie. (Notes des auteurs)

Vers l'épanouissement sexuel

Cette section est consacrée aux méthodes permettant d'accroître la satisfaction sexuelle. Les exercices et les suggestions de sexologues que nous présentons ici se sont avérés utiles dans de nombreux cas (van Lankveld, 2009). Toutefois, compte tenu de la diversité des personnes, il sera souvent nécessaire d'adapter les exercices proposés, car ils ne peuvent s'appliquer à tous. Par ailleurs, une aide professionnelle peut être indiquée si, malgré les efforts de l'un ou l'autre des partenaires, ou des deux, ceux-ci ne parviennent pas aux résultats escomptés. Conscients qu'une thérapie peut être parfois nécessaire, nous incluons des conseils-guides pour trouver un thérapeute sexuel à la fin de ce chapitre.

La conscience de soi

Pour jouir d'une vie sexuelle satisfaisante, il est essentiel de se connaître soi-même et de pouvoir s'exprimer tant physiquement qu'affectivement (Morehouse, 2001 ; Schwartz, 2003). Une bonne façon d'améliorer sa conscience de soi est de bien connaître sa propre anatomie (voir le chapitre 2). Les exercices de masturbation représentent, tant pour les hommes que pour les femmes, un excellent moyen d'acquérir une connaissance pratique de leur réponse sexuelle. L'autostimulation et l'autoexploration sont souvent des éléments importants de l'apprentissage sexuel ; elles peuvent aider les femmes à atteindre l'orgasme et les hommes à moduler leur excitation pour retarder l'éjaculation.

Chaque personne peut avoir développé un mode excitatoire qui influe sur sa capacité à être excitée par un ou une partenaire (Desjardins, 2007). Par exemple, 65 % des hommes qui ont consulté pour un problème d'absence d'éjaculation avaient un mode excitatoire exigeant une intensité, une pression et une rapidité impossibles à reproduire durant le coït. Certains de ces hommes se frottaient le pénis contre une surface particulière ou se stimulaient en exerçant une pression manuelle très forte ou en effectuant des mouvements exceptionnellement rapides (Helien et coll., 2005 ; Desjardins, 2007). Les femmes peuvent aussi avoir un mode excitatoire qui leur est propre, comme de croiser les jambes en se balançant, ce qui est impossible à reproduire pour un partenaire. Adapter ou modifier ses modes excitatoires de façon qu'ils se rapprochent de ceux du partenaire est une étape vers l'atteinte de l'orgasme dans une relation sexuelle.

La focalisation sensuelle

Une des activités de couple les plus utiles pour amplifier le plaisir sexuel mutuel des partenaires est une série d'exercices tactiles appelée focalisation sensuelle. Masters et Johnson ont développé cette technique pour en faire un outil de base dans le traitement des difficultés sexuelles. Grâce à la focalisation sensuelle (voir la figure 10.3), on peut réduire l'angoisse de la performance et favoriser la communication, le plaisir et l'intimité (De Villers et Turgeon, 2005).

Avant de commencer une séance, il faut prendre le temps de s'installer confortablement. Par exemple, on débranchera ou on éteindra le téléphone, la télévision, la radio, etc., et on créera une ambiance chaleureuse et intime, avec éclairage et musique propices à la détente. Les partenaires se déshabillent, et celui qui tient le rôle actif commence à explorer le corps de l'autre en observant rigoureusement la consigne suivante : il ne touche l'autre ni pour lui plaire ni pour l'exciter, mais que pour en tirer *lui-même* du plaisir et des sensations. Il doit se concentrer sur sa perception des textures, des formes et de la chaleur du corps de l'autre. Comme cette expérience tactile ne vise aucun but (ce qui pourrait inhiber l'excitation des partenaires), l'angoisse de la performance est amoindrie, voire éliminée. La personne caressée reste passive sauf si un toucher n'est pas agréable. Dans ce cas, elle décrit l'inconfort et indique comment y remédier. Elle dira par exemple : «Ça chatouille ! S'il te plaît, touche-moi plutôt de l'autre côté du bras.» Cette démarche permet à la personne qui caresse l'autre de se concentrer exclusivement sur ses propres sensations et perceptions sans craindre constamment de lui déplaire.

Dans l'exercice suivant, les partenaires intervertissent les rôles, en respectant les mêmes consignes. Le coït et l'attouchement des seins et des organes génitaux sont interdits. Ils ne sont permis dans l'exercice que lorsque les partenaires ont bien expérimenté les perceptions tactiles et ont

---

FIGURE 10.3 **La méthode de focalisation sensuelle.**

Dans la méthode de focalisation sensuelle, les partenaires explorent avec sensualité le corps de l'autre, ce qui peut contribuer à l'épanouissement sexuel du couple.

Focalisation sensuelle Série d'exercices tactiles ayant pour but d'amplifier le plaisir sexuel de chacun des partenaires.

pu indiquer à l'autre les sensations moins agréables. Ici encore, le partenaire actif explore le corps de l'autre pour son propre plaisir, pas pour celui de l'autre. Dans l'expérience de focalisation sensuelle simultanée, les caresses des seins et des organes génitaux sont permises. Les partenaires se caressent alors l'un l'autre en même temps et goûtent aux sensations de toucher et d'être touché.

Les approches thérapeutiques occidentales modernes reposent sur l'hypothèse que la communication franche, l'intimité émotionnelle et le plaisir physique des deux partenaires doivent guider le traitement et constituer le but à atteindre. Ces principes entrent cependant en conflit avec plusieurs normes culturelles (Goodman, 2001), comme en témoigne l'encadré *Les uns et les autres*.

Des conseils destinés aux femmes

Dans cette section, nous présentons des techniques qui peuvent aider les femmes à augmenter leur excitation sexuelle et à atteindre l'orgasme seules ou avec un ou une partenaire. Nous donnons aussi des suggestions pour traiter le vaginisme.

Apprendre à atteindre l'orgasme en solo

Les protocoles thérapeutiques pour apprendre à atteindre l'orgasme sont basés sur une prise de conscience progressive de son potentiel grâce à des exercices que la femme doit faire chez elle entre les séances de thérapie. Au début, l'accent est mis sur des exercices d'exploration du corps, d'autoexamen des organes et sur les exercices de Kegel (voir le chapitre 2); par la suite, le traitement et les exercices faits à la maison s'orientent graduellement vers des techniques d'autostimulation semblables à celles décrites au chapitre 7. Par l'autostimulation, une femme qui n'a pas de partenaire peut apprendre à atteindre l'orgasme par elle-même.

Un vibrateur peut aider la femme anorgasmique à avoir un premier orgasme; le vibrateur est moins fatigant à utiliser et procure une stimulation plus intense que les

Les uns et les autres

La sexothérapie moderne heurte parfois certaines valeurs culturelles

Les croyances culturelles influencent les pratiques sexuelles, la perception de ce qu'est un problème sexuel et la façon de le traiter. Une étude conduite en Arabie saoudite, où les relations sexuelles conjugales sont basées sur les dimensions de la virilité et de la fertilité du couple, a montré que le problème le plus fréquent qui pousse les couples à consulter est le trouble érectile. Les femmes d'Arabie saoudite, qui sont éduquées à inhiber leur désir sexuel, ne vont en sexothérapie que pour traiter des douleurs intenses lors du coït. À la différence des Occidentales, ces femmes ne consultent pas pour une absence de désir, d'excitation ou d'orgasme. Pour les hommes comme pour les femmes, un traitement ne s'avère nécessaire que si le coït – et non pas l'intérêt ou le plaisir sexuels – est compromis (Osman et Al-Sawaf, 1995). Une étude menée auprès de centres de thérapie sexuelle islamiques a montré que 80 % des femmes consultent pour un problème de vaginisme (Aziz et Gurgen, 2009).

Dans plusieurs traditions culturelles, il n'y a ni éducation ni communication sur la sexualité. Au Pakistan, l'absence d'éducation sexuelle formelle conduit à de fausses croyances. Par exemple, les hommes qui souffrent d'éjaculation précoce croient généralement que la masturbation et l'éjaculation pendant le sommeil ont endommagé les muscles et les vaisseaux sanguins du pénis, causant ainsi le problème (Bhatti, 2005). Les Asiatiques considèrent que parler de sexe est honteux, surtout avec quelqu'un qui n'est pas de la famille. Dans les cultures où les femmes sont censées demeurer ignorantes

des choses sexuelles, la composante «éducation sexuelle» qui fait partie d'une thérapie entre en conflit avec les valeurs dominantes. De nombreux musulmans ont appris qu'ils doivent éviter de parler de sexualité avec des personnes de l'autre sexe (y compris leur femme). Les couples qui entretiennent de telles croyances trouvent très pénible de devoir faire l'historique de leur vie sexuelle à une ou un thérapeute, surtout lorsque le mari et la femme sont interviewés ensemble.

Des techniques sexothérapeutiques occidentales entrent aussi souvent en conflit avec certaines valeurs culturelles. Par exemple, les exercices de masturbation visant à traiter l'anorgasmie, les difficultés érectiles ou l'éjaculation précoce sont en contradiction avec les interdits religieux des juifs orthodoxes et de certains chrétiens et islamistes fondamentalistes (Sungur, 2007). L'égalité des sexes inhérente à l'approche de focalisation sensuelle et l'évitement du coït proposé dans certains exercices heurtent souvent les valeurs de groupes religieux et ethniques.

La sexothérapie doit tenir compte des valeurs culturelles des personnes et de leurs conséquences sur les comportements intimes (Nasserzadeh, 2009). Les thérapeutes doivent chercher à adapter leurs approches aux points de vue religieux et ethniques bien ancrés de leurs clients (Richardson et coll., 2006; Shtarkshall, 2005). Leur concours sera probablement plus utile de cette façon que s'ils tentent d'imposer les normes culturelles propres aux thérapies occidentales (Ribner, 2009).

doigts. Lorsque la femme a connu quelques orgasmes par ce moyen mécanique, il est bon qu'elle revienne à la stimulation manuelle, de façon à apprendre à y réagir. Cette étape est très importante, car il sera plus facile pour son partenaire de reproduire les caresses manuelles que la stimulation d'un vibrateur.

Apprendre à atteindre l'orgasme avec un partenaire

Lorsqu'une femme a appris à atteindre l'orgasme par autostimulation, le fait de partager ce qu'elle a découvert avec son partenaire peut aider celui-ci à savoir quelles stimulations sont les plus agréables pour elle. À tour de rôle, chaque partenaire peut explorer visuellement les organes génitaux (voir le chapitre 2) de l'autre et poursuivre en les touchant et en relevant verbalement ce que chaque partie procure comme sensation. L'étape suivante consiste, pour la femme, à se caresser en présence de son partenaire. Elle peut le faire en partageant son excitation avec son partenaire, qui peut la tenir dans ses bras et l'embrasser, ou rester étendu à ses côtés (voir la figure 10.4). Voici comment une femme s'y est prise pour franchir cette étape souvent embarrassante.

> Lorsque j'ai voulu montrer à mon partenaire ce que j'avais appris sur moi-même en me masturbant, je me suis demandé avec anxiété comment procéder. Finalement, nous avons décidé qu'il demeurerait d'abord dans le salon, en sachant que je serais dans la chambre à me masturber. Puis il viendrait s'asseoir sur le lit, mais sans me regarder. Il me prendrait ensuite dans ses bras et m'embrasserait tandis que je me caresserais. C'est ainsi que j'ai pu lui montrer comment je fais. (Notes des auteurs)

Ensuite, le partenaire commence à caresser doucement les organes génitaux de la femme. Le couple choisit la position qui lui convient le mieux. Le partenaire peut s'appuyer contre des coussins ou des oreillers; la femme s'assoit alors entre ses jambes, le dos appuyé contre sa poitrine. Elle place sa main sur celle de son partenaire et le guide, par le geste et la parole, dans l'exploration de ses organes génitaux. Le but de ces premières séances n'est pas de parvenir à l'orgasme, mais d'amener le partenaire à découvrir ce qui est excitant pour la femme. Si cette dernière pense qu'elle est prête à atteindre l'orgasme, elle indique à son partenaire de continuer la stimulation jusqu'à ce qu'il se déclenche. Atteindre l'orgasme peut cependant exiger plusieurs séances.

Les couples peuvent recourir à plusieurs techniques pour accroître l'excitation de la femme et les possibilités d'orgasme coïtal. Une d'elles se pratique au moment d'amorcer la pénétration. Plutôt que de se faire pénétrer dès que la lubrification est suffisante, la femme peut se laisser guider par ce qu'on pourrait appeler la «sensation d'être

FIGURE 10.4 La masturbation en présence de l'autre.

La masturbation en présence de l'autre est un bon moyen de lui faire voir quelles caresses nous excitent.

prête»; c'est la sensation vaginale de désirer la pénétration. Les femmes ne ressentent pas toutes cette sensation, mais pour celles qui y arrivent, il est bon de ne commencer la pénétration qu'à ce moment (et pas avant), car cela peut amplifier les sensations érotiques subséquentes. Bien entendu, le partenaire doit accepter de se prêter à cette expérience et ne pas tenter d'amorcer le coït avant.

La femme qui désire augmenter la stimulation pendant le coït aurait avantage à entreprendre le genre de mouvements et de pressions qu'elle trouve les plus excitants. Elle peut aussi stimuler son clitoris, soit manuellement, soit avec un vibrateur, comme le montre la figure 10.5. La stimulation du clitoris par son partenaire peut aussi augmenter l'excitation. Le tableau 10.5 indique comment les femmes parviennent généralement à l'orgasme.

Le traitement du vaginisme

Le traitement du vaginisme débute habituellement lors d'un examen pelvien pendant lequel le professionnel de la santé montre à la femme, ou au couple, que son vagin réagit par des spasmes. Les traitements suivants

FIGURE 10.5 Un vibrateur peut être utilisé pour stimuler le clitoris durant le coït.

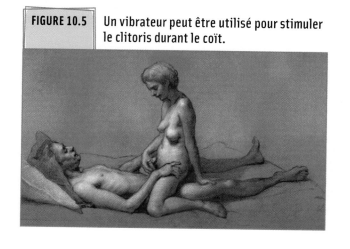

TABLEAU 10.5 Comment parvenir à l'orgasme.

ACTIVITÉ	POURCENTAGE
J'adopte une position qui me permettra d'obtenir la stimulation dont j'ai besoin.	90 %
Je prête attention à ce que je ressens physiquement.	83 %
Je contracte et relâche mes muscles pelviens.	75 %
Je synchronise mes mouvements avec ceux de mon partenaire.	75 %
Je demande à mon partenaire de faire ce dont j'ai besoin ou je l'y incite.	74 %
Je me mets en condition érotique avant de commencer.	71 %
Je me concentre sur le plaisir de mon partenaire.	68 %
Je songe à l'amour que j'ai pour mon partenaire.	65 %

Au cours d'une étude, 2371 femmes ont complété l'énoncé suivant : « Outre certaines stimulations physiques particulières, j'ai souvent fait ce qui suit pour parvenir à l'orgasme lors d'une relation sexuelle avec un partenaire. »

Source : Ellison, 2000.

commencent par la relaxation et des exercices de conscientisation, dont un bain relaxant, une exploration globale du corps et des contacts agréables avec la main sur la partie externe des organes génitaux. Depuis les années 1970, le traitement du vaginisme le plus populaire est de procéder à une dilatation progressive de l'entrée du vagin, comme l'ont proposé Masters et Johnson (1979) et Helen S. Kaplan (1979). La femme apprend à insérer un bout du doigt dans le vagin, puis un doigt, deux doigts et éventuellement trois doigts. À chaque étape, elle procède à des exercices de relâchement et de contraction des muscles entourant le vagin, comme dans les exercices de Kegel (voir le chapitre 2). Il est aussi possible de recourir à des dilatateurs de tailles différentes au lieu des doigts, si la femme le préfère. Ces dilatateurs, une sorte de tubes cylindriques de tailles croissantes, peuvent aussi servir à accoutumer les parois vaginales à se détendre (Leiblum, 2000). Le biofeedback et des traitements physiologiques peuvent également s'avérer utiles (Koehler, 2002).

Après que la femme a terminé ces étapes, le partenaire peut à son tour participer au traitement en suivant le même cheminement. Une fois que l'homme a pu insérer trois doigts dans le vagin de la femme sans qu'il y ait de spasme musculaire, celle-ci fait pénétrer lentement en elle le pénis de son partenaire, en y allant par étapes et en se ménageant des pauses de manière à se familiariser avec cette nouvelle sensation. Les mouvements du bassin et la recherche du plaisir ne viendront que plus tard, lorsque les deux partenaires seront familiers avec la pénétration.

Pour les femmes dont le vaginisme comporte une dimension phobique (la phobie de la pénétration), des techniques de *désensibilisation systématique* peuvent être utilisées (Kaplan, 1979 ; Trudel, 2000). La femme commence alors par imaginer différentes approches avec son partenaire jusqu'à ce que ces séances en imagination ne provoquent plus d'anxiété chez elle. Par la suite, elle procède à des approches progressives dans la réalité.

Des conseils destinés aux hommes

Dans les paragraphes suivants, nous proposons différents moyens de traiter des difficultés sexuelles courantes comme l'éjaculation précoce et le trouble érectile. Nous nous intéressons aussi au trouble de l'orgasme, qui est moins répandu.

Tenir plus longtemps

L'éjaculation précoce est un problème courant qui peut se régler assez facilement dans la plupart des cas. En effet, il est relativement simple d'apprendre les techniques de contrôle de l'excitation et de les mettre en pratique. Mais avant toute chose, voyons quelques stratégies pour retarder l'éjaculation.

Quelques stratégies pour retarder l'éjaculation

En appliquant certaines stratégies simples, les hommes peuvent dans certains cas maîtriser beaucoup mieux leur éjaculation. Ces stratégies peuvent également être utiles aux hommes et aux femmes qui désirent simplement prolonger le coït.

Éjaculer plus fréquemment. Les hommes qui souffrent d'éjaculation précoce peuvent mettre à profit l'allongement de la période réfractaire (voir le chapitre 3) et découvriront parfois qu'ils peuvent retarder leur éjaculation s'ils parviennent plus fréquemment à l'orgasme, en se masturbant ou en ayant une relation sexuelle.

Reprendre la pénétration. Un couple peut poursuivre l'interaction sexuelle après une première éjaculation, puis recommencer la pénétration au retour de l'érection. Cette stratégie fonctionne surtout auprès des hommes plus jeunes, qui peuvent avoir une érection assez rapidement après une première éjaculation.

Varier les positions. Il semble que la rapidité orgasmique soit associée à la tension musculaire surtout dans la région du bassin. S'il veut retarder son éjaculation, l'homme ne doit pas demeurer en position supérieure: c'est la pire position coïtale, car il doit supporter son poids et cela ne fait qu'augmenter sa tension musculaire. Beaucoup d'hommes recouvrent un certain contrôle en restant étendus sur le dos. En soi, cette position ne suffit pas à retarder l'éjaculation: il faut aussi être détendu. S'il effectue des mouvements pelviens énergiques dans cette position, l'homme déplace son propre poids en plus de celui de sa partenaire, ce qui accroît encore la tension musculaire.

Se parler. Pour retarder l'orgasme, il est souvent essentiel de ralentir ou de cesser tout mouvement. L'homme doit indiquer à sa partenaire quand elle doit réduire ou cesser la stimulation par ses mouvements.

Envisager des solutions de rechange. Pour diminuer l'anxiété de la performance associée à l'éjaculation précoce (et à la plupart des autres problèmes dont nous avons parlé ici), il est souvent bon de considérer le coït comme une façon parmi d'autres de faire l'amour.

La technique «arrêt-départ»

C'est à l'urologue James Semans qu'on doit la technique «arrêt-départ», qui vise à prolonger les sensations précédant l'orgasme, de façon que l'homme, en se familiarisant avec son réflexe éjaculatoire, en vienne à maîtriser la montée de l'excitation. Pour ce faire, la partenaire stimule le pénis manuellement ou oralement jusqu'à ce que l'homme sente qu'il approche du point de non-retour. Il faut alors cesser la stimulation jusqu'à ce que se dissipe la sensation de l'imminence de l'éjaculation (Semans, 1956). Un homme peut aussi recourir à cette méthode dans ses pratiques masturbatoires (Zilbergeld, 1992). Pour être efficace, cette technique doit être pratiquée de 15 à 30 minutes par jour, pendant plusieurs jours ou semaines. Durant chaque séance, le couple répète la stimulation et la technique «arrêt-départ» avant de laisser l'éjaculation se produire durant le dernier cycle. Le couple devrait s'entendre quant à la stimulation sexuelle et l'orgasme de la ou du partenaire. Si les deux partenaires le désirent, ils pourront se livrer à une activité sexuelle non coïtale.

Une fois que la modulation de l'excitation de l'homme s'est améliorée, le couple peut passer à l'étape de la pénétration. Pour les couples hétérosexuels, la meilleure position est celle où la femme est sur le dessus en position assise. L'homme commence par diriger son pénis dans le vagin de sa partenaire et demeure étendu calmement

pendant un certain moment avant d'amorcer des mouvements lents. Lorsqu'il sent qu'il approche de l'orgasme, il s'arrête et se détend encore. Cette technique d'arrêt-départ est reprise jusqu'à ce que l'homme acquière progressivement une meilleure modulation de son excitation menant à l'éjaculation.

Un mot sur le traitement sexocorporel

À partir de l'observation des tensions musculaires associées à l'éjaculation précoce, le traitement sexocorporel propose des exercices simples visant à accroître la mobilité du bassin. Cette mobilité, une fois acquise, favorise la diffusion des sensations vers l'ensemble du corps et aiguise la conscience de la montée de l'excitation génitale. Il est alors plus facile pour l'homme de prévenir l'atteinte d'un niveau trop élevé d'excitation qui déclencherait le réflexe éjaculatoire.

Les traitements médicaux

La combinaison d'une thérapie sexuelle et d'un traitement médical peut s'avérer plus utile que l'utilisation d'une seule de ces méthodes pour faire durer l'excitation plus longtemps avant d'éjaculer (Steggall et coll., 2008). Certains médicaments contre la dépression, des ISRS, pris à petites doses, peuvent aider à retarder l'éjaculation (McMahon, 2008). Un de leurs effets secondaires peut être l'orgasme retardé ou la suppression de l'orgasme chez les hommes et chez les femmes, ce qui est souvent utile pour le traitement de l'éjaculation rapide. D'autres médicaments visant à traiter l'éjaculation précoce sont à l'étude, comme la dapoxétine qui a été mise au point spécifiquement pour résoudre ce problème (Kaufman et coll., 2009).

La réduction de la sensibilité du pénis est une autre approche pour réduire l'éjaculation rapide. Dans une étude contrôlée avec placebo, l'utilisation d'un vaporisateur anesthésiant sur le pénis 5 minutes avant le coït en a augmenté la durée d'une moyenne de 36 secondes à près de 4 minutes. Les participants ont également noté une amélioration de leur orgasme: environ 62 % ont qualifié leur orgasme de bon ou très bon, contre 20 % seulement avant le traitement (DeNoon, 2009; Dinsmore et Wyllie, 2009).

Composer avec le dysfonctionnement érectile

Mis à part les causes biologiques, l'anxiété est le principal obstacle à l'érection. La plupart des sexothérapeutes tentent donc de travailler avec la personne sur les moyens de réduire ou d'éliminer l'anxiété. D'abord, le couple fera les exercices de focalisation sensuelle dont nous avons parlé précédemment, en comprenant que le but du toucher n'est pas de produire une érection, une éjaculation

---

Technique «arrêt-départ» Technique visant à contrer l'éjaculation précoce, qui consiste en une stimulation du pénis jusqu'à l'imminence d'un orgasme, suivie d'un arrêt jusqu'à ce que disparaissent les sensations prééjaculatoires.

ou le coït, mais de se centrer sur le plaisir du toucher. L'extrait suivant montre une réaction fréquente chez les gens qui font cet exercice.

> Lorsque le thérapeute nous a dit que le coït était exclu, du moins au début, c'est incroyable comme je me suis senti soulagé. Si je ne pouvais bander, qu'est-ce que ça changeait ? Après tout, on m'avait dit de ne rien faire d'autre que se toucher, même si j'arrivais à avoir une érection. Ces premiers échanges consacrés à nous toucher, ma femme et moi, ont été les premiers moments de plaisir sans anxiété que j'ai ressenti depuis des années. (Notes des auteurs)

S'ils le souhaitent, les deux partenaires peuvent s'entendre au préalable sur une stimulation extracoïtale capable de mener le ou la partenaire à l'orgasme à la fin de la séance (autostimulation, caresses par le partenaire, stimulation buccale, etc.). Lorsque le couple a suffisamment progressé pour profiter des plaisirs de l'exploration sensuelle, il est temps de passer à l'étape suivante. Il s'agit maintenant de se concentrer sur les types de stimulations génitales non coïtales que l'homme trouve particulièrement excitantes : stimulation manuelle, buccale ou les deux. Si l'homme obtient une érection complète, sa partenaire doit cesser toute stimulation. Il est essentiel qu'il y ait perte de l'érection à ce moment-là. Pourquoi ? En constatant qu'il peut perdre et reprendre une érection, l'homme craindra moins d'avoir tout fait rater parce que son érection de départ s'est dissipée. Lorsque le ou la partenaire cesse la stimulation, l'homme laisse son érection s'estomper jusqu'à l'état de repos. Cela peut prendre plusieurs minutes si l'excitation était très grande. Les partenaires peuvent passer ce temps à s'étreindre ou à échanger des caresses non génitales. Lorsque l'érection est complètement disparue, le ou la partenaire recommence les caresses génitales.

Pour les couples hétérosexuels qui désirent un coït, la dernière étape comprend la pénétration. L'homme est allongé sur le dos et la femme le chevauche. Le couple commence par les exercices de focalisation sensuelle, puis passe à la stimulation génitale. Lorsque l'homme a une érection, sa partenaire fait glisser le pénis dans son vagin et poursuit la stimulation par de doux mouvements du bassin. Il est important que l'homme puisse se montrer « égoïste », qu'il se concentre exclusivement sur son plaisir (Kaplan, 1974). Il arrive que les hommes perdent leur érection en pénétrant la femme. Si cela se produit, la partenaire peut recommencer la stimulation buccale ou manuelle qui a mené à l'érection. Si le problème réapparaît, les couples disposent ensuite de suffisamment de techniques pour éviter de s'enferrer dans de nouvelles difficultés. S'il y a blocage, il vaut mieux cesser le contact génital et retourner à une focalisation sensuelle libre de toute obligation de performance.

Les traitements médicaux

Certains hommes dont le dysfonctionnement érectile est lié à des facteurs physiologiques modifient avec satisfaction leurs activités sexuelles en mettant l'accent sur d'autres façons d'obtenir du plaisir sexuel. D'autres, par contre, peuvent compter sur différents types de traitements médicaux. Le sildénafil (Viagra) a été lancé en 1998. D'abord mis au point pour traiter les maladies cardiovasculaires, ce médicament a connu le succès le plus foudroyant de l'histoire pharmaceutique. Près de 40 000 ordonnances pour ce médicament ont été rédigées dans les deux premières semaines suivant sa mise en marché (Holmes, 2003). Il existe maintenant d'autres médicaments aux effets similaires, tels que le vardénafil (Levitra, Staxyn) et le tadalafil (Cialis), ce dernier ayant une durée d'action prolongée. Ces médicaments agissent en prolongeant l'effet vasodilatateur du monoxyde d'azote dans le corps. Les vaisseaux sanguins du pénis se dilatent, le sang s'accumule et produit une érection (Hoffman, 2009). La recherche a montré plus d'une fois que la combinaison d'une médication et d'une sexothérapie donne de meilleurs résultats que l'une sans l'autre (Aubin et coll., 2009).

Les effets secondaires les plus courants de ces médicaments sont les rougeurs, les maux de tête, la congestion nasale et les troubles digestifs (Gotthardt, 2003 ; Hazell et coll., 2009). Ils peuvent aussi causer le priapisme, un état d'érection permanente qui peut endommager gravement les tissus du pénis si une intervention médicale n'est pas pratiquée dans les premières heures (Adams, 2003). Le sulfure d'hydrogène est un vasodilatateur présent en petite quantité dans l'organisme et les chercheurs tentent de déterminer s'il pourrait constituer un autre traitement potentiel du dysfonctionnement érectile (Connor, 2009).

Pour de nombreux couples, les médicaments qui améliorent l'érection sont des remèdes miracles grâce auxquels ils peuvent de nouveau jouir de l'intimité du coït (Verheyden et coll., 2007). De fait, les études révèlent une amélioration notable, chez les partenaires d'hommes qui recourent à une telle médication, du sentiment d'être désirable, de la satisfaction et du fonctionnement sexuels (Eardley et coll., 2006 ; McCullough et coll., 2006). Certains hommes ont cependant constaté qu'une érection ferme est secondaire dans une bonne relation (Metz et McCarthy, 2008). Dans une relation tourmentée, l'utilisation de ce médicament peut aussi être l'occasion de prendre conscience d'autres problèmes relationnels et amener le couple à s'investir pour les résoudre (Cooper, 2006).

Le sildénafil (Viagra) a alimenté nombre de conversations et sensibilisé le grand public aux problèmes érectiles. Même les hommes qui ne souffrent pas de dysfonctionnement érectile en sont venus à utiliser de telles substances pour augmenter la fermeté et la durée de leurs érections. La tentation pour les hommes de pouvoir faire durer le coït au-delà d'une ou de plusieurs éjaculations explique en partie l'utilisation de ces médicaments à des fins récréatives (Naughton, 2004). Les petites pilules bleues sont parfois distribuées à la manière de bonbons lors des fêtes érotiques qui ont cours dans certaines sous-cultures. Ainsi, dans des rassemblements d'adolescents et de jeunes adultes comme les *raves*, elles sont offertes et utilisées pour contrer les effets inhibiteurs de la capacité érectile qu'ont des drogues comme l'ecstasy (Boulware, 2000). Cet usage est fortement contre-indiqué. La combinaison de sildénafil et de drogues récréatives – qui procure des érections prolongées tout en induisant un état de conscience modifiée – favorise, chez les hétérosexuels comme chez les gais, des comportements sexuels à haut risque qu'ils éviteraient en d'autres circonstances (Adams, 2003). De plus, la combinaison de sildénafil et de drogues stimulantes (MDMA) ou de *poppers* entraîne une déshydratation pouvant s'accompagner de troubles cardiaques mortels (Gouvernement du Québec, 2012).

Les dispositifs mécaniques

Depuis le milieu des années 1980, il existe des dispositifs qui, par succion, amènent le sang dans le pénis et l'y maintiennent le temps du coït (Korenman et Viosca, 1992). Vendus sur ordonnance, ces dispositifs externes se composent d'un cylindre, d'une pompe à vide et de bandes de constriction péniennes. On insère le pénis dans le cylindre et on y crée le vide en actionnant la pompe pour chasser l'air. Le vide entraîne un afflux de sang dans le pénis, ce qui déclenche l'érection. On ajuste alors la bande élastique à la base du pénis pour retenir le sang dans l'organe et on retire le cylindre (Levy et coll., 2000).

Les traitements chirurgicaux

Les hommes insensibles au sildénafil (et autres produits pharmaceutiques du même ordre) ou aux autres méthodes peuvent avoir recours à une prothèse pénienne dont l'implantation nécessite une intervention chirurgicale (Carson, 2003). La raison principale d'une telle implantation est la prostatectomie complète (également utilisée pour des pénis construits chez les transsexuelles de femme à homme, voir le chapitre 4). Il existe deux principaux types de prothèse pénienne. Le premier se compose d'une paire de tiges semi-rigides recouvertes d'une gaine en silicone que le chirurgien introduit dans les corps caverneux du pénis. Cette prothèse est plus facile à implanter que celle du second type, mais elle a l'inconvénient de garder le pénis en semi-érection permanente. Le second type de prothèse est un dispositif gonflable. Deux cylindres gonflables sont implantés dans les corps caverneux de la hampe pénienne, puis connectés à une pompe placée dans le scrotum et à un réservoir à fluide logé près de la vessie (voir la figure 10.6). Quand l'homme veut avoir une érection, il presse la pompe plusieurs fois et le fluide gonfle

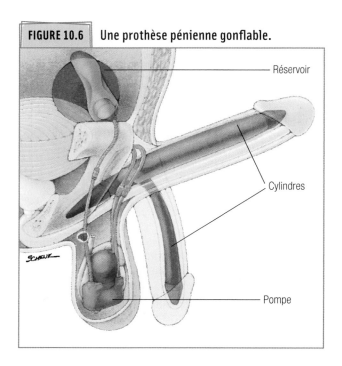

FIGURE 10.6 Une prothèse pénienne gonflable.

Réservoir

Cylindres

Pompe

les cylindres, ce qui produit l'érection. Lorsqu'il désire faire cesser l'érection, il actionne la valve de retour qui permet au fluide de réintégrer le réservoir.

Aucun de ces dispositifs ne restaure la sensation ou la capacité d'éjaculer, si la perte de celles-ci est d'origine physiologique. Bien plus, la chirurgie requise pour insérer l'implant peut causer une diminution des sensations. Ces appareils permettent cependant aux hommes qui le désirent de recouvrer mécaniquement la capacité d'avoir une érection, et 85 % de ceux qui y ont eu recours se disent satisfaits des résultats obtenus par cette solution chirurgicale (Cortez-Gonzales et Glina, 2009 ; Richter et coll., 2006).

Le traitement des troubles de l'orgasme masculin

Comme nous l'avons mentionné, la sensation orgasmique et l'éjaculation peuvent survenir séparément. Dans l'explication ci-dessous, nous présumons que les deux sont concomitantes. La thérapie sexuelle, souvent conseillée pour traiter les troubles de l'orgasme masculin, débute généralement par quelques jours de focalisation sensuelle, durant lesquels l'homme ne devrait pas avoir d'éjaculation en se masturbant ou avec l'intervention d'une ou d'un partenaire. Si sa ou son partenaire désire un orgasme, cela peut se réaliser selon la méthode qui convient au couple. À la prochaine étape, l'homme doit se stimuler lui-même jusqu'à l'orgasme en présence de sa ou son partenaire. Une fois que tous deux se sont habitués à cette masturbation masculine, ils peuvent passer à l'étape suivante : la ou le partenaire amène l'homme à l'orgasme par la stimulation jugée la plus efficace. Il peut s'écouler plusieurs jours avant que la ou le partenaire parvienne à faire déclencher une éjaculation, mais il est important pour l'homme de ne pas éjaculer en se masturbant pendant cette période. La plupart des sexothérapeutes considèrent comme une étape importante le fait que l'éjaculation ait été produite par l'intervention de la ou du partenaire.

Lorsque l'homme éjacule régulièrement après avoir été stimulé par sa partenaire, le couple peut passer à la dernière étape du traitement, celle où l'éjaculation se produit pendant la pénétration. Après avoir nourri l'excitation par d'autres moyens, le couple essaie la pénétration. Si l'éjaculation ne survient pas rapidement après la pénétration, l'homme doit se retirer et reprendre la stimulation autrement jusqu'à ce qu'il soit sur le point d'éjaculer; le couple reprend alors la pénétration. Le blocage psychologique généralement associé au trouble de l'éjaculation disparaît souvent après quelques expériences réussies d'éjaculation intravaginale. Enfin, une psychothérapie peut s'avérer nécessaire pour comprendre et résoudre les problèmes personnels ou conjugaux plus profonds à l'origine de la difficulté orgasmique.

Le traitement du trouble du désir sexuel hypoactif

Plusieurs moyens utilisés pour traiter le trouble du désir sexuel hypoactif sont similaires à ceux employés pour d'autres troubles sexuels. Ils comprennent:

- Le développement de la réponse érotique par l'autostimulation et des fantasmes excitants.
- La réduction de l'anxiété par de l'information appropriée et des exercices de focalisation sensuelle.
- L'amélioration des expériences sexuelles par une meilleure communication et le développement d'habiletés, en amorçant des activités sexuelles désirées et en refusant les activités sexuelles non désirées.
- L'enrichissement de son répertoire d'activités affectives et sexuelles.

La plupart des thérapeutes combinent des suggestions d'activités particulières et une thérapie en profondeur, laquelle peut aider une personne à comprendre et à résoudre un quelconque conflit plus ou moins conscient concernant le plaisir sexuel et l'intimité. Lorsque le désir sexuel hypoactif est le symptôme d'un problème relationnel non résolu, la thérapie se concentre sur les interactions du couple susceptibles de contribuer à l'absence du désir sexuel (Alperstein, 2001).

En matière de traitement, les hommes ayant un faible taux de testostérone prennent souvent cette hormone sous forme de supplément – généralement un gel transdermique – pour augmenter leur désir sexuel (Tomlinson et coll., 2006). Le nombre d'ordonnances de testostérone

a triplé durant les dernières années étant donné que de plus en plus d'hommes en prennent pour compenser la diminution normale qui accompagne le vieillissement (Harvard Health Publications, 2006).

Une revue des études contrôlées sur les œstrogènes, la testostérone et le fonctionnement sexuel des femmes postménopausées a montré que les deux thérapies hormonales, avec œstrogènes ou avec testostérone, sont associées à une augmentation de l'intérêt sexuel, de l'excitation et de la satisfaction, tant par la masturbation que par l'activité sexuelle avec un partenaire (Davis, 2007; Leventhal-Alexander, 2005). La testostérone peut aussi accroître l'intérêt sexuel chez les femmes préménopausées qui présentent un faible taux de cette hormone (Reinberg, 2006; Berga et McCord, 2005). Au Canada, ce traitement n'est pas autorisé, les compagnies pharmaceutiques n'en ayant pas démontré l'innocuité pour les patientes.

Demander de l'aide professionnelle

Bien que certains problèmes sexuels puissent se régler avec le temps, l'aide de spécialistes est quelquefois nécessaire. Une amélioration de la sexualité est parfois associée à des psychothérapies pour des problèmes psychologiques généraux (Hoyer et coll., 2009). Toutefois, il serait abusif de croire qu'un problème sexuel relève systématiquement d'un problème psychologique: une personne ou un couple en parfaite santé mentale peut présenter un dysfonctionnement sexuel (Desjardins, 2007). Décider d'aller en thérapie est souvent une étape difficile à franchir. Dans une clinique communautaire, 33 % des hommes consultés sur leurs difficultés sexuelles ont mentionné des problèmes d'éjaculation précoce, 10 % des difficultés érectiles et 10 % un faible intérêt sexuel, mais aucun n'avait songé à faire appel à une aide professionnelle (Rosenberg et coll., 2006).

Que se passe-t-il en thérapie?

Plusieurs personnes appréhendent d'entreprendre une sexothérapie; il peut être très utile d'avoir une idée de ce qui s'y passe. Chaque thérapeute travaille différemment, mais la plupart suivent les mêmes étapes. Lors du premier rendez-vous – il peut être nécessaire d'avoir deux ou trois rencontres d'évaluation selon la nature du problème –, le thérapeute aide le client (ou le couple) à identifier son problème (ou la perception qu'il en a) et à préciser ce qu'il attend de la thérapie. Il pose habituellement des questions pour savoir à quel moment le problème est apparu, comment il s'est développé avec le temps, à quelle cause le client l'attribue et comment il a tenté de le résoudre. Le thérapeute n'a parfois qu'à fournir au client des renseignements particuliers ou à le rassurer sur le caractère normal et inoffensif de certains sentiments, idées, fantasmes, désirs ou comportements qui augmentent sa satisfaction personnelle. En revanche, certaines personnes peuvent trouver auprès du thérapeute l'autorisation de ne pas s'engager dans des activités sexuelles qu'elles n'aiment pas.

Pendant les rencontres suivantes (la plupart des thérapies comportent une rencontre hebdomadaire d'une heure), le thérapeute pourra recueillir plus d'informations sur l'historique personnel, sexuel et relationnel de la personne (ou du couple). Il cherchera aussi à connaître les antécédents médicaux et le fonctionnement physiologique actuel de la personne; s'il y a lieu, il pourra ainsi l'orienter vers des services pour lui faire subir d'autres examens. Pendant ces séances, le thérapeute évaluera si le mode de vie du client favorise une bonne relation affective et sexuelle, et s'il connaît des problèmes de toxicomanie ou de violence familiale.

Une fois que le thérapeute et la personne (ou le couple) connaissent mieux la nature de la difficulté et qu'ils ont défini les buts de la thérapie, le thérapeute consacre les rencontres suivantes à aider son client à comprendre et à surmonter les obstacles qui l'empêchent d'atteindre ces objectifs. Souvent, le thérapeute fournit des informations de nature psychoéducative et prescrit des exercices, tels que la masturbation ou la focalisation sensuelle, à effectuer entre les rencontres (Althof, 2006). Les rencontres suivantes permettent de faire le point sur ce qui a bien fonctionné et ce qui a posé des difficultés dans les exercices. Dans certains cas, des problèmes émotionnels et relationnels sont la cause de la difficulté sexuelle et divers types de thérapies sont nécessaires.

La thérapie prend fin lorsque la personne (ou le couple) a atteint ses objectifs. Le thérapeute et le client peuvent aussi planifier une ou quelques rencontres de suivi. Il est souvent utile que le client ait un plan lui permettant de maintenir ses progrès et de continuer à évoluer.

Comment choisir un thérapeute

Pour choisir un ou une sexothérapeute, on peut demander conseil à un enseignant qui donne un cours sur la sexualité ou encore s'adresser à une association (ou corporation) professionnelle de thérapeutes ou de sexologues. Il est aussi possible de s'adresser à l'Ordre des psychologues du Québec. Une fois que vous aurez consulté ces différentes ressources, vous disposerez d'une liste de thérapeutes parmi lesquels choisir. Un sexothérapeute doit posséder minimalement un diplôme spécialisé de deuxième cycle en sexologie, en psychologie ou, dans certains cas, en travail social. Pour pratiquer la thérapie, il faut avoir suivi une formation particulière en thérapie sexuelle assortie de supervisions et d'ateliers. Il est conseillé de vous informer sur la formation et les diplômes d'un thérapeute avant d'arrêter votre choix.

Pour vous aider à savoir si un ou une thérapeute vous convient, prêtez attention à la façon dont vous vous sentez lorsque vous lui parlez. Une thérapie n'est pas une rencontre sociale superficielle, et il peut être difficile de parler de ses préoccupations personnelles et sexuelles. Pour qu'une thérapie soit utile, il faut avoir le sentiment que la personne choisie vous écoute et cherche réellement à vous comprendre.

Après la première entrevue, vous aurez la possibilité de poursuivre avec ce thérapeute ou de demander qu'on vous oriente vers une autre personne, compte tenu de votre personnalité ou de vos besoins. Si, en cours de thérapie, vos rencontres vous laissent insatisfait, discutez-en avec votre thérapeute. Décidez, d'un commun accord si possible, de continuer la thérapie ou de chercher un autre thérapeute. En général, il est préférable d'attendre quelques rencontres avant de prendre une décision. Certaines personnes s'attendent à une cure miracle plutôt qu'au travail difficile mais gratifiant qu'exige une thérapie.

Des actes contraires à l'éthique

Tous les thérapeutes membres d'une corporation ou d'un ordre professionnels ont l'obligation de se conformer à un code de déontologie. Les psychiatres, psychologues, sexologues, travailleurs sociaux et conseillers professionnels sont tous soumis à un code de déontologie leur interdisant les relations sexuelles avec leurs clients, et ce, pendant et après la thérapie (Lamb et coll., 2003; Reamer, 2003). Il appartient au professionnel de fixer les limites qui garantissent l'intégrité de la relation thérapeutique (Houde et Drapeau, 2012; Norris et coll., 2003). Une recherche a cependant montré que 3 % des femmes thérapeutes et 12 % des hommes thérapeutes reconnaissaient avoir des contacts sexuels avec une ou un client actuel (Berkman et coll., 2000).

Un lien de nature sexuelle entre thérapeute et client peut avoir des effets néfastes sur celui-ci (Houde et Drapeau, 2012). Une recherche a montré que les femmes qui ont eu des contacts sexuels avec leur thérapeute (qu'ils soient psychothérapeutes ou sexothérapeutes) se sentent davantage méfiantes et hostiles envers les hommes et les thérapeutes que les femmes d'un groupe témoin. Elles présentent aussi davantage de symptômes psychologiques et psychosomatiques, notamment de la colère, de la honte, de l'anxiété et de la dépression (Finger, 2000; Regehr et Glancy, 1995). Dès qu'un ou une thérapeute fait des avances sexuelles verbales ou physiques, le client est en droit de quitter immédiatement les lieux et de mettre un terme à la thérapie. Pour éviter que d'autres personnes soient victimes d'un abus de pouvoir professionnel, il est conseillé de rapporter l'événement à l'organisme chargé de recevoir les plaintes relatives à des actes contraires à l'éthique de l'association, de la corporation ou de l'ordre professionnels du thérapeute (Schoener, 1995).

RÉSUMÉ

La satisfaction sexuelle

- La santé sexuelle est un état de bien-être physique, émotionnel, mental et sexuel.

- Selon l'enquête NHSLS, de nombreuses personnes auraient des problèmes dans leur vie sexuelle.

- Les problèmes sexuels peuvent diminuer la satisfaction d'une personne à l'égard de sa vie en général.

Les différents types de difficultés sexuelles

- Un problème sexuel doit se produire dans un contexte de stimulation physique et psychologique adéquat pour être considéré comme un trouble ou une difficulté.

- Le trouble du désir sexuel hypoactif (TDSH) se caractérise par l'absence ou la quasi-absence de désir avant et pendant l'activité sexuelle.

- La dysharmonie sexuelle survient lorsque les partenaires n'ont pas les mêmes préférences quant à la fréquence et à la nature de leurs activités sexuelles, et que ces différences nuisent à la relation.

- L'aversion sexuelle est une peur ou un dégoût irrationnels de l'activité sexuelle.

- Chez la femme, le trouble de l'excitation sexuelle se manifeste généralement par une inhibition de la lubrification vaginale ; le trouble subjectif de l'excitation sexuelle est une absence ou une diminution des sensations subjectives de l'excitation physique ; le trouble combiné de l'excitation sexuelle réunit les deux symptômes.

- Le trouble de l'excitation sexuelle persistante se caractérise par une excitation génitale spontanée et non désirée qui ne disparaît pas après l'orgasme.

- Le dysfonctionnement érectile se définit comme l'incapacité habituelle et récurrente pendant au moins trois mois d'avoir ou de maintenir une érection.

- L'anorgasmie féminine se caractérise par l'absence d'orgasme, un délai excessif pour l'atteindre ou sa faible intensité, malgré une grande excitation subjective.

- Le trouble situationnel de l'orgasme féminin se produit lorsqu'une femme peut avoir un orgasme en se masturbant, mais pas par stimulation de la part d'un ou d'une partenaire.

- La pénétration produit une stimulation indirecte du clitoris qui, pour plusieurs femmes, ne mène pas à l'orgasme.

- Les troubles de l'orgasme masculin désignent l'incapacité de l'homme à éprouver un orgasme durant une activité sexuelle avec un ou une partenaire.

- L'éjaculation précoce se rencontre lorsqu'un homme a l'habitude d'éjaculer rapidement et est incapable de contrôler le moment de son éjaculation.

- Tant les hommes que les femmes simulent l'orgasme, mais cela est plus fréquent chez les femmes. La simulation entretient une dynamique relationnelle inefficace et nuit à l'intimité de l'expérience sexuelle.

- La dyspareunie, ou coït douloureux, réduit l'intérêt sexuel, tant chez les hommes que chez les femmes. Plusieurs causes physiques peuvent provoquer de la douleur lors du coït ; la vestibulodynie est la plus fréquente.

- La maladie de La Peyronie, par laquelle des tissus fibreux et des dépôts calcaires se développent dans le pénis, peut causer des douleurs et faire courber le pénis durant l'érection.

- Le vaginisme est une contraction involontaire des muscles vaginaux qui rend la pénétration douloureuse et difficile. De nombreuses femmes qui souffrent de vaginisme gardent malgré tout un intérêt pour la sexualité et les relations sexuelles.

Les causes des difficultés sexuelles

- Les facteurs physiques peuvent être la cause première des difficultés sexuelles, mais il s'agit souvent d'une combinaison de facteurs biologiques, psychologiques et sociaux. Il est important de procéder à des examens médicaux pour déterminer si les problèmes sexuels ont une cause physiologique.

- Un bon fonctionnement sexuel est corrélé avec de bonnes habitudes de vie, telles que manger sainement, faire de l'exercice, consommer peu d'alcool et ne pas fumer.

- Les maladies chroniques et leur traitement imposent des contraintes sur le plan sexuel. Les maladies neurologiques, vasculaires et endocriniennes peuvent perturber le fonctionnement sexuel.

- Le diabète peut endommager les systèmes nerveux et circulatoire, ce qui nuit à l'excitation sexuelle.

- Les cancers et leur traitement peuvent perturber les fonctions hormonales, vasculaires et neurologiques nécessaires à un bon fonctionnement sexuel. Les cancers des organes reproducteurs ont les pires effets sur la vie sexuelle.

- La sclérose en plaques est une maladie du système nerveux central qui peut affecter l'intérêt sexuel, les sensations génitales, l'excitation et l'orgasme.

- Les personnes ayant subi un accident vasculaire cérébral parlent souvent d'un déclin de leur vie sexuelle en ce qui a trait à l'intérêt, à l'excitation et à la fréquence de leurs activités.

- La plupart des personnes atteintes de blessures médullaires conservent leur intérêt pour le sexe, et plus de la moitié d'entre elles ressentent une certaine excitation sexuelle.

- Les personnes atteintes de paralysie cérébrale, qui se caractérise par un déficit de coordination musculaire moyen ou grave, peuvent avoir besoin d'aide lors de la préparation et du positionnement nécessaires à une activité sexuelle.

- Les personnes aveugles ou sourdes peuvent améliorer leurs interactions sexuelles en développant la sensibilité de leurs autres sens.

- Des médicaments peuvent perturber le fonctionnement sexuel, notamment ceux qui permettent de traiter l'hypertension artérielle, les troubles psychiatriques, la dépression et les cancers. La consommation de drogues récréatives (y compris les barbituriques, les narcotiques et la marijuana), d'alcool et de tabac peut se répercuter sur l'intérêt sexuel, l'excitation et l'orgasme.

- L'égalité dans les rôles sexuels est associée à une plus grande satisfaction sexuelle des hommes et des femmes.

- Mettre l'accent sur le coït peut engendrer de l'anxiété de performance et diminuer le plaisir associé à l'acte sexuel.

- Les difficultés sexuelles peuvent découler de facteurs individuels comme des connaissances sexuelles inexactes ou limitées, un problème d'image de soi et d'image corporelle ou des difficultés émotionnelles.

- Le fait d'avoir été l'objet d'une agression sexuelle durant l'enfance ou à l'âge adulte cause souvent des problèmes sexuels. Les victimes d'agression sexuelle associent fréquemment l'activité sexuelle à quelque chose de négatif et de traumatisant.

- Des problèmes relationnels, une mauvaise communication, la peur d'une grossesse ou la crainte d'une infection transmise sexuellement peuvent souvent nuire à la satisfaction sexuelle.

- De la même manière qu'une femme ou un homme d'orientation hétérosexuelle éprouverait des difficultés dans une relation homosexuelle, une femme ou un homme d'orientation homosexuelle aura souvent des difficultés dans une relation hétérosexuelle, notamment en ce qui a trait au désir, à l'excitation et à l'orgasme.

Vers l'épanouissement sexuel

- L'exploration de son propre corps, le partage d'information avec son partenaire et une bonne communication sont des éléments clés d'une thérapie.

- La focalisation sensuelle sert à traiter plusieurs difficultés sexuelles.

- Se masturber en présence de l'autre peut être une excellente façon pour des partenaires de se montrer le type de caresses qui les excitent.

- Les protocoles thérapeutiques pour traiter les troubles de l'orgasme féminin sont basés sur des activités développant progressivement une meilleure conscience de son potentiel personnel.

- En général, les traitements contre le vaginisme misent sur une meilleure conscience de soi et la relaxation. L'insertion d'un doigt lubrifié (d'abord celui de la femme, ensuite celui de son ou sa partenaire) dans le vagin est une étape importante pour surmonter ce trouble. L'insertion du pénis constitue la dernière étape du traitement.

- Plusieurs méthodes peuvent aider un homme à retarder son éjaculation; un couple peut, par exemple, recourir à la technique arrêt-départ. Certains médicaments antidépresseurs peuvent également aider à retarder l'éjaculation.

- Une méthode comportementale conçue pour réduire l'anxiété de performance est aussi utilisée pour traiter les problèmes érectiles d'origine psychologique.

- Les médicaments qui stimulent l'afflux sanguin dans le pénis sont largement utilisés dans le traitement du dysfonctionnement érectile. Les chirurgies vasculaires, les prothèses péniennes implantées par chirurgie et les pompes à vide externes sont autant de possibilités lorsque la médication s'avère inefficace.

- Une méthode comportementale peut être utilisée pour traiter le trouble de l'orgasme masculin. Elle comprend l'autostimulation, la focalisation sensuelle et la stimulation manuelle par un ou une partenaire, et ce, jusqu'à ce que l'éjaculation se produise.

- Pour traiter le trouble du désir sexuel hypoactif, plusieurs techniques de base des thérapies sexuelles sont mises à contribution, que les thérapeutes proposent souvent d'accompagner d'une thérapie en profondeur et de counseling de couple.

- La testostérone peut être utile aux hommes et aux femmes ayant un faible désir sexuel. En raison d'un lien possible avec le cancer et les cardiopathies, son innocuité sous forme de traitement reste cependant à démontrer.

- Une aide professionnelle est souvent utile, et parfois même nécessaire, à la prise en charge de ses difficultés sexuelles; cependant, peu de gens cherchent ce type d'aide en pareils cas.

- Un thérapeute compétent peut fournir de l'information et des méthodes de résolution de problèmes.

- Pour tout thérapeute, il est contraire à l'éthique professionnelle d'avoir des relations sexuelles avec des clients, pendant ou après la thérapie.

La sexualité imposée

Dans ce chapitre, nous nous intéressons à trois formes particulières de sexualité imposée : le viol ou l'agression sexuelle, le harcèlement sexuel et la violence sexuelle envers les enfants. Ces trois actes font partie de ce qu'on appelle communément une *agression sexuelle*.

Les agressions sexuelles

Dès le départ, une précision s'impose quant aux mots utilisés pour décrire la réalité de la sexualité imposée. Le langage populaire et un grand nombre de publications, d'études et de législations à travers le monde recourent au mot *viol* pour désigner un ensemble de phénomènes caractérisés par des comportements où le corps d'une personne est utilisé comme objet sexuel sans son consentement. Le point commun de ces comportements tels qu'on les interprète n'est pas tant la sexualité, ni même le corps pris comme objet, mais bien l'absence de consentement. D'où l'emploi actuel de l'expression **agression sexuelle** pour caractériser ce type de comportements. (Voir l'encadré *Parlons-en*.)

En fait, la distinction entre l'utilisation du corps comme objet avec et sans consentement n'est pas toujours très claire dans beaucoup d'études et d'analyses, et elle en est même souvent absente. Cela tient probablement au fait que, dans tous les cas de plaintes, de dénonciations et de conséquences négatives sur l'intégrité physique, le corps a été utilisé comme objet sexuel, et ce, contre la volonté de la personne, c'est-à-dire sans son consentement.

La vie courante comporte plusieurs situations où le corps est considéré comme un objet sans que cela fasse de victimes pour autant. Pensons par exemple aux pratiques chirurgicales, à certains traitements invasifs, à certains soins d'hygiène, au conditionnement physique,

à la pratique sportive, à certains travaux physiques, etc. Si, au départ, la personne consent ou donne son accord quant à l'utilisation de son corps pendant ces activités, elle n'a pas alors à réévaluer à chaque moment ce consentement. Toutefois, ces activités sont toujours temporaires et assujetties à la possibilité de retirer son consentement sans qu'il y ait des conséquences négatives.

Le consentement doit être libre et éclairé pour être valable. Sans cette double condition, il est injustifiable et inadmissible que le corps soit traité comme un objet. Il s'agit alors d'une agression, et qui dit agression dit victime.

J'ai été agressée sexuellement par mon demi-frère pendant une grande partie de mon enfance. L'agression a débuté l'été de mes 10 ans. Il est de trois ans et demi mon aîné et on l'avait désigné pour me garder pendant l'été. En général, il n'était pas violent. C'était davantage des exhortations, de la contrainte et des menaces quant à ce qui pourrait arriver si j'en parlais. Mes souvenirs les plus marquants sont ceux des moments particulièrement douloureux sur le plan physique. Je me dissociais de mon corps et je ne faisais que regarder le ventilateur tourner au plafond. À 13 ans, j'ai vu une émission sur l'inceste et j'ai raconté ce qui m'arrivait à une femme à l'église, et tout a alors basculé. Aussi difficile que ce soit de repenser à cette expérience qui me répugne, ce qui m'a fait le plus mal a été d'entendre mes parents dire au Centre de protection de l'enfance que ce n'était que des « jeux d'enfants ». Mes parents ont toujours cherché à me faire croire que j'avais voulu ce qui s'était passé et que je racontais cela pour avoir de l'attention. À cause de cette réaction, j'ai cru que c'était de ma faute et je me sentais comme une salope. Mon demi-frère a pu négocier sa cause et a été placé en probation. Pour ma part, on m'a sortie de chez moi et placée en famille d'accueil et en foyer de groupe. J'ai fait de nombreuses tentatives de suicide et j'ai été admise dans quatre hôpitaux psychiatriques sur une période de quatre ans. Je n'ai plus de contact avec la « famille ». J'ai eu la chance d'être adoptée par une autre famille aimante. Mon nouveau père est celui qui m'a empêchée de détester tous les hommes à jamais. Mais je continue d'avoir des

---

Agression sexuelle   Geste à caractère sexuel, avec ou sans contact physique, commis par un individu sans le consentement de la personne visée ou, dans certains cas, notamment celui des enfants, par une manipulation affective ou du chantage. Il s'agit d'un acte visant à assujettir une autre personne à ses propres désirs par un abus de pouvoir, l'utilisation de la force ou la contrainte, ou sous la menace implicite ou explicite. Une agression sexuelle porte atteinte aux droits fondamentaux, notamment à l'intégrité physique et psychologique, et à la sécurité de la personne (Gouvernement du Québec, 2001, p. 22).

Question d'analyse critique

Y a-t-il transformation du corps de l'autre en objet si une personne se concentre uniquement sur ses propres réactions de plaisir pour atteindre l'orgasme ? Expliquez votre réponse.

> problèmes avec le sexe. Mon copain ne peut même pas me prendre dans ses bras. Ce n'est que récemment que j'ai cessé d'avoir des *flash-back* et de faire des cauchemars par rapport à ce qui s'est passé. Je suis en thérapie pour la énième fois, mais cette fois-ci cela fonctionne vraiment. (Notes des auteurs)

Ce court récit d'une étudiante de 19 ans a le mérite de faire ressortir des éléments souvent présents dans les agressions sexuelles : le sexe des personnes en cause, le dévoilement, la dénonciation, la réaction de l'entourage, celle de l'appareil judiciaire, le traitement social de la victime, les séquelles de l'agression pour la victime, la thérapie éventuelle, la vie sexuelle à long terme sont autant de composantes de la problématique des agressions dont il faut tenir compte. Cependant, tous ces éléments ne se retrouvent pas systématiquement dans chaque cas.

Quelques chiffres sur les agressions sexuelles

Bien que l'agression sexuelle soit un problème marquant dans notre société, on en connaît mal la fréquence réelle, parce que de nombreuses victimes ne la signalent pas à la police. Selon une récente étude menée aux États-Unis, les agressions sexuelles seraient moins rapportées dans les minorités ethniques (Ullman et coll., 2008). Plus près de nous, l'Enquête sociale générale sur la victimisation (ESG), menée par Statistique Canada en 2004 et 2007, révèle que, chaque année, environ 2 % de la population de 15 ans et plus serait victime d'une agression sexuelle (soit 1977 personnes sur 100 000). La plupart de ces agressions (81 %) consistent en des contacts sexuels non désirés, les attaques plus graves concernant 19 % des victimes (Brennan et Taylor-Butts, 2008). Selon les résultats de l'ESG, environ une personne sur dix seulement signale son agression à la police.

Les victimes se taisent pour plusieurs raisons : elles se reprochent ce qui leur est arrivé, craignent d'être tenues responsables par les autres, s'inquiètent des conséquences pour l'agresseur, ou tentent simplement d'effacer ainsi le souvenir d'une expérience traumatisante (Parrot, 1991 ; Simonson et Subich, 1999). Une personne qui a été sexuellement agressée peut se sentir vulnérable et anxieuse ; le fait d'avoir à revivre ce qu'elle a vécu en le racontant est, à juste titre, difficile. Il arrive aussi que les victimes gardent le silence par méfiance à l'égard de la police ou du système judiciaire, par crainte de représailles de l'agresseur ou de sa famille, ou parce qu'elles redoutent une publicité non désirée. Pour la plupart des gens, l'agression sexuelle est l'œuvre d'un inconnu, et non celle d'une connaissance ou d'un partenaire. Pourtant, les agressions sexuelles commises par un partenaire (amoureux ou sexuel) ou une connaissance sont les plus fréquentes ; comme elles connaissent leur agresseur, un grand nombre de femmes ont ainsi l'impression de ne pas avoir fait l'objet d'un « vrai viol » (Cowan, 2000 ; Kahn et coll., 1994 ; Rickert et Wiemann, 1998). Certaines victimes se taisent, car elles considèrent que l'événement n'est pas assez grave pour le signaler ou qu'il s'agit d'une affaire personnelle (Brennan et Taylor-Butts, 2008).

Les anciennes estimations du nombre de femmes agressées ou victimes d'une tentative d'agression étaient extrêmement variables et souffraient de certains problèmes méthodologiques. Pour tenter de remédier à la situation, des chercheurs ont mené aux États-Unis une enquête

Parlons-en

De la vie privée à la protection sociale

Une nouvelle interprétation sociale axée sur le point de vue des victimes d'une agression a émergé. Selon cette conception, toute société doit prendre les mesures requises pour empêcher que des personnes soient victimes d'agressions sexuelles et pour procurer à celles qui ont été agressées des moyens de réparer autant que possible les dommages qu'elles ont subis. Sur cette base, des changements législatifs, sociaux et éducatifs ont été apportés. C'est ainsi que la notion de viol n'apparaît plus dans le Code criminel canadien depuis la réforme du droit pénal du début des années 1980 : elle a été remplacée par celle d'agression sexuelle (Schabas, 1995). En plus de ce changement, l'ensemble du système social et éducatif a été revu. D'autres lois et règlements, à tous les niveaux administratifs, ont fait leur apparition. Ces changements sont traités plus en détail dans les sections portant sur le harcèlement sexuel et l'agression sexuelle envers des enfants.

téléphonique auprès de 8000 femmes et 8000 hommes (Tjaden et Thoennes, 1998). Environ une répondante sur six (17,6 %) a alors dit avoir été agressée ou avoir fait l'objet d'une tentative d'agression sexuelle au cours de sa vie. La proportion était de 3 % chez les hommes. Le rapport sur la violence familiale au Canada (Statistique Canada, 2011b), produit par le Centre canadien de la statistique juridique, présente les données compilées par les services de police pour l'année 2009:

- Parmi l'ensemble des victimes de violence familiale âgées de moins de 18 ans, le tiers ont fait l'objet d'infractions sexuelles.

  Pour chaque tranche de 100 000 enfants de moins de 18 ans, 126 ont été agressés physiquement (coups et blessures non sexuels) ou sexuellement par l'un de leurs parents. C'est trois fois plus que le nombre d'agressions commises par un membre de la fratrie (41 pour 100 000) ou de la parenté (47 pour 100 000).

- Les filles de moins de 18 ans sont plus souvent victimes d'agressions physiques ou sexuelles commises par des amis ou des connaissances, à raison de 148 par 100 000, comparativement à 30 par 100 000 chez les garçons.

  La prévalence des agressions sexuelles atteint un sommet chez les filles de 13-14 ans et chez les garçons de 7-8 ans.

Les auteurs de ce rapport indiquent une stabilisation des signalements par les victimes de violence familiale en 2009 par comparaison avec les chiffres de 2004.

Les fausses croyances sur les agressions sexuelles

Les fausses croyances sur l'agression sexuelle, les agresseurs et leurs victimes abondent dans notre société (Cowan, 2000; O'Donohue et coll., 2003). Nombre de gens croient qu'il est acceptable de brutaliser une femme, que plusieurs femmes sont sexuellement excitées par la violence et qu'il est impossible de violer une femme en santé contre son gré (Gilbert et coll., 1991; Malamuth et coll., 1980). La recherche révèle que l'adhésion à de telles croyances accroît la propension d'un homme à commettre un viol (Bohner et coll., 2006). Elles ont souvent pour effet, chez ceux qui y adhèrent, de nier et de justifier l'agression sexuelle masculine contre les femmes (Lonsway et Fitzgerald, 1994). Une autre conséquence de ces fausses croyances est de faire porter le blâme par la victime. Plusieurs victimes d'un viol croient effectivement que c'est de leur faute. Même si l'agression est due au fait qu'elles se sont trouvées au mauvais endroit au mauvais moment, elles ont souvent le sentiment d'en être responsables. Voici quelques-unes des fausses croyances les plus répandues sur le viol:

1. **FAUX** *Il est impossible d'agresser sexuellement une femme contre son gré.* Les femmes peuvent repousser une tentative d'agression sexuelle, mais cela ne fonctionne pas toujours, notamment parce que les hommes sont généralement plus grands et plus forts que leurs victimes. À cela s'ajoute le fait que les femmes ont été conditionnées par leur éducation à se montrer dociles et soumises de sorte qu'elles sous-estiment souvent leurs moyens de résistance. Enfin, l'agresseur choisit le moment et l'endroit, et bénéficie ainsi de l'effet de surprise. La femme est souvent paralysée de terreur, ce qui joue en faveur de l'agresseur. En se servant d'une arme, en proférant des menaces ou en ayant recours à la force, il peut contraindre sa victime à l'obéissance.

2. **FAUX** *Les femmes disent non alors qu'elles pensent oui.* Certains agresseurs ont une perception déformée de leurs rapports avec les femmes qu'ils violent, et ce, avant, pendant et même après l'agression. Ils croient parfois que les femmes veulent être contraintes au rapport sexuel, qu'elles désirent même être agressées sexuellement (Muehlenhard et Rodgers, 1998). Ils utilisent ces idées fausses pour justifier leur comportement: un violeur se dira qu'il s'est seulement livré à un jeu sexuel normal et, parce qu'il ne considère pas l'acte qu'il a commis comme un viol, il pourra très bien ne pas ressentir de culpabilité.

3. **FAUX** *Plusieurs femmes déclarent faussement avoir été agressées.* Les fausses accusations sont peu courantes et il est encore moins fréquent qu'elles soient portées devant les tribunaux. Selon le FBI, moins d'une accusation de viol sur dix serait sans fondement (Gross, 2008). Comme il est difficile de dénoncer une agression sexuelle et d'engager des poursuites dans ce genre d'affaires, peu de femmes (ou d'hommes) pourraient aller en justice sans une accusation fondée.

4. **FAUX** *Toutes les femmes veulent se faire violer.* On invoque parfois les fantasmes de viol de certaines femmes pour légitimer l'idée que toutes les femmes souhaitent être agressées sexuellement. Or, il y a un monde entre le fantasme érotique et le désir conscient d'être brutalisée. Dans un fantasme, la personne maîtrise son destin. Le fantasme ne comporte pas de risque de blessure ou de mort; le viol, oui. Par ailleurs, le fantasme du viol peut être interprété différemment. Par exemple, dans sa mise en scène imaginaire, une femme pourrait se voir dotée d'un pouvoir de séduction si fort qu'aucun homme ne lui résisterait, que tout homme aurait passionnément le goût de lui faire l'amour. Là non plus, rien à voir avec un désir d'agression. Voici les propos d'une jeune femme sur le fantasme du viol:

> Est-ce que le fantasme du viol est commun chez la plupart des filles ? Je m'interroge, car beaucoup de mes copines ont aussi ce fantasme. Mais attention, par fantasme du viol, j'entends être brusquée par l'homme, être immobilisée et pénétrée un peu plus violemment que d'habitude. (Site Élysa)

5. **FAUX** *Les agresseurs sexuels ont le cerveau dérangé et cela se voit.* On croit aussi à tort que le violeur potentiel a la «tête de l'emploi». Cette illusion est particulièrement dangereuse, car les victimes potentielles seront moins vigilantes si elles se croient capables de détecter un agresseur (un inconnu dément) ou si elles s'imaginent en sûreté parce qu'elles sont en compagnie d'une connaissance (Cowan, 2000). Il faut retenir que la majorité des agressions sexuelles sont commises par des hommes sains d'esprit et connus de la victime.

6. **FAUX** *Les pulsions sexuelles masculines sont si fortes que les hommes ne peuvent souvent pas se contrôler.* Ce raisonnement est faux et dangereux, car il rend la victime responsable du crime de l'agresseur (Cowan, 2000). En triturant ainsi la réalité, on laisse croire que les femmes sont responsables de l'agression sexuelle («Elle n'aurait pas dû porter cette robe») ou qu'elles ont péché par naïveté ou par manque de méfiance («À quoi s'attendait-elle ? Aller ainsi chez lui !»).

Question d'analyse critique

Parmi ces idées fausses sur le viol, lesquelles vous semblent les plus dangereuses et pourquoi ?

Les facteurs associés aux agressions sexuelles

En cherchant à comprendre les causes profondes des agressions sexuelles, les chercheurs ont étudié un certain nombre de facteurs psychosociaux et sociobiologiques.

Les bases psychosociales

Plusieurs chercheurs et cliniciens considèrent que l'agression sexuelle découle plus des processus de socialisation de toute société «normale» que d'une pathologie chez l'agresseur (Hill et Fischer, 2001 ; Simonson et Subich, 1999). Les résultats de l'étude comparative de l'anthropologue Peggy Reeves Sanday (1981) sur la fréquence du viol dans 95 sociétés étayent solidement cette notion voulant que l'agression sexuelle soit un phénomène culturel.

La recherche de Sanday a montré que la fréquence de l'agression sexuelle dans une société donnée est influencée par plusieurs facteurs, dont les plus importants sont le genre de relations entre les sexes, le statut des femmes et les attitudes inculquées aux garçons. Sanday a découvert que, dans les sociétés où l'agression sexuelle est fréquente, on tolère ou même exalte la violence masculine, on encourage les garçons à être agressifs et compétitifs, et on considère la force physique comme un idéal naturel. Dans ces cultures, les hommes ont généralement plus de pouvoir économique et politique que les femmes et participent peu aux tâches dites féminines comme l'éducation des enfants et les travaux ménagers.

En revanche, dans les sociétés où le taux d'agressions sexuelles est pratiquement nul, les relations entre les sexes sont très différentes. Les femmes et les hommes s'y partagent pouvoir et autorité, et contribuent de façon égalitaire au bien-être des enfants et des membres de la collectivité. De plus, dans ces sociétés, on apprend aux enfants des deux sexes à valoriser le bien-être d'autrui et à éviter les actes d'agression et de violence.

L'influence des médias

Les médias jouent un rôle très important dans la transmission des normes et des valeurs culturelles. Certains romans, films, vidéoclips et jeux électroniques perpétuent l'idée que les femmes désirent se faire violer. Les scénarios de viol débutent souvent par une scène où une femme résiste à son attaquant pour ensuite s'y soumettre passionnément. Dans les rares cas où l'on montre le viol d'un homme par un autre, par exemple dans les films *Délivrance* (1972) et *À l'ombre de Shawshank* (1994), le viol et l'humiliation sont plus susceptibles d'y être dépeints de façon réaliste.

Le simple fait de voir du matériel sexuellement explicite, une pratique fréquente chez les hommes nord-américains (particulièrement avec la prolifération de la pornographie sur Internet), ne contribue pas nécessairement aux agressions sexuelles. En fait, une revue complète des études disponibles sur les effets de la pornographie conclut que pour la majorité des hommes américains, l'exposition à la pornographie n'est pas associée à un taux élevé d'agressions sexuelles (Malamuth et coll., 2000). Il semble néanmoins que l'exposition à la pornographie violente peut avoir des effets négatifs sur l'attitude et les comportements des hommes envers les femmes (Simons et coll., 2008).

De nombreux spécialistes en sciences humaines ont laissé entendre que les scènes de violence sexuelle présentées dans les médias (films, magazines) et certaines productions (vidéos, jeux vidéo) alimentent les comportements agressifs de certains violeurs (Allen et coll., 1995 ; Boeringer, 1994 ; Hall, 1996 ; Simons et coll., 2008). D'autres données laissent penser que l'exposition à la pornographie non violente mais avilissante pourrait corrompre le rapport qu'entretiennent les hommes avec la sexualité et les femmes, et accroître chez certains une propension à la coercition sexuelle (Check et Guloien, 1989 ; Zillmann, 1989).

Le criminologue Scot Boeringer (1994) a constaté que, même si l'exposition à la pornographie non violente ne prédit en rien le recours à une quelconque forme de contrainte sexuelle ou de viol, le visionnement de pornographie dépeignant des agressions sexuelles violentes était fortement associé à la capacité de se juger soi-même capable de coercition ou d'agression et de s'y livrer. D'autres recherches laissent entendre que l'exposition à des médias qui combinent la violence et des images sexuellement excitantes peut favoriser le développement de tendances déviantes dans l'excitation sexuelle physiologique (Hall et Barongan, 1997).

Le viol serait-il donc une érotisation de la violence? Rien ne permet de l'affirmer. Ainsi, dans deux études, des chercheurs ont mesuré les réactions érectiles de groupes de violeurs et de non-violeurs pendant qu'ils écoutaient la description d'un viol et celle d'une activité sexuelle mutuellement consentie. Dans chacune des études, les violeurs se sont révélés plus excités par la description de l'agression sexuelle que les non-violeurs (Abel et coll., 1977; Bernat et coll., 1999). Toutefois, cette conclusion ne s'est pas vérifiée dans d'autres études similaires où les réactions érectiles des violeurs étaient semblables à celles des non-violeurs (Eccles et coll., 1994; Proulx et coll., 1994). À l'évidence, il faudra que d'autres études viennent clarifier la question.

Les caractéristiques des agresseurs

Existe-t-il une personnalité ou un modèle comportemental typique des violeurs? Jusqu'à récemment, les tentatives de réponse à cette question se heurtaient à une conception étroite du viol et à des méthodes de recherche inadéquates. Ce qu'on savait des caractéristiques et des motivations des violeurs provenait surtout de l'étude d'hommes déclarés coupables de ce crime, un échantillonnage qui représente probablement moins de 1% des violeurs. Étant donné que ces violeurs sont moins instruits, plus portés à commettre d'autres actions antisociales ou d'autres crimes et plus aliénés socialement que ceux qui échappent à la justice, on ne peut pas affirmer que tous les violeurs ont le même profil.

Par contre, on peut dire que plusieurs des hommes incarcérés pour viol sont fortement enclins à user de violence, ce qui se reflète souvent dans leur façon d'agresser. Cet élément et d'autres hypothèses sur les relations entre les hommes et les femmes ont conduit des auteurs à soutenir que le viol n'est pas tant un acte sexuel qu'un acte de pouvoir et de domination (Brownmiller, 1975). Ce point de vue a prévalu pendant un certain nombre d'années au cours desquelles la composante sexuelle du viol et d'autres agressions a été délaissée en partie. C'est d'ailleurs ce point de vue qui a mené à la réforme du droit criminel canadien abolissant la notion du viol (un acte sexuel) pour la remplacer par la notion d'agression sexuelle (une voie de fait). Cependant, des recherches plus récentes permettent de penser que, même si le pouvoir et la domination font souvent partie de la contrainte sexuelle, celle-ci est tout autant motivée par un désir d'assouvissement sexuel. Cette façon de voir a été soutenue par de nombreuses études sur la fréquence et la nature des gestes de contrainte sexuelle commis par des hommes non incarcérés (Hickman et Muehlenhard, 1999; Senn et coll., 1999).

Il semble qu'une grande variété de traits de personnalité et de motivations sous-tend l'agression sexuelle et la façon dont elle est commise. Les hommes qui s'identifient nettement à leur rôle sexuel traditionnel, particulièrement en ce qui a trait à la domination masculine, sont plus susceptibles de commettre un viol que ceux qui ne se conforment pas à ce stéréotype (Ben-David et Schneider, 2005; Hartwick et coll., 2007; Robinson et coll., 2004). La colère à l'égard des femmes est une attitude qui ressort particulièrement chez certains agresseurs sexuels (Anderson et coll., 1997; Hall et Barongan, 1997). Certains semblent éprouver des difficultés dans leurs relations sociales, notamment en ce qui a trait à l'attachement et aux relations de confiance (Tardif et Van Gijseghem, 2001). La consommation d'alcool peut aussi conduire au viol; les violeurs ont d'ailleurs souvent consommé de l'alcool juste avant d'assaillir leurs victimes (Abbey et coll., 1998, 2003; Muehlenhard et Linton, 1987). De plus, les viols reliés à l'alcool sont souvent associés à un degré élevé de violence (Abbey et coll., 2003; Young et coll., 2008).

Nombre d'agresseurs sexuels sont dotés d'une personnalité égocentrique, ce qui pourrait expliquer leur insensibilité aux autres (Dean et Malamuth, 1997; Marshall, 1993). La recherche a accumulé de lourdes preuves montrant que les hommes dotés d'une personnalité narcissique sont particulièrement enclins à commettre des viols et d'autres actes de coercition sexuelle (Baumeister et coll., 2002; Bushman et coll., 2003). Le *DSM-IV* (American Psychiatric Association, 2000) décrit la personne narcissique comme suit: elle a un sentiment exagéré de sa propre importance, un sens déraisonnable de ses droits, un manque d'empathie envers les autres et une tendance à vouloir les exploiter. Selon la recherche, les gens narcissiques sont enclins à commettre des gestes violents pour se venger d'un affront réel ou imaginaire (Baumeister et coll., 2002; Bushman et Baumeister, 1998). En plus de ces tendances agressives, le sentiment excessif que tout leur est dû peut inciter les hommes narcissiques à considérer que les femmes leur doivent des faveurs sexuelles. Ils peuvent, en raison de leur manque d'empathie, nier l'importance des problèmes ou des souffrances qu'ils imposent à leurs victimes. Enfin, leur ego démesuré peut les amener à rationaliser leur comportement et les aider à se convaincre que leur victime souhaitait vraiment avoir une relation sexuelle ou qu'elle a exprimé une forme de consentement (Bushman et coll., 2003).

La colère, le désir de domination et l'assouvissement sexuel jouent tous un rôle dans l'agression sexuelle. Toutefois, le sentiment de colère et le besoin de dominer sont généralement plus manifestes dans les agressions sexuelles commises par des inconnus, alors que le désir de gratification fantasmatique ou sexuelle semble expliquer davantage les actes d'agression perpétrés par une connaissance ou une personne rencontrée lors d'un rendez-vous.

Les caractéristiques des victimes féminines

Si des femmes de tout âge sont victimes d'agression sexuelle, les données de la police indiquent qu'en 2007 plus de la moitié (58 %) des victimes déclarées au Canada étaient âgées de moins de 18 ans, les enfants de moins de 12 ans comptant pour 25 % des victimes. Ce sont les filles qui constituaient la vaste majorité (81 %) des victimes (Brennan et Taylor-Butts, 2008). Plus jeune est la victime lors de l'agression sexuelle, plus forte est la probabilité que son agresseur soit un parent ou une connaissance (Statistique Canada, 2011b). Par ailleurs, les personnes qui ont subi une agression durant l'enfance courent un risque accru que cela se reproduise (Miner et coll., 2006).

Les femmes qui subissent de la violence physique dans leurs relations sont particulièrement susceptibles d'être agressées sexuellement par leur partenaire (Sormanti et Shibusawa, 2008). Les données indiquent que des femmes victimes de violence conjugale peuvent se faire violer par leur conjoint jusqu'à plusieurs fois par mois (Sormanti et Shibusawa, 2008).

L'importance des perceptions et de la communication

Plus tôt dans ce chapitre, nous avons vu la relation entre la contrainte sexuelle et les attentes en matière de rôles sexuels dans une culture. Le processus de socialisation qui incite les hommes à se battre pour obtenir ce qu'ils veulent joue indéniablement un rôle important dans l'agression et la contrainte sexuelles. Comme beaucoup l'ont fait remarquer, un grand nombre d'hommes et de femmes dans notre société apprennent des scénarios de sexualité qui incitent les hommes à faire preuve d'agressivité et les femmes à être passives (Carpenter, 1998; Dworkin et O'Sullivan, 2005). Il arrive toutefois que certains cas de viol ne découlent pas de tels scénarios.

Ainsi, de nombreux hommes interprètent mal les signaux de la femme; par exemple, pour plusieurs, le fait qu'une femme se blottisse contre eux ou les embrasse signifie qu'elle veut une relation sexuelle (Muehlenhard, 1988; Muehlenhard et Linton, 1987). Or, une femme qui a envie de se blottir contre son compagnon ne souhaite pas nécessairement aller plus loin, et elle devrait le préciser verbalement. Même lorsqu'elle annonce clairement qu'elle ne désire pas avoir de relation sexuelle, il se peut que son compagnon pense qu'elle résiste pour la forme, alors qu'au fond elle a envie de faire l'amour, mais craint d'avoir l'air trop facile (Krahé et coll., 2000; Muehlenhard et Hollabaugh, 1989).

Dans certains cas, l'homme ne décode pas correctement le message de la femme parce qu'il est trop centré sur ses propres intérêts. Par ailleurs, certaines femmes disent effectivement «non» alors qu'elles pensent «oui». Une étude menée auprès de 610 étudiantes universitaires a révélé que 39,3 % d'entre elles avaient déjà résisté pour la forme au moins une fois. Les raisons invoquées étaient qu'elles ne voulaient pas passer pour faciles, qu'elles étaient incertaines des sentiments de leur partenaire, que le contexte n'était pas adéquat, qu'elles ne le faisaient que par jeu (pour que leur compagnon se montre physiquement plus entreprenant ou pour qu'il insiste) ou par désir de mener le jeu (Muehlenhard et Hollabaugh, 1989). Malheureusement, un tel double message peut encourager le viol en fournissant aux hommes une justification pour ignorer les refus sincères. En effet, un homme peut se conforter dans l'idée que le refus d'une femme ne doit pas être pris au sérieux s'il lui est déjà arrivé d'ignorer les protestations d'une femme et de constater qu'elle était en fait consentante (Muehlenhard et Hollabaugh, 1989). Il pourrait ainsi, en dépit des protestations et de la résistance réelle que lui opposerait une autre femme, poursuivre ses avances sexuelles et ne jamais se considérer comme coupable de viol.

Cette idée de «résistance pour la forme» montre combien le défaut de communication nuit aux interactions sexuelles et à quel point il est important d'apprendre à se parler de façon à lever les ambiguïtés et à éviter de dangereux malentendus. Il y a des hommes qui, tout en croyant au refus de leur partenaire, considèrent quand

Question d'analyse critique

Certaines personnes croient qu'une femme qui porte des vêtements suggestifs et qui se fait violer «a couru après». Par opposition, un homme qui porte des vêtements chers et une montre hors de prix et qui flambe beaucoup d'argent n'est pas considéré comme responsable s'il se fait agresser dans la rue. Que pensez-vous de cette incohérence d'étiquetage instantané entre ces deux réalités? Est-il juste de rendre ainsi la victime responsable de l'agression commise contre elle?

Scénario de sexualité Façon culturellement apprise de se comporter dans des situations sexuelles.

même comme légitime de la forcer sexuellement s'ils ont l'impression qu'elle les a fait marcher. Selon des études, certains hommes jugent que l'agression sexuelle se justifie ou qu'une femme a ce qu'elle mérite si elle excite un homme en se vêtant de façon suggestive ou en acceptant d'aller chez lui (Muehlenhard et Linton, 1987 ; Muehlenhard et coll., 1991 ; Workman et Freeburg, 1999). Les implications de ces données dans la prévention des agressions sexuelles commises par des connaissances sont présentées dans l'encadré *Votre santé sexuelle*.

Les drogues du viol

Au début des années 1990, on a commencé à entendre parler du Rohypnol (nom de commerce du flunitrazépam), un médicament dont on se servait de plus en plus, dans certains milieux, pour faire des conquêtes sexuelles ou réduire à l'impuissance des victimes qui étaient ensuite agressées sexuellement ou violées (O'Neill, 1997 ; Staten, 1997). Un comprimé de ce sédatif, que les adeptes appellent familièrement un *roche*, est de 7 à 10 fois plus puissant qu'un cachet de Valium. En plus de produire en 20 à 30 minutes un effet sédatif qui peut durer plusieurs heures, il procure une grande relaxation musculaire et induit une amnésie légère ou prononcée (Romeo, 2004). Puisque cette drogue du viol, comme on l'appelle aussi, est inodore, rapidement éliminée par l'organisme et donc difficilement décelable, les victimes ont bien du mal à porter plainte contre leur agresseur. L'alcool décuple les effets de cette drogue et provoque chez certaines personnes une perte de conscience ; d'autres entreront dans un état d'euphorie ou un état de conscience modifié. Dans les deux cas, elles souffriront probablement d'amnésie. Cette substance s'est révélée mortelle (Bradsher, 2000).

Dans un effort pour contrer l'image négative du Rohypnol utilisé en tant que drogue du viol, le fabricant, Roche Pharma, en a changé la coloration et la formule. Résultat : le nouveau comprimé se dissout plus difficilement et il colore le liquide en bleu. De plus, les analyses de laboratoire permettent aujourd'hui de détecter plus facilement la présence de cette drogue nouvelle formule dans les consommations (Olsen et coll., 2005).

Le Rohypnol n'est pas la seule drogue du viol ; il y a aussi le gammahydroxybutyrate de sodium (GHB) et le chlorhydrate de kétamine (Spécial K) (Crawford et coll., 2008 ; Elliott et Burgess, 2005). Le GHB a été mis au point il y a plus de 40 ans et a d'abord servi d'anesthésiant. Il s'agit d'un dépresseur du système nerveux central dont la combinaison avec l'alcool peut être mortelle (Elliott et Burgess, 2005). Le GHB est facile à administrer à une personne peu méfiante, car il est inodore et sans saveur. Il est évacué du corps dans les 6 à 12 heures, ce qui en fait une drogue de choix pour les prédateurs sexuels, car il ne laisse aucune trace toxicologique pouvant servir de preuve dans une éventuelle poursuite.

Il est important d'être vigilant face à ce type de drogues. N'acceptez aucune consommation (alcool, café, boisson gazeuse, etc.), surtout d'un contenant déjà ouvert et si celui-ci ne provient pas d'une personne de confiance. Ne perdez jamais votre verre de vue. Dans le cas contraire, il se peut que votre consommation ait été contaminée si, après en avoir bu, vous ressentez un ou plusieurs des symptômes suivants : des nausées, de la somnolence, une diction molle, des problèmes de coordination ou une sensation d'euphorie. Si vous vous retrouvez dans un tel état, appelez le 911 ou demandez à quelqu'un d'autre que votre compagnon de circonstance de vous aider à obtenir des services médicaux ; si possible, conservez un échantillon de ce que vous avez bu.

Les agressions sexuelles commises par des connaissances

La plupart des agressions sont le fait d'une connaissance ou d'un ami de la victime, et non, comme on le croit généralement, d'un inconnu (Ben-David et Schneider, 2005 ; Fisher et coll., 2000 ; Howard et coll., 2003 ; P. McMahon, 2008). Les données de recherche indiquent que dans près de trois agressions sexuelles sur quatre, les femmes connaissaient leur agresseur (Romeo, 2004 ; Statistique Canada, 2011b). Plusieurs des agressions ont lieu lors d'un rendez-vous.

La coercition sexuelle a fait l'objet de plusieurs études (Jenkins et Aube, 2002 ; Oswald et Russell, 2006 ; Shook et coll., 2000). Jusqu'à récemment, dans la plupart de ces recherches, on voyait les femmes comme les victimes et les hommes comme les agresseurs. Différentes études ont montré que de 20 à 35 % des adolescentes et des femmes adultes ont été victimes de contrainte sexuelle, la plupart du temps lors d'un rendez-vous (Rhynard et coll., 1997 ; Shrier et coll., 1998). Cependant, les femmes ne sont pas les seules victimes de la coercition sexuelle. Plusieurs études ont révélé que des étudiants universitaires ou des hommes adultes ont aussi été contraints à une forme quelconque d'activité sexuelle (Hartwick et coll., 2007 ; Russell et Oswald, 2001, 2002 ; Struckman-Johnson et coll., 2003). Ainsi, dans une enquête menée au Canada auprès de plusieurs centaines d'étudiants universitaires, environ 25 % des hommes et plus de 40 % des femmes disaient avoir subi des pressions pour avoir une activité sexuelle avec une connaissance, ou avoir été forcés à le faire au cours de la dernière année (O'Sullivan et coll., 1998). Dans une autre étude, 10 % des 4000 adolescents interrogés prétendaient avoir subi des pressions pour se livrer à des activités sexuelles (Shrier et coll., 1998).

Dans le cadre d'un rendez-vous, la contrainte sexuelle peut s'exprimer de façon verbale ou physique (par exemple, en menaçant de mettre fin à la relation ou en argumentant avec insistance), mais c'est verbalement que cela se produit le plus couramment. Dans une étude menée auprès d'étudiants universitaires, 82 % des répondants ont déclaré avoir recouru à l'intimidation verbale et 21 % à la contrainte physique auprès de leur compagne ou compagnon de rendez-vous au cours de la dernière année (Shook et coll., 2000). Il faut noter cependant que le recours à la force physique est considérablement moins fréquent pour contraindre sexuellement les hommes (Hartwick et coll., 2007 ; Krahé et coll., 2003).

Bien que les relations amoureuses des jeunes Québécois semblent généralement exemptes de violence, 12 % des répondants à une étude sur la question ont déclaré que leur relation était marquée par des comportements de contrôle et de violence verbale, psychologique, physique ou sexuelle (Lefort et Elliot, 2001). Sur une échelle plus grande, la chercheuse Mylène Fernet (2005) a recensé un très grand nombre d'études et d'enquêtes sur la violence sous toutes ses formes dans les relations amoureuses à l'adolescence. Elle a relevé que les formes de violence verbale et psychologique semblent courantes dans ces relations. Ainsi, de 11 à 19,6 % des jeunes rapportent avoir été victimes de violence verbale à un moment de leur vie amoureuse (Bergman, 1992 ; Jaffe et coll., 1992 ; Mercer, 1988 cités dans Fernet, 2005) et ils seraient 22,2 % à avoir subi une forme de violence psychologique (Molidor, 1995 cité dans Fernet, 2005).

Les études répertoriées portant essentiellement sur les relations amoureuses présentent des taux beaucoup plus élevés. Selon ces études, de 14,9 à 93,1 % des adolescents ont vécu au moins un épisode de violence psychologique au cours de l'année précédant la recherche (Bellerose et coll., 2001 ; Gagné et Lavoie, 1995 ; Lavoie et coll., 2001 cités dans Fernet, 2005) et 96,1 % d'entre eux en ont subi dans leur plus récente relation (Jezl et coll., 1996 cité dans Fernet, 2005). En ce qui a trait à la violence verbale, certaines études font état d'un plus grand nombre de victimes chez les jeunes femmes (Jaffe et coll., 1992 cité dans Fernet, 2005) alors que d'autres présentent des taux de prévalence presque équivalents chez les adolescents et les adolescentes (Symons et coll., 1994 cité dans Fernet, 2005). Des données canadiennes plus récentes sur les cas signalés à la police indiquent que les incidents de violence dans le cadre de fréquentations amoureuses représentaient 7 % de l'ensemble des crimes violents au Canada en 2008. Entre 2004 et 2008, les taux de violence déclarés par la police pour ce type de relation ont augmenté de façon constante, tant pour les femmes (+40 %) que pour les hommes (+47 %) (Statistique Canada, 2010).

Votre santé sexuelle

La prévention des agressions sexuelles

Bien que les agressions sexuelles soient un problème qui touche l'ensemble de la société, il n'en demeure pas moins que c'est la victime elle-même qui subit directement l'agression. Rien ne peut véritablement mettre à l'abri d'une agression sexuelle, car même en étant extrêmement prudente, avisée et en vivant presque recluse, une femme peut en être victime. Nous croyons tout de même utile de présenter certaines stratégies susceptibles de réduire la fréquence des agressions sexuelles commises par des inconnus ou des connaissances. Les conseils ci-après sont essentiellement des mesures de dissuasion. Plusieurs s'appliquent aussi à la prévention de crimes autres que l'agression sexuelle.

Pour réduire le risque d'une agression sexuelle par une connaissance

1. Moins vous connaissez la personne avec qui vous avez rendez-vous, plus la prudence est de mise. Par exemple, on se sert de plus en plus d'Internet pour faire connaissance. Or, vous devez garder à l'esprit que vous ne connaissez pas vraiment la personne avec qui vous communiquez en ligne.

Proposez-lui une rencontre dans un lieu public. Cela vous permettra d'évaluer son comportement dans un environnement relativement sûr.

2. Votre compagnon de sortie a-t-il une attitude autoritaire ? Tente-t-il de vous contrôler ? Tient-il mordicus à faire ce qu'il a planifié ? Un homme qui prévoit toutes les activités et prend toutes les décisions relatives à une sortie pourrait bien se montrer dominateur et inflexible dans l'intimité.

3. Certains hommes croient que parce qu'ils ont réglé l'addition du restaurant et les autres dépenses de la sortie, ils ont « payé » vos faveurs sexuelles et que, par conséquent, vous êtes tenue de vous soumettre à leur volonté. Si vous payez certaines dépenses, il y aura moins de risques que votre compagnon ait recours à ce raisonnement pour justifier la coercition sexuelle (Muehlenhard et Schrag, 1991 ; Muehlenhard et coll., 1991).

4. S'il est hors de question pour vous d'avoir une relation sexuelle avec votre compagnon de sortie, ne consommez pas d'alcool ni de drogue, car ces substances font

très souvent partie du tableau des viols commis par une connaissance (Howard et coll., 2008 ; Rapoza et Drake, 2009). L'alcool ou la drogue peuvent en effet réduire votre capacité à repousser une agression et vous rendre moins vigilante.

5. Évitez tout ce qui pourrait passer pour de la provocation. Dites clairement ce que vous désirez faire et ne pas faire sur le plan sexuel. Par exemple, si vous invitez votre compagnon de sortie à terminer la soirée chez vous, faites une mise au point de ce genre : « Je ne veux pas de malentendu entre nous. Si je t'ai invité, c'est simplement pour qu'on se détende en causant et en écoutant un peu de musique. » Si vous avez envie d'avoir certains contacts sexuels préliminaires avec votre compagnon, vous pourriez lui dire : « Ce soir, j'ai envie de me blottir dans tes bras et j'aimerais qu'on s'embrasse, mais je ne suis pas à l'aise à l'idée d'aller plus loin pour l'instant. » L'homme à qui on met les points sur les *i* aura beaucoup moins tendance à forcer les choses ou à croire qu'on cherche à le « faire marcher » (Muehlenhard et Andrews, 1985 ; Muehlenhard et coll., 1985).

6. Si votre compagnon tente de vous contraindre malgré une mise au point claire, recourez à une escalade des moyens de défense : refus net, refus verbal cinglant et, si nécessaire, recours à la force (Muehlenhard et Linton, 1987). Selon une étude, les jeunes hommes comprennent que ce qu'ils considèrent comme un rendez-vous sexuel est en fait une agression sexuelle si on leur oppose un non catégorique (Sawyer et coll., 1998). Dans une autre étude, des hommes ont déclaré que la meilleure façon pour une femme de faire cesser des avances sexuelles importunes est de déclarer énergiquement : « C'est un viol et j'appelle la police ! » (Beal et Muehlenhard, 1987). Si vos protestations verbales ne suffisent pas, utilisez la force : repoussez, giflez, mordez, griffez votre agresseur et donnez-lui des coups de pied ou de genou, y compris dans les testicules, si nécessaire. Si cet homme ne saisit pas qu'il est en train de commettre un viol, il comprendra tout au moins que ses actions ne sont pas appropriées (Beal et Muehlenhard, 1987 ; Muehlenhard et Linton, 1987).

Pour réduire le risque d'une agression sexuelle par un inconnu

1. Ne claironnez pas à la ronde que vous vivez seule. Remplacez votre prénom par son initiale sur votre boîte aux lettres et dans l'annuaire téléphonique ; au besoin, donnez un nom fictif. Ces conseils sont encore plus indiqués dans votre utilisation des réseaux sociaux.

2. Installez des loquets de sûreté aux portes et aux fenêtres de votre logement. Changez les serrures des portes si vous avez perdu vos clés ou si vous venez d'emménager dans un nouvel appartement. Équipez la porte d'entrée d'un judas : cela peut s'avérer très utile.

3. N'ouvrez pas aux inconnus. Si un réparateur ou un représentant des services publics sonne à votre porte, demandez-lui d'abord de s'identifier et, avant de le laisser entrer, appelez son employeur pour vous assurer qu'il s'agit vraiment d'un employé et, le cas échéant, qu'il est en service.

4. En présence d'inconnus, montrez par votre langage corporel et votre façon de vous exprimer que vous êtes sûre de vous et qu'on ne peut pas vous intimider facilement. Les recherches ont montré que les violeurs choisissent souvent comme victimes des femmes qui semblent passives et soumises (Richards et coll., 1991).

5. Ne sortez pas seule sans vous munir d'un téléphone cellulaire.

6. Avant de prendre votre voiture, vérifiez toujours qu'il n'y a personne sur la banquette arrière. Verrouillez les portières de la voiture après l'avoir garée et pendant que vous conduisez.

7. Évitez les endroits sombres et déserts, et repérez les lieux tout en marchant. Cela pourrait vous aider si vous deviez tenter de fuir. Si un conducteur vous demande des renseignements et que vous êtes à pied, évitez de vous approcher de sa voiture. Répondez plutôt en restant à une bonne distance.

8. Ayez vos clés en main lorsque vous arrivez chez vous ou près de votre voiture.

9. Si vous tombez en panne, attachez un bout de tissu blanc à l'antenne de votre voiture et enfermez-vous dans l'habitacle. Si une personne autre qu'un policier en uniforme dans une voiture de patrouille identifiée s'arrête pour vous offrir de l'aide, demandez-lui d'appeler la police ou un garage, mais ne déverrouillez pas la portière.

10. Ne faites pas d'autostop, ne prenez jamais d'autostoppeurs à bord de votre voiture et ne montez pas dans celle d'un étranger.

11. Où que vous alliez, ayez sur vous un dispositif capable d'émettre un bruit strident. Il peut s'agir d'un sifflet ou, mieux encore, d'une sirène à air comprimé du genre de celles qui sont vendues dans les magasins de sport ou d'équipement nautique. Au premier signe de danger, sonnez l'alarme.

Plusieurs municipalités ont des services de prévention du crime. Contactez-les pour obtenir d'autres conseils de sécurité et faire inspecter votre domicile à cet égard.

▶ **Que faire si un ou des inconnus vous menacent?**

Si un ou des hommes s'approchent de vous et que vous sentez qu'ils pourraient vouloir vous agresser sexuellement, vous devez décider de ce que vous ferez. *Chaque situation, chaque agresseur et chaque femme sont uniques. Il n'y a aucune règle qui s'applique à tous les cas.*

1. Fuyez si vous le pouvez.

2. Résistez si vous ne pouvez pas courir. Donnez du fil à retordre à celui qui vous menace. Sachez que de nombreux agresseurs tentent d'abord d'intimider leur victime potentielle et que plusieurs tentatives d'agression avortent parce que les femmes y résistent (Heyden et coll., 1999; Page, 1997). En opposant une résistance farouche et bruyante – en criant, en vous débattant, en faisant du vacarme, en vous sauvant, en donnant des coups à votre agresseur, particulièrement dans les organes génitaux –, vous pourriez empêcher l'agression. C'est ce qu'a montré une étude portant sur 150 viols ou tentatives de viol. En effet, les femmes qui avaient opposé une résistance physique et verbale énergique avaient échappé plus fréquemment au viol que celles qui avaient essayé les supplications et les pleurs ou qui n'avaient offert que peu de résistance (Zoucha-Jensen et Coyne, 1993).

3. Oubliez les comportements normaux. Vomir, crier, jouer les détraquées : tout ce que vous êtes disposée à tenter pourrait faire échouer la tentative de viol.

4. Parler peut aussi être une façon de gagner le temps nécessaire pour échafauder un plan d'évasion ou une autre stratégie. Il peut aussi être utile d'amener l'agresseur à parler : « Qu'est-ce qui s'est passé ? Pourquoi êtes-vous si en colère ? » Exprimez de l'empathie : « C'est vraiment déprimant de perdre son emploi. » Tentez de négocier : « Prenons le temps de parler de cela. » Si la parole ne réussit pas à empêcher l'agression, elle permet parfois d'en réduire la violence (Prentky et coll., 1986).

5. Restez à l'affût de toute possibilité d'évasion. Dans certaines situations, il est d'abord impossible de résister ou d'échapper à l'agresseur, mais une occasion peut se présenter plus tard, par exemple si l'agresseur a un moment de distraction ou qu'un passant fait irruption.

Les cours d'autodéfense permettent d'apprendre des techniques de résistance pour blesser l'agresseur ou le déconcentrer juste assez longtemps pour vous permettre de fuir.

Que faire si vous êtes victime d'une agression sexuelle?

En cas d'agression sexuelle ou de tentative d'agression, vous devez décider si vous déclarerez l'incident à la police ou non.

1. Il est recommandé de déclarer à la police toute agression, et même toute tentative d'agression sexuelle, car cette information pourrait empêcher qu'une autre personne en soit victime.

2. Quand vous déclarez une agression sexuelle, pensez que toute information sur l'agression peut se révéler utile : les caractéristiques physiques de l'agresseur, sa voix, ses vêtements, sa voiture, même une odeur inhabituelle.

3. Appelez la police le plus tôt possible après l'agression; ne prenez pas de bain et ne changez pas de vêtements. Le sperme, les cheveux, les fibres et les matières demeurés sous vos ongles ou sur vos vêtements pourront servir à identifier l'agresseur.

4. N'hésitez pas à communiquer avec un centre d'aide aux victimes d'agressions sexuelles. Vous y trouverez du personnel qualifié capable de vous aider à faire face au traumatisme. La plupart des grandes villes ont de tels centres. Au Québec, le Regroupement québécois des Centres d'aide et de lutte contre les agressions à caractère sexuel (CALACS) est présent dans plus d'une vingtaine de villes. Si vous êtes incapable de prendre contact vous-même, demandez à une amie, à un membre de votre famille ou à la police de le faire en votre nom.

5. En plus de consultations d'ordre général, ces centres offrent des traitements aux victimes de viol. Si vos symptômes n'ont pas disparu après un certain temps, songez-y. Ne souffrez pas indûment.

6. Enfin, si, comme beaucoup de femmes, vous vous sentez responsable de ne pas avoir su empêcher l'agression, rappelez-vous que ce n'est pas un crime d'avoir été agressée sexuellement. Par contre, il y a bien eu crime, et le coupable, c'est votre agresseur.

Plusieurs femmes suivent des cours d'autodéfense pour mieux se protéger des agressions.

Les viols en temps de guerre

Bien que la coercition sexuelle implique généralement deux personnes, elle a aussi servi d'arme de guerre à travers l'histoire. Les viols de femmes à grande échelle abondent depuis la Grèce antique jusqu'aux plus récentes atrocités commises en ex-Yougoslavie, au Rwanda et au Darfour. Durant le xxe siècle, des centaines de milliers de femmes ont été victimes de viol pendant des guerres (Bergoffen, 2006 ; Polgreen, 2005 ; Van Zeijl, 2006). Dans les années 1990, les reportages sur les viols à grande échelle perpétrés par les soldats serbes sur des milliers de femmes et de jeunes filles bosniaques et croates ont alerté l'opinion publique et mené à des pressions pour que le viol soit considéré comme un crime de guerre. Les rapports faisant état de milliers de femmes et de filles violées durant la guerre de 1994 au Rwanda ont amplifié cette prise de conscience collective (Flanders, 1998 ; Mukamana et Brysiewicz, 2008). Plus récemment, le viol a été employé comme arme de guerre au Darfour, une région du Soudan (Polgreen, 2005), ainsi que dans la région du Kivu, en République démocratique du Congo, en 2008.

Des soldats américains ont également été condamnés en cour martiale pour des viols collectifs perpétrés durant la guerre du Vietnam (Brownmiller, 1993). D'autres soldats américains ont été poursuivis pour le viol d'Iraquiennes pendant l'invasion de leur pays. En 1996, le Tribunal pénal international pour l'ex-Yougoslavie a statué que le viol en temps de guerre était un crime punissable par de sévères sanctions (pour la première fois, l'agression sexuelle était traitée distinctement comme un crime de guerre). En 2001, ce tribunal des Nations Unies faisait de l'esclavage sexuel un crime de guerre et condamnait plusieurs Serbes bosniaques pour des viols multiples de femmes musulmanes asservies dans des «camps de viols». Les violeurs reconnus coupables de ces crimes ont reçu des sentences allant de 12 à 28 ans d'emprisonnement (Comiteau, 2001).

Pourquoi le viol est-il si répandu pendant une guerre ? Parce qu'en plus de servir à dominer, à humilier et à contrôler les femmes, il peut aussi avoir pour but de réduire à néant l'ennemi en détruisant les liens familiaux et sociaux (Swiss et Giller, 1993). Dans les guerres interethniques, comme celles qui ont déchiré l'ex-Yougoslavie, le Rwanda et le Darfour, le viol à grande échelle sert de stratégie militaire pour terroriser et démoraliser la population, détruire son intégrité culturelle et, parfois, forcer des communautés entières à fuir leurs maisons pour atteindre l'objectif de nettoyage ethnique (Boustany, 2007 ; Eaton, 2004 ; Mukamana et Brysiewicz, 2008). Le viol est alors un acte de guerre qui agresse non seulement les femmes, mais aussi leur famille et leur communauté. L'encadré *Les uns et les autres* explique comment les réactions sociales à l'égard du viol, en temps de guerre ou non, peuvent accentuer la souffrance des victimes.

Les conséquences de l'agression sexuelle

Qu'elle soit l'œuvre d'un inconnu, d'une connaissance ou du partenaire de la victime, l'agression sexuelle est une expérience traumatisante, aux répercussions durables. Après avoir été agressée sexuellement, la personne est meurtrie physiquement et traumatisée psychologiquement. De plus, elle souffrira probablement du traitement que réserve la société aux victimes d'agressions sexuelles. Il n'est donc pas étonnant que nombre d'entre elles en gardent des séquelles émotionnelles durables.

Les victimes éprouvent généralement de la honte, de la colère, de la peur, de la culpabilité et un sentiment d'impuissance (Koss et coll., 2002 ; Vandeusen et Carr, 2003). Si certaines femmes ressentent de la culpabilité et de la honte, c'est souvent qu'on leur fait porter et qu'elles endossent la responsabilité de ne pas avoir su empêcher l'agression, quelles qu'en aient été les circonstances. Et si elles ont éprouvé des sensations ou une certaine excitation sexuelle durant l'agression, leur sentiment de culpabilité sera encore plus grand (Desaulniers, 1998 ; Sarrel et Masters, 1982). Les victimes d'un viol peuvent présenter par la suite une tendance à la victimisation et un risque plus élevé de subir d'autres agressions sexuelles (Daigle et coll., 2008 ; Littleton et coll., 2009). Une étude récente menée auprès de plusieurs centaines de femmes dans des universités américaines a permis de constater que certaines d'entre elles étaient plus à risque de se faire violer en raison de leur consommation de drogues (alcool, marijuana, etc.) pour atténuer leur détresse découlant de leur traumatisme antérieur (sexuel, physique, abus émotionnel) (Messman-Moore et coll., 2009). Ces étudiantes s'intoxiquent pour moins ressentir leur traumatisme, mais sous l'effet des drogues ou de l'alcool, elles deviennent plus vulnérables à de nouvelles agressions.

Les victimes d'agressions sexuelles sont perturbées psychologiquement, mais elles souffrent également de symptômes physiques, dont la nausée, des maux de tête, des troubles gastro-intestinaux, des blessures génitales et des troubles du sommeil (Hilden et coll., 2005 ; Ullman et Brecklin, 2003). Environ 32 % des femmes et 16 % des hommes qui ont été violés passé l'âge de 18 ans ont déclaré avoir subi des blessures physiques pendant l'agression (Tjaden et Thoennes, 1998). Il arrive que des victimes de viol associent la sexualité au traumatisme de l'agression qu'elles ont subie, si bien que la perspective d'une activité sexuelle suscite en elles bien plus d'angoisse que de désir ou d'excitation (Koss et coll., 2002, 2003). Une étude à long terme portant sur des victimes de viol a révélé que 40 % d'entre elles avaient renoncé aux contacts sexuels durant les 6 à 12 mois qui ont suivi leur agression, et que presque 75 % d'entre elles n'avaient qu'une activité sexuelle réduite 6 ans plus tard (Burgess et Holmstrom, 1979).

On dit des femmes qui ont de fortes réactions affectives et physiques après avoir été violées qu'elles souffrent d'un état de stress post-traumatique (ESPT). Institué comme une catégorie diagnostique par l'Association américaine de psychiatrie (2000), l'ESPT désigne la détresse psychologique de longue durée que peut ressentir une personne soumise à un ou plusieurs événements physiquement ou psychologiquement traumatisants. Après avoir vécu une expérience profondément traumatisante comme une agression sexuelle, une guerre ou un horrible accident, les personnes présentent souvent un ensemble de symptômes de détresse. Elles feront des cauchemars, souffriront de dépression, d'anxiété et se sentiront extrêmement vulnérables. Elles auront aussi des *flash-back* saisissants qui leur feront revivre les terreurs de l'agression (Koss et coll., 2002 ; Ullman et coll., 2005).

> **État de stress post-traumatique**   Détresse psychologique consécutive à un ou plusieurs événements traumatisants. Aussi appelé *syndrome de stress post-traumatique* ou *SSPT*.

Les uns et les autres

Punir les femmes d'avoir été violées

Comment peut se sentir une femme violée par ses ennemis et qui se voit ensuite rejetée par sa famille et ses amis pour cette raison ? Les femmes kosovares en savent quelque chose. Peu après la fin de la guerre du Kosovo, en 1999, les médias ont évoqué les difficultés qu'ont éprouvées ces femmes lorsqu'elles sont retournées chez elles. En plus des profondes souffrances qu'elles avaient endurées en étant agressées sexuellement, elles couraient le risque d'être répudiées par leur famille et leurs amis si elles avouaient avoir été violées. Ainsi, au lieu de recevoir l'appui et la compassion dont elles avaient besoin, ce qui aurait pu les aider grandement à surmonter leur traumatisme, elles se voyaient obligées de garder pour elles leurs souvenirs douloureux, leurs pensées et leurs sentiments, afin d'éviter d'être rejetées par leur famille et leur communauté (Lorch et Mendenhall, 2000).

On estime que pendant les années de guerre qui ont déchiré le Congo, une Congolaise sur trois a été victime de viols collectifs si violents de la part de groupes armés que des milliers d'entre elles souffrent de fistules vaginales (rupture de la paroi vaginale qui peut causer l'écoulement d'urine et la perte incontrôlée des matières fécales). Dans certaines régions du Congo, jusqu'à 70 % des femmes de tous âges ont été violées ou mutilées sexuellement, souvent sous les yeux de leurs proches ou de leurs concitoyens contraints de regarder les agressions (Klapper, 2007 ; Soguel, 2008). Au lieu d'être soignées, bon nombre de ces femmes ont été abandonnées par leur époux et ostracisées par leur communauté (Longombe et coll., 2008). De récents comptes rendus font état d'un nombre croissant d'hommes violés par des militaires qui font régner la terreur au Congo. Ces hommes victimes de brutalités sexuelles sont également bannis de leur communauté ; par dérision, ils sont souvent appelés « femmes de brousse » (Gettleman, 2009).

Dans un cas qui a choqué les Occidentaux et soulevé un tollé d'indignation dans le monde, un tribunal d'Arabie saoudite a condamné une femme qui avait subi un viol collectif à six mois de prison et à se faire fouetter en public. La victime de ce crime odieux était accusée d'avoir contrevenu à la loi islamique du pays, interdisant la mixité entre les sexes, parce que les violeurs l'ont accostée alors qu'elle se trouvait en voiture avec un homme qui n'était ni son mari ni un parent. Sous la pression des États-Unis et d'autres pays occidentaux, le roi Abdullah d'Arabie accorda son pardon à la victime qui était âgée de 19 ans au moment de l'agression (Shihri, 2007).

Malheureusement, ce genre d'attitude ne se limite pas à des pays comme le Kosovo, le Congo ou l'Arabie saoudite. La recherche montre que des hommes aux États-Unis (et assurément au Canada aussi) ont tendance à rejeter la faute sur les victimes d'agression sexuelle. Dans une étude menée auprès de groupes multiethniques de New York, les hommes américano-cubains ont jugé négativement les adolescentes victimes d'une agression sexuelle (Rodriguez-Stednicki et Twaite, 1999). Une autre étude a montré que les hommes hispano-américains avaient tendance à tenir les femmes plus responsables du viol qu'elles avaient subi que les hommes d'origine caucasienne (Cowan, 2000).

La plupart d'entre nous déplorent le fait que les victimes soient ainsi traitées. Cependant, certains pensent que nous devons accepter que d'autres cultures soient différentes de la nôtre et reconnaître qu'elles ont le droit à leurs propres valeurs. Une enquête récente laisse cependant entendre que ce type d'attitudes et de comportements négatifs a des conséquences néfastes pour les victimes d'agressions sexuelles. Dans une étude portant sur 157 victimes de crimes violents, les chercheurs ont montré que la honte et la colère jouaient un rôle important dans le développement d'un état de stress post-traumatique (ESPT) et que la honte, plus particulièrement, influait sur la gravité des symptômes (Andrews et coll., 2000). Il semble donc que les valeurs culturelles (et ceux qui les défendent et les appliquent) font porter aux femmes la responsabilité de leur viol et peuvent contribuer grandement à accroître les souffrances des victimes.

Les victimes trouvent souvent que le counseling, individuel ou en groupe, peut les aider à surmonter le traumatisme du viol (Romeo, 2004 ; Vandeusen et Carr, 2003). Les recherches indiquent que les femmes qui ont reçu de l'aide peu de temps après l'agression souffrent moins de ses répercussions émotionnelles que celles dont le traitement a tardé (Campbell, 2006). La plupart des victimes de viol confirment que parler de l'agression et des terribles émotions qui les submergent leur fait du bien. C'est souvent en réexaminant l'événement qu'elles parviennent à maîtriser leurs sentiments douloureux et à entreprendre leur processus de guérison.

Les agressions sexuelles commises contre des hommes

> J'aimerais savoir si une femme peut violer un homme ; je ne parle pas d'attouchements, mais d'un véritable viol. Peut-elle forcer la pénétration contre la volonté de l'autre, et dans quelles circonstances ? J'aimerais aussi savoir si l'acte est possible si l'homme est inconscient. (Site Élysa)

Les professionnels de la santé qui interviennent auprès des victimes d'agressions sexuelles savent que les hommes peuvent se faire violer. La vaste majorité des victimes sont des femmes, mais les hommes font aussi l'objet d'agressions sexuelles (Davies et coll, 2006 ; Kassing et coll., 2005 ; Krahé et coll., 2003a). L'étude de la sociologue Patricia Tjaden et de la chercheuse Nancy Thoennes (1998) présentée au début du chapitre révèle que 3 % des répondants masculins avaient subi une agression sexuelle ou une tentative d'agression sexuelle. Ce nombre pourrait être plus élevé selon certains auteurs (Dorais, 1997 ; Mattews, 1996 ; Statistique Canada, 2011). Une vaste analyse de 120 études sur les victimes d'agressions sexuelles regroupant quelque 100 000 répondants a fait état d'un taux de fréquence de 3,3 % pour ce qui est des viols d'hommes commis par des femmes et d'un taux de 5,5 % pour ce qui est des tentatives de viol perpétrées par des femmes sur des hommes (Spitzberg, 1999). Plus récemment, deux études allemandes menées auprès de plusieurs centaines d'hommes hétérosexuels ont révélé des taux respectifs de 2,8 % pour les tentatives de viol perpétrées contre eux par des femmes et de 4,0 % pour les viols (étude 1), ainsi que de 5,2 % pour les tentatives de viol et de 2,6 % pour les viols (étude 2) (Krahé et coll., 2003b).

Les statistiques sur les agressions sexuelles commises contre des hommes sont difficiles à obtenir pour plusieurs raisons, dont leur grande réticence à signaler leur agression (Davies et coll., 2006 ; Kassing et coll., 2005). On estime qu'une agression sexuelle sur dix commise contre un homme est signalée à la police (Kassing et coll., 2005). Une proportion aussi faible peut être due au fait que les hommes craignent d'être jugés durement s'ils signalent l'agression dont ils ont été victimes. Au moins une étude justifie cette crainte (Spencer et Tan, 1999). Les auteurs ont découvert que les hommes qui disent avoir subi une agression sexuelle lorsqu'ils étaient enfants sont perçus négativement, surtout par les autres hommes. Les hommes craignent aussi que les autorités chargées d'appliquer les lois doutent qu'un crime ait vraiment été commis ou croient qu'ils l'ont bien cherché, d'une façon ou d'une autre (Kassing et coll., 2005 ; Walker et coll., 2005). En outre, des hommes qui ont appris à être forts physiquement et à se défendre eux-mêmes pourraient croire que le fait de signaler leur agression témoignera de leur faiblesse ou de leur responsabilité personnelle (Kassing et coll., 2005).

Les agressions sexuelles contre des hommes sont rarement rapportées dans les médias ou dans la documentation psychologique ou médicale (Stermac et coll., 1996). Par conséquent, peu de recherches ont été menées sur de telles agressions (Krahé et coll., 2000, 2003b).

Le viol d'un homme peut être perpétré par un hétérosexuel qui, souvent, aura un ou plusieurs acolytes (Frazier, 1993 ; Isely et Gehrenbeck-Shim, 1997). Comme dans les viols commis contre des femmes, la violence et le désir de pouvoir accompagnent l'agression sexuelle des hommes, particulièrement des gais. Bien que des hommes homosexuels soient fréquemment violés par des hétérosexuels, ils sont également souvent victimes de leur partenaire sexuel actuel ou d'un ex-partenaire (Hickson et coll., 1994 ; Walker et coll., 2005).

Le viol des hommes en milieu carcéral est un problème sérieux (Bell, 2006 ; Hensley et coll., 2003). Une vaste enquête menée auprès de 2000 détenus répartis dans 7 pénitenciers américains a montré que 21 % d'entre eux avaient été sexuellement menacés ou agressés et que 7 % reconnaissaient avoir été violés (Struckman-Johnson et Struckman-Johnson, 2000). Les auteurs de telles agressions se considèrent généralement comme hétérosexuels. Une fois libérés, ils reprennent habituellement les relations sexuelles avec des femmes. En milieu carcéral, les hommes violés le sont souvent avec brutalité par des gangs. Un homme peut ainsi devenir le partenaire sexuel d'un prisonnier dominant en échange d'une protection contre les autres détenus (Braen, 1980).

On considère aussi comme un viol le fait de forcer un homme à pénétrer le vagin, l'anus ou la bouche de quelqu'un (McCabe et Wauchope, 2005). On rapporte de plus en plus fréquemment les récits d'hommes qui sont contraints ou menacés de blessures par des femmes pour avoir des activités sexuelles (Kassing et coll., 2005). L'idée qu'un homme puisse se faire violer par une femme a été longtemps rejetée parce qu'on présumait qu'un homme ne peut fonctionner sexuellement dans des conditions de peur ou d'anxiété extrême. Cette impression répandue est cependant inexacte. Alfred Kinsey et ses collaborateurs sont peut-être les premiers à avoir noté que les deux sexes pouvaient fonctionner dans une variété d'états émotifs extrêmes. La réponse sexuelle pendant une agression, surtout si un orgasme survient, peut être une source de grande confusion et d'anxiété chez les hommes et les femmes victimes de viol.

Les agressions sexuelles contre des hommes se produisent aussi pendant les guerres. Cependant, ces victimes n'ont reçu qu'une couverture médiatique limitée et n'ont pas suscité beaucoup d'intérêt chez les chercheurs. Parmi les quelques études sur le sujet, il y a celles concernant les agressions commises pendant des guerres en Grèce (Lindholm et coll., 1980), au El Salvador (Agger et Jensen, 1994) et en Croatie (Medical Center for Human Rights, 1995). La croyance largement répandue que seules les femmes peuvent être victimes d'agressions sexuelles a eu pour conséquence que plusieurs pays ont, sur le plan juridique, noyé la réalité des agressions sexuelles subies par des hommes en temps de guerre parmi les catégories plus générales de torture ou de mauvais traitements (Carlson, 1997). La réelle prise de conscience que les hommes pouvaient aussi être victimes d'agressions sexuelles s'est produite lorsque le Tribunal pénal international pour l'ex-Yougoslavie a signalé que de nombreux hommes avaient été violés ou avaient subi une agression sexuelle quelconque pendant le conflit qui a marqué cette région (Carlson, 1997).

Le harcèlement sexuel

Que ce soit en milieu de travail ou en milieu scolaire, le harcèlement sexuel est fréquent dans notre société. Cela ne se limite pas à des avances sexuelles indésirables. Il peut aussi s'agir d'actions qui instaurent un climat de travail hostile et désagréable. Le témoignage suivant en fait foi.

> Dans l'entreprise, j'étais la première femme à accéder à ce poste. J'étais fière de mes réalisations et prête à relever le défi. Mais cela a été beaucoup plus difficile que prévu. J'ai été sidérée et dégoûtée par les blagues et les remarques grossières que me faisaient certains hommes. On me faisait parvenir des courriels tout à fait abjects, et des messages obscènes encombraient quotidiennement ma boîte vocale. Je me suis plainte à mon patron en lui expliquant combien cela me dérangeait, mais il m'a dit d'être « bonne joueuse », que les gars m'accueillaient à leur manière. Je ne devrais peut-être pas tant m'en faire, mais cela nuit à mon travail. J'ai de la difficulté à me concentrer et je suis anéantie lorsque j'écoute mes messages. (Notes des auteurs)

Il y a deux formes principales de harcèlement sexuel. Dans la première, la personne accepte des avances sexuelles non souhaitées pour obtenir un emploi, de bonnes notes ou de l'avancement ; c'est un type de harcèlement qui suppose un jeu de pouvoir ou un abus d'autorité (Pierce, 1994). Le harcèlement devient souvent plus explicite lorsque des représailles font suite au refus d'obtempérer (Charney et Russell, 1994).

Dans sa seconde forme, le harcèlement sexuel est moins net, mais probablement plus répandu. Il s'exerce par l'instauration d'un milieu hostile et désagréable, ce qui est certainement plus fréquent que les situations impliquant des pressions sexuelles indues. Dans ce cas, par leurs comportements outrageants et persistants, un ou plusieurs directeurs, collègues, professeurs ou étudiants créent un environnement hostile, menaçant et généralement insupportable. À la différence de la première forme, ce type de harcèlement ne suppose pas nécessairement une relation d'autorité ou de pouvoir. Il peut, par contre, constituer une façon de défendre un statut (ou une position) qu'on sent menacé. Ainsi, certains hommes y recourent souvent pour empêcher des femmes d'accéder aux derniers bastions du pouvoir et des privilèges masculins (Dall'Ara et Maass, 1999).

Dans de nombreux débats portant sur des cas de harcèlement de ce genre, on a tenté de définir ce qui constitue un environnement hostile et désagréable. Est considéré comme hostile un environnement dans lequel toute personne raisonnable, dans les mêmes circonstances ou dans des circonstances similaires, trouverait la conduite du ou des harceleurs menaçante, hostile ou outrageante.

Le harcèlement sexuel en milieu de travail

Le harcèlement sexuel peut prendre plusieurs formes au travail. Il peut toucher aussi bien des hommes que des femmes, quelle que soit leur orientation sexuelle. Selon le Code canadien du travail, « le harcèlement sexuel se définit comme tout comportement, propos, geste, contact de nature sexuelle soit qui est de nature à offenser ou humilier un employé, soit qui peut, pour des motifs raisonnables, être interprété par celui-ci comme subordonnant son emploi ou une possibilité de formation ou d'avancement à des conditions à caractère sexuel » (Ressources humaines et développement des compétences Canada). Certains de ces actes s'inscrivent en quelque sorte dans une zone grise, car tous n'y verront pas obligatoirement du harcèlement sexuel. Toutefois, ils deviennent

> **Harcèlement sexuel** Avances sexuelles non désirées, demandes de faveurs sexuelles et autres conduites de nature sexuelle menaçantes, outrageantes ou hostiles se produisant dans le milieu professionnel ou scolaire.

clairement du harcèlement s'ils persistent une fois que la personne qui en fait les frais a demandé qu'on y mette fin.

Le harcèlement sexuel en milieu de travail peut compromettre sérieusement la situation économique de la victime, nuire à son rendement professionnel, à son avancement, à sa santé psychologique et physique ainsi qu'à ses relations personnelles (Berdhal et Aquino, 2009 ; Gradus et coll., 2008). Les conséquences financières associées au refus de supporter le harcèlement sexuel peuvent être particulièrement lourdes pour les personnes occupant des postes subalternes, qu'elles peuvent difficilement abandonner si elles sont le seul soutien de leur famille. Plusieurs personnes trouveront extrêmement compliqué de chercher un emploi tout en occupant leur emploi actuel, surtout en période économique instable. Si elles sont congédiées pour avoir résisté au harcèlement sexuel, elles s'exposent à être privées de prestations de chômage et même si elles en reçoivent, celles-ci ne correspondront qu'à une fraction de leur revenu d'emploi.

Diverses études indiquent que la vaste majorité des victimes de harcèlement sexuel en milieu de travail (entre 75 et 90 %) en subissent des effets psychologiques. Elles sont sujettes aux crises de larmes. Leur estime de soi est minée. Elles éprouvent de la colère, se sentent humiliées, honteuses, embarrassées, nerveuses, irritables, isolées, vulnérables, sans défense et démotivées (Harned et Fitzgerald, 2002 ; Jorgenson et Wahl, 2000 ; Sev'er, 1999). L'encadré *Votre santé sexuelle* propose des moyens de se défendre contre le harcèlement sexuel en milieu de travail.

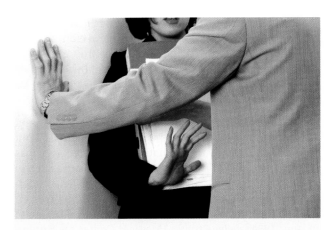

Le harcèlement sexuel engendre tension et anxiété au travail.

Le harcèlement sexuel en milieu scolaire

Le harcèlement sexuel se produit aussi en milieu scolaire. Il n'est pas rare que des étudiants de niveaux collégial et universitaire soient l'objet d'avances sexuelles importunes de la part d'un professeur ou d'un délégué pédagogique (superviseur d'activité, correcteur d'examen, etc.). Les étudiants des deux sexes y sont exposés, mais les jeunes femmes sont plus communément la cible de professeurs de sexe masculin (Bingham et Battey, 2005 ; Kelley et Parsons, 2000).

Votre santé sexuelle

Comment lutter contre le harcèlement sexuel en milieu de travail

Vous êtes victime de harcèlement sexuel au travail ? Voici des moyens de vous défendre.

1. Tenez tête à la personne qui vous harcèle. Indiquez-lui sans équivoque qu'elle se rend coupable de harcèlement sexuel, que vous ne le tolérerez pas et que vous vous plaindrez à qui de droit si elle continue. Si vous préférez procéder par écrit, décrivez en détail les incidents, stipulez que vous vous opposez fermement à ce type de comportement et précisez les dispositions que vous prendrez si le harcèlement ne cesse pas immédiatement. Envoyez cette lettre par courrier recommandé et conservez-en une copie.

2. Si le harcèlement ne prend pas fin, parlez-en à votre supérieur hiérarchique, à celui de la personne qui vous harcèle ou aux deux.

3. Si vos protestations demeurent lettre morte, que ni votre harceleur ni les supérieurs n'en tiennent compte, tentez de rallier le soutien de vos collègues. Vous constaterez peut-être avec surprise que vous n'êtes pas la seule victime dans l'entreprise. La sympathie qu'on recueille en parlant aux autres du harcèlement dont on fait l'objet suffit parfois à le faire cesser. Tenez-vous-en cependant rigoureusement aux faits, de façon à éviter toute possibilité de poursuite en diffamation.

4. Si vos tentatives de régler le problème à l'interne ont échoué, qu'on vous congédie, qu'on vous rétrograde ou qu'on vous refuse de l'avancement parce que vous résistez au harcèlement, vous pouvez déposer une plainte auprès de la Commission des droits de la personne de votre province. Au Québec, il y a également la Commission de la santé et de la sécurité du travail (CSST).

5. Enfin, vous voudrez peut-être entreprendre des procédures judiciaires pour régler votre problème de harcèlement sexuel. La cour se montre généralement favorable aux victimes de harcèlement qui ont d'abord tenté de résoudre le problème à l'interne avant de recourir aux tribunaux.

Le harcèlement sexuel en milieu scolaire se distingue du harcèlement sexuel en milieu de travail. Il est la plupart du temps possible pour la personne harcelée de changer d'enseignant. En milieu de travail, cependant, la victime dispose généralement de moins d'options pour éviter ou fuir le harcèlement sexuel de son employeur. En milieu scolaire, des étudiants peuvent subir une forme de chantage de la part d'un professeur qui souhaite obtenir des faveurs sexuelles en échange de bonnes notes, d'une lettre de recommandation ou du coup de pouce nécessaire à l'obtention d'un emploi ou d'un stage convoité. Le harcèlement sexuel peut entraîner de moins bons résultats scolaires et avoir un impact négatif sur le cheminement de la victime, la forçant parfois à changer d'orientation, ce qui ressemble aux conséquences du harcèlement sexuel en milieu de travail (Bingham et Battey, 2005; Bruns et Bruns, 2005).

Par ailleurs, les étudiants évaluent mal le danger de s'engager sexuellement avec une personne dont pourrait dépendre la suite de leurs études et leur carrière future. Fort de son autorité et de son prestige, l'enseignant a beau jeu de profiter de l'admiration qu'il suscite. Or, une telle situation n'est pas sans conséquence. Ainsi, les victimes de ce genre de harcèlement finissent par se demander si leur réussite scolaire est attribuable à leur talent ou à l'intérêt sexuel qu'elles ont suscité chez leur enseignant (Satterfield et Muehlenhard, 1990).

Que faire quand on est victime de harcèlement sexuel durant ses études? Pour y échapper, certains étudiants abandonnent le cours ou changent d'établissement. Toutefois, nous croyons qu'il vaut mieux dénoncer le harcèlement dont on fait l'objet: on contribue ainsi à limiter ces actions importunes et à ce que d'autres ne deviennent la proie du même enseignant (les harceleurs ayant généralement plusieurs victimes). Il peut aussi être bon d'avertir le directeur du département ou le recteur. Si la réaction de ces autorités ne semble pas adéquate, on peut faire appel à l'ombudsman. La plupart des universités et des collèges ont une politique ferme à l'égard du harcèlement sexuel et offrent des services aux victimes. Cette démarche peut-elle influer sur les notes de l'étudiant? Sachez que la Charte des droits et libertés de la personne interdit les représailles contre toute personne qui, en toute bonne foi, a déposé une plainte pour harcèlement sexuel. De plus, un enseignant coupable de telles actions sera généralement surveillé de près et aura donc beaucoup moins de latitude pour continuer à harceler ses victimes.

L'agression sexuelle envers des enfants

La violence sexuelle physique et psychologique envers des enfants est un problème qui a pris des proportions stupéfiantes ici et partout dans le monde. Cette forme d'agression peut avoir des conséquences graves et durables. Voici deux témoignages révélateurs.

> Comment me débarrasser de mes «flashs»? J'ai été abusée sexuellement par mon oncle, mon père, mon grand-père et violée par mon parrain à l'âge de 6 ans. Je ne peux pas avoir des relations stables avec un garçon. Ma vie amoureuse est nulle. Je ne peux rien y faire. J'aime, mais je ne peux être aimée. J'aimerais savoir s'il y a d'autres femmes comme moi, qui vivent les mêmes choses. En moi, il y a toujours cette enfant. Mon Dieu que je voudrais lui venir en aide! (Site Élysa)

> Je vous écris, car j'aimerais avoir votre opinion. Quand j'étais un petit garçon, vers 10 ans environ, ma mère voulait systématiquement me forcer à laver mon pénis. Elle insistait violemment pour que je fasse coulisser mon prépuce afin qu'elle puisse mettre du savon dessus. Je refusais sans pouvoir lui tenir tête, cela provoquait de violents conflits; plusieurs fois, elle est arrivée à me mettre du savon sur le gland. La douleur que j'ai ressentie à cette époque était si violente que c'est comparable à une plaie sur laquelle on verse de l'alcool à 90 degrés. Je suis persuadé que ma mère voulait me faire mal. Adulte, il m'est arrivé de revivre cela inconsciemment en me faisant moi-même mal avec du parfum. Suis-je devenu masochiste? Ignorer à ce point la sensibilité du sexe d'un enfant, c'est être un monstre. Son obstination à vouloir me laver le sexe et à ne pas vouloir entendre ma douleur d'enfant fait-elle d'elle une violeuse? Peut-on parler de mère incestueuse? Merci de bien vouloir répondre. Je pense que ce sujet peut intéresser tout le monde. Les femmes aussi peuvent être des monstres avec leurs enfants. (Site Élysa)

Dans cette partie du chapitre, nous examinons la prévalence des maltraitances envers des enfants, les effets qu'elles ont sur plusieurs victimes et les moyens à prendre pour en réduire le nombre. Nous voyons également comment aider ceux qui en ont été victimes.

L'agression sexuelle envers un enfant désigne tout contact sexuel, peu importe lequel (toucher non approprié, contact buccogénital, pénétration), toute incitation à un tel contact, toute exposition à des scènes de nature sexuelle impliquant un enfant. Au Canada, selon le Code criminel, il n'y a inceste que dans les cas de rapports

> **Agression sexuelle envers un enfant** Tout contact sexuel, incitation à un tel contact et exposition à des scènes de nature sexuelle impliquant un enfant.

sexuels avec pénétration pénis-vagin entre un enfant et des personnes ayant des liens de sang avec lui (père, mère, grand-père, grand-mère, frère, sœur, demi-frère, demi-sœur) (Schabas, 1995) ; sans ces conditions, le délit portera plutôt sur les contacts sexuels entre un adulte et un enfant de moins de 16 ans. La notion d'inceste est souvent interprétée plus largement dans la pratique des professionnels de la santé. L'inceste comprend alors l'ensemble des activités sexuelles avec contacts entre des adultes et des enfants apparentés, quelle que soit la nature de leurs liens (liens d'adoption, famille reconstituée, par exemple) ; l'inceste inclut également les contacts sexuels avec un frère, une sœur, un cousin, etc. La notion d'inceste varie aussi en fonction des cultures, mais c'est l'interdit sexuel le plus répandu dans le monde et dans l'histoire.

L'inquiétude des mères devant la vulnérabilité de leurs filles aux agressions sexuelles peut mener à des formes extrêmes de protection, comme le montre l'encadré *Au-delà des frontières* ci-après.

On parle d'une agression sexuelle envers un enfant dès qu'on estime que celui-ci ne peut pas vraiment consentir à l'activité sexuelle en raison de son jeune âge, et ce, qu'il y ait eu usage ou non de la violence. Un consentement valable sous-entend, rappelons-le, une connaissance et une compréhension suffisantes d'un acte et de ses conséquences, de même qu'une liberté totale et inconditionnelle d'y consentir ou non. Ce sont des conditions que les enfants ne peuvent remplir dans aucune situation de relation avec un adulte. L'exploitation de la naïveté et de la confiance des enfants par des adultes devient un problème grave dans le contexte des échanges sur Internet, et nous en discutons plus loin.

La plupart des chercheurs font une distinction entre la pédophilie et l'inceste. L'inceste se produit dans toutes les classes socioéconomiques et est illégal au Canada, peu importe l'âge des personnes en cause. Toutefois, les relations incestueuses entre adultes apparentés sont peu susceptibles de faire l'objet de poursuites judiciaires comparativement à celles qui concernent un enfant et un adulte. Bien qu'il soit communément admis que l'inceste père-fille est le plus répandu, les études révèlent que l'inceste entre frère et sœur ou entre proches cousins est assez fréquent (Canavan et coll., 1992). Dans près de 7 cas sur 10 d'agressions sexuelles envers des enfants, l'agresseur est un membre de la famille (Statistique Canada, 2008). Les relations sexuelles entre frère et sœur sont rarement dévoilées, et lorsqu'elles le sont, elles ne provoquent pas les réactions extrêmes que suscitent les contacts sexuels père-fille. Les agressions sexuelles perpétrées sous la contrainte par un frère, une sœur ou un parent ont souvent des conséquences dévastatrices pour l'enfant qui en est victime.

Dans un profil statistique sur la violence familiale au Canada, Statistique Canada indique que la proportion de voies de fait commises par l'un des deux parents diminue à mesure que vieillissent les enfants, alors que celle des agressions commises par un frère ou une sœur augmente (Sinha, 2012).

La relation incestueuse entre un père (ou un beau-père) et sa fille débute souvent sans que l'enfant en saisisse la signification. Au départ, il peut s'agir d'un jeu comprenant de la lutte, des chatouillements, des baisers et des touchers. Avec le temps, les activités iront plus loin et comprendront des attouchements des seins et des organes génitaux, parfois suivis de stimulations avec la bouche ou les mains et du coït. Dans la plupart des cas, pour arriver à ses fins, le père se sert de sa position d'autorité ou de l'intimité affective qu'il a avec l'enfant plutôt que de recourir à la force physique. Il peut inciter sa fille à

Inceste Atteinte sexuelle comportant des contacts sexuels entre deux personnes ayant un lien de parenté.

Pédophilie Atteinte sexuelle comportant des contacts sexuels entre un adulte et un enfant sans lien de parenté.

Au-delà des frontières

Le repassage des seins pour prémunir les fillettes contre les agressions sexuelles

Dans certaines régions d'Afrique occidentale et centrale, les femmes tentent de protéger les fillettes de leur famille contre les agressions sexuelles au moyen du « repassage » des seins. Lorsque la poitrine des filles commence à se développer, des femmes plus âgées, habituellement leurs mères, massent et compressent les seins naissants avec des objets durs et chauffés. Cette pratique cause le rétrécissement des tissus et entraîne l'aplatissement et l'affaissement des seins, des changements qui, espèrent les mères, masquent le développement sexuel des filles. Le « repassage » des seins est très douloureux et cause fréquemment des cloques, des abcès et des infections. Plusieurs filles qui l'ont subi ont aussi des difficultés à allaiter après avoir donné naissance à un enfant. Dans les régions où prévaut cette pratique traditionnelle, environ une adolescente sur quatre et quelque quatre millions de femmes, selon les estimations, ont vu leur poitrine modifiée de la sorte (Sa'ah, 2006).

avoir des activités sexuelles avec lui en l'assurant qu'il lui «enseigne» quelque chose d'important, en lui promettant des récompenses ou en tablant sur son besoin d'amour. Lorsque l'enfant se rend compte plus tard que ce comportement est inacceptable ou que les demandes de son père deviennent pénibles et traumatisantes, il peut être difficile pour elle d'y échapper. Occasionnellement, une fille peut apprécier la relation pour la reconnaissance particulière ou les privilèges qu'elle lui procure. La relation incestueuse peut être dévoilée lorsque la fille ressent de la colère envers son père, souvent pour des motifs non sexuels, et qu'elle décide de tout raconter. Parfois, la mère découvre avec horreur la relation entre son mari et sa fille. Dans d'autres familles, la mère est au courant de l'inceste, mais le tolère pour des raisons personnelles, que ce soit la honte, la peur de représailles, la crainte de briser les liens familiaux, ou le fait que cette relation lui évite d'avoir à répondre aux demandes sexuelles de son mari.

L'agression sexuelle père-fille est plus susceptible d'être dénoncée aux autorités que les autres variantes de l'inceste. Souvent, par contre, l'enfant ne voudra pas dévoiler la relation incestueuse par crainte des conséquences pour sa famille: emprisonnement du père, difficultés économiques pour la mère, placement possible de la victime en famille d'accueil, etc. La séparation et le divorce peuvent aussi s'ensuivre. Parfois, la victime sera tenue responsable de tout cela, d'où la forte pression qui s'exerce pour qu'elle garde le silence. Pour toutes ces raisons, l'enfant peut se montrer très réticente à en parler à quelqu'un de sa famille ou à un autre adulte, comme un enseignant ou une voisine.

Les auteurs d'agressions sexuelles sur des enfants

Les pédophiles qui ont été reconnus comme tels n'ont pas un profil particulier, outre le fait que la plupart sont des hommes hétérosexuels généralement connus des victimes (Murray, 2000; Salter et coll., 2003). Les agresseurs sexuels d'enfants se retrouvent dans toutes les catégories de la société, c'est-à-dire parmi toutes les classes sociales, tous les niveaux de scolarité et d'intelligence, tous les types d'emplois, d'appartenance religieuse et ethnique. Selon les données disponibles, notamment celles qui sont tirées des procès, l'agresseur serait une personne timide, solitaire, peu informée en matière de sexualité, possédant des valeurs morales ou religieuses (Bauman et coll., 1984). Certains pédophiles auraient peu de relations interpersonnelles et sexuelles avec d'autres adultes et se sentiraient socialement inadéquats ou inférieurs (Dreznick, 2003; Minor et Dwyer, 1997). Il n'est pas rare pour autant de rencontrer dans la vie courante des pédophiles qui sont bien éduqués, socialement intégrés, courtois et qui ont réussi financièrement (Baur, 1995). Ceux-ci vont souvent trouver leurs victimes chez des amis de la famille, des voisins ou des connaissances (Murray, 2000). Le fait d'avoir une relation sexuelle avec ces enfants peut être une façon de compenser les forts sentiments d'inaptitude qui caractérisent leurs relations sociosexuelles avec d'autres adultes.

Parmi les autres caractéristiques présentes chez certains pédophiles, mentionnons l'alcoolisme, de graves problèmes conjugaux, des difficultés sexuelles et une immaturité émotionnelle (Johnston, 1987; McKibben et coll., 1994). La majorité des agresseurs sexuels adultes ont commis leur premier délit alors qu'ils étaient adolescents (McKibben et Jacob, 1993). Plusieurs d'entre eux ont été victimes d'agressions sexuelles pendant leur enfance (Bouvier, 2003; Putnam, 2003).

Comme les pédophiles, ceux qui commettent l'inceste sont surtout des hommes qu'on peut difficilement caractériser ou catégoriser sous un profil type. Ils forment plutôt un groupe complexe et hétérogène d'individus qui peuvent ressembler à n'importe qui (Scheela et Stern, 1994). Cependant, l'incestueux a tendance à partager certaines caractéristiques avec de nombreux pédophiles. Il est économiquement défavorisé et sans emploi, il boit beaucoup et il est très religieux et immature émotionnellement (Rosenberg, 1988; Valliant et coll., 2000). Son comportement incestueux peut être dû à une tendance générale à la pédophilie, à de profonds sentiments d'inadéquation dans ses relations avec les adultes ou au rejet d'une épouse hostile; ses actes peuvent aussi être liés à l'alcoolisme ou à un trouble psychologique (Rosenberg, 1988). Il a aussi tendance à entretenir certaines distorsions cognitives au sujet des relations sexuelles entre un adulte et un enfant. Par exemple, il peut penser qu'un enfant qui ne lui offre pas de résistance désire le contact sexuel, que les relations sexuelles entre un adulte et un enfant sont une bonne méthode d'apprentissage du sexe, que la qualité de la relation entre un père et sa fille est meilleure s'il y a des contacts sexuels ou que les enfants ne dénoncent pas ce genre de contacts parce qu'ils les apprécient (Abel et coll., 1984).

La situation au Canada

En 2008, le nombre de signalements d'agressions sexuelles sur des enfants de moins de 18 ans était 1,5 fois supérieur au nombre de signalements du même ordre concernant des victimes âgées de 18 à 24 ans. Il s'agit du deuxième type de crime le plus fréquent commis contre les enfants et les jeunes de moins de 18 ans.

La majorité (80 %) des infractions sexuelles commises contre de jeunes victimes de moins de 18 ans étaient des agressions sexuelles de niveau 1 (c'est-à-dire des agressions non armées qui entraînent des blessures ne nécessitant pas une intervention médicale). Les autres crimes sexuels perpétrés contre des enfants et des jeunes, dont les contacts sexuels, l'incitation à des contacts sexuels et l'exploitation sexuelle, représentaient 19 % de toutes les infractions sexuelles commises à leur endroit. Les formes les plus sévères d'agression sexuelle sur des jeunes, y compris l'agression sexuelle armée ou l'agression sexuelle grave, constituaient environ 1 % des cas signalés (Statistique Canada, 2010b).

Toujours en 2008, 82 % des signalements visaient des filles de moins de 18 ans; c'est cinq fois plus que le nombre de victimes masculines. Dans 75 % des cas, la victime connaissait l'agresseur. La majorité des victimes de moins de 12 ans, cependant, ont été agressées par une personne qui n'avait aucun lien de parenté avec elles (Statistique Canada, 2010b).

Par ailleurs, on relève une diminution de plus de 50 % des signalements d'agression sexuelle sur des enfants entre 1998 et 2008 (Trocmé, 2012). «Certains prétendent que cela reflète une réelle diminution des taux de victimes d'agressions sexuelles, attribuable à la prévention étendue, à la détection et aux poursuites judiciaires. D'autres craignent que les enfants et les parents non agresseurs soient de plus en plus hésitants à signaler la violence» (Collin-Vézina et coll., 2010 dans Trocmé 2012, p. 4).

Selon l'Étude canadienne sur l'incidence des signalements de cas de violence et de négligence envers les enfants (Agence de la santé publique du Canada, 2010a), les agressions sexuelles comptaient pour 3 % de l'ensemble des mauvais traitements corroborés envers les enfants en 2008. Les cas dits «corroborés» sont ceux qui ont été jugés fondés après enquête.

Le souvenir retrouvé d'agressions sexuelles survenues durant l'enfance

> Est-ce possible de sentir qu'on a été victime d'inceste sans toutefois avoir le souvenir des actes incestueux? Dans ma vie, je me sens sexuellement abusée, sans savoir pourquoi, car je n'ai pas de souvenirs précis. Ma mère pense que mon père a abusé de moi. Elle dit que mon père en arrivant du travail se mettait nu, qu'il m'amenait dans sa chambre et que je pleurais. J'avais moins de 5 ans. Un autre membre de ma famille m'a confirmé s'être présenté à la maison et avoir vu que mon père et moi étions nus quand il avait ouvert la porte. [...] (Site Élysa)

Cette question posée sur un site Web en soulève plusieurs autres sur la remémoration d'agressions sexuelles oubliées. Les médias ont fait état de nombreux cas de présumés agresseurs sexuels qui ont été poursuivis, puis condamnés sur la base de témoignages de femmes adultes qui avaient «retrouvé» le souvenir des agressions sexuelles dont elles avaient été victimes dans leur enfance. Cette remémoration se produit généralement pendant une psychothérapie. Mais une personne peut-elle ainsi refouler les souvenirs d'agressions sexuelles qu'elle a vécues des années, voire des dizaines d'années auparavant, puis, soudainement ou graduellement, les «retrouver» sous l'effet de certains stimuli déclencheurs? Ou le souvenir d'un événement qui ne se serait jamais produit dans l'enfance peut-il s'insinuer chez un adulte, puis prendre forme comme s'il avait vraiment existé? Ces questions sont au cœur du débat entre cliniciens, chercheurs et avocats.

Les sceptiques des «souvenirs retrouvés» font valoir que des milliers de familles et de personnes ont été anéanties par cette tendance répandue à considérer ces souvenirs comme des vérités en l'absence de preuves valables. Ils citent, à l'appui de leurs réticences, les cas de personnes qui ont été faussement accusées et condamnées, puis exonérées soit par le système judiciaire, soit par la rétractation de la prétendue victime (Colangelo, 2007; Frazier, 2006; Gardner, 2006).

La possibilité d'être faussement accusé d'agression sexuelle est cauchemardesque. Mais arrive-t-il si souvent que de telles accusations se révèlent fausses? Autrement dit, quelle est la probabilité que ces souvenirs retrouvés soient purement imaginaires? Pour se faire une meilleure idée de la question, considérons quelques données.

Plusieurs études confirment le bien-fondé des souvenirs retrouvés. Dans une recherche, on a identifié 129 femmes adultes qui avaient subi une agression sexuelle dans les années 1970 et on les a interrogées au cours des années 1990. Parmi elles, 38 % ne se rappelaient pas les mauvais traitements qui avaient été signalés et documentés 17 ans auparavant. L'auteur de la recherche en conclut que si l'absence de souvenir d'une agression sexuelle est quelque chose de fréquent chez les femmes adultes, alors la remémoration subséquente de l'agression sexuelle chez certaines femmes ne doit pas étonner (Williams, 1994). Dans une autre étude, on a interrogé 45 femmes adultes qui avaient été victimes d'agressions sexuelles durant l'enfance; 56 % d'entre elles ont affirmé n'en avoir eu aucun souvenir pendant des périodes de temps variables, et 16 % ont mentionné que le souvenir de ces agressions s'était manifesté pendant qu'elles étaient en psychothérapie (Rodriguez et coll., 1997). Selon une enquête menée auprès de centaines d'étudiants universitaires, 20 % des 111 personnes qui ont subi une agression sexuelle durant leur enfance ont déclaré en avoir retrouvé le souvenir (Melchert et Parker, 1997). Enfin, une revue de la littérature sur les souvenirs retrouvés rapporte avoir dénombré 30 études d'adultes victimes d'agressions sexuelles durant l'enfance. Entre 19 et 59 % des participants à ces études avaient d'abord oublié puis s'étaient souvenus plus tard de certaines ou de toutes les agressions (Stoler, 2001).

D'un autre côté, plusieurs chercheurs ont exprimé leur scepticisme à l'égard de ces souvenirs retrouvés. Certains ont prétendu que les «souvenirs refoulés» avaient été involontairement inculqués à des clients réceptifs par des psychothérapeutes trop zélés, ou insuffisamment formés, qui croient que la plupart des problèmes psychologiques des gens proviennent d'agressions sexuelles survenues durant l'enfance (Colangelo, 2007; Gardner, 2006; Gross, 2004). De nombreuses études ont démontré la facilité relative avec laquelle des souvenirs d'événements qui ne se sont jamais produits peuvent être créés dans des laboratoires de recherche (Brainerd et Reyna, 1998; Loftus et coll., 1994; Porter et coll., 1999). Au cours d'une étude de 11 semaines, par exemple, de jeunes enfants ont été interrogés à intervalles d'une semaine pour savoir s'ils avaient vécu cinq événements distincts. Quatre des événements étaient réels et un – avoir reçu des soins à l'hôpital pour une blessure à un doigt – était fictif. Les enfants ont reconnu correctement les événements réels. Mais plus d'un tiers d'entre eux en sont venus à croire qu'un de leurs doigts avait été réellement blessé. Certains se sont même souvenus de détails précis à propos de leur blessure. Plusieurs ont continué de soutenir que leur faux souvenir était vrai même après qu'on leur eut dit qu'il n'en était rien (Ceci et coll., 1994).

Alors, où en sommes-nous maintenant avec cette controverse? L'Association américaine des psychologues, l'Association américaine de psychiatrie et l'Association médicale américaine ont toutes défendu l'idée que des souvenirs peuvent être réactivés plus tard dans la vie. Ces organisations professionnelles acceptent aussi qu'un souvenir puisse être suggéré et considéré comme vrai par la suite. Durant les dernières années, le débat autour des souvenirs retrouvés s'est atténué, et les professionnels de la santé se sont mis en quête d'un terrain d'entente et de moyens de collaborer au lieu de se disputer (Colangelo, 2007). Les données de recherche indiquent que les souvenirs retrouvés peuvent être tantôt fictifs tantôt authentiques (Geraerts et coll., 2009). Il y a maintenant un consensus selon lequel le cerveau traite souvent les souvenirs traumatisants différemment des souvenirs d'événements ordinaires et que les souvenirs retrouvés sont possibles sans être toujours entièrement exacts (Colangelo, 2007). Toutefois, il est important de ne pas perdre de vue que, malgré l'attention que les médias accordent aux personnes qui se disent faussement accusées, l'agression sexuelle envers des enfants est une réalité et non une question théorique. Le débat sur les souvenirs retrouvés ne doit pas nous ramener au temps où les victimes d'agressions sexuelles ne dévoilaient pas leur expérience traumatisante de peur de ne pas être crues. De la même façon, nous avons la responsabilité de protéger la personne innocente contre des accusations fondées sur de faux souvenirs.

Les pédophiles dans le cyberespace

Avant le développement d'Internet, les pédophiles se trouvaient la plupart du temps isolés les uns des autres. Maintenant, avec l'existence de plusieurs groupes de soutien en ligne, les pédophiles ont saisi l'occasion d'échanger entre eux de la pornographie juvénile, de raconter les agressions qu'ils ont commises sur des enfants, d'en discuter et de les faire approuver, renforçant l'idée fausse qu'il est légitime d'avoir des activités sexuelles entre adultes et enfants (Lambert et O'Halloran, 2008; Malesky et Ennis, 2004). Internet a aussi facilité la vie des pédophiles dans leur recherche de victimes potentielles: profitant de l'anonymat et écumant librement le cyberespace, ils recourent à toutes sortes de subterfuges pour leurrer des jeunes peu méfiants (Philaretou, 2005). Ces cyberprédateurs peuvent explorer les différents sites d'affichage et fréquenter les sites de clavardage pour enfants et adolescents en se faisant passer pour un des leurs, ce qui constitue une infraction au Code criminel canadien. Ces sites constituent des lieux privilégiés pour les adultes à la recherche d'enfants crédules qui ont besoin d'attention ou qui ont souvent des idées confuses sur la sexualité.

Bien que la plupart des pédophiles actifs dans le cyberespace soient des hommes, de plus en plus de données indiquent que près du tiers des pédophiles en ligne sont des femmes (Lambert et O'Halloran, 2008). Comme le font les prédateurs masculins dans le cyberespace, les femmes utilisent Internet pour exprimer un intérêt sexuel envers les enfants et affichent des caractéristiques similaires à celles des hommes qui recourent au même procédé (Lambert et O'Halloran, 2008).

L'approche typique des pédophiles est de commencer par gagner la confiance de l'enfant en se montrant vraiment empathique et en lui témoignant de l'intérêt pour ses problèmes et ses préoccupations. Ils peuvent ensuite essayer de convenir avec lui d'échanger des courriels, des lettres ou des appels téléphoniques. Vient alors la sexualisation des communications (cybersexe, pornographie) pour accoutumer l'enfant à ces dimensions de l'agression. L'étape finale consiste à planifier une rencontre en personne. Plusieurs crimes sexuels via Internet n'impliquent pas le recours à la force et se rapprochent plus de l'infraction sexuelle à l'égard d'un mineur. Les adultes contrevenants utilisent alors Internet pour faire la connaissance de jeunes adolescents, les rencontrer, développer une relation avec eux et les séduire ouvertement (Wolak, 2008).

Pour plusieurs, ces histoires évoquent des images d'hommes à la bave qui coule, aux cheveux hirsutes, vêtus d'un imperméable et rivés à leur écran d'ordinateur au lieu de se tenir aux alentours des terrains de jeux d'écoles. Cependant, un tel stéréotype ne correspond pas à tous les pédophiles qui écument le cyberespace. Plusieurs délinquants proviennent de la classe moyenne supérieure et de diverses professions et misent sur l'anonymat apparent d'Internet pour explorer leurs fantasmes pédophiles et parfois, malheureusement, passer à l'acte (Curry, 2000).

Les conséquences pour les victimes

De nombreuses recherches suggèrent que les agressions sexuelles que subissent les enfants peuvent être des expériences très traumatisantes et perturbatrices émotionnellement et laisser d'importantes séquelles à long terme chez plusieurs victimes (Miner et coll., 2006; Noll et coll., 2003; Putman, 2009). Dans les rencontres cliniques, les adultes qui ont été agressés sexuellement durant leur enfance ont gardé de celle-ci le souvenir d'une période remplie de détresse et de confusion. Ils parlent de perte de leur innocence d'enfant, de contamination et d'interruption de leur développement sexuel normal, et expriment un fort sentiment de trahison de la part d'un parent, d'un ami de la famille, d'un prêtre ou d'un membre du clergé, ou d'un leader de la communauté.

Plusieurs facteurs influent sur la gravité des séquelles de l'agression sexuelle chez la victime. Plus cette situation a duré longtemps, moins elle aura de chances de surmonter le traumatisme lié à l'agression (S. Brown et coll., 2008; McLean et Gallop, 2003). Les sentiments d'impuissance et de trahison peuvent être particulièrement profonds s'il y a eu usage de force et si la victime avait un lien étroit avec son agresseur. Ces deux derniers facteurs jouent probablement un rôle très important dans la gravité des séquelles (S. Brown et coll., 2008; Hanson et coll., 2001). D'autres facteurs connus pour influer sur l'ampleur des conséquences sont l'âge de la victime et de l'agresseur au début de l'agression, le sentiment de responsabilité de la victime et le nombre d'agresseurs (S. Brown et coll., 2008). Le jeune âge de l'enfant, l'importance de l'écart d'âge entre la victime et son agresseur, celle du sentiment de responsabilité de la victime et le nombre d'agresseurs sont tous des variables qui contribuent à augmenter la gravité des séquelles de l'enfant agressé.

Nombre de personnes agressées sexuellement durant l'enfance ont de la difficulté à nouer des relations intimes à l'âge adulte (Rumstein-McKean et Hunsley, 2001; Vandeusen et Carr, 2003). Lorsque des relations s'établissent, elles sont souvent pauvres sur le plan affectif et rarement épanouissantes sur le plan sexuel (Feiring et coll., 2009; Leonard et coll., 2008). Chez les deux sexes, les difficultés sexuelles à l'âge adulte sont fortement liées à l'agression sexuelle subie durant l'enfance (Lemieux et Byers, 2008; Najman et coll., 2005). Parmi les autres

symptômes souvent observés chez les victimes d'agressions sexuelles survenues durant l'enfance, on note une faible estime et une image négative de soi, la culpabilité, la honte, la dépression et peu d'espoir d'être un jour heureuses, un manque de confiance envers les autres, une répugnance à être touchées, l'abus d'alcool et de drogues, l'obésité, de fortes tendances suicidaires, une prédisposition générale à la victimisation, des problèmes de santé persistants, tels que des douleurs pelviennes chroniques et des troubles gastro-intestinaux (Arreola et coll., 2008; Klanecky et coll., 2008; Colangelo, 2007; Putman, 2009).

L'état de stress post-traumatique (ESPT) fréquemment observé chez les femmes qui se sont fait violer prévaut aussi chez plusieurs femmes qui ont été agressées sexuellement pendant leur enfance. Environ la moitié des victimes d'agressions sexuelles satisfont les critères de l'ESPT (Frazier et coll., 2009). Les symptômes d'ESPT chez les enfants se caractérisent par la présence de cauchemars, une certaine apathie psychique (diminution de réactivité au monde extérieur), une perte d'intérêt pour des activités qui les intéressaient auparavant, des comportements d'évitement des pensées, des sentiments et des activités qui ravivent les souvenirs de l'agression, une peur irrationnelle d'être abandonnés par ceux qui en ont la garde, une rêverie excessive, des oublis et des troubles de mémoire (Frazier et coll., 2009; Putman, 2009). Enfin, les études montrent que les adultes qui ont été victimes d'agressions sexuelles pendant l'enfance ont des comportements parentaux préjudiciables, tels qu'une discipline incohérente ou sévère et une surveillance inadéquate de leurs enfants (Martsolf et Draucker, 2008).

La recherche montre que les hommes et les femmes peuvent être affectés différemment par des agressions sexuelles durant l'enfance. Deux méta-analyses d'études basées sur des échantillons d'étudiants universitaires (Rind et coll., 1998) et des échantillons probabilistes de la population américaine (Rind et Tromovitch, 1997) révèlent que les hommes tendent à être moins perturbés que les femmes par de telles violences. Cependant, ce ne sont pas toutes les recherches qui en arrivent à cette conclusion. Par exemple, une recherche portant sur quelque 1500 adolescents de 12 à 19 ans a indiqué que les garçons avaient plus de problèmes émotionnels et comportementaux que les filles (Garnefski et Diekstra, 1997).

De nouvelles approches thérapeutiques ont été développées pour aider les victimes d'agressions sexuelles survenues durant l'enfance à surmonter les difficultés liées à cette expérience (Putnam, 2003; Vandeusen et Carr, 2003; Wolfsdorf et Zlotnick, 2001). Ces approches utilisent des thérapies individuelles, de groupe ou de couple. (Les personnes qui aimeraient avoir plus d'information sur l'aide professionnelle disponible peuvent se reporter au chapitre 10.)

Il existe également des ressources publiques destinées à offrir un soutien aux victimes. Au Québec, il y a les centres d'écoute et de référence comme Tel-jeunes et les Centres d'aide et de lutte contre les agressions à caractère sexuel (CALACS) déjà mentionnés plus haut. Mais surtout, il existe une institution publique vouée à contrer les mauvais traitements envers les enfants et à leur procurer tout le soutien nécessaire : la Direction de la protection de la jeunesse (DPJ). Chaque province canadienne a également mis en place des services de protection de l'enfance.

La prévention des agressions sexuelles envers les enfants

La plupart des délits sexuels contre des enfants sont perpétrés par une connaissance de la victime. Certains professionnels de la santé croient donc qu'on pourrait protéger beaucoup d'enfants si on leur apprenait qu'ils ont le droit de dire non, si on leur montrait la différence entre les «bons» touchers et les «mauvais», et si on leur enseignait comment repousser un adulte qui tente de les forcer à avoir des contacts intimes.

Comme nous l'avons mentionné au chapitre 6, les parents ont tendance à éviter de parler de sexualité avec leurs enfants. Aussi il serait illusoire de croire que le seul dialogue parents-enfants sera suffisant pour prévenir les agressions sexuelles contre ces derniers, d'autant plus que certains agresseurs sont précisément les parents de ces enfants. La liste qui suit, construite à partir de différentes sources, présente à cet effet des suggestions qui peuvent être utiles aux parents, aux éducateurs et aux autres personnes qui s'occupent des enfants.

1. Il importe d'utiliser un matériel de prévention approprié, en tenant compte que 25 % des enfants agressés sexuellement le sont avant l'âge de 7 ans (Finkelhor, 1984a). On ne doit pas négliger la prévention auprès des garçons, car eux aussi peuvent être des victimes.

2. Les éducateurs et les parents seront d'autant plus efficaces s'ils savent présenter la notion d'agression sexuelle dans des termes appropriés au monde des enfants (Finkelhor, 1984b).

3. Évitez de présenter les agressions sexuelles de façon trop effrayante. Il est important que les enfants soient conscients du fait qu'ils pourraient être la cible d'un agresseur sexuel adulte. Cependant, ils doivent aussi avoir suffisamment confiance en leur capacité à éviter ce genre de situation.

4. Prenez le temps de bien expliquer aux enfants la différence entre les bons touchers qui sont plaisants (tapes amicales, étreintes, câlins) et les mauvais touchers qui les rendent mal à l'aise et confus. Les mauvais touchers peuvent être illustrés par des exemples comme se faire toucher sous les vêtements ou les sous-vêtements, ou sous le maillot de bain. Assurez-vous que les enfants comprennent qu'ils n'ont jamais à toucher les parties génitales d'un adulte, même si celui-ci leur dit que c'est correct. C'est aussi une bonne idée de mettre en garde les enfants contre les mauvais baisers (contact prolongé des lèvres ou introduction de la langue dans la bouche).

5. Enseignez aux enfants qu'ils ont des droits : le droit de disposer de leur corps et le droit de dire non lorsque quelqu'un les touche et que cela les rend mal à l'aise.

6. Encouragez les enfants à avertir tout de suite quelqu'un s'ils sont touchés d'une façon qui les rend mal à l'aise ou si un adulte leur demande de faire quelque chose qui les met mal à l'aise. Insistez sur le fait que vous ne serez pas fâché contre eux s'ils vous en parlent ; dites-leur que c'est correct d'agir ainsi même si l'agresseur leur dit que cela leur causera des problèmes. Faites-leur bien comprendre que ce genre de situation n'est pas de leur faute et qu'ils n'ont pas à être blâmés pour cela. Avertissez-les que certains adultes ne les croiront pas. Dites-leur de continuer à en parler jusqu'à ce qu'ils trouvent une personne qui les croira.

7. Parlez avec eux des stratagèmes que les adultes peuvent utiliser pour amener des enfants à participer à des activités sexuelles. Par exemple, dites-leur de se fier à leur impression lorsqu'ils sentent que quelque chose cloche, même si un adulte qui est un ami ou un parent leur affirme que c'est correct et qu'il veut leur «montrer» quelque chose d'utile. Étant donné que beaucoup d'adultes leur diront que c'est «leur secret à eux», ce pourrait être très indiqué de leur expliquer la différence entre un secret (quelque chose que personne ne doit jamais dire : une mauvaise idée) et une surprise (une bonne idée parce que c'est quelque chose qui rendra une personne heureuse lorsqu'on le lui dira).

8. Discutez de la façon de se sortir d'une situation qui les rend mal à l'aise ou qui est dangereuse. Il est bon que les enfants sachent que c'est correct de crier au secours, de hurler, de se sauver ou de chercher de l'aide auprès d'un ami ou d'un adulte de confiance.

9. Encouragez les enfants à dire à quelqu'un qui les touche qu'ils iront le raconter à un adulte en particulier. Les entrevues menées auprès d'agresseurs sexuels d'enfants révèlent que plusieurs d'entre eux auraient renoncé à commettre le mauvais traitement si l'enfant leur avait dit qu'il irait en parler à un adulte en particulier (Budin et Johnson, 1989 ; Daro, 1991).

10. Enfin, et c'est peut-être la chose la plus importante à leur transmettre, surtout de la part des parents, dites aux enfants que les attouchements intimes peuvent être très agréables et qu'ils pourront les apprécier avec une personne qu'ils aiment lorsqu'ils seront plus vieux. Ce message doit aussi faire partie de la prévention. Autrement, l'enfant risque de développer une vision négative de tous les contacts sexuels entre des personnes, quel que soit le contexte de la relation.

Un dernier point. Dans les méthodes de prévention, il est important d'inciter les enfants à signaler des mauvais traitements réels dont ils pourraient être victimes. Toutefois, des précautions s'imposent en raison du caractère influençable des enfants en présence d'adultes. La tristement célèbre affaire d'Outreau, en France, dans laquelle plusieurs enfants ont inventé de toutes pièces des sévices qu'ils auraient subis, en grande partie sous l'influence d'adultes bien intentionnés mais maladroits, nous incite à la prudence. Dans cette affaire judiciaire, plusieurs erreurs ont été commises au nom du respect absolu de la parole d'enfants prétendument «victimes» d'un réseau de pédophiles d'une cinquantaine de personnes. Malgré des incohérences et des invraisemblances dans les témoignages, des intervenants spécialisés ont continué à monter un lourd dossier sur les accusés. Or, la réalité était tout autre: aucune des supposées agressions n'avait été commise par les «notables» accusés, et la vérité a fini par éclater. L'affaire a été classée comme étant sans fondement. Entre-temps, un des accusés s'était suicidé, incapable de supporter la pression sociale qui s'exerçait sur lui (Iacub et Mainiglier, 2005).

Lorsque les enfants racontent l'agression

La recherche révèle que les enfants qui ont été agressés sexuellement attendent un certain temps avant de le dire à un parent ou à un autre adulte, ou ne le disent à personne (Goodman-Brown et coll., 2003; Leander, 2007). Une étude suédoise récente montre que les enfants sexuellement agressés sont nettement plus portés à révéler l'agression à un ami de leur âge qu'à un adulte (Priebe et Svedin, 2008). Les garçons victimes d'agressions sexuelles sont moins susceptibles que les filles de dévoiler l'agression, pour des raisons similaires à celles des hommes adultes sexuellement agressés (la honte, la peur des réactions négatives, etc.) (Sorsoli et coll., 2008). C'est un fait que de nombreux enfants ne dévoilent pas l'agression qu'ils ont subie avant d'être devenus adultes, s'ils le font (Berliner et Conte, 1995; Goodman-Brown et coll., 2003). La peur d'être puni ou abandonné, les sentiments de complicité, de culpabilité et de honte se conjuguent pour confiner l'enfant au silence et l'empêcher de révéler l'agression

(Goodman-Brown et coll., 2003). Une étude portant sur 218 enfants agressés sexuellement a montré que plusieurs facteurs interagissent dans la décision de l'enfant de ne pas raconter tout de suite l'agression:

1. la peur des conséquences négatives que cela pourrait avoir sur lui et les autres;

2. le sentiment d'être responsable de l'agression;

3. le lien avec l'agresseur (l'enfant attend plus longtemps lorsque l'agresseur est un membre de la famille);

4. l'âge de l'enfant (les enfants plus âgés craignent plus les conséquences négatives du dévoilement et attendent plus pour le faire) (Goodman-Brown et coll., 2003).

Comme nous l'avons dit plus tôt, les enfants souffrent de plusieurs façons d'une agression sexuelle. Leur crainte des conséquences potentielles s'ils révèlent ce qui leur est arrivé et donc leur hésitation à en parler ne fait qu'accentuer leur détresse. De plus, une réaction excessive des parents peut aggraver le traumatisme émotionnel de l'enfant qui a subi l'agression (Davies, 1995). Lorsqu'un enfant révèle ce qui lui est arrivé, ce n'est parfois que pour exprimer le malaise qu'il ressent par rapport à une situation qui lui échappe en grande partie. Si les parents réagissent par une agitation extrême, l'enfant aura l'impression de s'être prêté à une abomination dont il devrait se sentir extrêmement coupable. Cependant, même en l'absence d'une réaction outrée de la part d'un adulte, l'enfant agressé pourra se sentir coupable par contagion, parce qu'il aura perçu le sentiment de culpabilité de son agresseur.

Il est important de souligner qu'aucun parent ne peut laisser se produire ou perdurer une situation d'agression contre un enfant. Une telle activité ne doit jamais être ignorée! Il faut néanmoins réagir calmement aux

Une spécialiste des agressions sexuelles contre des enfants utilise des poupées pour expliquer aux enfants les sévices dont ils pourraient être la cible.

révélations de l'enfant et veiller à ce qu'il ne se trouve plus jamais seul avec son agresseur. Dans plusieurs cas, l'enfant a été agressé à répétition par la même personne et peut avoir développé un sentiment d'obligation et de culpabilité à l'égard de son agresseur. Il est essentiel de prendre les moyens requis pour assurer sa protection et empêcher l'agresseur de s'en prendre à d'autres. En effet, il est rare qu'un agresseur sexuel se contente d'une seule victime. Au Québec, la DPJ s'occupe de ce genre de situations. Cet organisme est régi par une loi spéciale dont un article, l'article 39, oblige toute personne qui a un motif de croire qu'un enfant est victime de mauvais traitements, y compris d'agression sexuelle, à le signaler sans délai à la DPJ locale. Les règles encadrant le secret professionnel ne permettent pas d'échapper à cette obligation de sorte qu'un thérapeute se doit aussi de dénoncer une personne qui a commis une agression, même si celle-ci est en processus de thérapie. Toute information est traitée confidentiellement par la DPJ et il n'est pas nécessaire de connaître les noms des personnes en cause pour signaler un cas possible d'agression.

Pour connaître les ressources disponibles dans les autres provinces canadiennes, on peut consulter le site Web du Centre d'excellence pour le développement des jeunes enfants (www.excellence-earlychildhood.ca).

RÉSUMÉ

Les agressions sexuelles

- L'agression sexuelle est définie comme «un geste à caractère sexuel, avec ou sans contact physique, commis par un individu sans le consentement de la personne visée ou, dans certains cas, notamment celui des enfants, par une manipulation affective ou du chantage».
- Il est difficile d'obtenir des données statistiques sur le nombre réel d'agressions sexuelles.
- De nombreuses idées fausses sur le viol tendent à alourdir la responsabilité de la victime pour mieux excuser l'auteur du crime.
- Dans les sociétés où le viol est répandu, ce crime est souvent le fruit de processus de socialisation qui glorifient la violence masculine, enseignent aux garçons à se montrer agressifs et rabaissent le rôle des femmes dans la vie économique et politique.
- La majorité des victimes d'agressions sexuelles sont des femmes; au moins 3 % des victimes seraient des hommes.
- La majorité des agressions sexuelles sont commises par une connaissance de la victime.
- La coercition sexuelle s'exerce fréquemment lors de rendez-vous. Les femmes sont plus souvent contraintes physiquement à des activités sexuelles que les hommes.
- Il n'existe pas de personnalité typique de l'agresseur sexuel, de grandes différences ayant été observées entre les agresseurs.
- Les agresseurs sexuels qui sont en prison ont une grande tendance à la violence. Les hommes qui adoptent les rôles traditionnels liés à la virilité sont plus susceptibles de commettre un viol que ceux qui ne les adoptent pas.

- L'attitude de certains violeurs est fortement imprégnée de colère envers les femmes. Certains agresseurs ont des personnalités de type égocentrique ou narcissique, ce qui les rend souvent insensibles aux émotions exprimées par les personnes qu'ils agressent.
- La violence sexuelle diffusée dans les médias peut contribuer à désensibiliser les gens face à l'agression sexuelle et même à accroître l'agressivité envers les femmes.
- Des individus sans scrupules utilisent les diverses drogues du viol pour multiplier leurs exploits sexuels ou soumettre à leur pouvoir les personnes avec lesquelles ils sortent.
- Le viol est utilisé comme stratégie de guerre. En plus de servir à humilier et à contrôler les femmes, les viols commis en temps de guerre ont aussi pour but de détruire la famille et la société.
- Les hommes qui ont été agressés sexuellement subissent souvent les mêmes séquelles à long terme que les femmes.
- Les victimes d'agressions sexuelles souffrent généralement de graves difficultés émotionnelles et physiques. On qualifie d'état de stress post-traumatique les troubles affectifs et physiques graves dont elles sont affligées.
- Le counseling individuel ou de groupe peut aider les victimes de viol à combattre le traumatisme qui en résulte.

Le harcèlement sexuel

- On qualifie de harcèlement sexuel en milieu de travail tout comportement sexuel indésirable qui suscite le malaise ou qui nuit au travail d'une personne.

- On distingue deux types de harcèlement sexuel. Le premier suppose un jeu de pouvoir. Lorsque la victime refuse de se soumettre à des avances sexuelles, cela nuit à son travail ou à son avancement. Dans le second, des propos ou des gestes à caractère sexuel de la part de supérieurs hiérarchiques ou de collègues transforment le milieu de travail en un environnement hostile.

- Le harcèlement sexuel peut avoir des conséquences d'ordre économique, affectif et physique pour la victime.

- Le harcèlement sexuel a aussi cours en milieu scolaire. La plupart du temps, ce sont des professeurs de sexe masculin qui harcèlent des étudiantes.

L'agression sexuelle envers des enfants

- Une agression sexuelle envers un enfant est un contact sexuel entre un adulte et un enfant. Lorsque l'adulte n'a pas de lien de parenté avec l'enfant, on parle de pédophilie; dans le cas contraire, on parle d'inceste.

- La majorité des agresseurs sexuels d'enfants sont des hommes. Ce sont pour la plupart des proches, des amis ou des voisins dont la jeune victime n'est pas portée à se méfier.

- Il n'y a pas de profil type du pédophile en dehors du fait que la plupart sont hétérosexuels et connus de la victime. Ceux qui sont poursuivis en justice sont généralement timides, solitaires, conservateurs et souvent imprégnés de valeurs morales ou religieuses. Ils ont souvent peu de relations avec d'autres adultes et ont tendance à se sentir inadéquats et inférieurs socialement.

- La pédophilie en ligne est très répandue. Comme il n'existe toujours pas de moyens techniques efficaces pour protéger les enfants contre ce fléau, les parents doivent faire preuve d'une très grande vigilance.

- Les enfants victimes d'agressions sexuelles sont privés de leur innocence. Ils éprouvent un profond sentiment de trahison et sont perturbés dans leur développement sexuel. À l'âge adulte, ils peuvent souffrir d'une faible estime de soi et avoir de la difficulté à établir des relations affectives et sexuelles satisfaisantes.

- Une grande controverse entoure la possibilité qu'une personne puisse avoir refoulé ses souvenirs d'une agression sexuelle et se les rappeler subitement ou graduellement si elle est exposée à certains stimuli déclencheurs.

- Il existe de nombreux traitements pour les personnes qui ont été victimes d'agressions sexuelles durant leur enfance, allant de la thérapie individuelle à la thérapie de groupe ou de couple.

- Il est important d'expliquer aux enfants comment se protéger contre les agressions sexuelles. Ils doivent savoir faire la différence entre un bon toucher et un mauvais toucher, savoir comment faire face à une situation qui les rend mal à l'aise, et savoir qu'ils ont des droits et qu'ils peuvent dénoncer le mauvais traitement sans crainte d'être blâmés.

12

Les infections transmissibles sexuellement et par le sang

SOMMAIRE

Dans ce chapitre, nous nous penchons sur les infections liées à l'activité sexuelle. Le tableau 12.1 donne un aperçu des infections transmissibles sexuellement et par le sang (ITSS) les plus courantes. Cette nouvelle appellation est préférable à *maladies transmissibles sexuellement* ou, plus anciennement encore, à *maladies vénériennes*, car elle souligne qu'une personne peut être infectée par un virus ou une bactérie et être contagieuse, mais sans être malade, c'est-à-dire en ne présentant aucun symptôme de maladie. Certaines de ces infections se traitent et se guérissent, d'autres sont incurables. Comme nous le verrons, les conséquences d'une ITSS, telles qu'une santé compromise, de la douleur et des malaises, l'infertilité – et même parfois la mort –, peuvent nuire à la qualité de vie. Et comme les ITSS touchent toutes les dimensions de la sexualité des porteurs, c'est une question d'intelligence sexuelle qui revient en force ici (voir le chapitre 1).

Les infections liées à l'activité sexuelle

> La possibilité de contracter une infection transmise sexuellement m'a amené à devenir extrêmement attentif et sélectif dans mes choix de partenaires sexuels. Cela rend aussi très délicate toute décision relative à une relation sexuelle et m'a porté à être plus prudent dans mes choix. (Notes des auteurs)

Le but de ce chapitre n'est pas de vous décourager de vivre votre sexualité. Il s'agit plutôt de vous éclairer sur les mesures à prendre pour pouvoir en jouir tout en préservant votre santé. La première chose à faire, à cet égard, est de vous dresser un portrait réaliste des risques d'infection liés à l'activité sexuelle. Comme la plupart le savent, c'est dans les groupes d'âge correspondant à ceux des étudiants du collégial et de l'université que se rencontre le plus grand nombre de cas d'infections transmissibles sexuellement et par le sang (ITSS). L'Agence de la santé publique du Canada (2011a) publie chaque année une mise à jour de l'évolution épidémiologique de nombreuses ITSS selon le sexe et le groupe d'âge. Il faut cependant noter, en consultant ces chiffres, que les ITSS ne sont pas toutes à déclaration obligatoire. Par conséquent, les données ne tiennent pas compte de certaines infections. Un tableau complet fournirait une image à la fois plus juste et plus inquiétante.

Les implications de certaines ITSS sont graves et l'augmentation de leur incidence dans une population est une grande source d'inquiétude. Les données sur les ITSS montrent que des infections sont en augmentation après avoir régressé ou avoir été stables. Les infections sont soit d'origine bactérienne, soit d'origine virale. Quelques-unes sont des conséquences de parasites ou de champignons.

Les infections bactériennes

Plusieurs ITSS sont d'origine bactérienne. Celles-ci comprennent notamment la chlamydiose, l'une des plus répandues et des plus graves, la gonorrhée, l'urétrite non gonococcique, le lymphogranulome vénérien et la syphilis infectieuse. La vaginite bactérienne, assez courante, est vue un peu plus loin.

La chlamydiose

La chlamydiose, souvent appelée *chlamydia*, est causée par la bactérie *Chlamydia trachomatis* qui se développe dans les cellules du corps. Ce micro-organisme est maintenant reconnu comme la base de différents types d'infections génitales et d'une forme de cécité évitable. La chlamydiose est la plus répandue des ITSS bactériennes

---

Infections transmissibles sexuellement et par le sang (ITSS) Infections pouvant se transmettre par des contacts sexuels et, pour certaines, par contact avec du sang contaminé.

TABLEAU 12.1	Modes de transmission, symptômes et traitements des ITSS les plus courantes.

INFECTION	DÉCLARATION OBLIGATOIRE/ RECHERCHE DE CONTACTS	MODES DE TRANSMISSION	SIGNES ET SYMPTÔMES	DÉTECTION	TRAITEMENT
INFECTIONS BACTÉRIENNES					
Chlamydiose (chlamydia)	Déclaration obligatoire. Il faut aviser les partenaires sexuels des trois derniers mois, car ces personnes peuvent être infectées sans le savoir.	• Transmissible lors de relations sexuelles vaginale, buccogénitale ou anale sans condom ; peut attaquer les yeux si on y porte les mains après avoir touché des organes génitaux infectés. • À la naissance du bébé, lors du passage dans le vagin d'une mère infectée.	• Chez la femme : miction fréquente et sensation de brûlure en urinant, inflammation et douleur dans le bas-ventre, écoulement vaginal, saignements entre les menstruations ou après une relation sexuelle. • Chez l'homme : symptômes similaires à ceux de la gonorrhée, bien que moins prononcés – sensation de brûlure et miction douloureuse, écoulement du pénis. • À noter : La plupart des hommes et des femmes ne présentent aucun symptôme. Un mal de gorge peut indiquer une infection à la suite d'un rapport buccogénital. • Complications : Chez la femme, salpingite (infection des trompes de Fallope) qui peut mener à la stérilité, grossesse ectopique. Chez l'homme, balanite (infection du pénis) qui peut toucher la prostate et les testicules. Le bébé peut avoir une conjonctivite ou une pneumonie dans les semaines qui suivent sa naissance.	Analyse d'un prélèvement au niveau du col de l'utérus ou du liquide s'écoulant du pénis, ou par culture d'urine.	Doxycycline pendant 7 jours, ou une dose d'azithromycine.
Gonorrhée (gonococcie)	Déclaration obligatoire (âge et localité)	Transmissible lors de relations sexuelles vaginale, buccogénitale ou anale, ou encore de la mère au bébé à la naissance.	• Chez l'homme : écoulement du pénis, jaunâtre et épais, sensation de brûlure lors de la miction. • Chez la femme : augmentation de l'écoulement vaginal, sensation de brûlure lors de la miction, menstruations irrégulières. La plupart des femmes ne présentent aucun symptôme au début de l'infection.	Examen des organes génitaux et culture de l'écoulement.	Double traitement d'une dose de ceftriaxone, cefixime, ciprofloxacine, levofloxacine ou ofloxacine, plus une dose d'azithromycine (ou doxycycline pendant 7 jours).
Urétrite non gonococcique (UNG)	Non	• Causée principalement par diverses bactéries transmises lors du coït. • Certaines UNG résultent de réactions allergiques ou d'une trichomonase.	• Chez la femme : léger écoulement de pus du vagin (souvent non détecté). • Chez l'homme : écoulement du pénis et irritation lors de la miction.	Analyse de prélèvement.	Une dose d'azithromycine, ou doxycycline pendant 7 jours.

INFECTION	DÉCLARATION OBLIGATOIRE/ RECHERCHE DE CONTACTS	MODES DE TRANSMISSION	SIGNES ET SYMPTÔMES	DÉTECTION	TRAITEMENT
Lympho-granulome vénérien (LGV)	Non	À la suite d'une infection à une bactérie de type chlamydia (*C. trachomatis*).	• Au premier stade : plaies ou lésions (pouvant être invisibles) qui disparaissent sans traitement. • Un second stade comporte des symptômes semblables à ceux de la grippe. • Non traité : possibilité de cicatrices à la région génitale et anale.	• Analyse de prélèvement. • Histoire clinique.	Doxycycline, érythromycine, azithromycine.
Syphilis infectieuse	Déclaration obligatoire	Transmissible lors de relations sexuelles vaginale, buccogénitale ou anale, ou en touchant un chancre infectieux.	• Stade primaire : apparition d'un chancre rond, indolore, de deux à quatre semaines après un contact avec une personne infectée ; peut progresser au stade secondaire et tertiaire si non traitée. • Stade secondaire : éruptions cutanées généralisées ; durant la phase latente, qui dure plusieurs années, il n'y a pas de symptômes apparents. • Stade tertiaire : problèmes cardiovasculaires, cécité, paralysie, ulcères cutanés, dommages au foie et troubles mentaux.	• Stade primaire : examen clinique et examen de l'écoulement du chancre. • Stade secondaire : test sanguin (VDRL).	Pénicilline G ou érythromycine, benzathine, doxycycline, ceftriaxone.
INFECTIONS VIRALES					
Herpès (VHS-2 et VHS-1)	Non	Presque toujours par contact vaginal, buccogénital ou anal ; contagiosité surtout lors de « l'éruption » de la maladie.	• Petits boutons rougeâtres douloureux sur les organes génitaux, les cuisses, les fesses ; chez la femme, parfois dans le vagin et sur le col de l'utérus. Petites taches rouges qui, en un jour ou deux, se transforment en boutons jaunâtres qui éclatent et laissent des ulcères douloureux. Il faut attendre 10 jours pour que ces ulcères sèchent. • Autres symptômes possibles : fièvre, perte d'appétit, fatigue générale, sensation de brûlure lors de la miction ; glandes enflées, douleurs et courbatures ; écoulement vaginal. • Pour l'herpès de type 1 : apparition de papules sur les lèvres et parfois à l'intérieur de la bouche, sur la langue et dans la gorge. Les lésions disparaissent au bout de 10 à 16 jours. Les virus de l'herpès ne disparaissent pas, ils restent dans des cellules nerveuses et les crises peuvent revenir.	Examen clinique des plaies ; culture de l'écoulement d'une plaie.	• Aucun traitement connu. • Réduction des symptômes avec acyclovir oral, valacyclovir, famicyclovir ou une crème à base de docosanol.

INFECTION	DÉCLARATION OBLIGATOIRE/ RECHERCHE DE CONTACTS	MODES DE TRANSMISSION	SIGNES ET SYMPTÔMES	DÉTECTION	TRAITEMENT
Condylomes acuminés	Non. Il est important que les partenaires sexuels d'une personne infectée soient informés pour se faire examiner et traiter au besoin.	Transmissibles par contact sexuel ou à la suite d'un contact avec des vêtements ou des serviettes infectées par le virus.	• Apparition de verrues indolores ressemblant à un chou-fleur. • Chez l'homme : sur le pénis, le prépuce, le scrotum ou dans l'urètre ; parfois autour de l'anus et dans le rectum. • Chez la femme : sur la vulve, les lèvres, les parois vaginales et le col de l'utérus ; parfois autour de l'anus et dans le rectum.	Examen des organes génitaux.	Cryothérapie ou utilisation de crème contenant des agents qui détruisent la verrue. Les verrues peuvent être brûlées ou extirpées chirurgicalement.
Hépatite (Virus de l'hépatite de types A, B et C)	Déclaration obligatoire	Transmissible par contact sexuel, surtout lors de relations sexuelles anales, selles contaminées en contact avec la bouche (hépatite A) ; contact avec matières fécales infectieuses ; transfusion de sang contaminé (B et C) ; salive, sécrétions vaginales et sperme contaminés (B). L'hépatite C est transmise surtout par l'usage de seringues contaminées et plus rarement par des produits sanguins contaminés ou par contact sexuel ; peut aussi être transmise de la mère au fœtus et de la mère à l'enfant.	Peut être asymptomatique ou présenter des symptômes semblables à ceux d'un rhume ou des symptômes plus graves incluant fièvre, douleur abdominale, vomissement et ictère (jaunisse) de la peau et des yeux.	Test sanguin pour détecter les anticorps de l'hépatite ; biopsie du foie.	Repos au lit, ingestion de liquides et parfois des antibiotiques pour prévenir toute infection. Dans le cas de l'hépatite C, on utilise parfois l'interféron et de la ribavirine.
INFECTIONS VAGINALES LES PLUS RÉPANDUES					
Vaginite bactérienne	Non	Peut survenir à la suite d'une prolifération de la bactérie dans le vagin ou lors d'une réaction allergique ; aussi transmissible par contact sexuel.	• Chez la femme : écoulement vaginal, odeur caractéristique, irritation des muqueuses et miction douloureuse. • Chez l'homme : inflammation du prépuce et du gland, douleur à la miction, urétrite et cystite. • Peut ne présenter aucun symptôme chez les deux sexes.	Culture et examen de la bactérie.	Métronidazole, clindamycine.

INFECTION	DÉCLARATION OBLIGATOIRE/ RECHERCHE DE CONTACTS	MODES DE TRANSMISSION	SIGNES ET SYMPTÔMES	DÉTECTION	TRAITEMENT
Candidose	Non	Peut survenir à la suite d'une prolifération de ce champignon dans le vagin ; peut également être transmissible par contact sexuel ou lors de l'utilisation d'une débarbouillette ou d'une serviette infectée.	• Chez la femme : démangeaisons vulvaires, écoulement blanc, texture fromagée et mauvaise odeur ; douleur et inflammation des tissus de la vulve et du vagin. • Chez l'homme : démangeaisons et brûlure lors de la miction ; rougeur sur le pénis.	Diagnostic basé sur les symptômes.	Dose simple de fluconazole, suppositoires de miconazole ou autres médicaments semblables.
Trichomo-nase	Non	Presque toujours transmise par contact sexuel.	• Chez la femme : écoulement jaunâtre, mousseux et malodorant ; démangeaisons ou sensation de brûlure à la vulve. Plusieurs femmes ne présentent aucun symptôme. • Chez l'homme : souvent asymptomatique, mais possibilité de légère urétrite.	Culture d'un prélèvement de sécrétions vaginales.	Métronidazole.
INFECTIONS ECTOPARASITAIRES					
Morpions	Non	Transmissibles par contact sexuel ou à la suite d'un contact avec literie, vêtements, serviettes ou autres tissus infectés.	Démangeaisons intenses dans la région pubienne et autres régions poilues du corps où les morpions peuvent s'accrocher.	Examen clinique.	Lindane (Kwell).
Gale	Non	Transmissible par contact sexuel (poils) ou à la suite d'un contact avec literie, serviettes, vêtements infectés par le parasite.	Démangeaisons intenses, sillons rougeâtres, pustules dans les régions infectées.	Examen clinique.	Lindane (Kwell).
SYNDROME D'IMMUNODÉFICIENCE ACQUISE (SIDA)					
VIH/sida	Déclaration obligatoire	Par contact sexuel, transfusion de sang contaminé, de la mère au fœtus durant la grossesse, lors de la naissance ou de l'allaitement.	• Premier stade (VIH) : aucun symptôme ou symptômes semblables à ceux d'un léger rhume qui disparaissent pendant plusieurs années avant le développement du sida. • Sida : fièvre, perte de poids, fatigue, diarrhée et infections opportunistes comme la pneumonie.	Test d'urine, de salive ou de sang pour détecter les anticorps VIH.	Traitement combinant trois médicaments antiviraux ou plus lorsque le nombre de CD4 baisse de façon significative. Des traitements spécifiques supplémentaires en fonction des infections et tumeurs opportunistes.

diagnostiquées au Canada (Agence de la santé publique du Canada, 2011a). Au Québec, cette infection est, de loin, la plus fréquente des ITSS à déclaration obligatoire avec 17 321 cas déclarés en 2012, soit un taux de 219 personnes atteintes pour 100 000 (Gouvernement du Québec, 2011).

La gonorrhée ou gonococcie

La gonorrhée est causée par la bactérie *Neisseria gonorrheae* (nommée aussi *gonocoque*). Au Canada, cette infection arrive au second rang parmi les ITSS déclarées et touche deux fois plus d'hommes que de femmes ; elle est en hausse chez les hommes ayant des relations sexuelles avec d'autres hommes (HARSAH), et les cas de résistance au traitement traditionnel sont 15 fois plus nombreux qu'au début des années 1990 (Agence de la santé publique du Canada, 2006). En 2010, le Québec comptait 2066 cas déclarés, soit un taux de 26 pour 100 000 (Gouvernement du Québec, 2011).

L'urétrite non gonococcique

Lorsqu'une inflammation de l'urètre n'est pas causée par la gonorrhée, elle porte le nom d'*urétrite non gonococcique*. Le plus souvent, cette infection serait causée soit par la bactérie à la source de la chlamydiose, la *Chlamydia trachomatis*, soit par le *Mycroplasma genitalium* (Agence de la santé publique du Canada, 2008). L'urétrite non gonococcique peut aussi être due à d'autres agents infectieux, à une allergie aux sécrétions vaginales ou à une réaction à un savon, à un contraceptif intravaginal ou à un déodorant. Il existe peu de données sur le nombre de cas au Canada.

Le lymphogranulome vénérien

Le lymphogranulome vénérien (LGV), ou *lymphogranulomatose*, est une infection transmise sexuellement qui a fait son apparition il y a quelques années au Canada. Cette infection est causée par une bactérie de type chlamydia. S'il n'est pas traité, le LGV peut entraîner de graves problèmes de santé et laisser sur les organes génitaux et l'anus des cicatrices qui nécessiteront une intervention chirurgicale. Dans de rares cas, le LGV peut même provoquer la mort (Agence de la santé publique du Canada, 2011a). Nous ne disposons pas de données sur le nombre de cas au Canada dans son ensemble. Nous savons toutefois qu'il touche principalement les HARSAH. Au Québec, on a relevé 12 cas de LGV en 2010, 10 d'entre eux étaient des HARSAH (Gouvernement du Québec, 2011).

La syphilis infectieuse

La syphilis est causée par une bactérie en forme de vrille, *Treponema pallidum*. Elle était rare au Canada autrefois. Les personnes touchées sont surtout les HARSAH (séropositifs et séronégatifs) du groupe des 30 à 39 ans ainsi que les travailleurs de l'industrie du sexe et leurs clients (Agence de la santé publique du Canada, 2011a). Au Québec, où cette infection était en hausse en 2010, 539 cas de syphilis en phase infectieuse (195 syphilis primaires, 218 syphilis secondaires et 126 syphilis latentes précoces) ont été déclarés (Gouvernement du Québec, 2011).

Les infections virales

Comme dans le cas des ITSS d'origine bactérienne, il y a plusieurs infections d'origine virale. À la différence d'une bactérie, un virus se loge dans les cellules de l'organisme où il se reproduit, altérant ainsi leur fonctionnement. La plupart des virus se transmettent par contact direct avec du sang ou un liquide corporel infectés.

L'herpès

L'herpès est causé par un virus nommé *Herpes simplex*. Il existe huit différents types de virus herpétiques chez l'humain, les plus répandus étant le virus *Varicellazoster*, à l'origine de la varicelle, le virus *Herpes simplex* de type 1 (VHS-1) et le virus *Herpes simplex* de type 2 (VHS-2). Nous ne retenons ici que ces deux derniers virus, car ce sont les plus largement transmis par contact sexuel. Le VHS-1, communément appelé *feu sauvage* au Québec, cause en général des lésions ou papules autour de la bouche ou des lèvres (herpès buccal ou labial). Le VHS-2 provoque habituellement des lésions dans la région génitale (herpès génital).

Question d'analyse critique

Sachant que l'herpès est contagieux même sans symptômes, un grand nombre de personnes qui en sont atteintes omet consciemment d'en aviser un nouveau ou une nouvelle partenaire. À votre avis, pourquoi en est-il ainsi ? Quelles sont les conséquences d'une telle décision lorsqu'un couple se forme ?

Même si l'herpès buccal et l'herpès génital proviennent de virus différents, la contamination croisée est possible. Le VHS-1 peut toucher la zone génitale et, inversement, le VHS-2 peut causer des plaies buccales. Il reste néanmoins que la plupart des infections buccales sont dues au VHS-1 et celles de la région génitale au VHS-2 (Centers for Disease Control, 2010b ; Looker et coll., 2008). Le nombre de cas d'herpès au Canada n'est pas connu, cette infection n'étant pas à déclaration obligatoire.

Il est maintenant reconnu que l'herpès peut se transmettre même en l'absence de symptômes apparents (éruptions). Le risque est faible, mais il existe, particulièrement si des manifestations annonciatrices d'une crise sont présentes, telles que des démangeaisons, des fourmillements, des sensations de brûlure, des picotements dans les zones qui ont déjà été infectées, et parfois des douleurs localisées aux jambes, aux cuisses ou dans la région des fesses. Pendant les périodes où ces manifestations se produisent, il faut éviter que de la peau saine entre en contact avec celle qui est atteinte.

Les condylomes acuminés

Les condylomes acuminés (souvent appelés *verrues génitales*) sont causés par le virus du papillome humain (VPH). Avec les techniques récentes d'analyse, plus de 100 types de VPH ont été identifiés, dont la moitié environ provoque des infections génitales (Centers for Disease Control, 2010c). Au Canada, les derniers chiffres disponibles, pour l'année 2007, proviennent d'une étude menée en Colombie-Britannique. L'incidence de l'infection chez les femmes variait alors de 3,9 à 17,9 % selon le type de VPH détecté (Agence de la santé publique du Canada, 2012).

Le VPH est à l'origine de divers cancers, en particulier celui du col de l'utérus. Il existe une controverse quant à la nécessité d'une vaccination préventive, au Canada notamment. À la suite de la mise au point d'un vaccin, les autorités en santé publique ont fait campagne pour qu'il soit administré aux filles (et éventuellement aux garçons) avant leur puberté, avec une dose de rappel ultérieur. Certains groupes ont alors manifesté leur inquiétude et leur opposition à ce genre de campagne. Du côté des partisans de la vaccination, on invoque l'efficacité d'une telle mesure et la nécessité d'agir face à l'augmentation des cas de cancer du col de l'utérus. Du côté des opposants, hormis les arguments antivaccination habituels, on est d'avis que l'absence d'études sur de possibles conséquences ou sur l'efficacité à long terme d'une telle mesure devrait inciter à la prudence étant donné la dépense que cela représente (300 millions). De plus, les opposants font valoir que le traditionnel test PAP suffit comme outil de prévention du cancer du col de l'utérus.

L'hépatite virale

L'hépatite virale est une maladie du foie causée par des virus. Trois variantes peuvent être transmises sexuellement ou par le sang; elles sont désignées par les lettres A, B et C, qui correspondent à l'ordre de leur découverte. Chaque type d'hépatite est causé par un virus différent. Au Canada, la prévalence de l'hépatite C pour 2009 a été de 33,7 cas pour 100 000 habitants (la maladie est cependant cinq fois plus fréquente chez les autochtones) (Agence de la santé publique du Canada, 2011b); au Québec, on dénombrait 18,6 cas pour 100 000 en 2010 (Gouvernement du Québec, 2011). La prévalence de l'hépatite B a grandement diminué au Canada depuis 1990, principalement en raison des campagnes de vaccination des enfants. Les cas répertoriés visent majoritairement les personnes âgées de 24 à 49 ans. En 2010, au Québec, on dénombrait au total 11,2 cas pour 100 000 habitants, mais 1 cas pour 100 000 chez les 10-14 ans contre 31,1 cas par 100 000 chez les 30-34 ans (Gouvernement du Québec, 2011).

Les infections vaginales les plus répandues

Il existe plusieurs types d'infections vaginales pouvant être transmises par contact sexuel ou contractées autrement. Les termes *vaginite* et *leucorrhée* désignent un ensemble d'infections vaginales caractérisées par des pertes vaginales blanchâtres. Le liquide peut aussi être jaunâtre ou verdâtre en raison de la présence de cellules de pus et il a souvent une odeur désagréable. D'autres manifestations d'une vaginite peuvent être des irritations et des démangeaisons des tissus des organes génitaux, une sensation de brûlure pendant la miction et des douleurs à l'entrée du vagin lors de la pénétration.

Les infections vaginales sont répandues. Pratiquement toutes les femmes auront une ou plusieurs infections vaginales au cours de leur vie. C'est l'un des motifs de consultation médicale les plus fréquents (Head, 2008). Dans des conditions normales, plusieurs des organismes qui causent les infections vaginales sont relativement inoffensifs. Le vagin abrite normalement une bactérie (*lactobacillus*) qui aide à maintenir un milieu sain (Jeavons, 2003). Le pH du vagin est en temps normal suffisamment acide pour empêcher la plupart des infections. Toutefois, il arrive que ce pH soit modifié et que le vagin devienne moins acide, ce qui rend les femmes plus vulnérables aux infections. Parmi les facteurs qui peuvent accroître les risques d'infection vaginale, mentionnons la prise d'antibiotiques, l'usage de contraceptifs oraux, les menstruations, la grossesse, le port de bas-culottes et de culottes en nylon, une faible résistance au stress et le manque de sommeil (Jeavons, 2003). Les douches vaginales augmentent également le risque d'infection, notamment les infections bactériennes (Centers for Disease Control, 2010d ; Cottrel et Close, 2008).

Les infections vaginales les plus courantes sont la vaginite bactérienne, la candidose (*Candida albicans*) et la trichomonase (*Trichomonas vaginalis*). La vaginite bactérienne est la plus répandue.

La vaginite bactérienne (VB) est une infection causée par la prolifération de micro-organismes qui viennent remplacer les lactobacilles normalement présents dans le vagin. Ces micro-organismes peuvent comporter des bactéries anaérobiques (qui vivent sans oxygène), la bactérie *Mycoplasma* et une bactérie connue sous le nom de *Gardnerella vaginalis*.

Deux autres infections vaginales sont causées par des organismes microscopiques. La première est la candidose (*Candida albicans*) qui toucherait 75 % des femmes à un moment ou l'autre de leur vie (Centers for Disease Control, 2010d) et la seconde, la trichomonase (*Trichomonas vaginalis*).

Les infections ectoparasitaires

Les infections ectoparasitaires sont causées par des parasites vivant sur la peau des humains et des animaux (*ecto* veut dire «en dehors de»). Deux de ces parasites sont relativement répandus: les morpions et la gale.

Les morpions

Les morpions, ou poux du pubis, appartiennent à un groupe d'insectes parasites appelés *poux broyeurs*. Leur nom scientifique est *Phthirus pubis*. Très petits, ils sont tout de même visibles à l'œil nu. Ils sont jaune-gris et, vus sous la loupe, ils ressemblent à des crabes. Ils s'agrippent à un poil pubien pour pouvoir enfoncer leur tête sous la peau et se nourrir de sang à partir de petits vaisseaux sanguins. Assez répandus, ils s'observent fréquemment dans les cliniques de santé par des médecins, notamment chez les personnes de 15 à 25 ans; ils sont souvent associés à une autre ITSS.

La gale

La gale est causée par une mite parasite en forme de tortue appelée *Sarcoptes scabiei*. À la différence des poux du pubis, les mites sont trop minuscules pour être visibles à l'œil nu. L'infection commence par l'action de la femelle qui, une fois fécondée, creuse sous la peau pour y pondre ses œufs qui éclosent peu de temps après. Les larves qui en résultent atteignent leur taille adulte au bout de 10 à 20 jours et se mettent alors à creuser à leur tour près du lieu de leur naissance pour se nourrir. Une personne qui a la gale peut abriter en moyenne de 5 à 15 mites femelles vivantes (Centers for Disease Control, 2010e). Bien que la gale ne fasse pas partie des maladies répertoriées par les organismes de santé, on estime que 300 millions de personnes en sont atteintes chaque année dans le monde (Chosidow, 2006). La gale est très contagieuse et peut se transmettre par contact sexuel ou par un contact étroit. De plus, les mites parasites peuvent survivre jusqu'à 72 heures sur des vêtements ou de la literie (Centers for Disease Control, 2010e). Enfin, en plus des personnes sexuellement actives, les enfants qui fréquentent l'école, les résidents des centres d'hébergement et de soins de longue durée (CHSLD) et les personnes itinérantes sont plus à risque de contracter la gale.

Le syndrome d'immuno-déficience acquise (sida)

L'épidémie du **syndrome d'immunodéficience acquise** (sida), qui constitue un problème de santé publique mondial de plus en plus préoccupant, est maintenant reconnue comme la plus grave pandémie de notre époque. Le sida découle d'une infection par le **virus de l'immunodéficience humaine (VIH)**. Une offensive de recherche tous azimuts, d'une ampleur sans précédent, est en cours dans le monde contre cette maladie, encore mortelle la plupart du temps, et des résultats sont obtenus avec une rapidité étonnante.

Le VIH fait partie d'une catégorie particulière de virus nommés *rétrovirus*, parce qu'ils inversent l'ordre usuel de la reproduction à l'intérieur des cellules qu'ils infectent. On appelle ce processus *transcription inverse*.

Deux variantes du VIH sont associées au développement du sida: le VIH-1 et le VIH-2. Le premier à avoir été identifié est le VIH-1, à la source du plus grand nombre de cas de sida en Amérique et dans le monde. Le VIH-2 se rencontre dans quelques pays d'Afrique en sus du VIH-1. Le VIH-1 est la variante la plus virulente et pose un défi de taille en raison de ses mutations constantes et du fait qu'il se présente sous plusieurs types. Pour simplifier, nous parlons ici indistinctement des deux variantes en utilisant le terme VIH.

On a échafaudé de nombreuses hypothèses sur l'origine de la maladie. On a tour à tour attribué l'origine du VIH à des résidents d'Afrique, puis d'Haïti, à des moustiques, à des singes, à des porcs, et même à l'expérimentation d'un vaccin contre la polio, en Afrique, dans les années 1950. Il semble cependant que l'énigme de l'origine du VIH soit à présent résolue, comme en témoigne la publication d'une étude récente. On a en effet décelé un virus apparenté au VIH chez une sous-espèce de chimpanzés vivant dans le centre et le sud-ouest de l'Afrique (Pépin, 2011). L'analyse génétique a révélé que cette sous-espèce, appelée *Pan troglodytes troglodytes*, est l'hôte d'un virus de l'immunodéficience simienne (VIS), qui est à l'origine du VIH-1, le type de virus à la base de la très grande majorité des cas de sida chez les humains dans le monde. Les chercheurs croient que le VIS s'est génétiquement converti en VIH soit depuis l'organisme même d'un chimpanzé, soit après qu'un humain eut été infecté par le VIS, en entrant par exemple en contact avec le sang d'un chimpanzé durant une partie de chasse ou en en manipulant la viande lors de la préparation d'un repas.

Détenant désormais les preuves que cette sous-espèce de chimpanzés est à l'origine du VIH, une autre équipe de scientifiques a donc pu, en mesurant le taux d'altération

---

Syndrome d'immunodéficience acquise (sida) Chez l'humain, maladie causée par le VIH et caractérisée par l'incapacité du système immunitaire à se défendre contre des infections opportunistes et des cancers.

Virus de l'immunodéficience humaine (VIH) Virus de la famille des rétrovirus. À l'origine du sida, il détruit les défenses de l'organisme contre les infections (système immunitaire).

génétique du VIH par rapport au VIS dont ces chimpanzés étaient porteurs, estimer que le VIH est apparu entre 1915 et 1941, 1931 étant la date la plus probable (Korber et coll., 2000). Mais alors, comment expliquer qu'il ait fallu attendre 1983 pour que le VIH soit reconnu comme le virus à l'origine du sida ? Selon les scientifiques, lorsque le VIS s'est transformé en virus mortel pour l'humain au début des années 1930, il est probablement demeuré confiné à la population restreinte d'un village reculé, jusqu'à ce que la migration vers les grandes villes et la multiplication des voyages internationaux aient favorisé sa propagation dans le monde entier. La preuve que le VIH existait bien avant son identification en 1983 est d'ailleurs établie, car on a récemment découvert la présence de ce virus dans un échantillon de sang gelé, prélevé en 1959 sur un Africain (Zhu et coll., 1998 ; Pépin, 2011). Tout porte donc à croire que le VIH est né, au début du XXᵉ siècle, d'une transmission hétérospécifique d'une sous-espèce de chimpanzés à l'humain et qu'il s'est propagé beaucoup plus tard dans le monde, quand l'Afrique est sortie de son isolement. Il a fallu pour cela un concours de circonstances exceptionnel amalgamant décolonisation, pauvreté, prostitution, aide internationale, indolence des autorités sanitaires et tourisme sexuel gai américain en Haïti (Pépin, 2011).

Dans l'organisme humain, le VIH s'attaque spécifiquement aux lymphocytes CD4, aussi appelés *cellules T facilitantes* ou *cellules T4*, et les détruit. Chez une personne saine, ces cellules coordonnent la réponse du système immunitaire à l'infection. Quand le système de défense est affaibli par les attaques du VIH, l'organisme devient vulnérable à une foule de cancers et d'infections opportunistes (des infections qui ne se seraient pas déclarées sans l'affaiblissement du système immunitaire). Au départ, on n'établissait un diagnostic de sida que lorsque le système immunitaire du porteur de VIH était si gravement affaibli qu'il développait une ou plusieurs maladies graves et débilitantes, comme une pneumonie ou un cancer. Toutefois, depuis le 1ᵉʳ janvier 1993, les Centers for Disease Control (CDC), qui forment l'agence gouvernementale de santé publique aux États-Unis, ont adopté une définition du sida qui englobe toute personne infectée par le VIH dont le système immunitaire est gravement affaibli. Désormais, quiconque est infecté par le VIH et a 200 lymphocytes CD4 ou moins par millimètre cube de sang est considéré comme atteint du sida, sans autre distinction. (Le nombre normal de lymphocytes CD4 dans un organisme sain est de 600 à 1200 par millimètre cube de sang.)

La prévalence du VIH

Les données publiées en 2010 par l'ONUSIDA sont révélatrices de la situation actuelle de l'épidémie, qui augmente par exemple en Europe de l'Est, mais diminue globalement en Afrique. Au total dans le monde, de moins en moins de personnes seraient infectées par le VIH, et de moins en moins meurent du sida. On estime néanmoins qu'en 2009, 33,4 millions de personnes vivaient avec le VIH ; de ce nombre, 2,6 millions étaient des nouveaux cas. Au Canada, il y a une augmentation des nouveaux cas d'infection au VIH chez les HARSAH (ONUSIDA, 2010). On estime qu'en 2008, 65 000 personnes vivaient avec le VIH ou le sida au Canada, dont 2300 à 4300 nouveaux cas (Agence de la santé publique du Canada, 2010b). À l'échelle mondiale, les deux tiers des cas d'infection au VIH se trouvent en Afrique subsaharienne, comme le montre la figure 12.1.

Plusieurs personnes sidéennes ont été infectées pendant leur adolescence (Aronowitz et coll., 2006 ; Balaji et coll., 2008). Le problème particulier de l'infection au VIH chez les adolescents peut s'expliquer par plusieurs facteurs, dont les suivants :

- la multiplicité des partenaires, qui accroît le risque de contracter l'infection ;
- le faible taux d'utilisation du condom ;
- un accès moins facile aux condoms que les adultes ;
- des taux élevés d'ITSS en général, ce qui est souvent associé à l'infection au VIH ;
- l'abus d'alcool ou de drogues, qui est relativement répandu parmi ce groupe (situation qui entraîne plus de comportements à risque) ;
- un sentiment d'invulnérabilité particulièrement présent à cet âge (voir le chapitre 6). Les garçons seraient davantage concernés à cet égard que les filles (Goldberg, 1990) ;
- un pourcentage important d'adolescents, près de 15 % selon une étude récente, prennent des risques parce qu'ils ont un fort sentiment de fatalisme ou pensent qu'ils mourront jeunes (Borowski et coll., 2009).

Le VIH se transmet moins facilement d'une femme à un homme que d'un homme à une femme (Betts, 2001 ; Shapiro et Ray, 2007). Une femme qui a un rapport sexuel avec un homme porteur du VIH risque davantage d'être infectée qu'un homme ayant un rapport sexuel avec une femme porteuse du virus. On peut expliquer cette différence par le fait que le sperme renferme une plus grande concentration de VIH que les sécrétions vaginales, et que la muqueuse vaginale reste plus longtemps en contact avec le VIH contenu dans le sperme que le pénis avec les sécrétions vaginales (Lamptey et coll., 2006 ; Shapiro et Ray, 2007). En outre, il y a une plus grande surface de muqueuses de la vulve et du vagin qui est exposée à l'infection que sur le pénis, et les muqueuses chez la femme sont plus fragiles aux traumatismes que ne l'est généralement le pénis (Shapiro et Ray, 2007). De plus, certaines femmes ont des relations sexuelles avec pénétration anale sans protection, une pratique qui comporte un risque de transmission

FIGURE 12.1	La prévalence du VIH dans le monde en 2009.

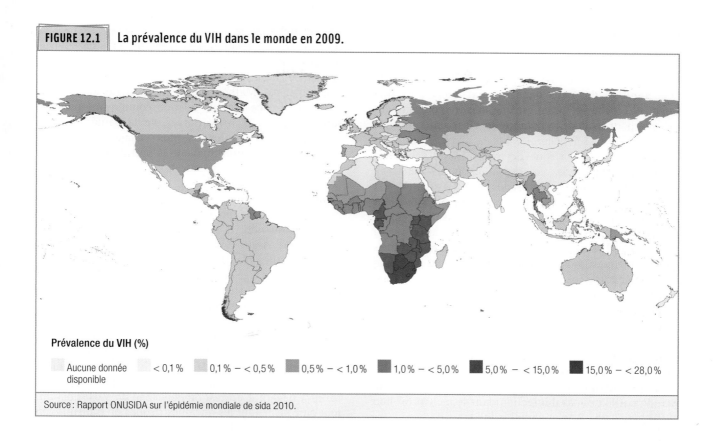

Prévalence du VIH (%)

Aucune donnée disponible | < 0,1 % | 0,1 % – < 0,5 % | 0,5 % – < 1,0 % | 1,0 % – < 5,0 % | 5,0 % – < 15,0 % | 15,0 % – < 28,0 %

Source : Rapport ONUSIDA sur l'épidémie mondiale de sida 2010.

du VIH 10 fois plus élevé que la pénétration vaginale sans protection (Shapiro et Ray, 2007). En fait, la pénétration anale passive non protégée est reconnue comme présentant le plus haut risque de transmission du VIH tant pour les hommes que pour les femmes (Kaestle et Halpern, 2007 ; Shapiro et Ray, 2007). Enfin, sur le plan biologique, les adolescentes sont particulièrement vulnérables à une infection au VIH en raison de l'immaturité de leurs voies génitales, principalement le col de l'utérus, qui sont très sensibles aux ITSS (Lamptey et coll., 2006 ; Shapiro et Ray, 2007).

La proportion totale de femmes infectées par le VIH/sida est beaucoup plus élevée en Afrique, en Asie et dans les Caraïbes qu'en Amérique du Nord. En Afrique subsaharienne, l'épicentre du VIH/sida, 57 % des adultes infectés par le VIH sont des femmes (Yount et Abraham, 2007). Près de 75 à 80 % des cas d'infection au VIH chez les jeunes Africains sont des femmes (Tenkorang et Matik-Tyndale, 2008 ; Vickerman et coll., 2006). On y observe aussi une augmentation spectaculaire du nombre de femmes enceintes infectées au VIH, avec un taux de 20 % parmi la population de six pays d'Afrique australe (ONUSIDA, 2008). Selon une estimation, environ 370 000 enfants ont été infectés par le VIH en 2009 (ONUSIDA, 2010) ; dans 90 % de ces cas, la transmission du virus s'est faite de la mère à l'enfant (Harris et Bolus,

2008 ; Stringer et coll., 2008). Dans les pays en développement, surtout ceux d'Afrique, une majorité des nouveaux cas d'infection au VIH surviennent chez les 15 à 24 ans (Kim et Free, 2008).

La transmission du VIH

Le VIH se trouve dans le sperme, le sang, les sécrétions vaginales, la salive, l'urine et le lait maternel des personnes infectées. Il peut aussi être présent dans n'importe quel autre liquide corporel, tel que le liquide cérébrospinal et le liquide amniotique. Le sang, le sperme et les sécrétions vaginales des personnes infectées contiennent les plus fortes concentrations de VIH. Le plus souvent, le VIH entre dans l'organisme lors de l'échange de liquides corporels pendant une relation vaginale ou anale non protégée ou par contact buccogénital avec une personne infectée. La transmission par contact sexuel représente environ 80 % des cas d'infection dans le monde, selon les estimations. Le VIH peut aussi se transmettre par les seringues contaminées que partagent les utilisateurs de drogues injectables.

Le VIH peut également se transmettre au fœtus avant ou pendant la naissance, ou au bébé lors de l'allaitement (Kumwenda et coll., 2008 ; Osborn, 2008). La transmission mère-enfant est la principale source de contamination chez les enfants infectés par le VIH.

Le risque de transmission du VIH pendant un contact sexuel dépend à la fois de la quantité de virus transmis et du mode de transmission. La quantité de virus transmis dépend de la **charge virale**, c'est-à-dire de la concentration du virus dans le sang d'une personne infectée. La charge virale est une mesure couramment utilisée pour évaluer le nombre de virus dans un millilitre de sang. En général, plus la charge virale est importante, plus le risque de transmission est élevé. Comme le suggère le bon sens, lorsqu'une personne se trouve dans les derniers stades du VIH/sida, elle est hautement contagieuse. Plusieurs seront probablement étonnés d'apprendre que, entre le moment de la contamination et l'apparition d'anticorps du VIH dans le sang (la période dite *d'infection primaire* qui dure habituellement quelques mois), la charge virale de la personne infectée peut être extrêmement élevée, la rendant ainsi très contagieuse (Harris et Bolus, 2008 ; Shapiro et Ray, 2007). Cette phase aiguë de contagiosité du VIH, qui est relativement courte, est particulièrement inquiétante parce que la plupart des personnes infectées ont peu de chances de savoir qu'elles ont contracté le VIH. Certains experts sont d'avis que la transmission du VIH pendant la période d'infection primaire est à l'origine d'une grande partie des cas d'infection dans le monde (Cohen et Pilcher, 2005 ; Wawer et coll., 2005).

Question d'analyse critique

Êtes-vous d'accord avec la décision de la Cour suprême du Canada selon laquelle il n'est pas criminel de cacher sa séropositivité à son partenaire lorsque le risque de transmission est au plus faible ?

Le risque d'infection pendant une activité sexuelle est plus grand lorsque le VIH passe directement dans le sang (par exemple, par des microlésions des tissus du rectum ou de la paroi vaginale) plutôt qu'à travers une muqueuse. Les chercheurs prennent de plus en plus conscience du rôle que la circoncision du pénis peut jouer dans la prévention d'une infection au VIH. Le prépuce du pénis non circoncis est fragile et risque de subir de petites lacérations susceptibles de permettre au VIH d'entrer plus facilement dans le système sanguin. En plus, le prépuce contient une concentration élevée de CD4 et de cellules de Langerhans, les cellules du système immunitaire qui sont les cibles typiques du VIH (Reynolds et coll., 2004 ; Seppa, 2005). Alors que les professionnels de la santé continuent à discuter des aspects médicaux et éthiques de la circoncision, son rôle préventif dans la transmission du VIH est de plus en plus mis en évidence, comme le montre l'encadré *Pleins feux sur la recherche*.

La recherche laisse aussi à penser que le VIH peut se transmettre par relation buccogénitale, lorsque le virus présent dans le sperme ou les sécrétions vaginales entre en contact avec la muqueuse de la bouche (Kaestle et Halpern, 2007). Malheureusement, plusieurs font l'erreur de considérer ce type de relation comme une pratique sans danger. Les responsables de la santé publique recommandent de plus en plus l'usage de la digue dentaire pour le cunnilingus et le port du condom pour la fellation afin de prévenir la transmission du VIH. Mais il est extrêmement rare que les gens utilisent le condom pendant une fellation. Si vous avez des relations buccogénitales non protégées sans savoir si la personne a le VIH ou non, il serait sage de prendre certaines précautions. Assurez-vous que vos gencives sont en bon état (de petites plaies ou lésions du tissu des gencives facilitent le passage du VIH dans le sang), n'employez pas la soie dentaire juste avant ou juste après la relation (la soie dentaire peut endommager les tissus de la bouche et causer des saignements) et évitez le sperme dans la bouche. De plus, compte tenu des concentrations souvent substantielles de VIH dans les sécrétions vaginales, il faut également faire preuve de prudence avant de pratiquer le cunnilingus avec une femme qui n'a pas obtenu un résultat négatif à un test de dépistage du VIH. Cela dit, tout en considérant les quelques risques de transmission du VIH par contact buccogénital, les experts s'entendent actuellement pour dire que le sexe oral constitue une pratique moins à risque que la pénétration vaginale ou anale sans protection (Shapiro et Ray, 2007).

Au début des années 1980, avant que les banques de sang ne fassent l'objet d'un dépistage systématique du VIH, du sang et des produits sanguins contaminés ont infecté un certain nombre de personnes. Plusieurs pays ont été touchés. Au Canada, plus de 1200 personnes ont été contaminées lors de transfusions sanguines, ce qui a déclenché un véritable scandale et entraîné une enquête publique, suivie d'accusations de négligence et de condamnations. Une conséquence directe de cette affaire a été la perte de confiance envers la Croix-Rouge canadienne, ce qui a provoqué la dissolution de celle-ci et la création, en 1998, d'Héma-Québec, un organisme distinct chargé de prendre la relève de l'organisme fédéral. Depuis cet épisode dramatique, tous les dons de sang, partout au Canada, font l'objet d'un dépistage systématique et les donneurs doivent répondre à un questionnaire sur leurs antécédents sexuels.

Les tests de dépistage disponibles ne garantissent toutefois pas des résultats infaillibles. Un problème tient au fait que les tests ne détectent pas le virus lui-même, mais les anticorps que l'organisme produit pour le combattre.

Charge virale Le nombre de copies répliquées du virus dans un millilitre de sang.

Pleins feux sur la recherche

La circoncision comme moyen de prévenir l'infection au VIH

Un certain nombre de professionnels de la santé et de chercheurs ont suggéré que la circoncision peut réduire de façon importante le risque d'infection au VIH en éliminant une porte d'entrée du virus : le prépuce, avec sa peau mince et sa haute concentration de cellules qui peuvent facilement être infectées par le VIH. Plusieurs études d'observation soutiennent cette hypothèse en montrant que la prévalence du VIH est moins élevée chez les hommes circoncis que chez ceux qui ne le sont pas (Reynolds et coll., 2004 ; WHO/UNAIDS, 2007). En outre, des données empiriques provenant d'essais cliniques expérimentaux indiquent que la circoncision procure une certaine protection contre le VIH. Trois enquêtes bien construites menées en Afrique du Sud, au Kenya et en Ouganda ont montré une réduction du risque d'infection de 60 %, 53 % et 51 % respectivement chez les participants qui ont été circoncis (Auvert et coll., 2005 ; Bailey et coll., 2007 ; Gray et coll., 2007 ; WHO/UNAIDS, 2007).

Cependant, des études réalisées en Ouganda et au Zimbabwe n'ont indiqué aucune corrélation entre le risque pour les femmes d'être infectées par le VIH et le fait que leur partenaire sexuel soit circoncis ou non (Turner et coll., 2007). Il demeure toutefois que les données montrent que les hommes circoncis sont moins vulnérables au VIH que les hommes non circoncis (Auvert et coll., 2008).

Le fait que la circoncision procure une protection relative contre le VIH aux hommes séronégatifs mais pas à leurs partenaires féminines pose un problème considérable, comme l'a montré Marge Berer (2008), une experte en santé sexuelle féminine et en droits des femmes. Berer signale que bien que les partenaires des hommes circoncis aient droit elles aussi à une protection contre le VIH, elles sont plus vulnérables à l'exposition au VIH du fait que leur partenaire est circoncis. Par exemple, un homme circoncis se croyant – à tort – à l'abri du VIH peut décider de tourner le dos aux pratiques sexuelles sans risque, telle l'utilisation du condom, et ainsi exposer sa partenaire à un plus grand risque d'infection. Selon Berer, celui qui se croit protégé et qui continue de déposer son sperme dans le corps de sa partenaire lors de chaque relation sexuelle place celle-ci dans une situation pire qu'avant (Berer, 2008). Un homme peut trouver dans la circoncision une certaine protection pour lui-même sans avoir à changer de comportement. Cependant, ses partenaires sexuelles ont quand même besoin de recourir à des pratiques sexuelles moins risquées. Ainsi, l'équité pour les partenaires des hommes circoncis est un enjeu dont il faudra débattre lors de la mise en œuvre de programmes de circoncision dans les pays africains au cours des prochaines années.

Enfin, deux études récentes ont mis en évidence des obstacles potentiels à la circoncision à grande échelle en Afrique. Dans l'une de ces études, environ le tiers des 1007 jeunes Kényans participants ont eu des complications (lacérations, cicatrices, etc.) à la suite de la circoncision (Bailey et coll., 2008). La seconde étude a révélé qu'il était moins rentable de circoncire tous les hommes séronégatifs d'Afrique subsaharienne que de distribuer gratuitement des condoms (McAllister et coll., 2008). Les auteurs de ce rapport concluent que la prévention d'une infection au VIH par la circoncision se chiffrerait à près de 6000 dollars américains par homme, soit plus de 100 fois plus que ce qu'il en coûterait pour prévenir une infection par l'usage de condoms. À ce jour, aucun pays subsaharien n'a mis sur pied un programme national de circoncision (Jaffe, 2008).

Et comme cela peut prendre des mois ou des années avant que les anticorps ne soient détectables dans le sang, des unités de sang contaminé peuvent se faufiler, quoique rarement. Il n'est plus dangereux, désormais, d'être contaminé en donnant du sang. Les protocoles en place lors des collectes exigent qu'on prenne une nouvelle aiguille pour chaque donneur.

La recherche montre qu'un faible pourcentage de la population semble résister à l'infection au VIH (Misrahi et coll., 1998 ; O'Brien, 2003 ; Royce et coll., 1997). Les données laissent à penser que certaines personnes ont une résistance d'origine génétique au VIH. La recherche menée en laboratoire par Stephen O'Brien (2003), un généticien respecté, indique que les personnes qui héritent de deux copies d'un gène identifié CCR5-32, une de chaque parent, sont résistantes au VIH. Le récepteur CCR5 – une protéine présente à la surface des cellules CD4 – sert de porte d'entrée au VIH. Les personnes qui naissent avec les deux copies du gène CCR5-32 (environ 1 % de la population américaine blanche) n'ont pas cette porte d'entrée et sont donc résistantes à l'infection. Ce gène est moins répandu dans la population noire américaine, les seuls porteurs de ce groupe l'ayant hérité par métissage. Ce gène protecteur est totalement absent chez les groupes ethniques issus d'Afrique ou d'Asie de l'Est.

On croit que le risque de transmettre le VIH par la salive, les larmes et l'urine est extrêmement faible.

En outre, rien n'indique que les contacts ordinaires avec une personne infectée, comme la serrer dans ses bras, lui donner la main, cuisiner ou manger avec elle, comportent des risques de transmission. Toutes les recherches menées jusqu'à maintenant montrent que ce sont les contacts sexuels avec une personne infectée ou l'échange de seringues contaminées qui présentent des risques de transmission du VIH. Certains comportements sont plus à risque : par exemple, avoir plusieurs partenaires sexuels, avoir des relations sexuelles non protégées, avoir des contacts sexuels avec des personnes reconnues comme étant à haut risque (les travailleurs et travailleuses du sexe, les utilisateurs de drogues injectables, les personnes qui ont de nombreux partenaires), partager le matériel d'injection de drogues avec d'autres personnes, consommer des drogues non injectables comme la cocaïne, la marijuana et l'alcool, lesquelles peuvent altérer le jugement.

La prévention des ITSS

Les autorités sanitaires ont préconisé plusieurs stratégies pour endiguer la propagation des ITSS. Il s'agissait tantôt de dissuader les jeunes d'avoir des contacts sexuels, tantôt de diffuser abondamment l'information sur les symptômes des ITSS et d'assurer la gratuité des traitements médicaux. Malheureusement, les efforts des organismes de santé publique n'ont pas vraiment réussi à freiner la rapide progression des ITSS. Il est donc doublement important d'insister sur les différentes mesures de prévention à la disposition des individus ou des couples.

Évidemment, quiconque renonce aux relations sexuelles avec autrui se dote d'un moyen infaillible d'éviter les ITSS. De même, les couples strictement monogames et non infectés sont plutôt à l'abri. Par contre, il est souvent très difficile d'évaluer le risque de transmission que représentent des partenaires actuels ou éventuels. Ainsi, une étude menée auprès de 119 couples d'étudiants a révélé que la plupart des participants ne connaissaient pas le passé de leur partenaire et ignoraient s'il avait un comportement sexuel à risque parallèlement à leurs activités sexuelles communes (Seal, 1997).

Avoir une discussion franche et ouverte avant de commencer l'interaction sexuelle peut sembler peu aisé et embarrassant. Cependant, en cette ère d'ITSS aux proportions épidémiques et aux conséquences durables, une telle discussion est essentielle et envoie le signal que vous vous préoccupez vraiment de votre bien-être

physique et psychologique. Pour ces raisons, nous proposons cette mesure dans nos conseils de prévention.

Les mesures à prendre

Nous présentons ici plusieurs méthodes de prévention – des précautions à prendre avant, durant ou peu après un rapport sexuel – pour réduire le risque de contracter une ITSS. Certaines de ces méthodes sont efficaces contre la transmission d'une variété de maladies. Plusieurs s'appliquent tant aux rapports buccogénitaux et anaux qu'au coït. Aucune n'est efficace à 100 %, mais chacune réduit considérablement les risques d'infection.

On ne le dira jamais assez, l'adoption de mesures préventives peut aider à endiguer la propagation galopante des ITSS. En effet, comme de nombreuses personnes infectées ont des contacts sexuels avec un partenaire ou plus avant de se rendre compte de leur état et de se faire traiter, il est clair que la réduction des dangers liés à l'expression sexuelle dépend davantage de l'amélioration de la prévention que de celle du traitement.

Les établissements de santé offrent souvent les tests de dépistage et le traitement des ITSS.

Évaluer son facteur de risque et celui de son ou sa partenaire

En tant que personne bien informée sur la transmission des ITSS, vous comprenez la nécessité d'évaluer le niveau de risque que représente un éventuel partenaire sexuel. Si vous le faites, vous devriez trouver important aussi d'évaluer si vous êtes vous-même un partenaire à risque ou non. Si vous avez déjà eu des activités sexuelles avec d'autres personnes, y a-t-il une possibilité que vous ayez alors contracté une ITSS ? Avez-vous déjà subi des tests de dépistage pour une ITSS en particulier, ou pour toutes ? N'oubliez pas que plusieurs des ITSS vues dans ce chapitre n'entraînent que peu ou pas de symptômes chez une personne infectée. Si vous envisagez de partager votre intimité sexuelle avec une autre personne, n'est-il pas normal que vous acceptiez aussi de partager l'information sur votre propre santé sexuelle ?

Certains experts soutiennent que l'un des meilleurs moyens de prévenir les ITSS est d'amener les gens à prendre le temps, idéalement quelques mois, de connaître leur éventuel partenaire sexuel avant d'avoir des rapports sexuels avec elle ou lui. Malheureusement, les études indiquent que les couples qui savent établir une saine communication sur les facteurs de risque et les comportements sexuels sûrs sont très rares (Buysse et Ickes, 1999). Nous vous conseillons vivement de prendre le temps de développer une relation intime fondée sur l'empathie et la confiance mutuelles. Profitez de ce moment pour transmettre à votre partenaire toute information pertinente sur vos antécédents sexuels et votre niveau de risque, et pour vous informer de son comportement passé et présent en matière de sexualité et d'usage de drogues injectables. Comme nous l'avons vu au chapitre 8, s'ouvrir à l'autre peut être une bonne façon de l'amener à en faire autant. Vous pourriez amorcer un dialogue sur ces questions en expliquant qu'à l'ère du sida, vous considérez cet échange d'information comme vital. Poursuivez en exposant vos antécédents sexuels.

Il faut avoir eu l'occasion d'évaluer l'honnêteté et l'intégrité d'une personne dans diverses situations pour savoir si on peut ajouter foi à l'information qu'elle donne. Si vous constatez que votre partenaire dupe ses amis, les membres de sa famille ou vous ment sur d'autres sujets, il est légitime de douter de la véracité de ses réponses aux questions que vous posez pour tenter d'évaluer son niveau de risque sur le plan sexuel.

Les recherches indiquent qu'on aurait tort de croire que les partenaires sexuels potentiels dévoileront franchement leur risque de transmission des ITSS. Plusieurs études ont montré que les gens ne disent pas tout à leur partenaire en matière sexuelle. Ils omettent par exemple de révéler le nombre (ou l'identité) de leurs partenaires sexuels antérieurs, leurs autres activités sexuelles du moment ou leur état de santé en matière d'ITSS. Ils peuvent aussi affirmer avoir eu un résultat négatif à un test de VIH/sida ou à d'autres ITSS. D'après plusieurs enquêtes, ce n'est pas exceptionnel de cacher une ITSS ou de mentir sur ce sujet lorsque vient le temps d'avoir une relation sexuelle (Green et coll., 2003 ; Marelich et coll., 2008 ; Newton et McCabe, 2005 ; Sullivan, 2005). Une autre étude indique que 69 % des participants ayant eu un herpès génital n'ont pas révélé leur condition à leur nouveau partenaire avant d'avoir une relation sexuelle (Keller et coll., 2009).

Passer un examen médical périodique

Même si les gens exposent sincèrement leurs antécédents sexuels, comment savoir si leurs partenaires précédents ont été aussi honnêtes avec eux ? Ces derniers, d'ailleurs, ont-ils même été interrogés sur leur risque de transmission d'une ITSS ? Nous conseillons donc vivement aux couples désireux d'amorcer une relation sexuelle de s'abstenir de toute activité susceptible de les exposer à l'infection, jusqu'à ce qu'un examen médical et des tests de laboratoire leur confirment l'absence d'ITSS, y compris le VIH. Procéder ainsi contribue non seulement à réduire les risques de contamination, mais aussi à établir un climat d'intimité, de confiance et de sécurité dans le couple. Si le prix de ces examens vous freine, sachez que les tests de dépistage et parfois aussi les traitements sont offerts gratuitement presque partout au Canada.

Les autorités sanitaires recommandent aux gens qui ont de nombreux partenaires sexuels de consulter régulièrement leur médecin et de demander un bilan de santé périodique, même s'ils ne présentent pas de symptômes évidents de maladie (Pace et Glass, 2001). Étant donné le nombre élevé de porteurs asymptomatiques, il s'agit là d'un bon conseil. Combien d'examens de ce genre doit-on passer annuellement ? Cela dépend. Nous conseillons aux personnes actives sexuellement et ayant plusieurs partenaires de le faire tous les trois mois.

Utiliser le condom et un spermicide

Les données les plus récentes sur le comportement sexuel et l'utilisation du condom chez les jeunes de 15 à 24 ans sont issues de l'Enquête sur la santé dans les collectivités canadiennes de Statistique Canada. À partir des données de cette enquête recueillies de janvier 2009 à décembre 2010, l'analyste Michelle Rotermann (2012) dresse un portrait de l'utilisation du condom. Chez les 15 à 24 ans, 68 % des répondants ont déclaré s'être servis du condom lors de leur dernière relation sexuelle, une progression de 6 % par rapport à 2003. Comme en 2003, les garçons sont plus enclins que les filles à l'utiliser : en 2009 et 2010, les taux sont de 73 % et 63 % respectivement. L'usage du condom tend à diminuer avec l'âge, passant de 80 % chez les jeunes de 16-17 ans à

63 % chez les 20 à 24 ans. Des différences régionales sont observées : par exemple en Ontario, le taux global (prévalence de l'utilisation) est supérieur à la moyenne nationale avec 73 %, alors qu'au Québec il est inférieur avec 60 %. Les jeunes qui ont le sentiment de pouvoir choisir d'être sexuellement actifs font un meilleur usage du condom, et ce, tant chez les garçons que chez les filles (Fernet et coll., 2001).

Bien qu'on sache depuis des décennies que les condoms utilisés correctement et lors de chaque relation sexuelle aident à prévenir la transmission de plusieurs ITSS, ils sont grandement sous-utilisés dans les interactions sexuelles. Les condoms masculins en latex sont efficaces pour prévenir la transmission du VIH et d'autres ITSS, comme la chlamydiose, la gonorrhée, l'urétrite non gonococcique, la vaginite bactérienne et la trichomonase, infections qui sont aussi transmises par les liquides des muqueuses. Les condoms sont moins efficaces pour prévenir les infections qui se transmettent par contact de la peau comme la syphilis, l'herpès et le VPH, et ne valent rien contre les morpions et la gale. Les condoms faits de membrane de mouton (ou de «membrane naturelle») présentent des pores qui peuvent laisser passer certains virus, dont le VIH et les virus de l'herpès et de l'hépatite.

Les tests de laboratoire indiquent que le condom féminin offre une barrière protectrice efficace contre les virus, dont le VIH (voir le chapitre 13). S'il est utilisé correctement et lors de chaque relation sexuelle, le condom féminin peut réduire de façon substantielle les risques de transmission de certaines ITSS et remplacer adéquatement le condom masculin lorsqu'on ne peut employer ce dernier. Le condom féminin est une solution très intéressante pour les femmes sexuellement actives qui courent le risque de contracter une ITSS parce que leurs partenaires ne veulent pas mettre un condom masculin.

Autre point à signaler : il est maintenant prouvé que les spermicides vaginaux contenant du nonoxynol-9 (N-9) ne protègent pas contre la transmission de la chlamydiose, de la gonorrhée ou du VIH (Roddy et coll., 2002). En fait, l'usage fréquent du N-9 a été corrélé avec la présence de lésions vaginales, ce qui augmente le risque d'infection au VIH pendant le coït (van Damme, 2000). De plus, la recherche sur les animaux a montré que le N-9 peut endommager les tissus du rectum et créer une porte d'entrée pour le VIH ou d'autres agents pathogènes causant des ITSS (Philips et coll., 2000). Les autorités de la santé publique recommandent de ne pas utiliser de spermicide au N-9.

Les moyens actuels de protection contre la transmission des ITSS présentent un inconvénient majeur pour les femmes : ils relèvent du contrôle des hommes (le condom masculin) ou nécessitent leur coopération (le condom féminin). Pour améliorer la prévention des ITSS, il faut donc développer des méthodes que les femmes pourraient maîtriser. Ces efforts de recherche sont décrits dans l'encadré *Pleins feux sur la recherche* ci-après.

Voici une liste de conseils à suivre quant à l'utilisation du condom masculin :

- Conservez les condoms dans un endroit frais et sec, à l'abri de la lumière.

- Jetez ceux dont l'emballage est endommagé, ainsi que ceux qui sont fragiles, collants, décolorés ou qui semblent éventés.

- Manipulez les condoms avec précaution de façon à ne pas les perforer.

- Mettez le condom avant tout contact génital pour éviter une exposition aux fluides susceptibles de contenir des agents infectieux.

- Assurez-vous que le condom est correctement lubrifié. Si vous devez ajouter du lubrifiant, n'utilisez que des produits à base d'eau comme un spermicide ou un gel. En effet, la résistance du latex peut être altérée par les lubrifiants contenant du pétrole ou de l'huile (comme la vaseline, l'huile pour bébé, les huiles alimentaires, le shortening ou de nombreuses lotions pour le corps).

- Ne le gonflez pas à la manière d'un ballon et ne le remplissez pas d'eau. En affaiblissant le latex, ce genre d'étirement accroît le risque de rupture du condom durant son utilisation.

- Sur un pénis non circoncis, rétractez le prépuce avant de mettre le condom.

- Ne déroulez pas le condom pour ensuite le passer à la manière d'un bas ; cela a tendance à affaiblir le latex et à accroître les risques de rupture lors de son utilisation. La bonne façon de mettre un condom est de le dérouler directement sur le pénis en érection (tout en pinçant l'extrémité du réservoir ou en en serrant le bout avec les doigts afin de laisser un espace pour l'éjaculat).

- Si un condom se déchire, remplacez-le tout de suite.

- Après l'éjaculation, prenez garde que le condom glisse du pénis. Il faut se retirer du vagin tandis que le pénis est encore en érection en maintenant fermement le condom par son anneau de base, de façon à éviter qu'il glisse.

- Ne réutilisez jamais un condom.

Le condom ne constitue un bon moyen contre la propagation des ITSS que s'il est employé correctement *chaque fois* qu'une personne a des relations sexuelles. La régularité et l'usage approprié peuvent s'avérer difficiles, d'autant plus que la prudence tend à diminuer dans le feu de l'action. Aussi, nous vous encourageons fortement à intégrer à votre vie sexuelle les connaissances sur les avantages du condom et les moyens de mieux l'utiliser pour prévenir les ITSS et les grossesses.

De nouvelles avenues prometteuses : la recherche de microbicides vaginaux efficaces contre les ITSS

Les barrières contraceptives qui servent également de nos jours à empêcher la transmission des ITSS échappent souvent au contrôle des femmes. Bien que les condoms en latex constituent une excellente protection contre plusieurs ITSS, ils ne sont malheureusement pas utilisés assidûment ni correctement. Même l'utilisation du condom féminin – un préservatif prometteur pour empêcher la grossesse et la transmission des ITSS – dépend dans une certaine mesure de la coopération et de l'assentiment des partenaires masculins. Dans plusieurs pays en émergence où les ressources sont limitées et où sévissent des épidémies de VIH et d'autres ITSS, les femmes sont souvent contraintes à des contacts sexuels non protégés avec des hommes qui refusent de porter le condom.

Parce que les femmes sont souvent défavorisées par l'inégalité dans leurs relations et qu'elles disposent de peu de méthodes de prévention des maladies, il est impératif de mettre au point des méthodes de prévention des ITSS dont elles auraient l'entière maîtrise (Lamptey et coll., 2006 ; Mantell et coll., 2006).

Jusqu'à maintenant, les recherches ont surtout porté sur l'analyse des crèmes, gelées, mousses et suppositoires microbicides qui peuvent être insérés dans le vagin ou le rectum pour prévenir ou réduire le risque d'infection par le VIH ou une autre ITSS. Ces produits pourraient être appliqués avant la relation, mais ils ne peuvent pas se substituer au condom. Ils seraient plutôt une protection supplémentaire à faible coût. Dans les pays en développement où les ressources financières sont limitées et où les femmes ne peuvent compter sur la collaboration des hommes, les **microbicides** pourraient être une option particulièrement intéressante pour prévenir les ITSS. Idéalement, il faudrait que ces produits soient accessibles à un coût minimal, qu'ils soient très efficaces dans la prévention d'une grande variété d'ITSS, qu'ils n'irritent pas ou n'endommagent pas le vagin ou le rectum et qu'ils ne nuisent pas à la protection qu'apportent les lactobacilles présents dans le vagin.

Certains microbicides pourraient tuer ou détruire l'agent pathogène se trouvant dans le sperme ou les sécrétions vaginales. D'autres, qui sont en développement, pourraient agir non pas en détruisant cet agent pathogène, mais en l'empêchant de pénétrer dans l'organisme ou de se lier aux cellules cibles, ou encore de se reproduire à l'intérieur des cellules (Lamptey et coll., 2006).

L'un de ces microbicides, le PRO 2000, a fait l'objet d'une vaste étude clinique menée auprès de milliers de femmes américaines et africaines. Les résultats montrent que le PRO 2000 constitue une protection efficace contre le VIH, mais des données additionnelles sont nécessaires avant de déterminer l'efficacité de ses propriétés microbicides. D'autres études avec des résultats préliminaires prometteurs indiquent que l'incorporation d'antirétroviraux pourrait aussi permettre de contrer la transmission d'ITSS (del Rio, 2007).

Certains produits en cours d'évaluation ont des propriétés à la fois spermicides et antimicrobiennes. Les autorités sanitaires espèrent disposer éventuellement de tels produits pour deux types d'utilisatrices : celles qui veulent se prémunir à la fois contre les ITSS et une grossesse non désirée, et celles qui cherchent seulement à se protéger contre des infections. Souhaitons que ces produits seront disponibles bientôt.

> **Microbicide** Gel topique ou crème que les femmes peuvent appliquer dans leur vagin afin de prévenir la transmission du VIH et d'autres ITSS, ou d'en réduire le risque.

Éviter d'avoir de nombreux partenaires sexuels

Songez à réévaluer l'importance d'avoir des activités sexuelles avec plusieurs partenaires, la preuve étant faite que cette pratique comporte des risques élevés de contracter le VIH, l'herpès, la chlamydiose, le VPH et nombre d'autres ITSS. Vous pourriez aussi décider de ne pas avoir de relations sexuelles avec des personnes qui ont ou semblent avoir de nombreux partenaires. Ces personnes ne connaissent probablement pas très bien tous leurs partenaires, de sorte qu'il leur est difficile d'éviter ceux qui ont des comportements à risque élevé ou de se protéger d'eux.

Examiner les organes génitaux de son ou sa partenaire

En examinant les organes génitaux de votre partenaire avant de vous livrer à une relation buccogénitale ou à un coït vaginal ou anal, vous pourriez découvrir des symptômes d'une ITSS. En effet, les cloques de l'herpès, les écoulements vaginaux ou urétraux, les chancres ou les éruptions cutanées associés à la syphilis, aux condylomes acuminés et à la gonorrhée sont visibles. Dans la plupart des cas, les symptômes sont plus apparents chez l'homme. (Si l'homme n'est pas circoncis, prenez soin de rétracter le prépuce.) Si vous constatez un écoulement, une odeur désagréable, des plaies, des cloques, des éruptions cutanées, des verrues ou tout autre indice suspect, il y a lieu de vous inquiéter. Une façon particulièrement efficace de déterminer s'il y a écoulement suspect est de «pomper» le pénis. Tenez fermement le pénis et tirez la peau plusieurs fois de haut en bas en exerçant une pression à la base du gland. Écartez ensuite le méat pour voir s'il contient ou non un liquide trouble.

Il est souvent difficile de se résoudre à ce genre d'examen avant une relation sexuelle. Cependant, en disant simplement «Laisse-moi te déshabiller», vous aurez l'occasion d'examiner les organes génitaux de votre partenaire. La technique de focalisation sensuelle présentée au chapitre 10 peut fournir l'occasion de procéder à un examen visuel plus détaillé. Certaines personnes suggèrent de profiter d'une douche commune comme prétexte pour examiner son ou sa partenaire avant de passer aux ébats. Cette façon de faire permet en effet de repérer d'éventuelles cloques ou lésions, mais le savon et l'eau peuvent aussi éliminer les indices visuels ou olfactifs associés à un écoulement.

Si vous détectez des signes d'infection, vous ferez preuve de jugement et de prudence en vous refusant au contact sexuel. Comme votre partenaire n'a pas nécessairement conscience de ses symptômes, il est essentiel que vous exprimiez vos inquiétudes. Quant aux gens qui décident de poursuivre l'interaction sexuelle malgré la probabilité d'une ITSS chez le ou la partenaire, ils auraient avantage à se limiter aux baisers, aux étreintes, aux caresses et à la stimulation manuelle des organes génitaux.

Se laver avant et après le contact sexuel

On ne sait pas jusqu'à quel point un lavage à l'eau savonneuse des organes génitaux avant une activité sexuelle peut prévenir les infections. Par contre, il ne fait pas de doute que se laver soit une bonne chose. Le fait de laver le pénis apporte plus de protection contre les infections que de laver la vulve, bien que cela soit aussi une bonne mesure à prendre.

Peut-être hésiterez-vous à demander à votre partenaire de laver ses organes génitaux avant un contact sexuel. Toutefois, vous pouvez contourner la difficulté en incluant cette activité dans des jeux sexuels sous la douche ou dans la baignoire. Rien ne vous empêche non plus de déclarer franchement à votre partenaire que vous allez nettoyer ses organes génitaux et les vôtres dans un but de protection mutuelle.

Après le contact sexuel, il est vivement recommandé de bien laver ses organes génitaux et les zones avoisinantes, à l'eau et au savon, pour empêcher toute propagation éventuelle. Toutefois, nous ne suggérons pas que cette mesure de prévention est toujours de mise après chaque activité sexuelle. Nous ne croyons pas que cela soit nécessaire pour les amants de longue date qui sont strictement monogames, d'autant plus qu'ils pourraient

trouver cette mesure superflue, ou insultante la supposition qu'une personne est sale après une relation sexuelle.

La promptitude est probablement tout aussi importante que la minutie quand vient le temps de se laver. Cependant, par crainte de rompre l'harmonie et l'intimité du moment, certaines personnes n'auront pas envie de s'éjecter du lit immédiatement après la relation pour se laver. D'autres préféreront que leur partenaire ignore qu'elles prennent des précautions; il leur suffira alors de prétexter le besoin d'aller aux toilettes (très fréquent après une relation sexuelle).

Uriner après le coït peut constituer une mesure prophylactique, surtout pour les hommes (Head, 2008). Plusieurs agents infectieux ne peuvent survivre dans le milieu acide de l'urètre au passage de l'urine. Uriner peut aussi aider à évacuer des organismes pathogènes.

Prévenir ses partenaires si l'on a une ITSS

Comme de nombreuses infections sont asymptomatiques, il est essentiel que les personnes infectées avertissent leurs partenaires sexuels dès qu'elles obtiennent un diagnostic d'ITSS. De façon générale, cela contribue à réduire la propagation des ITSS. Dans le cas du VIH, il s'agit d'une nécessité absolue. L'information peut être transmise par la personne infectée ou un professionnel de la santé (Kissinger, 2003). Si c'est un professionnel de la santé qui se charge de le faire, il peut alors, par la même occasion, communiquer de l'information sur la façon de réduire les risques d'exposition aux ITSS, de même que sur les services de santé offerts, comme le dépistage et le traitement des ITSS (Hoxworth et coll., 2003). L'encadré *Parlons-en* fournit des suggestions utiles pour qui choisit de divulguer qu'il a une ITSS.

Plusieurs études ont montré que le fait d'informer son ou ses partenaires de la situation favorise souvent des changements positifs dans les comportements, comme un usage accru du condom, la réduction du nombre de partenaires sexuels, et contribue également à réduire le nombre d'ITSS chez les personnes qui ont été averties (Niccolai et coll., 2006; Semaan et coll., 2004).

Une enquête américaine portant sur 1421 personnes traitées pour une infection au VIH a révélé que 42 % des hommes gais ou bisexuels, 19 % des hommes hétérosexuels et 17 % des femmes de l'échantillon avaient eu des interactions sexuelles sans informer leurs partenaires de leur infection. Cette non-divulgation survenait surtout dans les cas où la relation n'était pas exclusive (Ciccarone et coll., 2003). En général, les études indiquent que les personnes atteintes d'une ITSS ont tendance à prévenir leur partenaire principal de leur situation et à laisser leurs autres partenaires sexuels dans l'ignorance (Niccolai et coll., 2006).

Parlons-en

Informer son ou sa partenaire

Vous devez informer votre partenaire que vous lui avez peut-être transmis une ITSS. La difficulté vous semble insurmontable ? Il en serait ainsi pour la plupart des gens. Vous craignez sans doute que cette révélation ne compromette une relation qui compte pour vous. Vous avez peur d'être jugé sur votre hygiène. De plus, si votre relation est réputée monogame, ce genre de révélation peut briser le lien de confiance mutuelle dans votre couple. Par contre, malgré tous ces obstacles, il est beaucoup plus dangereux à long terme de taire l'existence d'une infection transmissible sexuellement.

En omettant d'avertir un ou une partenaire des risques d'ITSS, on met sa santé en danger. En effet, comme plusieurs ITSS n'ont aucun symptôme, les personnes infectées ne se rendront souvent compte de leur état que lorsqu'elles présenteront de sérieuses complications. De plus, si vous taisez votre état et que votre partenaire n'est pas traité, vous pourriez être infecté de nouveau après la guérison.

Contrairement à certaines maladies, comme les oreillons ou la varicelle, les ITSS ne vous immunisent pas contre de futures infections. Vous pouvez contracter une infection, la transmettre à votre partenaire, en guérir, et la contracter une fois de plus si l'autre n'a pas été traité.

Voici quelques conseils pour vous aider à informer votre partenaire que vous souffrez d'une ITSS. N'hésitez pas à les adapter à votre situation. La question est délicate et nécessite réflexion et planification.

1. Faites preuve de franchise. Vous ne gagnez rien à minimiser vos symptômes d'ITSS. Assurez-vous que votre partenaire a compris qu'il doit se soumettre à un examen médical.

2. Même si vous soupçonnez que l'infection vous a été transmise par votre partenaire, évitez le blâme. Cela ne vous mènera nulle part. Déclarez simplement que vous avez cette infection et que vous désirez que votre partenaire se prête au traitement médical approprié.

3. La réaction de votre partenaire à la nouvelle pourrait dépendre de votre attitude. Si vous montrez beaucoup d'anxiété, de culpabilité, de crainte ou de dégoût, l'autre pourrait réagir de même. Essayez de présenter les faits aussi clairement et calmement que possible.

4. Faites preuve d'empathie. Attendez-vous à de la colère ou à du ressentiment. Ce sont là des réactions compréhensibles. C'est en étant compréhensif et en écoutant sans vous tenir sur la défensive que vous réussirez le mieux à désamorcer les réactions négatives.

5. Lorsqu'une infection est diagnostiquée, il est évidemment exclu de vous livrer à des ébats sexuels avant d'avoir obtenu la confirmation médicale que vous ne présentez plus de risques de propagation.

6. Dans les cas d'herpès, où les récidives sont imprévisibles et les risques d'infecter un nouveau partenaire, constants, il vaut mieux faire état de sa condition avant d'avoir des relations intimes. Dites simplement à votre partenaire : « Il y a quelque chose dont nous devrions discuter d'abord. »

Bien que cela soit difficile, il est très important d'informer tous ses partenaires sexuels des six derniers mois lorsqu'on a contracté une ITSS.

RÉSUMÉ

L'incidence élevée des ITSS découle de plusieurs facteurs : le grand nombre de gens ayant des rapports sexuels non protégés avec plusieurs partenaires, l'usage accru des contraceptifs oraux, l'accès limité à des méthodes efficaces de prévention et de traitement des ITSS, le caractère asymptomatique de plusieurs de ces infections et le fait que les personnes ne révèlent pas qu'elles sont infectées.

Les infections liées à l'activité sexuelle

- La chlamydiose est l'ITSS la plus répandue au Canada et elle est souvent asymptomatique.

- La gonorrhée provoque certains symptômes similaires chez les deux sexes, dont des écoulements accrus et des sensations de brûlure à la miction. Souvent, chez les femmes, elle passe inaperçue au début.

- Au Canada, la gonorrhée est en augmentation chez les hommes ayant des rapports sexuels avec des hommes.

- La syphilis est moins répandue que la gonorrhée, mais elle peut causer de plus grands dommages. Elle se transmet surtout par contact sexuel. Elle est toutefois en hausse au Québec.

- L'herpès se rencontre surtout en deux variantes de virus, le VHS-1 et le VHS-2. Le type 2 touche surtout les organes génitaux et le type 1 la bouche, mais tous deux peuvent aussi infecter ces deux zones.

- Les virus de l'herpès ne sont jamais totalement détruits par la médication et ils peuvent provoquer des irruptions (crises) récurrentes.

- Le virus du papillome humain (VPH) est la principale cause des verrues génitales. Il peut aussi provoquer le cancer du col de l'utérus.

- La vaginite bactérienne, la candidose (*Candida albicans*) et la trichomonase (*Trichomonas vaginalis*) sont les infections vaginales les plus répandues. Les hommes infectés par ces micro-organismes n'ont en général aucun symptôme. La transmission par le coït est fréquente.

- Il y a deux types d'infections ectoparasitaires : les morpions et la gale.

- Le sida est une infection causée par un virus, le VIH, qui détruit le système immunitaire et rend ainsi l'organisme vulnérable à une variété d'infections et de cancers.

- Le VIH est apparu en Afrique, au début du XXᵉ siècle, d'une transmission hétérospécifique d'une sous-espèce de chimpanzés à l'humain et il s'est propagé dans le monde, beaucoup plus tard, quand l'Afrique est sortie de son isolement.

- Le sang et le sperme sont les principaux agents de propagation du VIH, lequel se transmettrait avant tout par contact sexuel et, chez les utilisateurs de drogues injectables, par l'emploi de seringues ayant servi à des personnes infectées.

- Les comportements à haut risque par lesquels on s'expose à l'infection au VIH comprennent les rapports sexuels non protégés, les multiples partenaires sexuels, les rapports sexuels avec des gens dont le facteur de risque est élevé et le partage de matériel d'injection de drogues.

- Les infections par le VIH peuvent être dépistées par des tests sanguins.

- Le meilleur espoir d'endiguer l'épidémie d'infections au VIH/sida passe par l'éducation et les changements de comportements.

La prévention des ITSS

- La stratégie de prévention la plus importante consiste probablement à évaluer attentivement son propre risque de transmission d'une ITSS et celui de son ou sa partenaire.

- Les nouveaux couples devraient s'assurer qu'ils n'ont pas d'ITSS en subissant des examens médicaux et des tests de dépistage avant de se livrer à toute activité sexuelle.

- Les personnes qui ont de nombreux partenaires sexuels devraient se soumettre périodiquement à un examen médical auprès de leur médecin ou dans une clinique de dépistage d'ITSS, même si elles n'ont aucun symptôme de maladie.

- Les personnes infectées doivent impérativement prévenir leurs partenaires sexuels de leur état dès qu'elles se savent atteintes d'une ITSS.

CHAPITRE

13

La conception et la contraception

SOMMAIRE

Devenir parent est l'une des décisions les plus importantes qui soient. Dans un premier volet, nous examinons les avantages et les inconvénients de la parentalité. Nous abordons également les processus de la conception, de la grossesse et de la naissance, de même que les émotions qu'ils suscitent. De plus, nous examinons les choix et les options qui s'offrent aux futurs parents.

Dans un second volet, nous abordons la contraception et l'éventail des moyens qui peuvent être utilisés selon les besoins particuliers, l'étape de la vie et le désir de chacun de fonder une famille ou non.

La conception et la grossesse

Examinons d'abord les changements, les expériences et les sentiments inhérents au processus physiologique de la procréation, en commençant par la grossesse. Cette première étape s'avère difficile pour certains couples.

Améliorer ses chances de concevoir

Choisir le bon moment de faire l'amour durant le cycle menstruel est un facteur important pour améliorer les chances de concevoir. La conception est plus probable durant les six jours qui suivent l'ovulation. Il est difficile de prévoir précisément le moment de l'ovulation, mais plusieurs méthodes permettent de le déterminer avec une approximation raisonnable. Les tests indicateurs d'ovulation, en détectant dans l'urine l'augmentation de l'hormone lutéinisante (LH) qui survient avant l'ovulation, donnent de bons résultats, et on peut se les procurer en pharmacie sans ordonnance. Autrement, on peut utiliser les méthodes de la glaire cervicale, de la température basale et du calendrier pour estimer le moment de l'ovulation.

Certaines personnes aimeraient aussi avoir la possibilité de concevoir un enfant d'un sexe précis, comme le montre l'encadré *Les uns et les autres*.

L'infertilité

Soixante pour cent des couples conçoivent un enfant dans les trois premiers mois de tentatives, mais si la grossesse ne survient pas après six mois d'essais, un couple devrait consulter un médecin. Au Canada, la prévalence de l'infertilité sur une période de 12 mois est passée de 5 % en 1984 à 12 % et à 16 % en 2009 et 2010. Près d'un couple sur sept ayant tenté d'avoir un enfant a eu recours à de l'aide médicale à la conception. Ces couples partagent certaines caractéristiques, dont le fait d'être mariés, de ne pas avoir d'enfant et de comporter une partenaire de 35 ans et plus. Parmi les couples ayant eu recours à de l'aide, environ deux sur cinq ont déclaré avoir utilisé des médicaments visant à améliorer la fertilité, et un sur cinq, des techniques de procréation assistée (Bushnik et coll., 2012). L'infertilité féminine – caractérisée par des problèmes de production d'ovules, de trompes de Fallope bouchées ou d'endométriose – représente 51 % des difficultés liées à la conception. L'infertilité masculine – faible numération des spermatozoïdes et spermatozoïdes de forme anormale ou dont la mobilité est réduite – compte pour 19 % des cas d'infertilité. Dans environ 18 % des cas, l'infertilité est imputable à l'homme et à la femme ; dans 12 % des cas, elle est inexpliquée (Centers for Disease Control and Prevention, 2008). On considère habituellement l'infertilité comme l'incapacité de concevoir un enfant ; c'est pourquoi on appelle *infertilité secondaire* l'incapacité de concevoir un second enfant, difficulté que rencontrent 10 % des couples (Diamond et coll., 1999).

L'infertilité est un problème complexe entraînant de la détresse. Elle peut avoir des effets démoralisants sur l'image de soi et du couple comme entité saine (Peterson et coll., 2008 ; Wischmann et coll., 2009). Ses causes sont parfois difficiles à cerner et demeurent inconnues dans bien des cas. Cependant, entre 85 et 90 % des cas d'infertilité peuvent être traités au moyen d'une pharmacothérapie ou d'une intervention chirurgicale (Hannon, 2009).

L'infertilité et la sexualité

La plupart des jeunes grandissent avec l'idée qu'ils pourront concevoir des enfants lorsqu'ils décideront de fonder une famille. L'infertilité constitue donc un choc et une crise (Wilkes, 2006). Quand l'infertilité devient évidente et indéniable, le couple qui en souffre peut ressentir un grand sentiment d'isolement lorsque les conversations portent sur la grossesse, les enfants et leur éducation. Voici les propos d'une femme qui a été dans l'incapacité de concevoir :

> Les pauses-café sont les pires moments ; chacune sort des photos de ses enfants et parle de leurs dernières mésaventures. Lorsqu'une femme se plaint de problèmes liés aux soins des enfants, j'ai envie de hurler et de lui dire combien elle a de la chance de pouvoir avoir ce genre de « problèmes ». (Notes des auteurs)

Les problèmes d'infertilité peuvent avoir des effets profondément négatifs sur la relation du couple et sa sexualité (Schmidt, 2006). Les partenaires peuvent aussi se détourner l'un de l'autre et se sentir incompris. Chaque partenaire pourra également douter de sa propre masculinité ou féminité en raison de sa difficulté à concevoir. Chacun pourra vivre de la colère et de l'anxiété et se demander « Pourquoi moi ? ». Finalement, tous deux pourront éprouver du chagrin à l'idée de ne jamais connaître des expériences telles que la grossesse, l'accouchement et l'éducation des enfants qu'ils auraient conçus (Miller, 2003 ; Steuber et Solomon, 2008).

Les uns et les autres

Choisir d'avance le sexe du bébé : quelques considérations technologiques et transculturelles

Le désir d'avoir un enfant d'un sexe particulier existe depuis les temps anciens, lorsque la sélection se faisait après la naissance. Par exemple, chez les Romains de l'Antiquité, l'infanticide de bébés filles était pratiqué (Faerman et coll., 1997). Les superstitions quant à la façon d'influer sur le sexe éventuel de l'enfant pendant le coït font partie de la culture occidentale : par exemple, l'homme qui porte un chapeau engendrera un garçon et celui qui suspend son pantalon sur la colonne gauche du lit concevra une fille. Les couples essaient parfois des méthodes dites naturelles pour concevoir un garçon ou une fille. Privilégier la relation sexuelle près du moment de l'ovulation (pour avoir un garçon) ou moins près de l'ovulation (pour avoir une fille), rendre l'environnement vaginal plus acide (pour une fille) ou plus alcalin (pour un garçon) ou privilégier une position sexuelle (missionnaire pour une fille, pénétration par l'arrière pour un garçon) sont quelques moyens auxquels des couples ont recours. Cependant, il n'existe aucun consensus scientifique quant à l'efficacité de ces méthodes.

En Chine, en Inde et en Corée du Sud, la préférence pour les garçons est particulièrement forte, et les infanticides de filles ainsi que les avortements sélectifs de fœtus féminins sont monnaie courante. En Inde, une femme peut payer 12 $ pour une échographie afin de connaître le sexe du fœtus qu'elle porte et, si c'est une fille, se faire avorter pour 35 $ (Power, 2006). Ces pratiques ont entraîné un déséquilibre des naissances : pour 1000 naissances de garçons, le nombre de filles est passé de 962 en 1981 à 927 en 2001 (Gentleman, 2008).

Des facteurs économiques et culturels contribuent à favoriser les garçons. Ce sont les fils qui s'occupent de leurs parents lorsque ceux-ci sont âgés et qui, en l'absence d'un filet social gouvernemental, assurent leur sécurité. En Asie, dans les traditions hindouiste et confucianiste, seuls les fils peuvent allumer le bûcher funéraire de leurs parents décédés et prier pour la libération de leur âme. Les fils deviennent un jour une source de revenus pour leurs parents, tandis que les filles représentent une charge financière, car elles devront être pourvues d'une dot. En outre, le travail d'une femme profitera à la famille qu'elle intégrera en se mariant et non à sa famille naturelle (Garlough, 2008). Ces traditions sont si ancrées que même les couples d'Asie qui immigrent en Amérique recourent à la technologie médicale pour avoir des fils au lieu de filles (Swift, 2009).

Une technique efficace de sélection du sexe de l'enfant consiste à choisir parmi des embryons conçus en laboratoire celui du sexe souhaité. Le sexe de l'embryon est vérifié, puis un médecin l'implante dans l'utérus de la femme. Le procédé coûte 20 000 $ US et le sexe de l'enfant est garanti à presque 100 % (Dayal et Zarek, 2008). Une autre méthode, dont les résultats sont plus incertains, consiste à séparer les spermatozoïdes porteurs du chromosome X de ceux qui sont porteurs du chromosome Y. Une fois ce procédé effectué en laboratoire, il s'agit d'implanter ceux du lot du sexe désiré dans l'utérus. Les taux de succès sont de 90 % pour les bébés filles et de 70 % pour les bébés garçons. Cependant, le côté peu romantique de la collecte de sperme et de l'insémination artificielle limitera probablement le recours à ces techniques, à moins que les parents n'aient de bonnes raisons de vouloir un enfant d'un sexe précis (Berkowitz, 2000). La présélection du sexe de l'enfant peut s'avérer utile pour les couples qui risquent de transmettre une maladie liée au chromosome X. La recherche indique que la population nord-américaine est fortement d'accord avec cette pratique (Kalfoglou et coll., 2008).

Les relations coïtales peuvent devenir plus éprouvantes qu'agréables à cause de l'anxiété et de la tristesse de ne pouvoir concevoir (Salonia et coll., 2006). Les études ont montré que la plupart des couples infertiles vivent des insatisfactions ou des dysfonctions sexuelles à un moment ou un autre (Mahoney, 2007). De plus, les techniques médicales de diagnostic et de traitement de l'infertilité nuisent à la spontanéité et à l'intimité du couple. Les relations sexuelles deviennent stressantes et mécaniques, et créent une anxiété de performance qui nuit à l'excitation sexuelle et à l'intimité affective (Leal, 2007; Peters et coll., 2007).

À l'inverse, 20 % des hommes et 25 % des femmes déclarent que l'infertilité a aidé leur couple. Dans ces cas, l'élément déterminant était la capacité de l'homme à communiquer activement ses sentiments plutôt que d'éviter de parler de grossesse et de fuir dans le travail. Les couples qui discutaient de l'infertilité étaient non seulement plus proches, mais ils diminuaient aussi leur état de stress général (Aaronson, 2006).

L'infertilité féminine

Plusieurs raisons font qu'une femme ne peut concevoir. Les problèmes liés à l'ovulation comptent pour environ 20 % des cas d'infertilité (Urman et Yakin, 2006). Le vieillissement réduit considérablement la capacité de concevoir. La fertilité de la femme culmine entre 20 et 24 ans, et elle commence à décroître rapidement à partir de 30 ans. Entre 35 et 39 ans, le taux de fertilité peut chuter à 46 % par rapport à son maximum, et diminuer de 95 % entre 40 et 45 ans (Speroff et Fritz, 2005). Les femmes de 35 ans et plus présentent deux fois plus de risques de souffrir d'infertilité inexpliquée que les femmes plus jeunes (Maheshwari et coll., 2008).

Un déséquilibre hormonal, une carence grave en vitamines, un dérèglement métabolique, une alimentation pauvre, des facteurs génétiques, le stress émotionnel ou une pathologie peuvent jouer un rôle dans les problèmes d'ovulation (Marx et Mehta, 2003). L'ovulation, et donc la possibilité de grossesse, peut aussi être inhibée par un pourcentage de gras corporel sous la normale, qui peut résulter de régimes amaigrissants trop sévères ou d'un excès d'exercices physiques. Il suffit d'avoir un poids de 10 à 15 % inférieur à la normale pour inhiber l'ovulation. Les fumeuses sont moins fertiles et mettent plus de temps à tomber enceintes que les non-fumeuses, et la consommation excessive d'alcool ou de drogues réduit la fertilité des femmes. Les toxines présentes dans l'environnement – dont les substances chimiques contenues dans les tapis, les emballages alimentaires, les casseroles antiadhésives et les pesticides – peuvent également nuire à la fertilité féminine (Chavarro et coll., 2007; Fei et coll., 2009; Hannon, 2009). Il est parfois possible de traiter les problèmes d'ovulation au moyen d'une variété de médicaments. Bien qu'ils soient

Certains spécialistes en fertilité jugent que les célébrités qui deviennent mères tard dans leur vie, comme Susan Sarandon, donnent la fausse impression que la conception est facile à tout âge.

généralement efficaces et sans danger, les médicaments qui stimulent l'ovulation peuvent entraîner certaines complications, notamment un risque plus grand de naissances multiples.

Si les tests concluent que l'ovulation de la femme se fait normalement et que le sperme de son partenaire est de qualité suffisante, la prochaine étape consiste souvent à effectuer un test post-coïtal pour voir si les spermatozoïdes demeurent vivants et gardent leur motilité à travers la glaire cervicale (Chretien, 2003). La glaire cervicale peut contenir des anticorps qui attaquent les spermatozoïdes, ou elle peut former un bouchon qui empêche leur passage (Ginsburg et coll., 1997). L'insémination intra-utérine, qui consiste à déposer les spermatozoïdes directement dans l'utérus, s'avère utile dans certains cas.

Les infections et les anomalies du col de l'utérus, du vagin, de l'utérus, des trompes de Fallope ou encore des ovaires peuvent détruire les spermatozoïdes ou les empêcher d'atteindre l'ovule (Rebar, 2004). Les tissus cicatriciels causés par des ITSS sont susceptibles de bloquer le passage des spermatozoïdes et des ovules. Les problèmes tubaires peuvent parfois être corrigés en excisant chirurgicalement les tissus cicatriciels autour des trompes de Fallope et des ovaires.

L'infertilité masculine

La plupart des causes d'infertilité masculine sont liées à des anomalies dans le nombre de spermatozoïdes, leur forme ou leur motilité, c'est-à-dire leur vigueur à se propulser (American Society for Reproductive Medicine, 2008). La présence d'une veine endommagée ou hypertrophiée dans un testicule ou un canal déférent, trouble qui porte le nom de varicocèle, est une cause majeure d'infertilité masculine. La varicocèle provoque une accumulation de sang dans le scrotum, ce qui élève la température de la zone et nuit à la production de spermatozoïdes (Mishail et coll., 2009). Le virus des oreillons, lorsque cette infection survient à l'âge adulte, peut atteindre les testicules et diminuer la production de spermatozoïdes. Une infection du canal déférent peut, par ailleurs, bloquer le passage des spermatozoïdes. Les ITSS sont également une cause majeure d'infertilité. Le tabagisme et la consommation d'alcool et de drogues réduisent la fertilité (Springen, 2008). La consommation de cocaïne entrave la spermatogenèse alors que la marijuana nuit à la motilité des spermatozoïdes (Leibowitz et Hoffman, 2000). Les toxines environnementales, comme des produits chimiques, des polluants et des radiations, peuvent aussi réduire le nombre de spermatozoïdes et les rendre anormaux (Underwood, 2007). Les spermatozoïdes absorbent et métabolisent ces toxines environnementales plus facilement que les autres cellules du corps, ce qui risque également d'entraîner des anomalies congénitales. Les facteurs environnementaux sont probablement à l'origine de la diminution du nombre de spermatozoïdes observée partout dans le monde depuis 50 ans (Joensen et coll., 2009).

La recherche indique qu'une éjaculation quotidienne peut contribuer à améliorer la qualité des spermatozoïdes (Henderson, 2007). À l'inverse, pour augmenter leur concentration, l'éjaculation doit avoir lieu, idéalement, tous les deux jours, en commençant six jours avant l'ovulation jusqu'à la fin de la semaine où l'ovulation se produit (Speroff et coll., 1989). Un homme dont le nombre de spermatozoïdes est faible devrait aussi éviter de prendre des bains chauds, de porter des vêtements et des sous-vêtements trop ajustés et de faire du vélo sur de longues distances, car cela est susceptible d'augmenter la température des testicules à un niveau supérieur à la normale.

Lorsque les spermatozoïdes sont en quantité insuffisante ou de faible qualité, la technique de fécondation in vitro avec micro-injection (ICSI) peut donner lieu à une grossesse. Cette technique consiste à injecter un seul spermatozoïde dans chaque ovule prélevé.

Les techniques de procréation assistée

Plusieurs méthodes ont été mises au point pour aider les couples à surmonter les problèmes d'infertilité. L'insémination artificielle est une option à considérer dans certains cas. Cette technique consiste à introduire les spermatozoïdes dans le vagin ou le col de l'utérus à l'aide d'un instrument et, parfois, directement dans l'utérus, un processus appelé *insémination intra-utérine*. Si le partenaire masculin ne produit pas des spermatozoïdes de bonne qualité ou si la femme n'a pas de partenaire masculin, l'insémination peut se faire avec le sperme d'un donneur.

Les techniques de conception extra-utérine sont appelées techniques de procréation médicalement assistée (PMA). Le premier bébé issu de ces techniques est né en Angleterre en 1978. En fécondation in vitro (FIV), les ovaires sont stimulés au moyen de médicaments inducteurs de l'ovulation. Plusieurs ovules sont produits en même temps. Les ovules matures sont retirés des ovaires et fécondés en laboratoire en les mettant en contact avec les spermatozoïdes dans un contenant approprié. Au bout de deux ou trois jours, plusieurs ovules fécondés comportant de deux à huit cellules sont introduits dans l'utérus. Les embryons en surplus sont souvent congelés pour être utilisés ultérieurement en cas d'échec de la première tentative. Lorsque la démarche fonctionne, au moins un ovule s'implante et se développe. Le taux de succès se situe entre 50 et 72 %. La probabilité de naissance vivante double lorsque la femme a moins de 35 ans (Boyd, 2009 ; Malizia et coll., 2009). La recherche pour améliorer le taux de succès de la FIV se poursuit (Devroey et coll., 2009 ; Fabregues et coll., 2009 ; Kyrou et coll., 2009).

Une variante de la fécondation in vitro consiste à implanter les ovules fécondés dans les trompes de Fallope au lieu de l'utérus, une technique appelée **transfert intratubaire de zygotes** (ZIFT). Le **transfert intratubaire de gamètes** (GIFT) est une technique consistant à déposer à la fois les spermatozoïdes et les ovules directement dans les trompes de Fallope, là où se produit normalement la fécondation.

Varicocèle   Veine endommagée ou hypertrophiée dans un testicule ou un canal déférent.

Fécondation in vitro avec micro-injection   Procédé consistant à injecter un spermatozoïde dans un ovule. L'abréviation anglaise ICSI (pour *Intra Cytoplasmic Sperm Injection*) est souvent utilisée en français.

Insémination artificielle   Technique médicale qui consiste à déposer des spermatozoïdes dans le vagin, le col de l'utérus ou l'utérus.

Techniques de procréation médicalement assistée (PMA)   Techniques de fécondation à l'extérieur de l'utérus.

Fécondation in vitro (FIV)   Procédé par lequel des ovules à maturité sont prélevés des ovaires et fécondés par des spermatozoïdes en laboratoire dans des éprouvettes.

Transfert intratubaire de zygotes   Procédé par lequel un ovule est fécondé en laboratoire, puis déposé dans une trompe de Fallope. Dans les textes français, on voit l'abréviation anglaise **GIFT** (*Gamete Intrafallopian Transfer*).

Transfert intratubaire de gamètes   Procédé par lequel un spermatozoïde et un ovule sont déposés dans une trompe de Fallope. Dans les textes français, on voit l'abréviation anglaise **ZIFT** (*Zygote Intrafallopian Transfer*).

Le don d'ovules est indiqué lorsque la femme n'a pas d'ovaires, ne peut pas produire d'ovules par elle-même ou lorsqu'elle risque de transmettre une maladie génétique. Les donneuses sont généralement des femmes dans la vingtaine, souvent une sœur ou une amie de la personne qui demande une fécondation in vitro. Lorsque les deux partenaires sont infertiles, la FIV peut se faire en recourant aux dons de sperme et d'ovules.

Les coûts et les risques pour la santé associés aux techniques de procréation assistée

La procréation assistée coûte cher. Par exemple, la fécondation in vitro coûte plus de 5000 $ par essai, et plus d'un essai est souvent nécessaire. Si la technique choisie demande un don d'ovules ou de sperme, une FIV par injection ou des techniques supplémentaires, les coûts en sont augmentés d'autant (King, 2006). Au Québec, la Régie de l'assurance-maladie couvre ces frais depuis août 2010. En Ontario, celles et ceux qui ont besoin de services de procréation assistée pour fonder une famille font face à des coûts élevés, allant jusqu'à 6000 $ (ce qui n'inclut pas les médicaments, les heures de travail perdues ni les frais de déplacement pour les personnes qui vivent dans des collectivités où il n'y a pas de clinique), et ce, pour chaque cycle de fécondation in vitro (Comité d'experts en matière d'infertilité et d'adoption, 2009).

Les premières données de recherche sur les naissances uniques indiquent une hausse de 50 % des fissures labiales et palatines et des anomalies de l'œsophage ou du rectum chez les enfants conçus par FIV par rapport aux enfants conçus naturellement. Dans la mesure où ces anomalies sont rares, l'augmentation demeure faible.

Lors d'une FIV, plusieurs embryons sont implantés dans l'utérus de la femme de façon à accroître les chances de procréation. Par conséquent, le taux de naissance de jumeaux a augmenté de 70 % entre 1980 et 2004 (aux États-Unis) et celui des triplés – ou plus – de 380 % durant la même période (Martin et coll., 2009). Au Canada, les bébés issus de la procréation assistée représentent de 1 à 3 % des naissances simples, de 30 à 50 % des naissances gémellaires et plus de 75 % des naissances multiples (triplés ou plus). En Ontario, sur les 1500 naissances issues d'une fécondation in vitro en 2006, 70 % étaient des accouchements simples et 30 % des naissances multiples (deux bébés ou plus) (Comité d'experts en matière d'infertilité et d'adoption, 2009). Au Québec, où les frais de procréation sont couverts par la RAMQ, soit l'implantation d'un seul embryon généralement, le taux de grossesse multiple est passé de 27,8 % en août 2010 à 5,2 % à l'automne 2011 (Janvier, 2011). La grossesse multiple accentue le risque de mortalité périnatale, de prématurité, de faible poids et d'anomalies congénitales (Ferrara et coll., 2008). Chez les mères, la grossesse multiple accroît le risque de césarienne,

d'hypertension et d'autres complications lors de l'accouchement, y compris la mort (Dickey, 2003 ; MacKay et coll., 2006). Dans certains cas, un ou plusieurs embryons sont sacrifiés pendant la grossesse pour augmenter les chances qu'un ou deux autres survivent.

Les dilemmes juridiques, éthiques et personnels que soulèvent les techniques de procréation assistée

Le recours aux techniques de procréation assistée soulève des problèmes éthiques et juridiques sans précédent dans notre société. Le surplus d'embryons qui résulte souvent de ces techniques amène des couples à les offrir généreusement en adoption pour qu'ils soient implantés dans d'autres femmes ou à les donner pour la recherche sur les cellules souches. Une étude indique que 60 % des couples étaient d'accord pour remettre leur surplus d'embryons pour la recherche, que 22 % consentaient à les donner à un autre couple et que 24 % voulaient les détruire (Kliff, 2007). Certaines situations suscitent la controverse, comme ces ex-conjoints qui ne s'entendent pas sur ce qu'il faut faire des embryons qui ont été congelés alors qu'ils vivaient encore ensemble.

De nouvelles questions éthiques émergent concernant la vente d'embryons et le versement d'une somme d'argent pour obtenir les ovules d'une femme ou le sperme d'un homme. À la différence des États-Unis, le Canada et la Chine interdisent de payer des femmes pour obtenir leurs ovules, ce qui entraîne un manque d'ovules et d'embryons pour pratiquer des FIV. Les femmes qui en ont les moyens voyagent là où il est permis d'acheter des ovules ou des embryons à cette fin (Baylis et Crozier, 2009 ; Heng, 2009).

Le diagnostic génétique préalable à l'implantation des embryons est déjà disponible et utilisé pour détecter des problèmes génétiques graves. Les modifications génétiques pourraient devenir réalité dans un avenir rapproché (Geary et Moon, 2006). Cette avancée pourrait donner aux parents porteurs d'un défaut génétique identifié – prédisposition au développement de la maladie d'Alzheimer, cancer du sein, fibrose kystique, etc. – la possibilité de faire modifier génétiquement leurs ovules et spermatozoïdes pour enlever la composante responsable de la maladie avant la fécondation in vitro et l'implantation (Begley, 2001). Neuf mois plus tard, le bébé du couple naîtrait sans avoir hérité du défaut génétique familial. Plusieurs bioéthiciens approuvent ces techniques susceptibles d'épargner à des enfants des problèmes génétiques invalidants, voire mortels. D'autres s'opposent à ces pratiques qui pourraient servir à faire des bébés sur mesure, génétiquement programmés dans le but d'obtenir des caractéristiques précises, comme la couleur des cheveux, des yeux ou de la peau (Moses, 2009 ; Reynolds, 2009).

Janise Wulf, 62 ans, tient dans ses bras son douzième enfant, un garçon âgé de quatre jours, né en février 2006.

Les techniques de procréation assistée permettent à des femmes ménopausées de mener une grossesse à terme et d'accoucher. Les ovules d'une femme ménopausée n'étant plus viables, ce sont ceux d'une femme plus jeune qu'on féconde in vitro à l'aide du sperme du mari. Pour que son utérus puisse soutenir une grossesse, la femme est soumise à un traitement hormonal. À ce jour, la plus vieille dame à avoir eu un enfant par procréation assistée avait près de 70 ans (Caplan, 2008).

Devrait-on permettre à des personnes âgées qui risquent de mourir avant que leurs enfants atteignent l'âge adulte de recourir aux techniques de procréation assistée? Certains considèrent que le bien-être des enfants actuels et à venir devrait être pris en considération, mais d'autres soutiennent qu'on ne peut, sur le plan éthique, refuser à une femme la possibilité de procréer sur la seule base de l'âge (Baylis et Crozier, 2009; Gilbert, 2009). Aux États-Unis, la politique actuelle de l'American Society for Reproductive Medicine stipule que l'accès aux programmes de fertilité ne peut être refusé que s'il existe des raisons suffisantes de croire que la femme ou le couple ne sont pas en mesure d'assurer une éducation adéquate à l'enfant (Rubin, 2009).

Il y a 50 ans, les techniques de procréation assistée relevaient de la science-fiction. À la fin de 2012, le Canada comptait 39 cliniques offrant ce type de services (CFAS, 2012). L'imagination scientifique et le progrès technologique ne cesseront d'accroître les possibilités en ce domaine, soulevant autant de nouvelles questions éthiques que juridiques.

Les signes de grossesse

Les premiers signes d'une grossesse peuvent provoquer de la joie ou de la détresse selon le désir ou non de la femme d'être enceinte, les sentiments de son partenaire et un ensemble de circonstances environnantes. Bien que certaines femmes puissent observer de légers saignements ou des traces de sang, le premier signe de la grossesse est habituellement l'absence de menstruation au moment attendu. Une sensibilité des seins, des nausées, des vomissements ou d'autres symptômes non spécifiques, par exemple une grande fatigue ou un changement d'appétit, peuvent aussi apparaître pendant les premières semaines ou les premiers mois de la grossesse.

Chacun de ces indices peut amener une femme à soupçonner une grossesse. Des tests médicaux, tels que l'analyse du sang ou de l'urine, et un examen pelvien peuvent le confirmer ou l'infirmer. Le sang et l'urine d'une femme enceinte contiennent une hormone, la **gonadotrophine chorionique (HGC)**, que sécrète le placenta. Grâce à des tests sanguins de détection de l'HGC, il est possible de déceler une grossesse dès sept jours après la fécondation. Les tests d'urine ou de salive que les femmes peuvent se procurer en pharmacie permettent de détecter une grossesse peu de temps après une absence de menstruation. Ces tests peuvent cependant donner de faux résultats positifs et de faux résultats négatifs; il importe de les faire valider par un professionnel de la santé.

L'avortement spontané et l'interruption volontaire de grossesse

Les grossesses ne sont pas toutes menées à terme. Beaucoup se terminent par un avortement spontané ou par une interruption volontaire de grossesse.

L'avortement spontané

Lorsque la grossesse est confirmée, il arrive qu'elle ne puisse être menée à terme à cause de complications. Une fausse couche est un avortement spontané qui survient dans les 20 premières semaines de la grossesse; dans de

---

Gonadotrophine chorionique (HGC) Hormone sécrétée par le placenta qu'on retrouve dans le sang et l'urine des femmes enceintes.

Fausse couche Expulsion spontanée du fœtus hors de l'utérus avant qu'il ne soit viable.

nombreux cas, elle se produit avant même que la femme ne sache qu'elle est enceinte (Stephenson, 2006). Au moins une grossesse sur sept se termine par une fausse couche (Springen, 2005b). Le tableau 13.1 présente les principales causes des fausses couches, quoique, dans de nombreux cas, les médecins ne parviennent pas à déterminer la cause précise (Kaare, 2009).

Une fausse couche précoce peut ressembler à un flux menstruel plus abondant que d'habitude, alors qu'une fausse couche tardive peut occasionner des crampes inconfortables et des saignements abondants. Heureusement pour les femmes qui désirent avoir un enfant, une fausse couche est rarement le signe qu'une autre grossesse ne pourra pas être menée à terme.

La mortinaissance (ou naissance d'un enfant mort-né) survient lorsque le fœtus meurt après 20 semaines de grossesse. Comme pour les fausses couches, les causes d'une mortinaissance demeurent souvent inconnues. Des problèmes relatifs au placenta ou au cordon ombilical, à la santé ou au développement du bébé constituent des facteurs connus, de même que des problèmes de santé maternelle comme le diabète et l'hypertension.

Une fausse couche ou une mortinaissance représente une grande épreuve pour la femme ou le couple. Les parents peuvent avoir besoin de faire le deuil de ce bébé si désiré et attendre des mois avant de tenter de procréer de nouveau. Les parents d'un enfant mort-né trouvent parfois important de créer un album souvenir de la grossesse et du bébé, et de célébrer un service funèbre. Ils peuvent aussi juger important d'avoir des photos et des empreintes des pieds du bébé (Price, 2008).

L'interruption volontaire de grossesse

Contrairement à la fausse couche, l'interruption volontaire de grossesse (IVG) implique la décision de mettre fin à la grossesse par un procédé médical. En 2010, au Québec, on comptait 17,1 interruptions volontaires de grossesse pour 1000 femmes chez l'ensemble des groupes d'âge de 15 à 44 ans. Ce nombre confirme la diminution observée depuis le pic de 2002 (Institut de la statistique du Québec, 2011a). Le tableau 13.2 résume la situation pour l'ensemble du Canada. Notons que l'IVG est parfaitement légale au Canada depuis l'arrêt Morgentaler en 1988. Par contre, on assiste à différentes tentatives de rouvrir le débat.

TABLEAU 13.1	Les principales causes des fausses couches.
Âge de la mère supérieur à 35 ans
Consommation de plus de 5 boissons alcoolisées par semaine
Consommation de plus de 375 mg de caféine par jour (2 ou 3 tasses de café)
Rejet d'un fœtus anormal
Consommation de cocaïne
Col de l'utérus endommagé
Inflammation rénale chronique
Utérus anormal
Infection
Hypothyroïdie
Réaction auto-immune
Diabète
Choc émotionnel
Consommation d'aspirine et d'anti-inflammatoire non stéroïdien en début de grossesse
Obésité

Sources : Lash et Armstrong (2009) et Speroff et Fritz (2005).

TABLEAU 13.2	Le nombre d'interruptions volontaires de grossesse au Canada, 2010.
Terre-Neuve-et-Labrador	1 068
Île-du-Prince-Édouard	0*
Nouvelle-Écosse	2 125
Nouveau-Brunswick	1 098
Québec	26 124
Ontario	28 765
Manitoba	4 150
Saskatchewan	1 915
Alberta	13 084
Colombie-Britannique	12 149**
Yukon	147
Territoires du Nord-Ouest	40
Nunavut	100

* Aucune clinique ni aucun hôpital ne pratiquent l'IVG à l'Î.-P.-É.
** Données incomplètes.

Sources : Institut canadien d'information sur la santé (2010) et Institut de la statistique du Québec (2011a).

Interruption volontaire de grossesse (IVG) Acte médical destiné à mettre fin à la grossesse.

Lorsqu'une femme acquiert la certitude d'être enceinte et qu'elle n'a pas désiré cette grossesse, elle doit décider si elle va la mener à terme et garder l'enfant, le donner en adoption ou se faire avorter. L'avortement est le dernier recours pour une femme aux prises avec une grossesse non désirée (Wind, 2006). La crainte de ne pouvoir assumer ses responsabilités envers l'enfant est un facteur décisif dans le choix d'interrompre la grossesse. Pour appuyer leur décision, les femmes sans enfant disent souvent qu'elles ne sont pas prêtes pour la maternité, tandis que celles ayant un enfant ou plus invoquent leurs difficultés à remplir leurs obligations envers les enfants qu'elles ont déjà (Jones et coll., 2008).

Une responsabilité partagée

Les partenaires peuvent décider ensemble s'il y aura avortement ou non et, s'ils optent pour celui-ci, le partage des responsabilités peut prendre différentes formes. Tout d'abord, l'homme peut aider sa partenaire à clarifier ses sentiments à l'égard de la grossesse non désirée et lui exprimer les siens tout en cherchant avec elle la meilleure façon d'y faire face. Tous deux doivent considérer certains éléments importants pour arriver à une décision : leur situation personnelle, leurs sentiments à l'égard de la grossesse et de leur partenaire, le pour et le contre des différents choix possibles et leurs projets personnels et de couple. Si un désaccord persiste entre eux sur la décision qu'il convient de prendre, c'est à la femme de trancher. Sur le plan légal, son partenaire masculin ne peut ni lui imposer ni lui refuser l'avortement.

Les réactions psychologiques à l'avortement

L'avortement est une décision généralement difficile pour la femme et son partenaire. Cela signifie qu'il faut

À l'affiche

Dans *4 mois, 3 semaines et 2 jours,* durant les dernières années du communisme en Roumanie, une étudiante cherche à obtenir un avortement illégal, avec l'aide de son amie. Ce film de Cristian Mungiu, sorti en 2007, a été couronné de nombreux prix, dont la Palme d'or, à Cannes, cette même année.

soupeser et considérer des valeurs et des circonstances profondément personnelles. Une fois prise, la décision garde habituellement une part d'ambivalence. Même lorsque la grossesse n'est pas désirée, l'un ou l'autre des partenaires (ou les deux) peut se sentir perdu et triste. De façon générale, les études valides qui portent sur les réactions psychologiques après l'avortement révèlent que le risque de problèmes de santé mentale n'est pas plus élevé que chez les femmes qui poursuivent leur grossesse. Il est inhabituel que les sentiments de tristesse, de culpabilité, de regret, de dépression durent (American Psychological Association, 2008 ; Charles et coll., 2008 ; Reichenberg et coll., 2006). La plupart des femmes voient une amélioration marquée de leur qualité de vie après un avortement (Westhoff et coll., 2003).

Les facteurs de risque d'une grossesse non planifiée

Dans de nombreux cas, la grossesse non désirée découle indiscutablement d'un échec de la contraception. Environ 54 % des femmes qui se sont fait avorter utilisaient un moyen contraceptif lorsqu'elles sont tombées enceintes (Alan Guttmacher Institute, 2008a). Chez d'autre femmes ou couples qui recourent à l'avortement, la grossesse peut être la conséquence de comportements risqués en matière de contraception, par exemple le fait de ne pas utiliser les contraceptifs de façon régulière ou adéquate, parfois en raison des inconvénients ou des effets secondaires de la méthode choisie, ou à cause d'une mauvaise évaluation du risque de grossesse (Cohen, 2008 ; Perlman et McKee, 2009). De même, à moins d'être protégée par un contraceptif oral ou bien par un équivalent (voir le tableau 13.3), la femme qui consomme de l'alcool ou des stupéfiants joue avec le feu, car ces substances altèrent son jugement et l'incitent à prendre davantage de risques en matière de contraception. Les jeunes femmes qui ont un fort sentiment de culpabilité à l'égard de la sexualité sont moins susceptibles d'utiliser efficacement la contraception que celles qui sont plus émancipées. Des femmes renoncent aussi à se protéger d'une grossesse par crainte de déplaire à leur partenaire en lui demandant de coopérer à la planification et à l'utilisation d'une méthode de contraception.

Enfin, les femmes ayant subi dans leur jeune âge de mauvais traitements psychologiques, physiques ou sexuels, ou les trois, courent deux fois plus de risques d'avoir une grossesse non désirée que celles dont l'enfance n'a pas été marquée par ce genre de traumatismes. Il est aussi plus courant que la première grossesse d'une femme dont la mère a été régulièrement victime de violence conjugale soit non désirée. Ces traumatismes de l'enfance réduiraient la motivation ou la capacité des femmes à recourir à des moyens efficaces pour empêcher une première grossesse non désirée (Dietz, 1999).

L'expérience de la grossesse

La grossesse est une expérience unique et importante pour une femme et son partenaire. Dans les pages suivantes, nous voyons comment se vit une grossesse et les effets qu'elle produit chez les personnes et le couple. Bien que le couple hétérosexuel serve ici de cadre de référence, les couples lesbiens vivent sensiblement les mêmes expériences.

L'expérience féminine

Les réactions émotives et physiques qu'entraîne la grossesse diffèrent selon les femmes, et une même femme pourra se comporter différemment d'une grossesse à l'autre. Voici deux réactions situées aux extrémités du continuum.

> J'ai aimé être enceinte. Mon visage a été rayonnant pendant neuf mois. Je me sentais en communion avec toutes les femelles mammifères ; mon corps et sa capacité à donner la vie m'inspiraient un nouveau respect. Plus j'étais grosse, plus j'aimais cela. (Notes des auteurs)

> Si j'avais pu avoir des bébés sans passer par la grossesse, je l'aurais fait. Se sentir grosse et ralentie est profondément ennuyeux. (Notes des auteurs)

De nombreux facteurs influent sur la manière dont une femme vivra sa grossesse, comme ce qui a motivé sa décision d'être mère, les changements que cette grossesse entraîne sur son mode de vie présent et futur, ses relations avec autrui, ses ressources financières, son image de soi et les changements hormonaux qu'elle vit. Sa conception de la maternité, ce qu'elle en sait, de même que les espoirs et les craintes qu'elle entretient quant à son rôle de mère modulent aussi son expérience. Le soutien et l'attention du partenaire contribuent à une grossesse heureuse.

Les femmes s'imaginent parfois qu'elles ne devraient éprouver que des émotions positives lorsqu'elles sont enceintes. Or, la grossesse provoque fréquemment une gamme d'émotions contradictoires. Une étude portant sur 1000 femmes a révélé une large palette de sentiments : 35 % ont aimé être enceintes, 40 % étaient ambivalentes, 8 % ont détesté cela et les autres ont vécu des expériences différentes d'une grossesse à l'autre. Les chercheurs ont conclu que le degré d'inconfort physique que vivait une femme pendant ces neuf mois déterminait fortement ses sentiments à l'égard de cette expérience (Genevie et Margolies, 1987). Les sensations physiques et les réactions affectives sont très liées au cours de la grossesse. Pour certaines femmes, il s'agit d'une période très difficile ; environ 20 % des femmes éprouvent un

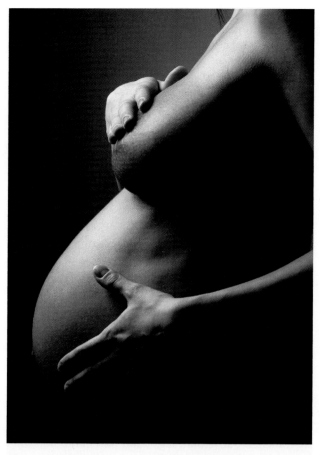

Le corps de la femme se modifie spectaculairement durant la grossesse.

important sentiment de découragement lorsqu'elles sont enceintes (Miller et Underwood, 2006).

L'expérience masculine

> J'ai été un père en devenir à deux reprises. Lors de la naissance de mon premier enfant, j'incarnais l'image classique du papa faisant les 100 pas dans la salle d'attente pendant que ma femme accouchait. Dans ma seconde union, la grossesse a été « notre » grossesse dès le début et mon rôle a été radicalement différent en raison des changements dans les pratiques obstétricales. J'ai assisté aux rendez-vous médicaux et aux échographies du bébé. Entendre son cœur battre si tôt dans la grossesse m'a procuré un sentiment de filiation dès le début. J'ai assisté aux cours prénataux avec ma femme et j'ai été très présent à la naissance du bébé. Je l'ai accompagné à la pouponnière pendant la pesée, la prise de mesures et la toilette, puis je l'ai rapporté à sa mère dans la chambre. J'aurais aimé vivre cela avec mon premier enfant. (Notes des auteurs)

Un père en devenir n'éprouve évidemment pas les mêmes sensations physiques qu'une femme enceinte (quoiqu'il arrive qu'un «père enceint» ait des symptômes psychosomatiques comme les nausées ou la fatigue que connaît sa partenaire). Assez souvent, cependant, le père vit profondément les expériences de la grossesse et de la naissance. Comme la femme, l'homme manifeste fréquemment une bonne dose d'ambivalence. Il peut être ravi, mais aussi se soucier du bien-être de sa partenaire et du bébé. Il n'est pas rare qu'il soit effrayé par la naissance prochaine et qu'il se demande s'il «tiendra le coup». Il aura tendance à se montrer plus tendre et prévenant envers sa compagne. Il pourra également ressentir une certaine distance par rapport à sa partenaire, à cause des changements physiques qu'elle est seule à vivre. Toutefois, l'échographie fœtale, en donnant au père l'occasion de voir le fœtus dans l'utérus, peut stimuler son sentiment d'inclusion dans l'expérience (Sandelowski, 1994). La plupart des hommes s'inquiètent des responsabilités financières et des changements possibles dans leur relation avec la mère. Pour tout dire, le futur père a des besoins spéciaux, tout autant que la future mère, et il est important que sa compagne en prenne conscience et qu'elle soit disposée à y répondre.

Les rapports sexuels durant la grossesse

Si la grossesse n'est pas à risque, la femme et son partenaire peuvent continuer d'avoir des activités sexuelles et des orgasmes autant qu'ils le veulent jusqu'au déclenchement du travail (Schaffer, 2006). En fait, des relations sexuelles et des orgasmes réguliers sont associés à une baisse du risque d'accouchement prématuré (Whipple, 2007). L'intérêt sexuel (ou l'appétit) et la réponse sexuelle de la femme changeront probablement pendant la grossesse. Durant le premier trimestre, son intérêt en ce domaine peut diminuer à cause des nausées, de la sensibilité mammaire et de la fatigue. Certaines femmes éprouvent un regain de désir et d'excitation sexuels durant le deuxième trimestre. Toutefois, la plupart des études indiquent que la fréquence des contacts sexuels diminue graduellement durant les neuf mois de la grossesse, et que le désir sexuel est généralement minime durant le dernier trimestre (Bogren, 1991). Les femmes expliquent cette réduction de leurs activités sexuelles par l'inconfort physique, le sentiment d'être moins séduisantes et la crainte de blesser leur bébé à naître (Colino, 1991).

Les sentiments du partenaire influent aussi sur la vie sexuelle du couple durant la grossesse. Le corps de la femme change et le couple doit nécessairement modifier sa façon de faire l'amour. Certains hommes seront stimulés par la nouveauté, d'autres ne s'y retrouveront pas. À mesure que la grossesse avance, les positions latérales – celles avec la femme au-dessus et la pénétration par l'arrière – sont généralement plus confortables

que la position du missionnaire. La stimulation buccale et manuelle des organes génitaux, les caresses sur tout le corps et les étreintes peuvent se poursuivre. En fait, le couple peut profiter de ces neuf mois pour explorer et développer pleinement ces aspects des ébats amoureux ; même si les partenaires n'ont pas envie de coït, ils peuvent jouir de leur intimité en s'adonnant à l'érotisme et au plaisir sexuel. Pour la plupart des couples, la grossesse est une période de changements émotionnels et physiques importants. La communication franche, l'information juste, le soutien mutuel et la souplesse à l'égard des activités sexuelles et de leur fréquence peuvent aider à maintenir et à renforcer les liens entre les partenaires.

Une saine grossesse

Le mode de vie et la condition physique d'une femme, lorsqu'elle tombe enceinte, puis les soins médicaux qu'elle reçoit durant la grossesse jouent un rôle crucial dans le développement d'un fœtus en santé.

Le développement du fœtus

On divise généralement la période de 9 mois (40 semaines) que dure la grossesse en 3 parties de 13 semaines. Chaque trimestre se caractérise par des changements précis.

Le premier trimestre de la grossesse

Comme la vie de tous les mammifères, celle de l'humain débute par un zygote, c'est-à-dire par la fusion d'un spermatozoïde et d'un ovule. Cette union s'accomplit dans les trompes de Fallope. Le zygote se développe ensuite en un blastocyste multicellulaire qui s'implantera dans la muqueuse utérine, environ une semaine après la conception (voir la figure 13.1). La croissance progresse régulièrement. De 9 à 10 semaines après la dernière menstruation de la femme, on peut entendre battre le cœur du fœtus à l'aide d'un stéthoscope à ultrasons appelé *Doppler*. Au début du deuxième mois, le fœtus mesure de 1,2 à 2,5 cm et a l'aspect d'un croissant grisâtre. Durant le même mois, le canal rachidien se forme, les rudiments des bras et des jambes apparaissent et on commence à distinguer des yeux, des doigts et des orteils. Pendant le troisième mois, des organes internes du fœtus, tels que le foie, les reins, les intestins et les poumons, commencent à fonctionner partiellement. Le fœtus mesure alors 7 cm.

Zygote Cellule non encore divisée résultant de l'union du spermatozoïde et de l'ovule.

Blastocyste Résultat multicellulaire de l'union du spermatozoïde et de l'ovule qui s'implante sur la paroi utérine.

FIGURE 13.1 Le blastocyste.

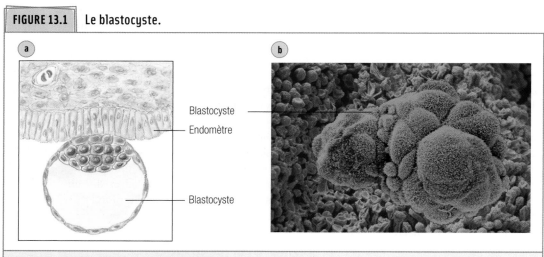

a) Blastocyste accroché à la paroi utérine montré sous forme de diagramme; b) photo d'un blastocyste prise au moyen d'un microscope électronique.

Le deuxième trimestre de la grossesse

Au quatrième mois de la grossesse, on peut souvent distinguer le sexe du fœtus. Ses membres sont nettement formés, de même que ses ongles, ses sourcils et ses cils. Sa peau est couverte d'une sorte de fin duvet. Désormais, le fœtus prendra du volume et ses traits s'affineront. À la fin de ce quatrième mois, le fœtus remue et ses mouvements commencent à se faire sentir. À la fin du cinquième mois, il pèse 500 g. Des cheveux peuvent alors faire leur apparition, et la graisse dermique se développe. À la fin du deuxième trimestre, le fœtus a ouvert les yeux.

Le troisième trimestre de la grossesse

Durant le troisième trimestre, le fœtus continue à croître et à se développer pour atteindre la taille et le degré de vitalité dont il aura besoin pour vivre par lui-même (voir la figure 13.2). Il pèse environ 1,8 kg au septième mois et près de 3,3 kg à la naissance. Le duvet qui couvre

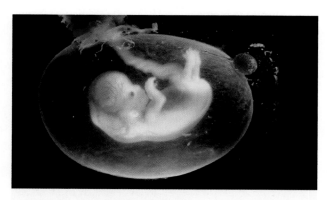

Le développement fœtal à neuf semaines. Le fœtus est relié au placenta par le cordon ombilical.

son corps disparaît et ses cheveux continuent à pousser. Sa peau devient lisse, moins ridée. Elle est couverte d'une substance protectrice graisseuse et cireuse qu'on appelle *vernix caseosa*.

Les soins prénataux

Certains problèmes de développement du fœtus sont génétiques et impossibles à prévenir. En revanche, pour procurer le meilleur environnement au fœtus et favoriser le bien-être de la mère durant la grossesse et l'accouchement, plusieurs éléments se révèlent cruciaux : l'état de santé général de la mère, une saine alimentation, une quantité adéquate d'exercice et de repos, et l'abstinence d'alcool et de drogues (Hannon, 2009).

Des soins prénataux complets peuvent aussi inclure des soins de santé et des cours prénataux (Clapp, 2008 ; Walker et Humphries, 2007). C'est pourquoi une femme devrait obtenir un bilan de santé avant de tomber enceinte. Elle devrait aussi passer un test d'immunité contre la rubéole, une maladie infectieuse qui peut causer de graves séquelles au fœtus si la mère la contracte pendant la grossesse. Un test de dépistage du VIH est également recommandé avant ou pendant la grossesse. Le VIH peut se transmettre au fœtus, et il existe des traitements visant à améliorer la santé de la mère et du fœtus en pareil cas, voire à empêcher sa transmission (Krist, 2001 ; Spensley et coll., 2009).

Malheureusement, plusieurs femmes ne reçoivent pas de soins prénataux adéquats, ce qui augmente le risque de problèmes chez les bébés, notamment un faible poids à la naissance, des maladies pulmonaires, des lésions cérébrales et une croissance anormale. Les séquelles de ces problèmes peuvent se faire sentir durant toute la vie de l'enfant (Bastek et coll., 2008 ; Hack, 2002).

| FIGURE 13.2 | La grossesse au neuvième mois. |

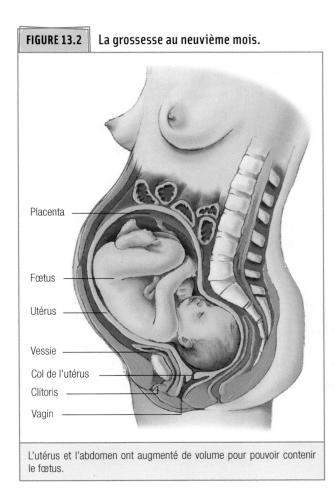

- Placenta
- Fœtus
- Utérus
- Vessie
- Col de l'utérus
- Clitoris
- Vagin

L'utérus et l'abdomen ont augmenté de volume pour pouvoir contenir le fœtus.

des déchets à travers le placenta (un organe en forme de disque rattaché à la paroi utérine, comme le montre la figure 13.3). Le fœtus est relié au placenta par le cordon ombilical. Le sang du fœtus circule grâce à l'appareil circulatoire indépendant situé dans la partie interne du placenta. Le sang maternel circule dans la paroi utérine et dans la partie externe du placenta. Le sang du fœtus et celui de la mère ne se mélangent généralement pas. L'échange de substances entre l'appareil circulatoire de la mère et celui du fœtus se fait par les parois des vaisseaux sanguins. Les éléments nutritifs et l'oxygène du sang maternel entrent dans les vaisseaux sanguins du fœtus ; le gaz carbonique et les déchets provenant du fœtus passent dans les vaisseaux sanguins de la mère et sont évacués par son appareil circulatoire.

Des exercices modérés favorisent généralement une saine grossesse et un accouchement sans problèmes. Une femme enceinte devrait consulter son médecin pour recevoir des conseils spécifiques à sa situation.

Pour contrer les inégalités sociales durant la grossesse, il existe au Québec des programmes qui font la promotion de la santé périnatale et postnatale auprès des clientèles plus vulnérables. Mentionnons tout particulièrement le programme SIPPE (services intégrés en périnatalité et pour la petite enfance), mis en œuvre depuis 2004 dans toute la province par le ministère de la Santé et des Services sociaux du Québec. Ce programme vise, entre autres, à réduire la mortalité des fœtus de même que les autres problèmes associés aux grossesses à risque (par exemple, la prématurité). Le programme s'adresse aux femmes qui présentent des conditions de vulnérabilité plus grandes, notamment les mères de moins de 20 ans et celles vivant dans une extrême pauvreté. Il privilégie des stratégies axées sur l'amélioration de leurs habitudes de vie pendant la grossesse et un meilleur suivi de leur santé physique et mentale (Lepage et Schoonbroodt, 2006).

Les risques pour le développement du fœtus

La croissance rapide du fœtus dépend de la mère pour ce qui est des éléments nutritifs, de l'oxygène et de l'élimination

Placenta Organe en forme de disque qui est rattaché à la paroi utérine et relié au fœtus par le cordon ombilical. Les éléments nutritifs, l'oxygène et les déchets produits par le fœtus sont transférés à la mère à travers les parois cellulaires du placenta.

FIGURE 13.3 Le placenta.

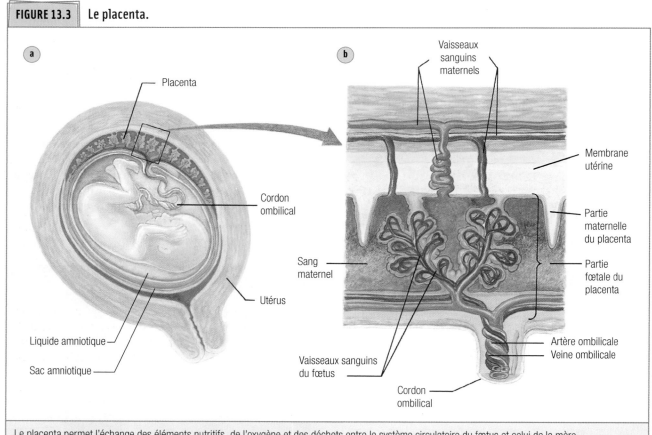

a

Placenta

Cordon
ombilical

Utérus

Liquide amniotique

Sac amniotique

b

Vaisseaux
sanguins
maternels

Membrane
utérine

Partie
maternelle
du placenta

Partie
fœtale du
placenta

Sang
maternel

Artère ombilicale

Veine ombilicale

Vaisseaux sanguins
du fœtus

Cordon
ombilical

Le placenta permet l'échange des éléments nutritifs, de l'oxygène et des déchets entre le système circulatoire du fœtus et celui de la mère.

a) Placenta attaché à la paroi utérine ; b) vue rapprochée du placenta.

Le placenta empêche certains types de bactéries et de virus de pénétrer dans le système sanguin du fœtus, mais il ne les bloque pas tous. Plusieurs, dont le VIH, réussissent à passer. Certains médicaments prescrits, certaines drogues légales comme le tabac et l'alcool ainsi que les drogues illégales nuisent au développement du fœtus. L'alcool et le tabac affectent un bien plus grand nombre de bébés chaque année et font annuellement beaucoup plus de ravages que les substances illégales (Yuan et coll., 2001).

La consommation de cigarettes par la mère réduit l'apport d'oxygène dans l'appareil circulatoire et constitue ainsi un danger important pour la santé du fœtus (Fifer et coll., 2009 ; Martin et coll., 2009 ; Rizzo et coll., 2009). Lorsqu'on les compare avec les enfants de non-fumeuses, les enfants de femmes qui fumaient durant la grossesse ont souvent un poids plus faible, sont davantage victimes de maladies respiratoires et courent de 50 à 70 % plus de risques de naître avec une fente labiale ou palatine ; ils présentent aussi une croissance significativement plus lente et une probabilité plus grande de connaître un retard en lecture (Williams, 2000). Le

tabac à chiquer ou à priser est tout aussi dommageable (Gupta et Subramoney, 2006).

L'alcool traverse facilement les membranes du placenta et pénètre les tissus du fœtus, surtout ceux du cerveau. Le syndrome d'alcoolisme fœtal est la principale cause des anomalies de naissance et des problèmes de croissance en Amérique. Depuis plus de 30 ans, les autorités en santé recommandent aux mères de *s'abstenir de toute consommation* d'alcool pendant la grossesse afin d'éviter des dommages à leur bébé. Une seule consommation par jour peut causer des problèmes, ce qui a été corrélé avec des effets secondaires à la naissance. La consommation occasionnelle d'alcool en grande quantité (cinq consommations et plus) est extrêmement dommageable pour le

Syndrome d'alcoolisme fœtal Syndrome présent chez les nouveau-nés attribuable à une consommation importante d'alcool par la mère durant la grossesse. Il est caractérisé par des anomalies cardiaques congénitales, des lésions au cerveau et au système nerveux, diverses malformations et un quotient intellectuel en deçà de la normale.

fœtus. Outre la mort et une fausse couche, l'alcool peut provoquer divers problèmes : la naissance prématurée, des anomalies cardiaques congénitales, des lésions au cerveau et au système nerveux ainsi que plusieurs malformations. Le bébé peut naître avec une dépendance à l'alcool et, par conséquent, vivre un sevrage pendant plusieurs jours après sa naissance. Les séquelles du syndrome d'alcoolisme fœtal persistent pendant l'enfance, et ceux qui en sont atteints demeurent plus petits que la normale, connaissent des retards dans leur développement et ont des problèmes comportementaux (Willford et coll., 2006). Les efforts d'éducation en santé publique expliquent peut-être que moins de femmes boivent de l'alcool pendant leur grossesse : en 2004, 12 % des femmes enceintes en consommaient comparativement à 30 % en 1989 (Grant et coll., 2009).

Les mères qui, durant leur grossesse, ont consommé de façon régulière des drogues génératrices de dépendance, telles que des amphétamines et des opiacés, accouchent souvent de bébés prématurés et de faible poids. Après leur naissance, ces bébés vivent un sevrage caractérisé par des spasmes, des problèmes d'alimentation et de sommeil, une tension musculaire anormale, et se retrouvent souvent dans les unités de soins intensifs en néonatalité. Ces enfants peuvent présenter des anomalies congénitales et des déficits sensoriel, moteur et cognitif qui perdurent après l'enfance (Zambrana et Scrimshaw, 1997).

Dans nombre de situations tragiques, les dommages causés au bébé sont attribuables à des médicaments, sous ordonnance ou non, que la mère a pris durant sa grossesse. Par exemple, la thalidomide, qui était prescrite comme sédatif aux femmes enceintes au début des années 1960, a provoqué de graves déformations des membres. Certains enfants dont la mère a pris du diéthylstilbestrol (DES) pendant la grossesse ont développé des anomalies du tractus génital, dont le cancer (Centers for Disease Control, 2011 ; Koren, 2009). Les antibiotiques doivent être pris avec prudence pendant la grossesse. La tétracycline, un antibiotique couramment prescrit, peut affecter les dents du nourrisson et causer le rachitisme s'il est pris après la 14e semaine de grossesse. Plusieurs médicaments en vente libre, tels que l'ibuprofène, l'aspirine et les antihistaminiques, peuvent nuire au fœtus, et les effets de plusieurs autres médicaments et plantes disponibles sans ordonnance sont inconnus (Glover et coll., 2003). Une femme et son professionnel de la santé doivent soigneusement évaluer la prise de médicaments pendant la grossesse (Koren, 2009).

Les substances toxiques présentes dans l'environnement peuvent aussi nuire au développement du fœtus. La recherche sur les humains a montré des corrélations entre l'exposition aux toxines et des problèmes dans le développement fœtal (Brauer et coll., 2008).

La grossesse après 35 ans et la paternité après 45 ans

De plus en plus de femmes veulent avoir des enfants passé l'âge de 35 ans. Or, à partir de la mi-trentaine, la fertilité féminine diminue avec les années. Bien que cela soit considéré comme une méthode expérimentale par l'American Society for Reproductive Medicine, les femmes peuvent faire prélever et congeler leurs ovules (une procédure nommée *cryopréservation d'ovocytes*) pendant qu'elles sont jeunes et fertiles afin de les utiliser, si elles souhaitent tomber enceintes lorsque leur fécondité aura diminué avec l'âge. Cependant, la congélation d'ovocytes ne garantit pas une future grossesse. Actuellement, environ 28 % des femmes tombent enceintes en utilisant leurs propres ovocytes congelés, moyennant des coûts de 15 000 $ US plus 400 $ par année pour leur conservation (Lehmann-Haupt, 2009). Au Canada, ces coûts s'échelonnent de 1700 $ à 7000 $ (Centre de reproduction McGill, 2012).

Les femmes plus âgées en bonne santé ne courent pas plus de risques de donner naissance à des enfants ayant des anomalies congénitales *non reliées* à des chromosomes anormaux. Cependant, le taux d'anomalies fœtales résultant d'anomalies chromosomiques (comme le syndrome de Down ou trisomie 21) augmente avec l'âge de la mère. Par exemple, le taux de naissance d'enfants atteints du syndrome de Down est 14 fois supérieur chez les mères âgées de 40 à 54 ans que chez les femmes de moins de 30 ans (Martin et coll., 2009). Chez les femmes âgées de 35 à 44 ans, le recours à des tests prénataux et à l'interruption volontaire de grossesse réduit le risque de donner naissance à un enfant ayant une anomalie congénitale grave à un niveau comparable à celui des femmes plus jeunes (Yuan et coll., 2000).

La grossesse après 35 ans comporte des risques supplémentaires pour la mère et le fœtus. On observe dans ces cas des taux légèrement supérieurs de mortalité maternelle, de naissances prématurées, de césariennes et de bébés de faible poids (Hoffman et coll., 2007 ; London, 2004). La plupart des médecins pensent que la grossesse chez une femme en santé de plus de 35 ans est sans danger et qu'elle n'est pas difficile à encadrer médicalement. En outre, les maladies chroniques telles que le diabète et l'hypertension peuvent poser plus de problèmes que l'âge lui-même pour ce qui est de l'accouchement et de la santé du nourrisson (Yuan et coll., 2000).

Même si les hommes demeurent fertiles plus longtemps que les femmes, de plus en plus de données montrent que leur paternité à un âge plus avancé peut comporter des risques d'anomalies pour leurs enfants. Des scientifiques ont observé des modifications de l'ADN dans les spermatozoïdes d'hommes plus âgés. Certaines études avancent que des mutations sur un seul gène peuvent être quatre ou cinq fois plus présentes chez les hommes de 45 ans et plus que chez les hommes dans la vingtaine. Une augmentation d'anomalies congénitales rares, de cas d'autisme et de schizophrénie a été associée à une paternité à un âge plus avancé (Rabin, 2007).

L'accouchement

La durée d'une grossesse est habituellement de 40 semaines après la dernière menstruation, bien qu'il y ait des variations. Certaines femmes ont des grossesses plus longues, d'autres donnent naissance à des bébés complètement développés quelques semaines avant que les neuf mois soient passés. L'expérience de la grossesse varie aussi grandement selon la physiologie de la mère, son état affectif, la grosseur et la position du bébé, la méthode d'accouchement et le type de soutien reçu.

De nos jours, les futurs parents peuvent compter sur la collaboration étroite d'intervenants spécialisés (obstétriciens, sages-femmes) pour se préparer physiquement et psychologiquement à la naissance de leur enfant. Les *sages-femmes* s'occupent principalement des femmes dont la grossesse et l'accouchement présentent peu de risques de complication. Elles peuvent accompagner et aider les femmes pendant l'accouchement. Les *obstétriciens* sont des médecins spécialisés dans la prise en charge des complications pendant le travail et l'accouchement. Les femmes qui choisissent d'être accompagnées d'une sage-femme doivent pouvoir compter sur un obstétricien en cas de besoin.

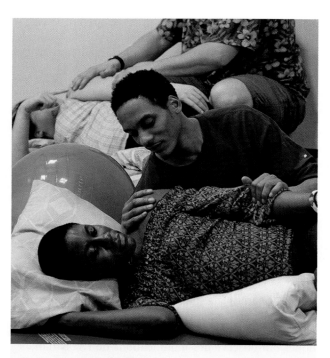

Les cours prénataux aident les futurs parents à se préparer à l'accouchement et à la naissance de leur enfant.

Les futurs parents participent de plus en plus à des cours prénataux qui donnent de l'information approfondie sur les interventions médicales, le travail et l'accouchement. Ces cours fournissent aux mères ainsi qu'à la personne qui les accompagnera durant l'accouchement (son ou sa partenaire, un membre de la famille ou une amie) des exercices de respiration et de relaxation visant à composer avec la douleur. La recherche indique que les femmes accompagnées d'une personne qui les soutient pendant l'accouchement ont moins souvent besoin d'une césarienne, prennent moins d'analgésiques, ont un travail plus court et sont plus satisfaites de leur expérience d'accouchement (Campbell et coll., 2006; McNiven et coll., 1992).

Les phases de l'accouchement

Même s'il y a des variations dans le processus de l'accouchement, celui-ci comporte généralement trois phases identifiables (voir la figure 13.4). Une femme sait que le travail a commencé lorsque les contractions de l'utérus deviennent régulières. Un autre indice du début de la **première phase du travail**, pendant laquelle le col de l'utérus se dilate jusqu'à 10 cm, est l'expulsion du bouchon cervical. Le sac amniotique peut se rompre pendant cette phase, parfois appelée la *perte des eaux*. Avant que ne commence la première phase, l'**effacement** du col de l'utérus a déjà eu lieu et sa dilatation s'est amorcée. Le col continue de se dilater pendant toute la première phase, qui est la plus longue; elle peut durer de 10 à 16 heures lors d'un premier accouchement et de 4 à 8 heures lors des accouchements subséquents.

La **deuxième phase du travail** débute lorsque le col de l'utérus est pleinement dilaté et que le bébé s'engage dans le vagin. En général, celui-ci se présente par la tête, comme le montre la figure 13.4b. La deuxième phase dure en moyenne entre une demi-heure et deux heures. Au cours de cette phase, la femme peut donner des poussées pour aider le bébé à sortir; plusieurs femmes disent que ces poussées volontaires sont la meilleure partie du travail. La deuxième phase se termine avec la naissance du bébé.

Cours prénataux Formation à l'intention de la femme enceinte et d'une personne accompagnatrice, comportant de l'information, des exercices de respiration et de relaxation, en vue de se préparer à l'accouchement et à la naissance d'un enfant.

Première phase du travail Phase initiale de l'accouchement pendant laquelle les contractions deviennent régulières et le col de l'utérus se dilate.

Effacement Amincissement du col de l'utérus qui se produit pendant l'accouchement.

Deuxième phase du travail Phase intermédiaire du travail pendant laquelle le bébé sort du vagin.

> J'ai su ce que signifiait le «travail» lorsque j'ai été
> finalement prête à pousser. Je n'avais jamais travaillé
> aussi fort et aussi volontiers. (Notes des auteurs)

La troisième phase du travail comprend la période entre la sortie du bébé et l'expulsion du placenta, comme le montre la figure 13.4c. À la suite d'une ou deux contractions utérines, le placenta se décolle de la paroi de l'utérus et est expulsé du vagin, la plupart du temps dans la demi-heure qui suit la naissance.

> **Troisième phase du travail** Dernière phase de l'accouchement pendant laquelle le placenta se détache de l'utérus et est expulsé du vagin.

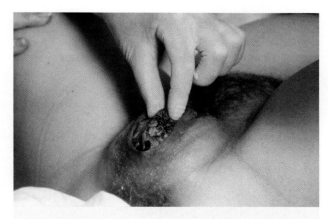

La deuxième phase du travail constitue habituellement le point culminant de l'accouchement.

FIGURE 13.4 | **Les trois phases de l'accouchement.**

a **Première phase**
Dilatation du col de l'utérus, suivie d'une période de transition au cours de laquelle la tête du bébé passe à travers le col de l'utérus.

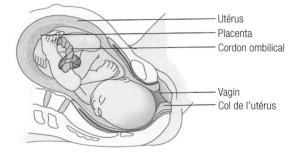

— Utérus
— Placenta
— Cordon ombilical

— Vagin
— Col de l'utérus

b **Deuxième phase**
Passage du bébé à travers le vagin et son arrivée dans le monde.

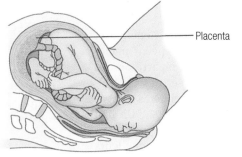

— Placenta

c **Troisième phase**
Expulsion du placenta, du sang et des liquides.

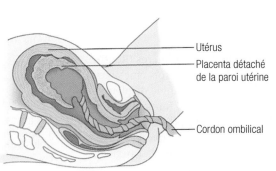

— Utérus
— Placenta détaché de la paroi utérine

— Cordon ombilical

La naissance par césarienne

Une **césarienne** est une opération qui consiste à retirer le bébé en pratiquant une incision dans la paroi abdominale et l'utérus de la mère, ce qui peut sauver la vie de la mère et de l'enfant. Le recours à une césarienne survient dans diverses situations : lorsque la tête du bébé est trop grosse pour passer par les voies naturelles, en présence de signes de détresse fœtale pendant le travail, de complications durant l'accouchement, lorsque la mère est malade, ou dans d'autres situations problématiques (par exemple, si le bébé se présente par les pieds). Les accouchements par césarienne se font souvent sous un type d'anesthésie qui permet aux femmes de demeurer conscientes et d'accueillir leur bébé dès sa naissance. Dans plusieurs hôpitaux, les pères peuvent être présents dans la salle pendant la naissance par césarienne.

Une femme peut accoucher plus d'une fois par césarienne, bien que les risques médicaux augmentent d'une fois à l'autre (Getahun et coll., 2006 ; Silver et coll., 2006).

Après l'accouchement

Les premières semaines qui suivent l'accouchement sont appelées **période post-partum**. C'est une période d'adaptation à la fois physique et psychologique pour chaque membre de la famille, et sans doute une période de hauts et de bas émotionnels. Le nouveau bébé modifie les rôles et les interactions au sein de la famille. Les parents peuvent vivre une plus forte intimité comme ils peuvent ressentir certains malaises affectifs. Un partenaire est susceptible de ressentir de la jalousie face à la relation privilégiée qui s'établit entre la mère et son enfant. Les deux parents ont souvent besoin d'un plus grand soutien affectif, mais chacun d'entre eux peut en avoir moins à donner qu'à l'habitude. L'énergie et le temps qu'exigent les soins du bébé peuvent mener à l'épuisement et générer du stress. La répartition des tâches domestiques risque aussi de créer des difficultés pendant les premiers mois et les premières années de la vie de l'enfant (Cowan et Cowan, 1992). Un bon réseau d'entraide s'avère généralement très utile pour les nouveaux parents. Le fait de comprendre que leurs sentiments représentent une réaction courante chez les nouveaux parents peut les aider à s'adapter au stress que comporte leur situation.

La **dépression post-partum** touche 15 % des mères (Routh, 2000). À la différence du syndrome du troisième jour, mieux connu sous le nom de *baby blues* (envie de pleurer et humeur labile pouvant durer jusqu'à 10 jours que 75 % des nouvelles mamans vivent) qui est plus fréquent, la dépression post-partum comprend les symptômes classiques de la dépression, tels que l'insomnie, l'anxiété, les crises de panique et le désespoir (Knudson-Martin et Silverstein, 2009). Dans sa forme extrême, les femmes souffrant de dépression post-partum se désintéressent de leur bébé ou développent des idées obsédantes de se blesser ou de blesser leur enfant. De telles réactions peuvent être attribuables aux soudains changements émotionnels, physiques et hormonaux qui se produisent après l'accouchement. Le manque de sommeil dû aux soins du nouveau-né est aussi une cause de grand stress et d'épuisement des réserves émotionnelles et physiques. Heureusement, la dépression post-partum se traite (Beck, 2006).

L'allaitement maternel

Après (parfois avant) l'accouchement, les seins de la mère commencent à sécréter un liquide jaunâtre, appelé **colostrum**, qui contient des anticorps et des protéines. De un à trois jours après l'accouchement, la production de lait, ou lactation, débute. La succion exercée sur les mamelons par le bébé déclenche la production d'hormones hypophysaires qui, à leur tour, stimulent la production de lait par les glandes mammaires. Si une mère n'allaite pas, ou veut cesser de le faire, la production de lait s'arrête au bout de quelques jours.

Question d'analyse critique

Quelle différence voyez-vous entre le plaisir sexuel que certaines femmes ressentent en allaitant et celui provoqué par les caresses d'un partenaire ?

L'allaitement comporte plusieurs avantages sur les plans physique et émotionnel. Le lait maternel procure au bébé une nourriture facilement digestible qui contient des anticorps et d'autres agents qui stimulent le système immunitaire (Hall, 2009). La recherche montre que les bébés nourris au sein sont moins perturbés que les autres par la douleur et le stress (Shah et coll., 2006). La lactation déclenche aussi des contractions de l'utérus qui accélèrent le retour de celui-ci à sa taille d'avant la grossesse. L'allaitement peut être pour la mère une

---

Césarienne   Méthode d'accouchement par laquelle le bébé est retiré en pratiquant une incision dans la paroi abdominale et l'utérus de la mère.

Période post-partum   Premières semaines qui suivent l'accouchement.

Dépression post-partum   Symptômes de dépression parfois accompagnés d'idées obsédantes de faire mal au bébé.

Colostrum   Liquide jaunâtre sécrété par les seins vers la fin de la grossesse et pendant les premiers jours suivant l'accouchement.

L'allaitement est pour la mère une occasion privilégiée de contact physique intime avec son bébé.

expérience positive sur les plans affectif et sensuel. Il constitue un moment privilégié de contact physique intime avec le bébé.

> J'aime beaucoup voir l'expression de satisfaction sur le visage de mon bébé pendant qu'elle se remplit le ventre du lait de mes seins. C'est une façon formidable de maintenir le lien physique que nous avions durant la grossesse que de la voir, avec ses joues bien rondes, se développer grâce à la nourriture que mon corps lui fournit. (Notes des auteurs)

Ce contact se teinte parfois d'une sensualité qui peut troubler la mère. Certaines parlent même dans ce cas d'excitation ou d'érotisation, avec les questions que cela soulève.

> Je voudrais savoir pourquoi je lubrifie intensément avec une sensation de plaisir pendant l'allaitement de mon fils. Je n'ai pas éprouvé cela avec ma fille, et je me demande également si les garçons tètent différemment. (Site Élysa)

Il n'y a pas lieu d'interpréter cette réaction autrement que comme la manifestation d'un lien neurologique entre les mamelons de la femme et sa région génitale. Cela s'apparente à un réflexe.

L'allaitement peut inhiber temporairement l'ovulation, surtout chez les femmes qui nourrissent leur bébé uniquement avec leur lait (Perez et coll., 1992). Par contre, comme nous le voyons plus loin, l'allaitement n'est pas une méthode contraceptive fiable. Les contraceptifs contenant des œstrogènes ne doivent pas être pris pendant l'allaitement parce que ces hormones diminuent la

quantité de lait et en modifient la qualité. Par ailleurs, les contraceptifs ne contenant que des progestatifs peuvent être utilisés à ce moment parce qu'ils n'influent ni sur la quantité ni sur la qualité du lait (Salisbury, 1991). Certains couples préfèrent recourir au condom et à la mousse spermicide afin d'éviter un surplus d'hormones pendant l'allaitement.

L'allaitement comporte aussi des inconvénients à court terme. D'abord, il abaisse le taux d'œstrogène, lequel est nécessaire au maintien des tissus vulvaires et aide à la lubrification. Il est donc possible que la femme qui allaite ait moins d'intérêt pour les activités sexuelles et que ses organes génitaux deviennent douloureux pendant le coït (Barrett et coll., 2000). Par ailleurs, les seins peuvent devenir durs et présenter des lésions. Le lait peut sortir spontanément lors de stimulations sexuelles – une source d'amusement ou d'embarras. Il est souvent plus facile de partager les responsabilités liées aux soins du bébé en le nourrissant au biberon qu'en l'allaitant ; le père peut alors jouer un plus grand rôle s'il tient et nourrit lui-même le bébé. Par contre, la mère qui allaite a la possibilité d'utiliser une pompe pour tirer son lait et le conserver dans un biberon ; le père ou toute autre personne s'occupant du bébé peut alors le nourrir.

L'allaitement maternel exclusif est recommandé par diverses sources médicales et par l'Organisation mondiale de la santé pendant les six premiers mois du bébé. Cette pratique est en hausse au Canada : en 2009-2010, 87,3 % des mères ont allaité ou essayé d'allaiter leur dernier-né. Les pourcentages pour le Québec et les provinces atlantiques sont sous la moyenne alors que ceux des provinces des Prairies et de la Colombie-Britannique sont supérieurs, cette dernière présentant le pourcentage le plus élevé au pays, soit 93,1 % (Santé Canada, 2010).

La sexualité du couple après l'accouchement

On dit souvent aux couples qu'ils pourront reprendre les relations sexuelles une fois que les écoulements utérins rougeâtres, appelés **lochies**, auront cessé et que les incisions de l'**épisiotomie** ou les déchirures du vagin seront guéries, soit en général au bout de trois ou quatre semaines. Le plus important à considérer, cependant, est le moment où la femme se sent physiquement prête à avoir des rapports sexuels. Cela dépendra de plusieurs facteurs : le type d'accouchement vécu, la grosseur du bébé et la façon dont il s'est présenté, l'importance de

---

Lochies   Écoulement utérin rougeâtre qui se produit après l'accouchement.

Épisiotomie   Incision du périnée pratiquée lors de certains accouchements.

l'épisiotomie ou des déchirures subies et la rapidité de leur guérison. La baisse hormonale qui caractérise le post-partum, particulièrement marquée chez la femme qui allaite, peut rendre le coït désagréable. Après une césarienne, le couple doit attendre que la cicatrisation soit assez avancée pour que le coït ne soit pas douloureux pour la femme. En attendant, toutes les autres activités sexuelles et démonstrations d'affection peuvent continuer.

L'arrivée d'un nouveau-né bouleverse la vie quotidienne d'un couple et peut perturber son intimité sexuelle (Botros et coll., 2006). Une recherche a montré un fort taux de difficultés sexuelles chez les sujets interrogés après la naissance d'un enfant. Avant la grossesse, 38 % des personnes interrogées disaient connaître des difficultés sexuelles, et ce taux passait à 80 % au cours des trois premiers mois après l'accouchement. Après six mois, 64 % des sujets continuaient d'avoir des difficultés. Les problèmes les plus courants étaient la baisse du désir sexuel, la sécheresse vaginale et les douleurs coïtales. Selon une chercheuse qui a écrit plusieurs livres sur la grossesse et la première année de la maternité, les couples doivent s'attendre à ce que leur vie sexuelle soit «vraiment misérable» durant au moins un an. L'auteure indique que la nature déploie un arsenal de moyens, des hormones à l'humilité, pour garder les nouvelles mères centrées sur leur bébé et les empêcher de tomber enceintes de nouveau (Iovine, 1997a).

L'épuisement peut aussi se répercuter sur la sexualité après une naissance. Les soins qu'exige le nouveau-né peuvent faire en sorte que le couple n'a plus suffisamment de temps ou d'énergie pour exprimer sa sexualité (Gearhart et Robboy, 2005). Avec les horaires des parents et celui du bébé, faire l'amour relève pratiquement du défi. Les préoccupations liées au bébé peuvent aussi interférer.

> On dirait que chaque fois que nous tentons de faire l'amour, le bébé se met à pleurer. Même si je sais qu'il n'a pas faim et qu'il est au sec, je ne peux me concentrer sur mes sensations sexuelles : quand je n'entends rien, je me demande s'il n'est pas mort ! Mon mari réagit de la même façon. Alors, la plupart du temps, ça ne va pas très loin à deux. (Notes des auteurs)

Les couples qui voient leurs activités sexuelles perturbées par la grossesse et la naissance peuvent se sentir frustrés par cette situation. Il peut alors être utile de reprendre leurs contacts sexuels sans hâte en adoptant une attitude exploratoire. Il arrive aussi que des femmes et des couples préfèrent éviter une grossesse pendant quelque temps ou même à vie. La prochaine section du chapitre traite de la gestion du potentiel reproductif.

La contraception

> C'est une bonne chose qu'il y ait une palette de moyens contraceptifs, car j'ai utilisé la plupart d'entre eux à un moment ou l'autre. J'ai pris la pilule avant d'être avec mon petit ami, alors que je commençais à avoir des relations sexuelles à l'université. C'était avant le sida, alors je n'avais pas besoin de recourir à quoi que ce soit d'«embarrassant». J'ai essayé la combinaison pilule et minipilule, puis un dispositif intra-utérin pendant un temps. Une fois que j'ai été mariée, nous avons eu recours à la planification familiale naturelle et au diaphragme ou à la cape cervicale avec succès. Après la naissance des enfants, la mousse et le condom ont fait l'affaire jusqu'à la vasectomie de mon mari. Je n'ai jamais eu de problèmes particuliers avec l'une ou l'autre de ces méthodes et je me réjouis de n'avoir jamais eu de grossesse non désirée, mais je suis ravie de ne plus avoir à utiliser la contraception. (Notes des auteurs)

Des aspects historiques et sociaux

Des documents anciens témoignent du souci de nos ancêtres de limiter les naissances (McLaren, 1990). Déjà, dans l'Égypte ancienne, les femmes se servaient d'une pâte d'excréments de crocodile préalablement trempée dans du lait caillé comme pessaire, un ancêtre du diaphragme. En Grèce, au VIe siècle, on recommandait de manger l'utérus, les testicules ou les rognures de sabots d'une mule. Dans l'Europe occidentale du XVIIe siècle, des éponges imbibées de différentes solutions et insérées dans le vagin étaient employées comme moyen de contraception (McLaren, 1990). Au XVIIIe siècle, Giovanni Casanova, le célèbre aventurier italien, utilisait des préservatifs faits de membranes d'intestins d'animaux qu'il faisait tenir par un ruban à la base du pénis.

Question d'analyse critique

Pourquoi ne croit-on plus aujourd'hui que l'abstinence est la seule méthode de contraception moralement acceptable ?

La contraception en Amérique du Nord

L'éventail de méthodes contraceptives dont on dispose aujourd'hui est le fruit d'une longue lutte, car leur utilisation a longtemps été réprimée par la loi. Si les choses ont évolué en Amérique du Nord, c'est grâce à l'opiniâtreté de femmes telles que Margaret Sanger, une Américaine ayant vécu au siècle dernier. Horrifiée par la misère de ses compatriotes qui, n'ayant aucune maîtrise de leur fécondité, étaient condamnées à mettre au monde un grand nombre d'enfants indigents, elle ouvrit illégalement en 1915 une clinique où les femmes pouvaient obtenir des diaphragmes qu'elle importait d'Europe. Accusée d'avoir contrevenu à la loi en publiant de l'information sur la planification des naissances dans son journal *The Woman Rebel*, elle a dû fuir en Europe pour échapper à la justice. Elle est revenue plus tard pour promouvoir la recherche scientifique sur la contraception hormonale, un projet financé par sa riche amie Katherine Dester McCormack.

Ces deux militantes voulaient que soit mise au point une méthode fiable pour permettre aux femmes de contrôler leur fécondité (Tone, 2002). Toutefois, ce n'est qu'en 1960, à la suite de travaux de recherche et d'expérimentation effectués à Porto Rico, que la première pilule anticonceptionnelle a été lancée sur le marché. À partir de ce moment, le contrôle de la fécondité est passé par la contraception plutôt que par l'abstinence. Ce changement profond a ouvert de toutes nouvelles perspectives aux femmes, constituant une force libératrice de leur expression sexuelle (D'Emilio et Freedman, 1988 ; Harer, 2001).

Question d'analyse critique

Quel rôle, s'il y a lieu, la religion a-t-elle joué dans la décision de vos parents de recourir ou non à des moyens contraceptifs ? Et dans vos propres décisions ?

La contraception, une question actuelle

Le recours à la contraception a considérablement augmenté dans le monde durant les dernières décennies : on estime que 60 % des couples actuels emploient un moyen de contraception comparativement à 10 % en 1970 (David et Russo, 2003). Malheureusement, l'utilisation des moyens contraceptifs modernes demeure faible chez les plus pauvres des pays en développement (Gadikou et Vayena, 2007). C'est une tragédie : des millions de femmes et de couples dans le monde sont dans l'impossibilité d'exercer leur droit de décider librement et de façon responsable du moment où ils auront des enfants (Mogato, 2008). De plus, dans ces régions, le risque pour les femmes de décéder des complications lors d'une grossesse, d'un accouchement ou d'un avortement est de 1 sur 65. Selon l'Organisation mondiale de la santé, plus de 99 % des décès de la mère lors d'un accouchement se produisent dans les pays en développement ;

800 femmes meurent ainsi chaque jour dans le monde de causes qui peuvent être évitées (OMS, 2012).

En Occident, 95 % des femmes ont eu recours à la contraception à un moment ou à un autre. En outre, la femme hétérosexuelle type peut avoir besoin d'une forme quelconque de contraception durant au moins 30 ans, car les moments où elle cherchera à tomber enceinte, ou le sera effectivement, ne représentent qu'une petite partie de sa **vie reproductive** (Alan Guttmacher Institute, 2009a). Au Canada, on observe une augmentation de l'usage du condom en 2009-2010 par rapport à 2003, chez les jeunes de 15 à 24 ans, particulièrement chez ceux qui ont déclaré avoir eu un seul partenaire sexuel. Malgré cette hausse, plus de 3 jeunes adultes sur 10 n'ont pas porté de condom au cours de leur dernière relation sexuelle. La proportion de jeunes qui en ont utilisé un lors de leur dernière relation sexuelle était par ailleurs inférieure à la moyenne nationale au Québec et au Manitoba, et supérieure à cette moyenne en Ontario, en Alberta, dans les Territoires du Nord-Ouest et au Nunavut (Rottermann, 2012).

Il y a plusieurs raisons de souhaiter que la régulation des naissances soit plus accessible et plus répandue. D'abord et avant tout, la contraception permet aux couples hétérosexuels de jouir de l'intimité sexuelle avec un risque minimal de grossesse non désirée. La possibilité d'espacer les naissances d'au moins 18 mois augmente aussi les chances d'avoir des nouveau-nés en santé (Conde-Agudelo et coll., 2006). Ensuite, les enfants sont plus susceptibles de naître de parents qui sont préparés à les élever. Ainsi, la proportion de femmes qui sont confrontées à la décision de se faire avorter est plus faible que jamais. L'accès à des méthodes contraceptives efficaces a permis aux femmes de devenir des partenaires égales aux hommes dans notre société moderne. Avec pour résultat que les hommes ont aujourd'hui des possibilités que n'avaient pas leurs pères en ce qui a trait à l'exercice de leur rôle parental.

La responsabilité partagée et le choix d'une méthode de contraception

Chaque méthode contraceptive comporte des avantages et des inconvénients. Pour chaque situation, une personne ou un couple peut décider de la méthode qui lui convient le mieux après s'être informé des différents moyens de contraception et avoir discuté de leurs effets secondaires, de leurs avantages et de leurs inconvénients.

Vie reproductive Désigne la période de fertilité comprise entre le 15e et le 45e anniversaire de la femme.

La recherche montre que les décisions en matière de contraception relèvent de plus en plus des deux partenaires (Grady et coll., 2000). En partageant la responsabilité de la contraception, les partenaires améliorent leur relation et ont une belle occasion d'aborder des questions personnelles et sexuelles. Les couples qui discutent ouvertement de leur sexualité et de contraception sont plus susceptibles d'y recourir (Durex, 2008 ; Manlove et coll., 2007). Le fait de ne pas discuter de contraception au sein d'un couple peut amener la femme à croire que son partenaire lui en fait porter toute la responsabilité et qu'il s'en lave les mains. En outre, l'homme ne devrait en aucun cas présumer que sa partenaire «a fait ce qu'il faut pour éviter la grossesse parce que c'est elle qui serait mal prise». Comme un étudiant le demandait :

> Si vous avez une relation sexuelle avec une fille et qu'elle vous dit qu'elle prend la pilule, comment pouvez-vous savoir si elle dit vrai ? (Notes des auteurs)

Le premier pas vers un partage des responsabilités en matière de contraception peut être de demander à l'autre s'il ou elle utilise une méthode contraceptive avant d'avoir des rapports sexuels. La recherche montre que les étudiants universitaires des deux sexes doivent apprendre à parler de contraception. Les femmes doivent pouvoir se procurer facilement des contraceptifs et les hommes doivent apprendre à refuser les relations sexuelles sans contraception efficace. Discuter ouvertement de l'utilisation de condoms ou de la possibilité d'opter pour des relations sexuelles non coïtales en guise de méthode contraceptive, ou comme solution de rechange temporaire ou non, représente une autre façon pour les partenaires d'assumer conjointement la responsabilité de la contraception.

Les différentes méthodes de contraception

Les couples peuvent choisir parmi de nombreuses méthodes contraceptives. Cependant, la méthode idéale, celle qui serait efficace à 100 %, sans aucun danger, sans effets secondaires, réversible, indépendante de l'activité sexuelle, bon marché, accessible, utilisable par les deux sexes et qui ne dépendrait pas de la mémoire des utilisatrices, n'existe pas et n'existera pas dans un avenir proche (Mills et Barclay, 2006). Chaque méthode a ses avantages et ses inconvénients sur le plan de l'efficacité, de la fiabilité, du prix et de la facilité d'emploi. Il est important d'en connaître quelques-unes, car la plupart des gens emploieront plus d'une méthode contraceptive au cours de leur vie sexuelle active. De plus, une femme satisfaite de sa méthode contraceptive est plus susceptible d'y recourir régulièrement et ainsi d'en tirer une efficacité optimale (Frost et Darroch, 2008). Les caractéristiques des différentes méthodes contraceptives sont présentées dans le tableau 13.3.

TABLEAU 13.3 Les facteurs à considérer dans le choix d'une méthode de contraception.

CONTRACEPTIFS HORMONAUX	
MÉTHODE	**Pilule œstrogène-progestatif, Seasonale**
Description	• Comprimé à prendre quotidiennement qui renferme des hormones (œstrogène et progestatif seulement) et qui remplace le cycle naturel de la femme par un cycle artificiel. • Empêche la production d'ovules ou la nidation.
Efficacité selon l'OMS	• 99,2 à 99,9 %
Utilisation et prix*	• Requiert une ordonnance médicale. • Coûte de 15 à 18 $ par mois, habituellement couverte par les régimes privés et la RAMQ.
Utilisateurs visés	• Pour celles qui recherchent un moyen simple et efficace qui permet la spontanéité des relations sexuelles.
Avantages	• Une des méthodes contraceptives réversibles les plus efficaces. • Apporte des avantages supplémentaires : réduction du flux menstruel, diminution de l'acné et protection contre certains cancers.
Inconvénients, complications, précautions à prendre	• Effets secondaires possibles : prise de poids, nausée, vomissements et diarrhée, absence de menstruations, maux de tête, taches brunâtres sur la peau, troubles de la vision, sautes d'humeur, sensibilité des seins, saignements autres que les règles. • La femme qui présente un ou plusieurs de ces symptômes doit en parler à son médecin avant de décider d'arrêter de prendre la pilule. Une autre sorte de pilule peut faire diminuer ou disparaître ces symptômes. • Précaution : utiliser une méthode contraceptive d'appoint pendant le premier mois d'utilisation (condom, par exemple). • Ne protège pas contre les ITSS et le VIH.

CONTRACEPTIFS HORMONAUX *(suite)*	
MÉTHODE *(suite)*	**Pilule œstrogène-progestatif, Seasonale**
Contre-indications	• Déconseillée si : – saignements vaginaux anormaux ; – maladies cardiovasculaires ; – on est une fumeuse de plus de 35 ans ; – possibilité de cancer du sein ou de cancer du foie ; – difficulté de prendre la pilule tous les jours, à la même heure.
MÉTHODE	**Anneau vaginal, timbre transdermique**
Description	• NuvaRing et Ortho Evra sont deux contraceptifs à base hormonale qui ne nécessitent pas de prendre une pilule chaque jour. Les deux contiennent des hormones de synthèse, œstrogène et progestatif, enchâssées soit dans un anneau transparent d'environ deux fois la largeur d'une pièce de 25 cents (NuvaRing) ou dans un timbre transdermique beige. • Empêche la production d'ovules ou la nidation.
Efficacité selon l'OMS	• 99,9 % • Efficacité réelle d'environ 97 %, selon l'utilisation qui en est faite.
Utilisation et prix*	• Requiert une ordonnance médicale. • Environ 24 $ pour un anneau, habituellement couvert par les régimes privés et la RAMQ. Environ 24 $ pour 3 timbres transdermiques, couverts par les régimes privés et la RAMQ.
Utilisateurs visés	• Pour celles qui recherchent un moyen simple et efficace qui ne nécessite pas de prise quotidienne de comprimé.
Avantages	• Une des méthodes contraceptives réversibles les plus efficaces.
Inconvénients, complications, précautions à prendre	• L'anneau peut ressortir. • Ne protège pas contre les ITSS et le VIH.
Contre-indications	• Anneau inefficace pour les femmes de plus de 90 kg.
MÉTHODE	**Depo-Provera**
Description	• Injection, aux 12 semaines, d'une hormone similaire à la progestérone naturelle. • Il empêche la maturation des ovules, rend le revêtement utérin impropre à l'implantation d'un ovule fécondé et provoque l'épaississement des sécrétions du col de l'utérus, ce qui rend le passage des spermatozoïdes dans l'utérus plus difficile.
Efficacité selon l'OMS	• 99,7 % • Efficacité durant 3 mois. • Efficace 24 heures après l'injection.
Utilisation et prix*	• Voir le médecin aux 3 mois pour l'injection. • Peut être gratuit dans les cliniques des jeunes. • Coûte de 32 à 45 $ l'injection, couverte par les régimes privés et la RAMQ.
Utilisateurs visés	• Pour celles qui veulent une méthode simple et efficace. • Pour celles qui oublient souvent de prendre la pilule. • Pour celles qui fument. • Pour celles qui veulent avoir des menstruations moins abondantes. • Pour celles qui ne peuvent pas prendre d'œstrogène.

CONTRACEPTIFS HORMONAUX *(suite)*	
MÉTHODE *(suite)*	**Depo-Provera**
Avantages	• Rien à prendre quotidiennement. • Méthode contraceptive réversible parmi les plus fiables. • Peut être approprié pour les femmes susceptibles d'avoir des maladies cardiovasculaires. • Bonne méthode pendant l'allaitement.
Inconvénients, complications, précautions à prendre	• Retour à la fertilité plus long (6 à 8 mois). • Saignements imprévisibles au cours des 3 à 6 premiers mois. • Prise de poids. • Ostéoporose. • Effets sur l'humeur. • Ne protège pas contre les ITSS et le VIH.
Contre-indications	• Déconseillé si : – crainte d'une prise de poids ; – saignements vaginaux anormaux ; – on ne peut se rendre chez le médecin toutes les 12 semaines pour l'injection.
MÉTHODE	**Norplant**
Description	• Norplant ne contient que du progestatif. • Il empêche la maturation des ovules, rend le revêtement utérin impropre à l'implantation d'un ovule fécondé et provoque l'épaississement des sécrétions du col de l'utérus, ce qui rend le passage des spermatozoïdes dans l'utérus plus difficile.
Efficacité selon l'OMS	• 99,9 % • Efficace durant 5 ans.
Utilisation et prix*	• Coûte environ 450 $.
Utilisateurs visés	• Pour celles qui ne peuvent pas prendre la pilule à cause des œstrogènes ou qui ont de la difficulté à prendre la pilule contraceptive tous les jours. • Pour celles qui désirent une méthode fiable et de très longue durée, mais réversible.
Avantages	• Ne demande pas de prise quotidienne. • Simple et très efficace. • Ne présente aucun des effets secondaires des œstrogènes. • Rend les menstruations moins abondantes.
Inconvénients, complications, précautions à prendre	• Effets secondaires possibles : dépression, kystes ovariens, sensibilité des seins, acné, saignements imprévisibles ou absence de saignement, maux de tête, prise de poids. • Retour à la fertilité de 1 à 3 mois après le retrait de l'implant. • Ne protège pas contre les ITSS et le VIH.
Contre-indications	• Déconseillé si : – crainte d'une prise de poids ; – saignements vaginaux anormaux ; – crainte des interventions chirurgicales, car ces implants doivent être insérés et retirés chirurgicalement.

BARRIÈRES CONTRACEPTIVES	
MÉTHODE	**Condom masculin**
Description	• Gaine de latex, de membrane de boyau d'agneau ou de polyuréthane qui recueille le sperme et empêche ainsi les spermatozoïdes de se rendre à l'ovule. Le condom empêche également l'échange des liquides biologiques et du sperme. • Les condoms devraient être utilisés avec un spermicide. Éviter d'utiliser des lubrifiants tels que la vaseline, le beurre et toutes les huiles, car ils rongent le latex. Utiliser plutôt un lubrifiant à base d'eau (gelée K-Y, Aqua Lube, Duragel, mousses contraceptives, etc.).
Efficacité selon l'OMS	• 98 %; si utilisé correctement. • Taux habituel de 85 %. • Taux d'échec de 15 % (grossesse non désirée) au cours de la première année d'utilisation.
Utilisation et prix*	• Disponible dans les distributrices, les pharmacies, les boutiques spécialisées, certains dépanneurs et Internet. • Coûte de 0,75 à 4,00 $ chacun, mais peut être obtenu gratuitement dans les CLSC, les maisons des jeunes, etc.
Utilisateurs visés	• Pour les couples dont la femme présente des risques de maladies cardiovasculaires. • Pour ceux et celles qui ont plusieurs partenaires. • Souvent le premier choix des adolescents.
Avantages	• Bonne méthode si intégrée à la vie sexuelle. • Facile à obtenir et relativement bon marché. • Large éventail, ce qui peut rendre la méthode plus agréable. • Peut améliorer la relation sexuelle en retardant une éjaculation trop rapide. • Protège contre le cancer du col de l'utérus et contre la stérilité. • Peut être utilisé en combinaison avec d'autres méthodes comme double protection. • Seuls les condoms en latex et en polyuréthane protègent contre la plupart des ITSS et le VIH.
Inconvénients, complications, précautions à prendre	• Problèmes de pose en raison du manque de pratique. • Certains se plaignent d'une perte de sensibilité. • Rupture du condom possible si usage abusif, utilisation de lubrifiant à base d'huile ou utilisation du condom après la date de péremption. • Allergie au latex. • Peut interrompre les préliminaires. • Exige de la motivation, de la pratique et le sens des responsabilités. • Peut nuire à l'érection et au plaisir. • Précaution : utiliser un condom sec (sans lubrifiant ni spermicide) ou un condom à saveur pour les contacts bouche-pénis. • Peut être difficile à mettre en place.
Contre-indications	• Déconseillé si : – allergie au latex (le condom en polyuréthane pour homme ou pour femme peut être une excellente solution de rechange) ; – le couple risque de mal l'utiliser ou de ne pas l'utiliser systématiquement.
MÉTHODE	**Condom féminin**
Description	• Gaine en polyuréthane comportant deux anneaux et portée par les femmes. L'anneau interne à l'extrémité fermée du condom s'insère dans le vagin. L'anneau se place derrière l'os pubien et sert d'ancre au condom. L'anneau extérieur demeure à l'extérieur du vagin ; il couvre partiellement les lèvres. Le condom féminin bloque l'entrée du sperme dans le vagin et empêche l'échange des liquides biologiques.

BARRIÈRES CONTRACEPTIVES *(suite)*	
MÉTHODE *(suite)*	**Condom féminin**
Efficacité selon l'OMS	• 94 %, si utilisé correctement.
Utilisation et prix*	• Disponible dans les pharmacies, les cliniques de planification des naissances et Internet. • Coûte 15 $ (paquet de 3 condoms).
Utilisateurs visés	• Pour celles qui souhaitent une protection contre les ITSS et le VIH.
Avantages	• 40 % plus résistant aux déchirures que le condom masculin. • Ne serre pas le pénis. • Lubrifié à l'extérieur et à l'intérieur. • Peut être inséré des heures avant la relation sexuelle et permet plus de spontanéité. Pas nécessaire de retirer le condom immédiatement après la relation sexuelle. • Seul moyen contraceptif qui protège des ITSS et du VIH, et dont l'utilisation est contrôlée par la femme.
Inconvénients, complications, précautions à prendre	• Peut être difficile à insérer.
Contre-indications	• Déconseillé s'il y a risque de ne pas l'utiliser à chaque relation sexuelle.
MÉTHODE	**Spermicide**
Description	• Produit chimique contenant du nonoxynol-9. Disponible sous de multiples formes : gelée, crème, mousse, pellicule ou suppositoire. • Doit être utilisé en combinaison avec une autre méthode de contraception.
Efficacité selon l'OMS	• 82 %, si utilisé seul et correctement. • Devient très efficace lorsqu'il est utilisé en combinaison avec une autre méthode.

Utilisation et prix*	• À appliquer au fond du vagin avant la relation sexuelle.
	• Disponible dans les pharmacies.
	• Son prix varie selon la marque.
	  – Advantage 24 (paquet de 3) : environ 12 $.
	  – Delfen (20 à 25 applications) : environ 18 $.

Utilisateurs visés	• Pour ceux et celles qui utilisent le condom, la cape cervicale ou le diaphragme et qui souhaitent une double protection.
Avantages	• Offre une protection contre les infections bactériennes. • Peut être utilisé comme méthode contraceptive post-coïtale. • Lubrifie le vagin et facilite la pénétration. • Advantage 24 offre une protection pendant 24 heures.
Inconvénients, complications, précautions à prendre	• Possibilité de sensation de brûlure ou d'irritation à la vulve ou au pénis. • Odeur ou goût désagréable. • Dégrade le latex. • Allergie. • Infection des voies urinaires.

Contre-indications	• Déconseillé, si :
	  – allergie au nonoxynol-9 ;
	  – utilisée sans condom lorsque la femme a plusieurs partenaires.

BARRIÈRES CONTRACEPTIVES *(suite)*	
MÉTHODE	**Diaphragme**
Description	• Coupole en caoutchouc souple, bordée d'un anneau. Il couvre le col de l'utérus et bloque ainsi l'entrée des spermatozoïdes dans l'utérus. • Doit être enduit de spermicide avant l'insertion, pour une protection supplémentaire, puisqu'il n'est pas toujours étanche.
Efficacité selon l'OMS	• 94 %, si utilisé correctement.
Utilisation et prix*	• Examen médical nécessaire. • Peut être inséré quelques heures avant la relation sexuelle et doit rester en place jusqu'à 6 heures après. • Coûte environ 60 $, plus le spermicide.
Utilisateurs visés	• Pour celles qui sont motivées et déterminées à l'utiliser dans toutes leurs relations sexuelles. • Pour celles qui ne craignent pas de toucher leurs organes génitaux ni de manipuler un objet à l'intérieur de leur vagin.
Avantages	• Peut protéger contre le cancer du col de l'utérus. • Ne nuit pas à la relation sexuelle. • Aucun effet sur l'allaitement. • Réutilisable.
Inconvénients, complications, précautions à prendre	• Peut être difficile à insérer. • Peut être de la mauvaise taille. • Peut se déplacer pendant la pénétration. • Taille à réévaluer après un accouchement, un avortement ou toute autre intervention chirurgicale pelvienne. • Peut favoriser les infections des voies urinaires. • Risque de syndrome du choc toxique, si laissé en place trop longtemps.
Contre-indications	• Déconseillé si : – allergie au latex et aux spermicides ; – infections urinaires fréquentes.
MÉTHODE	**Cape cervicale**
Description	• Petite calotte profonde en latex bordée d'un anneau flexible, qui couvre le col et bloque l'entrée des spermatozoïdes dans l'utérus. • Il faut s'en servir avec une crème ou une gelée spermicide. • Il faut enfoncer la cape avec les doigts dans le vagin et la placer devant le col avant la relation sexuelle ; elle est maintenue en place par succion.
Efficacité selon l'OMS	• 80 %, si utilisée correctement.
Utilisation et prix*	• Requiert un examen médical. • Coûte environ 50 $, plus le spermicide.
Utilisateurs visés	• Pour celles qui sont motivées et déterminées à l'utiliser dans toutes leurs relations sexuelles. • Pour celles qui ne craignent pas de toucher leurs organes génitaux ni de manipuler un objet à l'intérieur de leur vagin.
Avantages	• Pas d'interruption des activités sexuelles puisqu'on peut la placer plusieurs heures avant la relation sexuelle. • Réutilisable.

BARRIÈRES CONTRACEPTIVES *(suite)*	
MÉTHODE *(suite)*	**Cape cervicale**
Inconvénients, complications, précautions à prendre	• Problème possible d'insertion. • Peut se déplacer pendant la relation sexuelle. • Si laissée en place trop longtemps, possibilité de mauvaise odeur, de sécrétions et de syndrome du choc toxique.

Contre-indications	• Déconseillé si :
	  – un des partenaires est allergique au latex ou aux spermicides ;
	  – la femme vient d'accoucher ou a subi un avortement ou une autre intervention chirurgicale pelvienne.

MÉTHODE	**Éponge contraceptive**
Description	• Barrière jetable en mousse de polyuréthane qui recouvre le col. • Elle absorbe et emprisonne les spermatozoïdes. • Elle est imprégnée d'une combinaison de 3 spermicides qui détruisent les spermatozoïdes.
Efficacité selon l'OMS	• 80 %, si utilisée correctement. • Plus efficace chez les nullipares (91 %).
Utilisation et prix*	• Disponible dans les pharmacies, les cliniques de planification familiale et Internet. • Environ 12 $ pour une boîte de 4 éponges Today.
Utilisateurs visés	• Pour celles qui veulent un moyen contraceptif qui n'interrompt pas les jeux sexuels.
Avantages	• Méthode barrière et spermicide en un seul produit. • Facile à transporter. • Ni ajustement ni intervention médicale nécessaire. • L'insertion n'interrompt pas les jeux sexuels. • Peu d'écoulement de sperme hors du vagin après l'éjaculation, car l'éponge l'absorbe.
Inconvénients, complications, précautions à prendre	• Infection aux levures. • Odeur. • Allergie aux spermicides. • Syndrome du choc toxique.

Contre-indications	• Déconseillée si :
	  – allergie à la mousse ou aux spermicides ;
	  – utilisée sans condom lorsque la femme a plusieurs partenaires.

MÉTHODE	**Contraceptif Lea**
Description	• Dispositif doux et souple en silicone qui recouvre le col. • Empêche l'entrée des spermatozoïdes dans l'utérus.
Efficacité selon l'OMS	• 91,3 %, si utilisé avec spermicide. • 86 %, si utilisé sans spermicide.
Utilisation et prix*	• Disponible dans les pharmacies, les cliniques de planification familiale et Internet. • Coûte environ 50 $. • Doit rester en place 8 heures après la relation sexuelle.
Utilisateurs visés	• Pour celles qui ne peuvent pas utiliser de méthodes hormonales. • Pour celles qui se sentent à l'aise de toucher leurs organes génitaux et de manipuler un objet à l'intérieur de leur vagin.

BARRIÈRES CONTRACEPTIVES *(suite)*	
MÉTHODE *(suite)*	**Contraceptif Lea**
Avantages	• Peut être utilisé pendant 6 mois. • Facile à obtenir et à transporter. • Aucun ajustement requis, pas besoin de voir un médecin. • Peut servir durant les menstruations. • N'interrompt pas les jeux sexuels.
Inconvénients, complications, précautions à prendre	• Demande un peu de pratique pour réussir à l'insérer et à le retirer correctement. • Si le contraceptif Lea n'est pas bien inséré, le partenaire peut le sentir durant la relation sexuelle. • Possibilité de syndrome du choc toxique : il ne faut jamais le laisser en place plus de 24 heures.

Contre-indications	• Déconseillé, si :
	  – allergie au nonoxynol-9 ;
	  – utilisée sans condom lorsque la femme a plusieurs partenaires.

DISPOSITIFS INTRA-UTÉRINS (DIU)	
MÉTHODE	**Stérilet Nova-T ou Flexi-T**
Description	• Dispositif en forme de T entouré d'un filament de cuivre, inséré dans l'utérus. Le cuivre est toxique pour les spermatozoïdes. De plus, il produit une inflammation de l'endomètre, ce qui empêche l'implantation de l'ovule fécondé.
Efficacité selon l'OMS	• Plus de 99,2 %. • Efficacité durant environ 5 ans.
Utilisation et prix*	• Doit être inséré par un médecin. • Nova-T coûte environ 170 $ et Flexi-T, de 80 à 100 $. • N'est pas couvert par la RAMQ et peu d'assurances privées le remboursent.
Utilisateurs visés	• Pour les femmes ayant des règles normales ou peu abondantes et peu douloureuses. • Pour celles qui ont déjà eu un ou plusieurs enfants. • Pour celles qui ont besoin d'une contraception post-coïtale. • Non recommandé aux adolescentes et aux femmes qui ont plusieurs partenaires.
Avantages	• Bonne efficacité. • Peut être en place pendant 12 ans. • Réversibilité. • Pas très cher. • Non médicamenté. • Peut être utilisé pendant l'allaitement. • Rien à prendre chaque jour.
Inconvénients, complications, précautions à prendre	• Augmentation du saignement menstruel. • Risque de rejet. • Grossesse ectopique : 1,5 pour 100 femmes/année. • Ne protège pas contre les ITSS et le VIH. • Augmentation du risque d'inflammation pelvienne chez les femmes ayant plusieurs partenaires.

DISPOSITIFS INTRA-UTÉRINS (DIU) *(suite)*	
MÉTHODE *(suite)*	**Stérilet Nova-T ou Flexi-T**
Contre-indications	• Déconseillé si : – saignement utérin de cause inconnue ; – certaines anomalies utérines ; – allergie au cuivre ; – dysménorrhée, ménorragie, anémie ; – immunité réduite ; – cancer de l'utérus ou du col de l'utérus.
MÉTHODE	**Stérilet Mirena**
Description	• Dispositif en forme de T avec réservoir contenant un progestatif. • Produit un épaississement de la glaire cervicale et inhibe l'ovulation (chez certaines femmes). • Provoque un changement de l'endomètre ne permettant pas l'implantation de l'ovule fécondé.
Efficacité selon l'OMS	• 99,91 % • Efficacité durant environ 5 ans.
Utilisation et prix*	• Doit être inséré par un médecin. • Coûte de 350 à 370 $. • Est couvert par la RAMQ et est remboursé par les assurances privées.
Utilisateurs visés	• Pour toutes les femmes, surtout celles ayant des règles abondantes ou douloureuses. • Pour celles qui suivent une hormonothérapie substitutive (protection de l'endomètre).
Avantages	• Excellente efficacité. • Réversibilité. • Nette diminution de la dysménorrhée, de la ménorragie (90 % après 1 an), de l'aménorrhée (25 % après 1 an) et de l'anémie due aux pertes sanguines. • Peut être utilisé pendant l'allaitement. • Diminution des risques de grossesse ectopique et d'infection pelvienne. • Offre une certaine protection contre les infections pelviennes à cause de l'épaississement de la glaire cervicale.
Inconvénients, complications, précautions à prendre	• Saignement irrégulier au début. • Effets secondaires possibles : céphalée, mastalgie, nausée, acné, œdème et douleur pelvienne. • Risque de rejet. • Grossesse ectopique : 0,2 % pour 1000 femmes/année.
Contre-indications	• Déconseillé si : – infection pelvienne aiguë ; – saignement utérin de cause inconnue ; – certaines anomalies utérines ; – immunité réduite ; – cancer de l'utérus ou du col de l'utérus.

MÉTHODES FONDÉES SUR LA CONNAISSANCE DE LA FERTILITÉ (jours types, glaire cervicale, calendrier et température basale)	
Efficacité selon l'OMS	• Toutes ces méthodes visant à déterminer la période de fécondité sont très peu efficaces comme moyen de contraception. • Taux de grossesse allant jusqu'à 25 % pendant la première année d'utilisation d'une de ces méthodes.
Utilisation et prix*	• Ces méthodes exigent une discipline personnelle, la connaissance de son corps et de son cycle menstruel et ovulatoire.
Utilisateurs visés	• Pour celles qui souhaitent investir temps et efforts pour se familiariser avec l'une des méthodes. • Pour les partenaires disposés à respecter la période de fertilité, c'est-à-dire à s'abstenir de relations coïtales pendant la période de fertilité ou à utiliser une autre méthode pendant ce temps.
Avantages	• Ces méthodes peuvent servir à planifier le moment de la grossesse lorsque les partenaires en auront pris la décision.
Inconvénients, complications, précautions à prendre	• Ces méthodes supposent une bonne connaissance de soi et de son corps (cycle menstruel et ovulatoire) et exigent la collaboration des deux partenaires. • Le cycle peut être modifié par certains événements : le stress, la maladie, la puberté et la périménopause.
Contre-indications	• Elles sont déconseillées si : – il y a nécessité de se protéger des ITSS et du VIH ; – le partenaire ne veut pas collaborer ; – la routine n'est pas souhaitée ; – on ne veut pas investir le temps ni les efforts nécessaires ; – le cycle n'est pas encore bien établi ni régulier, comme c'est le cas à l'adolescence.
MÉTHODE	**Jours types**
Description	• Il faut éviter d'avoir des relations coïtales entre les jours 8 et 19 de chaque cycle menstruel.
Utilisation et prix*	• Un collier de 32 perles de deux couleurs. On trouve des renseignements sur Internet pour fabriquer soi-même un « collier du cycle ».
Utilisateurs visés	• Pour les femmes dont le cycle menstruel se situe entre 26 et 32 jours.
MÉTHODE	**Glaire cervicale**
Description	• La glaire cervicale change au cours du cycle. Un jour avant l'ovulation, le jour même et le lendemain, le mucus provenant du col de l'utérus devient glissant, élastique et clair (comme du blanc d'œuf). Il faut alors éviter les relations coïtales.
MÉTHODE	**Calendrier**
Description	• Tenir un calendrier menstruel pendant quelques mois. • Soustraire 19 jours du cycle le plus court et 10 jours du cycle le plus long. Par exemple, si les résultats sont $24 - 19 = 5$ et $30 - 10 = 20$, vous devriez vous abstenir de relations sexuelles non protégées entre le 5e et le 20e jour du cycle menstruel.
MÉTHODE	**Température basale**
Description	• La température basale augmente le jour de l'ovulation et demeure plus élevée d'au moins 0,5 °C pendant les 2 jours suivants. • Prendre sa température avant le lever et consigner les données sur un graphique.
Utilisation et prix*	• Un thermomètre basal coûte de 7 à 10 $ (de 13 à 20 $ pour un modèle numérique).

MÉTHODES CHIRURGICALES	
MÉTHODE	Stérilisation féminine : ligature des trompes
Description	• Contraception permanente. • Ligature des trompes de Fallope pour empêcher l'ovule d'atteindre l'utérus.
Efficacité selon l'OMS	• 99,5 %
Utilisation et prix*	• Pratiquée par un gynécologue. • Signature d'un formulaire de consentement. • Coût assumé par les régimes provinciaux d'assurance-maladie.
Utilisateurs visés	• Pour les femmes qui sont certaines de ne plus vouloir d'enfants et qui ne désirent pas utiliser d'autres méthodes.
Avantages	• Méthode la plus fiable après l'abstinence. • Libère les partenaires de la responsabilité de la contraception à chaque relation sexuelle. • Aucun effet sur le cycle ovulatoire et menstruel, ni sur le désir sexuel et la capacité à atteindre l'orgasme.
Inconvénients, complications, précautions à prendre	• N'offre aucune protection contre les ITSS et le VIH. • Parfois réversible. • Il est important de compter sur l'accord et l'appui du partenaire pour éviter les regrets. • Inconfort après la ligature.
Contre-indications	• Déconseillée si la femme n'est pas certaine de vouloir une méthode contraceptive définitive.
MÉTHODE	Stérilisation masculine : vasectomie
Description	• Contraception permanente. • Sectionnement ou ligature des canaux déférents pour empêcher les spermatozoïdes de se mêler à l'éjaculat.
Efficacité selon l'OMS	• 97 à 99,8 %
Utilisation et prix*	• Pratiquée par un urologue. • Signature d'un formulaire de consentement. • Environ 100 $, coût assumé par les régimes provinciaux d'assurance maladie. • En cabinet privé, un supplément de 75 à 200 $.
Utilisateurs visés	• Pour les hommes qui ne veulent plus d'enfants et qui souhaitent une méthode contraceptive définitive.
Avantages	• Méthode contraceptive très fiable. • Libère les partenaires de la responsabilité de la contraception à chaque relation sexuelle. • Intervention simple qui comporte peu de risques et d'effets secondaires.
Inconvénients, complications, précautions à prendre	• Il faut utiliser une autre méthode de contraception pendant les trois premiers mois suivant l'intervention. • Rarement réversible. • Douleurs temporaires après l'opération. • Ne protège pas contre les ITSS et le VIH.
Contre-indications	• Déconseillée si l'homme n'est pas certain de vouloir une méthode contraceptive définitive.

AUTRES MÉTHODES	
MÉTHODE	**Retrait (coït interrompu)**
Description	• Interruption de la relation sexuelle, c'est-à-dire que l'homme doit se retirer avant d'éjaculer.
Efficacité selon l'OMS	• Très faible, car des spermatozoïdes peuvent se retrouver dans le liquide pré-éjaculatoire. Le taux d'échec est de 19 %.
Utilisation et prix*	• Ne coûte rien.
Utilisateurs visés	• Pour les couples qui peuvent accepter un certain risque de concevoir un enfant. • Pour les partenaires qui collaborent.
Avantages	• Ne coûte rien. • Méthode acceptable, s'il n'y en a pas d'autres.
Inconvénients, complications, précautions à prendre	• Frustration liée à l'interruption des jeux sexuels. • Durant les élans de passion, possibilité qu'il y ait éjaculation.
Contre-indications	• Déconseillé si : – les partenaires s'emportent facilement pendant les ébats sexuels ; – l'homme ne peut pas prévoir l'éjaculation (éjaculateurs précoces s'abstenir) ; – les partenaires sont inexpérimentés.
MÉTHODE	**Relation sexuelle non coïtale et abstinence**
Description	• Relation sexuelle sans pénétration et sans échange de liquides biologiques.
Efficacité selon l'OMS	• C'est la méthode la plus sûre.
Utilisation et prix*	• Ne coûte rien.
Utilisateurs visés	• Pour les couples qui veulent : – utiliser la méthode naturelle la plus efficace et sans effets secondaires ; – se protéger contre les ITSS et le VIH. • Pour les couples dont l'un des partenaires n'a pas confiance en l'autre.
Avantages	• Excellente méthode à pratiquer au début d'une relation amoureuse. Amène les partenaires à se parler et à s'entendre. • Encourage d'autres pratiques érotiques qui peuvent enrichir une relation (baisers, étreintes, masturbation mutuelle, massage, frottement, stimulation des seins, etc.). • Permet aux partenaires d'apprivoiser le corps de l'autre et de mieux connaître ses réactions.
Inconvénients, complications, précautions à prendre	• S'assurer que l'éjaculat n'entre pas en contact avec la vulve.
Contre-indications	• Déconseillé si : – les partenaires ne sont pas certains de ce choix ; – un des partenaires refuse de pratiquer cette méthode.

CONTRACEPTION POST-COÏTALE OU CONTRACEPTION D'URGENCE	
MÉTHODE	**Pilule du lendemain ou Plan B**
Description	• Sert à prévenir une grossesse après une relation sexuelle non protégée. • Retarde ou empêche l'ovulation.
Efficacité selon l'OMS	• Dépend du temps écoulé depuis la relation coïtale. • Très efficace dans les 72 premières heures. • Inefficace au-delà de 5 jours.
Utilisation et prix*	• Gratuite dans certaines cliniques des jeunes. • Environ 40 $ en pharmacie.
Utilisateurs visés	• Pour les couples qui ont oublié de prendre un contraceptif oral ou qui ont utilisé inadéquatement leur moyen contraceptif habituel. • Pour les victimes d'agressions sexuelles en l'absence d'un moyen contraceptif.
Avantages	• Moyen simple et sûr d'empêcher une grossesse lorsqu'un incident s'est produit.
Inconvénients, complications, précautions à prendre	• Nausées chez 25 % des utilisatrices et vomissements chez 6 % d'entre elles.
Contre-indications	• Déconseillé si : – la relation a eu lieu il y a plus de 72 heures ; – la femme souffre d'une maladie thrombo-embolique ; – il y a absence de menstruation depuis plus de 4 semaines.
MÉTHODE	**Dispositif intra-utérin (DIU) en cuivre**
Description	• Utilisable comme contraception post-coïtale. Voir les pages 373-374.
Efficacité selon l'OMS	• 99 %, si posé dans la semaine qui suit la relation.
Utilisation et prix*	• Doit être inséré par un médecin. • Coûte de 45 à 100 $.
Utilisateurs visés	• Pour les couples qui ont oublié de prendre un contraceptif oral ou qui ont utilisé inadéquatement leur moyen contraceptif habituel. • Pour les victimes d'agressions sexuelles en l'absence d'un moyen contraceptif.
Avantages	• Remplacement de méthodes efficaces dans des cas d'exceptionnelle nécessité.
Inconvénients, complications, précautions à prendre	Voir les pages 373-374.
Contre-indications	Voir les pages 373-374.

* Les prix indiqués sont approximatifs et peuvent varier. Ils ne sont donnés ici qu'à des fins de comparaison entre les méthodes.

Sources : Berenson et coll. (2008), Berenson et Rahman (2009), Blumenthal et coll. (2008), Hannaford et coll. (2007), International Collaboration of Epidemiological Studies of Cervical Cancer (2007), Jensen et coll. (2008), Lurie et coll. (2008), Mansour (2008), Merki-Feld et coll. (2008), Organisation mondiale de la santé (2011), Panzer et coll. (2008), Pikkarainen et coll. (2008), Pitts et Emans (2008), Speroff et Fritz (2005), Planned Parenthood Federation of America (2008).

L'efficacité

La meilleure façon de mesurer l'efficacité d'une méthode contraceptive est de regarder son **taux d'échec**, taux qui représente le nombre de grossesses par groupe de 100 femmes employant la méthode en question. Le tableau 13.3 précise, pour chaque méthode, son taux d'efficacité réelle lorsqu'elle est utilisée ou appliquée correctement et assidûment; il indique aussi le taux de grossesses accidentelles lorsque la méthode n'est pas utilisée adéquatement. La variable qui joue le plus sur l'efficacité d'une méthode est l'erreur humaine. L'ignorance quant à la façon de l'utiliser, les idées négatives à son propos, le manque de participation de la part du ou de la partenaire, l'oubli régulier ou le fait de se dire « qu'une petite fois ne causera pas de problème », tout cela réduit l'efficacité d'une méthode et augmente les risques de grossesse. Certaines personnes trouvent le risque d'une grossesse érotisant ou romantique (Higgins et coll., 2008). De plus, les hommes et les femmes qui ressentent de la culpabilité envers la sexualité ont davantage tendance à ne pas employer efficacement la contraception (Strassberg et Mahoney, 1988). Les personnes qui ne sont pas à l'aise dans leur sexualité tendent à adopter une attitude passive dans les décisions sur la planification des naissances, ce qui les rend dépendantes de ce que le ou la partenaire fait ou ne fait pas dans ce domaine. Une femme peut aussi se demander si elle passera pour une fille facile aux yeux de son partenaire. Une façon simple de donner l'image d'une bonne fille est de ne pas prévoir de méthode contraceptive (Angier, 1999).

En fait, près de la moitié des femmes qui ont une grossesse non désirée emploient déjà une méthode de contraception (Frost et Darroch, 2008). Ce genre d'accident risque plus de se produire chez les célibataires de moins de 30 ans que chez les femmes mariées de 30 ans et plus. Les femmes ayant un faible revenu ont un taux d'échec plus élevé que les plus fortunées, probablement parce qu'elles ont moins accès aux soins de santé (Fu et coll., 1999).

Dans certaines circonstances, il peut être indiqué de recourir à plus d'un moyen de contraception à la fois. Le condom, la mousse spermicide et le diaphragme peuvent s'utiliser en même temps qu'une autre méthode à titre de protection complémentaire dans les circonstances suivantes:

- durant le premier cycle d'utilisation d'un contraceptif oral;
- jusqu'à la fin d'un cycle si l'on a oublié de prendre une ou plusieurs pilules contraceptives ou si l'on a souffert de diarrhée ou de vomissements durant plusieurs jours alors qu'on prenait la pilule;
- durant le premier mois d'utilisation d'une nouvelle marque de contraceptif oral;

- lorsqu'on prend des médicaments, comme un antibiotique, qui réduisent l'efficacité des contraceptifs oraux;
- durant un à trois mois après la mise en place d'un dispositif intra-utérin (DIU);
- lorsqu'on expérimente une méthode de contraception qu'on ne connaît pas;
- lorsqu'un couple désire une protection accrue (par exemple, en combinant condom et mousse spermicide).

Opter pour la méthode contraceptive qui convient le mieux

En plus de l'efficacité, de nombreux facteurs, dont le prix, la facilité d'utilisation et les effets secondaires potentiels, entrent en ligne de compte lorsqu'on choisit (individuellement ou en couple) une méthode de contraception (Westhoff et coll., 2007). Le tableau 13.3 présente un survol des principaux facteurs à évaluer. Outre ces considérations, il est important que les partenaires optent pour une méthode contraceptive qui leur convient à tous deux (Ranjit et coll., 2001). Le questionnaire de l'encadré *Votre santé sexuelle*, à la page 381, a été conçu pour aider les couples à prendre cette décision très personnelle en tenant compte de leurs préoccupations, de leur situation, de leur condition physique et de leurs caractéristiques individuelles.

Les relations non coïtales

Avoir des relations sexuelles sans pratiquer le coït est une méthode qui mérite d'être mentionnée parce qu'elle implique la décision de ne pas recourir à la pénétration pénis-vagin. Les formes de relations sexuelles sans pénétration pénis-vagin, appelées **relations non coïtales**, peuvent constituer une méthode de contraception. Cela inclut toutes les formes d'intimité sexuelle physique comme les baisers, la masturbation mutuelle, le sexe oral et le sexe anal. L'évitement volontaire du coït offre une protection efficace contre les grossesses parce que l'homme n'éjacule pas près de l'ouverture vaginale. La relation non coïtale peut être utilisée comme une méthode temporaire ou un moyen privilégié de prévention de grossesse. Elle peut aussi être indiquée pour d'autres raisons, par exemple à la suite d'un accouchement récent, d'un avortement ou pendant un épisode d'herpès. C'est une méthode qui ne comporte aucun effet secondaire indésirable. Cependant, elle ne prévient pas la transmission des ITSS, particulièrement si les partenaires s'adonnent au sexe oral ou au sexe anal.

Taux d'échec Nombre de femmes sur 100 qui tombent enceintes après un an d'utilisation d'un contraceptif particulier.

Relation non coïtale Relation dans laquelle l'intimité sexuelle physique exclut la pénétration pénis-vagin.

Les contraceptifs hormonaux

Dans cette section, nous décrivons les contraceptifs hormonaux les plus répandus, soit les contraceptifs oraux, l'anneau vaginal, le timbre transdermique et les contraceptifs injectables.

Les contraceptifs oraux

Les contraceptifs oraux ont évolué depuis leur apparition, il y a plus de 50 ans. Ils se présentent maintenant sous différentes compositions chimiques et à des dosages variés, ce qui permet de choisir parmi un large éventail (Calderoni et Coupey, 2005). Ils comptent parmi les méthodes contraceptives réversibles les plus répandues en Amérique, notamment chez les étudiantes des collèges et des universités. Plus de 100 millions de femmes dans le monde les utilisent (Blackburn et coll., 2000). On trouve sur le marché quatre types de contraceptifs oraux : la pilule combinée à dose constante, la pilule triphasique, la pilule continue et la pilule microprogestative.

Pour la plupart des femmes, l'utilisation d'un contraceptif oral améliore l'état général de santé (Speroff et Fritz, 2005). Pour environ 16 % des femmes, cependant, la pilule est contre-indiquée (Shortridge et Miller, 2007) ; c'est le cas de celles qui ont des antécédents de caillots sanguins, qui souffrent d'hypertension artérielle, de problèmes cardiovasculaires, qui ont eu la jaunisse, un cancer du sein ou de l'utérus, ou qui ont des problèmes de coagulation sanguine ou des saignements vaginaux inexpliqués. De plus, les femmes qui ont une maladie du foie et celles qui se croient ou se savent enceintes ne devraient pas prendre la pilule. Enfin, les femmes qui fument la cigarette ou qui souffrent de migraines, de dépression, d'épilepsie, de diabète ou de symptômes prédiabétiques, d'asthme ou de varices devraient évaluer sérieusement le risque que la pilule contraceptive représente pour elles et ne l'utiliser que sous étroite surveillance médicale. Le tableau 13.3 énumère les effets secondaires possibles des contraceptifs oraux.

Les quatre principaux types de contraceptifs oraux

La pilule combinée à dose constante a fait son apparition au début des années 1960 et elle est le contraceptif oral le plus répandu actuellement en Amérique. Elle contient deux hormones, un œstrogène de synthèse et un progestatif (une substance comparable à la progestérone). Le dosage de ces hormones demeure le même pendant toute la durée du cycle menstruel. Il existe plus de 32 sortes de pilule combinée, chacune ayant son propre dosage des deux hormones. De 175 microgrammes dans les années 1960, la quantité d'œstrogène contenue dans un comprimé a diminué à une moyenne de 25 microgrammes au fil du temps (Ritter, 2003).

Contrairement à la pilule combinée à dose constante, la pilule triphasique, mise en marché en 1984, contient des doses d'œstrogène et de progestérone qui varient durant le cycle menstruel. Elle a pour but de réduire la quantité totale d'hormones absorbées ainsi que les effets secondaires tout en maintenant l'efficacité contraceptive.

La pilule continue est un autre contraceptif à dose constante disponible sur le marché ; on l'appelle ainsi parce qu'elle est prise pendant trois mois sans arrêt, sans pilule placebo. La seule marque de commerce sur le marché est Seasonale. Cette pilule réduit le nombre de cycles menstruels à 4 durant l'année au lieu des 13 habituels, ce qui apporte un soulagement appréciable aux femmes qui ont des symptômes menstruels désagréables durant la phase placebo associée à la prise d'une pilule combinée (Kripke, 2006).

La pilule microprogestative, apparue sur le marché en 1973, ne contient que 0,35 milligramme de progestatif, soit environ le tiers de la quantité moyenne qu'on retrouve dans les pilules combinées à dose constante. La pilule microprogestative ne contient pas d'œstrogène et constitue un choix intéressant pour les femmes qui préfèrent ne pas prendre cette hormone (Burkett et Hewitt, 2005).

Le mode d'action des contraceptifs oraux

Les pilules qui contiennent de l'œstrogène agissent surtout en empêchant l'ovulation. Le progestatif apporte un effet contraceptif supplémentaire en épaississant et en modifiant la composition de la glaire cervicale, ce qui nuit au passage des spermatozoïdes. Le progestatif modifie aussi l'endomètre (paroi utérine) en le rendant moins réceptif à l'implantation des ovules fécondés (Larimore et Stanford, 2000). Le progestatif peut également empêcher l'ovulation. La pilule microprogestative agit un peu différemment. La plupart des femmes qui en prennent continuent d'ovuler au moins de façon occasionnelle. L'effet principal de cette pilule est de modifier la glaire cervicale en l'épaississant et en la rendant gluante, ce qui bloque de fait l'entrée des spermatozoïdes dans l'utérus. Tout comme la pilule combinée à dose constante, un de ses effets secondaires est de modifier la surface interne de l'utérus de façon à la rendre impropre à l'implantation de l'ovule.

Pilule combinée à dose constante Pilule contraceptive qui fournit la même dose d'œstrogène et de progestatif pendant tout le cycle menstruel.

Pilule triphasique Pilule contraceptive dont la composition en œstrogène et en progestatif varie au cours du cycle menstruel.

Pilule continue Pilule qui réduit le nombre de périodes menstruelles à quatre par année.

Pilule microprogestative Pilule contraceptive qui contient une faible dose de progestatif et aucun œstrogène.

Votre santé sexuelle

Quelle méthode contraceptive vous convient le mieux ?

Répondez à chaque énoncé par oui ou non, selon qu'il s'applique ou pas à vous ou à votre partenaire.

1. Vous faites de l'hypertension artérielle ou souffrez d'une maladie cardiovasculaire.
2. Vous fumez la cigarette.
3. Vous avez une nouvelle ou un nouveau partenaire sexuel.
4. Une grossesse non désirée serait catastrophique pour vous.
5. Vous avez une bonne mémoire.
6. Vous ou votre partenaire avez plusieurs partenaires sexuels.
7. Vous préférez une méthode sans souci, ou presque.
8. Vous ou votre partenaire avez des menstruations abondantes et douloureuses.
9. Vous avez besoin de protection contre les ITSS.
10. Vous avez des raisons de craindre le cancer de l'endomètre et le cancer de l'ovaire.
11. Vous avez tendance à oublier.
12. Vous avez besoin d'une méthode contraceptive efficace immédiatement.
13. Vous ne répugnez pas à toucher vos organes génitaux ni ceux de votre partenaire.
14. Votre partenaire est d'un naturel coopératif.
15. Vous aimez bien un peu de lubrification vaginale supplémentaire.
16. Vous faites l'amour à des moments et à des endroits imprévus.
17. Vous vivez une relation monogame stable et avez déjà au moins un enfant.

Résultats : Les recommandations sont fondées sur les réponses affirmatives aux énoncés précédents.
- Oui à 4, 5, 6, 8, 16 : Pilule combinée à dose constante.
- Oui à 1, 2, 5, 7, 16 : Pilule microprogestative.
- Oui à 1, 2, 3, 6, 9, 12, 13, 14 : Condom.
- Oui à 1, 2, 4, 7, 11, 16 : Implants sous-cutanés Norplant ou Depo-Provera.
- Oui à 1, 2, 13, 14 : Diaphragme ou cape cervicale.
- Oui à 1, 2, 7, 11, 13, 16, 17 : DIU.
- Oui à 1, 2, 12, 13, 14, 15 : Spermicide et éponge.

Comment utiliser les contraceptifs oraux

Pour celles qui prennent des contraceptifs oraux pour la première fois, il est important de suivre scrupuleusement les conseils de leur médecin, car il existe différentes façons de procéder. À la différence des autres contraceptifs oraux qui se prennent pendant 28 jours, la pilule Seasonale se prend quotidiennement pendant une période de 3 mois, suivie de la prise d'un placebo pendant 7 jours, avant de recommencer un autre cycle de 3 mois. Le millepertuis et certains médicaments réduisent l'efficacité des contraceptifs oraux : les barbituriques, l'ampicilline, la tétracycline, le tégrétol, le dilantin, la rifampine (contre la tuberculose), la phénylbutazone (contre l'arthrite) (Markowitz et coll., 2003 ; Zlidar, 2000). Les femmes qui prennent l'un ou l'autre de ces médicaments doivent en informer leur médecin et utiliser une méthode contraceptive complémentaire, par exemple un spermicide et un condom.

Oublier de prendre la pilule une ou plusieurs fois réduit sensiblement son efficacité, tout comme le fait de ne pas la prendre systématiquement à la même heure. Cela abaisse le taux d'hormones et une ovulation peut alors avoir lieu. De nombreuses femmes oublient de prendre leur pilule chaque jour. De plus, elles sous-estiment le nombre de pilules qu'elles oublient. Selon les résultats d'une étude où l'on a enregistré électroniquement l'heure et la date de la prise de la pilule à l'aide d'un dispositif intégré dans la boîte plutôt que de se fier à ce que les femmes déclaraient, jusqu'à 50 % des utilisatrices ont oublié de prendre trois pilules et plus par cycle, réduisant ainsi de beaucoup l'efficacité de la méthode (Potter et coll., 1996). Pour prévenir les oublis, les femmes peuvent utiliser un pilulier avec alarme intégrée qui se déclenche chaque jour à la même heure. Elles peuvent aussi régler la fonction «alarme» de leur cellulaire afin qu'une sonnerie leur rappelle chaque jour de prendre leur pilule.

Si vous utilisez un contraceptif oral et que vous oubliez un comprimé, prenez-le dès que vous vous en apercevez et prenez le suivant comme d'habitude. Si vous en oubliez plus d'un, mieux vaut en parler à votre médecin. Il est alors recommandé d'employer une méthode contraceptive complémentaire, par exemple une mousse spermicide ou un condom, ou les deux.

L'anneau vaginal et le timbre transdermique

NuvaRing et Ortho Evra sont deux contraceptifs à base hormonale qui ne nécessitent pas de prendre la pilule. Tous deux contiennent des hormones de synthèse, œstrogène et progestatif, enchâssées dans un anneau transparent d'environ deux fois le diamètre d'une pièce de 25 cents (NuvaRing) ou dans un timbre transdermique de couleur chair (voir la figure 13.5).

L'anneau vaginal comme le timbre transdermique libèrent les hormones qu'ils contiennent ; celles-ci traversent la paroi du vagin ou la peau et pénètrent dans le flux sanguin. Elles agissent alors de la même façon que les contraceptifs oraux. Cependant, le timbre transdermique comporte plus de risques d'augmenter le taux d'œstrogène que le contraceptif oral ; de plus, il est associé à une fréquence accrue de formation de caillots sanguins (Jensen et coll., 2008).

L'anneau s'insère dans le vagin entre le jour 1 et le jour 5 des menstruations. On le laisse à l'intérieur du vagin pendant trois semaines ; on l'enlève ensuite pour une semaine, puis on en place un nouveau. L'anneau peut rester en place pendant le coït ou il peut être retiré durant une période de une à trois heures sans que son efficacité contraceptive soit compromise (Long, 2002).

Dans le cas du timbre transdermique, la femme choisit un jour précis de la semaine après le début de ses menstruations et en fait «le jour du changement de timbre». Elle remplace le timbre par un nouveau le même jour pendant trois semaines, la quatrième semaine en étant une sans timbre. Le timbre peut se placer sur les fesses, l'abdomen, sur la face externe des bras, entre le coude et l'épaule, ou sur le haut du dos, derrière l'épaule.

Les contraceptifs injectables

Le Depo-Provera et le Lunelle (non disponible au Canada) sont des contraceptifs injectables. Le Depo-Provera est un progestatif qui inhibe la sécrétion de gonadotrophine et bloque la maturation folliculaire et l'ovulation. Cela provoque l'amincissement de la muqueuse utérine et empêche l'implantation de tout ovule fécondé.

| FIGURE 13.5 | *L'anneau vaginal et le timbre transdermique.* |

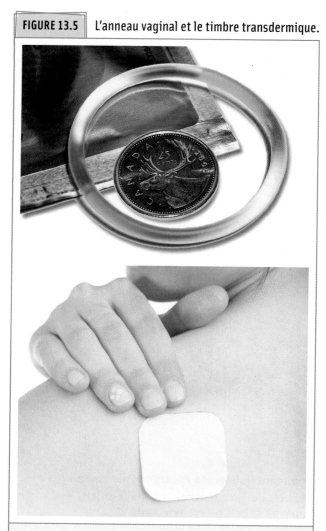

Avec l'anneau vaginal (en haut) et le timbre transdermique (en bas), une femme n'a pas à se demander chaque jour si elle a oublié de prendre la pilule.

Un professionnel de la santé (médecin ou infirmière) administre une injection de Depo-Provera une fois toutes les 12 semaines, idéalement avant le sixième jour du début des menstruations. Après l'arrêt du Depo-Provera, il faut habituellement 10 mois pour qu'une femme puisse tomber enceinte (Galewitz, 2000).

L'implant contraceptif

Le Norplant est formé de 6 bâtonnets de 34 mm de long. Il est inséré sous la peau, sur la face interne du bras. Il libère progressivement un progestatif, et son action est identique à celle de la pilule microprogestative. Il est mis en place sous anesthésie locale par un médecin qui pratique une petite incision. Il est efficace jusqu'à cinq ans.

La contraception post-coïtale ou contraception d'urgence

Il existe deux méthodes contraceptives post-coïtales. La première, connue sous le nom de *pilule contraceptive d'urgence* (PCU) ou *contraceptif d'urgence* (CU) (également appelée *pilule du lendemain* ou, ailleurs au Canada, *Plan B*), est un contraceptif contenant œstrogène et progestatif, comme la pilule régulière, mais à plus forte dose. Son mode d'action est le même : empêcher la nidation d'un ovule fécondé. Elle doit être prise après un rapport sexuel à risque de grossesse.

Au Canada, les femmes peuvent se procurer la PCU en pharmacie sans ordonnance médicale, ou encore l'obtenir gratuitement par l'entremise d'un médecin dans un hôpital, un CLSC, une clinique jeunesse ou auprès d'une infirmière scolaire. Cette grande accessibilité profite particulièrement aux adolescentes, aucun rendez-vous n'étant nécessaire. L'efficacité de la PCU est de 95 % si elle est prise dans les 24 heures suivant la relation sexuelle, de 75 % dans les 72 heures ; même si elle offre un certain degré de protection contre une grossesse jusqu'à 120 heures après la relation sexuelle, il est préférable de la prendre le plus tôt possible (Kort, 2006).

Si plus de trois jours se sont écoulés depuis la relation sexuelle, on peut recourir à une seconde méthode. Il est possible, en effet, d'augmenter la protection en utilisant un dispositif intra-utérin (DIU) en cuivre dans les sept jours suivant la relation. Le dispositif intra-utérin doit être posé par un médecin et il est efficace à 99 %.

Les barrières contraceptives

Nous avons vu que les méthodes de contraception hormonales induisent dans l'organisme féminin des changements qui empêchent l'ovulation ou l'implantation d'un ovule fécondé. Un autre groupe de méthodes fonctionne plutôt en empêchant les spermatozoïdes d'atteindre l'ovule. Dans cette partie du manuel, nous parlons du condom et de quatre barrières cervicales.

Les couples peuvent incorporer les barrières contraceptives à leurs jeux sexuels.

Nous incluons ici les spermicides vaginaux, car ils sont souvent utilisés avec les barrières contraceptives et empêchent également les spermatozoïdes de se rendre à l'ovule. À l'exception du condom, les barrières contraceptives ne protègent ni des ITSS ni de l'infection au VIH ou des condylomes (Winer et coll., 2006).

Les couples qui utilisent ces méthodes peuvent les incorporer à leurs jeux sexuels au lieu de les considérer comme des interruptions. L'un ou l'autre partenaire – ou les deux – peut mettre le condom ou insérer un condom féminin, une cape cervicale ou un spermicide. L'utilisation d'une barrière contraceptive peut être un prolongement des caresses érotiques.

Le condom masculin

Le condom (préservatif masculin, ou capote) est une membrane qui se pose sur le pénis en érection (voir la figure 13.6). On a trouvé en France une peinture rupestre vieille de 12 000 à 15 000 ans représentant un homme muni d'un condom (Planned Parenthood Federation of America, 2002). C'est l'anatomiste italien Gabriel Fallopius

FIGURE 13.6 Le condon masculin.

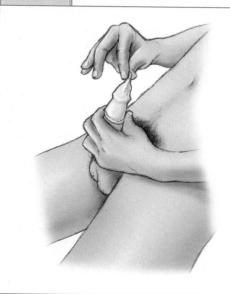 

(À gauche) L'extrémité d'un condom dépourvu d'embout réservoir doit être tordue de façon à laisser un espace, avant de le dérouler sur le pénis. (À droite) Un condom pourvu d'un embout réservoir n'a pas besoin d'être tordu ainsi.

(le même qui a donné son nom aux trompes de Fallope) qui aurait inventé, en 1564, un «fourreau d'étoffe légère, fait sur mesure, pour protéger des maladies vénériennes». À partir des années 1840, la mise au point du caoutchouc vulcanisé a permis la production de masse de condoms bon marché.

Le condom est le seul contraceptif temporaire pour les hommes qui offre une protection contre les ITSS les plus répandues, y compris le VIH (voir le chapitre 12) (Steiner et Cates, 2008). Quatre à six milliards de condoms sont vendus dans le monde chaque année (Heiman, 2009). Une étude menée auprès d'élèves de 15 ans dans 24 pays montre que le condom est la méthode contraceptive la plus fréquemment employée (Godeau et coll., 2008). C'est aussi une des méthodes contraceptives les plus utilisées en Amérique du Nord. La recherche indique que les hommes plus jeunes sont plus susceptibles de porter le condom que les plus vieux: 79 % des 15 à 19 ans ont dit avoir mis un condom lors de leur première relation sexuelle comparativement à 48 % chez les 15 à 44 ans (National Campaign to Prevent Teen and Unplanned Pregnancy, 2009). Les adolescents qui utilisent le condom lors de leur première relation sexuelle ont plus tendance à continuer à le faire par la suite et ont conséquemment moins d'ITSS que ceux qui ne portent pas de condom dès leur première fois (Shaffi et coll., 2007).

L'usage du condom est corrélé avec le niveau d'éducation chez les hommes. Lorsqu'on a demandé à des hommes non mariés, âgés de 15 à 44 ans, s'ils avaient porté un condom lors de leur dernière relation sexuelle coïtale, 38 % de ceux possédant un diplôme d'études secondaires ont répondu oui, contre 58 % des diplômés de niveau collégial ou universitaire (Martinez et coll., 2006).

Les condoms sont faits de latex de qualité chirurgicale, de polyuréthane ou d'une membrane naturelle (intestin de mouton). La membrane naturelle présente cependant des pores qui peuvent laisser passer des virus associés à plusieurs ITSS, y compris le VIH, l'herpès génital et l'hépatite. Certains condoms ont des caractéristiques particulières sur le plan de la forme, de la couleur, de l'épaisseur et même de la saveur. On en trouve qui contiennent un agent anesthésiant censé aider à prolonger la durée de l'érection en retardant l'éjaculation. Certains possèdent un petit réservoir à leur extrémité, d'autres sont nervurés ou ont une surface texturée. La plupart sont emballés individuellement dans des sachets, et certains sont lubrifiés. Les condoms lubrifiés sont les moins fragiles.

Les condoms sont disponibles dans les pharmacies et dans de nombreux autres points de vente, dans des centres de planification familiale, par la poste, dans des machines distributrices et dans les écoles où existent des programmes de promotion du condom. On peut les conserver pendant environ cinq ans, et il est important de vérifier la date de péremption (certains emballages ne comportent cependant pas de date). Pour éviter la dégradation du latex, les condoms faits de cette matière doivent être protégés de la chaleur. Il ne faut donc pas les conserver dans la boîte à gants de la voiture ni dans la poche arrière d'un pantalon, par exemple.

Posé correctement et avant toute pénétration, le condom empêche le passage du sperme, du liquide pré-éjaculatoire, du sang et des agents infectieux. Après l'éjaculation, comme le pénis perd de son volume et que le condom peut alors laisser couler l'éjaculat, il faut tenir le condom à la base du pénis avec la main et ne le relâcher qu'après la sortie complète du pénis du vagin ou du rectum.

Employé adéquatement et systématiquement, le condom est efficace. Toutefois, des études menées auprès d'étudiants universitaires révèlent que plusieurs d'entre eux l'utilisent mal. Mettre le condom après une première pénétration, mais juste avant l'éjaculation est une erreur courante qui augmente le risque de grossesse et d'ITSS (Crosby et coll., 2002). L'encadré *Parlons-en* traite de l'importance du condom et prodigue quelques conseils de communication lors de son utilisation.

Les condoms sont disponibles en plusieurs formats. Les hommes ont avantage à en essayer quelques-uns pour trouver celui qui leur convient le mieux, car un mauvais ajustement augmente le risque que le condom se rompe ou glisse du pénis (Hollander, 2008b). La plupart des condoms sont emballés roulés sur eux-mêmes. La bonne manière de procéder est de dérouler le condom sur le pénis en érection avant tout contact entre le pénis et la vulve. Le liquide pré-éjaculatoire des glandes de Cowper ou l'éjaculat en contact avec les lèvres peut se rendre jusqu'au vagin. Pour un maximum de sensations et de confort, un homme non circoncis peut rétracter son prépuce avant de dérouler le condom sur son pénis (Bolus, 1994). L'extrémité d'un condom dépourvu d'embout réservoir doit être délicatement tordue avant de dérouler le condom (voir la figure 13.6). Cette précaution réduit les risques de rupture du condom. Dans les cas exceptionnels où le condom se rompt ou glisse du pénis pendant la pénétration, une mousse, une crème ou une gelée spermicide doit être *immédiatement* insérée dans le vagin (Walsh et coll., 2004).

Parce que le pénis perd de sa taille et de sa résistance rapidement après l'éjaculation, il est important de tenir le condom à la base du pénis avant de retirer ce dernier du vagin. Les condoms doivent être jetés avec les ordures et non dans les toilettes, car ils peuvent bloquer la tuyauterie.

Parlons-en

On n'entre pas sans caoutchouc !

Les étudiants utilisent couramment le condom comme moyen de contraception et de protection contre les ITSS. Les femmes achètent actuellement 50 % des condoms vendus. Une étude a révélé que c'est en refusant systématiquement de faire l'amour si le partenaire ne porte pas de condom que les étudiantes incitent le plus souvent leur copain à en faire usage (De Bro et coll., 1994). Une femme est plus à risque de contracter une ITSS (y compris le VIH) par la pénétration que ne l'est un homme, et les infections bactériennes transmises sexuellement causent plus de dommages au système reproducteur de la femme qu'à celui de l'homme, pouvant compromettre sa capacité d'avoir des enfants.

Voici des suggestions de réponse aux arguments les plus souvent invoqués pour ne pas recourir au condom :

Propos du ou de la partenaire	**Votre réponse**
« Je prends la pilule. Tu n'as pas besoin de mettre un condom. »	« Je le mets quand même ; comme ça, nous serons doublement protégés. »
« Ce n'est pas aussi bon de faire l'amour avec un condom. »	« Mais c'est bien meilleur que ne rien faire et le contact est plus long avec un condom. »
« Ce n'est pas très romantique, ce petit bout de caoutchouc. »	« La grossesse ou une ITSS n'ont rien de spécialement romantique non plus. »
« Tu sais bien que je ne ferais rien qui puisse te nuire. »	« Fantastique. Je vais t'aider à le mettre. »
« Je préfère ne pas faire l'amour si je dois mettre un condom. »	« Pas de problème. Qu'aimerais-tu faire plutôt ? »

Le condom féminin

Le condom féminin est fait de polyuréthane. Il est semblable au condom masculin, mais il se pose à l'intérieur du vagin (voir les figures 13.7 et 13.8). Un premier anneau de plastique flexible permet de le placer de façon qu'il entoure le col de l'utérus sans l'enserrer, contrairement au diaphragme. Un autre anneau entoure la région des lèvres. Bien que ce condom épouse les contours du vagin, le pénis peut s'y mouvoir librement, la membrane étant enduite d'un lubrifiant à base de silicone. Ce condom, utilisé correctement, peut réduire de façon importante les risques de transmission de quelques ITSS (Minnis et Padian, 2001).

Le condom féminin suscite des avis partagés chez ses utilisatrices. Dans une étude, des femmes ont rapporté des difficultés à l'insérer et une réduction du plaisir, et mentionné la résistance de leur partenaire à l'égard de cette méthode. Le condom peut aussi être source de bruit pendant le coït. En revanche, d'autres ont trouvé pratique de pouvoir insérer le condom avant l'activité sexuelle et de ne pas être obligées de le retirer tout de suite après l'éjaculation ; pour de nombreuses femmes, le fait de disposer d'une autre méthode que le condom masculin pour prévenir une grossesse non désirée ou une ITSS était un facteur très important (Choi et coll., 2003). Dans l'ensemble, seulement 7 % des hommes et 8 % des femmes qui ont participé aux études de la Food and Drug Agency (FDA) ont dit ne pas aimer le condom féminin (F. Stewart, 1998). Soulignons qu'il est maintenant possible de se procurer un nouveau type de condom féminin, le FC2, qui est fait d'un matériau plus doux pour un usage plus agréable et qui coûte environ 30 % de moins que le condom féminin traditionnel.

Les spermicides vaginaux

Plusieurs types de **spermicides vaginaux** sont disponibles sans ordonnance ; on en trouve sous forme de mousse, de suppositoire, d'éponge, de crème, de pellicule (voir la figure 13.9). Sous forme de mousse, le produit ressemble à de la crème à raser blanche. Il se vend en aérosol accompagné d'un applicateur en plastique. Le suppositoire ou comprimé vaginal a une forme ovale ; quant à l'éponge, elle ressemble à un beignet qui absorbe les spermatozoïdes et les détruit. Enfin, la pellicule spermicide est une mince pellicule de 5 cm sur 5 cm, enduite de spermicide et vendue dans des boîtes de 10 ou 12 unités.

Les spermicides sont moins efficaces que la plupart des autres méthodes pour prévenir les grossesses. Le mode d'emploi est indiqué sur l'emballage de chaque spermicide, et il faut le suivre rigoureusement pour en tirer une protection maximale. Une nouvelle application de spermicide est nécessaire avant chaque rapport sexuel. Par contre, sous forme d'éponge, le produit est efficace pendant 24 heures. Il est préférable de prendre une douche plutôt qu'un bain après l'usage d'un spermicide comme contraceptif, car il y a un risque que l'eau en réduise l'efficacité.

> **Spermicides vaginaux** Mousse, crème, suppositoire, éponge et pellicule qui contiennent une substance chimique détruisant les spermatozoïdes.

FIGURE 13.7 Des exemples de condoms.

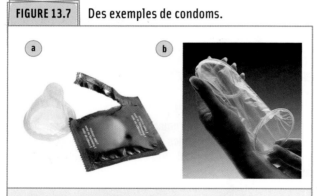

Il existe une grande variété de condoms : a) condom masculin ; b) condom féminin.

FIGURE 13.8 Le condom féminin.

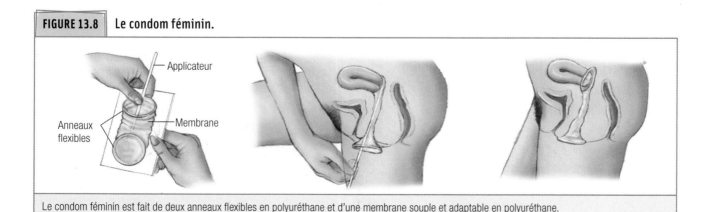

Le condom féminin est fait de deux anneaux flexibles en polyuréthane et d'une membrane souple et adaptable en polyuréthane.

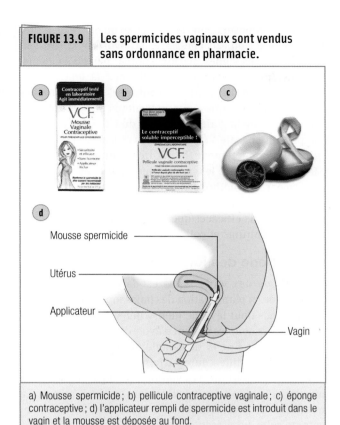

FIGURE 13.9 Les spermicides vaginaux sont vendus sans ordonnance en pharmacie.

a) Mousse spermicide ; b) pellicule contraceptive vaginale ; c) éponge contraceptive ; d) l'applicateur rempli de spermicide est introduit dans le vagin et la mousse est déposée au fond.

Les barrières cervicales

La pratique consistant à couvrir le col de l'utérus comme moyen de protection contre les grossesses existe depuis des siècles. Au XVIIIᵉ siècle, Casanova recommandait aux femmes d'utiliser la moitié d'un citron pressé pour couvrir le col de l'utérus, et les femmes européennes modelaient de la cire d'abeille dans le même but. En 1838, un gynécologue allemand prenait des empreintes du col de ses patientes pour leur fabriquer des capes cervicales sur mesure en caoutchouc (Seaman et Seaman, 1978).

La figure 13.10 montre le diaphragme, la cape cervicale, le FemCap et le contraceptif Lea, quatre exemples de barrières cervicales utilisées de pair avec des spermicides afin d'empêcher que des spermatozoïdes vivants atteignent le col de l'utérus.

Le diaphragme et la cape cervicale doivent être installés par un médecin, qui pourra aussi enseigner aux femmes à les insérer correctement afin qu'elles puissent ensuite le faire en toute confiance chez elles (Hollander, 2006). Par contre, le FemCap et le contraceptif Lea n'ont pas besoin d'être ajustés au col. Ces deux dispositifs ne doivent jamais être utilisés avec des lubrifiants à base d'huile, car cela risque de les détériorer. Chaque dispositif ayant ses particularités, il faut soigneusement lire et suivre son mode d'emploi.

FIGURE 13.10 Les barrières cervicales.

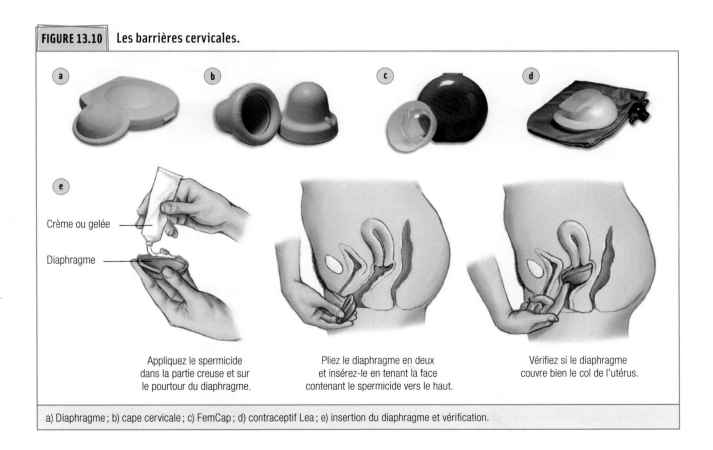

Crème ou gelée

Diaphragme

Appliquez le spermicide dans la partie creuse et sur le pourtour du diaphragme.

Pliez le diaphragme en deux et insérez-le en tenant la face contenant le spermicide vers le haut.

Vérifiez si le diaphragme couvre bien le col de l'utérus.

a) Diaphragme ; b) cape cervicale ; c) FemCap ; d) contraceptif Lea ; e) insertion du diaphragme et vérification.

Les dispositifs intra-utérins

Les dispositifs intra-utérins (DIU), qu'on appelle communément *stérilets*, sont de petits dispositifs contraceptifs que le médecin introduit dans l'utérus par l'orifice cervical (voir la figure 13.11). Ce sont les contraceptifs réversibles les plus répandus dans les pays développés (Salem, 2006).

Les trois dispositifs intra-utérins les plus connus sont le Nova-T et le Flexi-T, qui forment un T en plastique muni d'un filament de cuivre, et le Mirena, également en forme de T. Les trois modèles libèrent lentement l'hormone qu'ils contiennent. Chaque dispositif est muni de fils de plastique fins qui sortent légèrement du col de l'utérus afin d'être accessibles du vagin.

Les méthodes fondées sur la connaissance de la fertilité

De nombreux couples apprécient les méthodes fondées sur la connaissance de la fertilité parce qu'elles sont économiques et sans effets secondaires. Ces méthodes naturelles reposent sur le principe qu'on peut éviter la conception ou, au contraire, la favoriser si l'on sait reconnaître les signes, parfois subtils, parfois évidents, associés aux périodes de fertilité chez la femme. Ces méthodes sont les seules qu'autorise le Vatican. Les quatre méthodes que nous présentons ici – celles des jours types, de la glaire cervicale, du calendrier et de la température basale – s'avèrent plus efficaces si elles sont utilisées conjointement (Frank-Hermann et coll., 2007). Malheureusement, les recherches actuelles indiquent que, à part la méthode des jours types, les méthodes basées sur la connaissance de la fertilité sont considérablement moins efficaces que les autres méthodes contraceptives (Jennings et coll., 1998).

La méthode des jours types

La méthode des jours types est la dernière approche développée en planification des naissances. Elle convient aux femmes dont le cycle menstruel se situe entre 26 et 32 jours. Les couples évitent d'avoir des relations coïtales entre les jours 8 et 19 de chaque cycle menstruel. Cette «fenêtre de fertilité» dure 12 jours afin de tenir compte des jours entourant l'ovulation, puisque le moment où elle se produit peut varier d'un cycle à l'autre. La méthode des jours types a été reconnue cliniquement comme celle qui présente le taux d'efficacité le plus élevé parmi les méthodes naturelles (Arevalo et coll., 2002).

Le collier de perles de couleurs de la méthode des jours types aide la femme à suivre son cycle menstruel et à savoir quand elle peut ou ne peut pas tomber enceinte. Chaque jour, elle déplace l'anneau noir sur une des 32 perles de ce collier dont les deux couleurs représentent les jours de haute ou de basse fertilité.

FIGURE 13.11 **Un dispositif intra-utérin (DIU).**

a)

b)

— DIU

— Utérus

— Col
— Vagin
— Applicateur

a) Le Mirena, en forme de T ; b) insertion du DIU par un médecin.

Dispositif intra-utérin (DIU) Petit dispositif qu'on introduit dans l'utérus comme moyen de contraception.

Méthodes fondées sur la connaissance de la fertilité Méthodes basées sur l'observation des signes indiquant les périodes de fertilité afin de prévenir ou de planifier les grossesses

Méthode des jours types Méthode selon laquelle un couple évite les relations coïtales durant une période de 12 jours au milieu du cycle menstruel.

Une femme peut noter les jours sur un calendrier ou utiliser un collier avec des perles de couleurs.

La méthode de la glaire cervicale

La méthode de la glaire cervicale, aussi appelée *méthode Billings*, se fonde sur les modifications cycliques de la glaire cervicale. En examinant attentivement ces variations naturelles, une femme peut reconnaître ses périodes de fertilité. Elle doit pour cela faire une «lecture» de la quantité et de la texture de ses sécrétions vaginales et tenir un relevé quotidien des modifications. Elle observe donc ses sécrétions sur le papier hygiénique chaque fois qu'elle va aux toilettes ou en insérant ses doigts dans le vagin :

- Dans les jours suivant les menstruations, il n'y a habituellement pas de sécrétions vaginales sur la vulve.

- Quand on note la présence d'une glaire jaunâtre ou laiteuse plus collante, il faut éviter le coït sans contraception.

- Quelques jours plus tard, la glaire d'ovulation est sécrétée. Elle a l'apparence d'une pellicule claire, filante, d'une consistance élastique, et ressemble à du blanc d'œuf. Si on en prélève une goutte, on peut l'étirer jusqu'à près de 4 cm entre le pouce et l'index avant qu'elle se rompe. Cette sécrétion s'accompagne d'une sensation d'humidification et de lubrification vaginale ; sa composition chimique et sa texture facilitent le transit des spermatozoïdes vers l'utérus.

- La pratique d'activités sexuelles non protégées est considérée comme étant sûre environ 4 jours après le début des sécrétions de l'ovulation et 24 heures après que ces sécrétions ont perdu leur transparence.

Pour la majorité des femmes, l'ovulation, ou phase fertile, de chaque cycle dure habituellement de 9 à 15 jours. Pour mieux la reconnaître, on utilise souvent conjointement la méthode de la glaire cervicale et celle de la température, décrite plus loin.

La méthode du calendrier

La méthode du calendrier, qu'on appelle aussi *méthode de l'abstinence périodique* ou *méthode Ogino-Krauss*, consiste à déterminer sur le calendrier les jours d'ovulation et de fertilité du cycle menstruel. Pour y arriver, la femme doit d'abord dresser un tableau de la durée de ses cycles, idéalement durant une période d'un an. (Elle ne peut pas utiliser de contraceptifs oraux pendant qu'elle dresse ce tableau, parce que le cycle qu'ils induisent pourrait différer de son cycle naturel.)

- Pour établir le nombre de jours que comprend son cycle, la femme considère le premier jour d'une menstruation comme le premier jour du cycle ; le dernier jour correspond donc à la veille de la menstruation suivante.

- Pour déterminer les jours à risque élevé durant lesquels elle devrait éviter tout contact coïtal non protégé, elle soustrait 18 du nombre de jours de son cycle le plus court.

- Pour déterminer à quel moment elle peut de nouveau avoir des rapports non protégés, elle soustrait 10 du nombre de jours de son cycle le plus long.

Par exemple, chez la femme dont le cycle le plus court est de 26 jours et le cycle le plus long, de 32 jours, le huitième jour sera le premier jour à risque élevé, et le contact sexuel non protégé sera possible à partir du vingt-deuxième jour. Cette femme devra donc s'abstenir de rapport coïtal du huitième au vingt-deuxième jour de son cycle, à moins de recourir durant cette période à une autre méthode de contraception. Bien sûr, rien n'interdit les ébats amoureux autres que le contact coïtal durant les jours à risque élevé.

La méthode de la température basale

La méthode de la température basale consiste à prendre sa température tous les matins avant le lever. La femme doit d'abord dresser un tableau de ces «lectures» afin d'en faire un graphique pour lire les variations de son cycle. Il existe un thermomètre spécialement conçu à cette fin. Quelques heures avant l'ovulation, la température basale s'élève de quelques dixièmes de degré à un degré.

La stérilisation

Après l'abstinence coïtale, la stérilisation est la méthode de régulation des naissances la plus efficace ; elle est sûre et permanente, ce qui intéresse ceux et celles qui ne souhaitent plus avoir d'enfants. La stérilisation est la méthode la plus répandue aux États-Unis et dans le monde (Peterson, 2008). Bien qu'il soit possible de subir une intervention chirurgicale pour renverser la stérilisation, ces chirurgies demeurent compliquées et leur taux d'efficacité n'est que de 50 % (Boeckxstaens et Devroey, 2007). La stérilisation ne s'adresse donc qu'à ceux et celles qui désirent une méthode de contraception définitive.

Méthode de la glaire cervicale Méthode contraceptive reposant sur l'observation des changements cycliques de la glaire cervicale pour déterminer la période d'ovulation.

Méthode du calendrier Méthode de contraception reposant sur l'absence de relations sexuelles durant la période de fertilité estimée à partir de l'observation des cycles menstruels antérieurs.

Méthode de la température basale Méthode de contraception reposant sur l'observation des variations de la température du corps avant et après l'ovulation.

La stérilisation féminine

La stérilisation féminine est aujourd'hui une intervention chirurgicale relativement sûre, simple et économique. Les différentes techniques de stérilisation ne requièrent que de légères incisions et se pratiquent sous anesthésie locale ou générale. La stérilisation tubaire, ou ligature des trompes, peut se faire de plusieurs manières. La figure 13.12 illustre l'un de ces procédés, la laparoscopie. Sous anesthésie locale ou générale, on pratique une ou deux petites incisions dans l'abdomen, généralement juste au-dessus de la ligne de poils pubiens, et l'on y insère un instrument d'optique très étroit appelé *laparoscope* pour repérer les trompes. Celles-ci sont ensuite sectionnées, attachées (ligaturées) ou cautérisées pour bloquer le passage de l'ovule ou des spermatozoïdes. Parfois, on utilise une technique appelée *colpotomie*, qui consiste à pratiquer l'incision à travers l'arrière de la paroi vaginale.

Une technique plus récente ne requiert ni salle d'opération, ni anesthésie générale, ni convalescence importante (Lee-St. John et Gallatin, 2008). L'intervention dure une demi-heure et se fait sous anesthésie locale. Pendant une stérilisation transcervicale, un médecin insère dans l'ouverture de chaque trompe de Fallope un petit ressort appelé *Essure* (voir la photo ci-contre), fait de polyester et d'un alliage de nickel et de titane – le matériau utilisé pour les valves cardiaques artificielles –, ou un implant en silicone appelé *Adiana*. L'insertion se fait par le vagin et le col de l'utérus. Une fois placés, les ressorts se détendent et s'ancrent par eux-mêmes. Essure et Adiana stimulent la croissance de tissus qui,

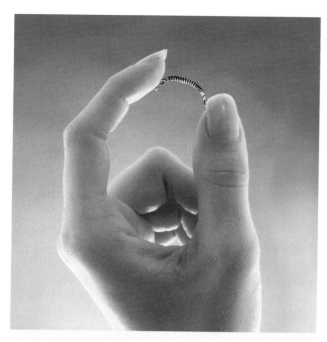

L'implant Essure est un petit ressort qui est utilisé pour la stérilisation féminine.

Stérilisation tubaire Stérilisation féminine obtenue en coupant ou en ligaturant les trompes de Fallope.

Stérilisation transcervicale Méthode de stérilisation féminine qui consiste à placer un petit ressort ou un implant en silicone dans chaque trompe de Fallope.

FIGURE 13.12 La ligature des trompes de Fallope.

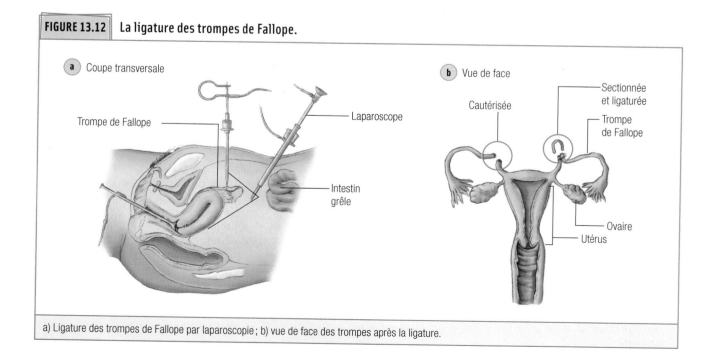

a Coupe transversale

Trompe de Fallope

Laparoscope

Intestin grêle

b Vue de face

Cautérisée

Sectionnée et ligaturée

Trompe de Fallope

Ovaire

Utérus

a) Ligature des trompes de Fallope par laparoscopie ; b) vue de face des trompes après la ligature.

au bout de trois mois, obstruent les trompes de Fallope et empêchent ainsi les spermatozoïdes d'atteindre les ovules. En attendant que ces trois mois soient écoulés, les partenaires doivent utiliser une autre méthode contraceptive (Hollander, 2008c). Les effets secondaires les plus fréquents sont des crampes ; dans de rares cas, les ressorts sont expulsés des trompes ou les perforent.

La stérilisation n'affecte pas le système reproducteur et sexuel de la femme, puisque les ovaires continuent à libérer des ovules jusqu'à la ménopause. Ceux-ci se désintègrent simplement, comme le font quotidiennement des millions d'autres cellules. L'intervention n'influe pas sur les taux d'hormones de la femme ni sur le déclenchement de la ménopause. Sa sexualité ne change pas physiologiquement, mais il se peut que son désir sexuel s'accroisse parce qu'elle n'aura plus à craindre la grossesse ni à s'inquiéter de la contraception.

La stérilisation masculine

Aussi efficace que la stérilisation féminine, la stérilisation masculine comporte en général moins de dangers, moins de complications postopératoires et est considérablement moins chère. Au Québec, selon les données de l'Institut de la statistique du Québec, le nombre de vasectomies dépasse celui des ligatures de trompes depuis 1988 (Institut de la statistique du Québec, 2011a). À l'échelle mondiale, 3 % des femmes en âge de se reproduire s'en remettent à la vasectomie de leur partenaire pour la contraception (Kols et Lande, 2006).

Habituellement pratiquée en clinique, la vasectomie est une intervention chirurgicale mineure d'une vingtaine de minutes ou moins qui consiste à sectionner et à refermer les canaux déférents pour empêcher le passage des spermatozoïdes (voir la figure 13.13). Sous anesthésie locale, on fait une courte incision ou une perforation sur le côté du scrotum, bien au-dessus des testicules. La technique sans scalpel permet de ne pratiquer qu'une seule ouverture minuscule. On sort le canal déférent, on le sectionne et on en retranche un petit segment. Chaque extrémité est ligaturée, refermée à l'aide d'une agrafe ou cautérisée pour empêcher tout raccord. On fait de même pour l'autre canal déférent, soit par la même ouverture, soit, selon la méthode classique, en pratiquant une incision de l'autre côté du scrotum. Le patient peut s'attendre à de brefs et légers malaises postopératoires comme de l'enflure, de l'inflammation ou des contusions qui peuvent durer d'une journée à deux semaines. Environ 25 % des hommes éprouvent des douleurs passagères après avoir subi une vasectomie (Rasheed et coll., 1997).

La vasectomie empêche les spermatozoïdes produits dans les testicules de se mêler aux liquides que fabriquent les organes reproducteurs internes. Toutefois, comme une bonne quantité de spermatozoïdes sont emmagasinés au-delà du lieu d'incision, l'homme peut demeurer fertile quelques mois après l'opération. Il faut donc utiliser une méthode de contraception efficace durant 6 à 12 semaines, soit jusqu'à ce qu'une analyse de sperme, ou spermogramme, indique que le liquide séminal ne contient plus de spermatozoïdes. De nombreux médecins recommandent d'ailleurs aux hommes vasectomisés de

> **Vasectomie** Stérilisation masculine obtenue en sectionnant et en refermant chacun des canaux déférents. Il existe une méthode ne nécessitant toutefois pas le recours au scalpel.

FIGURE 13.13 | La stérilisation masculine par vasectomie.

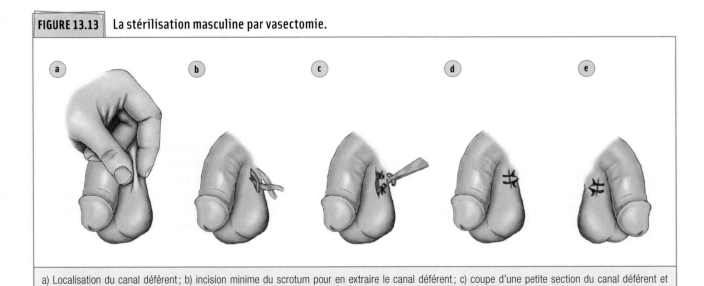

a) Localisation du canal déférent ; b) incision minime du scrotum pour en extraire le canal déférent ; c) coupe d'une petite section du canal déférent et cautérisation ou ligature de ses extrémités ; d) fermeture de l'incision ; e) répétition des étapes 1 à 4 de l'autre côté du scrotum.

faire analyser leur sperme trois mois après l'intervention (Shah et Fisch, 2006). On signale de rares cas où les deux extrémités sectionnées du canal déférent se sont raccordées d'elles-mêmes (c'est ce qu'on appelle la *recanalisation*) (Stewart et Carignan, 1998).

La vasectomie n'empêche ni la production des hormones sexuelles mâles par les testicules ni l'absorption de ces hormones par le sang. Un homme vasectomisé continue de produire des spermatozoïdes et son organisme les absorbe et les élimine. Ses éjaculations contiennent presque autant de liquide après l'opération qu'avant, car les spermatozoïdes constituent moins de 1 % de l'éjaculat total. L'odeur et la texture de l'éjaculat demeurent inchangées. Certains hommes refusent la vasectomie parce qu'ils craignent qu'elle nuise à leur fonctionnement sexuel (Kols et Lande, 2008), mais plusieurs autres disent que leur vie sexuelle s'est épanouie, car ils sont plus spontanés depuis qu'ils se sentent libérés de la crainte de féconder leur partenaire.

Les méthodes inefficaces

Outre les méthodes contraceptives que nous venons de voir, il en existe d'autres qui sont peu fiables, mais très répandues. Nous présentons trois de ces méthodes que la croyance populaire estime efficaces.

L'allaitement

Il est vrai que l'allaitement peut retarder le retour à la fertilité après l'accouchement. Cependant, il est impossible de savoir de façon précise à quel moment l'ovulation reprendra. En effet, même si l'allaitement entraîne généralement l'aménorrhée (l'absence de menstruation), presque 80 % des femmes allaitantes ovulent avant les premières règles suivant l'accouchement. Et plus l'allaitement est de longue durée, plus il est probable que l'ovulation reprendra entre-temps (Kennedy et Trussell, 1998).

Le coït interrompu

Le coït interrompu, ou retrait, consiste pour l'homme à se retirer du vagin avant d'éjaculer. Une étude récente menée dans 24 pays montre que 12 % des jeunes hommes sexuellement actifs âgés de 15 ans utilisent le coït interrompu comme méthode principale de contraception (Godeau et coll., 2008). Cette méthode est inefficace parce que le liquide pré-éjaculatoire produit par les glandes de Cowper peut contenir des spermatozoïdes susceptibles de féconder un ovule. En outre, il peut être hasardeux pour un homme d'estimer exactement le moment où il doit se retirer, particulièrement s'il lui est difficile de moduler la montée de son excitation et qu'il éjacule trop rapidement. Le plaisir de la pénétration peut aussi l'inciter à demeurer le plus longtemps possible à l'intérieur du vagin. Un peu de sperme peut se déposer sur les lèvres au moment du retrait, permettant

ainsi à des spermatozoïdes d'entrer dans le vagin et de rejoindre un ovule. Soulignons que les deux partenaires risquent de voir leur plaisir atténué par la peur de ne pas arrêter à temps la pénétration.

La douche vaginale

La douche vaginale que s'administrent certaines femmes après une relation sexuelle n'a aucun pouvoir contraceptif, d'une part parce que des spermatozoïdes atteignent l'intérieur de l'utérus une minute ou deux après l'éjaculation et, d'autre part, parce que la douche, en poussant de l'eau dans le vagin, peut aider les spermatozoïdes à atteindre plus rapidement l'entrée du col de l'utérus. Rappelons qu'il n'est pas recommandé de recourir fréquemment aux douches vaginales ; en modifiant le pH du milieu vaginal, elles peuvent entraîner une prolifération de bactéries susceptibles d'engendrer une irritation des parois.

Les nouvelles avenues en contraception

Comme nous venons de le voir, chaque méthode contraceptive présente des inconvénients et a parfois des effets néfastes sur la santé. Des naissances non désirées surviennent chaque année en raison des ratés des méthodes contraceptives ou de leur mauvaise utilisation. Il faut donc poursuivre la recherche et le développement pour améliorer la sécurité, la fiabilité et la commodité des méthodes contraceptives.

De nouvelles voies pour les hommes

Des études révèlent que la majorité des hommes prendraient volontiers une pilule contraceptive (Upadhyay, 2005). La plupart des femmes interrogées ont répondu qu'elles feraient confiance à leur partenaire ; seulement 2 % ont déclaré qu'elles ne se fieraient pas à lui. De plus, elles se sont dites favorables à l'idée d'une pilule pour hommes, car elles estiment que l'on confie trop souvent la responsabilité de la contraception aux femmes (Nieschlag et Henke, 2005).

Les moyens de contraception masculine se limitent pour l'instant au condom, à la vasectomie et au coït interrompu. Cependant, des recherches en cours se concentrent sur des méthodes visant à inhiber la production, la motilité ou la maturation des spermatozoïdes (Goodman, 2008 ; Mruk et Cheng, 2008 ; Samuel et Naz, 2008). La voie la plus prometteuse se trouve du côté des chercheurs qui travaillent à mettre au point des dérivés de la testostérone ou des substances à base de progestatifs qui seraient administrés sous forme d'implants ou par injection (Mommers et coll., 2008). Les chercheurs tentent aussi de développer des contraceptifs non hormonaux pour les hommes (Mruk, 2008). Par exemple, une recherche en cours sur des singes a montré qu'une substance nommée CDB-4022 entraînait l'infertilité en empêchant la maturation et la motilité des spermatozoïdes (Hild et coll., 2007). Un autre produit non hormonal, l'Adjudin, perturbe la maturation des spermatozoïdes chez les rats et les lapins (Hu et coll., 2009). Cependant, il faudra des années avant que ces recherches soient menées sur des humains et encore plus longtemps avant qu'un produit soit approuvé et commercialisé.

D'autres méthodes de stérilisation, en cours d'essais cliniques en Inde, en Chine et aux États-Unis, pourraient être plus facilement réversibles que la vasectomie (Guha, 2007). L'une consiste à injecter un gel dans les canaux déférents pour les obstruer, le gel pouvant être dissous pour annuler le blocage. L'autre utilise un contraceptif appelé IVD (*Intra Vas Device*), ou dispositif intra-canal déférent; cette méthode consiste à insérer deux bouchons dans chaque canal déférent, ceux-ci pouvant être retirés éventuellement. La mise en place et le retrait des implants ne prennent que 20 minutes chacun (Upadhyay, 2005). Dans une étude menée sur des rats, l'application sur les testicules d'ultrasons d'une fréquence appropriée réduit la quantité de spermatozoïdes à un nombre trop faible pour permettre une fécondation. L'utilisation d'ultrasons présente l'avantage de rendre la contraception parfaitement réversible (Tsuruta et coll., 2012).

Question d'analyse critique

Selon vous, les femmes seraient-elles naïves de faire confiance aux hommes qui leur diraient qu'ils ont pris une pilule contraceptive? Expliquez votre réponse.

De nouvelles voies pour les femmes

Certaines voies de recherche sur des nouvelles méthodes contraceptives pour les femmes visent à mettre au point des moyens non hormonaux de régulation des naissances afin d'éviter les effets secondaires des hormones. Ces méthodes comprennent un vaccin contraceptif et un anneau vaginal spermicide dont les composés non hormonaux bloquent la motilité des spermatozoïdes (Brown, 2008; Williams et coll., 2006). Les chercheurs poursuivent aussi des études sur des animaux pour développer un contraceptif qui agit à la surface des ovules et empêche les spermatozoïdes de les féconder (Sample, 2007).

D'autres possibilités reposent sur des variations des méthodes actuelles. Dans le cas des contraceptifs oraux, de nouveaux progestatifs sont à l'essai et des études sont menées en vue de prolonger la période d'utilisation de la pilule continue (P. Miller, 2006). Des chercheurs étudient de nouvelles formes de dispositifs intra-utérins et on pense ajouter un contraceptif en aérosol aux contraceptifs transdermiques existants. Une seconde génération de diaphragmes est en développement (Schwartz et coll., 2008). Dans l'espoir d'offrir aux femmes des moyens de se protéger contre les infections transmises sexuellement, des chercheurs tentent de mettre au point des spermicides qui seraient aussi capables de détruire les agents infectieux des ITSS, y compris du VIH (Dhawan et Mayer, 2006).

Depuis l'avènement de la pilule contraceptive, les possibilités en contraception ont beaucoup évolué. Cependant, la méthode efficace à 100 %, réversible tant chez les hommes que chez les femmes, qui n'a aucun effet secondaire et protège des ITSS n'apparaît pas encore réalisable dans un proche avenir.

RÉSUMÉ

La conception et la grossesse

- La synchronisation des relations coïtales avec l'ovulation augmente les probabilités de concevoir.

- L'absence d'ovulation et le blocage des trompes de Fallope sont les causes habituelles de l'infertilité féminine. Le faible nombre de spermatozoïdes est la cause la plus commune de l'infertilité masculine.

- L'alcool, la toxicomanie, le tabagisme et les ITSS réduisent la fécondité des hommes et des femmes.

- La stérilité est une source de problèmes sexuels, car elle suscite un stress affectif dans le couple et trouble son harmonie sexuelle.

- Les questions juridiques, éthiques et personnelles liées à l'insémination artificielle et aux techniques de procréation assistée sont complexes et n'ont pas fini de soulever la controverse.

- Le premier signe de grossesse est habituellement l'absence de menstruation au moment prévu. Le diagnostic de grossesse s'établit par un test d'urine, un test sanguin ou un examen pelvien.

- Environ une grossesse sur sept se termine par un avortement spontané, ou fausse couche, généralement durant les trois premiers mois.

- La prise de risque sur le plan contraceptif entraîne souvent une grossesse non désirée.

- La grossesse provoque une grande variété de réactions psychologiques chez les femmes, dont 20 % connaissent un état dépressif important.

- Les hommes s'investissent de plus en plus dans les processus prénataux, l'accouchement et l'éducation des enfants.

- Sauf dans certains cas de complications médicales, les échanges sensuels et sexuels peuvent se poursuivre pendant la grossesse, bien qu'il soit souvent nécessaire d'adapter les positions.

- La grossesse comporte trois trimestres, chacun étant caractérisé par des changements chez le fœtus.

- L'échange de nutriments, d'oxygène et de déchets entre la mère et son fœtus se fait à travers le placenta.

- Le tabac, l'alcool, les drogues et certains médicaments peuvent nuire gravement au développement du fœtus.

- De plus en plus de femmes décident d'enfanter après l'âge de 35 ans. Ces femmes ont une fertilité un peu plus faible et risquent davantage de concevoir un enfant ayant des anomalies chromosomiques.

- La naissance survient à la fin de la deuxième phase du travail. Le placenta est expulsé lors de la troisième phase.

- L'arrivée d'un bébé exige des adaptations sur les plans physique, émotionnel et familial. La dépression post-partum touche 15 % des nouvelles mères.

- L'allaitement maternel et l'allaitement au biberon comportent chacun des avantages et des inconvénients.

- Les relations coïtales après l'accouchement peuvent reprendre lorsque l'écoulement des lochies a cessé et que toute déchirure vaginale ou incision d'épisiotomie est guérie. Le retour à la normale de l'intérêt sexuel et de l'excitation peut, cependant, prendre quelque temps.

La contraception

- Aussi loin qu'on remonte dans l'histoire, on trouve chez les humains une volonté de planifier les naissances.

- Certaines religions s'opposent à la contraception non naturelle.

- L'homme peut partager la responsabilité de la contraception avec la femme en s'informant (ou en discutant de moyens contraceptifs s'il s'agit d'une nouvelle partenaire), en l'accompagnant lors d'examens, en utilisant le condom ou en s'abstenant de relations coïtales et en partageant les frais des examens et des moyens contraceptifs.

- Pour choisir une méthode de contraception appropriée, on compare la commodité, l'efficacité et le prix des différents moyens.

- Les gens qui ont un sentiment de culpabilité ou des attitudes négatives à l'égard de la sexualité utilisent généralement la contraception de façon moins efficace.

- Les contraceptifs oraux ont l'avantage d'être très efficaces et de ne pas interférer avec l'activité sexuelle. Ils réduisent la quantité du flux menstruel et les crampes.

- Le Depo-Provera est un contraceptif injectable d'une durée de trois mois.

- Les condoms se vendent en différents formats et styles. Ils ont l'avantage de protéger contre les ITSS et peuvent servir de méthode de contraception auxiliaire. Ils ont l'inconvénient d'interrompre la spontanéité. Un condom féminin est aussi offert sur le marché.

- Les barrières contraceptives comprennent :

  a) les préservatifs, dont certains sont enduits de nonoxynol-9, un lubrifiant spermicide ;

  b) le diaphragme ;

  c) la cape cervicale ;

  d) les spermicides vaginaux (mousses, éponges, suppositoires, crèmes, gelées et pellicules contraceptifs).

- Les dispositifs intra-utérins (DIU) sont entourés d'un filament de cuivre ou pourvus d'un réservoir contenant une hormone.

- La pilule contraceptive d'urgence et le stérilet de cuivre peuvent être utilisés comme moyen de contraception après qu'une femme a eu un rapport coïtal non protégé.

- Les méthodes fondées sur le cycle menstruel (méthodes des jours types, de la glaire cervicale, du calendrier, de la température basale) permettent de planifier les rapports coïtaux en dehors des périodes de fertilité de la femme.

- La ligature des trompes est le mode de stérilisation féminine le plus courant. L'intervention ne modifie ni les taux d'hormones de la femme ni son cycle menstruel, pas plus qu'elle ne déclenche la ménopause.

- La vasectomie, le mode de stérilisation masculine, n'est efficace qu'après 8 à 12 semaines.

- L'allaitement, les douches vaginales et le coït interrompu ne sont pas des méthodes de contraception fiables.

- La recherche sur les méthodes contraceptives pour hommes porte sur des moyens hormonaux et non hormonaux de réduire la production de spermatozoïdes et leur motilité.

- La recherche sur les méthodes de contraception féminine porte sur des moyens non hormonaux, des variantes de dispositifs intra-utérins et de nouvelles façons de libérer des hormones.

Bibliographie

Aaronson, L. (2005). « The mend of the affair », *Psychology Today*, septembre-octobre, p. 48.

Aaronson, L. (2006). « An upside to infertility? », *Psychology Today*, mars-avril, p. 38.

AAUW (American Association of University Women) (1992). *Shortchanging Girls, Shortchanging America*, Washington, AAUW.

Abbey, A., Clinton-Sherrod, A., McAuslan, P., Zawacki, T. et Buck, P. (2003). « The relationship between the quantity of alcohol consumed and the severity of sexual assaults committed by college men », *Journal of Interpersonal Violence*, vol. 18, p. 831-833.

Abbey, A., McAuslan, P. et Ross, L. (1998). « Sexual assault perpetuation by college men: The role of alcohol, misperception of sexual intent, and sexual beliefs and experiences », *Journal of Social and Clinical Psychology*, vol. 17, p. 167-195.

Abbott, E. (2000). *A History of Celibacy*, New York, Scribner.

Abel, G. (1981). « The evaluation and treatment of sexual offenders and their victims », communication donnée au St. Vincent Hospital and Medical Center, Portland, 15 octobre.

Abel, G., Barlow, D., Blanchard, E. et Guild, D. (1977). « The components of rapists' sexual arousal », *Archives of General Psychiatry*, vol. 34, p. 895-903.

Abel, G., Becker, J. et Cunningham-Ratder, J. (1984). « Complications, consent, and cognitions in sex between children and adults », *International Journal of Law and Psychiatry*, vol. 7, p. 89-103.

Abel, G. et Osborn, C. (2000). « The paraphilias », dans *New Oxford Textbook of Psychiatry* (sous la direction de M. Gelder, J. Lopez-Ibor et N. Andreasen), Oxford, Oxford University Press.

Abelman, R. (2007). « Fighting the war on indecency: Mediating TV, Internet and videogame usage among achieving and under-achieving gifted children », *Roeper Review*, vol. 29, p. 100-112.

Abidde, S. (2008). « The missing or shrinking organ? No, it is genital retraction syndrome », http://www.nigeriansinamerica.com/articles/2645/1/The-Missing-or-Shrinking-Organ-No-It-is-Genital-Retraction-Syndrome/Page1.html (consulté le 30 avril 2012).

Absi-Semaan, N., Crombie, G. et Freeman, C. (1993). « Masculinity and femininity in middle childhood: Developmental and factor analysis », *Sex Roles*, vol. 28, p. 187-202.

Acker, M. et Davis, M. (1992). « Intimacy, passion, and commitment in adult romantic relationships: A test of the triangular theory of love », *Journal of Social and Personal Relationships*, vol. 9, p. 21-50.

Ackerman, M., Montague, D. et Morganstern, S. (1994). « Impotence: help for erectile dysfunction », *Patient Care*, mars, p. 22-56.

Adams, B. (2003). « Keeping it up », *The Advocate*, 11 novembre, p. 38-40.

Addiego, F., Belzer, E., Comolli, J., Moger, W., Perry, J. et Whipple, B. (1981). « Female ejaculation: A case study », *Journal of Sex Research*, vol. 17, p. 13-21.

Addis, I., Van Den Eeden, S., Wassel-Fyr, C. et Vittinghoff, E. (2006). « Sexual activity and function in middle-aged and older women », *Obstetrics and Gynecology*, vol. 107, p. 755-764.

Adducci, C. et Ross, L. (1991). « Common urethral injuries in men », *Medical Aspects of Human Sexuality*, octobre, p. 32-44.

Adeniyi, A. et coll. (2007). « Yohimbine in the treatment of orgasmic dysfunction », *Asian Journal of Andrology*, vol. 9, p. 403-407.

Afifi, W. et Faulkner, S. (2000). « On being "just friends": The frequency and impact of sexual activity in cross-sex friendships », *Journal of Social and Personal Relationships*, vol. 17, p. 205-222.

Agence de la santé publique du Canada (2006). *Actualités en épidémiologie: résistance au Neisseria gonorrhoeae à la ciprofloxaxine au Canada, 2006*, http://www.phac-aspc.gc.ca/sti-its-surv-epi/ciprofloxacin-fra.php (consulté le 20 novembre 2012).

Agence de la santé publique du Canada (2007). *Actualités en épidémiologie sur le VIH/sida*, Division de la surveillance et de l'évaluation des risques, Centre de prévention et de contrôle des maladies infectieuses, Ottawa, novembre, http://www.phac-aspc.gc.ca/aids-sida/publication/epi/pdf/epi2007_f.pdf (consulté le 4 décembre 2012).

Agence de la santé publique du Canada (2008). *Urétrite*, http://www.phac-aspc.gc.ca/std-mts/sti_2006/pdf/408_Uretrite.pdf (consulté le 20 novembre 2012).

Agence de la santé publique du Canada (2009). *Ce que disent les mères: l'Enquête canadienne sur l'expérience de la maternité*, Ottawa.

Agence de la santé publique du Canada (2010a). *Étude canadienne sur l'incidence des signalements de cas de violence et de négligence envers les enfants – 2008: Données principales*, Ottawa.

Agence de la santé publique du Canada (2010b). *Estimations de la prévalence et de l'incidence de l'infection à VIH au Canada pour 2008*, n° au catalogue HP40-56/2-2010F-PDF.

Agence de la santé publique du Canada (2011a). *Les infections transmissibles sexuellement*, http://www.phac-aspc.gc.ca/sti-its-surv-epi/surveillance-fra.php (consulté le 7 novembre 2012).

Agence de la santé publique du Canada (2011b). *Surveillance et épidémiologie sur l'hépatite C et les infections transmises sexuellement*, http://www.phac-aspc.gc.ca/sti-its-surv-epi/index-fra.php (consulté le 7 novembre 2012).

Agence de la santé publique du Canada (2011c). *Infection par le virus de l'hépatite B au Canada*, http://www.phac-aspc.gc.ca/id-mi/hepatitisBCan-hepatiteBCan-fra.php (consulté le 20 novembre 2012).

Agence de la santé publique du Canada (2012). *Relevé des maladies transmissibles au Canada, janvier 2012: Mise à jour sur les vaccins contre le virus du papillome humain (VPH)*, http://www.phac-aspc.gc.ca/publicat/ccdr-rmtc/12vol38/acs-dcc-1/index-fra.php (consulté le 18 novembre 2012).

Agger, I. et Jensen, S. (1994). « Sexuality as a tool of political repression », dans *Era in Twilight: Psychocultural Situation Under State Terrorism in Latin America* (sous la direction de H. Riguelme), Bilbao, Espagne, Instituto Horizonte.

Agnew, J. (2000). « Klismaphilia », *Venereology*, vol. 13, p. 75-79.

Ainsworth, M. (1979). « Infant-mother attachment », *American Psychologist*, vol. 34, p. 932-937.

Ainsworth, M. (1989). « Attachments beyond infancy », *American Psychologist*, vol. 44, p. 709-716.

Ainsworth, M., Blehar, M., Waters, E. et Walls, S. (1978). *Patterns of Attachment: A Psychological Study of the Strange Situation*, Hillsdale, Erlbaum.

Alan Guttmacher Institute (2006). *Top 10 Ways Sexual and Reproductive Health Suffered in 2004*, http://www.guttmacher.org/media/nr/2004/12/20/index.html (consulté le 2 décembre 2012).

Alan Guttmacher Institute (2008a). *Facts on Induced Abortion in the United States*, http://www.guttmacher.org/pubs/fb_IAW.html (consulté le 27 novembre 2012).

Alan Guttmacher Institute (2009a). *Facts on Publicly Funded Contraceptive Services in the United States*, New York, Alan Guttmacher Institute.

Alarie, P. et coll. (2003). «Le dysfonctionnement érectile (ou trouble de l'érection)», dans *La santé sexuelle de l'homme* (sous la direction du Dr Michael McCormarck), Rogers Media.

Alberoni, F. (1993). *Le choc amoureux*, Paris, Presse Pocket.

Albertsen, P., Aaronson, N., Muller, M., Keller, S. et Ware, J. (1997). «Health-related quality of life among patients with metastatic prostate cancer», *Urology*, vol. 49, p. 207-217.

Albright, J. (2008). «Sex in America online: an exploration of sex, marital status, and sexual identity in Internet sex seeking and its impacts», *Journal of Sex Research*, vol. 45, p. 175-186.

Alexander, B. (2005). *Plastic surgery on private parts*, 9 juin, http://www.msnbc.msn.com/id/8132227/print/1/displaymode/1098/ (consulté le 9 juin 2012).

Alexander, B. (2006). *Will technology revolutionize boinking?*, 17 août, http://www.msnbc.msn.com/id/14292504/print/1/displaymode/1098/ (consulté le 21 août 2012).

Alexander, G. (2003). «An evolutionary perspective of sex-typed toy preferences: Pink, blue, and the brain», *Archives of Sexual Behavior*, vol. 32, p. 7-14.

Alexander, M. et Rosen, R. (2008). «Spinal cord injuries and orgasm: A review», *Journal of Sex and Marital Therapy*, vol. 34, p. 308-324.

Ali, A. (2006). *The Caged Virgin: An Emancipation Proclamation for Women and Islam*, New York, Free Press.

Ali, L. (2008). «True of false? Having kids makes you happy», *Newsweek*, 7-14 juillet, p. 62-63.

Ali, L. et Miller, L. (2004). «The secret lives of wives», *Newsweek*, 12 juillet, p. 47-54.

Al-Krenawi, A. et Slonim-Nevo, V. (2008). «The psychosocial profile of Bedouin Arab women in polygamous and monogamous marriages», *Families in Society*, vol. 89, p. 139-149.

Al-Krenawi, A. et Wiesel-Lev, R. (1999). «Attitudes toward and perceived psychosocial impact of female circumcision as practiced among the Bedouin-Arabs of the Negev», *Family Process*, vol. 38, p. 431-443.

Allen, E. et Rhoades, G. (2008). «Not all affairs are created equal: Emotional involvment with an extradyadic partner», *Journal of Sex and Marital Therapy*, vol. 34, p. 51-65.

Allen, L. et Gorski, R. (1990). «Sex difference in the bed nucleus of the stria terminalis of the human brain», *Journal of Comparative Neurology*, vol. 302, p. 697-706.

Allen, L., Hines, M., Shryne, J. et Gorski, R. (1989). «Two sexually dimorphic cell groups», *Journal of Neurosciences*, vol. 9, p. 497-506.

Allen, M., D'Alessio, D. et Brezgel, K. (1995). «A meta-analysis summarizing the effects of pornography II: Aggression after exposure», *Human Communications Research*, vol. 22, p. 258-283.

Allgeier, A.R. et Allgeier, E.R. (1989). *Sexualité humaine, dimensions et interactions*, Montréal, CEC collégial et universitaire, 765 p.

Alonzo, D. (2003). «Dancing in the autumn light: Gay men, sexuality, and the mid-life transition», communication donnée à la Western Region Annual Conference Society for the Scientific Study of Sexuality, Los Angeles, avril.

Alperstein, L. (2001). «For two: Some basic perspectives and skills for couples therapy», communication donnée à la XXXIIIe conférence annuelle de l'American Association of Sex Educators, Counselors, and Therapists, San Francisco, 2-6 mai.

Althof, S. (2000). «Erectile dysfunction: Psychotherapy with men and couples», dans *Principles and Practice of Sex Therapy* (sous la direction de S. Leiblum et R. Rosen), New York, The Guilford Press.

Althof, S. (2006). «The psychology of premature ejaculation: Therapies and consequences», *The Journal of Sexual Medicine*, vol. 3, p. 324-331.

Althof, S., Dean, J., Derogatis, L. et Rosen, R. (2005). «Current perspectives on the clinical assessment and diagnosis of female sexual dysfunction and clinical studies of potential therapies: A statement of concern», *The Journal of Sexual Medicine*, vol. 2, p. 146-153.

Althof, S., Rowland, D., McNulty, P. et Rothman, M. (2006). «Evaluation of the impact of premature ejaculation on a man's self-esteem, confidence, and overall relationship», communication donnée à la Sexual Medicine Society of North America Fall Meeting, New York, novembre.

Altman, C. (1999). «Gay and lesbian seniors: Unique challenges of coming out in later life», *SIECUS Report*, vol. 27, p. 14-17.

Alzate, H. (1990). «Vaginal erogeneity, the "G spot" and "female ejaculation"», *Journal of Sex Education and Therapy*, vol. 16, p. 137-140.

Amato, P., Johnson, D., Booth, A. et Rogers, S. (2003). «Continuity and change in marital quality between 1980 and 2000», *Journal of Marriage and the Family*, vol. 65, p. 1-22.

American Academy of Pediatrics (2005). *Adolescent Pregnancy: Current Trends and Issues*, http://pediatrics.aappublications.org/content/116/1/281.full.html (consulté le 17 juillet 2012).

American Psychiatric Association (2000). *Diagnostic and Statistical Manual of Mental Disorders* (4e éd., texte révisé), Washington, American Psychiatric Association.

American Psychological Association (2008). *Report of the APA Task Force on Mental Health and Abortion: Executive Summary*, Washington, American Psychological Association.

American Society for Reproductive Medicine (2008). *Patient Fact Sheet: Diagostic Testing for Male Factor Infertility*, Birmingham, AL, American Society for Reproductive Medicine.

Amnistie internationale (2003). *Egypt: Free Those Imprisoned for Their Sexual Orientation*, 13 mars, http://www.amnesty.org/en/library/asset/MDE12/009/2003/en/7d8b9015-d71b-11dd-b0cc-1f0860013475/mde120092003fr.html (consulté le 21 juin 2012).

Amodio, D. et Showers, C. (2005). «"Similarity breeds liking" revisited: The moderating role of commitment», *Journal of Social and Personal Relationships*, vol. 22, p. 817-836.

Anand, M. (2007). *L'art de l'extase sexuelle: la voie de la sexualité sacrée et du tantra pour les couples occidentaux*, Paris, G. Trédaniel.

Anderson, K., Cooper, H. et Okamura, L. (1997). «Individual differences and attitudes toward rape: A meta-analytic review», *Personality and Social Psychology Bulletin*, vol. 23, p. 295-315.

Anderson, S. et Holliday, M. (2003). «Normative passing in the lesbian community: An exploratory study», communication donnée au Portland State University symposium «Constructing Solutions: Blueprints for Social Work Practice», Tualatin, mai.

Anderson-Hunt, M. et Dennerstein, L. (1994). «Increased female sexual response after oxytocin», *British Medical Journal*, vol. 309, p. 929.

Andreas, P. (2005). «Female exotic dancing: An exploratory investigation of intrapersonal and interpersonal dynamics», communication donnée au World Congress of Sexology, Montréal, Canada, 10-15 juillet.

Andrews, B., Brewin, C., Rose, S. et Kirk, M. (2000). «Predicting PTSD symptoms in victims of violent crime: The role of shame, anger, and childhood abuse», *Journal of Abnormal Psychology*, vol. 109, p. 69-73.

Angier, N. (1999). *Woman: An Intimate Geography*, Boston, Houghton Mifflin.

Angus Reid (2010). «Canadians and Britons are more open on same sex relations than Americans», http://www.angus-reid.com/polls/43149/canadians-and-britons-are-more-open-on-same-sex-relations-than-americans/ (consulté le 26 juin 2012).

Apfelbaum, B. (2000). «Retarded ejaculation: A much misunderstood syndrome», dans *Principles and Practice of Sex Therapy* (sous la direction de S. Leiblum et R. Rosen), New York, The Guilford Press.

Aponte, R. et Machado, M. (2006). «Marital aspects associated with sexual satisfaction», *The Journal of Sexual Medicine*, vol. 3, p. 382-452.

Archer, K. (2008). «Women's sex drive is focus of new study», *Tulsa World*, 15 juin.

Ardebili, M., Bidokhti, N. et Mehrabi, F. (2007). «Homosexuality in Iran», article présenté lors du 18e congrès de la World Association for Sexual Health, Sydney, Australie, 15-19 avril.

Ards, A. (2000). «Dating and mating», *Ms.*, juin-juillet, p. 10.

Arevalo, M., Jenning, V. et Sinai, I. (2002). «Efficacy of a new method of family planning: The standard days method», *Contraception*, vol. 65, p. 333-338.

Argiolas, A. (1999). «Neuropeptides and sexual behavior», *Neuroscience Biobehavioral Review*, vol. 23, p. 1127-1142.

Ariely, D. (2008). *Predictably Irrational*, New York, Harper Collins, 304 p.

Arndt, W. (1991). *Gender Disorders and the Paraphilias*, Madison, International Universities Press.

Arnon, S., Shamai, S. et Ilatov, Z. (2008). «Socialization agents and activities of young adolescents», *Adolescence*, vol. 43, p. 373-397.

Arnow, B., Desmond, J., Banner, L., Glover, G. et coll. (2002). «Brain activation and sexual arousal in healthy, heterosexual males», *Brain*, vol. 125, p. 1014-1023.

Aronowitz, T., Rennells, R. et Todd, E. (2006). «Ecological influences of sexuality on early adolescent African American females», *Journal of Community Health Nursing*, vol. 23, p. 113-122.

Arreola, S., Neilands, T., Pollack, L., Paul, J. et Catania, J. (2008). «Childhood sexual experience and adult health sequelae among gay and bisexual men: Defining childhood sexual abuse», *Journal of Sex Research*, vol. 45, p. 246-252.

Asexual Visibility and Education Network (2009). «Overview», http://www.asexuality.org/home/overview.html (consulté le 15 juin 2012).

Ashby, S., Arcari, C. et Edmonson, M. (2006). «Television viewing and risk of sexual initiation by young adolescents», *Archives of Pediatric Adolescent Medicine*, vol. 160, p. 375-380.

Aspelmeier, J. et Kerns, K. (2003). «Love and school: Attachment/exploration dynamics in college», *Journal of Social and Personal Relationships*, vol. 20, p. 5-30.

Athanasiou, R., Shaver, P. et Tavris, C. (1970). «Sex», *Psychology Today*, juillet, p. 39-52.

Aubin, S., Heiman, J., Berger, R., Murrally, V. et Yung-Wen, L. (2009). «Comparing sildenafil alone vs. sildenafil plus brief couple sex therapy on erectile dysfunction and couples' sexual and marital quality of life: A pilot study», *Journal of Sex and Marital Therapy*, vol. 35, p. 122-143.

Auvert, B., Sobngwi-Tambekou, J., Puren, A. et coll. (2008). «Effect of male circumcision on human papillomarivus, neisseria gonorrhoeae and trichomonas vaginalis infections in men: Results from a randomized controlled trial», XVIIe Conférence internationale sur le sida, Mexico, août, http://www.ncbi.nlm.nih.gov/pmc/articles/PMC2821597/ (consulté le 15 novembre 2012).

Auvert, B., Taljaard, D. et coll. (2005). «Impact of male circumcision on the female-to-male transmission of HIV: Results of the intervention trial: ANRS 1265», communication donnée à l'IAS Conference on HIV Pathogenesis and Treatment, Rio de Janeiro, Brésil, juillet.

Aziz, Y. et Gurgen, F. (2009). «Marital satisfaction, sexual problems, and the possible difficulties on sex therapy in traditional Islamic culture», *Journal of Sex and Marital Therapy*, vol. 35, p. 68-75.

Bacon, C., Mittleman, M., Kawachi, I. et Giovannucci, E. (2006). «A prospective study of risk factors for erectile dysfunction», *The Journal of Urology*, vol. 176, p. 217-221.

Badeau, D. (1998). «La cinquantaine au masculin en regard de l'expression de la sexualité: pistes pour une intervention sexologique», *Contrasexion*, vol. 15, no 1, p. 5-22.

Bagemihl, B. (1999). *Biological Exhuberance: Animal Homosexuality and Natural Diversity*, New York, St. Martin's Press, 751 p.

Bahrick, A. (2008). «Persistence of sexual dysfunction side effects after discontinuation of antidepressant medications: Emerging evidence», *Open Psychology*, vol. 1, p. 42-50.

Bailey, J., Bobrow, D., Wolfe, M. et Mikach, S. (1995). «Sexual orientation of adult sons of gay fathers», *Developmental Psychology*, vol. 31, p. 124-129.

Bailey, J., Dunne, M. et Martin, N. (2000). «Genetic and environmental influences on sexual orientation and its correlates in an Australian twin sample», *Journal of Personality and Social Psychology*, vol. 78, p. 524-536.

Bailey, J. et Triea, K. (2007). «What many transgender activists don't want you to know: And why you should know it anyway», *Perspectives in Biology and Medicine*, vol. 50, p. 52-65.

Bailey, R., Egesah, O. et Rosenberg, S. (2008). «Male circumcision for HIV prevention: A prospective study of complication in clinical and traditional settings in Bungoma, Kenya», *Bulletin of the World Health Organization*, vol. 83, p. 669-677.

Bailey, R., Moses, S., Parker, C. et coll. (2007). «Male circumcision for HIV prevention in young men in Kisumu, Kenya: A randomized controlled trial», *Lancet*, vol. 369, p. 643-656.

Bajos, N. et Bozon, M. (2008). *Enquête sur la sexualité en France. Pratique, genre et santé*, Paris, La Découverte, 609 p.

Baker, J. (1990). «Lesbians: Portrait of a community», *Newsweek*, 12 mars, p. 24.

Balaji, A., Lowry, R., Brener, N. et coll. (2008). «Trends in HIV- and STD-related risk behaviors among high school students – United States, 1991-2007», *Morbidity and Mortality Weekly Report*, vol. 57, p. 817-822.

Baldaro-Verde, J., Carania, L. et Puppo, V. (2007). «Pleasure and orgasm in women with female genital mutilation», article présenté lors du 18e congrès de la World Association for Sexual Health, Sydney, Australie, 15-19 avril.

Ball, H. (2005). «Extensive genital cutting elevates risk of infertility among Sudanese women», *International Family Planning Perspectives*, vol. 31, p. 154-156.

Balon, R. et Seagraves, R. (2008). «Survey of treatment practices for sexual dysfunction(s) associated with anti-depressants», *Journal of Sex and Marital Therapy*, vol. 34, p. 353-365.

Balsam, K., Beauchaine, T., Rothblum, E. et Solomon, S. (2008). «Three-year follow-up of same-sex couples who had civil unions in Vermont, same-sex couples not in civil unions, and heterosexual married couples», *Developmental Psychology*, vol. 44, p. 102-116.

Balsam, K., Rothblum, E. et Beauchaine, T. (2005). « Victimization over the life span: A comparison of lesbian, gay, bisexual, and heterosexual siblings », *Journal of Consulting and Clinical Psychology*, vol. 73, p. 477-487.

Bancroft, J. (2002). « The medicalization of female sexual dysfunction: The need for caution », *Archives of Sexual Behavior*, vol. 31, p. 451-455.

Bancroft, J. (sous la direction de) (2003). *Sexual Development in Childhood*, Bloomington, Indiana University Press.

Bancroft, J., Herbenick, D. et Reynolds, M. (2003). « Masturbation as a marker of sexual development », dans *Sexual Development in Childhood* (sous la direction de J. Bancroft), Bloomington, Indiana University Press.

Bancroft, J., Loftus, J. et Long, J.S. (2003). « Distress about sex: A national survey of women in heterosexual relationships », *Archives of Sexual Behavior*, vol. 32, n° 3, p. 193-208.

Bancroft, J. et Vukadinovic, Z. (2004). « Sexual addiction, sexual compulsivity, sexual impulsivity, or what? Toward a theoretical model », *Journal of Sex Research*, vol. 41, p. 225-234.

Banerjee, N. (2006). « Episcopal Church picks woman as leader », *The Oregonian*, 19 juin, p. A1 et A6.

Barbach, L. (1977). *L'accomplissement sexuel de la femme*, Paris, Buchet-Castel.

Barbach, L. (1982). *For Each Other: Sharing Intimacy*, New York, Anchor Press/Doubleday.

Bardoni, B., Zanaria, E., Guioli, S., Floridia, G., Worley, K., Tonini, G., Ferrante, E., Chiumello, G., McCabe, E., Fraccaro, M., Zuffardi, O. et Camerino, G. (1994). « A dosage sensitive locus at chromosome Xp21 is involved in male to female sex reversal », *Nature Genetics*, vol. 7, p. 497-501.

Barfield, R., Wilson, C. et McDonald, P. (1975). « Sexual behavior: Extreme reduction of postejaculatory refractory period by midbrain lesions in male rats », *Science*, vol. 189, p. 147-149.

Barker, R. (1987). *The Green-Eyed Marriage: Surviving Jealous Relationships*, New York, Free Press.

Barnhart, K., Furman, I. et Devoto, L. (1995). « Attitudes and practice of couples regarding sexual relations during the menses and spotting », *Contraception*, vol. 51, p. 93-98.

Baron, R., Markman, G. et Bollinger, M. (2006). « Exporting social psychology: Effects of attractiveness on perceptions of entrepreneurs, their ideas for new products, and their financial success », *Journal of Applied Social Psychology*, vol. 36, p. 467-492.

Barret, G., Pendry, E. et Peacock, J. (2000). « Women's sexual health after childbirth », *British Journal of Gynecology*, vol. 107, p. 186-195.

Barron, M. et Kimmel, M. (2000). « Sexual violence in three pornographic media: Toward a sociological explanation », *The Journal of Sex Research*, vol. 37, p. 161-178.

Barstow, A. (1994). *Witchcraze*, San Francisco, Pandora.

Bartels, A. et Zeki, S. (2004). « The neural correlates of maternal and romantic love », *Neuroimage*, vol. 21, p. 1155-1166.

Bartlik, B. et Goldberg, J. (2000). « Female sexual arousal disorder », dans *Principles and Practice of Sex Therapy* (sous la direction de S. Leiblum et R. Rosen), New York, The Guilford Press.

Bartlik, B., Kaplan, P., Kaminetsky, J., Roentsch, G. et Goldberg, J. (1999b). « Medications with the potential to enhance sexual responsivity in women », *Psychiatric Annals*, vol. 29, p. 46-52.

Basow, S.A. et Rubenfeld, K. (2003). « Troubles talk: effects of gender and gender-typing », *Sex Roles*, vol. 48, n°s 3/4, p. 183-187.

Basson, R. (2000). « The female sexual response: A different model », *Journal of Sex and Marital Therapy*, vol. 26, p. 51-65.

Basson, R. (2002). « A model of women's sexual arousal », *Journal of Sex and Marital Therapy*, vol. 28, p. 1-10.

Basson, R. (2009). « Persistent genital arousal disorder », www.merck.com/mmpe/sec18/ch251/ch251g.html (consulté le 9 octobre 2012).

Basson, R., Leiblum, S., Brotto, L. et Derogatis, L. (2004). « Revised definitions of women's sexual dysfunction », *The Journal of Sexual Medicine*, vol. 1, p. 40-48.

Basson, R., Leiblum, S., Brotto, L., Derogatis, L., Fourcroy, J., Fugl-Meyer, K., Graziottin, A., Heiman, J., Laan, E., Meston, C., Schover, L., van Lankveld, J. et Schultz, W. (2003). « Definitions of women's sexual dysfunction reconsidered: Advocating expansion and revision », *Journal of Psychosomatic Obstetrics and Gynecology*, vol. 24, p. 221-229.

Bastek, J., Samuel, M. et Pare, E. (2008). Adverse neonatal outcomes: Examining the risks between preterm, late preterm, and term infants », *American Journal of Obstetrics and Gynecology*, vol. 199, p. 367-376.

Bastian, L., Smith, C. et Nanda, K. (2003). « Is this woman perimenopausal? », *Journal of the American Medical Association*, vol. 289, p. 895-901.

Battaglia, C., Nappi, R., Mancini, F., Cianciosi, A. et Persico, N. (2008). « Menstrual cycle-related morphometric and vascular modifications of the clitoris », *Journal of Sexual Medicine*, vol. 5, p. 2853-2861.

Bauman, R., Kasper, C. et Alford, J. (1984). « The child sex abusers », *Corrective and Social Psychiatry*, vol. 30, p. 76-81.

Baumard, N. (2011). « La morale a-t-elle engendré les religions ? », *Cerveau et psycho*, n° 48, p. 32-36

Baumeister, R. (1988). « Masochism as escape from self », *Journal of Sex Research*, vol. 25, p. 28-59.

Baumeister, R. (1997). « The enigmatic appeal of sexual masochism: Why people desire pain, bondage, and humiliation in sex », *Journal of Social and Clinical Psychology*, vol. 16, p. 133-150.

Baumeister, R., Catanese, K. et Wallace, H. (2002). « Conquest by force: A narcissistic reactance theory of rape and sexual coercion », *Review of General Psychology*, vol. 6, p. 92-135.

Baumeister, R. et Leary, M. (1995). « The need to belong: Desire for interpersonal attachments as a fundamental human motivation », *Psychological Bulletin*, vol. 11, p. 497-529.

Baumgartner, J. (2007). « Lesbian after marriage », *The Advocate*, 9 octobre, p. 40-43.

Bauminger, N., Finzi-Dottan, R. et coll. (2008). « Intimacy in adolescent friendship: The roles of attachment, coherence, and self-disclosure », *Journal of Science and Personal Relationships*, vol. 25, p. 409-428.

Baur, K. (1995). « Socioeconomic and personality traits of nonadjudicated child sex offenders in a clinical practice ». Non publié.

Baylis, F. et Crozier, G. (2009). « Children at all costs? », *Bioethics Forum*, http://www.thehastingscenter.org/Bioethicsforum/Post.aspx?id=3206 (consulté le 27 novembre 2012).

Beal, G. et Muehlenhard, C. (1987). « Getting sexually aggressive men to stop their advances: Information for rape prevention programs », communication donnée à l'Annual Meeting of the Association for Advancement of Behavior Therapy, Boston, novembre.

Beck, C. (2006). « Postpartum depression: It isn't just the blues », *American Journal of Nursing*, vol. 106, p. 40-49.

Becker, J., Berkley, K. et coll. (2008). *Sex Differences in the Brain: From Genes to Behavior*, New York, Oxford University Press.

Becker, J. et Kaplan, M. (1991). « Rape victims: Issues, theories, and treatment », *Annual Review of Sex Research*, vol. 2, p. 267-272.

Becker, J., Skinner, L., Abel, G. et Axelrod, R. (1986). « Level of postassault sexual functioning in rape and incest victims », *Archives of Sexual Behavior*, vol. 15, p. 37-49.

Beckman, N., Waern, M. et Skoog, I. (2006). « Determinants of sexuality in 70-year-olds », *Journal of Sex Research*, vol. 43, p. 876.

Bédard, A.-M. (2008). «La relation sexuelle: revue et recadrée», *Ça s'exprime*, vol. 11, printemps, http://casexprime.gouv.qc.ca/fr/magazine/numero/11/ (consulté le 20 avril 2012).

Beech, H. (2005). «Sex, please – We're young and Chinese», *Time*, décembre, p. 61.

Begley, S. (2001). «Brave new monkey», *Newsweek*, 22 janvier, p. 50-52.

Beji, L. (2003). «The effect of pelvic floor training on sexual function», *Nursing Standard*, vol. 16, p. 33-36.

Bell, A. et Weinberg, M. (1978). *Homosexualities: A Study of Diversity Among Men and Women*, New York, Simon & Schuster.

Bell, A., Weinberg, M. et Hammersmith, S. (1981). *Sexual Preference: Its Development in Men and Women*, Bloomington, Indiana University Press.

Bell, D. (2006). «They deserve it», *The Nation*, 10 juillet, p. 18-24.

Beller, M. et Gafni, N. (2000). «Can item format (multiple choice vs. open-ended) account for gender differences in mathematics achievement?», *Sex Roles*, vol. 42, p. 1-21.

Belsey, E. et Pinol, A. (1997). «Menstrual bleeding patterns in untreated women», *Contraception*, vol. 55, p. 57-65.

Belzer, E., Whipple, B. et Moger, W. (1984). «A female ejaculation», *Journal of Sex Research*, vol. 20, p. 403-406.

Bem, S. (1974). «The measurement of psychological androgyny», *Journal of Consulting and Clinical Psychology*, vol. 42, p. 155-162.

Bem, S. (1993). *The Lenses of Gender*, New Haven, Yale University Press.

Ben-David, S. et Schneider, O. (2005). «Rape perceptions, gender role attitudes, and victim-perpetrator acquaintance», *Sex Roles: A Journal of Research*, vol. 53, p. 385-399.

Bennion, J. (2005). *Rough Cut: The Women's Kingdom*, 19 juillet, http://www.pbs.org/frontlineworld/rough/2005/07/introduction_togen.html (consulté le 20 juillet 2012).

Benotsch, E., Kalichman, S. et Cage, M. (2002). «Men who have sex partners via the Internet: Prevalence, predictors, and implications for HIV prevention», *Archives of Sexual Behavior*, vol. 31, p. 177-183.

Benson, E. (2003). «The science of sexual arousal», *Monitor on Psychology*, vol. 34, p. 50-52.

Benson, R. (1985). «Vacuum cleaner injury to penis: A common urologic problem?», *Urology*, vol. 25, p. 41-44.

Benuto, L. et Meana, M. (2008). «Acculturation and sexuality: Investigating gender differences in erotic plasticity», *Journal of Sex Research*, vol. 45, p. 217-224.

Ben-Ze'ev, A. (2003). «Privacy, emotional closeness, and openness in cyberspace», *Computers in Human Behavior*, vol. 19, p. 451-467.

Ben-Ze'ev, A. (2004). *Love Online: Emotions on the Internet*, Cambridge, Cambridge University Press.

Berdahl, J. et Aquino, K. (2009). «Sexual behavior at work: Fun or folly?», *Journal of Applied Psychology*, vol. 94, p. 34-47.

Berenson, A., Odom, S., Breitkopf, C. et Rahman, M. (2008). «Physiologic and psychologic symptoms associated with use of injectable contraception and 20 mg oral contraceptive pills», *American Journal of Obstetrics and Gynecology*, vol. 199, p. 351-362.

Berenson, A. et Rahman, M. (2009). «Changes in weight, total fat, percent body fat, and central-to-peripheral fat ratio associated with injectable and oral contraceptive use», *American Journal of Obstetrics and Gynecology*, vol. 200, p. 328-406.

Berer, M. (2008). «Male circumcision for HIV prevention: Perspectives on gender and sexuality», *Reproductive Health Matters*, vol. 15, p. 45-48.

Berga, S. et McCord, J. (2005). «Circulating androgen levels and self-reported sexual function in women», *Journal of American Medical Association*, vol. 294, p. 91-96.

Berger, R. (1996). *Gay and Gray: The Older Homosexual Man*, New York, The Haworth Press.

Bergeron, A. et Badeau, D. (1991). *La santé sexuelle après 60 ans*, Montréal, Éditions du Méridien.

Bergeron, S. (2009). «The treatment of dyspareunia in women», article présenté lors du 19e WAS World Congress for Sexual Health, Göteborg, Suède, 21-25 juin.

Bergoffen, D. (2006). «From genocide to justice: Women's bodies as a legal writing pad», *Feminist Studies*, vol. 32, p. 11-37.

Bergstrom, R., Neighbors, C. et Malheim, J. (2009). «Media comparisons and threats to body image: Seeking evidence of self-affirmation», *Journal of Social and Clinical Psychology*, vol. 28, p. 264-280.

Berkman, C., Turner, S. et Cooper, M. (2000). «Sexual contact with clients: Assessment of social workers' attitudes and educational preparation», *Social Work*, vol. 45, p. 223-235.

Berkowitz, J. (2000). «Personal view: Two boys and a girl please and hold the mustard», *Public Health*, vol. 114, p. 5-7.

Berliner, L. et Conte, J. (1995). «The effects of disclosure and intervention on sexually abused children», *Child Abuse and Neglect*, vol. 27, p. 525-540.

Berman, J. et Berman, L. (2001). *For Women Only: A Revolutionary Guide to Overcoming Sexual Dysfunction and Reclaiming Your Sex Life*, New York, Henry Holt and Company.

Berman, L. (2004). *The Health Benefits of Sexual Aids and Devices*, Evanston, Northwestern University.

Bernat, J., Calhoun, K. et Adams, H. (1999). «Sexually aggressive and nonaggressive men: Sexual arousal and judgments in response to acquaintance rape and consensual analogues», *Journal of Abnormal Psychology*, vol. 108, p. 662-673.

Bernstein, W., Stephenson, B., Snyder, M. et Wicklund, R. (1983). «Causal ambiguity and heterosexual affiliation», *Journal of Experimental Social Psychology*, vol. 19, p. 78-92.

Betts, A. (2001). «Role of semen in female-to-male transmission of HIV», *Annals of Epidemiology*, vol. 11, p. 154-155.

Bhatti, F. (2005). «The role of non availability of sex education on the prevalence of sexual dysfunction in conservative Muslim society like Pakistan», article présenté lors du 17e congrès mondial de sexologie, Montréal, Canada, 10-15 juillet.

Bibby, R.W. (2001). *Canada's Teens: Today, Yesterday, and Tomorrow*, Toronto, Irwing Publishing.

Bieber, I., Dain, H., Dince, P., Drellich, M., Grand, H., Gundlach, R., Kremer, M., Rifkin, A., Wilbur, C. et Bieber, T. (1962). *Homosexuality*, New York, Vintage Books.

Bierce, A. (1943). *Le dictionnaire du diable*, Paris, Rivages poche / Bibliothèque étrangère, no 11, 1989.

Bingham, S. et Battey, K. (2005). «Communication of social support to sexual harassment victims: Professors' responses to a student's narrative of unwanted sexual attention», *Communication Studies*, vol. 56, p. 131-155.

Binik, Y., Bergeron, S. et Khalife, S. (2000). «Dyspareunia», dans *Principles and Practice of Sex Therapy* (sous la direction de S. Leiblum et R. Rosen), New York, The Guilford Press.

Birnbaum, G. (2007). «Beyond the borders of reality: Attachment orientations and sexual fantasies», *Personal Relationships*, vol. 14, p. 321-342.

Bjorklund, D. et Pellegrini, A. (2000). «Child development and evolutionary psychology», *Child Development*, vol. 71, p. 1687-1708.

Black, A. (1994). «Perverting the diagnosis: The lesbian and the scientific basis of stigma», *Historical Reflections*, vol. 20, p. 201-216.

Blackburn, R., Cunkelman, J. et Zlidar, V. (2000). «Oral contraceptives: An update», *Population Reports*, vol. 28, p. 1-39.

Blackless, M., Charuvastra, A., Derryck, A., Fausto-Sterling, A., Lauzanne, K. et Lee, E. (2000). «How sexually dimorphic are we? Review and synthesis», *American Journal of Human Biology*, vol. 12, p. 151-166.

Blackmun, M. (1996). «Escort services: Look all you want but don't touch», *The Oregonian*, 16 juin, p. D1-D4.

Blackwell, D. et Lichter, D. (2000). «Mate selection among married and cohabiting couples», *Journal of Family Issues*, vol. 21, p. 275-302.

Blair, C. et Lanyon, R. (1981). «Exhibitionism: Etiology and treatment», *Psychological Bulletin*, vol. 89, p. 439-463.

Blais, M. et coll. (2009). «La sexualité des jeunes Québécois et Canadiens. Regard critique sur le concept d'hypersexualisation», *Globe: revue internationale d'études québécoises*, vol. 12, n° 2, p. 23-46.

Blanchard, R. (1991). «Clinical observations and systematic studies of autogynephilia», *American Journal of Sex and Marital Therapy*, vol. 17, p. 235-251.

Blanchard, R. (1995). «Early history of the concept of autogynephilia», *Archives of Sexual Behavior*, vol. 34, p. 439-446.

Blank, H. (2007). *Virgin: The Untouched History*, New York, Bloomsbury.

Blee, K. et Tickamyer, A. (1995). «Racial differences in men's attitudes about women's gender roles», *Journal of Marriage and Family*, vol. 57, p. 21-30.

Block, J. (1983). «Differential premises arising from differential socialization of the sexes: Some conjectures», *Child Development*, vol. 54, p. 1335-1354.

Blue, V. (2003). *The Ultimate Guide to Adult Videos: How to Watch Adult Videos and Make Your Sex Life Sizzle*, San Francisco, Cleis Press.

Blumenthal, P., Gemzell-Danielsson, K. et Marintcheva-Petrova, M. (2008). «Tolerability and clinical safety of Implanon», *European Jounral of Contraception and Reproductive Health Care*, vol. 13, p. 29-36.

Blythe, M., Fortenberry, D., Temkit, M. et Tu, W. (2006). «Incidence and correlates of unwanted sex in relationships of middle and late adolescent women», *Archives of Pediatric and Adolescent Medicine*, vol. 160, p. 591-595.

Bockting, W. (2005). «Biological reductionism meets gender diversity in human sexuality», *Journal of Sex Research*, vol. 42, p. 267-270.

Boeckxstaens, A. et Devroey, P. (2007). «Getting pregnant after tubal sterilization: Surgical reversal of IVF?», *Human Reproduction*, vol. 22, p. 2660-2664.

Boekhout, B., Hendrick, S. et Hendrick, C. (1999). «Relationship infidelity: A loss of perspective», *Journal of Personal and Interpersonal Loss*, vol. 4, p. 97-124.

Boeringer, S. (1994). «Pornography and sexual aggression: Association of violent and nonviolent depictions with rape and rape proclivity», *Deviant Behavior*, vol. 15, p. 289-304.

Bogaert, A. (2004). «Asexuality: Prevalence and associated factors in a national probability sample», *The Journal of Sex Research*, vol. 41, p. 279-288.

Bogaert, A. (2005). «Sibling sex ratio and sexual orientation in men and women: New tests in two national probability samples», *Archives of Sexual Behavior*, vol. 34, p. 111-117.

Bogaert, A., Friesen, C. et Klentrou, P. (2002). «Age of puberty and sexual orientation in a national probability sample», *Archives of Sexual Behavior*, vol. 31, p. 73-81.

Bogren, L. (1991). «Changes in sexuality in women and men during pregnancy», *Archives of Sexual Behavior*, vol. 20, p. 35-46.

Bohler, S. (2009). *Sexe et cerveau: et si tout se passait dans la tête?*, Genève, Aubanel, 224 p.

Bohner, G., Siebler, F. et Schmelcher, J. (2006). «Social norms and the likelihood of raping: Perceived rape myth acceptance of others affects men's rape proclivity», *Personality and Social Psychology Bulletin*, vol. 32, p. 286-297.

Bolin, A. (1997). «Transforming transvestism and transsexualism: Polarity, politics, and gender», dans *Gender Blending* (sous la direction de B. Bullough, V. Bullough et J. Elias), New York, Prometheus Books.

Bolus, J. (1994). «Teaching teens about condoms», *Registered Nurse*, mars, p. 44-47.

Bonet, L., Bimbi, D. et Tomassilli, J. (2006). «Behind closed doors: An exploration of specialized sexual behaviors in urban women who have sex with women», *Journal of Sex Research*, février.

Bonierbale, M., Clement, A., Loundou, A. et Simeoni, M. (2006). «A new evaluation of concept and its measurement: "Male sexual anticipating cognitions"», *The Journal of Sexual Medicine*, vol. 3, p. 96-103.

Bornstein, R. (1989). «Exposure and effect: Overview and meta-analysis of research, 1968-1987», *Psychological Bulletin*, vol. 106, p. 265-289.

Borowsky, I., Ireland, M. et Resnick, M. (2009). «Health status and behavioral outcomes for youth who anticipate a high likelihood of early death», *Pediatrics*, vol. 124, p. e81-e88.

Borzekowski, D. (2006). «Adolescents' use of the Internet: A controversial coming-of-age resource», *Adolescent Medical Clinics*, vol. 17, p. 205-216.

Bos, H. et van Balen, F. (2008). «Children in planned lesbian families: Stigmatization, psychological adjustment and protective factors», *Culture, Health and Sexuality*, vol. 10, p. 221-236.

Boschert, S. (2004). «Majority of circumcisions are performed without analgesia», *Family Practice News*, vol. 34, p. 63.

Boss, S. et Maltz, W. (2001). *Private Thoughts: Exploring the Power of Women's Sexual Fantasies*, Novato, New World Library.

Boswell, J. (1980). *Christianity, Social Tolerance, and Homosexuality*, Chicago, University of Chicago Press.

Boswell, J. (1996). *Les unions du même sexe: de l'Europe antique au Moyen Âge*, Paris, coll. Nouvelles études historiques, Fayard, 600 p.

Botros, S., Abramov, Y., Miller, J. et Sand, P. (2006). «Effect of parity on sexual function», *Obstetrics and Gynecology*, vol. 107, p. 765-770.

Boudreau, S. (2011). «Facebook: un virus qui menace votre couple», *Entête*, vol. 11, n° 8, http://entete.uqtr.ca/suite_article.php?no_fiche=11113 (consulté le 15 mai 2012).

Boulware, J. (2000). *Viagra Rave*, http://www.salon.com/2000/05/30/viagra_rave/ (consulté le 17 octobre 2012).

Bourdeau, B., Saltz, R., Bersamin, M. et Grube, J. (2007). «Understanding the relationship between alcohol and sex: Latino and white college students and problematic sexual experiences while drinking», *Journal of American College Health*, vol. 56, p. 299-306.

Bourdeau, B., Thomas, V. et Long, J. (2008). «Latino sexual styles: Developing a nuanced understanding of risk», *Journal of Sex Research*, vol. 45, p. 71-81.

Bourget, A. (2005). «La dépendance affective et sexuelle: un phénomène à discuter avec les jeunes», *Ça s'exprime*, ministère de la Santé et des Services sociaux du Québec, hiver.

Boustany, N. (2007). «Militants use rape as integral weapon in Darfur», *The Oregonian*, 4 juillet, p. A5.

Bouvier, P. (2003). «Child sexual abuse: Vicious circles of fate or paths to resilience?», *Lancet*, vol. 361, p. 446.

Bowen, A. (2005). «Internet sexuality research with rural men who have sex with men: Can we recruit and retain them?», *Journal of Sex Research*, vol. 42, p. 317-323.

Bowman, J. (2008). «Gender-role orientation and relational closeness: Self-disclosure behavior in same-sex male friendships», *Journal of Men's Studies*, vol. 16, p. 316-330.

Boyd, R. (2009). «New estimates for IVF live birth rates», http://www.webmd.com/infertility-and-reproduction/news/20090114/new-estimates-for-ivf-live-birth-rates (consulté le 26 novembre 2012).

Boyer, D. et Fine, D. (1992). «Sexual abuse as a factor in adolescent pregnancy and child maltreatment», *Family Planning Perspectives*, vol. 24, p. 4-11.

Boynton, P. (2003). «"I'm just a girl who can't say no"? Women, consent, and sex research», *Journal of Sex and Marital Therapy*, vol. 29 (suppl.), p. 23-32.

Bradford, J. (1998). «Treatment of men with paraphilia», *New England Journal of Medicine*, vol. 338, p. 464-465.

Bradford, J., Boulet, J. et Pawlak, A. (1992). «The paraphilias: A multiplicity of deviant behaviors», *Canadian Journal of Psychiatry*, vol. 37, p. 104-107.

Bradley, S., Oliver, G., Chernick, A. et Zucker, K. (1998). «Experiment of nurture: Ablatio penis at 2 months, sex reassignment at 7 months, and a psychosexual follow-up in young adulthood», *Pediatrics*, vol. 102, p. E91-E95.

Bradley, S. et Zucker, K. (1997). «Gender identity disorder: A review of the past 10 years», *Journal of the American Academy of Child and Adolescent Psychology*, vol. 36, p. 872-880.

Bradshaw, C. (1994). «Asia and Asian American women: Historical and political considerations in psychotherapy», dans *Women of Color* (L. Comas-Diaz et B. Greene, éditeurs), New York, The Guilford Press.

Bradsher, K. (2000). «Four get prison time in death of girl from date rape drug», *New York Times*, 31 mars, p. A15.

Brady, S. et Halpern-Felsher, B. (2007). «Adolescents' reported consequences of having oral sex versus vaginal sex», *Pediatrics*, vol. 119, p. 229-236.

Braen, G. (1980). «Examination of the accused: The heterosexual and homosexual rapist», dans *Rape and Sexual Assault* (sous la direction de C. Warner), Germantown, MD, Aspen Systems.

Brainerd, C. et Reyna, V. (1998). «When things that were never experienced are easier to "remember" than things that were», *Psychological Science*, vol. 9, p. 484-489.

Brauer, M., Lencar, C. et Tamburic, L. (2008). «A cohort study of traffic-related air pollution impacts on birth outcomes», *Environmental Health Perspectives*, vol. 116, p. 680-687.

Brauer, M., ter Kuile, M., Laan, E. et Trimbos, B. (2009). «Cognitive-affective correlates and predictors of superficial dyspareunia», *Journal of Sex and Marital Therapy*, vol. 35, p. 1-24.

Brecher, E.M. (1969). *Les sexologues*, Montréal, Éditions du Jour.

Brehm, S., Miller, R., Perlman, D. et Campbell, S. (2002). *Intimate Relationships*, Boston, McGraw-Hill.

Bremer, J. (1959). *Asexualization*, New York, Macmillan.

Brennan, K., Garcia-Closas, M., Orr, N., Fletcher, O., Jones, M. et coll. (2012). «Intragenic ATM methylation in peripheral blood DNA as a biomarker of breast cancer risk», *Cancer Research*, vol. 72, p. 2304-2313.

Brennan, S. et Taylor-Butts, A. (2008). *Les agressions sexuelles au Canada, 2004 et 2007*, Statistique Canada, http://www.statcan.gc.ca/pub/85f0033m/85f0033m2008019-fra.pdf (consulté le 25 octobre 2012).

Brenot, P. (2011). *Les Hommes, le sexe et l'amour*, Paris, Éditions Les Arènes, 400 p.

Breton, S. (1994). *La mascarade des sexes*, Paris, Calman-Lévy, 298 p.

Bretschneider, J. et McCoy, N. (1988). «Sexual interest and behavior in healthy 80 to 102-year-olds», *Archives of Sexual Behavior*, vol. 17, p. 109.

Bringle, R. et Buunk, B. (1991). «Extradyadic relationships and sexual jealousy», dans *Sexuality in Close Relationships* (sous la direction de K. McKinney et S. Sprecher), Hillsdale, Erlbaum.

Britton, G. et Lumpkin, M. (1984). «Battle to imprint fot the 21st century», *Reading Teacher*, vol. 37, p. 724-733.

Brockman, J. (2006). «Child sex as Internet fare, through eyes of a victim», *The New York Times*, 5 avril, p. A20.

Brody, J. (2000). «Cybersex gives birth to a psychological disorder», *New York Times*, 16 mai, p. F7 et F12.

Brooke, J. (2000). «Gay and lesbian scouts received with open arms in tolerant Canada», *San Francisco Chronicle*, p. D2.

Brooks, D. et Goldberg, S. (2001). «Gay and lesbian adoptive and foster care placements: Can they meet the needs of waiting children?», *Social Work*, vol. 46, p. 147-157.

Brooks, J. et Watkins, M. (1989). «Recognition memory and the mere exposure effect», *Journal of Experimental Psychology: Learning, Memory, and Cognition*, vol. 15, p. 968-976.

Brotto, L., Chik, H., Ryder, A. et Gorzalka, B. (2005). «Acculturation and sexual function in Asian women», *Archive of Sexual Behavior*, vol. 34, p. 613-627.

Broussin, B. et Brenot, P. (1995). «Existe-t-il une sexualité du fœtus?», *Fertilité, contraception, sexualité*, novembre, p. 696-698.

Brown, D. (2006). «GAO faults Bush's AIDS-abstinence emphasis», *The Oregonian*, 5 avril, p. A2.

Brown, E. (2008). «New vaginal ring offers nonhormonal contraception», http://www.docguide.com/new-vaginal-ring-offers-nonhormonal-contraception (consulté le 30 novembre 2012).

Brown, G. (1990). «The transvestite husband», *Medical Aspects of Human Sexuality*, juin, p. 35-42.

Brown, J. et L'Engle, K. (2009). «X-rated: Sexual attitudes and behaviors associated with U.S. early adolescents' exposure to sexually explicit media», *Communication Research*, vol. 36, n° 1, p. 129-151.

Brown, M., Perry, A., Cheesman, A. et Pring, T. (2000). «Pitch change in male-to-female transsexuals: Has phonosurgery a role to play?», *International Journal of Language and Communications Disorders*, vol. 35, p. 129-136.

Brown, R. (2000). «Understanding the disorders of sexual preference», *Practitioner*, vol. 244, p. 438-442.

Brown, S. (2003). «Relationship quality dynamics of cohabiting unions», *Journal of Family Issues*, vol. 24, p. 583-601.

Brown, S., Brack, G. et Mullis, F. (2008). «Traumatic symptoms in sexually abused chidren: Implications for school counselors», *Professional School Counseling*, vol. 11, p. 368-379.

Brown, T. et Fee, E. (2003). «Alfred Kinsey: A pioneer of sex research», *American Journal of Public Health*, vol. 93, p. 896-897.

Brownmiller, S. (1975). *Against Our Will: Men, Women, and Rape*, New York, Simon & Schuster.

Brownmiller, S. (1993). «Making female bodies the battlefield», *Newsweek*, 4 janvier, p. 37.

Bruce-Jones, E. et Itaborahy, L.-P. (2011). *Homophobie d'État: Une enquête mondiale sur les lois qui criminalisent la sexualité entre adultes consentants de même sexe*, un rapport de l'ILGA, http://old.ilga.org/Statehomophobia/ILGA_Homophobie_Etat_2012.pdf (consulté le 21 juin 2012).

Bruns, D. et Bruns, J. (2005). «Sexual harassment in higher education», *Academic Exchange Quarterly*, vol. 9, p. 201-204.

Bryant, S. et Demian, N. (1998). «Terms of same-sex endearment», *SIECUS Report*, vol. 26, n° 4, p. 10-13.

Budin, L. et Johnson, C. (1989). «Sex abuse prevention programs: Offenders' attitudes about their efficacy», *Child Abuse and Neglect*, vol. 13, p. 77-87.

Bulcroft, R., Carmady, D. et Bulcroft, K. (1996). «Patterns of parental independence giving to adolescents: Variations by race, age, and gender of child», *Journal of Marriage and Family*, vol. 58, p. 866-883.

Bullough, B. et Bullough, V. (1997). «Are transvestites necessarily heterosexual?», *Archives of Sexual Behavior*, vol. 26, p. 1-12.

Bullough, V. et Bullough, B. (1993). *Cross Dressing, Sex and Gender*, Philadelphie, University of Pennsylvania Press.

Burdge, B. (2007). «Bending gender, ending gender: Theoretical foundations for social work practice with the transgender community», *Social Work*, vol. 52, p. 243-250.

Bureau de la Coordination des affaires humanitaires des Nations Unies (2006). «Pakistan: Over a thousand women freed under change in law», http://www.irinnews.org/fr/Report/34725/PAKISTAN-Over-a-thousand-women-freed-under-change-in-law (consulté le 20 juillet 2012).

Bureau, J. (1998). «Devenir garçon, devenir fille: une construction complexe», *PRISME*, vol. 8, n° 2, p. 38-52.

Bureau of Labor Statistics (2008). «Labor force statistics from the Current Population Survey», http://www.stats.bls.gov (consulté le 6 juin 2012).

Burgess, A. et Holmstrom, L. (1979). «Rape: Sexual disruption and recovery», *American Journal of Orthopsychiatry*, vol. 49, p. 648-657.

Burkett, A. et Hewitt, G. (2005). «Progestin only contraceptives and their use in adolescents: Clinical options and medical indications», *Adolescent Medicine*, vol. 16, p. 553-567.

Burnette, M., Schneider, R., Timko, C. et Ilgen, M. (2009). «Impact of substance-use disorder treatment on women involved in prostitution: Substance use, mental health, and prostitution one year after treatment», *Journal of Studies on Alcohol and Drugs*, vol. 70, p. 32-41.

Burri, A., Cherkas, L. et Spector, T. (2009). «Emotional intelligence and its association with orgasmic frequency in women», *Journal of Sexual Medicine*, 28 avril, p. 1930-1937.

Bushman, B. et Baumeister, R. (1998). «Threatened egoism, narcissism, self-esteem, and direct and displaced aggression: Does self-love of self-hate lead to violence?», *Journal of Personality and Social Psychology*, vol. 43, p. 372-384.

Bushman, B., Bonacci, A., Dijk, M. et Baumeister, R. (2003). «Narcissism, sexual refusal, and aggression: Testing a narcissistic reactance model of sexual aggression», *Journal of Personality and Social Psychology*, vol. 84, p. 1027-1040.

Bushnik, T., Cook, J., Hughes, E. et Tough, S. (2012). *Le recours aux services médicaux d'aide à la conception*, Statistique Canada, n° 82-003-X, http://www.statcan.gc.ca/pub/82-003-x/2012004/article/11719-fra.htm (consulté le 26 novembre 2012).

Buss, D. (1994). *The Evolution of Desire: Strategies of Human Mating*, New York, Basic Books.

Buss, D. (1999). *Evolutionary Psychology: The New Science of the Mind*, Boston, Allyn and Bacon.

Buss, D. (2000). *The Dangerous Passion: Why Jealousy Is as Necessary as Love and Sex*, New York, Free Press.

Buss, D. (2003). *The Evolution of Desire*, New York, Basic Book.

Butler, J. (2004). «Faire et défaire le genre», *Multitudes*, http://multitudes.samizdat.net/Faire-et-defaire-le-genre (consulté le 1er juin 2012).

Butler, K. (2006). «Many couples must negotiate terms of "brokeback" marriages», *The New York Times*, 7 mars, p. F5.

Butzer, B. et Campbell, L. (2008). «Adult attachment, sexual satisfaction, and relationship satisfaction: A study of married couples», *Personal Relationships*, vol. 15, p. 141-154.

Buysse, A. et Ickes, W. (1999). «Communication patterns in laboratory discussions of safer sex between dating versus nondating partners», *Journal of Sex Research*, vol. 36, p. 121-134.

Byassee, J. (2008). «Not your father's pornography», *First Things: A Monthly Journal of Religion and Public Life*, vol. 179, p. 15-19.

Byers, E. (2005). «Relationship satisfaction and sexual satisfaction: A longitudinal study of individuals in long-term relationships», *Journal of Sex Research*, vol. 42, p. 113-118.

Byrd, J., Hyde, J., DeLamater, J. et Plant, E. (1998). «Sexuality during pregnancy and the year postpartum», *Journal of Family Practice*, vol. 47, p. 305-308.

Byrne, D. (1997). «An overview (and underview) and research and theory within the attraction paradigm», *Journal of Social and Personal Relationships*, vol. 14, p. 417-431.

Byrne, D. et Murnen, S. (1988). «Maintaining loving relationships», dans *The Psychology of Loving* (sous la direction de R. Sternberg et M. Barnes), New Haven, Yale University Press.

Cado, S. et Leitenberg, H. (1990). «Guilt reactions to sexual fantasies during intercourse», *Archives of Sexual Behavior*, vol. 19, p. 49-71.

Calderoni, M.E. et Coupey, S.M. (2005). «Combined hormonal contraception», *Adolescence Medicine*, vol. 16, p. 517-537.

Caldwell, J. (2003b). *The Trouble with «Gay»*, *The Advocate*, 25 mars.

Caldwell, J. (2005). «Sheath that scalpel: the only way to be sure of an intersex baby's gender is to wait until you can ask them, researchers say», *The Advocate*, 12 avril, p. 44.

Califia, P. (2002). «Whoring in utopia», dans *The Philosophy of Sex: Contemporary Readings* (sous la direction de A. Soble), Lanham, Rowman & Littlefield.

Campbell, A. (2008). «The morning after the night before: Affective reactions to one-night stands among mated and unmated women and men», *Human Nature*, vol. 19, n° 2, p. 157-173.

Campbell, D., Lake, M., Falk, M. et Backstrand, J. (2006). «A randomized control trial of continuous support in labor by a lay doula», *Journal of Obstetric, Gynecologic, and Neonatal Nursing*, vol. 35, p. 456.

Campbell, R. (2006). «Rape survivors' experiences with the legal and medical systems: Do rape victim advocates make a difference?», *Violence Against Women*, vol. 12, p. 30-45.

Campo, J., Nijman, H., Merckelbach, H. et Evers, C. (2003). «Psychiatric comorbidity of gender identity disorders: A survey among Dutch psychiatrists», *American Journal of Psychiatry*, vol. 160, p. 1332-1336.

Campos, S. (2008). «Anterior motives: A G shot on the G spot», *New York Times Magazine*, 24 février, p. L172.

Canary, D. et Dindia, K. (sous la direction de) (1998). *Sex Differences and Similarities in Communication*, Mahwah, Erlbaum.

Capellen, J., Bell, S. et Althof, S. (2006). «Comparison between sildenafil-treated subjects with erectile dysfunction and control subjects on the self-esteem and relationship questionnaire», *The Journal of Sexual Medicine*, vol. 3, p. 274-282.

Caplan, A. (2008). «New IVF dilemmas make old fears seem quaint», http://www.msnbc.msn.com/id/25837220/ns/health-health_care/t/new-ivf-dilemmas-make-old-fears-seem-quaint/#.ULSleoWogiA (consulté le 27 novembre 2012).

Carael, M., Slaymaker, E., Lyerla, R. et Sarkar, S. (2006). «Clients of sex workers in different regions of the world: Hard to count», *Sexually Transmitted Infections*, vol. 82 (suppl. 3), p. iii26-iii33.

Carlson, E. (1997). «Sexual assault on men in war», *The Lancet*, vol. 349, p. 129.

Carnes, P. (1993). *S'affranchir du secret: sexualité compulsive*, traduction française de Jean-Robert Saucyer, Montréal, Éditions Modus Vivendi, 222 p.

Carnes, P. (2001). *Out of the Shadows: Understanding Sexual Addiction*, 3e éd., Center City, Hazelden.

Carpenter, L. (1998). «From girls into women: Scripts for sexuality and romance in *Seventeen* magazine», *Journal of Sex Research*, vol. 35, p. 158-168.

Carrobles, J. et Gamez, M. (2007). «Effect of mode of female orgasm induction on perception of vaginal contractions», article présenté lors du 18e congrès de la World Association for Sexual Health, Sydney, Australie, 15-19 avril.

Carroll, R. (1999). «Outcomes of treatment for gender dysphoria», *Journal of Sex Education and Therapy*, vol. 24, p. 128-136.

Carson, C. (2003). «To circumcise or not to circumcise? Not a simple question», *Contemporary Urology*, vol. 15, p. 11.

Carter, S. (2000). «Math skill, confidence multiplying for girls», *The Oregonian*, 4 mars, p. A1 et A11.

Castleman, M. (2005). «XXX Harmful: How pornography misleads men about women's sexuality and their own and contributes to sex problems», communication donnée à What's New and What Works: Pioneering Solutions for Today's Sexual Issues (37e conférence annuelle de l'AASECT), Portland, mai.

Catania, J. (1999b). «A framework for conceptualizing reporting bias and its antecedents in interviews assessing human sexuality», *Journal of Sex Research*, vol. 36, p. 25-38.

Catania, J., Gibson, D., Marin, B., Coates, T. et Greenblatt, R. (1990). «Response bias in assessing sexual behaviors relevant to HIV transmission», *Evaluation and Program Planning*, vol. 13, p. 19-29.

Caufriez, A. (1997). «The pubertal spurt: Effects of sex steroid on growth hormone and insulin-like growth factor I», *European Journal of Obstetrics and Gynecology and Biology*, vol. 71, p. 215-217.

Ceci, S., Loftus, E., Leichtman, M. et Bruck, M. (1994). «The role of source misattributions in the creation of false beliefs among preschoolers», *International Journal of Clinical and Experimental Hypnosis*, vol. 42, p. 304-320.

CEFRIO (2009). *Enquête génération C – CEFRIO 2009: Les 12-24 ans, utilisateurs extrêmes d'Internet et des TI*, http://www.cefrio.qc.ca/fichiers/documents/reseau_pages_3_5.pdf (consulté le 30 avril 2012).

CEFRIO (2011). *NETendances 2011 – Évolution de l'utilisation d'Internet au Québec*, http://www.cefrio.qc.ca/publications/detail-dune-publication/categorie/netendances/publication/5159/ (consulté le 20 avril 2012).

Cela-Conde, C., Ayala, F. et coll. (2009). «Sex-related similarities and differences in the neural correlates of beauty», *Proceedings of the National Academy of Sciences*, vol. 106, p. 3847-3852.

Centre de reproduction McGill (2012). http://www.mcgillivf.com/f/mcgillIVF.asp?page=193.272 (consulté le 30 novembre 2012).

Centers for Diseases Control and Prevention (2006). *Assisted Reproductive Technology Success Rates: National Summary and Fertility Clinic Reports*.

Centers for Diseases Control and Prevention (2008). *Assisted Reproductive Technology Success Rates: National Summary and Fertility Clinic Reports*, http://www.cdc.gov/art/PDF/508PDF/**2006**ART.pdf (consulté le 26 novembre 2012).

Centers for Disease Control (2010a). *Diseases Characterized by Urethritis and Cervicitis*, http://www.cdc.gov/std/treatment/2010/urethritis-and-cervicitis.htm (consulté le 12 novembre 2012).

Centers for Disease Control (2010b). *Genital Herpes – CDC Fact Sheet*, http://www.cdc.gov/std/Herpes/STDFact-herpes-detailed.htm (consulté le 12 novembre 2012).

Centers for Disease Control (2010c). *Genital Warts*, http://www.cdc.gov/std/treatment/2010/genital-warts.htm (consulté le 12 novembre 2012).

Centers for Disease Control (2010d). *Bacterial Vaginosis, CDC Fact Sheet*, http://www.cdc.gov/std/bv/STDFact-Bacterial-Vaginosis.htm (consulté le 12 novembre 2012).

Centers for Disease Control (2010e). *Parasites – Scabies*, http://www.cdc.gov/parasites/scabies/disease.html (consulté le 12 novembre 2012).

Centers for Disease Control (2011). *CDC's DES Update*, http://www.cdc.gov/des/index.html (consulté le 27 novembre 2012).

Cespedes, Y. et Huey, S. (2008). «Depression in Latino adolescents: A cultural discrepancy perspective», *Cultural Diversity and Ethnic Minority Psychology*, vol. 14, p. 168-172.

CFAS (2012). *IVF Clinics*, http://www.cfas.ca/index.php?option=com_content&view=article&id=259&Itemid=274 (consulté le 30 novembre 2012).

Chambers, W. (2007). «Oral sex: Varied behaviors and perceptions in a college population», *Journal of Sex Research*, vol. 44, p. 28-43.

Chandra, A., Martino, S., Collins, R. et coll. (2008). «Does watching sex on television predict teen pregnancy? Findings from a national longitudinal survey of youth», *Pediatrics*, vol. 122, p. 1047-1054.

Chapkis, W. (1997). *Live Sex Acts: Women Performing Erotic Labor*, New York, Routledge.

Chappell, K. et Davis, K. (1998). «Attachment, partner choice, and perception of romantic partners: An experimental test of the attachment-security hypothesis», *Personal Relationships*, vol. 5, p. 327-342.

Charlebois, J.B. (2011). *La virilité en jeu, perception de l'homosexualité masculine par les garçons adolescents*, Montréal, Septentrion, 275 p.

Charles, V., Polis, C., Sridhara, S. et Blum, R. (2008). «Abortion and long-term mental health outcomes: A systematic review of the evidence», *Contraception*, vol. 78, p. 436-450.

Charney, D. et Russell, R. (1994). «An overview of sexual harassment», *American Journal of Psychiatry*, vol. 151, p. 10-17.

Chase, C. (2003). «What is the agenda of the intersex advocacy movement?», *Endocrinologist*, vol. 13, p. 240-242.

Chaumont, J. (2012). «Hasbienne, ou la fin du lesbianisme», *Urbania*, no 32, p. 40-42.

Chavarro, J., Willett, W. et Skerrett, P. (2007). «Fat, carbs and the science of conception», *Newsweek*, 10 décembre, p. 52-55.

Check, J. et Guloien, T. (1989). «Reported proclivity for coercive sex following repeated exposure to sexually violent pornography, nonviolent dehumanizing pornography, and erotica», dans *Pornography: Research Advances and Policy Considerations* (sous la direction de D. Zillman et J. Bryant), Hillsdale, Erlbaum.

Chiang, H. (2009). «Homosexual behavior in the United States, 1988-2004: Quantitative empirical support for the social construction theory of sexuality», *Electronic Journal of Human Sexuality*, http://www.ejhs.org/Volume12/Homosexuality.htm (consulté le 27 juin 2012).

Chiasson, M., Hirshfield, S. et Humberstone, M. (2003). «The Internet and high-risk sex among men who have sex with men», communication donnée à la 10th Conference on Retroviruses and Opportunistic Infection, Boston, février.

Chigbo, M. (2003). «The fight for her life», *Ms.*, été, p. 26.

Chivers, M. (2005). «Clinical management of sex addiction (book review)», *Archives of Sexual Behavior*, vol. 34, p. 476-478.

Chivers, M.L. et Bailey, J.M. (2005). «A sex difference in features that elicit genital response», *Biological Psychology*, vol. 70, no 2, p. 115-120.

Choi, K., Gregorich, S., Anderson, K. et Grinstead, O. (2003). «Patterns and predictors of female condom use among ethnically diverse women attending family planning clinics», *Sexually Transmitted Diseases*, janvier, p. 91-97.

Chosidow, O. (2006). «Scabies», *New England Journal of Medicine*, vol. 354, p. 1718-1727.

Chretien, F. (2003). «Involvement of the glycoproteic meshwork of cervical mucus in the mechanism of sperm orientation», *Acta Obstetricia et Gynecologica Scandinavica*, vol. 82, p. 449-461.

Chumlea, W., Schubert, M., Roche, A., Kulin, H., Lee, P., Himes, J. et Sun, S. (2003). «Age at menarche and racial comparisons in U.S. girls», *Pediatrics*, vol. 111, p. 110-113.

Chung, W., De Vries, G. et Schaab, D. (2002). «Sexual differentiation of the bed nucleus of the stria terminalis in humans may extend into adulthood», *Journal of Neurosciences*, vol. 22, p. 1027-1033.

Ciccarone, D., Kanouse, D., Collins, R., Miu, A., Chen, J., Morton, S. et Stall, R. (2003). «Sex without disclosure of positive HIV serostatus in a U.S. probability sample of persons receiving medical care for HIV infection», *American Journal of Public Health*, vol. 93, p. 949-954.

Cihan, A., Demir, O., Demir, T. et Aslan, G. (2009). «The relationship between premature ejaculation and hyperthyroidism», *Journal of Urology*, vol. 181, p. 1273-1280.

Clanton, G. et Smith, L. (1977). *Jealousy*, Englewood Cliffs, Prentice Hall.

Clapp, J. (2008). «Long-term outcome after exercising throughout pregnancy: Fitness and cardiovascular risk», *American Journal of Obstetrics and Gynecology*, vol. 199, p. 489-495.

Clark, J., Smith, E. et Davidson, J. (1984). «Enhancement of sexual motivaton in male rats by yohimbine», *Science*, vol. 225, p. 847-849.

Clark, S., Bruce, J. et Dude, A. (2006). «Protecting young women from HIV/AIDS: The case against child and adolescent mariage», *International Family Planning Perspectives*, vol. 32, p. 79-88.

Clarnette, T., Sugita, Y. et Hutson, J. (1997). «Genital anomalies in human and animal models reveal the mechanisms and hormones governing testicular descent», *British Journal of Urology*, vol. 79, p. 99-112.

Clements, M. (1994). «Sex in America today», *Parade*, 7 août, p. 4-6.

Clementson, L. (2000b). «A search for God's welcome», *Newsweek*, 20 mars, p. 60-61.

Cloud, J. (2005). «The battle over gay teens», *Time*, 10 octobre, p. 43-51.

CMEC (2003). *Étude sur les jeunes, la santé sexuelle, le VIH et le sida au Canada*, Conseil des ministres de l'Éducation du Canada, Ottawa, http://www.cmec.ca/publications/aids/indexf.html (consulté le 4 décembre 2012).

Cobb, N., Larson, J. et Watson, W. (2003). «Development of the attitudes about romance and mate selection scale», *Family Relations*, vol. 52, p. 222-231.

Coe, C., Lulbach, G. et Schneider, M. (2002). «Prenatal disturbance alters the size of the corpus callosum in young monkeys», *Development Psychobiology*, vol. 41, p. 178-185.

Coelho, R., Brook, M. et coll. (2008). «A randomized study of two doses of biosynthetic human growth hormone on final height of puberetal children with growth homone deficiency», *Hormone Research*, vol. 70, p. 85-88.

Cohen, M. et Pilcher, C. (2005). «Amplified HIV transmission and new approaches to HIV prevention», *Journal of Infectious Diseases*, vol. 191, p. 1391-1393.

Cohen, S. (2008). *Abortion and Women of Color: The Bigger Picture*, Washington, Guttmacher Policy Review.

Cohen-Kettenis, P. (2005). «Gender change in 46, XY persons with 5[alpha]-reductase-2 deficiency and 17[beta]-hydroxysteroid dehydrogenase-3 deficiency», *Archives of Sexual Behavior*, vol. 34, p. 399-410.

Cohen-Kettenis, P. et Gooren, L. (1999). «Transsexualism: A review of etiology, diagnosis, and treatment», *Journal of Psychosomatic Research*, vol. 46, p. 315-333.

Colangelo, J. (2007). «Recovered memory debate revisited: Practice implications for mental health counselors», *Journal of Mental Health Couseling*, vol. 29, p. 93-120.

Colapinto, J. (2000). *As Nature Made Him: The Boy who was Raised as a Girl*, New York, Harper Collins.

Cole, C., O'Boyle, M., Emory, L. et Meyer, W. (1997). «Comorbidity of gender dysphoria and other major psychiatric diagnoses», *Archives of Sexual Behavior*, vol. 26, p. 13-26.

Cole, S., Denny, D., Eyler, A. et Samons, S. (2000). «Issues of transgender», dans *Psychological Perspectives on Human Sexuality* (sous la direction de L. Szuchman et F. Muscarella), New York, Wiley.

Coleman, E. (1990). «The obsessive-compulsive model for describing compulsive sexual behavior», *American Journal of Preventive Psychiatry and Neurology*, vol. 2, p. 9-14.

Coleman, E. (1991). «Compulsive sexual behavior: New concepts and treatments», *Journal of Psychology and Human Sexuality*, vol. 4, p. 37-51.

Coleman, E. (1999). «Revolution», *Contemporary Sexuality*, septembre, p. 1-4.

Coleman, E. (2003). «Compulsive sexual behavior: What to call it, how to treat it?», *SIECUS Report*, vol. 31, p. 12-16.

Coleman, E. (2007). «Development of sexual identity, barriers to intimcay, and the promotion of sexual health», article présenté lors du 18e congrès de la World Association for Sexual Health, Sydney, Australie, 15-19 avril.

Coles, R. et Stokes, G. (1985). *Sex and the American Teenager*, New York, Harper & Row.

Colino, S. (1991). «Sex and the expectant mother», *Parenting*, février, p. 111.

Collectif de Boston pour la santé des femmes (1977). *Notre corps, nous-mêmes*, Paris, Albin Michel.

Collins, N., Ford, M., Guichard, A. et Allard, L. (2006). «Working models of attachment and attribution processes in intimate relationships», *Personality and Social Psychology Bulletin*, vol. 32, p. 201-219.

Collins, S. et Missing, C. (2003). «Vocal and visual attractiveness are related in women», *Animal Behaviour*, vol. 65, n° 5, mai 2003, p. 997-1004.

Comfort, A. (1967). *L'origine des obsessions sexuelles*, Paris, Marabout Université.

Comfort, A. (1976). *La joie du sexe*, Paris, JC Lattès.

Comité d'experts en matière d'infertilité et d'adoption (2009). «Faire croître l'espoir», ministère des Services à l'enfance et à la jeunesse, Gouvernement de l'Ontario, http://www.children.gov.on.ca/htdocs/French/infertility/report/caretoproceed.aspx (consulté le 30 novembre 2012).

Comiteau, L. (2001). «"Sexual enslavement" established as a war crime», *USA Today*, 23 février, p. A10.

Conde-Agudelo, A., Rosas-Bermudex, A. et Kafury-Goeta, A. (2006). «Birth spacing and risk of adverse perinatal outcomes», *Journal of the American Medical Association*, vol. 295, p. 1809-1823.

Conner, S. (2009). «How the smell of rotten eggs makes men randy», http://article.wn.com/view/2009/03/03/Smell_of_rotten_eggs_makes_men_randy/ (consulté le 17 octobre 2012).

Conte, J. (2010). *Pour une authentique liberté sexuelle*, Saint-Zénon, Éditions Louise Courteau.

Contemporary Sexuality (1999b). «Playful language», vol. 33, p. 1-2.

Contemporary Sexuality (2002a). «Pediatricians group backs gay parents», vol. 36, p. 10.

Cook, L., Kamb, M. et Weiss, N. (1997). «Perineal powder exposure and the risk of ovarian cancer», *American Journal of Epidemiology*, vol. 145, p. 459-465.

Coontz, S. (2005). «The heterosexual revolution», *The New York Times*, 5 juillet, p. A17.

Coontz, S. (2006). «Three "rules" that don't apply», *Newsweek*, 5 juin, p. 49.

Cooper, A. (1996). «Autoerotic asphyxiation: Three case reports», *Journal of Sex and Marital Therapy*, vol. 22, p. 47-53.

Cooper, A. (2003). «Cybersex addictions: How to identify and treat the affects of aberrant online sexual pursuits», communication donnée à l'American Society of Professional Education, Portland, décembre.

Cooper, A. (2004). «Online sexual activity in the new millennium», *Contemporary Sexuality*, vol. 38, p. I-VII.

Cooper, A. (sous la direction de) (2002). *Sex and the Internet*, Philadelphie, Brunner-Routledge.

Cooper, A., Boies, S., Maheu, M. et Greenfield, D. (2000). «Sexuality and the Internet: The next sexual revolution», dans *Psychological Perspectives on Human Sexuality* (L. Szuchman et F. Muscarella, éditeurs), New York, Wiley.

Cooper, A. et Sportolari, L. (1997). «Romance in cyberspace: Understanding online attraction», *Journal of Sex Education and Therapy*, vol. 22, p. 7-14.

Cooper, G. (2006). «Viagra's false promise», *Psychotherapy Networker*, mars-avril, p. 21.

Cooper, R. (2008). «Sexual dysfunction and diabetes», http://diabetes.boomja.com/index.php?ITEM=79240 (consulté le 12 octobre 2012).

Cornwell, R.E., Boothroyd, L., Burt, D.M., Feinberg, D.R., Jones, B.C., Little, A.C., Pitman, R., Whiten S. et Perrett, D.I. (2004). «Concordant preferences for opposite-sex signals? Human pheromones and facial characteristics», *Proceedings of The Royal Society of London B*, vol. 271, p. 635-640.

Corona, B., Ricca, V., Bandini, E., Manniucci, E., Lotti, F. et Boddi, V. (2009). «Selective serotonin reuptake inhibitor-induced sexual dysfunction», *Journal of Sexual Medicine*, vol. 6, p. 1259-1269.

Corona, G., Petrone, L., Mannucci, E. et Forti, G. (2006). «Difficulties in achieving versus maintaining erection: Organic, psychogenic and relational determinants», *The Journal of Sexual Medicine*, vol. 3 (suppl. 3), p. 224-286.

Cortez-Gonzales, J. et Glina, S. (2009). «Have phosphodiesterase-5 inhibitors changed the indications for penile implants?», *British Journal of Urology International*, vol. 103, p. 1518-1521.

Cosgray, R., Hanna, V., Fawley, R. et Money, M. (1991). «Death from autoerotic asphyxiation in long-term psychiatric setting», *Perspectives in Psychiatric Care*, vol. 27, p. 21-24.

Costa, P., Grivel, T., Giuliano, F., Pinton, P., Amar, E. et Lemaire, A. (2005). «La dysfonction érectile: un symptôme sentinelle?», *Progrès en Urologie*, vol. 15, p. 203-207.

Côté, H. (2001). «L'érotisation féminine atypique: un continent perdu de la sexualité», dans *Éros au masculin et au féminin, nouvelles explorations en sexoanalyse* (sous la direction de C. Crépault et G. Lévesque), Montréal, Presses de l'Université du Québec, 200 p.

Cottrell, B. (2003). «Vaginal douching», *Journal of Obstetrical, Gynecological, and Neonatal Nursing*, vol. 32, p. 12-18.

Cottrell, B. et Close, F. (2008). «Vaginal douching among university women in the southeastern United States», *Journal of American College Health*, vol. 56, p. 415-421.

Courtois, C. (2000a). «The aftermath of child sexual abuse: The treatment of complex posttraumatic stress reactions», dans *Psychological Perspectives on Human Sexuality* (sous la direction de L. Szuchman et F. Muscarella), New York, Wiley.

Courtois, C. (2000b). «The sexual after-effect of incest/child sexual abuse», *SIECUS Report*, vol. 29, p. 11-16.

Coutinho, S. (2007). «An evolutionary perspective of friendship selection», *College Student Journal*, vol. 41, p. 1163-1167.

Coventry, M. (2000). «Making the cut», *Ms.*, octobre-novembre, p. 52-60.

Cowan, G. (2000). «Beliefs about the causes of four types of rape», *Sex Roles*, vol. 42, p. 807-823.

Cowan, G. et Campbell, R. (1994). «Racism and sexism in inter-racial pornography», *Psychology of Women Quarterly*, vol. 18, p. 323-338.

Cowan, P. et Cowan C. (1992). *When Partners Become Parents*, New York, Harper Collins.

Cox, D. (1988). «Incidence and nature of male genital exposure behavior as reported by college women», *Journal of Sex Research*, vol. 24, p. 227-234.

Cramer, R., Lipinski, R., Meteer, J. et Housda, J. (2008). «Sex differences in subjective distress to unfaithfulness: Testing competing evolutionary and violation of infidelity expectations hypotheses», *Journal of Social Psychology*, vol. 148, p. 389-405.

Crary, D. (2007). «Sharing chores, sex outrank kids for wedding bliss», *The Oregonian*, 1er juillet, p. A7.

Crawford, E., Wright, M. et Birchmeier, Z. (2008). «Drug-facilitated sexual assault: College women's risk perception and behavioral choices», *Journal of American College Health*, vol. 57, p. 261-272.

Crawford, M. et Popp, D. (2003). «Sexual double standards: A review and methodological critique of two decades of research», *Journal of Sex Research*, vol. 40, p. 13-26.

Creighton, S. et Liao, L. (2004). «Changing attitudes to sex assignment in intersex», *British Journal of Urology International*, vol. 93, p. 659-664.

Crenshaw, T. (1996). *The Alchemy of Love and Lust*, New York, Putnam.

Crenshaw, T. et Goldberg, J. (1996). *Sexual Pharmacology: Drugs That Affect Sexual Function*, New York, Norton.

Crépault, C. (1993). «Une classification des désordres psycho-sexuels», *Contraception, fertilité, sexualité*, vol. 21, no 2, p. 177-183.

Crépault, C. (1997). *La sexoanalyse*, Paris, Payot et Rivages, 419 p.

Crépault, C. (2007). *Les fantasmes, l'érotisme et la sexualité*, Paris, Odile Jacob, 240 p.

Crépault, C. et Lévy, J.J. (sous la direction de) (2005). *Nouvelles perspectives en sexoanalyse*, Sainte-Foy, Presses de l'Université du Québec.

Crépault, C. et Samson, C. (1999). «Fantasmes et rêves sexuels», dans *Imaginaire sexuel* (sous la direction de C. Crépault et H. Côté), Montréal, Éditions IRIS, p. 127-134.

Crisp, C. (2006). «The gay affirmative practice scale (GAP): A new measure for assessing cultural competence with gay and lesbian clients», *Social Work*, vol. 51, p. 115-126.

Critelli, J. et Bivona, J. (2008). «Women's erotic rape fantasies: An evaluation of theory and research», *Journal of Sex Research*, vol. 45, p. 57-71.

Crosby, R., Sanders, S., Yarber, W., Graham, C. et Dodge, B. (2002). «Condom use errors and problems in college men», *Sexually Transmitted Diseases*, vol. 29, p. 552-557.

Crozier, I. (2012). «Making up koro: multiplicity, psychiatry, culture, and penis-shrinking anxieties», *Journal of the History of Medicine and Allied Sciences*, vol. 67, no 1, p. 36-70.

Cui, J. (2006). «China's cracked closet», *Foreign Policy*, mai-juin, p. 90-92.

Cullen, L. et Masters, C. (2008). «We just clicked», *Time*, 3 avril, p. 80-81.

Curry, L. (2000). «Net provides new expression for sexual offenders», *APA Monitor*, 21 avril.

Cwikel, J. et Hoban, E. (2005). «Contentious issues in research on trafficked women working in the sex industry: Study design, ethics, and methodology», *The Journal of Sex Research*, vol. 42, p. 306-317.

Daigle, L., Fisher, B. et Cullen, E. (2008). «The violent and sexual victimization of college women», *Journal of Interpersonal Violence*, vol. 23, p. 1296-1313.

Dallaire, Y. (2007). *Cartographie d'une dispute de couple: le secret des couples heureux*, Saint-Julien-en-Genevois, Éditions Jouvence, 96 p.

Dall'Ara, E. et Maass, A. (1999). «Studying sexual harassment in the laboratory: Are egalitarian women at higher risk?», *Sex Roles*, vol. 41, p. 681-704.

Dall'Era, M., Hosang, N. et coll. (2009). «Sociodemographic predictors of prostate cancer risk category at diagnosis: Unique patterns of significant and insignificant disease», *Journal of Urology*, vol. 181, p. 1622-1627.

Daly, M., Wilson, M. et Weghorst, S. (1982). «Male sexual jealousy», *Ethology and Sociobiology*, vol. 3, p. 11-27.

Damasio, A.-R. (2003). *Spinoza avait raison: Joie et tristesse, le cerveau des émotions*, Paris, Odile Jacob.

Daniluk, J. (1998). *Women's Sexuality Across The Life Span: Challenging Myths, Creating Meanings*, New York, The Guilford Press.

Darling, C., Davidson, J. et Conway-Welch, C. (1990). «Female ejaculation: Perceived origins, the Grafenberg spot/area, and sexual responsiveness», *Archives of Sexual Behavior*, vol. 19, p. 29-47.

Dauvergne, M. et Brennan, S. (2011). *Les crimes haineux déclarés par la police au Canada, 2009*, Statistique Canada, n° au catalogue 85-002-X.

David, H. et Russo, N. (2003). «Psychology, population, and reproductive behavior», *American Psychologist*, vol. 58, p. 193-196.

Davidson, J., Moore, N., Earle, J. et Davis, J. (2008). «Sexual attitudes and behavior at four universities: Do region, race, and/or religion matter?», *Adolescence*, vol. 43, p. 189-220.

Davies, M. (1995). «Parental distress and ability to cope following disclosure of extra-familial sexual abuse», *Child Abuse and Neglect*, vol. 19, p. 399-408.

Davies, M., Pollard, P. et Archer, J. (2006). «Effects of perpetrator gender and victim sexuality on blame toward male victims of sexual assault», *Journal of Social Psychology*, vol. 146, p. 275-291.

Davis, B. et Noble, M. (1991). «Putting an end to chronic testicular pain», *Medical Aspects of Human Sexuality*, avril, p. 26-34.

Davis, K. et Latty-Mann, H. (1987). «Love styles and relationship quality: A contribution to validation», *Journal of Social and Personal Relationships*, vol. 4, p. 409-428.

Davis, L. et coll. (2008). «Testosterone for low libido in postmenopausal women not taking estrogen», *New England Journal of Medicine*, vol. 359, p. 2005-2017.

Davis, S. (1999). «The therapeutic use of androgens in women», *Journal of Steroid Biochemistry and Molecular Biology*, vol. 69, p. 177-184.

Davis, S. (2000). «Testosterone and sexual desire in women», *Journal of Sex Education and Therapy*, vol. 25, p. 25-32.

Davis, S. (2007). «Androgens and female sexual dysfunction», article présenté lors du 18e congrès de la World Association for Sexual Health, Sydney, Australie, 15-19 avril.

Davis, S., Binik, Y. et Carrier, S. (2009). «Sexual dysfunction and pelvic pain in men: A male sexual pain disorder?», *Journal of Sex and Marital Therapy*, vol. 35, p. 182-205.

Davison, G. et Neale, J. (1993). *Abnormal Psychology*, 6e éd., New York, Wiley.

Dawkings, R. (2006). *Pour en finir avec Dieu*, Paris, Robert Laffont.

Dayal, M. et Zarek, S. (2008). «Preimplantation genetic diagnosis», http://emedicine.medscape.com/article/273415-overview (consulté le 23 novembre 2012).

Dean, K. et Malamuth, N. (1997). «Characteristics of men who aggress sexually and men who imagine aggressing: Risk and moderating variables», *Journal of Personality and Social Psychology*, vol. 72, p. 449-455.

De Bro, S., Campbell, S. et Peplau, L. (1994). «Influencing a partner to use a condom», *Psychology of Women Quarterly*, vol. 18, p. 165-182.

De Cuypere, G., T'sjoen, G., Beerten, R., Selvaggi, G., De Sutter, P. et coll. (2005). «Sexual and physical health after sex reassignment surgery», *Archives of Sexual Behavior*, vol. 34, p. 679-690.

DeForge, D. et Blackmer, J. (2005). «Male sexuality following spinal cord injury. A systematic review», communication donnée au World Congress of Sexology, Montréal, Canada, 10-15 juillet.

Degler, C. (1980). *At Odds: Women and the Family in America from the Revolution to the Present*, Oxford, Oxford University Press.

De Jong, D. (2009). «The role of attention in sexual arousal: Implications for treatment of sexual dysfunction», *Journal of Sex Research*, vol. 46, p. 237-248.

De Lacoste, M., Adesanya, T. et Woodward, D. (1990). «Measures of gender differences in the human brain and their relationship to brain weight», *Biological Psychiatry*, vol. 28, p. 931-942.

DeLamater, J. et Friedrich, W. (2002). «Human sexual development», *Journal of Sex Research*, vol. 39, p. 10-14.

DeLamater, J., Hyde, J. et Fong, M. (2008). «Sexual satisfaction in the seventh decade of life», *Journal of Sex and Marital Therapy*, vol. 34, p. 439-454.

DeLamater, J. et Sill, M. (2005). «Sexual desire in later life», *The Journal of Sex Research*, vol. 42, p. 138-150.

del Rio, C. (2007). «The promise of prevention: Male circumcision and microbicides», *AIDS Clincal Care*, 2 avril.

DeMartino, M. (1970). «How women want men to make love», *Sexology*, octobre, p. 4-7.

D'Emilio, J. et Freedman, E. (1988). *Intimate Matters*, New York, Harper & Row.

DeMoranville, V. (2008). «Semen analysis», *Healthline*, http://www.healthline.com/galecontent/semen-analysis-1 (consulté le 27 avril 2012).

Dempsey, C. (1994). «Health and social issues of gay, lesbian, and bisexual adolescents», *Families in Society*, mars, p. 160-167.

Dennerstein, L., Hayes, R., Sand, M. et Lehert, P. (2009). «Attitudes toward and frequency of partner interactions among women reporting decreased sexual desire», *Journal of Sexual Medicine*, vol. 6, n° 6, p. 1668-1673.

Dennis, C. (2004). «The most important sexual organ», *Nature*, vol. 427, p. 390-392.

DeNoon, D. (2009). «Penis spray for premature ejaculation», http://men.webmd.com/news/20090426/penis-spray-for-premature-ejaculation (consulté le 16 octobre 2012).

Derlego, V., Metts, S., Petronia, S. et Margulis, S. (1993). *Self-Disclosure*, Newbury Park, Sage.

Desaulniers, M.-P. (1998). *Plaisir honteux*, Montréal, Éditions du remue-ménage.

Deshotels, T. et Forsyth, C. (2006). «Strategic flirting and the emotional tab of exotic dancing», *Deviant Behavior*, vol. 27, p. 223-241.

de Silva, W. (1999). «Sexual variations», *British Medical Journal*, vol. 318, p. 654-656.

Desjardins, J.-Y. (2007). «Approche sexocorporelle. La compétence érotique à la portée de tous», dans *La sexothérapie, quelle thérapie choisir en sexologie clinique* (sous la direction de M. El Feki), Bruxelles, de Boeck, p. 61-97.

Dessens, A., Cohen-Kettenis, P., Mellenbergh, G., Poll, N., Kopper, J. et Boer, K. (1999). «Prenatal exposure to anticonvulsants and psychosexual development», *Archives of Sexual Behavior*, vol. 28, p. 31-44.

Dessens, A., Slijper, F. et Drop, S. (2005). «Gender dysphoria and gender change in chromosomal females with congenital hyperplasia», *Archives of Sexual Behavior*, vol. 34, p. 389-397.

Deutsch, A. (2000). «The Netherlands OKs gay marriages», http://amarillo.com/stories/2000/09/13/usn_netherlands.shtml (consulté le 21 juin 2012).

Deveny, K. (2003). «We're not in the mood», *Newsweek*, 30 juin, p. 40-46.

Devi, K. (1977). *The Eastern Way of Love: Tantric Sex and Erotic Mysticism*, New York, Simon & Schuster.

De Villers, L. et Turgeon, H. (2005). «The uses and benefits of "sensate focus" exercises», *Contemporary Sexuality*, vol. 39, p. I-VII.

De Visser, R. et McDonald, D. (2007). «Swings and roundabouts: jealousy in heterosexual couples», *British Journal of social Psychology*, vol. 46, p. 459-476.

DeVita-Raeburn, E. (2006). «Lust for the long haul», *Psychology Today*, janvier-février, p. 1-5.

Devroey, P., Aboulghar, M., Garcia-Velasco, J. et Griesinger, G. (2009). «Improving the patient's experience of IVF/ICSI: A proposal for an ovarian stimulation protocol with GnRH antagonist co-treatment», *Human Reproduction*, vol. 24, p. 764-774.

Dew, B. et Chaney, M. (2004). «Sexual addiction and the Internet: Implications for gay men», *Journal of Addictions and Offender Counseling*, vol. 24, p. 101-114.

Dhawan, D. et Mayer, K. (2006). «Microbicides to prevent HIV transmission: Overcoming obstacles to chemical barrier protection», *Journal of Infectious Diseases*, vol. 193, p. 36-45.

Diabetes Care (2009). *An overview on the types of diabetic neuropathy*, http://diabetescareinfo.com/2009/02/an-overview-on-the-types-of-diabetic-neuropathy/ (consulté le 12 octobre 2012).

Diabète2-patients.com, *Le diabète et la sexualité*, http://www.diabete2-patients.com/c4_3.php (consulté le 12 octobre 2012).

Diamond, L. (2003). «What does sexual orientation orient? A biobehavioral model distinguishing romantic love and sexual desire», *Psychological Review*, vol. 110, p. 173-192.

Diamond, L. (2008a). *Sexual Fluidity: Understanding Women's Love and Desire*, Cambridge, Harvard University Press.

Diamond, L., Earle, D., Rosen, R., Willet, M. et Molinoff, P. (2004). «Double-blind, placebo-controlled evaluation of the safety, pharmacokinetic properties and pharmaodynamic effects of intranasal PT-141, a melanocortin receptor agonist, in healthy males and patients with mild-to-moderate erectile dysfunction», *International Journal of Impotence Research*, vol. 16, p. 51-59.

Diamond, M. (1991b). «Hormonal effects on the development of cerebral lateralization», *Psychoneuroendocrinology*, vol. 16, p. 121-29.

Diamond, M. (1997). «Sexual identity and sexual orientation in children with traumatized or ambiguous genitalia», *Journal of Sex Research*, vol. 34, p. 199-211.

Diamond, M. et Sigmundson, H. (1997). «Sex reassignment at birth: Long-term review and clinical implications», *Archives of Pediatric and Adolescent Medicine*, vol. 151, p. 298-304.

Diamond, R., Kezur, D., Meyers, M., Scharf, C. et Weinshel, M. (1999). *Couple Therapy for Infertility*, New York, The Guilford Press.

Diaz, A., Bhandari, S. et coll. (2008). «Characteristics of children with premature pubarche in the New York metropolitan area», *Hormone Research*, vol. 70, p. 150-154.

Dibbell, J. (2005). «Is the world ready for libido in a nasal spray?», *New York Magazine*, novembre, p. 1-15.

Dickerman, J. (2007). «Circumcision in the time of HIV: When is there enough evidence to revise the American Academy of Pediatrics policy on circumcision?», *Pediatrics*, vol. 119, p. 1006-1007.

Dickey, R. (2003). «It has really been 15 years of inaction on high-order multiple pregnancies due to ovulation induction», *Fertility and Sterility*, vol. 79, p. 28-29.

Dietz, P.M., Spitz, A.M., Anda, R.F., Williamson, D.F., McMahon, P.M., Santelli, J.S., Nordenberg, D.F., Felitti, V.J. et Kendrick, J.S. (1999). «Unintended pregnancy among adult women exposed to abuse or household dysfunction during their childhood», *Journal of the American Medical Association*, vol. 282, p. 1359-1364.

Dinsmore, W. et Wyllie, M. (2009). «Improved ejaculator latency, control and sexual satisfaction when applied topically 5 min before intercourse in men with premature ejaculation: Results of a phase III, multicentre, double-blind, placebo-controlled study», *British Journal of Urology International*, n° 103, p. 940-949.

Dodson, B. (1974). *Liberating Masturbation*, New York, Betty Dodson.

Dolgoff, S. (2008). «The best (and worst) moments in women's health», *Health*, septembre, p. 138-141.

Donaldson, Z. et Young, L. (2008). «Oxytocin, vasopressin, and the neurogenics of sociability», *Science*, vol. 322, p. 900-904.

Donnelly, P. et White, C. (2000). «Testicular dysfunction in men with primary hypothyroidism; reversal of hypogonadotrophic hypogonadism with replacement thyroxine», *Clinical Endocrinology*, vol. 52, p. 197-201.

Dorais, M. (1997). *Ça arrive aussi aux garçons, l'abus sexuel au masculin*, Montréal, VLB éditeur, 234 p.

Dorais, M. (2001). *Mort ou fif*, Montréal, VLB éditeur, 110 p.

Doss, B., Rhoades, G. et Scott, S. (2009). «The effect of the transition to parenthood on relationship quality: An 8-year prospective study», *Journal of Personality and Social Psychology*, vol. 96, p. 601-619.

Dow, M., Hart, D. et Forrest, C. (1983). «Hormonal treatments of unresponsiveness in post-menopausal women: A comparative study», *British Journal of Obstetrics and Gynecology*, vol. 90, p. 361-366.

Downs, V. et Javidi, M. (1990). «Linking communication motives to loneliness in the lives of older adults: An empirical test of interpersonal needs and gratifications», *Journal of Applied Communication Research*, vol. 18, p. 32-48.

Doyle, A. (2006). *Birds and Bees May Be Gay: Museum Exhibition*, 12 octobre, http://www.commondreams.org/headlines06/1012-01.htm (consulté le 19 juin 2012).

Doyle, J. et Paludi, M. (1991). *Sex and Gender*, 2e éd., Dubuque, Brown and Benchmark.

Draucker, C. et Stern, P. (2000). «Women's responses to sexual violence by male intimates», *Western Journal of Nursing Research*, vol. 22, p. 385-406.

Drey, M., Pastoetter, J. et Pryce, A. (2008). *Sex-Study 2008: Sexual behavior in Germany*, DGSS et City University London en collaboration avec ProSieben, Dusseldorf-London.

Dreznick, M. (2003). «Heterosocial competence of rapists and child molesters: A meta-analysis», *Journal of Sex Research*, vol. 40, p. 170-178.

Drigotas, S., Rusbult, C. et Verette, J. (1999). «Level of commitment, mutuality of commitment, and couple well-being», *Personal Relationships*, vol. 6, p. 389-409.

Dubé, E. (2000). «The role of sexual behavior in the identification process of gay and bisexual males», *The Journal of Sex Research*, vol. 37, p. 123-132.

Duberstein, L., Lindberg, R. et Santelli, J. (2008). «Non-coital sexual activities among adolescents», *Journal of Adolescent Health*, vol. 42, p. 44-45.

Ducharme S. (2012). «La sexualité et les blessures médullaires», dans *International Encyclopedia of Rehabilitation* (J.H. Stone et M. Blouin, éditeurs), http://cirrie.buffalo.edu/encyclopedia/fr/article/5/ (consulté le 12 octobre 2012).

Duffy, J., Warren, K. et Walsh, M. (2001). «Classroom interactions: Gender of teacher, gender of student and classroom subject», *Sex Roles*, vol. 45, p. 579-593.

Dunn, M. et Cutler, N. (2000). «Sexual issues in older adults», *AIDS Patient Care and STDs*, vol. 14, p. 67-69.

Dunn, M. et Trost, J. (1989). «Male multiple orgasms: A descriptive study», *Archives of Sexual Behavior*, vol. 18, p. 377-388.

Dupanloup, I., Pereira, L., Bertorelle, G., Calafell, F., Prata, M.J., Amorim, A. et Barbujani, G. (2003). «A recent shift from polygyny to monogamy in humans is suggested by the analysis of worldwide Y-Chromosome diversity», *Journal of Molecular Evolution*, vol. 57, nº 1, p. 85-97.

Dupras, A. (sous la direction de) (1989). *La sexologie au Québec*, Longueuil, IRIS.

Dupras, A. (2000). «Sexualité et handicap: de l'angélisation à la sexualisation de la personne handicapée physique», *Nouvelles pratiques sociales*, vol. 13, nº 1, juin, p. 173-189, http://www.erudit.org/revue/nps/2000/v13/n1/000012ar.html?vue=resume (consulté le 5 décembre 2012).

Duquet, F. (2002). *La violence et le sexisme dans les vidéoclips: du sexisme «ordinaire» à la banalisation de la violence sexuelle*, ministère de l'Éducation du Québec, Coordination de la condition féminine.

Durex (2005). «Global sex survey», http://www.google.ca/#hl=fr&output=search&sclient=psy-ab&q=Global+sex+survey+2005&oq=Global+sex+survey+2005&gs_l=hp.3...1649.7555.0.7722.24.21.1.2.2.0.130.1344.20j1.21.0...0.0...1c.Ra7NE1mXRU&pbx=1&bav=on.2,or.r_gc.r_pw.r_qf.&fp=bbc8931e1704e7f8&biw=1909&bih=841 (consulté le 7 août 2012).

Durex (2006). «Global sex survey», http://www.wasvisual.com/lecture.html?lecture=182 (consulté le 23 juillet 2012).

Durex (2007). «Global Sex Survey», http://www.durex.com/fr-BE/SexualWellbeingSurvey/Fequency%20of%20Sex/Pages/default.aspx (consulté le 9 août 2012).

Durex (2008). «Sexual well-being global survey 2007/2008», http://www.durex.com/en-sg/sexualwellbeingsurvey/pages/default.aspx (consulté le 28 novembre 2012).

Dutton, G. et Aron, A. (1974). «Some evidence for heightened sexual attraction under conditions of high anxiety», *Journal of Personnaliy and Social Psychology*, vol. 30, nº 4, p. 510-517.

Dworkin, S. et O'Sullivan, L. (2005). «Actual versus desired initiation patterns among a sample of college men: Tapping disjunctures within traditional male sexual scripts», *Journal of Sex Research*, vol. 42, p. 150-158.

Dwyer, M. (1988). «Exhibitionism/voyeurism», *Journal of Social Work and Human Sexuality*, vol. 7, p. 101-112.

Dzokoto, V. et Adams, G. (2005). «Understanding genital-shrinkage epidemics in West Africa: Koro, juju or mass psychological ilness?», *Culture, Medicine, and Psychiatry*, vol. 29, p. 53-78.

Eardley, I., Collins, O., Hackett, G. et Edwards, D. (2006). «Partners of heterosexual men with erectile dysfunction, treated with vardenafil, feel themselves to be sexually more desirable», *The Journal of Sexual Medicine*, vol. 3 (suppl. 3), p. 224-286.

Eastwick, P., Finkel, P. et Eli, J. (2008). «Sex difference in mate preferences revisited: Do people know what they initially desire in a romantic partner?», *Journal of Personality and Social Psychology*, vol. 9, p. 245-264.

Eaton, S. (2004). «Sierra Leone: The proving ground for prosecuting rape as a war crime», *Georgetown Journal of International Law*, vol. 35, p. 873-919.

Eberstadt, M. (2009). «Is pornography the new tobacco?», *Policy Review*, vol. 154, p. 3-19.

Eccles, A., Marshall, W. et Barbaree, H. (1994). «Differentiating rapists and non-rapists using the rape index», *Behaviour Research and Therapy*, vol. 32, p. 539-546.

Eccles, J., Barber, E. et Jozefowicz, D. (1999). «Linking gender to educational, occupational, and recreational choices: Applying the Eccles *et al.* model of achievement-related choices», dans *Sexism and Stereotypes in Modern Society: The Gender Science of Janet Taylor Spence* (sous la direction de W. Swann et J. Langlois), Washington, American Psychological Association.

Ecker, N. (1993). «Culture and sexual scripts out of Africa», *SIECUS Report*, vol. 22, p. 16.

Edwards, T. (2000). «Flying solo», *Time*, 28 août, p. 47-53.

Einstein, G. (2008). «From body to brain: Considering the neurobiological effects of female genital cutting», *Perspectives in Biology and Medicine*, vol. 51, p. 84-98.

Eisner, T., Conner, J. et Carrel, J. (1990). «Systemic retention of ingested cantharidin by frogs», *Chemoecology*, vol. 1, p. 57-62.

Eitzen, D. et Zinn, M. (2000). *Social Problems*, 8e éd., Boston, Allyn and Bacon.

Eke, N. et Nkanginieme, K. (2006). «Female genital mutilation and obstetric outcome», *The Lancet*, vol. 367, p. 1799-1800.

Elder, S. (2005). «The lock box», *Psychology Today*, mars-avril, p. 42-46.

Elias, J. et Gebhard, P. (1969). «Sexuality and sexual learning in childhood», *Phi Delta Kappan*, vol. 50, p. 401-405.

Elliott, L. et Brantley, C. (1997). *Sex on Campus*, New York, Random House.

Elliott, S. et Burgess, V. (2005). «The presence of gamma-hydroxybutyric acid (GHB) and gammabutyrolactone (GBL) in alcoholic and nonalcoholic beverages», *Forensic Science International*, vol. 151, p. 289-292.

Ellis, L., Robb, B. et Burke, D. (2005). «Sexual orientation in United States and Canadian college students», *Archives of Sexual Behavior*, vol. 34, p. 569-582.

Ellison, C. (2000). *Women's Sexualities*, Oakland, New Harbinger Publications.

El-Noshokaty, A. (2006). *Sex and the City*, http://weekly.ahram.org.eg/2006/813/lil.htm (consulté le 5 décembre 2012).

El-Rouayheb, K. (2006). «Before homosexuality in the Arab-Islamic world», *The Gay and Lesbian Review Worldwide*, vol. 13, p. 43-45.

Elwood, A. (2005). «Female genital cutting, "circum-cision" and mutilation: Physical, psychological and cultural perspectives», *Contemporary Sexuality*, vol. 39, p. I-V.

El-Zanaty, F. et Way, A. (2006). *Egypt Demographic and Health Survey 2005*, Caire, Égypte, Ministry of Health and Population, National Population Council, El-Zanaty and Associates, and ORC Macro.

Epstein, R. (2006). «Do gays have a choice?», *Scientific American Mind*, février-mars, p. 51-57.

Epstein, R. (2010). «How science can help you fall in love», *Scientific American*, janvier-février, p. 26-33.

Erzen, T. (2006). *Straight to Jesus: Sexual and Christian Conversions in the Ex-Gay Movement*, Berkeley, University of California Press.

Escobar-Chaves, S., Tortolero, S., Markham, C. et Low, B. (2005). «Impact of the media on adolescent sexual attitudes and behaviors», *Pediatrics*, vol. 116, p. 303-326.

Espelage, D., Aragon, S., Birkett, M. et Koenig, B. (2008). «Homophobic teasing, psychological outcomes, and sexual orientation among high school students: What influence do parents and schools have?», *School Psychology Review*, vol. 37, p. 202-216.

Fabregues, F., Penarrubia, J., Creus, M. et Manau, D. (2009). «Transdermal testosterone may improve ovarian response to gonadotropins in low-responder IVF patients», *Human Reproduction*, vol. 24, p. 349-359.

Faerman, M., Kahila, G. et Smith, P. (1997). «DNA analysis reveals the sex of infanticide victims», *Nature*, vol. 385, p. 212.

Fagot, B. (1995). «Psychosocial and cognitive determinants of early gender-role development», *Annual Review of Sex Research*, vol. 6, p. 1-31.

Fairyington, S. (2008). «Kinsey, bisexuality, and the case against dualism», *Journal of Bisexuality*, vol. 8, p. 265-270.

Fan, M. (2006). *On China's Airwaves, a Discourse on Sex Ed: Radio Show Caters to Young Audience*, 20 septembre, http://www.boston.com/news/world/asia/articles/2006/09/20/on_chinas_airwaves_a_discourse_on_sex_ed (consulté le 5 décembre 2012).

Fang, B. (2007). «The Talibanization of Iraq», *Ms.*, printemps, p. 46-51.

Farley, M. (2004). *Prostitution, Trafficking and Traumatic Stress*, Binghamton, Haworth, Maltreatment & Trauma Press.

Farr, K. (2004). *Sex Trafficking: The Global Market in Women and Children*, New York, W.H. Freedman.

Fauntleroy, G. (2005). «Whose decision is it? The long-term legal implications of informed consent», *Mothering*, septembre-octobre, p. 58-61.

Fausto-Sterling, A. (2000). *Sexing the Body: Gender Politics and the Construction of Sexuality*, New York, Basic Books.

Federman, D. (2006). «The biology of human sex differences», *The New England Journal of Medicine*, vol. 354, p. 1507-1514.

Fedora, O., Reddon, J., Morrison, J. et Fedora, S. (1992). «Sadism and other paraphilias in normal controls and aggressive and nonaggressive sex offenders», *Archives of Sexual Behavior*, vol. 21, p. 1-15.

Fedoroff, J.P., Fishell, A. et Fedoroff, B. (1999). «A case series of women evaluated for paraphilic sexual disorders», *Canadian Journal of Human Sexuality*, vol. 8, p. 127-140.

Feeney, J. et Noller, P. (1996). *Adult Attachment*, Thousand Oaks, Sage.

Fei, C., McLaughlin, J., Lipworth, L. et Olsen, J. (2009). «Maternal levels of perflourinated chemicals and subfecundity», *Oxford Journals*, http://humrep.oxfordjournals.org/content/24/5/1200 (consulté le 26 novembre 2012).

Feingold, A. (1992). «Good-looking people are not what we think», *Psychological Bulletin*, vol. 111, p. 304-341.

Feiring, C., Simon, V. et coll. (2009). «Childhood sexual abuse, stigmatization, internalizing symptoms, and the development of sexual difficulties and dating aggression», *Journal of Consulting and Clinical Psychology*, vol. 77, p. 127-137.

Feldman, H.A., Golstein, I., Hatzichristou, D.G., Krane, R.J. et McKinley, J.B. (1994). «Impotence and its medical and psychosocial correlates: Results of the Massachusetts Male Aging Study», *The Journal of Urology*, vol. 151, n° 1, p. 54-61.

Fernandes, E. (2008). «The swinging paradigm: An evaluation of the marital and sexual satisfaction of swingers», *Electronic Journal of Human Sexuality*, vol. 12, janvier, http://www.ejhs.org/Volume12/Swinging.htm (consulté le 20 juillet 2012).

Fernet, M. (2005). *Amour, violence et adolescence*, Québec, Presses de l'Université du Québec.

Fernet, M., Imbleau, M. et Pilote, F. (2001). «Sexualité et mesures préventives contre les MTS et la grossesse», dans Institut de la statistique du Québec, *Enquête sociale et de santé auprès des enfants et des adolescents québécois en 1999*, Québec, Publications du Québec.

Feroli, K.L. et Burstein, G.R. (2003). «Adolescent sexually transmitted diseases: New recommendations for diagnosis, treatment, and prevention», *American Journal of Maternal Child Nursing*, vol. 28, p. 113-118.

Ferrara, L., Gandhi, M. et Litton, C. (2008). «Chorionic villus sampling and the risk of adverse outcome in patients undergoing multifetal pregnancy reduction», *American Journal of Obstetrics and Gynecology*, vol. 199, p. 408-412.

Ferrer, F. et McKenna, P. (2000). «Current approaches to the undescended testicle», *Contemporary Pediatrics*, vol. 17, p. 106-112.

Fifer, W., Ten Fingers, S., Youngman, M., Gomes-Gribben, E. et Myers, M. (2009). «Effects of alcohol and smoking during pregnancy on infant autonomic control», *Developmental Psychology*, vol. 51, p. 234-242.

Fillion, K. (1996). «This is the sexual revolution?», *Saturday Night*, février, p. 36-41.

Fine, R. (2008). «Multidisciplinary approach for prostate cancer awareness», article présenté lors de la 18e Conférence Deutsche Gesellschaft für Sozialwissenschaftliche Sexualforschung, «Sexuality and the Media», Munich, Allemagne, 7-9 novembre.

Fineman, H. (1993). «Marching to the mainstream», *Newsweek*, 3 mai, p. 42-45.

Finger, W. (2000). «Avoiding sexual exploitation: Guidelines for therapists», *SIECUS Report*, vol. 28, p. 12-13.

Finger, W., Lund, M. et Slagle, M. (1997). «Medications that may contribute to sexual disorders», *Journal of Family Practice*, vol. 44, p. 33-43.

Finkelhor, D. (1984a). *Child Sexual Abuse: Theory and Research*, New York, Free Press.

Fischer, J. et Heesacker, M. (1995). «Men's and women's preferences regarding sex-related and nurturing traits in dating partners», *Journal of College Student Development*, vol. 36, p. 260-269.

Fisher, B., Cullen, F. et Turner, G. (2000). *The Sexual Victimization of College Women*, Washington, National Institutes of Justice, Bureau of Justice Statistics.

Fisher, H. (2008). *Pourquoi nous aimons?*, Paris, Pocket, 414 p.

Fischer, M.-L. et Voracek, M. (2006). «The shape of beauty: Determinants of female physical attractiveness», *Journal of Cosmetic Dermatology*, vol. 5, n° 2, juin, p. 190-194.

Fisher, M., Ulrich, T. et Voracek, M. (2008). «The influence of relationship status, mate seeking, and sex on intrasexual competition», *Journal of Social Psychology*, vol. 148, p. 493-508.

Fisher, W., Rosen, R., Sand, M. et Eardley, I. (2006). «Prevalence of premature ejaculation among men with erectile dysfunction in the men's attitudes to life events and sexuality (MALES) study», *Journal of Sexual Medicine*, vol. 3 (suppl. 3), p. 176-198.

Fisher, W., Rosen, R., Wood, R. et Mollen, M. (2006) «Female partners of men with erectile dysfunction receiving Vardenafil have improved sexual function: Results from a randomized double-blind placebo-controlled trial», *The Journal of Sex Research*, vol. 32, p. 17-18.

Fitzgerald, L., Gillian, A. et Brunton, C. (2009). «The health and safety of sex workers in a decriminalized environment: The New Zealand experience», article présenté lors du 19e WAS World Congress for Sexual Health, Göteborg, Suède, 21-25 juin.

Flanders, L. (1998). «Rwanda's living casualties», *Ms.*, mars-avril, p. 27-30.

Flannery, D., Ellingson, L., Votaw, K. et Schaefer, E. (2003). «Anal intercourse and sexual risk factors among college women, 1993-2000», *American Journal of Health Behavior*, vol. 27, p. 228-234.

Fleming, M. et Pace, J. (2001). «Sexuality and chronic pain», *Journal of Sex Education and Therapy*, vol. 26, p. 204-214.

Fleming, M. et Rickwood, D. (2004). «Teens in cyberspace: Do they encounter friend or foe?», *Youth Studies Australia*, vol. 23, p. 46-52.

Floyd, K. (2006). *Communicating Affection: Interpersonal Behavior and Social Context*, Cambridge, Cambridge University Press.

Floyd, K., Mikkelson, A., Tafoya, M. et coll. (2007). «Human affection exchange: XIV. Relational affection predicts resting heart rate and free cortisol secretion during acute stress», *Behavioral Medicine*, vol. 32, p. 151-155.

Floyd, K. et Morman, M. (2000). «Affection received from fathers as a predictor of men's affection with their own sons: Tests of the modeling and compensations hypotheses», *Community Monograph*, vol. 67, p. 347-361.

Foa, U., Anderson, B., Converse, J. et Urbanski, W. (1987). «Gender-related sexual attitudes: Some cross-cultural similarities and differences», *Sex Roles*, vol. 16, p. 511-519.

Foehr, U. (2006). *Media Multitasking Among American Youth*, Menlo Park, Henry J. Kaiser Family Foundation.

Foldes, P. et Sylvestre, C. (2007). «Surgical repair of the clitoris after ritual genital mutilation: Results on 453 cases», article présenté lors du 18e congrès de la World Association for Sexual Health, Sydney, Australie, 15-19 avril.

Foley, D. (2006). «Spice up your love life», *Prevention*, vol. 58, p. 172.

Foley, S. (2003). «Women in sex therapy: Developing a sexual identity», *Contemporary Sexuality*, vol. 37, p. 7-13.

Fone, B. (2000). *Homophobia: A History*, New York, Metropolitan Books.

Footner, A. (2008). «Paraguay's traffic hub imperils female teens», *Women's eNews*, http://womensenews.org/story/the-world/080108/paraguays-traffic-hub-imperils-female-teens (consulté le 28 septembre 2012).

Ford, C. et Beach, F. (1951). *Patterns of Sexual Behavior*, New York, Harper & Row.

Forsyth, C. (1996). «The structuring of vicarious sex», *Deviant Behavior: An Interdisciplinary Journal*, vol. 17, p. 279-295.

Fox, R., Burton, D. et Lawson, D. (2006). «The effect of spiritual attitudes on hypoactive sexual desire disorder», communication donnée au Gumbo Sexualite Upriver: Spicing Up Education and Therapy (AASECT 38th Annual Conference), St. Louis, juin-juillet.

Fox, T. (1995). *Sexuality and Catholicism*, New York, George Braziller.

Francis, A. (2008). «Family and sexual orientation: The family-demographic correlates of homosexuality in men and women», *Journal of Sex Research*, vol. 45, p. 371-378.

Francœur, R. (2001). «Challenging collective religious/social beliefs about sex, marriage, and family», *Journal of Sex Education and Therapy*, vol. 26, p. 281-290.

Frank, J., Mistretta, P. et Will, J. (2008). «Diagnosis and treatment of female sexual dysfunction», *American Family Physician*, vol. 77, p. 635-650.

Frank-Hermann, P., Heil, J., Gnoth, C., Toledo, E. et Baur, S. (2007). «The effectiveness of a fertility awareness based method to avoid pregnancy in relation to a couple's sexual behavior during the fertile time», *Human Reproduction*, vol. 22, p. 1310-1319.

Frankowski, B. (2004). «Sexual orientation and adolescents», *Pediatrics*, vol. 113, p. 1827-1832.

Frayser, S. (1994). «Defining normal childhood sexuality: An anthropological approach», *Annual Review of Sex Research*, vol. 5, p. 173-217.

Frazier, K. (2006). «Memory wars and monster stories», *Skeptical Inquirer*, vol. 30, p. 4.

Frazier, K., West-Olatunji, C., Juste, S. et Goodman, R. (2009). «Transgenerational trauma and child sexual abuse: Reconceptualizing cases involving young survivors of CSA», *Journal of Mental Health Counseling*, vol. 31, p. 22-33.

Frazier, P. (1993). «A comparative study of male and female victims seen at hospital-based rape crises programs», *Journal of Interpersonal Violence*, vol. 8, p. 65-79.

Freeman, D. (2009). «Masturbation: 5 things you didn't know», http://feelingfit.com/healthymen/topic/9826-24/story (consulté le 31 juillet 2012).

French, D. et Dishion, T. (2003). «Predictors of early initiation of sexual intercourse among high-risk adolescents», *Journal of Early Adolescence*, vol. 23, p. 295-315.

Freud, S. (1905). *Trois essais sur la théorie de la sexualité*, Paris, Gallimard, 1964.

Freund, K. et Blanchard, R. (1993). «Erotic target location errors in male gender dysphorics, paedophiles, and fetishists», *British Journal of Psychiatry*, vol. 162, p. 558-563.

Freund, K., Seto, M. et Kuban, M. (1996). «Two types of fetishism», *Behavior Research and Therapy*, vol. 34, p. 687-694.

Freund, K., Seto, M. et Kuban, M. (1997). «Frotteurism and the theory of courtship disorder», dans *Sexual Deviance: Theory, Assessment, and Treatment* (sous la direction de D. Laws et W. O'Donohue), New York, The Guilford Press.

Freund, M., Lee, N. et Leonard, T. (1991). «Sexual behavior of clients with street prostitutes in Camden, N. J.», *Journal of Sex Research*, vol. 28, p. 579-591.

Friday, N. (1980). *Men in Love*, New York, Delacorte.

Friedrich, W., Fisher, J., Broughton, D., Houston, M. et Shafran, C. (1998). «Normative sexual behavior in children: A contemporary sample», *Pediatrics*, vol. 101, p. 1-13, http://www.pediatrics-digest.mobi/content/101/4/e9.full (consulté le 6 juillet 2012).

Friedrich, W., Grambsch, P., Broughton, D., Kuiper, J. et Beilke, R. (1991). «Normative sexual behavior in children», *Pediatrics*, vol. 88, p. 456-464.

Friess, S. (2003). «Jews oy, two boys?», *Newsweek*, 24 mars, p. 8.

Frohlich, P. et Meston, C. (2005). «Tactile sensitivity in women with sexual arousal disorder», *Archives of Sexual Behavior*, vol. 34, p. 207-218.

Fromm, E. (1965). *The Ability to Love*, New York, Farrar, Straus & Giroux.

Frost, D. et Meyer, I. (2009). «Internalized homophobia and relationship quality among lesbians, gay men, and bisexuals», *Journal of Counseling Psychology*, vol. 56, p. 97-100.

Frost, J. et Darroch, J. (2008). «Factors associated with contraceptive choices and inconsistent method use, United States, 2004», *Perspectives on Sexual and Reproductive Health*, vol. 40, p. 94-104.

Fu, H., Darroch, J., Hass, T. et Ranjit, N. (1999). «Contraceptive failure rates: New estimates from the 1995 National Survey of Family Growth», *Family Planning Perspectives*, vol. 31, p. 56-63.

Fugl-Meyer, K., Oberg, K., Lundberg, P. et Lewin, B. (2006). «On orgasm, sexual techniques, and erotic perceptions in 18 to 74-year-old Swedish women», *The Journal of Sexual Medicine*, vol. 3, p. 56-68.

Gager, C. et Sanchez, L. (2003). «Two as one?», *Journal of Family Issues*, vol. 24, p. 21-50.

Gagnon, J. (1977). *Human Sexualities*, Glenview, Scott, Foresman.

Gakidou, E. et Vayena, E. (2007). «Use of modern contraception by the poor is falling behind», http://www.plosmedicine.org/article/info%3Adoi%2F10.1371%2Fjournal.pmed.0040031 (consulté le 27 novembre 2012).

Gallo, L. et Smith, T. (2001). «Attachment style in marriage: Adjustment and responses to interaction», *Journal of Social and Personal Relationships*, vol. 18, p. 263-289.

Gange, S. (1999). *When is Adult Circumcision Necessary?*, http://www.cnn.com/HEALTH/men/9909/20/circumcision.adult/index.html (consulté le 5 décembre 2012).

Garcia, L. et Markey, C. (2007). «Matching in sexual experience for married, cohabitating, and dating couples», *Journal of Sex Research*, vol. 44, p. 250-255.

Gardner, M. (2006). «The memory wars: Part I», *Skeptical Inquirer*, vol. 30, p. 28-31.

Garlough, C. (2008). «The risks of acknowledgement: Performing the sex-selection identification and abortion debate», *Women's Studies in Communication*, vol. 31, p. 368-395.

Garnefski, N. et Diekstra, R. (1997). «Child sexual abuse and emotional and behavioral problems in adolescence: Gender differences», *Journal of the Academy of Child and Adolescent Psychiatry*, vol. 36, p. 323-329.

Garos, S. (1994). «Autoerotic asphyxiation: A challenge to death educators and counselors», *Omega: Journal of Death and Dying*, vol. 28, p. 85-99.

Garza-Leal, J. et Landron, F. (1991). «Autoerotic asphyxial death initially misinterpreted as suicide and review of the literature», *Journal of Forensic Science*, vol. 36, p. 1753-1759.

Geadah, Y. (2003). *La prostitution: un métier comme un autre?*, Montréal, VLB éditeur.

Gearhart, P. et Robboy, A. (2005). «Sex and sexuality in pregnancy», communication donnée à What's New and What Works: Pioneering Solutions for Today's Sexual Issues (37e conférence annuelle de l'AASECT), Portland, mai.

Geary, S. et Moon, Y. (2006). «The human embryo in vitro: Recent progress», *The Journal of Reproductive Medicine*, vol. 51, p. 293-302.

Gebhard, P. (1971). «Human sexual behavior: A summary statement», dans *Human Sexual Behavior: Variations in the Ethnographic Spectrum* (sous la direction de D. Marshall et R. Suggs), Englewood Cliffs, Prentice Hall.

Gebhard, P., Gagnon, J., Pomery, W. et Christenson, C. (1965). *Sex Offenders: An Analysis of Types*, New York, Harper & Row.

Geer, J. et Manguno-Mire, G. (1997). «Gender differences in cognitive processes in sexuality», *Annual Review of Sex Research*, vol. 7, p. 90-124.

Gelfand, M. (2000). «The role of androgen replacement therapy for postmenopausal women», *Contemporary Obstetrics and Gynecology*, février, p. 107-116.

Gelman, E. (2008). «Complexities of prostate-cancer risk», *New England Journal of Medicine*, vol. 358, p. 961-963.

Gelperin, N. (2005). «Oral sex and teens: The new third base?», article présenté lors du What's New and What Works: Pioneering Solutions for Today's Sexual Issues (37e conférence annuelle de l'AASECT), Portland, mai.

Gendel, E. et Bonner, E. (1998). «Gender identity disorders and paraphilias», dans *Review of General Psychiatry* (H. Goldman, éditeur), Norwalk, Appleton and Lange.

Genevie, L. et Margolies, E. (1987). *The Motherhood Report: How Women Feel About Being Mothers*, New York, Macmillan.

Gentleman, A. (2008). «Sex selection is denounced in New Delhi», *New York Times*, 29 avril, p. A8L.

Genuis, S. et Genuis, S. (2005). «Implications of cyberspace communication», *Southern Medical Journal*, vol. 98, p. 451-455.

George, A., Waxman, A., Scott, C. et Kimmel, S. (2006). «"Hooking up" and its clinical implications», article présenté lors du 54e Annual Clinical Meeting de l'American College of Obstetricians and Gynecologists, mai.

Geraerts, E., Lindsay, S., Merckelbuch, H. et coll. (2009). «Cognitive mechanisms underlying of recovered-memory experiences of childhood sexual abuse», *Psychological Science*, vol. 20, p. 92-98.

Gertler, P., Shah, M. et Bertozzi, S. (2005). «Risky business: The market for unprotected commercial sex», *Journal of Political Economy*, vol. 113, p. 518-551.

Getahun, D., Oyelese, Y., Slihu, H. et Ananth, C. (2006). «Previous cesarean delivery and risks of placenta previa and placental abruption», *Obstetrics and Gynecology*, vol. 107, p. 771-778.

Gettleman, J. (2009). «Men raping men is latest atrocity in grisly Congo conflict», *The Oregonian*, 9 août, p. A11.

Ghent, B. (2003). «A new day in Washington», *The Advocate*, 18 mars, p. 18.

Giaquinto, S., Buzzelli, S., Di Francesco, L. et Nolfe, G. (2003). «Evaluation of sexual changes after stroke», *Journal of Clinical Psychiatry*, vol. 64, p. 302-307.

Giargiari, T., Mahaffey, A., Craighead, W. et Hutchison, K. (2005). «Appetitive responses to sexual stimuli are attenuated in individuals with low levels of sexual desire», *Archives of Sexual Behavior*, vol. 34, p. 547-557.

Gibbons, A. (1991). «The brain as a "sexual organ"», *Science*, vol. 253, p. 957-959.

Gierhart, B. (2006). «When does a "less than perfect" sex life become female sexual dysfunction?», *Obstetrics and Gynecology*, vol. 107, p. 750-751.

Gilbert, B., Heesacker, M. et Gannon, L. (1991). «Changing the sexual aggression-supportive attitudes of men: A psychoeducational intervention», *Journal of Counseling Psychology*, vol. 38, p. 197-203.

Gilbert, S. (2009). «The octuplets: Balancing the rights of parents and the welfare of children», *Bioethics Forum*, http://www.thehastingscenter.org/Bioethicsforum/Post.aspx?id=3190 (consulté le 27 novembre 2012).

Gillian, A., Fitzgerald, L. et Brunton, C. (2009). «Decriminalization of sex work: The New Zeland experience», article présenté lors du 19e WAS World Congress for Sexual Health, Göteborg, Suède, 21-25 juin.

Ginsburg, K., Wolf, N. et Fidel, P. (1997). «Potential effects of midcycle cervical mucus on mediators of immune reactivity», *Fertility and Sterility*, vol. 67, p. 46-56.

Ginty, M. (2007) «U.S. girls' early puberty attracts research flurry», *We-News*, 30 mars, http://womensenews.org/story/health-science/070330/us-girls-early-puberty-attracts-research-flurry (consulté le 26 avril 2012).

Giorgi, G. et Siccardi, M. (1996). «Ultrasonographic observation of a female fetus' sexual behavior in utero», *American Journal of Obstetrics and Gynecology*, septembre, vol. 175, p. 753.

Giraldi, A., Gianotten, W., Goldstein, I., Clayton, A. et Goldstein, S. (2009). «How providers make FSD worse», article présenté lors du 19e WAS World Congress for Sexual Health, Göteborg, Suède, 21-25 juin.

Girard, C. (2007). *Le bilan démographique du Québec, édition 2007*, Institut de la statistique du Québec, Gouvernement du Québec.

Gjermeni, E., Van Hook, M. et Gjipali, S. (2008). «Trafficking of children in Albania: Patterns of recruitment and reintegration», *Child Abuse and Neglect*, vol. 10, p. 941-948.

Glei, D. (1999). «Measuring contraceptive use patterns among teenage and adult women», *Family Planning Perspectives*, vol. 31, p. 73-80.

Glick, P. et Fiske, S. (2001). «An ambivalent alliance: Hostile and benevolent sexism as complementary justifications for gender inequality», *American Psychologist*, février, p. 109-118.

Glina, S. (2006). «What to say to the couple regarding their future sex life at the time of working out the treatment strategy?», *The Journal of Sexual Medicine*, vol. 3 (suppl. 2), p. 85.

Global Agenda (2003). «Sex for sale, legally: Prostitution, the oldest profession, goes legit», *Global Agenda*, 11 juillet.

Glover, D., Amonkar, M., Rybeck, B. et Tracy, T. (2003). «Prescription, over-the-counter, and herbal medicine use in a rural obstetric population», *American Journal of Obstetrics and Gynecology*, vol. 188, p. 1039-1045.

Godeau, E., Grabhainn, S., Vignes, C., Ross, J., Boyce, W. et Todd, J. (2008). «Contraceptive use by 15-year-old students at their last sexual intercourse», *Archives of Pediatric Adolescent Medicine*, vol. 162, p. 66-73.

Godow, A. (1999). «Playful sexuality», *Contemporary Sexuality*, vol. 33, p. 1-2.

Gohman, J. (2009). «The vagina dialogues», *Bust*, juin-juillet, p. 49-53.

Gold, D., Balzano, B. et Stamey, R. (1991). «Two studies of females' sexual force fantasies», *Journal of Sex Education and Therapy*, vol. 17, p. 15-26.

Goldberg, H. (1990). *L'homme sans masque*, Montréal, coll. Actualisation, Le jour éditeur, 272 p.

Goldberg, M. (2006). *Kingdom Coming: The Rise of Christian Nationalism*, New York, W.W. Norton & Company.

Goldman, H. (1992). *Review of General Psychiatry*, Norwalk, Appleton & Lange.

Goldman, R. et Goldman, J. (1982). *Children's Sexual Thinking: A Comparative Study of Children Aged 5 to 15 Years in Australia, North America, Britain, and Sweden*, Londres, Routledge & Kegan Paul.

Goldstein, A., Barnett, N., Pedlow, C. et Murphy, J. (2007). «Drinking in conjunction with sexual experiences among at-risk college student drinkers», *Journal of Studies on Alcohol and Drugs*, vol. 66, p. 697-705.

Goldstein, A., Klingman, D., Christopher, K. et Johnson, C. (2006). «Surgical treatment of vulvar vestibulitis syndrome: Outcome assessment derived from a postoperative question-naire», *The Journal of Sexual Medicine*, vol. 3, p. 923-931.

Goleman, D. (2006). *Social Intelligence*, New York, Bantam Dell.

Golombok, S., Perry, B., Burston, A. et Murray, C. (2003). «Children with lesbian parents: A community study», *Developmental Psychology*, vol. 39, p. 20-33.

Golombok, S. et Tasker, F. (1996). «Do parents influence the sexual orientation of their children? Findings from a longitudinal study of lesbian families», *Developmental Psychology*, vol. 32, p. 3-11.

Gonzales, G. (2001). «Function of seminal vesical and their role on male fertility», *Asian Journal of Andrology*, décembre, p. 251-258.

Goodman, A. (2008). «The long wait for male birth control», *Time*, 3 août, http://www.time.com/time/health/article/ 0,8599, 1829107,00.html (consulté le 30 novembre 2012).

Goodman, D. (2001). «Communicating with strangers... or How to become more culturally competent sex educators and counselors», communication donnée au 33e Annual Conference of the American Association of Sex Educators, Counselors, and Therapists, San Francisco, 2-6 mai.

Goodman-Brown, T., Edelstein, R., Goodman, G., Jones, D. et Gordon, D. (2003). «Why children tell: A model of children's disclosure of sexual abuse», *Child Abuse and Neglect*, vol. 27, p. 525-540.

Goodrum, J. (2000). *A Transgender Primer*, http://www.uvm.edu/~lgbtqa/Gender%20Identity%20101%20Primer.pdf (consulté le 4 juin 2012).

Gordon, S. et Gordon, J. (1989). *Raising a Child Conservatively in a Sexually Permissive World*, New York, Simon & Schuster.

Gorski, E. (2002). «New Bible: Revised gender version», *The Oregonian*, 9 février, p. C7.

Gotthardt, M. (2003). «Lust and found», *AARP*, novembre-décembre, p. 28-31.

Gottman, J.M., Levenson, R.W., Gross, J., Fredrickson, B., McCoy, K., Rosentahl, L. et coll. (2004). «Correlates of gay and lesbian couples' relationship satisfaction and relationship dissolution», *Journal of Homosexuality*, vol. 45, no 1, p. 23-43.

Gottman, J.M. et Silver, N. (2001). *Les couples heureux ont leurs secrets – Les sept lois de la réussite*, Paris, Pocket.

Gouvernement du Québec (2001). *Orientations gouvernementales en matière d'agression sexuelle*, Québec, ministère de la Santé et des Services sociaux.

Gouvernement du Québec (2011). *Portrait des infections transmissibles sexuellement et par le sang (ITSS) au Québec, année 2010 (et projection 2011)*, http://msssa4.msss.gouv.qc.ca/fr/ document/publication.nsf/0/a715a16f494b7bc5852579560066 0a32?OpenDocument (consulté le 7 novembre 2012).

Gouvernement du Québec (2012). *Parlons drogues*, ministère de la Santé et des Services sociaux, http://www.parlonsdrogue. com/fr/accueil/index.php (consulté le 17 octobre 2012).

Gowen, L. (2005). «Normative use of online sexual activities», *The Oregon Psychologist*, novembre-décembre, p. 5-6.

Gradus, J., Street, A., Kelly, K. et Stafford, J. (2008). «Sexual harassment experiences and harmful alcohol use in a military sample: Differences in gender and the mediating role of depression», *Journal of Studies on Alcohol and Drugs*, vol. 69, p. 348-351.

Grady, W., Klepinger, D. et Nelson-Wally, A. (2000). «Contraceptive characteristics: The perceptions and priorities of men and women», *Family Planning Perspectives*, vol. 31, p. 168-175.

Graedon, J. et Graedon, T. (2008). «Depression medications can prompt sex difficulty», *The Oregonian*, 22 octobre, p. C4.

Grafenberg, E. (1950). «The role of urethra in female orgasm», *International Journal of Sexology*, vol. 3, p. 145-148.

Grant, T., Huggins, J., Sampson, P., Ernst, C., Barr, H. et Streissguth, A. (2009). «Alcool use before and during pregnancy in Western Washington, 1989-2004», *American Journal of Obstetrics and Gynecology*, vol. 200, p. 278-286.

Gray, R., Kigozi, G., Serwadda, D. et coll. (2007). «Male circumcision for HIV prevention in men in Rakai, Uganda: A randomized controlled trial», *Lancet*, vol. 369, p. 657-666.

Green, B., DeBacker, T., Ravindron, B. et Krows, A. (1999). «Goals, values, and beliefs as predictors of achievement and effort in high-school mathematics classes», *Sex Roles*, vol. 40, p. 421-458.

Green, J. (2000). «A killer on land and sea?», *Newsweek*, 24 avril, p. 65.

Green, J., Ferrier, S., Kocsis, A. et coll. (2003). «Determinants of disclosure of genital herpes to partners», *Sexually Transmitted Infections*, vol. 79, p. 42-44.

Green, R. (1974). *Sexual Identity Conflict in Children and Adults*, New York, Basic Books.

Greene, K. et Faulkner, S. (2005). «Gender, belief in the sexual double standard, and sexual talk in heterosexual dating relationships», *Sex Roles: A Journal of Research*, vol. 53, p. 239-251.

Greenstein, A., Plymate, S. et Katz, G. (1995). «Visually stimulated erection in castrated men», *Journal of Urology*, vol. 153, p. 650-652.

Greenwald, E. et Leitenberg, H. (1989). «Long-term effects of sexual experiences with siblings and nonsiblings during childhood», *Archives of Sexual Behavior*, vol. 18, p. 389-400.

Gregersen, E. (1996). *The World of Human Sexuality: Behaviors, Customs, and Beliefs*, New York, Irvington.

Grisell, T. (1988). «Brief report», *Indiana Medical Journal*, vol. 81, p. 252.

Gross, B. (2004). «Sleeping dogs — dreams and repressed memories», *Annals of the American Psychotherapy Association*, vol. 7, p. 43-44.

Gross, B. (2006). «The pleasure of pain», *The Forensic Examiner*, vol. 15, p. 56-61.

Gross, B. (2008). «False rape allegations: An assult on justice», *Annals of the American Psychotherapy Association*, vol. 11, p. 45-49.

Gross, L. (2001). *Up from Invisibility: Lesbians, Gay Men, and the Media in America*, New York, Columbia University Press.

Gross, M. (2003). «The second wave will drown us», *American Journal of Public Health*, vol. 93, p. 872-881.

Grossbard, J., Lee, C., Neighbors, C., Hendershot, C. et Larimer, M. (2007). «Alcohol and risky sex in athletes and non athletes: What roles do sex motives play?», *Journal of American College Health*, vol. 68, p. 566-574.

Gruszecki, L., Forchuk, C. et Fisher, W. (2005). «Factors associated with common sexual concerns in women: New findings from the Canadian contraception study», *The Canadian Journal of Human Sexuality*, vol. 14, p. 1-14.

Gu, G., Cornea, A. et Simerly, R. (2003). «Sexual differentiation of projections from the principal nucleus of the bed nuclei of the stria terminalis», *Journal of Comparative Neurology*, vol. 460, p. 542-562.

Guha, S. (2007). «Biophysical mechanism-mediated time-dependent effect on sperm of human and monkey vas implanted polyelectrolyte contraceptive», *Asian Journal of Andrology*, vol. 9, p. 221-227.

Gupta, P. et Subramoney, S. (2006). «Smokeless tobacco use and risk of stillbirth: A cohort study in Mumbai, India», *Epidemiology*, vol. 17, p. 47-51.

Gupta, U. et coll. (1982). «An exploratory study of love and liking and type of marriages», *Indian Journal of Applied Psychology*, vol. 19, p. 92-97.

Gur, R., Mozley, L., Mozley, P., Resnick, S., Karp, J., Alavi, A., Arnold, S. et Gur, R. (1995). «Sex differences in regional cerebral glucose metabolism during a resting state», *Science*, vol. 267, p. 528-531.

Gurney, K. (2007). «Sex and the surgeon's knife: The family courts'dilemma... informed consent and the specter of iatrogenic harm to children with intersex characteristics», *American Journal of Law and Medicine*, vol. 33, p. 625-661.

Guzzo, K. (2009). «Marital intentions and the stability of first cohabitations», *Journal of Family Issues*, vol. 30, p. 179-205.

Haansbaek, T. (2006). «Partner to a rape victim: How is he doing?», *The Journal of Sex Research*, vol. 43, p. 18-19.

Hack, M. (2002). «Outcomes in young adulthood for very-low-birth-weight infants», *New England Journal of Medicine*, vol. 346, p. 149-157.

Haffner, D. (1993). «Toward a new paradigm of adolescent sexual health», *SIECUS Report*, vol. 21, p. 26-30.

Haffner, D. (2004). «Sexuality and scripture», *Contemporary Sexuality*, vol. 38, p. 7-13.

Hagen, R. (2006). «At your service», *The Advocate*, 15 août, p. 26.

Hahn, J. et Blass, T. (1997). «Dating partner preferences: A function of similarity of love styles», *Journal of Social Behavior and Personality*, vol. 12, p. 595-610.

Haider-Markel, D. et Joslyn, M. (2008). «Beliefs about the origins of homosexuality and support for gay rights: An empirical test of attribution theory», *Public Opinion Quarterly*, vol. 72, p. 291-320.

Hall, G. (1996). *Theory-Based Assessment, Treatment, and Prevention of Sexual Aggression*, New York, Oxford University Press.

Hall, G. et Barongan, C. (1997). «Prevention of sexual aggression: Sociocultural risk and protective factors», *American Psychologist*, vol. 52, p. 5-14.

Hall, J. (2009). «Giving mothers and babies a healthy start breast-feeding rates: Culpeper Regional Hospital's emphasis on breast-feeding has earned it the title, baby friendly», *Free Lance-Star*, 22 février, p. C2.

Halpern, D. et LaMay, M. (2000). «The smarter sex: A critical review of sex differences in intelligence», *Educational Psychology Review*, vol. 12, p. 229-246.

Halpern-Felsher, B., Cornell, J., Kropp, R. et Tschann, J. (2006). «Oral versus vaginal sex among adolescents: Perceptions, attitudes, and behavior», *Pediatrics*, vol. 44, n° 115, p. 845-851 et 1023-1024.

Halpern-Felsher, B., Kropp, B., Boyer, C., Tschann, J. et Ellen, J. (2004). «Adolescents' self-efficacy to communicate about sex: its role in condom attitudes, commitment, and use», *Adolescence*, vol. 39, p. 443-456.

Hamilton, E. (1978). *Sex, with Love*, Boston, Beacon Press.

Hamilton, T. (2002). *Skin Flutes and Velvet Gloves*, New York, St. Martin's Press.

Hannaford, P., Selvaraj, S., Elleitt, A., Angus, V., Iversen, L. et Lee, A. (2007). «Cancer risk among users of oral contraceptives», *British Medical Journal*, vol. 32, p. 104-121.

Hannon, K. (2009). «Planning ahead for a fertile future: Pregnancy may last nine months, but the road to having a child starts years earlier», *U.S. News & World Report*, 1er février, p. 59.

Hanson, R., Saunders, B., Kilpatrick, D., Resnick, H., Crouch, J. et Duncan, R. (2001). «Impact of childhood rape and aggravated assault on mental health», *American Journal of Orthopsychiatry*, vol. 71, p. 108-118.

Hanus, J. (2006a). «Monomaniacal monogamy», *Utne Reader*, mars-avril, p. 55.

Hanus, J. (2006b). «The culture of pornography is shaping our lives, for better and for worse», *Utne*, septembre-octobre, p. 58-60.

Hare, L., Bernard, P., Sanchez, F. et coll. (2009). «Androgen receptorrepeat lenght polymorphism associated with male-to-female transsexualism», *Biological Psychiatry*, vol. 65, p. 93-96.

Harer, W. (2001). «A look back at women's health and ACOG, a look forward to the challenges of the future», *Obstetrics and Gynecology*, vol. 97, p. 1-4.

Hargreaves, D. et Plail, R. (1994). «Fracture of the penis causing a corporo-urethral fistula», *British Journal of Urology*, vol. 73, p. 97.

Hari, J. (2006). «What we can learn from female sex tourists», *The Independent* (Londres), 13 juillet, p. C7.

Harley, V., Jackson, D., Hextall, P., Hawkins, J., Berkovitz, G., Sockanathan, S., Lovell-Badge, R. et Goodfellow, P. (1992). «DNA binding activity of recombinant *SRY* from normal males and XY females», *Science*, vol. 255, p. 453-456.

Harlow, H. et Harlow, M. (1962). «The effects of rearing conditions on behavior», *Bulletin of the Menninger Clinic*, vol. 26, p. 13-24.

Harned, M. et Fitzgerald, L. (2002). «Understanding a link between sexual harassment and eating disorder symptoms: A mediational analysis», *Journal of Consulting and Clinical Psychology*, vol. 70, p. 1170-1181.

Harris, A. et Bolus, N. (2008). «HIV/AIDS: An update», *Radiologic Technology*, vol. 79, p. 243-255.

Harte, C. et Meston, C. (2008a). «Acute effects of nicotine on physiological and subjective sexual arousal in nonsmoking men: A randomized, double-blind, placebo-controlled trial», *Journal of Sexual Medicine*, vol. 5, p. 110-121.

Harte, C. et Meston, C. (2008b). «The inhibitory effects of nicotine on physiological sexual arousal in nonsmoking women: Results from a randomized, double-blind, placebo-controlled, crossover trial», *Journal of Sexual Medicine*, vol. 5, p. 1184-1197.

Hartwick, C., Desmarais, S. et Hennig, K. (2007). «Characteristics of male and female victims of sexual coercion», *Canadian Journal of Human Sexuality*, vol. 16, p. 31-44.

Harvard Health Publications (2006). «Life after 50: A new Harvard study of male sexuality», *Harvard Men's Health Watch*, vol. 10, n° 3, mars, p. 1-3.

Hass, A. (1979). *Teenage Sexuality*, New York, Macmillan.

Hatfield, E. et Sprecher, S. (1986a). «Measuring passionate love in intimate relationships», *Journal of Adolescence*, vol. 9, p. 383-410.

Hayes, R., Dennerstein, L., Bennett, C. et Sidat, M. (2008). «Risk factors for female sexual dysfunction in the general population: Exploring factors associated with low sexual function and sexual distress», *Journal of Sexual Medicine*, vol. 5, p. 1681-1693.

Hayez, J.-Y. (2004). *La sexualité des enfants*, Paris, Odile Jacob.

Hazan, C. et Shaver, P. (1987). «Love conceptualized as attachment process», *Journal of Personality and Social Psychology*, vol. 52, p. 511-524.

Hazell, L., Cornelius, W., Wilton, L. et Shakir, S. (2009). «The safety profile of tadalafil as prescribed in general practice in England», *British Journal of Urology International*, vol. 103, p. 506-514.

Head, K. (2008). «Natural approches to prevention and treatment of infections of the lower urinary tract», *Alternative Mericine Review*, vol. 13, p. 227-245.

Heath, D. (1984). «An investigation into the origins of a copious vaginal discharge during intercourse "enough to wet the bed" that is not urine», *Journal of Sex Research*, vol. 20, p. 194-215.

Heim, N. (1981). «Sexual behavior of castrated sex offenders», *Archives of Sexual Behavior*, vol. 10, p. 11-19.

Heiman, J. (2008). «Treating low sexual desire: New findings for testosterone in women», *New England Journal of Medicine*, vol. 359, p. 2047-2049.

Heiman, J. (2009). «Researching women's sexual health: A social responsability», article présenté lors du 19e WAS World Congress for Sexual Health, Göteborg, Suède, 21-25 juin.

Heinlein, R. (1970). *En terre étrangère*, Paris, coll. Ailleurs et demain, Robert Laffont, réédition1999.

Helfing, K. (2008). «Dealing with war's less-visible wounds», *The Oregonian*, 23 mai, p. A4.

Helien, A., Casabe, A. et Bachara, A. (2005). «Male anorgasmia: Contributions to its treatement», article présenté lors du 8e congrès de la Latin American Society for Sexual and Impotence Research, Cairns, Australie, décembre.

Hellstrom, W., Nehra, A., Shabsigh, R. et Sharlip, I. (2006). «Premature ejaculation: The most common male sexual dysfunction», communication donnée à la Sexual Medicine Society of North America Fall Meeting, New York, novembre.

Henderson, M. (2007). «Sex every day is prescription for improving sperm quality», http://www.childup.com/blog/Sex-Every-Day-Is-Prescription-for-Improving-Sperm-Quality (consulté le 26 novembre 2012).

Hendrick, C. et Hendrick, S. (1986). «A theory and method of love», *Journal of Personality and Social Psychology*, vol. 50, p. 392-402.

Hendrick, C. et Hendrick, S. (2003). «Romantic love: Measuring cupid's arrow», dans *Positive Psychological Assessment: A Handbook of Models and Measures* (sous la direction de S. Lopez et C. Snyder), Washington, American Psychological Association.

Hendrick, C., Hendrick, S. et Adler, N. (1988). «Romantic relationships: Love, satisfaction, and staying together», *Journal of Personality and Social Psychology*, vol. 54, p. 980-988.

Hendrick, S. et Hendrick, C. (1992). *Liking, Loving, and Relating*, 2e éd., Pacific Grove, Brooks/Cole.

Hendrick, S. et Hendrick, C. (1995). «Gender differences and similarities in sex and love», *Personal Relationships*, vol. 2, p. 5-65.

Heng, B. (2009). «Stringent regulation of ovocyte donation in China», *Human Reproduction*, vol. 24, p. 14-16.

Henry, N. (2000). «Voulez-vous pacser avec moi?», *Ms.*, février-mars, p. 32.

Hensley, C., Tewksbury, R. et Castle, T. (2003). «Characteristics of prison sexual assault targets in male Oklahoma's correctional facilities», *Journal of Interpersonal Violence*, vol. 18, p. 595-606.

Herbenick, D., Reece, M., Sanders, S., Dodge, B., Ghassemi, A. et Fortenberry, J. (2009). «Prevalence and characteristics of vibrator use by women in the United States: Results from a nationally representative study» (version électronique), *Journal of Sexual Medicine*, 7 mai.

Herek, G. et Capitanio, J. (1999). «Sex differences in how heterosexuals think about lesbians and gay men: Evidence from survey context effects», *The Journal of Sex Research*, vol. 36, p. 348-360.

Herek, G., Cogan, J. et Gillis, J. (1999). «Psychological sequelae of hate-crime victimization among lesbian, gay, and bisexual adults», *Journal of Consulting and Clinical Psychology*, vol. 67, p. 945-951.

Hesketh, R. et Xing, A. (2006). «Abnormal sex ratios in human populations: Causes and consequences», *Proceedings of the National Academy of Sciences*, vol. 103, p. 13271-13275.

Heyden, M., Anger, B., Tiel, T. et Ellner, T. (1999). «Fighting back works: The case for advocating and teaching self-defense against rape», *Journal of Physical Education, Recreation and Dance*, vol. 70, p. 31-34.

Hickman, S. et Muehlenhard, C. (1999). «"By the semi-mystical appearance of a condom": How young women and men communicate sexual consent in heterosexual situations», *Journal of Sex Research*, vol. 36, p. 258-272.

Hickson, F., Davies, P., Hunt, A., Weatherburn, P., McManus, T. et Coxon, A. (1994). «Gay men as victims of nonconsensual sex», *Archives of Sexual Behavior*, vol. 23, p. 281-294.

Higgins, J., Hirsch, J. et Trussell, J. (2008). «Pleasure, prophylaxis and procreation: A qualitative analysis of intermittent contraceptive use and unintended pregnancy», *Perspectives on Sexual and Reproductive Health*, vol. 40, p. 130-137.

Hild, S., Marshall, G., Attardi, B. et Hess, R. (2007). «Development of 1-CDB-4022 as a nonsteroidal male oral contraceptive: Induction and recovery from severe oligospermia in the adult male cynomolgus monkey», *Endocrinology*, vol. 148, p. 1784-1796.

Hilden, M., Schei, B. et Sidenius, K. (2005). «Genitoanal injury in adult female victims of sexual assault», *Forensic Science International*, vol. 154, p. 200-205.

Hill, M. et Fischer, A. (2001). «Does entitlement mediate the link between masculinity and rape-related variables?», *Journal of Counseling Psychology*, vol. 48, p. 39-50.

Hines, M. (2004). *Brain Gender*, New York, Oxford University Press.

Hines, M., Ahmed, S. et Hugues, I. (2003). «Psychological outcomes and gender-related development in complete androgen insensivity syndrome», *Archives of Sexual Behavior*, vol. 32, p. 93-101.

Hingson, R., Heeren, T., Winter, M. et Wechsler, H. (2003). «Early age of first drunkenness as a factor in college students' unplanned and unprotected sex attributable to drinking», *Pediatrics*, vol. 111, p. 34-41.

Hirokawa, K., Yagi, A. et Miyata, Y. (2004). «An experimental examination of the effects of sex and masculinity/femininity on psychological, physiological, and behavioral responses during communication situations», *Sex Roles: A Journal of Research*, vol. 51, p. 91-99.

Hite, S. (1976). *The Hite Report: A Nationwide Study of Female Sexuality*, New York, Dell Books.

Hodge, D. (2008). «Sexual trafficking in the United States: A domestic problem with transnational dimensions», *Social Work*, vol. 53, p. 143-152.

Hoffman, C., Jeffers, S., Carter, J. et Duthely, L. (2007). «Pregnancy at or beyond age 40 years is associated with an increased risk of fetal death and other adverse outcomes», *American Journal of Obstetrics and Gynecology*, vol. 196, p. 11-13.

Hoffman, M. (2009). «Hydrogen sulfide: Potential help for ED», http://www.webmd.com/erectile-dysfunction/news/20090302/hydrogen-sulfide-potential-help-for-ed (consulté le 17 octobre 2012).

Hoke, T., Feldblum, P., Van Damme, K., Nasution, M. et Grey, T. (2007). «Temporal trends in sexually transmitted infection prevalence and condom use following introduction of the female condom to Madagascar sex workers», *International Journal of STD and AIDS*, vol. 18, p. 461-466.

Hollander, D. (2006). «Skills-oriented counseling holds promise for increasing women's use of barrier methods», *Perspectives on Sexual and Reproductive Health*, vol. 38, p. 58-59.

Hollander, D. (2008b). «No cut might make the cut», *Perspectives on Sexual and Reproductive Health*, vol. 40, p. 4-11.

Holmberg, D. et Blair, K. (2008). «Sexual desire, communication, satisfaction, and preferences of men and women in same-sex versus mixed-sex relationships», *Journal of Sex Research*, vol. 46, p. 57-66.

Holmes, S. (2003). «Tadalafil: A new treatment for erectile dysfunction», *British Journal of Urology International*, vol. 92, p. 466-468.

Holstege, G., Georgiadis, J., Paans, A., Meiners, L. et coll. (2003). «Brain activation during human male ejaculation», *Journal of Neuroscience*, vol. 23, p. 9185-9193.

Hongo, J. (2006). «Porn "Anime" Boasts Big U.S. Beachhead», *The Japan Times*, http://www.japantimes.co.jp/text/nn20060711f1.html (consulté le 19 septembre 2012).

Horton, M. (2005). «Circumcision shouldn't hurt», *Fit Pregnancy*, vol. 12, p. 25.

Horvath, K., Rosser, S. et Remafedi, G. (2008). «Sexual risk taking among young Internet-using men who have sex with men», *American Journal of Public Health*, vol. 98, p. 1059-1067.

Hotchkiss, A., Ankley, G. et coll. (2008). «Of mice and men (and mosquitofish): Antigens and androgens in the environment», *Bioscience*, vol. 58, p. 1037-1050.

Houde, N. et Drapeau, M. (2012). *Sexualité et éthique dans les professions du toucher : comprendre la sexualité pour mieux soigner*, Montréal, Groupe Modulo, 178 p.

Howard, A., Riger, S., Campbell, R. et Wasco, S. (2003). «Counseling services for battered women: A comparison of outcomes for physical and sexual assault survivors», *Journal of Interpersonal Violence*, vol. 18, p. 717-734.

Howard, D., Griffin, M. et Boekeloo, B. (2008). «Prevalence and psychosocial correlates of alcohol-related sexual assault among university students», *Adolescence*, vol. 43, p. 733-750.

Howey, N. et Samuels, E. (2000). *Out of the Ordinary: Essays on Growing Up with Gay, Lesbian, and Transgender Parents*, New York, St. Martin's Press.

Hoyer, J., Uhmann, S., Fambow, J. et Jacobi, F. (2009). «Reducation of sexual dysfunction: By-product of cognitive-behavioral therapy for psychological disorders?», *Sexual and Relationship Therapy*, vol. 24, p. 64-73.

Hu, G., Hu, L. et Yang, D. (2009). «Adjudin targeting rabbit germ cell adhesion as a male contraceptive: A pharmacokinetic study», *Journal of Andrology*, vol. 30, p. 87-93.

Hucker, S. (2009). «Hypoxyphilia/auto-erotic asphyxia», http://www.forensicpsychiatry.ca/paraphilia/aea.htm (consulté le 2 octobre 2012).

Hudson, J., Prestage, G. et Weerakoon, G. (2007). «The married men have sex with men study: An outline of findings», article présenté lors du 18e congrès de la World Association for Sexual Health, Sydney, Australie, 15-19 avril.

Hudson, W.W. (1990). *The WALMYR Assessment Scale Scoring Manual*, Tempe, WALMYR Publishing Co.

Hughes, M., Morrison, K. et Asada, K. (2005). «What's love got to do with it? Exploring the impact of maintenance rules, love attitudes, and network support on friends with benefits relationships», *Journal of Sex Research*, vol. 42, p. 113-118.

Hull, E., Lorrain, D., Du, J., Matuszewich, L., Lumley, L., Putnam, S. et Moses, J. (1999). «Hormone-neurotransmitter interactions in the control of sexual behavior», *Behavioral Brain Research*, vol. 105, p. 105-116.

Hunt, M. (1974). *Sexual Behavior in the 1970s*, Chicago, Playboy Press.

Hunt, M. et Jung, P. (2009). «"Good sex" and religion: A feminist overview», *Journal of Sex Research*, vol. 46, p. 156-167.

Hurlbert, D. et Whittaker, K. (1991). «The role of masturbation in marital and sexual satisfaction: A comparative study of female masturbators and nonmasturbators», *Journal of Sex Education and Therapy*, vol. 17, p. 272-282.

Hutchinson, K., Kip, K. et Ness, R. (2007). «Vaginal douching and development of bacterial vaginosis among women with normal and abnormal vaginal microflora», *Sexually Transmitted Diseases*, vol. 34, p. 671-675.

Hyde, J. (2004). *Half the Human Experience: The Psychology of Women*, 6e éd., Boston, Houghton Mifflin.

Hyde, J. (2005). «The gender similarities hypothesis», *American Psychologist*, vol. 60, p. 581-592.

Hyde, J., Lindberg, S. et coll. (2008). «Gender similarities characterize math performance», *Science*, 25 juillet, vol. 321, p. 494-495.

Iacub, M. et Maniglier, P. (2005). *Antimanuel d'éducation sexuelle*, Paris, Édition Bréal, 336 p.

Iasenza, S. (2000). «Lesbian sexuality post-stonewall to post-modernism: Putting the "Lesbian Bed-Death" concept to bed», *Journal of Sex Education and Therapy*, vol. 25, n° 1, p. 59-69.

Iervolino, A., Hines, M., Golombok, S., Rust, J. et Plomin, R. (2005). «Genetic and environmental influences on sex-typed behavior during preschool years», *Child Development*, vol. 76, p. 826-840.

Imperato-McGinley, J., Peterson, R., Gautier, T. et Sturla, E. (1979). «Androgens and the evolution of male-gender identity among male pseudohermaphrodites with 5-alpha-reductase deficiency», *New England Journal of Medicine*, vol. 300, p. 1233-1237.

Incrocci, L. (2006). «The effect of cancer on sexual function», *The Journal of Sexual Medicine*, vol. 3 (suppl. 2), p. 73.

Institut canadien d'information sur la santé (2010). http://www.cihi.ca/CIHI-ext-portal/pdf/internet/TA_10_ALLDATATABLES20120417_FR (consulté le 30 novembre 2012).

Institut de la statistique du Québec (2007). «Répartition de la population de 15 ans et plus, selon la situation conjugale, le groupe d'âge et le sexe, Québec, 2006», http://www.stat.gouv.qc.ca/donstat/societe/demographie/struc_poplt/202.htm (consulté le 19 juillet 2012).

Institut de la statistique du Québec (2011a). *Interruptions volontaires de grossesse et stérilisations, 1971-2010*, Gouvernement du Québec, http://www.stat.gouv.qc.ca/donstat/societe/demographie/naisn_deces/naissance/415.htm (consulté le 3 juillet 2012).

Institut de la statistique du Québec (2011b). *Interruptions volontaires de grossesse et stérilisations, 1971-2010*, Gouvernement du Québec, http://www.stat.gouv.qc.ca/donstat/societe/demographie/naisn_deces/naissance/416b.htm (consulté le 30 juillet 2012).

Institut de la statistique du Québec (2012). *Coup d'œil sociodémographique*, n° 16, avril, Gouvernement du Québec, 72 p.

Institut Vanier (2010). «La famille compte : La situation économique des familles et l'entraide», *Transition*, automne, http://www.vanierinstitute.ca/modules/news/newsitem.php?ItemId=117 (consulté le 30 juillet 2012).

International Center for Research on Women (2009). *Child Marriage by the Numbers*, Washington, International Center for Research on Women.

International Collaboration of Epidemiological Studies of Cervical Cancer (2007). «Cervical cancer and hormonal contraceptives», *Lancet*, vol. 370, p. 1609-1621.

Internet World Stats (2011). *World Internet Usage and Population Statistics*, http://www.InternetWorldStats.com/stats.htm (consulté le 19 avril 2012).

Intersex Society of North America (2006). *How Common is Intersex?*, http://www.isna.org/faq/frequency.html (consulté le 30 mai 2012).

Iovine, V. (1997a). *The Girlfriends' Guide to Pregnancy*, New York, Perigee.

Isely, P. et Gehrenbeck-Shim, D. (1997). «Sexual assault of men in the community», *Journal of Community Psychology*, vol. 25, p. 159-166.

Ishii-Kuntz, M. (1997a). «Chinese American families», dans *Families in Cultural Context: Strengths and Challenges in Diversity* (M. DeGenova, éditeur), Mountain View, Mayfield.

Ishii-Kuntz, M. (1997b). «Japanese American families», dans *Families in Cultural Context: Strengths and Challenges in Diversity* (M. DeGenova, éditeur), Mountain View, Mayfield.

Iuliano, A., Speizer, I., Santelli, J. et Kendall, C. (2006). «Reasons for contraceptive nonuse at first sex and unintended pregnancy», *American Journal of Health Behavior*, vol. 30, p. 92-102.

Jackson, G. (2009). «Sexual response in cardiovascular disease», *Journal of Sex Research*, vol. 46, p. 233-236.

Jacobs, S. et coll. (2002). «Paternally inherited HLA alleles are associated with women's choice of male odor», *Nature Genetics*, vol. 30, p. 175-179.

Jaffe, H. (2008). «Universal access to HIV/AIDS treatment», *Journal of the American Medical Association*, vol. 300, p. 573-575.

Jakobsen, J. et Pellegrini, A. (2003). *Love the Sin: Sexual Regulation and the Limits of Religious Tolerance (Sexual Cultures)*, New York, New York University Press.

James, T. et Cinelli, B. (2003). «Exploring gender-based communication styles», *Journal of School Health*, vol. 73, p. 41-42.

Jancin, B. (2005). «Teen addiction to cybersex called pervasive», *Family Practice News*, vol. 35, p. 36-37.

Jandt, F. et Hundley, H. (2007). «Intercultural dimensions of communicating masculinities», *Journal of Men's Sutdies*, vol. 15, p. 216-231.

Janiszewski, P., Janssen, I. et Ross, R. (2009). «Abdominal obseity and physical inactivity are associated with erectile dysfunction independent of body mass index», *Journal of Sexual Medicine* (édition électronique), 28 avril.

Janssen, D. (2007). «First stirrings: Cultural notes on orgasm, ejaculation and wet dreams», *Journal of Sex Research*, vol. 44, p. 122-134.

Janssen, P., Bakker, S., Rethelyi, J., Zwinderman, A., Touw, D., Oliver, B. et Waldinger, M. (2009). «Serotonin transporter promoter region (5-HTTLPR) polymorphism is associated with lifelong premature ejaculation», *Journal of Sexual Medicine*, vol. 6, p. 276-284.

Janus, S. et Janus, C. (1993). *The Janus Report on Sexual Behavior*, New York, Wiley.

Janvier, A. (2011). «Québec met fin aux naissances multiples en finançant la FIV», Association canadienne de sensibilisation à l'Infertilité, http://www.iaac.ca/fr/content/qu%C3%A9bec-met-fin-aux-naissances-multiples-en-finan%C3%A7ant-la-fiv-dre-annie-janvier-p%C3%A9diatre-n%C3%A9ona (consulté le 30 novembre 2012).

Jay, D. (2005). *Asexual: A Person Who Does Not Experience Sexual Attraction*, http://www.asexuality.org/home/ (consulté le 15 juin 2012).

Jeavons, H. (2003). «Prevention and treatment of vulvovaginal candidiasis using exogenous lactobacillus», *Journal of Obstetrical, Gynecological, and Neonatal Nursing*, vol. 32, p. 287-296.

Jefferson, D. (2005). «Party, play — and pay», *Newsweek*, 28 février, p. 38-39.

Jeffery, C. (2006). «Why women can't win for trying», *Mother Jones*, janvier-février, p. 22-23.

Jehl, D. (1998). «Western masterpieces locked away from Iranian view», *The Oregonian*, 4 octobre, p. A7.

Jenkins, S. et Aube, J. (2002). «Gender differences and gender-related constructs in dating aggression», *Personality and Social Psychology Bulletin*, vol. 28, p. 1106-1118.

Jennings, V., Lamprecht, V. et Kowal, D. (1998). «Fertility awareness methods», dans *Contraceptive Technology* (R. Hatcher, J. Trussell, F. Stewart, W. Cates, G. Stewart, F. Guest et D. Kowal, éditeurs), New York, Ardent Media.

Jensen, J., Burke, A., Barnhart, K., Tillotson, C., Messerle-Forbes, M. et Peters, D. (2008). «Effect of switching from oral to transdermal or transvaginal contraception on markers of thrombosis», *Contraception*, vol. 78, p. 451-458.

Joannides, P. (1996). *The Guide to Getting It On!*, Walport, Goofy Foot Press.

Joensen, U., Bossi, R., Leffers, H. et Jensen A. (2009). «Do perfluoroalkyl compounds impair human semen quality?», *Environmental Health Perspectives*, vol. 117, p. 923-927.

Johnson, K. (2002). «Time, patience needed to find right testosterone level with HRT», *Family Practice News*, vol. 32, p. 31.

Johnson, P. (1998). «Pornography drives technology: Why not to censor the Internet», dans *Pornography: Private Right of Public Menace?* (sous la direction de R. Baird et S. Rosenbaum), Amherst, Prometheus Books.

Johnston, S. (1987). «The mind of the molester», *Psychology Today*, février, p. 60-63.

Jones, L. (2006). «Sexuality shift», *Men's Health*, janvier-février, p. 38.

Jones, R. (2003). «The height of vanity: In China, height equals more than beauty. It can land you a job, and even a husband. Richard Jones investigates the growth of a painful beauty trend — and its often tragic consequences», *Marie Claire*, vol. 10, p. 92-98.

Jones, R., Frowirth, L. et Moore, A. (2008). «I would want to give my child, like, everything in the world», *Journal of Family Issues*, vol. 29, p. 79-99.

Jones, R., Purcell, A. et Singh, S. (2005). «Adolescents' reports of parental knowledge of adolescents' use of sexual health services and their reactions to mandated parental notification for prescription contraception», *Journal of the American Medical Association*, vol. 93, p. 340-348.

Jorgenson, L. et Wahl, K. (2000). «Psychiatrists as expert witnesses in sexual harassment cases under Daubert and Kumho», *Psychiatric Annals*, vol. 30, p. 390-396.

Joseph, R. (1991). «A case analysis in human sexuality: Counseling to a man with severe cerebral palsy», *Sexuality and Disability*, vol. 9, n° 2, p. 149-159.

Julien, D. (2008). «Homoparentalité», dans *Questions de sexualité au Québec* (sous la direction de J.J. Lévy et A. Dupras, p. 171-181), Montréal, Liber.

Julien, D., Jouvin, E., Jodoin, E., L'Archevêque, A. et Chartrand, E. (2008). «Adjustment among mothers reporting same-gender sexual partners: A study of a representative sample of the population of Quebec province (Canada)», *Archives of Sexual Behavior*, vol. 37, p. 864-876.

Juninger, J. (1997). «Fetishism: Assessment and treatment», dans *Sexual Deviance: Theory, Assessment, and Treatment* (sous la direction de D. Laws et W. O'Donohue), New York, The Guilford Press.

Kaare, M. (2009). «Do mitochondrial mutations cause recurrent miscarriage?», *Molecular Human Reproduction*, vol. 15, p. 295-300.

Kaestle, C. et Halpern, C. (2007). «What's love got to do with it? Sexual behaviors of opposite-sex couples through emerging adulthood», *Perspectives on Sexual and Reproductive Health*, vol. 39, p. 134-140.

Kaestle, C., Morisky, D. et Wiley, D. (2002). «Sexual intercourse and age difference between adolescent females and their romantic partners», *Perspectives on Sexual and Reproductive Health*, vol. 34, p. 304-309.

Kafka, M. (2009). «Paraphilias and paraphilia-related disorders», http://www.health.am/sex/more/paraphilias_and_paraphilia_related_disorders/ (consulté le 17 mai 2012).

Kagan-Krieger, S. (1998). «Women with Turner syndrome: A maturational and developmental perspective», *Journal of Adult Development*, vol. 5, p. 125-135.

Kahn, A., Mathie, V. et Torgler, C. (1994). «Rape scripts and rape acknowledgment», *Psychology of Women Quarterly*, vol. 18, p. 53-66.

Kahr, B. (2008). *Who's Been Sleeping in Your Head: The Secret World of Sexual Fantasies*, New York, Basic Books.

Kaiser Family Foundation (2003). *Seventeen Magazine and Kaiser Family Foundation Release New Survey of Teens About Gender Roles*, février, http://www.kff.org/youthhivstds/3257-index.cfm (consulté le 12 décembre 2012).

Kaiser Family Foundation (2005). *Sex on TV4*, http://www.kff.org/entmedia/entmedia110905pkg.cfm (consulté le 12 décembre 2012).

Kalb, C. (2006). «Marriages: Act II», *Newsweek*, 20 février, p. 62-63.

Kalfoglou, A., Scott, J. et Hudson, K. (2008). «Attitudes about preconception sex selection: A focus group study with Americans», *Human Reproduction*, vol. 23, p. 2731-2736.

Kane, E. (2006). «"No way my boys are going to be like that!" Parents' responses to children's gender noncomformity», *Gender and Society*, vol. 20, p. 149-176.

Kantor, M. (1998). *Homophobia: Description, Development, and Dynamic of Gay Bashing*, New York, Praeger.

Kantrowitz, B. (1992). «Sexism in the schoolhouse», *Newsweek*, 24 février, p. 62-70.

Kantrowitz, B. (1996). «Parents come out», *Newsweek*, 4 novembre, p. 51-57.

Kantrowitz, B. (2006b). «Sex and love: The new world», *Newsweek*, 20 février, p. 51-60.

Kantrowitz, B. et Wingert, P. (2005). «Sex, drugs and hope», *Newsweek*, 28 novembre, p. 48.

Kaplan, H.S. (1974). *The New Sex Therapy: Active Treatment of Sexual Dysfunction*, New York, Brunner/Mazel.

Kaplan, H.S. (1979). *La nouvelle thérapie sexuelle*, Paris, Buchet-Chastel, 411 p.

Kaplan, H.S. (1979). *Disorders of Sexual Desire*, New York, Brunner/Mazel.

Kaplan, M. et Krueger, R. (1997). «Voyeurism: Psychopathology and theory», dans *Sexual Deviance: Theory, Assessment, and Treatment* (sous la direction de D. Laws et W. O'Donohue), New York, The Guilford Press.

Kapoor, D. et Jones, T. (2005). «Smoking and hormones in health and endocrine disorders», *European Journal of Endocrinology*, vol. 152, p. 491-499.

Karama, S., Lecours, A., Leroux, J., Blurgovin, P. et coll. (2002). «Areas of brain activation in males and females during viewing of erotic film excerpts», *Human Brain Mapping*, vol. 16, p. 1-13.

Karney, B. et Bradbury, T. (1995). «The longitudinal course of marital quality and stability: A review of theory, method, and research», *Psychological Review*, vol. 118, p. 3-34.

Karofsky, P., Zeng, L. et Kosorok, M. (2000). «Relationship between adolescent-parental communication and initiation of first intercourse by adolescents», *Journal of Adolescent Health*, vol. 28, p. 41-45.

Kasl, C. (1999). *If the Buddha Dated: Handbook for Finding Love on a Spiritual Path*, New York, Penguin/Arkana.

Kassabian, V. (2003). «Sexual function in patients treated for benign prostatic hyperplasia», *The Lancet*, vol. 361, p. 60-62.

Kassing, L., Beesley, D. et Frey, L. (2005). «Gender role conflict, homophobia, age, and education as predictors of male rape myth acceptance», *Journal of Mental Health Counseling*, vol. 27, p. 311-328.

Kaufman, J., Rosen, R., Mudumbi, R. et Tesfaye, F. (2009). «Treatment benefit of sapoxetine for premature ejaculation: Results from a placebo-controlled phase III trial», *British Journal of Urology International*, n° 103, p. 651-658.

Keller, J. (2002). «Blatant stereotype threat and women's math performance», *Sex Roles*, vol. 47, p. 193-198.

Keller, M., Sadovszky, V., Pankratz, B. et Hermsen, J. (2000). «Self-disclosure of HPV infection to sexual partners», *Western Journal of Nursing Research*, vol. 22, p. 285-302.

Kellett, J. (2000). «Older adult sexuality», dans *Psychological Perspectives on Human Sexuality* (sous la direction de L. Szuchman et F. Muscarella), New York, John Wiley & Sons.

Kelley, M. et Parsons, B. (2000). «Sexual harassment in the 1990s», *Journal of Higher Education*, vol. 71, p. 548.

Kellogg-Spadt, S. (2006). «Innovative treatments for vulvar and sexual pain», communication donnée au Gumbo Sexualite Upriver: Spicing Up Education and Therapy (38e conférence annuelle de l'AASECT), St. Louis, juin-juillet.

Kelly, M. (1998). «View from the field out in education: Where the personal and political collide», *SIECUS Report*, vol. 26, n° 4, p. 14-15.

Kelly, M. (2008). «Lock them up and throw away the key: The preventive detention of sex offenders in the United States and Germany», *Georgetown Journal of International Law*, vol. 39, p. 551-572.

Kelly, M., Strassberg, D. et Kircher, J. (1990). «Attitudinal and experiental correlates of anorgasmia», *Archives of Sexual Behavior*, vol. 19, p. 165-181.

Kelsberg, G., Bishop, R. et Morton, J. (2006). «When should a child with an undescended testis be referred to a urologist?», *Journal of Family Practice*, vol. 55, p. 336-337.

Kempner, M. (2005). «Sex workers: A glimpse into public health perspectives», *SIECUS Report*, vol. 33, p. 2.

Kennedy, K. et Trussell, J. (1998). «Postpartum contraception and lactation», dans *Contraceptive Technology* (sous la direction de R. Hatcher, J. Trussell, F. Stewart, W. Cates, G. Stewart, F. Guest et D. Kowal), New York, Ardent Media.

Khan, M., Masood, M., Mukhtar, Z. et Rasool, A. (2007). «Concepts of sexology in profressive Islamic ideology», article présenté lors du 18e congrès de la World Association for Sexual Health, Sydney, Australie, 15-19 avril.

Kilchevsky, A., Vardi, Y., Loweinstein L. et Gruenwald, L. (2012). «Is the female G-spot truly a distinct anatomic entity?», *Journal of Sexual Medicine*, vol. 9, n° 3, p. 719-726

Kim, C. et Free, C. (2008). «Recent evaluations of the peer-led approach in sexual health education: A systematic review», *Perspectives on Sexual and Reproductive Health*, vol. 40, p. 144-151.

Kim, E. et Lipshultz, L. (1997). «Advances in the treatment of organic erectile dysfunction», *Hospital Practice*, 15 avril, p. 101-120.

King, R. (2007). «A practical guide to overcoming desire discrepancy», article présenté au 18e congrès de la World Association for Sexual Health, Sydney, Australie, 15-19 avril.

King, W. (2006). «Success rates climb as "test-tube" technology improves», *The Seattle Times*, 10 mars, pNA.

Kingsberg, S. (2002). «The impact of aging on sexual function in women and their partners», *Archives of Sexual Behavior*, vol. 31, p. 431-437.

Kinsey, A., Pomeroy, W. et Martin, C. (1948). *Le comportement sexuel de l'homme*, Paris, Du Pavois.

Kinsey, A., Pomeroy, W., Martin, C. et Gebhard, P. (1954). *Le comportement sexuel de la femme*, Paris, Amiot Dumont.

Kipnis, L. (1996). *Bound and Gagged: Pornography and the Politics of Fantasy in America*, New York, Grove Press.

Kirchmeyer, C. (1996). «Gender roles in decision-making in demographically diverse groupes: A case for reviving androgyny», *Sex Roles*, vol. 34, p. 649-663.

Kirkpatrick, L. et Davis, K. (1994). «Attachment style, gender, and relationship stability: A longitudinal analysis», *Journal of Personality and Social Psychology*, vol. 66, p. 502-512.

Kissinger, P., Niccolai, L., Magnus, M., Farley, T., Maher, J., Richardson-Alston, G., Dorst, D., Myers, L. et Peterman, T. (2003). «Partner notification for HIV and syphilis», *Sexually Transmitted Diseases*, vol. 30, p. 75-82.

Kitch, M. (2006). «Perceptions of gays undergoing an evolution», *The Sunday Oregonian*, 13 août, p. F2.

Kite, M. et Whitley, B. (1998a). «Do heterosexual women and men differ in their attitudes toward homosexuality? A conceptual and methodological analysis», dans *Stigma and Sexual Orientation: Understanding Prejudice Against Lesbians, Gay Men, and Bisexuals* (sous la direction de G. Herek), Thousand Oaks, Sage.

Kite, M. et Whitley, B. (1998b). «Heterosexuals' attitudes toward homosexuality», dans *Stigma and Sexual Orientation: Understanding Prejudice Against Lesbians, Gay Men, and Bisexuals* (sous la direction de G. Herek), Thousand Oaks, Sage.

Klanecky, A., Harrington, J. et McChargue, D. (2008). «Child sexual abuse, dissociation, and alcohol: Implicaations of chemical dissociation via blackouts among college women», *American Journal of Drug and Alcohol Abuse*, vol. 34, p. 277-284.

Klapper, B. (2007). «Congo's women suffer abuse far beyond rape», *The Oregonian*, 31 juillet, p. A6.

Klein, C. et Gorzalka, B.B. (2009). «Sexual functioning in transsexuals following hormone therapy and genital surgery: A review», *The Journal of Sexual Medicine*, 6 novembre, p. 2922-2939.

Klein, J. (2005). «Adolescent pregnancy: Current trends and issues», *Pediatrics*, vol. 116, p. 281-286.

Klein, M. (1991). «Why there's no such thing as sexual addiction and why it really matters», dans *Taking Sides: Clashing Views of Controversial Issues in Human Sexuality* (sous la direction de R. Francœur), 3e éd., Guilford, Dushkin.

Klein, M. (2003). «Sex addiction: A dangerous clinical concept», *SIECUS Report*, vol. 31, p. 8-11.

Kleinplatz, P. et Moser, C. (2004). «Toward clinical guidelines for working with BDSM clients», *Contemporary Sexuality*, vol. 38, p. 1 et 4.

Kliff, S. (2007). «A stem-cell surprise», *Newsweek*, 30 juillet, p. 46-48.

Klinger, K. (2003). «Prostitution, humanism, and a woman's choice», *The Humanist*, janvier-février, p. 16-19.

Knafo, D. et Jaffe, Y. (1984). «Sexual fantasizing in males and females», *Journal of Research in Personality*, vol. 19, p. 451-462.

Knox, D., Breed, R. et Zusman, M. (2007). «College men and jealousy», *College Student Journal*, vol. 41, p. 494-498.

Knox, D., Zusman, M. et McNeely, A. (2008). «University students' beliefs about sex: Men vs. Women», *College Student Journal*, vol. 42, p. 181-185.

Knudson, G., Brotto, L. et Inskip, J. (2007). «Understanding asexuality: Sexual characteristics and personnality profiles of asexual men and women», article présenté lors du 18e congrès de la World Association for Sexual Health, Sydney, Australie, 15-19 avril.

Knudson-Martin, C. et Silverstein, R. (2009). «Suffering in silence: A qualitative metadata-analysis of postpartum depression», *Journal of Marital and Family Therapy*, vol. 35, p. 145-158.

Kobrin, S. (2006). *More Women Seek Vaginal Plastic Surgery*, 15 avril, http://www.womensenews.org/article.cfm/dyn/aid/2067/%20context/archive (consulté le 5 décembre 2012).

Koehler, J. (2002). «Vaginismus: Diagnosis, etiology, and intervention», *Contemporary Sexuality*, vol. 36, p. I-VIII.

Koehler, J., Zangwill, W. et Lotz, L. (2000). «Integrating the power of EMDR into sex therapy», communication donnée à la xxxiith Annual Conference of the American Association of Sex Educators, Counselors, and Therapists, Atlanta, 10-14 mai.

Kohl, J. (2002). *The Scent of Eros: Mysteries of Odor in Human Sexuality*, Lincoln, iUniverse Inc.

Kollin, C., Hesser, U., Ritzen, M. et Karpe, B. (2006). «Testicular growth from birth to two years of age, and the effect of orchidopexy at age nine months: A randomized, controlled study», *Acta Paediatrica*, vol. 95, p. 318-324.

Kolodny, R., Masters, W. et Johnson, V. (1979). *Textbook of Sexual Medicine*, vol. 328, p. 322-326.

Kols, A. et Lande, R. (2008). «Vasectomy: Reaching out to new users», *Population Reports*, vol. 6, p. 1-23.

Komisaruk, B.R., Beyer-Flores, C. et Whipple, B. (2006). *The Science of Orgasm*, Baltimore, Johns Hopkins University Press.

Komisaruk, B.R. et Whipple, B. (2005). «Functional MRI of the brain during orgasm in women», *Annual Review of Sex Research*, vol. 16, p. 62-86.

Kontula, O. et Haavio-Mannila, E. (2009). «The impact of aging on human sexual activity and sexual desire», *Journal of Sex Research*, vol. 46, p. 46-56.

Korber, B., Muldoon, M., Theiler, J., Gao, F., Gupta, R., Lapedes, A., Hahn, B., Wolinsky, S. et Bhattacharya, T. (2000). «Timing the ancestor of the HIV-1 pandemic strains», *Science*, vol. 288, p. 1789-1796.

Koren, G. (2009). «In utero drug exposure and the media», *Obstetricians and Gynecologists News*, vol. 44, p. 11-12.

Korenman, S. et Viosca, S. (1992). «Use of a vacuum tumescence device in the management of impotence in men with a history of penile implant or severe pelvic disease», *Journal of the American Geriatric Society*, vol. 40, p. 61-64.

Kort, J. (2004). «Queer eye for the straight therapist», *Psychotherapy Networker*, mai-juin, p. 56-61.

Kort, M. (2006). «Denial by delay», *Ms.*, hiver, p. 12-13.

Kosnik, A., Carroll, W., Cunningham, A., Modras, R. et Schulte, J. (1977). *Human Sexuality: New Directions in American Catholic Thought*, New York, Paulist Press.

Koss, M., Bailey, J., Yuan, N., Herrera, V. et Lichter, E. (2003). «Depression and PTSD in survivors of male violence: Research and training initiatives to facilitate recovery», *Psychology of Women Quarterly*, vol. 27, p. 130-142.

Koss, M., Figueredo, A. et Prince, R. (2002). «Cognitive mediation of rape's mental, physical, and social health impact: Tests of four models in cross-sectional data», *Journal of Consulting and Clinical Psychology*, vol. 70, p. 926-941.

Koster, M. et Price, L. (2008). «Rwandan female genital modification. Elongation of the labia minora and the use of botanical species», *Culture, Health and Sexuality*, vol. 10, p. 191-204.

Kotb, H. (2008). «Sexuality and media in Arabic coutries», article présenté à la 18e Conférence Deutsche Gesellschaft für Sozialwissenschaftliche Sexualforschung, «Sexuality and the Media», Munich, Allemagne, 7-9 novembre.

Kottler, J. (2008). «From intention to action», *Psychotherapy Networker*, novembre-décembre, p. 43-47.

Koukounas, E. et McCabe, M. (1997). «Sexual and emotional variables influencing sexual response to erotica», *Behavior Research and Therapy*, vol. 35, p. 221-231.

Kovacs, A. et Osvath, P. (2006), «Genital retractions syndrome in Korean woman: A case of Koro in Hungary», http://www.ncbi.nlm.nih.gov/pubmed/9697166 (consulté le 30 avril 2012).

Krahé, B., Scheinberger-Olwig, R. et Bieneck, S. (2003a). «Men's reports of nonconsensual sexual interactions with women: Prevalence and impact», *Archives of Sexual Behavior*, vol. 32, n° 2, p. 165-175.

Krahé, B., Scheinberger-Olwig, R. et Kolpin, S. (2000). «Ambiguous communication of sexual intentions as a risk marker of sexual aggression», *Sex Roles*, vol. 42, p. 313-337.

Krahé, B., Waizenhofer, E. et Moller, I. (2003b). «Women's sexual aggression against men: Prevalence and predictors», *Sex Roles*, vol. 49, p. 219-232.

Kraus, S. et Russel, B. (2008). «Early sexual experiences: The role of Internet access and sexually explicit material», *Cyberpsychology Behavior*, vol. 11, p. 162-168.

Krause, J. (2008). «The end of the net porn wars: Despite big talk, federal efforts against adult obscenity online have withered», *ABA Journal*, vol. 94, p. 52-57.

Kreahling, L. (2005). «The perils of needles to the body», *The New York Times*, 1er février, p. F5.

Kripke, C. (2006). «Cyclic vs. continuous or extended-cycle combined contraceptives», *American Family Physician*, vol. 73, p. 803.

Krist, A. (2001). «Obstetric care in patients with HIV disease», *American Family Physician*, vol. 63, p. 107-122.

Kroll, K. et Klein E. (1992). *Enabling Romance*, New York, Harmony Books.

Kruger, T., Haake, P., Hartmann, U., Schedlowski, M. et Exton, M. (2002). «Orgasm-induced prolactin secretion: Feedback control of sexual drive?», *Neuroscience and Biobehavioral Reviews*, n° 26, p. 3144.

Krujiver, F., Zhou, J., Pool, C., Hoffman, N., Gooren, L. et Swaab, D. (2000). «Male-to-female transsexuals have female neuron member in a limbic nucleus», *Journal of Clinical Endocrinology*, vol. 85, p. 2034-2040.

Kudrati, M., Plummer, M. et Yousif, N. (2008). «Children of the *sug*: A study of the daily lives of street children in Khartoum, Sudan, with intervention recommendations», *Child Abuse and Neglect*, vol. 32, p. 439-448.

Kumwenda, N., Hoover, D., Mofenson, L. et coll. (2008). «Extended antiretroviral prophylaxis to reduce breast-milk HIV-1 transmissions», *New England Journal of Medicine*, vol. 359, p. 119-129.

Kurdek, L. (1995b). «Lesbian and gay couples», dans *Lesbian, Gay, and Bisexual Identities over the Lifespan* (sous la direction de A. D'Augelli et C. Patterson), New York, Oxford University Press.

Kuriansky, J. (1996). «Sexuality and television advertising: An historical perspective», *SIECUS Report*, vol. 24, p. 13-15.

Kuriansky, J. et Simonson, H. (2005). «What is tantra?», communication donnée au What's New and What Works: Pioneering Solutions for Today's Sexual Issues (AASECT 37th Annual Conference), Portland, mai.

Kurtz-Costes, B., Rowley, S., Harris-Britt, A. et Woods, T. (2008). «Gender stereotypes about mathematics and science and self-perceptions of ability in late childhood and early adolescence», *Merrill-Palmer Quarterly*, vol. 54, p. 386-409.

Kyrou, D., Lolibianakis, E. et Venetis, C. (2009). «How to improve the probability of pregnancy in poor responders undergoing in vitro fertilization: A systematic review and meta-analysis», *Fertility and Sterility*, vol. 91, p. 749-766.

Laan, E. (2009). «The use of drugs and technical aids to help experiencing orgasm in women», article présenté lors du 19e WAS World Congress for Sexual Health, Göteborg, Suède, 21-25 juin.

Laan, E. et Everaerd, W. (1996). «Determinants of female sexual arousal: Psychophysiological theory and data», *Annual Review of Sex Research*, vol. 6, p. 32-76.

LaBrie, J., Earleywine, M., Schiffman, J., Pedersen, E. et Marriot, C. (2005). «Effects of alcohol, expectancies, and partner type on condom use in college males: Event-level analyses», *Journal of Sex Research*, vol. 42, p. 259-266.

Lacey, R., Reifman, A., Scott, J., Harris, S. et Fitzpatrick, J. (2004). «Sexual-moral attitudes, love styles, and mate selection», *Journal of Sex Research*, vol. 41, p. 121-128.

Lagana, L. (1999). «Psychological correlates of contraceptive practices during late adolescence», *Adolescence*, vol. 34, p. 463-482.

Lalumière, M., Blanchard, R. et Zucker, K. (2000). «Sexual orientation and handedness in men and women: A meta-analysis», *Psychological Bulletin*, vol. 126, p. 575-592.

Lamb, D., Catanzaro, S. et Moorman, A. (2003). «Psychologists reflect on their sexual relationships with clients, supervisees, and students: Occurrence, impact, rationales, and collegial intervention», *Professional Psychology: Research and Practice*, vol. 34, p. 102-107.

Lambert, K. et Lilienfeld, S. (2008). «La mémoire violée», *Cerveau & psycho*, vol. 27.

Lambert, S. et O'Halloran, E. (2008). «Deductive thematic analysis of a female pedophilia website», *Psychiatry, Psychology and the Law*, vol. 15, p. 284-300.

Lambert, T., Kahn, A. et Apple, K. (2003). «Pluralistic ignorance and hooking up», *Journal of Sex Research*, vol. 40, p. 129-133.

Lammers, C., Ireland, M., Resnick, M. et Blum, R. (2000). «Influences on adolescents' decisions to postpone onset of sexual intercourse: A survival analysis of virginity among youths ages 13 to 18 years», *Journal of Adolescent Health*, vol. 26, p. 42-48.

Lamptey, P., Johnson, J. et Khan, M. (2006). «The global challenge of HIV and AIDS», *Population Bulletin*, vol. 61, p. 3-24.

Lane, F. (2000). *Obscene Profits: The Entrepreneurs of Pornography in the Cyber Age*, New York, Routledge.

Langevin, R. (2003). «A study of the psychosexual characteristics of sex killers: Can we identify them before it is too late?», *International Journal of Offender Therapy and Comparative Criminology*, vol. 47, p. 366-382.

Langevin, R., Paitich, D. et Ramsay, G. (1979). «Experimental studies of the etiology of genital exhibitionism», *Archives of Sexual Behavior*, vol. 8, p. 307-331.

Langstrom, N. et Zucker, K. (2005). «Transvestic fetishism in the general population: Prevalence and correlates», *Journal of Sex and Marital Therapy*, vol. 31, p. 87-95.

Larimore, W. et Stanford, J. (2000). «Postfertilization effects of oral contraceptives and their relationship to informed consent», *Archives of Family Medicine*, vol. 9, p. 126-133.

Larouche, J.-M. (1991). *Éros et Thanatos sous l'œil des nouveaux clercs*, Montréal, coll. Études québécoises, VLB éditeur, 202 p.

Larsson, I. et Svedin, C. (2002). «Sexual experiences in childhood: Young adults' recollections», *Archives of Sexual Behavior*, vol. 31, p. 263-273.

LaSala, M. (2007). «Parental influence, gay youths, and safer sex», *Health and Social Work*, vol. 32, p. 49-55.

Lash, M. et Armstrong, A. (2009). «Impact of obesity on women's health», *Fertility and Sterility*, vol. 91, p. 1712-1716.

Latty-Mann, H. et Davis, K. (1996). «Attachment theory and partner choice: Preference and actuality», *Journal of Social and Personal Relationships*, vol. 13, p. 5-23.

Lauer, J. et Lauer, R. (1985). «Marriages made to last», *Psychology Today*, juin, p. 22-26.

Laumann, E., Gagnon, J., Michael, R. et Michaels, S. (1994). *The Social Organization of Sexuality: Sexual Practices in the United States*, Chicago, University of Chicago Press.

Laumann, E., Masi, C. et Zuckerman, E. (1997). « Circumcision in the United States: Prevalence, prophylactic effects, and sexual practice », *Journal of the American Medical Association*, vol. 277, p. 1052-1057.

Laumann, E., Paik, A., Glasser, D. et Kang, J. (2006). « A cross-national study of subjective sexual well-being among older women and men: Findings from the global study of sexual attitudes and behaviors », *Archives of Sexual Behavior*, vol. 35, p. 143-159.

Laumann, E., Paik, A. et Rosen, R. (1999). « Sexual dysfunction in the United States: Prevalence and predictors », *Journal of the American Medical Association*, vol. 281, p. 537-544.

Laurent, B. (1995). « Intersexuality: A plea for honesty and emotional support », *AHP Perspective*, novembre-décembre, p. 8-9, 28.

Lauzen, M., Dozier, D. et Horan, N. (2008). « Constructing gender stereotypes through social roles in prime-time television », *Journal of Broadcasting and Electronic Media*, vol. 52, p. 200-214.

Lavallée, S. (2001). *Au lit, toi et moi nous sommes six : l'influence parentale sur nos vies*, Montréal, Éditions TVA.

Lavie-Ajayi, M. et Joffe, H. (2009). « Social representations of female orgasm », *Journal of Health Psychology*, vol. 14, p. 98-107.

Lawrence, A. (2003). « Factors associated with satisfaction or regret following male-to-female sex reassignment surgery », *Archives of Sexual Behavior*, vol. 32, p. 299-316.

Lawrence, A. (2005). « Sexuality before and after male-to-female sex reassignment surgery », *Archives of Sexual Behavior*, vol. 34, p. 147-166.

Lawrence, A. (2007). « Becoming what we love: Autogynephilic transsexualism conceptualized as an expression of romantic love », *Perspectives in Biology and Medicine*, vol. 50, p. 506-520.

Leal, I. (2007). « Comparison between fertile and infertile couples for sexual satisfaction and dyadic adjustment », article présenté lors du 18e congrès de la World Association for Sexual Health, Sydney, Australie, 15-19 avril.

Leander, L., Christianson, S. et Granhag, P. (2007). « A sexual abuse case: Children's memories and reports », *Psychiatry, Psychology, and Law*, vol. 14, p. 120-129.

Leaper, C., Anderson, K. et Sanders, P. (1998). « Moderators of gender effects on parents' talk to their children: A meta-analysis », *Developmental Psychology*, vol. 34, p. 3-27.

Lee, J. (1974). « The styles of loving », *Psychology Today*, vol. 8, p. 43-51.

Lee, J. (1988). « Love-styles », dans *The Psychology of Love* (sous la direction de R. Sternberg et M. Barnes), New Haven, Yale University Press.

Lee, J. (1998). « Ideologies of lovestyle and sexstyle », dans *Romantic Love and Sexual Behavior* (sous la direction de V. de Munck), Westport, Praeger.

Lee, M. (2009). « U.S. endorses UN gay rights text », http://www.usatoday.com/news/washington/2009-03-18-un-gay-rights_N.htm (consulté le 5 décembre 2012).

Lee-St. John, J. et Gallatin, J. (2008). « Permanent birth control », *Time*, 22 décembre, p. 70.

Lefort, L. et Elliot, M. (2001). « Le couple à l'adolescence : enquête auprès des jeunes Montréalais », *Rapport-synthèse de la Direction de la Santé publique*, vol. 5, n° 3, p. 1-4, http://www2.csdm.qc.ca/sassc/Documents/Couple_AdoDSP.pdf (consulté le 31 octobre 2012).

Lehmann-Haupt, R. (2009). « Why I froze my eggs », *Newsweek*, 11 mai, p. 50-52.

Lehmiller, J.J. et coll. (2011). « Sex differences in approaching friends with benefits relationships », *Journal of Sex Research*, vol. 48, p. 274-284.

Leibenluft, E. (1996). « Sex is complex », *American Journal of Psychiatry*, vol. 15, p. 969-972.

Leiblum, S. (2000). « Vaginismus: A most perplexing problem », dans *Principles and Practice of Sex Therapy* (sous la direction de S. Leiblum et R. Rosen), New York, The Guilford Press.

Leiblum, S. et Bachmann, G. (1988). « The sexuality of the climacteric woman », dans *The Menopause: Comprehensive Management* (sous la direction de B. Eskin), New York, Yearbook Medical Publications.

Leiblum, S. et Goldmeier, D. (2008). « Persistent genital arousal disorder in women: Case reports of association with antidepressant usage and withdrawal », *Journal of Sex and Marital Therapy*, vol. 34, p. 150-159.

Leibowitz, A., Desmond, K. et Berlin, T. (2009). « Determinants and policy implications of male circumcision in the United States », *American Journal of Public Health*, vol. 99, p. 138-145.

Leibowitz, D. et Hoffman, J. (2000). « Fertility drug therapies: Past, present, and future », *Journal of Obstetrical Gynecologic, and Neonatal Nursing*, vol. 29, p. 201-210.

Leigh, B. (1989). « Reasons for having and avoiding sex: Gender, sexual orientation, and relationship to sexual behavior », *Journal of Sex Research*, vol. 26, p. 199-208.

Leitenberg, H., Detzer, M. et Srebnik, D. (1993). « Gender differences in masturbation and the relation of masturbation experience in pre-adolescence and/or early adolescence to sexual behavior and sexual adjustment in young adulthood », *Archives of Sexual Behavior*, vol. 22, p. 87-98.

Leitenberg, H. et Henning, K. (1995). « Sexual fantasy », *Psychological Bulletin*, vol. 117, n° 3, p. 469-496.

Leland, J. (2000a). « The science of women & sex », *Newsweek*, 29 mai, p. 46-53.

Leland, J. (2000b). « Shades of gay », *Newsweek*, 20 mars, p. 46-49.

Lemay M. (1997). « La dépendance affective ou sexuelle a-t-elle un sens ? », *Revue Sexologique*, vol. 5, n° 1, Montréal, Éditions IRIS, p. 161-202.

Lemieux, S. et Byers, S. (2008). « Childhood and adolescent sexual abuse and harassment », *Psychology of Women Quarterly*, vol. 32, p. 126-144.

Leonard, L., Iverson, K. et Follette, V. (2008). « Sexual functioning and sexual satisfaction among women who report a history of childhood and/or adolescent sexual abuse », *Journal of Sex and Marital Therapy*, vol. 34, p. 375-384.

Lepage, M.C. et Schoonbroodt, C. (2006). *Services intégrés en périnatalité et pour la petite enfance (SIPPE) à l'intention des familles vivant en contexte de vulnérabilité. Processus d'implantation et pratiques d'intervention liés à la composante Accompagnement des familles (Partie 1)*, Beauport, Direction de la santé publique, Agence de développement des réseaux locaux de services de santé et de services sociaux de la Capitale nationale, 68 p.

Lepowsky, M. (1994). *Fruit of the Motherland: Gender in an Egalitarian Society*, New York, Columbia University Press.

Letourneau, E., Schewe, P. et Frueh, B. (1997). « Preliminary evaluation of sexual problems in combat veterans with PTSD », *Journal of Traumatic Stress*, vol. 10, p. 125-132.

Leuchtag, A. (2003). « Human rights, sex trafficking, and prostitution », *The Humanist*, janvier-février, p. 10-15.

Levant, R. (1997). *Men and Emotions: A Psychoeducational Approach*, New York, Newbridge Communications.

Leventhal-Aldexander, J. (2005). « Female sexual dysfunction and menopause », article présenté lors du 17e congrès mondial de sexologie, Montréal, Canada, 10-15 juillet.

Lever, J. (1994). « Sexual revelations », *The Advocate*, 23 août, p. 17-24.

Lever, J., Frederick, D. et Peplau, L. (2006). « Does size matter? Men's and women's views on penis size across the lifespan », *Psychology of Men and Masculinity*, vol. 7, p. 127.

Levin, R. (2002). «The physiology of sexual arousal in the human female: A recreational and procreational synthesis», *Archives of Sexual Behavior*, vol. 31, p. 405-411.

Levin, R. (2003a). «Do women gain anything from coitus apart from pregnancy? Changes in the human female genitale tract activated by coitus», *Journal of Sex and Marital Therapy*, vol. 29 (suppl.), p. 59-69.

Levin, R. (2003b). «Is prolactin the biological "off switch" for human sexual arousal?», *Sexual and Relationship Therapy*, vol. 18, p. 237-243.

Levine, L. (2007). *Understanding Peyronie's Disease: A Treatment Guide for Curvature of the Penis*, Omaha, NE, Addicus Books.

Levine, M. et Troiden, R. (1988). «The myth of sexual compulsivity», *Journal of Sex Research*, vol. 25, p. 347-363.

Levine, R., Sato, S., Hashomoto, T. et Verman, J. (1995). «Love and marriage in eleven cultures», *Journal of Cross-Cultural Psychology*, vol. 26, p. 554-571.

Levine, S. (2007). «Seeing beneath the sexual desire disorders by understanding the nature of sexual desire and psychological intimacy», article présenté lors du 18e congrès de la World Association for Sexual Health, Sydney, Australie, 15-19 avril.

Levy, A., Crowley, T. et Gingell, C. (2000). «Nonsurgical management of erectile dysfunction», *Clinical Endocrinology*, vol. 52, p. 253-260.

Levy, J. (2001). «HIV and AIDS in people over 50», *SIECUS Report*, vol. 30, p. 10-15.

Lévy, J.-J. et coll. (2011). «La pilule contraceptive chez les étudiantes en France et au Québec», dans *La contraception, prévalence, prévention et enjeux de société* (sous la direction de L. Charton et J.-J. Lévy), Montréal, Presses de l'Université du Québec, p. 155-177.

Lew, M. (2004). «Adult male survivors of sexual abuse: Sexual issues in treatment and recovery», *Contemporary Sexuality*, vol. 38, p. I-V.

Leye, E., Powell, R., Nienhuis, G. et Claeys, P. (2006). «Health care in Europe for women with genital mutilation», *Health Care for Women International*, vol. 27, p. 362-378.

Liebowitz, M. (1992). *La chimie de l'amour*, Montréal, Éditions de l'homme.

Lief, H. et Hubschman, L. (1993). «Orgasm in the postoperative transsexual», *Archives of Sexual Behavior*, vol. 22, p. 145-155.

Lim, L. (1998). *The Sex Sector*, Genève, International Labour Office.

Lindberg, S., Hyde, J. et Hirsch, L. (2008). «Gender and mother-child interaction during mathematics homework: The importance of individual differences», *Merril-Palmer Quarterly*, vol. 54, p. 232-255.

Lindgren, A. et Lindberg, A. (2008). «Growth hormone treatment completely normalizes adult height and improves body composition in Prader-Willi syndrome», *Hormone Research*, vol. 70, p. 182-187.

Lindholm, J., Lunde, I., Rasmussen, O. et Wagner, G. (1980). «Gonadal and sexual functions in tortured Greek men», *Danish Medical Bulletin*, vol. 27, p. 243-245.

Linskey, A. (2006). «Police target Internet-advertised prostitution», *Balimore Sun*, 9 août, pNA.

Lippa, R. (2003). «Handedness, sexual orientation, and gender-related personality traits in men and women», *Archives of Sexual Behavior*, vol. 32, p. 103-115.

Lippa, R. (2006). «Is high sex drive associated with increased sexual attraction to both sexes? It depends on whether you're male or female», *Psychological Science*, vol. 17, p. 46-52.

Lippa, R. (2009). «Sex differences in sex drive, sociosexuality, and height across 53 nations: Testing evolutionary and social structural theories», *Archives of Sexual Behavior*, vol. 38, no 5, p. 631-651.

Lips, H.M. (1997). *Sex and Gender: An introduction*, Californie, Mayfield Publishing Company.

Lisotta, C. (2006). «Radical Islam in your backyard», *The Advocate*, 23 mai, p. 30-32.

Lisotta, C. (2007). «Coming home», *The Advocate*, 19 juin, p. 25.

Lithwick, D. (2009). «Teens, nude photos and the law», *Newsweek*, 23 février, p. 18.

Littleton, H., Axsom, D. et Grills-Taquechel, A. (2009). «Sexual assault victims' acknowledgement status and revictimization», *Psychology of Women Quarterly*, vol. 33, p. 34-42.

Liu, C. (2003). «Does quality of marital sex decline with duration?», *Archives of Sexual Behavior*, vol. 32, p. 55-60.

Loftus, D. (2002). *Watching Sex*, New York, Thunder's Mouth Press.

Loftus, E., Polonsky, S. et Fullilove, M. (1994). «Memories of childhood sexual abuse: Remembering and repressing», *Psychology of Women Quarterly*, vol. 18, p. 67-84.

Long, J. et Serovich, J. (2003). «Incorporating sexual orientation into MFT training programs: Infusion and inclusion», *Journal of Marital and Family Therapy*, vol. 29, p. 59-67.

Long, V. (2002). «Contraceptives choices: New options in the U.S. market», *SIECUS Report*, vol. 31, p. 13-18.

Longombe, A., Claude, K. et Ruminjo, J. (2008). «Fistula and traumatic genital injury from sexual violence in a conflict setting in Eastern Congo: Case studies», *Reproductive Health Matters*, no 16, p. 132-141.

Lonsway, K. et Fitzgerald, L. (1994). «Rape myths», *Psychology of Women Quarterly*, vol. 18, p. 133-164.

Looker, K., Garnett, G. et Schmid, G. (2008). «An estimate of the global prevalence and incidence of herpes simplex virus type 2 infection», *Bulletin of the World Health Organization*, vol. 85, p. 805-812.

Looy, H. et Bouma, H. (2005). «The nature of gender: Gender identity in persons who are intersexed or transgendered», *Journal of Psychology and Theology*, vol. 33, p. 166-178.

Lopez, A. (2007). «Entretien retranscrit», dans *Luttes XXX* (sous la direction de M. Nengeh Mensah, C. Thiboutot et L. Toupin, 2011), Montréal, Éditions du remue-ménage, p. 136-144.

LoPiccolo, J. (2000). «Post-modern sex therapy: An integrated approach», communication donnée à la XXXIIth Annual Conference of the American Association of Sex Educators, Counselors, and Therapists, Atlanta, 10-14 mai.

Lorber, J. (1995). «Gender is determined by social practices», dans *Human Sexuality: Opposing Viewpoints* (sous la direction de D. Bender et B. Leone), San Diego, Greenhaven Press.

Lorch, D. et Mendenhall, P. (2000). «A war's hidden tragedy», *Newsweek*, août, p. 35-36.

Louchini, R. et coll. (2008). «Évolution des cancers ano-génitaux reliés à l'infection au VPH déclarés au Québec — Incidence et survie», dans *Maladies chroniques au Canada*, Agence de la santé publique du Canada, Ottawa, p. 111-118.

Loughlin, K. (2005). «Penile carcinoma: New answers to 6 controversial questions», *Contemporary Urology*, vol. 17, p. 26-32.

Loulan, J. (1984). *Lesbian Sex*, San Francisco, Spinsters Ink.

Love, P. (2001). *The Truth About Love*, New York, Simon & Schuster.

Lowenstein, L. (2002). «Fetishes and their associated behavior», *Sexuality and Disability*, vol. 20, p. 135-147.

Lucentini, J. (2005). «Love is like an addiction: Looking for correlates in human and animal attraction», *The Scientist*, vol. 19, p. 20-21.

Lue, T., Basson, R., Rosen, R. et Giuliano, F. (2004). *Second International Consultation on Sexual Medicine: Sexual Dysfunctions in Men and Women*, Paris, Health Publications.

Lue, T., Giuliano, F., Montorsi, F. et Rosen, R. (2004). «Summary of the recommendations on sexual dysfunctions in men», *The Journal of Sexual Medicine*, vol. 1, p. 6-23.

Luong, M. (2008). *Que sont devenues les mères adolescentes?*, Statistique Canada, http://www.statcan.gc.ca/bsolc/francais/bsolc?catno=75-001-X200810510577 (consulté le 3 décembre 2012).

Luongo, M. (2007). *Gay Travels in the Muslim World*, Kirkwood, Harrington Park Press.

Lurie, L., Wilkens, L., Thompson, P., McDuffie, K., Carney, M., Terada, K. et Goodman, M. (2008). «Combined oral contraceptive use and epithelial ovarian cancer risk: Time related effects», *Epidemiology*, vol. 19, p. 237-243.

Lutfey, K., Link, C. et McKinlay, F. (2006). «Prevalence and predictors of female sexual dysfunction: Results from the Boston Area Community Health (Back) Survey», communication donnée à la Sexual Medicine Society of North America Fall Meeting, New York, novembre.

Maccoby, E. (1998). *The Two Sexes: Growing Up Apart, Coming Together*, Cambridge, Harvard University Press.

MacDonald, T., MacDonald, G., Zanna, M. et Fong, G. (2000). «Alcohol, sexual arousal, and intentions to use condoms in young men: Applying alcohol myopia theory to risky sexual behavior», *Health Psychology*, vol. 19, p. 290-298.

MacGeorge, E., Graves, A., Feng, B. et Gillihan, S. (2004). «The myth of gender cultures: Similarities outweigh differences in men's and women's provision of and responses to supportive communication», *Sex Roles: A Journal of Research*, vol. 50, p. 143-175.

MacKay, A., Berg, C., King, J. et Duran, C. (2006). «Pregnancy-related mortality among women with multifetal pregnancies», *Obstetrics and Gynecology*, vol. 107, p. 563-568.

Macklon, N. et Fauser, B. (1999). «Aspects of ovarian follicle development throughout life», *Hormone Research*, vol. 52, p. 161-170.

MacNeil, S. et Byers, S. (2009). «Role of sexual self-disclosure in the sexual satisfaction of long-term heterosexual couples», *Journal of Sex Research*, vol. 46, p. 3-12.

Mah, K. et Binik, Y. (2002). «Do all orgasms feel alike? Evaluating a two-dimensional model of orgasm experience across gender and sexual context», *Journal of Sex Research*, vol. 39, p. 104-113.

Mahaffey, A., Bryan, A. et Hutchison, K. (2005). «Sex differences in affective responses to homoerotic stimuli: Evidence for an unconscious bias among heterosexual men, but not heterosexual women», *Archives of Sexual Behavior*, vol. 34, p. 537-546.

Maheshwari, A., Hamilton, M. et Bhattacharya, S. (2008). «Effect of female age on the diagnostic categories of infertility», *Human Reproduction*, vol. 23, p. 538-542.

Mahoney, C. (2007). «Sexuality, infertility and fertility treatments», article présenté lors du 18e congrès de la World Association for Sexual Health, Sydney, Australie, 15-19 avril.

Mahoney, S. (2003). «Seeking love: The 50-plus dating game has never been hotter», *AARP*, novembre-décembre, p. 57-66.

Maisel, N., Gable, S. et Strachman, A. (2008). «Responsive behaviors in good times and bad», *Personal Relationships*, vol. 15, p. 317-338.

Majewska, M. (1996). «Sex differences in brain morphology and pharmacodynamics», dans *Psychopharmacology and Women: Sex, Gender, and Hormones* (sous la direction de M. Jensvold et U. Harbreich), Washington, American Psychiatric Press.

Malamuth, N., Addison, T. et Koss, M. (2000). «Pornography and sexual aggression: Are there reliable effects and can we understand them?», dans *Annual Review of Sex Research* (sous la direction de J. Heiman et C. Davis), Mason City, Society for the Scientific Study of Sexuality.

Malamuth, N., Haber, S. et Feshback, S. (1980). «Testing hypotheses regarding rape: Exposure to sexual violence, sex differences, and the normality of rapists», *Journal of Research in Personality*, vol. 14, p. 121-137.

Malcolm, J. (2008). «Heterosexually married men who have sex with men: Marital separation and psychological adjustment», *Journal of Sex Research*, vol. 45, p. 350-357.

Malesky, L. et Ennis, L. (2004). «Supportive distortions: An analysis of posts on a pedophile Internet message board», *Journal of Addictions & Offender Counseling*, vol. 24, p. 92-100.

Malizia, B., Hacker, M. et Penzias, A. (2009). «Cumulative live-birth rates after in vitro fertilization», *New England Journal of Medicine*, vol. 360, p. 236-243.

Mallis, D., Moisidis, K., Kirana, P. et Papaharitou, S. (2006). «Moderate and severe erectile dysfunction equally affects life satisfaction», *The Journal of Sexual Medicine*, vol. 3, p. 442-449.

Maltz, W. (2001). *The Sexual Healing Journey: A Guide for Survivors of Sexual Abuse*, New York, Quill.

Maltz, W. (2003). «Treating the sexual intimacy concerns of sexual abuse», *Contemporary Sexuality*, vol. 37, p. I-VII.

Maltz, W. et Boss, S. (1997). *In the Garden of Desire*, New York, Broadway Books.

Mandoki, M., Sumner, G., Hoffman, R. et Riconda, D. (1991). «A review of Klinefelter's syndrome in children and adolescents», *Journal of the American Academy of Child and Adolescence Psychiatry*, vol. 30, p. 167-172.

Manecke, R. et Mulhall, J. (1999). «Medical treatment of erectile dysfunction», *Annals of Medicine*, vol. 31, p. 388-398.

Manganello, J., Franzini, A. et Jordan, A. (2008). «Sampling television programs for content analysis of sex on TV: How many episodes are enough?», *Journal of Sex Research*, vol. 45, p. 9-16.

Manier, B. (2008). «France strikes down court ruling on virginity», *We-News*, http://womensenews.org/story/the-world/ 081118/france-strikes-down-court-ruling-virginity (consulté le 25 avril 2012).

Manji, I. (2006). «My Islam», *The Advocate*, 23 mai, p. 33.

Manlove, J., Ryan, S. et Franzetta, K. (2004). «Contraceptive use and consistency in U.S. teenagers' most recent sexual relationships», *Perspectives on Sexual and Reproductive Health*, vol. 36, p. 265-275.

Manlove, J. et Terry-Humen, E. (2007). «Contraceptive use patterns within females' first sexual relationships: The role of relationships, partners, and methods», *Journal of Sex Research*, vol. 44, p. 3-16.

Mannino, D., Klevens, R. et Flanders, W. (1994). «Cigarette smoking: An independent risk factor for impotence?», *American Journal of Epidemiology*, vol. 140, p. 1003-1008.

Mansfield, P., Voda, A. et Koch, P. (1995). «Predictors of sexual response changes in heterosexual midlife women», *Health Values: The Journal of Health Behavior, Education and Promotion*, vol. 19, p. 10-20.

Mansour, D., Korver, T., Marintcheva-Petrova, M. et Fraser, I. (2008). «The effects of Implanon on menstrual bleeding patterns», *European Journal of Contraception and Reproductive Health Care*, vol. 13, p. 13-28.

Mantell, J., Morar, N., Myer, L. et Ramjee, G. (2006). «"We have our protector": Misperceptions of protection against HIV among participants in a microbicide efficacy trial», *American Journal of Public Health*, vol. 96, p. 1073-1077.

Mar, A. (2007). «Asexual healing: Young people forming sex-free community», http://www.mtv.com/news/articles/1556336/what-does-it-mean-be-asexual.jhtml (consulté le 15 juin 2012).

Marchina, E., Gambera, A. et coll. (2009). «Identification of a new mutation in the SRY gene in a 46, XY woman with Swyer syndrome», *Fertility and Sterility*, vol. 91, p. e7-e11.

Marcus, D. et Miller, R. (2003). «Sex differences in judgments of physical attractiveness: A social relations analysis», *Personality and Social Psychology Bulletin*, vol. 29, p. 325-335.

Marelich, W., Lundquist, J., Painter, K. et Mechanic, M. (2008). «Sexual deception as a social-exchange process: Development of a behavior-based sexual deception scale», *Journal of Sex Research*, vol. 45, p. 27-35.

Margolis, L. (2000). «Ethical principles for analyzing dilemmas in sex research», *Health Education and Behavior*, vol. 27, p. 24-27.

Markle, G. (2008). «"Can women have sex like a man?": Sexual scripts in *Sex in the City*», *Sexuality and Culture*, vol. 12, p. 45-57.

Markowitz, J., Donovan, J., DeVane, C. et Ruan, R. (2003). «Effect of St. John's wort on drug metabolism by induction of cytochrome P450 3A4 enzyme», *Journal of American Medical Association*, vol. 290, p. 1500-1504.

Marmion, J.-F. (2009). «Mais où sont les pervers d'antan?», *Sciences humaines*, n° 10 hors série: «La sexualité dans tous ses états», p. 56-57.

Marshall, D. (1971). «Sexual behavior on Mangaia», dans *Human Sexual Behavior: Variations in the Ethnographic Spectrum* (sous la direction de D. Marshall et R. Suggs), Englewood Cliffs, Prentice Hall.

Marshall, W. (1988). «The use of sexually explicit stimuli by rapists, child molesters, and nonoffenders», *Journal of Sex Research*, vol. 25, p. 267-288.

Marshall, W. (1993). «A revised approach to the treatment of men who sexually assault adult females», dans *Sexual Aggression: Issues in Etiology, Assessment, and Treatment* (sous la direction de G. Hall, R. Hirschman, J. Graham et M. Zaragoza), Washington, Taylor & Francis.

Marshall, W., Eccles, A. et Barbaree, H. (1991). «The treatment of exhibitionists: A focus on sexual deviance versus cognitive and relationship features», *Behaviour Research and Therapy*, vol. 29, p. 129-135.

Martin, J., Hamilton, B., Sutton, P., Ventura, S., Manacker, F., Kirmeyer, S. et coll. (2009). «Births: Final data for 2006», *National Vital Statistics Report*, vol. 57, p. 1-120.

Martinez, G., Chandra, A., Abma, J., Jones, J. et Mosher, W. (2006). «Fertility, contraception, and fatherhood: Data on men and women from Cycle 6 (2002) of the National Survey of Family Growth», *Vital and Health Statistics*, vol. 23, p. 26.

Martino, S., Collins, R., Elliott, M., Strachman, A., Kanouse, K. et Berry, S. (2006). «Exposure to degrading versus nondegrading music lyrics and sexual behavior among youth», *Pediatrics*, vol. 118, p. 782-791.

Martinson, F. (1994). *The Sexual Life of Children*, Westport, Bergin & Garvey.

Martsolf, D. et Draucker, C. (2008). «The legacy of childhood sexual abuse and family adversity», *Journal of Nursing Scholarship*, vol. 40, p. 333-340.

Marx, T. et Mehta, A. (2003). «Polycystic ovary syndrome: Pathogenesis and treatment over the short and long term», *Cleveland Clinic Journal of Medicine*, vol. 70, p. 31-41.

Marzucco, J. (2005). «Premature ejaculation: Medical and mental health working together», article présenté lors du 17e congrès mondial de sexologie, Montréal, Canada, 10-15 juillet.

Masters, N., Beadnell, B., Morrison, D. et coll. (2008). «The opposite of sex? Adolescents' thoughts about abstinence and sex, and their sexual behavior», *Perspectives on Sexual and Reproductive Health*, vol. 40, p. 87-93.

Masters, W. et Johnson, V. (1961). «Orgasm, anatomy of the female», dans *Encyclopedia of Sexual Behavior*, vol. 2 (A. Ellis et A. Abarbonel, éditeurs), New York, Hawthorn.

Masters, W. et Johnson, V. (1968). *Les réactions sexuelles*, Paris, Robert Laffont.

Masters, W. et Johnson, V. (1976). *The Pleasure Bond*, New York, Bantam Books.

Masters, W. et Johnson, V. (1979). *Les mésententes sexuelles et leur traitement*, Paris, Robert Laffont.

Matek, O. (1988). «Obscene phone callers», *Journal of Social Work and Human Sexuality*, vol. 7, p. 113-130.

Mather, C. (2005). «Accusation of genital theft: A case from Northern Ghana», *Culture, Medicine and Psychiatry*, vol. 29, p. 33-52.

Mathes, E. et Verstrate, C. (1993). «Jealous aggression: Who is the target, the beloved or the rival?», *Psychological Reports*, vol. 72, p. 1071-1074.

Mathews, F. (1996). «Le garçon invisible: nouveau regard sur la victimologie au masculin: enfants et adolescents», Ottawa, Santé Canada, http://www.canadiancrc.com/Le_garçon_invisible_1996.aspx (consulté le 2 novembre 2012).

Mathews, G., Fane, B. et coll. (2009). «Personality and congenital adrenal hyperplasia: Possible effects of prenatal androgen exposure», *Hormones and Behavior*, vol. 55, p. 285-291.

Mathieu, C., Courtois, F. et Noreau, L. (2005). «Sexual activities, desire and sensations in 227 paraplegic and tetraplegic men and women», communication donnée au World Congress of Sexology, Montréal, Canada, 10-15 juillet.

Matteo, S. et Rissman, E. (1984). «Increased sexual activity during the midcycle portion of the human menstrual cycle», *Hormones and Behavior*, vol. 18, p. 249-255.

May, R. (1969). *Love and Will*, New York, Norton.

Mazur, T. (2005). «Gender dysphoria and gender change in androgen insensitivity or micropenis», *Archives of Sexual Behavior*, vol. 34, p. 411-421.

McAllister, R. et coll. (2008). «The cost to circumcise Africa», *International Journal of Men's Health*, vol. 7, p. 307-316.

McBride, C., Paikoff, R. et Holmbeck, G. (2003). «Individual and familial influences on the onset of sexual intercourse among urban African American adolescents», *Journal of Consulting and Clinical Psychology*, vol. 71, p. 159-167.

McCabe, M. (1999). «The interrelationship between intimacy, relationship functioning, and sexuality among men and women in committed relationships», *Canadian Journal of Human Sexuality*, vol. 8, p. 31-39.

McCabe, M. et Matic, H. (2008). «Erectile dysfunction and relationships: Views of men with erectile dysfunction and their partners», *Sexual and Relationship Therapy*, vol. 23, p. 51-60.

McCabe M. et Wauchope, M. (2005). «Behavioral characteristics of men accused of rape: Evidence for different types of rapists», *Archives of Sexual Behavior*, vol. 34, p. 241-253.

McCarthy, B. (2001). «Primary and secondary prevention of sexual problems and dysfunction», communication donnée à la xxxiiith Annual Conference of the American Association of Sex Educators, Counselors, and Therapists, San Francisco, 2-6 mai.

McCarthy, B. et McDonald, D. (2009). «Assessment, treatment, and relapse prevention: Male hypoactive sexual desire disorder», *Journal of Sex and Marital Therapy*, vol. 35, p. 58-67.

McCullough, A., Tsend, L. et Seigel, R. (2006). «Women's satisfaction with sexual intercourse is associated with their partner's improved erectile function and satisfaction after treatment of erectile dysfunction with Viagra (sildenafil citrate)», *The Journal of Sexual Medicine*, vol. 3 (suppl. 3), p. 224-286.

McDermott, E., Roen, K. et Scourfield, J. (2008). «Avoiding shame: Young LGBT people, homophobia and self-destructive behaviors», *Culture, Health ans Sexuality*, vol. 10, p. 815-829.

McDougall (1993). «L'addiction à l'autre: réflexion sur les néosexualités et la sexualité addictive», dans *Les troubles de la sexualité* (sous la direction d'A. Fine), Paris, Presses Universitaires de France, p. 139-157.

McEwen, B. (1997). «Meeting report: Is there a neurobiology of love?», *Molecular Psychiatry*, vol. 2, p. 15-16.

McEwen, B. (2001). «Estrogen effects on the brain: Multiple sites and molecular mechanisms», *Journal of Applied Physiology*, vol. 91, p. 2785-2801.

McGee, E. et Shevlin, M. (2009). «Effect of humor on interpersonal attraction and mate selection», *Journal of Psychology*, vol. 143, p. 67-77.

McGinn, S. et Skipp, C. (2002). «Does Gran get it on?», *Newsweek*, 3 juin, p. 10.

McGinty, K., Knox, D. et Zusman, M. (2007). «Friends with benefits: Women want "friends", men want "benefits"», *College Student Journal*, vol. 41, p. 1128-1131.

McKay, A. (2005). «Sexuality and substance use: The impact of tobacco, alcohol, and selected recreational drugs on sexual function», *Canadian Journal of Human Sexuality*, vol. 14, p. 47-56.

McKeown, L. et Underhill, C. (2007). «Apprentissage en direct: Facteurs associés à l'utilisation d'Internet à des fins éducatives», http://www.statcan.gc.ca/pub/81-004-x/2007004/10375-fra.htm (consulté le 6 décembre 2012).

McKibben, A. et Jacob, M. (1993). «Les adolescents», dans *Les agresseurs sexuels: Théorie, évaluation et traitement* (sous la direction de J. Aubut et coll.), Montréal, Les Éditions de la Chenelière, p. 267-279.

McKibben, A., Proulx, J. et Lusignan, R. (1994). «Relationships between conflict, affect, and deviant sexual behaviors in rapists and pedophiles», *Behavior Research and Therapy*, vol. 32, p. 571-575.

McLaren, A. (1990). *A History of Contraception: From Antiquity to the Present Day*, Cambridge, Basil Blackwell.

McLaren, C. et Ringe, A. (2006). «Curious mental illnesses around the world», http://www.stayfreemagazine.org/archives/21/mental_illness.html (consulté le 30 avril 2012).

McMahon, C. (2008). «Pharmacotherapy for premature ejaculation», article présenté lors du 18e congrès de la World Association for Sexual Health, Sydney, Australie, 15-19 avril.

McMahon, P. (2008). «Sexual violence on the college campus: A template for compliance with federal policy», *Journal of American College Health*, vol. 57, p. 361-365.

McNeill, B., Prieto, L., Niemann, Y., Pizarro, M., Vera, E. et Gomez, S. (2001). «Current directions in Chicana/o psychology», *Counseling Psychologist*, vol. 29, p. 5-17.

McNicholas, T., Dean, J., Mulder, H., Carnegie, C. et Jones, N. (2003). «Andrology», *British Journal of Urology International*, vol. 91, p. 69-74.

McNiven, P., Hodnett, E. et O'Brien-Pallas, L. (1992). «Supporting women in labor: A work sampling study of the activities of labor and delivery nurses», *Birth*, vol. 19, p. 3-8.

McRoberts, K. et Postgate, D. (1983). *Développement et modernisation du Québec*, Montréal, Boréal Express.

Mead, M. (1969). *Mœurs et sexualité en Océanie*, Paris, Plon.

Meana, M. et Nunnink, S. (2006). «Gender differences in the content of cognitive distraction during sex», *The Journal of Sex Research*, vol. 43, p. 59-68.

Medical Center for Human Rights (1995). *Characteristics of Sexual Abuse of Men During War in the Republic of Croatia and Bosnia*, Zagreb, Croatie, Medical Center for Human Rights.

Megan, K. (2008). «Head of polygamy group discusses multiple partners», *Hartford Courant*, 8 mai, p. B2.

Melby, T. (2002a). «Intersex interrupted», *Contemporary Sexuality*, vol. 36, p. 1-6.

Melby, T. (2002b). «Pain and (possibly) a loss of pleasure», *Contemporary Sexuality*, vol. 36, p. 7-12.

Melchert, T. et Parker, R. (1997). «Different forms of childhood abuse and memory», *Child Abuse and Neglect*, vol. 21, p. 125-135.

Meldrum, K. et Rink, R. (2005). «Nonspecific penile anomalies: Practical management in infants and children», *Contemporary Urology*, vol. 17, p. 13-20.

Meltzer, D. (2005). «Complications of body piercing», *American Family Physician*, vol. 72, p. 2029.

Menard, A. et Kleinplatz, P. (2008). «Twenty-one moves guaranteed to make his thighs go up in flames: Depictions of "Great Sex" in popular magazines», *Sexuality and Cuture*, vol. 12, p. 1-20.

Mensah, N.M. (2007). *Décriminalisation de la prostitution, s'assurer du respect des droits humains des travailleuses du sexe*, communication et diaporama, Montréal, Université du Québec à Montréal.

Mensah, N.M. et coll. (2011). *Luttes XXX: inspirations du mouvement des travailleuses du sexe*, Montréal, Éditions du remue-ménage, 455 p.

Menvielle, E. (2004). «Parents struggling with their child's gender issues», *The Brown University Child and Adolescent Behavior Letter*, vol. 20, p. 1-3.

Merek, G. et Gonzales-Rivera, M. (2006). «Attitudes toward homosexuality among U.S. residents of Mexican descent», *Journal of Sex Research*, vol. 43, p. 122-136.

Merki-Feld, G., Imthurn, B. et Seifert, B. (2008). «Effects of the progestagen-only contraceptive implant Implanon of cardiovascular risk factors», *Clinical Endocrinology*, vol. 68, p. 355-360.

Merkin, D. (2006). «Our vaginas, ourselves», *The New York Times Magazine*, 1er janvier, p. 13.

Messenger, J. (1971). «Sex and repression in an Irish folk community», dans *Human Sexual Behavior: Variations in the Ethnographic Spectrum* (sous la direction de D. Marshall et R. Suggs), Englewood Cliffs, Prentice Hall.

Messman-Moore, T., Ward, R. et Brown, A. (2009). «Substance use and PTSD symptoms impact the likelihood of rape and revictimization in college women», *Journal of Interpersonal Violence*, vol. 24, p. 499-521.

Meston, C. et Buss, D. (2007). «Why humans have sex», *Archives of Sexual Behavior*, vol. 36, p. 477-507.

Meston, C., Rellini, A. et Heiman, J. (2006). «Women's history of sexual abuse, their sexuality, and sexual self-schemas», *Journal of Consulting Clinical Psychology*, vol. 74, p. 229-236.

Metz, M. et McCarthy, B. (2008). «Eros and aging», *Psychotherapy Networker*, juillet-août, p. 55-58.

Meyer, S. et Schwitzer, A. (1999). «Stages of identity development among college students with minority sexual orientations», *Journal of College Student Psychotherapy*, vol. 13, p. 41-65.

Meyer, W., Webb, A., Stuart, C., Finkelstein, J., Lawrence, B. et Walker, P. (1986). «Physical and hormonal evaluation of transsexual patients: A longitudinal study», *Archives of Sexual Behavior*, vol. 15, p. 121-138.

Meyer-Bahlburg, H. (2005). «Introduction: Gender dysphoria and gender change in persons with intersexuality», *Archives of Sexual Behavior*, vol. 34, p. 371-373.

Meyer-Bahlburg, H., Gruen, R., New, M., Bell, J., Morishima, A., Shimski, M., Bueno, Y., Vargas, I. et Baker, S. (1996). «Gender change from female to male in classical congenital adrenal hyperplasia», *Hormones and Behavior*, vol. 30, p. 319-322.

Mialet, J.-P. (2011). *Sex aequo: le quiproquo des sexes*, Paris, Albin Michel, 456 p.

Michael, R., Gagnon, J., Laumann, E. et Kolata, G. (1994). *Sex in America*, Boston, Little, Brown & Co.

Michaels, D. (1997). «Cyber-rape: How virtual is it?», *Ms.*, mars-avril, p. 68-72.

Michaels, D. et Johnson, P. (2006). *The Essence of Tantric Sexuality*, Woodbury, Llewellyn Publications.

Michel, F. (2006). *Voyage au bout du sexe. Trafics et tourismes sexuels en Asie et ailleurs*, Québec, coll. Nord-Sud, Les Presses de l'Université Laval, 361 p.

Michelson, D., Kociban, K., Tamura, R. et Morrison, M. (2002). «Mirtazapine, yohimbine, or olanzapine augmentation therapy for serotonin reuptake-associated female sexual dysfunction: A randomized, placebo controlled study», *Journal of Psychiatric Research*, vol. 36, p. 147-152.

Migeon, C., Wisniewski, A., Gearhart, J., Meyer-Bahlburg, H., Rock, J., Brown, T., Casella, S., Maret, A., Ngai, K. et Money, J. (2002). «Ambiguous genitalia with perineoscrotal hypospadias in 46,XY individuals: Long-term medical, surgical, and psychosexual outcome», *Pediatrics*, vol. 110, p. 616-621.

Miletski, H. (2002). *Understanding Bestiality and Zoophilia*, Bethesda, East-West Publishing.

Miller, G., Joshua, M. et Jordan, B.D. (2007). «Ovulatory cycle effects on tip earnings by lap dancers: Economic evidence for human estrus?», *Evolution and Human Behavior*, vol. XXVIII, n° 6, novembre.

Miller, J. (2003). «Mourning the never born and the loss of the angel», dans *Inconceivable Conceptions: Psychological Aspects of Infertility and Reproductive Technology* (sous la direction de J. Haynes et J. Miller), Hove, Royaume-Uni, Brunner-Routledge.

Miller, J. (2009). «Paraphilias», http://www.athealth.com/Consumer/disorders/Paraphilias.html (consulté le 1er octobre 2012).

Miller, L. et Underwood, A. (2006). «Not always "the Happiest Time"», *Newsweek*, 24 avril, p. 80-82.

Miller, M., Meyer, L., Boufassa, F., Persoz, A., Sarr, A., Robain, M. et Spira, A. (2000). «Sexual behavior changes and protease inhibitor therapy», *AIDS 2000*, vol. 14, p. F33-F39.

Miller, P. (2006). «Our bodies under siege», *Ms.*, printemps, p. 12-13.

Miller, T. (2000). «Diagnostic evaluation of erectile dysfunction», *American Family Physician*, vol. 61, p. 95-104.

Mills, A. et Barclay, L. (2006). «None of them were satisfactory: Women's experiences with contraception», *Health Care for Women International*, vol. 27, p. 379-398.

Mills, T., Paul, J., Stall, R. et Pollack, L. (2004). «Distress and depression in men who have sex with men: The Urban Men's Health Study», *American Journal of Psychiatry*, vol. 161, p. 278-285.

Milne, C. (2005). *Naked Ambition: Women Pornographers and How They Are Changing the Sex Industry*, Berkeley, Pub Group West.

Milner, J. et Dopke, C. (1997). «Paraphilia not otherwise specified: Psychopathology and theory», dans *Sexual Deviance: Theory, Assessment, and Treatment* (D. Laws et W. O'Donohue, éditeurs), New York, The Guilford Press.

Miner, M., Flitter, J. et Robinson, B. (2006). «Association of sexual revictimization with sexuality and psychological function», *Journal of Interpersonal Violence*, vol. 21, p. 503-524.

Minnis, A. et Padian, N. (2001). «Choice of female-controlled barrier methods among young women and their male sexual partners», *Family Planning Perspectives*, vol. 33, p. 28-34.

Minor, M. et Dwyer, S. (1997). «The psychosocial development of sex offenders: Differences between exhibitionists, child molesters, and incest offenders», *International Journal of Offenders Therapy and Comparative Criminology*, vol. 41, p. 36-44.

Minto, C., Liao, L., Woodhouse, C., Rangley, P. et Creighton, S. (2003). «The effect of clitoral surgery on sexual outcomes in individuals who have intersex conditions with ambiguous genitalia: A cross-sectional study», *Lancet*, vol. 361, p. 1252-1257.

Mishail, A., Marshall, S., Schulsinger, D. et Sheynkin, Y. (2009). «Impact of a second semen analysis on treatment decision making in the infertile man with varicolele», *Sterility and Fertility*, vol. 91, p. 1619-1966.

Misrahi, M., Teglas, J., N'Go, N., Burgard, M., Mayaux, M., Rouzioux, C., Delfraissy, J. et Blanche, S. (1998). «CCR5 chemokine receptor variant in HIV-1 mother-to-child transmission and disease progression in children», *Journal of the American Medical Association*, vol. 279, p. 277-280.

Mitchel, K. et Ybarra, M. (2009). «Social networking sites: Finding a balance between their risks and benefits», *Archives of Pediatrics and Adolescent Medicine*, vol. 163, p. 87-89.

Mizuno, K., Kojima, Y. et coll. (2009). «Identification of differentially expressed genes in human cryptochid testes using suppression substractive hybridization», *Journal of Urology*, vol. 181, p. 1330-1337.

Mogato, M. (2008). «Manila women want law on family planning revoked», http://uk.reuters.com/article/2008/01/30/us-philippines-women-idUKMAN21510620080130 (consulté le 28 novembre 2012).

Mohr, J. et Daly, C. (2008). «Sexual minority stress and changes in relationship quality in same-sex couples», *Journal of Social and Personal Relationships*, vol. 25, p. 989-1007.

Mok, F. (2006). «A haven for homeless youths», *The Advocate*, 29 août, p. 26-27.

Moller, L., Hymel, S. et Rubin, K. (1992). «Sex typing in play and popularity in middle childhood», *Sex Roles*, vol. 26, p. 331-335.

Mommers, E., Kersemaekers, W. et Elliesen, J. (2008). «Male hormonal contraception: A double-blind placebo-controlled study», *Journal of Clinical Endocrinology and Metabolism*, vol. 21, p. 784-801.

Mona, L. et Gardos, P. (2000). «Disabled sexual partners», dans *Psychological Perspectives on Human Sexuality* (sous la direction de L. Szuchman et F. Muscarella), New York, Wiley.

Money, J. (1963). «Cytogenetic and psychosexual incongruities with a note on space-form blindness», *American Journal of Psychiatry*, vol. 119, p. 820-827.

Money, J. (1965). «Psychosocial differentiation», dans *Sex Research, New Developments* (sous la direction de J. Money), New York, Holt, Rinehart, & Winston.

Money, J. (1968). *Sex Errors of the Body: Dilemmas, Education, Counseling*, Baltimore, Johns Hopkins University Press.

Money, J. (1981). «Paraphilias: Phyletic origins of erotosexual dysfunction», *International Journal of Mental Health*, vol. 10, p. 75-109.

Money, J. (1990). «Forensic sexology: Paraphilic serial rape (biastophilia) and lust murder (erotophonophilia)», *American Journal of Psychotherapy*, vol. 44, p. 26-37.

Money, J. (1994b). «The concept of gender identity disorder in childhood and adolescence after 39 years», *Journal of Sex and Marital Therapy*, vol. 20, p. 163-177.

Money, J. (2004). *Au cœur de nos rêveries érotiques*, Paris, Payot.

Money, J. et Ehrhardt, A. (1972). «Prenatal hormonal exposure: Possible effects on behavior in man», dans *Endocrinology and Human Behavior* (sous la direction de R. Michael), Londres, Oxford University Press.

Mongeau, P., Ramirez, A. et Vorrell, M. (2003). «Friends with benefits: Initial exploration of sexual, non-romantic relationships», communication donnée à l'Annual meeting of the Western Communication Association, Salt Lake City, février.

Montorsi, P., Ravagnani, P., Galli, S. et Briganti, A. (2006). «Erectile dysfunction predicts extension of coronary artery disease in acute coronary syndromes», *The Journal of Sexual Medicine*, vol. 3 (suppl. 3), p. 176-198.

Morehouse, R. (2001). «Using the Crucible approach to enhance women's sexual potential», communication donnée à la XXXIIIth Annual Conference of the American Association of Sex Educators, Counselors, and Therapists, San Francisco, 2-6 mai.

Morgan, E. (1978). «The Puritans and sex», dans *The American Family in Social-Historical Perspective* (sous la direction de M. Gordon), New York, St. Martin's Press.

Morgan, R. (2006). «The burning time», *Ms.*, printemps, p. 67-70.

Morgan, T. (2007). «Turner syndrome: Diagnosis and management», *American Family Physician*, vol. 76, p. 405.

Morin, J. (1981). *Anal Pleasure and Health*, Burlingame, Down There Press.

Morris, D. (1968). *Le singe nu*, Paris, coll. Livre de poche, Éditions Grasset, 318 p.

Morris, G. (2003). «Is it a boy or a girl?», *Just Out*, 17 janvier, p. 22-25.

Morrison, T. et Whitehead, B. (2007). *Male Sex Work: A Business Doing Pleasure*, Binghamton, New York, Haworth Press.

Moses, J. (2009). «Are parents driven to design their babies?», *Bioethics Forum*, http://www.thehastingscenter.org/Bioethicsforum/Post.aspx?id=3196 (consulté le 27 novembre 2012).

Mosher, C. et Levitt, E. (1987). «An exploratory-descriptive study of a sadomasochistically oriented sample», *Journal of Sex Research*, vol. 23, p. 322-337.

Mosher, C. et Tomkins, S. (1988). «Scripting the macho man: Hypermasculine socialization and enculturation», *Journal of Sex Research*, vol. 25, p. 60-84.

Mosher, D. et MacIan, P. (1994). «College men and women respond to X-rated videos intended for male or female audiences: Gender and sexual scripts», *Journal of Sex Research*, vol. 31, p. 99-113.

Motluk, A. (2003). «The big brother effect: The more older brothers you have, the more likely you are to be gay. What's going on?», *New Scientist*, vol. 177, p. 44-47.

Mruk, D. (2008). «New perspectives in non-hormonal male contraception», *Trends in Endocrinology and Metabolism*, vol. 19, p. 57-64.

Mruk, D. et Cheng, C. (2008). «Delivering non-hormonal contraceptives to men: Advances and obstacles», *Trends in biotechnology*, vol. 26, p. 90-99.

Muehlenhard, C. (1988). «Misinterpreting dating behaviors and the risk of date rape», *Journal of Social and Clinical Psychology*, vol. 6, p. 20-37.

Muehlenhard, C. et Andrews, S. (1985). «Open communication about sex: Will it reduce risk factors related to rape?», communication donnée à l'Annual Meeting of the Association for Advancement of Behavior Therapy, Houston, novembre.

Muehlenhard, C., Felts, A. et Andrews, S. (1985). «Men's attitudes toward the justifability of date rape: Intervening variaables and possible solutions», article présenté lors du Midcontinent Meeting of the Society for the Scientific Study of Sex, Chicago, juin.

Muehlenhard, C., Goggins, M., Jones, J. et Satterfield, A. (1991). «Sexual violence and coercion in close relationships», dans *Sexuality in Close Relationships* (sous la direction de K. McKinney et S. Sprecher), Hillsdale, Erlbaum.

Muehlenhard, C. et Hollabaugh, L. (1989). «Do women sometimes say no when they mean yes? The prevalence and correlates of women's token resistance to sex», *Journal of Personality and Social Psychology*, vol. 54, p. 872-879.

Muehlenhard, C. et Linton, M. (1987). «Date rape and sexual aggression in dating situations: Incidence and risk factors», *Journal of Consulting Psychology*, vol. 34, p. 186-196.

Muehlenhard, C., Peterson, Z., Karwoski, L., Bryan, T. et Lee, R. (2003). «Gender and sexuality: An introduction to the Special Issue», *Journal of Sex Research*, vol. 40, p. 1-3.

Muehlenhard, C. et Schrag, J. (1991). «Nonviolent sexual coercion», *Acquaintance Rape: The Hidden Crime* (sous la direction de A. Parrot et L. Bechhofer), New York, Wiley.

Mukamana, D. et Brysiewicz, P. (2008). «The lived experience of genocide rape survivors in Rwanda», *Journal of Nursing Scholarship*, vol. 40, p. 379-385.

Munger, P. (1995). «Une économie du sexe ou la pornographie, c'est de l'érotique rare et mal vu», *Revue Sexologique/Sexological Review*, p. 155-161.

Munger, P. (1997). «Intervention-éducation sexologique par le recours à Internet: l'expérience du site Élysa», *Revue Sexologique/Sexological Review*, p. 155-161.

Munger, P. (2008). «Élysa», dans *Questions de sexualité au Québec* (sous la direction de J. Lévy et A. Dupras), Montréal, Édition Liber, p. 111-114.

Murnen, S. et Stockton, M. (1997). «Gender and self-reported sexual arousal in response to sexual stimuli: A meta-analytic review», *Sex Roles*, vol. 37, p. 135-154.

Murphy, E. (2003a). «Being born female is dangerous for your health», *American Psychologist*, vol. 58, p. 205-209.

Murphy, T. (2008). «Brief history of a recurring nightmare», *Gays and Lesbian Review Worldwide*, vol. 15, p. 17-24.

Murphy, W. (1997). «Exhibitionism: Psychopathology and theory», dans *Sexual Deviance: Theory, Assessment, and Treatment* (sous la direction de D. Laws et W. O'Donohue), New York, The Guilford Press.

Murray, J. (2000). «Psychological profile of pedophiles and child molesters», *Journal of Psychology*, vol. 134, p. 211-224.

Murray, L. (1992). «Love and Longevity», *Longevity*, août, p. 64.

Murstein, B. et Tuerkheim, A. (1998). «Gender differences in love, sex, and motivation for sex», *Psychological Reports*, vol. 82, p. 425-450.

Mustanski, B. (2001). «Getting wired: Exploiting the Internet for the collection of valid sexuality data», *Journal of Sex Research*, vol. 38, p. 292-302.

Nadeau, J.-G. (2001). «La criminalisation ne règle rien. Mieux vaut transformer notre regard sur les prostituées», *Relations*, janvier-février, vol. 66, p. 26-27.

Najman, J., Dunne, M., Purdie, D., Boyle, F. et Coxeter, P. (2005). «Sexual abuse in childhood and sexual dysfunction in adulthood: An Australian population-based study», *Archives of Sexual Behavior*, vol. 34, p. 517-526.

Nasserzadeh, S. (2009). «Psychosexual therapy in the context of three major world religions – Islam», article présenté lors du 19e WAS World Congress for Sexual Health, Göteborg, Suède, 21-25 juin.

National Campaign to Prevent Teen and Unplanned Pregnancy (2008a). «Sex and Tech: Results from a survey of teens and young adults», 4 décembre, http://www.thenationalcampaign.org/sextech/PDF/SexTech_Summary.pdf (consulté le 10 décembre 2012).

National Campaign to Prevent Teen and Unplanned Pregnancy (2009). *Fast Facts: Men in the United States: Unplanned Pregnancy, Sexual Activity, and Contraceptive Use*, Washington, National Campaign to Prevent Teen and Unplanned Pregnancy.

National Gay and Lesbian Task Force (2003). *National Gay and Lesbian Task Force Slams Santorum's «Gutter Language» Comparing Homosexuality to Pedophilia, Bestiality*, 23 avril, http://www.glapn.org/sodomylaws/santorum/snnews021.htm (consulté le 28 juin 2012).

Naughton, K. (2004). «The soft sell», *Newsweek*, 2 février, p. 46-47.

Navarro, M. (2004). «The most private of makeovers», *The New York Times*, 28 novembre, p. 1-2.

Negy, C. et Eisenman, R. (2005). «A comparison of African American and white college student's affective and attitudinal reactions to lesbian, gay, and bisexual individuals: An exploratory study», *Journal of Sex Research*, vol. 42, p. 291-299.

Ness, R., Hillier, S., Richter, R., Soper, D., Stamm, C., Bass, D., Sweet, R., Rice, P., Downs, J. et Aral, S. (2003). «Why women douche and why they may or may not stop», *Sexually Transmitted Diseases*, vol. 30, p. 71-74.

Neto, F. (2007). «Love styles: A cross-cultural study of British, Indian, and Portuguese college student», *Journal of Comparative Family Studies*, vol. 38, p. 239-254.

Nettle, D. (2002). «Height and reproductive success in a cohort of British men», *Human Nature*, vol. 13, n° 4, p. 473-491.

Newman, H. et Rivera-Wolf, L. (2008). «Hypogonadism due to pituicytoma in an identical twin», *New England Journal of Medicine*, vol. 359, p. 2824-2825.

Newman, R. (2008). «It starts in the womb: Helping parents understand infant sexuality», *Electronic Journal of Human Sexuality*, vol. 11, p. 1-12.

Newton, D. et McCabe, M. (2005). «The impact of stigma on couples managing a sexually transmitted infection», *Sexual and Relationship Therapy*, vol. 20, p. 51-63.

Nguyen, D. (2006). «My life away from Exodus», *The Advocate*, 15 août, p. 22.

Niccolai, L., Ethier, K., Kershaw, T., Lewis, J. et IcKovics, J. (2003). «Pregnant adolescents at risk: Sexual behaviors and sexually transmitted disease prevalence», *American Journal of Obstetrics and Gynecology*, vol. 188, p. 63-70.

Nichols, M. (1989). «Sex therapy with lesbians, gay men, and bisexuals», dans *Principles and Practice of Sex Therapy* (sous la direction de S. Leiblum et R. Rosen), New York, The Guilford Press.

Nichols, M. (2000). «Therapy with sexual minorities», dans *Principles and Practice of Sex Therapy* (sous la direction de S. Leiblum et R. Rosen), New York, The Guilford Press.

Nicolosi, J., Byrd, A. et Potts, R. (2000a). «Beliefs and practices of therapists who practice sexual reorientation psychotherapy», *Psychological Reports*, vol. 86, p. 689-702.

Nicolosi, J., Byrd, A. et Potts, R. (2000b). «Retrospective self-reports of changes in homosexual orientation: A consumer survey of conversion therapy clients», *Psychological Reports*, vol. 86, p. 1071-1088.

Niedowski, E. (2006). «From Russia with love», *The Baltimore Sun*, http://articles.baltimoresun.com/2006-08-06/news/0608040054_1_russia-birth-rate-moscow/2 (consulté le 19 juillet 2012).

Nielson, J. et Wohlert, M. (1991). «Chromosome abnormalities found among 34,910 newborn children: Results from a 13-year incidence study in Arhus, Denmark», *Human Genetics*, vol. 87, p. 81-83.

Nieschlag, E. et Henke, A. (2005). «Hopes for male contraception», *The Lancet*, vol. 365, p. 554.

Nobre, P. et Pinto-Gouveia, J. (2006). «Dysfunctional sexual beliefs as vulnerability factors for sexual dysfunction», *The Journal of Sex Research*, vol. 43, p. 68-76.

Noll, J., Trickett, P. et Putnam, F. (2003). «A prospective investigation of the impact of childhood sexual abuse on the development of sexuality», *Journal of Consulting and Clinical Psychology*, vol. 71, p. 575-586.

Norris, D., Gutheil, T. et Strasburger, L. (2003). «This couldn't happen to me: Boundary problems and sexual misconduct in the psychotherapy relationship», *Psychiatric Services*, vol. 54, p. 517-522.

Nour, N. (2006). «Female genital cutting», *Internal Medicine News*, vol. 39, p. 16.

Nusbaum, M., Lenahan, P. et Sadovsky, R. (2005). «Sexual health in aging men and women: Addressing the physiologic and psychological sexual changes that occur with age», *Geriatrics*, vol. 60, p. 18-28.

Nussbaum, E. (2000). «A question of gender», *Discover*, janvier, p. 92-99.

Oattles, M. et Offman, A. (2007). «Global self-esteem and sexual self-esteem as predictors of sexual communication in intimates relationships», *Canadian Journal of Human Sexuality*, vol. 16, p. 489-500.

O'Brien, S. (2003). *Tears of the Cheetah and Other Tales From the Genetic Frontier*, New York, St. Martin's Press.

Ochs, E. et Binik, Y. (1999). «The use of couple data to determine te reliability of self-reported sexual behavior», *Journal of Sex Research*, vol. 36, p. 374-384.

O'Donnell, L., Myint-U, A., O'Donnell, C. et Stueve, A. (2003). «Long-term influence of sexual norms and attitudes on timing of sexual initiation among urban minority youth», *Journal of School Health*, vol. 73, p. 68-75.

O'Donnell, L., Stueve, A., Wilson-Simmons, R., Dash, K., Agronick, G. et Jean Baptiste, V. (2006). «Heterosexual risk behaviors among urban adolescents», *Journal of Early Adolescence*, vol. 26, p. 87-109.

O'Donohue, W., Yeater, E. et Fanetti, M. (2003). «Rape prevention with college males: The role of rape myth acceptance, victim empathy, and outcome expectancies», *Journal of Interpersonal Violence*, vol. 18, p. 513-531.

Ogden, J. (1989). «Visuospatial and other "right-hemispheric" functions after long recovery periods in left-hemispherectomized subjects», *Neuropsychologia*, vol. 27, p. 765-776.

Ogden, J. et Lindridge, L. (2008). «The impact of breast scarring on perceptions of attractiveness», *Journal of Health Psychology*, vol. 13, p. 303-310.

Ogodo, O. (2009). «Second chance against FGM», http://www.onislam.net/english/health-and-science/health/437693.html (consulté le 25 avril 2012).

Okazaki, S. (2002). «Influences of culture on Asian Americans' sexuality», *Journal of Sex Research*, vol. 39, p. 34-41.

Olsen, V., Gustavsen, I., Bramness, J., Hasvold, I., Karinen, R. et coll. (2005). «The concentrations, appearance and taste of nine sedating drugs dissolved in four different beverages», *Forensic Science International*, vol. 151, p. 171-174.

O'Neill, P. (1997). «Date-rape drug may be in Oregon», *The Oregonian*, 26 février, p. B1 et B7.

O'Neill, P. (2000). «Hormone replacement therapies: A treatment worse than the cure?», *The Sunday Oregonian*, 29 octobre, p. L11.

ONUSIDA (2008). *Rapport sur l'épidémie mondiale de sida*, http://jc1510_2008globalreport_fr.pdf (consulté le 3 décembre 2012).

ONUSIDA (2010). *Rapport ONUSIDA sur l'épidémie mondiale de sida – 2010*, 364 p., http://www.unaids.org/globalreport/global_report_fr.htm (consulté le 13 novembre 2012).

Organisation mondiale de la santé (2001). *Female Genital Mutilation*, http://www.who.int/gender/other_health/Students-manual.pdf (consulté le 11 octobre 2012).

Organisation mondiale de la santé (2011). *Planification familiale, un manuel pour les prestataires de services du monde entier*, mise à jour 2011, 388 p.

Organisation mondiale de la santé (2012). *Mortalité maternelle*, aide-mémoire n° 348, http://www.who.int/mediacentre/factsheets/fs348/fr/index.html (consulté le 30 novembre 2012).

Ortigue, S. et Bianchi-Demicheli, F. (2007). «Interactions entre excitation et désir sexuel: des relations interpersonnelles aux réseaux neuronaux», *Revue Médicale Suisse*, n° 3, p. 809-813.

Ortigue, S. et Bianchi-Demicheli, F. (2008). «The chronoarchitecture of human desire: A high-density electrical mapping study», *NeuroImage*, vol. 43, n° 2, p. 337-345.

Osborn, J. (2008). «The past, present and future of AIDS», *Journal of the American Medical Association*, vol. 300, p. 581-583.

Osman, A. et Al-Sawaf, M. (1995). «Cross-cultural aspects of sexual anxieties and the associated dysfunction», *Journal of Sex Education and Therapy*, vol. 21, p. 174-181.

O'Sullivan, L., Byers, E. et Finkelman, L. (1998). «A comparison of male and female college students' experiences of sexual coercion», *Psychology of Women Quarterly*, vol. 22, p. 177-195.

O'Sullivan, L., Cheng, M., Harris, K. et Brooks-Gunn, J. (2007). «I wanna hold your hand: The profession of social, romantic and sexual events in adolescent relationships», *Perspectives on Sexual and Reproductive Health*, vol. 39, p. 100-107.

Oswald, D. et Russell, B. (2006). «Perceptions of sexual coercion in heterosexual dating relationships: The role of aggressor gender and tactics», *Journal of Sex Research*, vol. 43, p. 87-96.

Otis, M., Rostosky, S., Riggle, E. et Hamrin, R. (2006). «Stress and relationship quality in same-sex couples», *Journal of Social and Personal Relationships*, vol. 23, p. 81-99.

Ott, M., Adler, N., Millstein, S., Tschann, J. et Ellen, J. (2002). «The trade-off between hormonal contraceptives and condoms among adolescents», *Perspectives on Sexual and Reproductive Health*, vol. 34, p. 6-14.

Otto, H. (1999). «A short history of sex toys with an extrapolation for the new century», dans *Porn 101: Eroticism, Pornography, and the First Amendment* (sous la direction de J. Elias, V. Elias, V. Bullough, G. Brewer, J. Douglas et W. Jarvis), Amherst, Prometheus Books.

Overbeck, G., Vollebergh, W., Engels, R. et Meeus, W. (2003). «Parental attachment and romantic relationships: Associations with emotional disturbance during late adolescence», *Journal of Counseling Psychology*, vol. 50, p. 28-39.

Pace, B. et Glass, R. (2001). «Screening and prevention of sexually transmitted diseases», *Journal of the American Medical Association*, vol. 285, p. 124.

Page, R. (1997). «Helping adolescents avoid date rape: The role of secondary education», *High School Journal*, vol. 80, p. 75-80.

Palmer, J., Rosenberg, L., Wise, L. et Horton, N. (2003). «Onset of natural menopause in African American women», *American Journal of Public Health*, vol. 93, p. 299-306.

Pandey, U. (2007). «Male sex work: Implications for HIV/AIDS in India», article présenté au 18e congrès de la World Association for Sexual Health, Sydney, Australie, 15-19 avril.

Panzer, C., Guay, A. et Goldstein, I. (2006). «Do oral contraceptives produce irreversible effects on women's sexuality? A reply», *Journal of Sexual Medicine*, vol. 3, p. 568-570.

Paradis, A.-F. et Lafond, J.S. (1990). *La réponse sexuelle et ses perturbations*, Boucherville, Éditions G. Vermette Inc.

Paredes, R. et Baum, M. (1997). «Role of the medial preoptic area/anterior hypothalamus in the control of masculine sexual behavior», *Annual Review of Sex Research*, vol. 8, p. 68-101.

Parent, C. et coll. (2010). *Mais oui c'est un travail! Penser le travail du sexe au-delà de la victimisation*, Montréal, Presses de l'Université du Québec, 137 p.

Parish, W., Laumann, E. et Mojola, S. (2007). «Sexual behavior in China: Trends and comparisons», *Population and Developmental Review*, vol. 14, p. 729-738.

Parker, C. et Dearnaley, D. (2003). «Hormonal therapy as an adjuvant to radical radiotherapy for locally advanced prostate cancer», *British Journal of Urology International*, vol. 91, p. 6-8.

Parker-Pope, T. (2008). «Love, sex and the changing landscape of infidelity», *New York Times*, 28 octobre, p. D1.

Parks, C. (1999). «Lesbian identity development: An examination of differences across generations», *American Journal of Orthopsychiatry*, vol. 69, p. 347-361.

Parks, K., Pardi, A. et Bradizza, C. (2006). «Collecting data on alcohol use and alcohol-related victimization: A comparison of telephone and Web-based survey methods», *Journal of Studies on Alcohol*, vol. 67, p. 318-324.

Parrot, A. (1991). «Institutionalized response: How can acquaintance rape be prevented?», dans *Acquaintance Rape: The Hidden Crime* (sous la direction de A. Parrot et L. Bechhofer), New York, Wiley.

Parrott, D. et Zeichner, A. (2006). «Effect of psychopathy on physical aggression toward gay and heterosexual men», *Journal of Interpersonal Violence*, vol. 21, p. 390-410.

Pasini, W. (1979). «Sexualité de la femme âgée», dans *Pathologie génitale de la femme au troisième âge, cancers exclus* (sous la direction de la Société française de gynécologie), Paris, Masson, 334 p.

Pasini, W. et Crépault, C. (1987). *L'Imaginaire en sexologie clinique*, Paris, Presses Universitaires de France.

Pathfinder International (2006). «Creating partnerships to prevent early marriage in the Amhara region», *Pathfinder International*, juillet, pNA.

Patrick, M., Maggs, J. et Abar, C. (2007). «Reasons to have sex, personnal goals, and sexual behavior during the transition to college», *Journal of Sex Research*, vol. 44, p. 240-249.

Patterson, C. (1995). «Sexual orientation and human development: An overview», *Developmental Psychology*, vol. 31, p. 3-11.

Patz, A. (2000). «Will your marriage last?», *Psychology Today*, janvier-février, p. 58-65.

Paul, L. et Galloway, J. (1994). «Sexual jealousy: Gender differences in response to partner and rival», *Aggressive Behavior*, vol. 20, p. 203-211.

Paul, P. (2004). «The porn factor», *Time*, numéro spécial, 19 janvier, p. 99-100.

Paul, P. (2005). *Pornified: How Pornography is Transforming Our Lives, Our Relationships, and Our Families*, New York, Times Books.

Pauls, R., Mutema, G., Segal, J., Silva, A., Kleeman, S., Dryfhout, V. et Karram, M. (2006). «A prospective study examining the anatomic distribution of nerve density in the human vagina», *The Journal of Sexual Medicine*, vol. 3, p. 979-987.

Pearlman, S. (2005). «When mothers learn a daughter is a lesbian: Then and now», *Journal of Lesbian Studies*, vol. 9, p. 117-137.

Penhollow, T. et Young, M. (2009). «Predictors of sexual satisfaction: The role of body image and fitness», http://www.ejhs.org/volume11/Penhollow.htm (consulté le 15 octobre 2012).

Pépin, J. (2011). *The Origins of AIDS*, Cambridge, Cambridge University Press, 310 p.

Perel, E. (2003). «Erotic intelligence», *Psychotherapy Networker*, mai-juin, p. 24-31.

Perel, E. (2006). *L'intelligence érotique, faire vivre le désir dans le couple*, Paris, Robert Laffont.

Perelman, M. (2001). «Integrating sildenafil and sex therapy: Unconsummated marriage secondary to erectile dysfunction and retarded ejaculation», *Journal of Sex Education and Therapy*, vol. 26, p. 13-21.

Perez, A., Labbok, M. et Queenan, J. (1992). «Clinical study of the lactational amenorrhoea method for family planning», *The Lancet*, vol. 339, p. 968-970.

Perlman, F. et McKee, M. (2009). «Trends in family planning in Russia, 1994-2003», *Perspectives on Sexuality and Reproductive Health*, vol. 41, p. 40-50.

Perry, J. et Whipple, B. (1981). «Pelvic muscle strength of female ejaculators: Evidence in support of a new theory of orgasm», *Journal of Sex Research*, vol. 17, p. 22-39.

Peters, K., Jackson, D. et Rudge, T. (2007). «A stranger in the bedroom: The impact of infertility and its treatments on couples' sexuality», article présenté lors du 18e congrès de la World Association for Sexual Health, Sydney, Australie, 15-19 avril.

Peterson, B., Pirritano, M. et Christensen, U. (2008). «The impact of partner coping in couples experiencing infertility», *Human Reproduction*, vol. 23, p. 1128-1137.

Peterson, H. (2008). «Sterilization», *Obstetrics and Gynecology*, vol. 111, p. 189-203.

Pew Research Center (2006). «Are we happy yet? Is marriage a bliss?», http://pewresearch.org/pubs/301/are-we-happy-yet (consulté le 20 juillet 2012).

Philaretou, A. (2005). «Sexuality and the Internet», *Journal of Sex Research*, vol. 42, p. 180-181.

Phillips, D., Taylor, C., Zacharopoulos, U. et Maguire, R. (2000). «Nonoxynol-9 causes rapid exfoliation of sheets of rectal epithelium», *Contraception*, vol. 62, p. 149-154.

Piccionelli, G. (2006). «Midterm porn politics: 1», http://www.xbiz.com/articles/16336/Piccionelli (consulté le 24 septembre 2012).

Picker, L. (2005). «And now, the hard part», *Newsweek*, 25 avril, p. 46-50.

Pickett, M., Bruner, D., Joseph, A. et Burggraf, V. (2000). «Prostate cancer elder alert: Living with treatment choices and outcomes», *Journal of Gerontological Nursing*, février, p. 22-34.

Pierce, P. (1994). «Sexual harassment: Frankly, what is it?», *Journal of Intergroup Relations*, vol. 20, p. 3-12.

Pike, J. et Jennings, N. (2005). «The effects of commercials on children's perceptions of gender appropriate toy use», *Sex Roles: A Journal of Research*, vol. 52, p. 83-91.

Pikkarainen, E., Lehtonen-Veromaa, M. et Mottonen, T. (2008). «Estrogen-progestin contraceptive use during adolescence prevents bone mass acquisition», *Contraception*, vol. 6, p. 236-243.

Pinhas, V. (1985). Communication personnelle des auteurs américains.

Pittman, F. (1990). *Private Lies: Infidelity and Betrayal of Intimacy*, New York, W.W. Norton.

Pitts, S. et Emans, S. (2008). «Controversies in contraception», *Current Opinion in Pediatrics*, vol. 20, p. 383-389.

Planned Parenthood Federation of America (2002). *Masturbation: From Stigma to Sexual Health*, New York, Katherine Dexter McCormick Library.

Planned Parenthood Federation of America (2003). «Masturbation: From myth to sexual health», *Contemporary Sexuality*, vol. 37, p. I-VII.

Planned Parenthood Federation of America (2008). «Birth control», http://www.plannedparenthood.org/health-topics/birth-control-4211.htm (consulté le 29 novembre 2012).

Plant, E., Hyde, J., Keltner, D. et Devine, P. (2000). «The gender stereotyping of emotions», *Psychology of Women Quarterly*, vol. 24, p. 81-92.

Plante, I. et coll. (2009). «Student gender stereotypes: Contrasting the perceived maleness and femaleness of mathematics and language», *Educational Psychology*, vol. 29, n° 4, p. 385-405.

Plato, C. (2008). «Come out, come out, wherever you are! For bisexuals, the lovely lifelong process of coming out is often twice as long – a double life sentence, if you will», *Curve*, vol. 18, p. 62-72.

Plaud, J., Gaither, G., Hegstad, H. et Rowan, L. (1999). «Volunteer bias in human psychophysiological sexual arousal research: To whom do our research results apply?», *Journal of Sex Research*, vol. 36, p. 171-179.

Plummer, D. (1999). *One of the Boys: Masculinity, Homophobia, and Modern Manhood*, New York, Harrington Park Press.

Plummer, D. (2005). «Young men most homophobic», *Youth Studies Australia*, vol. 24, p. 9-10.

Polgreen, L. (2005). «Casualties of Sudan's war: Rape is a weapon in the fight over land and ethnicity in Darfur», *The Oregonian*, 18 février, p. A19.

Pomeroy, W. (1965). «Why we tolerate lesbians», *Sexology*, mai, p. 652-654.

Porter, S., Yuille, J. et Lehman, D. (1999). «The nature of real, implanted, and fabricated childhood emotion events: Implications for the recovered memory debate», *Law and Human Behavior*, vol. 23, p. 517-537.

Potdar, R. et Koenig, M. (2005). «Does audio-CASI improve reports of risky behavior? Evidence from a randomized field trial among young urban men in India», *Studies in Family Planning*, vol. 36, p. 107-116.

Poteat, V. (2008). «Contextual and moderating effects of the peer group climate on use of homophobic epithets», *School Psychology Review*, vol. 37, p. 188-201.

Potter, L., Oakley, D. et de Leon-Wong, E. (1996). «Measuring compliance among oral contraceptive users», *Family Planning Perspectives*, vol. 28, p. 154-158.

Poulin, R. (2004). *La mondialisation de l'industrie du sexe. Prostitution, pornographie, traite des femmes et des enfants*, Ottawa, L'interligne.

Poulin, R. (2006). *Abolir la prostitution*, Montréal, Sisyphe, 128 p.

Pounder, D.J. (1983). «Ritual mutilation. Subincision of the penis among Australian Aborigines», *American Journal of Forensic Medicine and Pathology*, vol. 4, n° 3, p. 227-229.

Power, C. (1998). «Now it's the gay nineties?», *Newsweek*, 23 novembre, p. 35.

Power, C. (2006). «A generation of women wiped out?», *Glamour*, août, p. 172-175.

Preciado, B. (2003). «Multitudes Queer: notes pour une politique des anormaux», *Multitudes*, vol. 12, p. 17-25.

Prentky, R., Burgess, A. et Carter, D. (1986). «Victim responses by rapist type: An empirical and clinical analysis», *Journal of Interpersonal Violence*, vol. 1, p. 73-98.

Prescott, J. (1975). «Body pleasure and the origins of violence», *The Futurist*, avril, p. 64-74.

Prescott, J. (1989). «Affectional bonding for the prevention of violent behaviors: Neurological, psychological, and religious/spiritual determinants», dans *Violent Behavior: Vol. 1, Assessment and Intervention* (L. Hertzberg, éditeur), New York, PMA Publishing.

Price, S. (2008). «Women and reproductive loss: Client-worker dialogues designed to break the silence», *Social Work*, vol. 53, p. 367-375.

Priebe, G. et Svedin, G. (2008). «Child sexual abuse is largerly hidden from the adult society: An epidemiological study of adolescents' disclosures», *Child Abuse and Neglect*, vol. 32, p. 1095-1108.

Primack, B., Douglas, E., Fine, M. et Dalton, M. (2009). «Exposure to sexual lyrics and sexual experience among urban adolescents», *American Journal of Preventative Medicine*, vol. 36, p. 317-323.

Prince, M., Kafka, M., Commons, M. et coll. (2002). «Telephone scatologia: Comorbidity with other paraphalias and paraphalia-related disorders», *International Journal of Law and Psychiatry*, vol. 25, p. 37-49.

Proctor, F., Wagner, N. et Butler, J. (1974). «The differentiation of male and female orgasm: An experimental study», dans *Perspectives on Human Sexuality* (sous la direction de N. Wagner), New York, Behavioral Publications.

Proulx, J., Aubut, J., McKibben, A. et Cote, M. (1994). «Penile responses of rapists and nonrapists to rape stimuli involving physical violence or humiliation», *Archives of Sexual Behavior*, vol. 23, p. 295-310.

Puente, S. et Cohen, D. (2003). «Jealousy and the meaning (or nonmeaning) of violence», *Personality and Social Psychology Bulletin*, vol. 29, p. 449-460.

Puentes, J., Knox, D. et Zusman, M. (2008). «Participants in "friends with benefits" relationships», *College Student Journal*, vol. 42, p. 176-180.

Putman, S. (2009). «The monsters in my head: Posttraumatic stress disorder and the child survivor of sexual abuse», *Journal of Counseling and Development*, vol. 87, p. 80-89.

Putnam, F. (2003). «Ten-year research update review: Child sexual abuse», *Journal of the American Academy of Child and Adolescent Psychiatry*, vol. 42, p. 269-278.

Pyke, K. et Johnson, D. (2003). «Asian American women and racialized femininities: "Doing" gender across cultural worlds», *Gender and Society*, vol. 17, p. 33-53.

Quackenbush, D., Strassberg, D. et Turner, C. (1995). «Gender effects of romantic themes in erotica», *Archives of Sexual Behavior*, vol. 24, p. 21-35.

Quindlen, A. (2009a). «The end of an error», *Newsweek*, 13 avril, p. 60.

Quittner, J. (2003). «Addicted to dot.com sex», *The Advocate*, 4 février, p. 34-36.

Rabin, R. (2007). «Men and the biological clock», *The Oregonian*, 7 mars, p. C1.

Rabock, J., Mellon, J. et Starka, L. (1979). «Klinefelter's syndrome: Sexual development and activity», *Archives of Sexual Behavior*, vol. 8, p. 333-340.

Radar, B. (2001). *American Ways: A Brief History of American Cultures*, Sydney, Australie, Thomson Wadsworth.

Radar, B. (2003). Communication privée.

Raffaelli, M. et Ontai, L. (2004). «Gender socialization in Latino families: Results from two retrospective studies», *Sex Roles*, vol. 50, p. 287-300.

Rahman, Q. et Wilson, G. (2003). «Sexual orientation and the 2nd to 4th finger length ratio: Evidence for organizing effects of sex hormones or developmental instability?», *Psychoneuroendocrinology*, vol. 28, p. 288-303.

Rako, S. (1996). *The Hormone of Desire*, New York, Harmony Books.

Rako, S. (1999). «Testosterone deficiency and supplementation for women: Matters of sexuality and health», *Psychiatric Annals*, vol. 29, p. 23-26.

Rako, S. et Friebely, J. (2004). «Pheromonal influences on sociosexual behavior in postmenopausal women», *Journal of Sex Research*, vol. 41, p. 372-380.

Ramakrishnan, K. et Scheid, D. (2006). «Ectopic pregnancy: Forget the "classic presentation" if you want to catch it sooner», *The Journal of Family Practice*, vol. 55, p. 388-395.

Ranjit, N., Bankole, A. et Darroch, J. (2001). «Contraceptive failure in the first two years of use: Differences across socioeconomic subgroups», *Family Planning Perspectives*, vol. 33, p. 19-27.

Rapoza, K. et Drake, J. (2009). «Relationships of hazardous alcohol use, alcohol expectancies, and emotional commitment to mal sexual coercion and aggression in dating couples», *Journal of Studies on Alcohol and Drugs*, vol. 70, p. 55-63.

Rasheed, A., White, C. et Shaikh, N. (1997). «The incidence of post-vasectomy chronic testicular pain and the role of nerve stripping (denervation) of the spermatic cord in its management», *British Journal of Urology*, vol. 79, p. 269-270.

Rathus, S.A., Neveid, J.S., Fischner-Rathus, L., Herold, E.S. et McKenzie, J. (2007). *Human Sexuality: In a World of Diversity*, 2e éd. canadienne, Toronto, Pearson Education.

Rauch, J. (2008). «What we learned from an Obama win», *The Advocate*, 16 décembre, p. 27-28.

Ray, A. et Gold, S. (1996). «Gender roles, agression and alcohol use in dating relationships», *Journal of Sex Research*, vol. 33, p. 47-55.

Real, T. (2002). *How Can I Get Through to You? Reconnecting Men and Women*, New York, Screbuer.

Reamer, F. (2003). «Boundary issues in social work: Managing dual relationships», *Social Work*, vol. 48, p. 121-133.

Rebar, R. (2004). «Assisted reproductive technology in the United States», *New England Journal of Medicine*, vol. 350, p. 1603-1604.

Redmond, G. (1999). «Hormones and sexual function», *International Journal of Fertility*, vol. 44, p. 193-197.

Reece, M., Herbenick, D., Sanders, S., Dodge, B., Ghassemi, A. et Fortenberry, J. (2009). «Prevalence and characteristics of vibrator use by men in the United States» (version électronique), *Journal of Sexual Medicine*, 24 avril.

Reeder, H. (1996). «The subjective experience of love through adult life», *International Journal of Aging and Human Development*, vol. 43, p. 325-340.

Rees, P., Fowler, C. et Maas, C. (2007). «Sexual function in men and women with neurological disorders», *Lancet*, vol. 369, p. 512-525.

Rees, R. (2008). «Clinical review: Peyronie's disease», *General Practice*, 4 avril, p. 27.

Regan, P. (1998). «Of lust and love: Beliefs about the role of sexual desire in romantic relationships», *Personal Relationships*, vol. 5, p. 139-157.

Regan, P. et Berscheid, E. (1995). «Gender differences about the causes of male and female sexual desire», *Personal Relationships*, vol. 2, p. 345-358.

Regehr, C. et Glancy, G. (1995). «Sexual exploitation of patients: Issues for colleagues», *American Journal of Orthopsychiatry*, vol. 65, no 2, p. 194-202.

Regnerus, M. et Luchies, L. (2006). «The parent-child relationship and opportunities for adolescents' first sex», *Journal of Family Issues*, vol. 27, p. 159-183.

Reichenberg, A., Gross, R., Weiser, M. et Bresnahan, M. (2006). *Archives of General Psychiatry*, vol. 63, p. 1026-1032.

Reid, P. et Bing, V. (2000). «Sexual roles of girls and women: An ethnocultural lifespan perspective», dans *Sexuality, Society, and Feminism* (C. Travis et J. White, éditeurs), Washington, American Psychologial Association.

Reinberg, S. (2006). «Testosterone offers women benefits, risks», http://news.healingwell.com/?p=news1&id=533437 (consulté l8 octobre 2012).

Reiner, W. (1997a). «Sex assignment in the neonate with intersex or inadequate genitalia», *Archives of Pediatric and Adolescent Medicine*, vol. 151, p. 1044-1045.

Reiner, W. (1997b). «To be male or female – that is the question», *Archives of Pediatric and Adolescent Medicine*, vol. 151, p. 224-225.

Reiner, W. (2000). «Gender and "sex reassignment"», communication donnée à la Lawson Wilkins Pediatric Endocrine Society meeting, Boston, 12 mai.

Reinisch, J. et Beasley, R. (1990). *The Kinsey Institute's New Report on Sex*, New York, St. Martin's Press.

Reiter, R. et Milburn, A. (1994). «Exploring effective treatment for chronic pelvic pain», *Contemporary OB/GYN*, mars, p. 84-103.

Ren, J. (2007). «Chatting with passion: Research on cybersex in mainland China», article présenté lors du 18e congrès de la World Association for Sexual Health, Sydney, Australie, 15-19 avril.

Renaud, C. et Byers, S. (2001). «Positive and negative sexual cognition: Subjective experience and relationships to sexual adjustment», *Journal of Sex Research*, vol. 38, no 3, p. 252-262.

Renshaw, D. (1987). «Painful intercourse associated with cerebral palsy», *Journal of the American Medical Association*, vol. 257, p. 2086.

Resnick, M., Bearman, P., Blum, R., Bauman, K., Harris, K., Jones, J., Tabor, J., Beuhring, T., Sieving, R., Shew, M., Ireland, M., Bearinger, L. et Udry, J. (1997). «Protecting adolescents from harm: Findings from the National Longidunal Study on Adolescent Health», *Journal of the American Medical Association*, vol. 278, p. 823-832.

Ressources humaines et développement des compétences Canada, «Harcèlement sexuel», http://www.rhdcc.gc.ca/fra/travail/normes_travail/federale/harcelement.shtml (consulté le 2 novembre 2012).

Reynolds, J. (2006). «Sex, secrets and cyberspace: Area prostitution flourishes via Web», *Monterey County Herald*, 9 juillet, pNA.

Reynolds, J. (2009). «Preventing the next fertility clinic scandal», http://www.geneticsandsociety.org/downloads/Reynolds_Bioethics_031309.pdf (consulté le 27 novembre 2012).

Reynolds, S., Shepherd, M., Risbud, A., Gangakhedkar, R., Brookmeyer, R. et coll. (2004). «Male circumcision and risk of HIV-1 and other transmitted infections in India», *Lancet*, vol. 363, p. 1039-1040.

Rhoades, G., Stanley, S. et Markman, H. (2009). «Couples' reasons for cohabitation», *Journal of Family Issues*, vol. 30, p. 233-258.

Rhodes, S., Bowie, D. et Hergenrather, K. (2003). «Collecting behavioral data using the World Wide Web: Considerations for researchers», *Journal of Epidemiology and Community Health*, vol. 57, p. 68-73.

Rhodes, S., DiClemente, R., Yee, I. et Hergenrather, K. (2001a). «Correlates of hepatitis B vaccination in a high-risk population: An Internet sample», *American Journal of Medicine*, vol. 110, p. 628-632.

Rhodes, S., DiClemente, R., Yee, I. et Hergenrather, K. (2001b). «Factors associated with testing hepatitis C in an Internet-recruited sample of men who have sex with men», *Sexually Transmitted Diseases*, vol. 28, p. 515-520.

Rholes, W., Simpson, J. et Friedman, M. (2006). «Avoidant attachment and the experience of parenting», *Personality and Social Psychology Bulletin*, vol. 32, p. 275-285.

Rhynard, J., Krebs, M. et Glover, J. (1997). «Sexual assault in dating relationships», *Journal of School Health*, vol. 67, p. 89-93.

Ribadeneira, D. (1998). «More women step up to pulpit, but they still take a back pew», *The Oregonian*, 19 avril, p. G3.

Ribner, D. (2009). «Psychosexual therapy in the context of three major world religions – Judaism», article présenté lors du 19e WAS World Congress for Sexual Health, Göteborg, Suède, 21-25 juin.

Richard, D. (2002). «Tantra 101», *Contemporary Sexuality*, vol. 36, p. 1 et 4-7.

Richards, L., Rollerson, B. et Phillips, J. (1991). «Perceptions of submissiveness: Implications for victimization», *Journal of Psychology*, vol. 125, p. 407-411.

Richardson, D., Wood, K. et Goldmeier, D. (2006). «A qualitative pilot study of Islamic men with lifelong premature (rapid) ejaculation», *The Journal of Sexual Medicine*, vol. 3, p. 337-343.

Richter, S., Leibovitch, I. et Alkalay, R. (2006). «Anejaculation and orgasmic disorders in men after penile implant surgery», *The Journal of Sexual Medicine*, vol. 3 (suppl. 3), p. 224-286.

Richters, J., Visser, R., Rissel, C. et Smith, A. (2006). «Sexual practices at last heterosexual encounter and occurrence of orgasm in a national survey», *Journal of Sex Research*, vol. 43, n° 3, p. 217-226.

Rickert, V., Sanghvi, R. et Wiemann, C. (2002). «Is lack of sexual assertiveness among adolescent and young adult women a cause for concern?», *Perspectives on Sexual and Reproductive Health*, vol. 34, p. 178-183.

Rickert, V. et Wiemann, C. (1998). «Date rape: Office-based solutions», *Contemporary OB/GYN*, vol. 43, p. 133-153.

Rideout, V. (2008). *Television as a Health Educator: A Case Study of Grey's Anatomy*, Menlo Park, Kaiser Family Foundation.

Rideout, V., Roberts, D. et Foehr, U. (2005). *Generation M: Media in the Lives of 8-18 Year Olds*, Menlo Park, Kaiser Family Foundation.

Rider, E. (2000). *Our Voices: Psychology of Women*, Belmont, Wadsworth/Thomson Learning.

Ridgeway, J. (1996). *Inside the Sex Industry*, New York, Powerhouse Books.

Ridley, M. (2003). *Genes, Experience, and What Makes Us Human*, New York, HarperCollins.

Rieger, G., Chivers, M.L. et Bailey, J.M. (2005). «Sexual arousal pattern of bisexual men», *Psychological Science*, vol. 16, n° 8, p. 579-584.

Rieger, G., Linsenmeier, J., Gygax, L. et Bailey, J. (2008). «Sexual orientation and childhood gender nonconformity: Evidence from home videos», *Developmental Psychology*, vol. 44, p. 46-58.

Rienzo, B., Button, J., Sheu, J. et Li, Y. (2006). «The politics of sexual orientation issues in American schools», *Journal of School Health*, vol. 76, p. 93-97.

Rierdan, J., Koff, E. et Stubbs, M. (1998). «Gender, depression and body image in early adolescents», *Journal of Early Adolescence*, vol. 8, p. 109-117.

Riley, A. et Riley, E. (2000). «Controlled studies on women presenting with sexual drive disorder. I. Endocrine status», *Journal of Sex and Marital Therapy*, vol. 26, p. 269-283.

Rind, B. et Tromovitch, P. (1997). «A meta-analytic review of findings from national samples on psychological correlates of child sexual abuse», *Journal of Sex Research*, vol. 34, p. 237-255.

Rind, B., Tromovitch, P. et Bauserman, R. (1998). «A meta-analytic examination of assumed properties of child sexual abuse using college samples», *Psychological Bulletin*, vol. 124, p. 22-53.

Rios, D. (1996). «The gone girls», *The Oregonian*, 17 novembre, p. E1-E3.

Ritter, J. (2003). «More choices available for birth control», http://www.highbeam.com/doc/1P2-1483487.html (consulté le 29 novembre 2012).

Rivers, I. et Noret, N. (2008). «Well-being among same-sex and opposite-sex-attracted youth at school», *School Psychology Review*, vol. 37, p. 174-187.

Rizzo, G., Capponi, A., Pietrolucci, E. et Arduini, D. (2009). «Effects of maternal cigarette smoking on placental volume and vascularization measured by 3-dimensional power Doppler ultrasonography at 11+0 to 13+6 weeks of gestation», *American Journal of Obstetrics and Gynecology*, vol. 200, p. 415-420.

Robinson, D., Gibson-Beverly, G. et Schwartz, J. (2004). «Sorority and fraternity membership and religious behaviors: Relation to gender attitudes», *Sex Roles: A Journal of Research*, vol. 50, p. 871-877.

Rochman, S. (2003). «Dragging us down», *The Advocate*, 8 juillet, p. 43-44.

Roddy, R., Zekeng, K., Ryan, A., Tamoufe, U. et Tweedy, K. (2002). «Effect of nonoxynol-9 gel on urogenital gonorrhea and chlamydial infection: A randomized controlled trial», *Journal of the American Medical Association*, 6 mars, p. 1117-1122.

Rodriguez, N., Ryan, S., Vande Kemp, H. et Foy, D. (1997). «Posttraumatic stress disorder in adult female survivors of childhood sexual abuse: A comparison study», *Journal of Consulting and Clinical Psychology*, vol. 65, p. 53-59.

Rodriguez-Stednicki, O. et Twaite, J. (1999). «Attitudes toward victims of child abuse among adults from four ethnic/cultural groups», *Journal of Child Sexual Abuse*, vol. 8, p. 1-24.

Roffman, D. (2005). «Lakoff for sexuality educators: The power and magic of "framing"», *SIECUS Report*, vol. 33, p. 20-25.

Roisman, G., Clausell, E., Holland, A., Fortuna, K. et Elieff, C. (2008). «Adult romantic relationships as contexts of human development: A multimethod comparison of same-sex couples with opposite-sex dating, engaged, and married dyads», *Developmental Psychology*, vol. 44, p. 91-101.

Romano, A. (2006). «Walking a new beat», *Newsweek*, 24 avril, p. 48.

Romano, A. (2009). «Our model marriage», *Newsweek*, 23 février, p. 59.

Romeo, F. (2004). «Acquaintance rape on college and university campuses», *College Student Journal*, vol. 38, p. 61-65.

Rosen, R. et Ashton, A. (1993). «Prosexual drugs: Empirical status of the "new aphrodisiacs"», *Archives of Sexual Behavior*, vol. 22, p. 521-541.

Rosenberg, J. (2008). «Prevalence of female genital cutting in Egypt», *International Family Planning Perspectives*, vol. 34, p. 60-61.

Rosenberg, M. (1988). «Adult behaviors that reflect childhood incest», *Medical Aspects of Human Sexuality*, mai, p. 114-124.

Rosenberg, M., Hazzard, M., Tallman, C. et Ohl, D. (2006). «Evaluation of the prevalence and impact of premature ejaculation in a community practice using the men's sexual health questionnaire», communication donnée à la Sexual Medicine Society of North America Fall Meeting, New York, novembre.

Rosengarten, A. (2007). «The right touch: Enabling sensual touching», article présenté lors du 18e congrès de la World Association for Sexual Health, Sydney, Australie, 15-19 avril.

Rosenthal, D., Smith, A. et de Visser, R. (1999). «Personal and social factors influencing age at first intercourse», *Archives of Sexual Behavior*, vol. 28, p. 319-333.

Rosenthal, E. (2006). «Study finds genital cutting can be deadly», *The New York Times*, 2 juin, p. F4.

Rosler, A. et Witztum, E. (1998). «Treatment of men with paraphilia with a long-acting analogue of gonadotropin releasing hormone», *New England Journal of Medicine*, vol. 338, p. 416-422.

Rosman, J. et Resnick, P. (1989). «Sexual attraction to corpses: A psychiatric review of necrophilia», *Bulletin of the American Academy of Psychiatry and the Law*, vol. 17, p. 153-163.

Ross, M. (2005). «Typing, doing, and being: Sexuality and the Internet», *Journal of Sex Research*, vol. 42, p. 342-353.

Ross, M. (2007). «Cybersexology: New frontiers in partner mixing and matching», article présenté lors du 18e congrès de la World Association for Sexual Health, Sydney, Australie, 15-19 avril.

Ross, M., Rosser, S., McCurdy, S. et Feldman, J. (2007). «The advantages and limitations of seeking sex online: A comparison of reasons given for online and offline sexual liaisons by men who have sex with men», *Journal of Sex Research*, vol. 44, p. 59-71.

Ross, R. (2008). *State of the Industry Report 2007-2008*, Canoga Park, Free Speech Coalition.

Rothblum, E. (2000). «Comments on "lesbians' sexual activities and efforts to reduce risks for sexually transmitted diseases"», *Journal of the Gay and Lesbian Medical Association*, vol. 4, p. 39.

Rotterman, M. (2008). *Tendances du comportement sexuel et de l'utilisation du condom à l'adolescence*, Composante du produit no 82-003-X au catalogue de Statistique Canada, Rapports sur la santé.

Rottermann, M. (2012). *Comportement sexuel et utilisation du condom chez les 15 à 24 ans en 2003 et en 2009-2010*, Composante du produit no 82-003-X au catalogue de Statistique Canada, Rapports sur la santé, http://www.statcan.gc.ca/pub/82-003-x /2012001/article/11632-fra.htm (consulté le 23 décembre 2012).

Rouby, C. et coll. (2009). «Odors hedonics and their modulators», *Food Quality and Preference*, vol. 20, no 8, p. 545-549.

Routh, L. (2000). «Inside the mind of a women: Neuropsychiatric disorders and the impact of hormones throughout the female lifecycle», communication donnée lors d'un atelier organisé par The Amen Clinic For Behavioral Medicine, Inc., Fairfield.

Rovzar, C. (2007). «Spanish Lessons», *The Advocate*, 30 janvier, p. 23-29.

Rowland, D., Strassberg, D., de Gouveia Brazao, C. et Slob, A. (2000). «Ejaculatory latency and control in men with premature ejaculation: An analysis across sexual activities using multiple sources of information», *Journal of Psychosomatic Research*, vol. 48, p. 69-77.

Roy, Réjean (2009). *Les 12-24 ans: utilisateurs extrêmes d'Internet et des TI*, CEFRIO, http://www.cefrio.qc.ca/fichiers/documents/reseau_pages_3_5.pdf (consulté le 26 juillet 2012).

Royce, R., Sena, A., Cates, W. et Cohen, M. (1997). «Sexual transmission of HIV», *New England Journal of Medicine*, vol. 336, p. 1072-1078.

Rubin, J., Provenzano, F. et Luria, Z. (1974). «The eye of the beholder: Parents' views on sex of newborns», *American Journal of Orthopsychiatry*, vol. 44, p. 512-519.

Rubin, L. (1990). *Erotic Wars*, New York, Farrar, Straus & Giroux.

Rubin, R. (2009). «Octuplet birth raises questions», *USA Today*, 3 février, p. 5D.

Rubin, Z. (1970). «Measurement of romantic love», *Journal of Personality and Social Psychology*, vol. 16, p. 265-273.

Rubin, Z. (1973). *Liking and Loving*, New York, Holt, Rinehart & Winston.

Rubinsky, H., Eckerman, D., Rubinsky, E. et Hoover, C. (1987). «Early-phase physiological response patterns to psychosexual stimuli: Comparisons of male and female patterns», *Archives of Sexual Behavior*, vol. 16, p. 45-55.

Rumstein-McKean, O. et Hunsley, J. (2001). «Interpersonal and family functioning of female survivors of childhood sexual abuse», *Clinical Psychology Review*, vol. 21, p. 471-490.

Russell, B. et Oswald, D. (2001). «Strategies and dispositional correlates of sexual coercion perpetrated by women: An exploratory investigation», *Sex Roles*, vol. 45, p. 103-115.

Russell, B. et Oswald, D. (2002). «Sexual coercion and victimization of college men: The role of love styles», *Journal of Interpersonal Violence*, vol. 17, p. 273-285.

Russel, G. et Richards, J. (2003). «Stressor and resilience factors for lesbians, gay men, and visexuals confronting antigay politics», *American Journal of Community Psychology*, vol. 31, p. 313-327.

Ryan, B. (2003). *Nouveau regard sur l'homophobie et l'hétérosexisme au Canada*, Société canadienne du sida.

Ryan, C. et Futterman, D. (1997). «Lesbian and gay youth: Care and counseling», *Adolescent Medicine, State of the Art Reviews*, vol. 8, p. 221.

Ryan, C. et Futterman, D. (2001). «Social and developmental challenges for lesbian, gay, and bisexual youth», *SIECUS Report*, vol. 29, p. 5-6.

Ryan, C., Hueebner, D., Diaz, R. et Sanchez, J. (2009). «Family rejection as a predictor of negative health outcomes in white and Latino lesbian, gay and visexual young adults», *Pediatrics*, vol. 123, p. 346-352.

Ryan, G. (2000). «Childhood sexuality: A decade of study. Part I – Research and curriculum development», *Child Abuse and Neglect*, vol. 24, p. 33-48.

Ryan, G. Miyoshi, T. et Krugman, R. (1988). «Early childhood experience of professionals working in child abuse», communication donnée au 17th Annual Symposium on Child Sexual Abuse and Neglect, Keystone.

Ryan, S., Franzetta, K., Manlove, J. et Holcombe, B. (2007). «Adolescents' discussions about contraception or STDs with partners before first sex», *Perspectives on sexual and Reproductive Health*, vol. 40, p. 17-26.

Ryan, S., Franzetta, K., Manlove, J. et Schelar, E. (2008). «Older sexual partners during adolescence: Links to reproductive health outcomes in young adulthood», *Perspectives on Sexual and Reproductive Health*, vol. 40, p. 17-26.

Saario, T., Jacklin, C. et Tittle, C. (1973). «Sex role stereotyping in public schools», *Harvard Educational Review*, vol. 43, p. 386-416.

Sadker, M. et Sadker, D. (1994). *Failing at Fairness: How America's Schools Cheat Girls*, New York, Scribners.

Sadovsky, R. (2005). «Androgen therapy for effects of aging in older men», *American Family Physician*, vol. 72, p. 170-171.

Sadovsky, R. et Nusbaum, M. (2006). «Sexual health inquiry and support is a primary care priority», *The Journal of Sexual Medicine*, vol. 3, p. 3-11.

Saewyc, E., Poon, C. et coll. (2008). «Stigma management? The links between enacted stigma and teen pregnancy trends among gay, lesbian, and bisexual students in British Columbia», *Canadian Journal of Human Sexuality*, vol. 17, p. 123-139.

Safren, S. et Heimberg, R. (1999). «Depression, hopelessness, suicidality, and related factors in sexual minority and heterosexual adolescents», *Journal of Consulting and Clinical Psychology*, vol. 67, p. 859-866.

Saigal, C., Wessells, H., Pace, J. et Schonlau, M. (2006). «Predictors and prevalence of erectile dysfunction in a racially diverse population», *Archives of Internal Medicine*, vol. 166, p. 207-212.

Salisbury, N. (1991). Communication privée.

Salonia, A., Zanni, G., Fantini, G. et Deho, F. (2006). «Psychometric parameters of sexual health in infertile couples due to a male factor. Preliminary results of a multivariate analysis», *The Journal of Sexual Medicine*, vol. 3 (suppl. 3), p. 193.

Salovey, P. et Rodin, J. (1985). «The heart of jealousy», *Psychology Today*, septembre, p. 22-29.

Salter, D., McMillan, D., Richards, M., Talbot, T., Hodges, J., Bentovim, A., Hastings, R, Stevenson, J. et Skuse, D. (2003). «Development of sexually abusive behavior in sexually victimized males: A longitudinal study», *The Lancet*, vol. 361, p. 471-476.

Sample, I. (2007). «Scientists develop gene contraceptive free of hormones», *The Guardian*, http://www.guardian.co.uk/science/2007/oct/17/genetics (consulté le 30 novembre 2012).

Samuel, A. et Naz, R. (2008). «Isolation of human single chain variable fragment antibodies against specific sperm antigens for immunocontraceptive development», *Human Reproduction*, vol. 23, p. 1324-1337.

Samuels, L. (2008). «Stay in the closet, or else», *Newsweek*, 8 septembre, p. 8.

Sanchez, D., Kiefer, A. et Ybarra, O. (2006). «Sexual submissiveness in women: Costs for sexual autonomy and arousal», *Personality and Social Psychology Bulletin*, vol. 32, p. 512-524.

Sand, D., Fisher, W., Rosen, R., Eardley, I. et Nadel, N. (2005). «ED, constructs of masculinity, and quality of life in the multinational MALES study», article présenté lors du 17e congrès mondial de sexologie, Montréal, Canada, 10-15 juillet.

Sanday, P. (1981). «The socio-cultural context of rape: A cross-cultural study», *Journal of Social Issues*, vol. 37, p. 5-27.

Sandelowski, M. (1994). «Separate, but less unequal: Fetal ultrasonography and the transformation of expectant mother/fatherhood», *Gender and Society*, vol. 8, p. 230-245.

Sanders, G. (2000). «Men together: Working with gay couples in contemporary times», dans *Couples on the Fault Line* (sous la direction de P. Papp), New York, The Guilford Press.

Sanders, S., Graham, C. et Janssen, E. (2003). *Factors Affecting Sexual Arousal in Women*, http://www.kinseyinstitute.org/research/focus_group.html (consulté le 16 octobre 2012).

Sandnabba, N., Santtila, P. et Nordling, N. (1999). «Sexual behavior and social adaptation among sadomasochistically oriented males», *Journal of Sex Research*, vol. 36, p. 273-282.

Sandnabba, N., Santtila, P., Wannas, M. et Krook, K. (2003). «Age and gender specific sexual behaviors in children», *Child Abuse and Neglect*, vol. 27, p. 579-605.

Sandstrom, E. et Fugl-Meyer, K. (2007). «Retarded ejaculation: When the orgasm just becomes a target and never the destination of a pleasure journey», article présenté lors du 18e congrès de la World Association for Sexual Health, Sydney, Australie, 15-19 avril.

Sangrador, J. et Yela, C. (2000). «What is beautiful is loved: Physical attractiveness in love relationships in a representative sample», *Social Behavior and Personality*, vol. 28, p. 207-218.

Santé Canada (2010). *Choix de l'allaitement au Canada: statistiques et graphiques clés (2009-2010)*, http://www.hc-sc.gc.ca/fn-an/surveill/nutrition/commun/prenatal/initiation-fra.php (consulté le 28 novembre 2012).

Santé Canada (2012). http://www.phac-aspc.gc.ca/cd-mc/cancer/cancer_du_sein-breast_cancer-fra.php (consulté le 30 janvier 2012).

Santelli, J., Morrow, B., Anderson, J. et Lindberg, L. (2006). «Contraceptive use and pregnancy risk among U.S. high school students, 1991-2003», *Perspectives on Sexual and Reproductive Health*, vol. 38, p. 106-111.

Santilla, P., Sandnabba, K., Alison, L. et Nordling, N. (2002). «Investigating the underlying structure in sadomasochistically oriented behavior», *Archives of Sexual Behavior*, vol. 31, p. 185-196.

Sarrel, P. (1988). «Sex and menopause», communication donnée à la 21st Annual Meeting of the American Association of Sex Educators, Counselors, and Therapists, San Francisco, avril.

Sarrell, P. et Masters, W. (1982). «Sexual molestation of men by women», *Archives of Sexual Behavior*, vol. 11, p. 117-131.

Satel, S. (1993). «The diagnostic limits of addiction», *Journal of Clinical Psychiatry*, vol. 54, p. 237.

Satterfield, A. et Muehlenhard, C. (1990). «Flirtation in the classroom: Negative consequences on women's perceptions of their ability», communication donnée lors de l'assemblée annuelle de la Society for the Scientific Study of Sex, Minneapolis, novembre.

Saunders, E. (1989). «Life-threatening autoerotic behavior: A challenge for sex educators and therapists», *Journal of Sex Education and Therapy*, vol. 15, p. 77-81.

Sauvageau, A. et Racette, S. (2006). «Autoerotic death in the literature from 1954 to 2004: A review», *Journal of Forensic Sciences*, vol. 51, p 140-146.

Savic, I., Berglund, H. et Lindstrom, P. (2005). «Brain responses to putative pheromones in homosexual men», *Proceedings of the National Academy of Sciences*, vol. 102, p. 7356-7361.

Savic, I. et Lindstrom, P. (2008). «PET and MRI show differences in cerebral asymmetry and functional connectivity between homosexual and heterosexual subjects», http://www.pnas.org/content/105/27/9403 (consulté le 30 mai 2012).

Savin-Williams, R. (2005). «Reciprocal associations between adolescent sexual activity and quality of youth-parent interactions», *Journal of Family Psychology*, vol. 19, n° 2, juin, p. 171-179.

Sawyer, R., Pinciaro, P. et Jessell, J. (1998). «Effects of coercion and verbal consent on university students' perception of date rape», *American Journal of Health Behavior*, vol. 22, p. 46-53.

Schabas, W.-A. (1995). *Les infractions d'ordre sexuel*, Montréal, Les éditions Yvon Blais inc.

Schachner, D., Shaver, P. et Gillath, O. (2008). «Attachment style and long-term singlehood», *Personal Relationships*, vol. 15, p. 479-491.

Schacter, D. (2003). *Science de la mémoire. Oublier et se souvenir*, Paris, Odile Jacob.

Schaffer, J. (2006). «Sexual intercourse at term and onset of labor», *Obstetrics and Gynecology*, vol. 107, p. 1310-1314.

Scharma, P., Malhotra, C., Taneja, D. et Saha, R. (2008). «Problems related to menstruation among adolescent girls», *Indian Journal of Pediatrics*, vol. 75, p. 125-129.

Scheela, R. et Stern, P. (1994). «Falling apart: A process integral to the remodeling of male incest offenders», *Archives of Psychiatric Nursing*, vol. 8, p. 91-100.

Schmidt, L. (2006). «Psychosocial burden of infertility and assisted reproduction», *The Lancet*, vol. 367, p. 379-381.

Schmitt, D. (2003). «Universal sex differences in the desire for sexual variety: Tests from 52 nations, 6 continents, and 13 islands», *Journal of Personality and Social Psychology*, vol. 85, p. 85-104.

Schmitt, D., Realo, A., Voracek, M. et Alik, J. (2008). «Why can't a man be more like a woman? Sex differences in Big Five personality traits across 55 cultures», *Journal of Personality and Social Psychology*, vol. 94, p. 168-182.

Schmitt, D., Shackelford, T., Duntley, J., Tooke, W. et Buss, D. (2001). «The desire for sexual variety as a key to understanding basic human mating strategies», *Personal Relationships*, vol. 8, p. 425-455.

Schnarch, D.M. (1991). *Constructing the Sexual Crucible: An Integration of Sexual and Marital Therapy*, New York, W.W. Norton & Company, 636 p.

Schoener, G. (1995). «Assessment of professionals who have engaged in boundary violations», *Psychiatric Annals*, vol. 25, n° 2, p. 95-99.

Schooler, D. et Ward, M. (2006). «Average Joes: Men's relationships with media, real bodies, and sexuality», *Psychology of Men and Masculinity*, vol. 7, p. 27-41.

Schover, L. (2000). «Sexual problems in chronic illness», dans *Principles and Practice of Sex Therapy* (sous la direction de S. Leiblum et R. Rosen), New York, The Guilford Press.

Schover, L. et Jensen, S. (1988). *Sexuality and Chronic Illness*, New York, The Guilford Press.

Schredl, M., Ciric, P., Gotz, S. et Wittmann, L. (2004). «Typical dreams: Stability and gender differences», *The Journal of Psychology*, vol. 138, p. 485-495.

Schroder, M. et Carroll, R. (1999). «New women: Sexological outcomes of male-to-female gender reassignment surgery», *Journal of Sex Education and Therapy*, vol. 24, p. 137-146.

Schubach, G. (1996). *Urethral Expulsions During Sensual Arousal and Bladder Catherization in Seven Human Females*, Ed.D. thesis, Institute for Advanced Study of Human Sexuality, San Francisco.

Schwartz, G. et Russek, J. (1998). «Family love and lifelong health? A challenge for clinical psychology», dans *The Science of Clinical Psychology: Accomplishments and Future Directions* (D. Routh et R. DeRubein, éditeurs), Washington, American Psychological Association.

Schwartz, J., Ballagh, S., Creinin, M. et Rountree, R. (2008). «SILCS diaphragm: Postcoital testing of a new single-size contraceptive device», *Contraception*, vol. 4, p. 118-128.

Schwartz, N. (2008). «Genes, hormones, and sexuality», *Gay and Lesbian Review Worldwide*, vol. 15, p. 21-23.

Schwartz, P. (2006). «Revitalizing sexuality for mental and physical health», communication donnée à la Women's Health Conference, Portland, avril.

Schwartz, R. (2003). «Pathways to sexual intimacy», *Psychotherapy Net-worker*, mai-juin, p. 36-43.

Sciolino, E. et Mekhennet, S. (2008), «In Europe, debate over Islam and virginity», 11 juin, http://www.nytimes.com/2008/06/11/world/europe/11virgin.html?pagewanted=all (consulté le 25 avril 2012).

Scott, L. (2006). «An alternative to surgery in treating ectopic pregnancy», *Nursing Times*, vol. 102, p. 24-26.

Seal, B., Brotto, L. et Gorzalka, B. (2005). «Oral contraceptive use and female genital arousal: Methodological considerations», *Journal of Sex Research*, vol. 42, p. 249-258.

Seal, B. et Meston, C. (2007). «The impact of body awareness on sexual arousal in women with sexual dysfunction», *Journal of Sexual Medicine*, vol. 4, p. 990-1000.

Seal, D. (1997). «Interpartner concordance of self-reported sexual behavior among college dating couples», *Journal of Sex Research*, vol. 34, p. 39-55.

Seal, D., Bloom, F. et Somlai, A. (2000). «Dilemmas in conducting qualitative sex research in applied field settings», *Health Education and Behavior*, vol. 27, p. 10-23.

Seaman, B. et Seaman, G. (1978). *Women and the Crisis in Sex Hormones*, New York, Bantam Books.

Sécurité publique du Canada (2012). «La traite des personnes», http://www.securitepublique.gc.ca/prg/le/ht-tp-fra.aspx (consulté le 27 septembre 2012).

Segraves, R. et Segraves, K. (1995). «Human sexuality and aging», *Journal of Sex Education and Therapy*, vol. 21, p. 88-102.

Seibert, C., Barbouche, E., Fagan, J. et Myint, E. (2003). «Prescribing oral contraceptives for women older than 35 years of age», *Annals of Internal Medicine*, vol. 138, p. 54-64.

Seligman, L. et Hardenburg, S. (2000). «Assessment and treatment of paraphilias», *Journal of Counseling and Development*, vol. 78, p. 107-113.

Semaan, S., Klovdahl, A. et Aral, S. (2004). «Protecting the privacy, confidentiality, relationships, and medical safety of sex partners in partner notification and management studies», *Journal of Research Administration*, vol. 35, p. 39-53.

Semans, J. (1956). «Premature ejaculation, a new approach», *Southern Medical Journal*, vol. 49, p. 353-358.

Senn, C., Desmarais, S., Verberg, N. et Wood, E. (1999). «Predicting coercive sexual behavior across the lifespan in a random sample of Canadian men», *Journal of Social and Personal Relationships*, vol. 17, p. 95-113.

Seppa, N. (2005). «Defense mechanism: Circumcision averts some HIV infections», *Science News*, vol. 168, p. 275.

Sev'er, A. (1999). «Sexual harassment: Where we are and prospects for the new millennium», *Canadian Review of Sociology and Anthropology*, vol. 36, p. 469-482.

Shabsigh, R. (2006). «Diagnosing premature ejaculation: A review», *The Journal of Sexual Medicine*, vol. 3, p. 318-323.

Shackelford, T., Buss, D. et Bennett, K. (2002). «Forgiveness or breakup: Sex differences in responses to a partner's infidelity», *Cognition and Emotion*, vol. 16.

Shafii, T., Stovel, K. et Holmes, K. (2007). «Association between condom use at sexual debut and subsequent sexual trajectories», *American Journal of Public Health*, vol. 97, p. 97-103.

Shah, J. et Fisch, H. (2006). «Managing the vasectomy patient: From preoperative counseling through postoperative follow-up», *Contemporary Urology*, vol. 18, p. 40-45.

Shah, K. et Montoya, C. (2007). «Do testosterone injections increase libido for elderly hypogonadal patients?», *Family Practice*, vol. 56, p. 301-303.

Shah, N. et Breedlove, S. (2007). «Behavioral neurobiology: Females can also be from Mars», *Nature*, vol. 448, p. 999-1000.

Shah, P., Aliwalas, L. et Shah, V. (2006). «Breastfeeding or breast milk for procedural pain in neonates», *Cochrane Database of Systematic Reviews 2006*, Issue 3. Art. n° CD004950. DOI: 101002/14651858. CD004950.pub2.

Shapiro, K. et Ray, S. (2007). «Sexual health for people living with HIV», *Reproductive Health Matters*, vol. 15, p. 67-92.

Shaul, S., Bogle, J., Hale-Harbaugh, J. et Norman, A. (1978). *Toward Intimacy: Family Planning and Sexuality Concerns of Physically Disabled Women*, New York, Human Sciences Press.

Shaver, P., Hazan, C. et Bradshaw, D. (1988). «Love as attachment: The integration of three behavioral systems», dans *The Psychology of Love* (R. Sternberg et M. Barnes, éditeurs), New Haven, Yale University Press.

Sheets, V., Fredendall, L. et Claypool, H. (1997). «Jealousy evocation, partner reassurance, and relationship stability: An exploration of the potential benefits of jealousy», *Evolution and Human Behavior*, vol. 18, p. 387-402.

Sherfey, M. (1972). *The Nature and Evolution of Female Sexuality*, New York, Random House.

Sherman, S. (2002). «If our son is happy, what else matters?», *Newsweek*, 16 septembre, p. 12.

Shernoff, M. (2006). «The heart of a virtual hunter», *The Gay and Lesbian Review Worldwide*, vol. 13, p. 20-23.

Shidlo, A., Schroeder, M. et Drescher, J. (2003). *Sexual Conversion Therapy: Ethical, Clinical, and Research Perspectives*, Binghamton, Haworth Medical Press.

Shifen, J., Braunstein, G., Simon, J., Casson, P., Buster, J., Redmond, G., Burki, R., Ginsburg, E., Rosen, R., Leiblum, S., Carmelli, K. et Mazer, N. (2000). «Transdermal testosterone treatment in women with impaired sexual function after oophorectomy», *New England Journal of Medicine*, vol. 34, p. 682-688.

Shihri, A. (2007). «Saudi king pardons rape victim sentenced to prison», *The Oregonian*, 18 décembre, p. A6.

Shimonaka, Y., Nakazato, K., Kawaai, C. et Sato, S. (1997). «Androgyny and successful adaptation across the life span among Japanese adults», *Journal of Genetic Psychology*, vol. 158, p. 389-400.

Shook, N., Gerrity, D., Jurich, J. et Segrist, A. (2000). «Courtship violence among college students: A comparison of verbally and physically abusive couples», *Journal of Family Violence*, vol. 15, p. 1-22.

Shortridge, E. et Miller, K. (2007). «Contraindications to oral contraceptive use among women in the United States, 1999-2001», vol. 75, p. 355-360.

Shrier, L., Pierce, J., Emans, S. et DuRant, R. (1998). «Gender differences in risk behaviors associated with forced or pressured sex», *Archives of Pediatric and Adolescent Medicine*, vol. 152, p. 57-63.

Shtarkshall, R. (2005). «Conducting sex therapy in a cross-cultural environment: When the paradigm of the therapy and the worldview of the clients mismatch», article présenté lors du 17e congrès mondial de sexologie, Montréal, Canada, 10-15 juillet.

Shuntich, R., Loh, D. et Katz, D. (1998). «Some relationships among affection, aggression, and alcohol abuse in the family setting», *Perceptual Motor Skills*, vol. 86, p. 1051-1060.

Siegel, K., Krauss, B. et Karus, D. (1994). «Reporting recent sexual practices: Gay men's disclosure of HIV risk by questionnaire and interview», *Archives of Sexual Behavior*, vol. 23, p. 217-230.

Sighinolfi, M.C. et coll. (2007). «Immediate improvement in penile homodynamic after cessation of smoking: Previous results», *Urology*, vol. 69, no 1, p. 163-165.

Signorile, M. (1995). *Outing Yourself*, New York, Fireside.

Silver, R., Landon, M., Rouse, D. et Leveno, K. (2006). «Maternal morbidity associated with multiple repeat cesarean deliveries», *Obstetrics and Gynecology*, vol. 107, p. 1226-1232.

Silverberg, C. (2008b). «Spontanous orgasms: A rare sexual side effect of antidepressants», *About.com*, http://sexuality.about.com/od/malesexualanatomy/a/morning_erectio.htm (consulté le 27 avril 2012).

Silverman, J., Decker, M., Jhumka, G., Dharmadhikari, A., Seage, G. et Raj, A. (2008). «Syphilis and hepatitis B co-infection among HIV-infected, sex-trafficked women and girls, Nepal», *Emerging Infectious Diseases*, vol. 14, p. 932-935.

Simon, W. et Gagnon, J. (1998). «Psychosexual development», *Society*, vol. 35, p. 60-67.

Simons, D., Wurtele, S. et Durham, R. (2008). «Developmental experiences of child sexual abusers and rapists», *Child Abuse and Neglect*, vol. 32, p. 549-560.

Simonson, K. et Subich, L. (1999). «Rape perceptions as a function of gender-role traditionality and victim-perpetrator association», *Sex Roles*, vol. 40, p. 617-633.

Singer, L. (2002). «Cognitive and motor outcomes of cocaine-exposed infants», *Journal of the American Medical Association*, vol. 287, p. 1952-1960.

Singer, N. (2005). «The revised birthday suit», *The New York Times*, 1er septembre, p. E3.

Sinha, M. (2012). *La violence familiale au Canada, un profil statistique, 2010*, Article de Juristat, disponible sur Statistique Canada, no de produit 85-002-X, http://www.statcan.gc.ca/pub/85-002-x/2012001/article/11643-fra.pdf (consulté le 20 novembre 2012).

Sinnot, J. (1986). *Sex Roles and Aging: Theory and Research from a Systems Perspective*, Basel, Suisse, Karger.

Sipe, A. (2008). «Celibacy today: Mystery, myth, and miasma», *Cross Currents*, vol. 57, p. 545-563.

Skolnick, A. (1992). *The Intimate Environment: Exploring Marriage and the Family*, New York, HarperCollins.

Slijper, F., Drop, S., Molenaar, J. et Keizer-Schrama, S. (1998). «Long-term psychological evaluation of intersex children», *Archives of Sexual Behavior*, vol. 27, p. 125-143.

Small, C., Manatunga, A., Klein, M. et Feigelson, H. (2006). «Menstrual cycle characteristics: Associations with fertility and spontaneous abortion», *Epidemiology*, vol. 17, p. 52-60.

Small, M. (1999). «Nosing out a mate», *Scientific American Presents*, vol. 10, p. 52-55.

Smalley, S. (2003). «This could be your kid», *Newsweek*, http://www.thedailybeast.com/newsweek/2003/08/17/this-could-be-your-kid.html (consulté le 25 septembre 2012).

Smeltzer, S. et Kelley, C. (1997). «Multiple sclerosis», dans *Sexual Function in People with Disability and Chronic Illness* (sous la direction de M. Sipski et C. Alexander), Gaithersburg, Aspen Publishers.

Smith, D. et Over, R. (1987). «Correlates of fantasy-induced and film-induced male sexual arousal», *Archives of Sexual Behavior*, vol. 16, p. 395-409.

Smith, R., Aboitiz, F., Schroter, C., Barton, R., Denenberg, V. et coll. (2005). «Relative size versus controlling for size: Interpretation of ratios in research on sexual dimorphism in the human corpus callosum», *Current Anthropology*, vol. 46, p. 249-273.

Soguel, D. (2008). «Mass stigma scars Congo's rape survivors», *We-news*, http://womensenews.org/story/081005/mass-stigma-scars-congos-rape-survivors#.UJLwwoUVwiA (consulté le 1er novembre 2012).

Solmonese, J. (2005). *Fairness at Ford and Beyond*, 15 décembre, http://www.advocate.com/politics/commentary/2005/12/15/fairness-ford-and-beyond (consulté le 23 décembre 2012).

Song, Y., Hwang, K. et coll. (2009). «Innervation of vagina: Micro-dissection and immunohistochemical study», *Journal of Sex and Marital Therapy*, vol. 35, p. 144-153.

Sontag, S. (1972). «The double standard of aging», *Saturday Review of Literature*, vol. 39, p. 29-38.

Sormanti, M. et Shibusawa, T. (2008). «Intimate partner violence among midlife and older women: A descriptive analysis of women seeking medical services», *Health and Social Work*, vol. 33, p. 33-41.

Sorsoli, L., Kia-Keating, M. et Grossman, F. (2008). «"I keep that hush-hush": Male survivors of sexual abuse and the challenges of disclosure», *Journal of Counseling Psychology*, vol. 55, p. 333-345.

Soukup, E. (2006). «Polygamists unite», *Newsweek*, 20 mars, p. 52.

Span, S. et Vidal, L. (2003). «Cross-cultural differences in female university students' attitudes toward homosexuals: A preliminary study», *Psychological Reports*, vol. 92, p. 565-572.

Speer, R. (2005). «The fuzz that was», *Willamette Week*, 14 décembre, p. 12-18.

Spence, J. et Helmreich, R. (1978). *Masculinity and Feminity*, Austin, University of Texas Press.

Spencer, T. et Tan, J. (1999). «Undergraduate students' reactions to analogue male disclosure of sexual abuse», *Journal of Child Sexual Abuse*, vol. 8, p. 73-90.

Spensley, A., Sripipatana, T. et coll. (2009). «Preventing mother-to-child transmission of HIV in resource-limited settings», *American Journal of Public Health*, vol. 99, p. 631-637.

Speroff, L., Blas, R. et Kase, N. (1989). *Clinical Gynecologic Endocrinology and Infertility*, Baltimore, Williams & Wilkins.

Speroff, L. et Fritz, M.A. (2005). *Clinical Gynecologic Endocrinology and Infertility*, 7e éd., Philadelphie, Lippincott Williams and Wilkins.

Spitzberg, B. (1999). «An analysis of empirical estimates of sexual aggression, victimization, and perpetration», *Violence and Victims*, vol. 14, p. 241-260.

Sprecher, S. (2002). «Sexual satisfaction in premarital relationships: Associations with satisfaction, love, commitment, and stability», *Journal of Sex Research*, vol. 39, p. 190-196.

Sprecher, S. et McKinney, K. (1993). *Sexuality*, Newbury Park, Sage.

Sprecher, S., Metts, S., Burleson, B., Hatfield, E. et Thompson, A. (1995). «Domains of expressive interaction in intimate relationships: Associations with satisfaction and commitment», *Family Relations*, vol. 44, p. 203-210.

Sprecher, S. et Regan, P.C. (1998). «Passionate and companionate love in courting and young married couples», *Sociological Inquiry*, vol. 68, p. 163-185.

Springen, K. (2003). «New year, new breasts?», *Newsweek*, 13 janvier, p. 65-66.

Springen, K. (2005b). «The miscarriage maze», *Newsweek*, 7 février, p. 63.

Springen, K. (2008). «Get your sperm moving», *Newsweek*, 25 février, p. 59.

Sroufe, L. (1985). «Attachment classification from the perspective of infant-caregiver relationships and infant temperament», *Child Development*, vol. 56, p. 1-14.

St-Amour, Martine (2012). «Les mariages au Québec en 2011: l'âge au premier mariage continue d'augmenter», *Coup d'œil sociodémographique*, Institut de la statistique du Québec, no 18.

Stanley, D. (1993). «To what extent is the practice of autoerotic asphyxia related to other paraphilias?», dans *Understanding Sexuality* (sous la direction de K. Haas et A. Haas), St. Louis, Mosby.

Stark, C. (2005). «Behavioral effects of stimulation of the medial amygdala in the male rat are modified by prior experience», *Journal of General Psychology*, vol. 132, p. 207-224.

Starr, B. et Weiner, M. (1981). *The Starr Weiner Report on Sex and Sexuality in the Mature Years*, New York, Stein & Day.

Staten, C. (1997). «"Roofies," the new "date rape" drug of choice», *Emergency Net News*, 21 octobre.

Statistique Canada (2004). «Enquête sur la santé dans les collectivités canadiennes, 2003», *Le Quotidien*, 15 juin, http://www23.statcan.gc.ca/imdb/p2SV_f.pl?Function=getSurvey&SurvId=3226&SurvVer=0&InstaId=15282&InstaVer=2&SDDS=3226&lang=fr&db=imdb&adm=8&dis=2 (consulté le 13 septembre 2012).

Statistique Canada (2008). *La violence familiale au Canada: un profil statistique 2008*, Centre canadien de la statistique juridique. no 85-224-X au catalogue.

Statistique Canada (2010). *La violence dans le cadre des fréquentations intimes déclarée par la police 2008*, vol. 30, no 2, no 85-002 au catalogue.

Statistique Canada (2010b). *Les enfants et les jeunes victimes de crimes violents déclarés par la police, 2008*, Centre canadien de la statistique juridique, vol. 23, no 85F0033M au catalogue.

Statistique Canada (2011a). «La fierté gaie... en chiffres», http://www42.statcan.ca/smr08/2011/smr08_158_2011-fra.htm (consulté le 29 juin 2012).

Statistique Canada (2011b). *La violence familiale au Canada: Un profil statistique*, 13e rapport annuel, Centre canadien de la statistique juridique, Ottawa, http://www5.statcan.gc.ca/bsolc/olc-cel/olc-cel?catno=85-224-XWF&lang=fra (consulté le 25 octobre 2012).

Steele, B. et Kennedy, S. (2006). «Hustle and grow», *The Advocate*, 11 avril, p. 53-60.

Steele, J. (1999). «Teenage sexuality and media practice: Factoring in the influences of family, friends, and school», *Journal of Sex Research*, vol. 36, p. 331-341.

Steer, A. et Tiggermann, M. (2008). «The role of self-objectification in women's sexual functioning», *Journal of Social and Clinical Psychology*, vol. 27, p. 205-225.

Steggal, M., Fowler, C. et Pryce, A. (2008). «Combination therapy for premature ejaculation: Results of a small-scale study», *Sexual and Relationship Therapy*, vol. 23, p. 365-376.

Stein, A. (2001). *The Stranger Next Door*, Boston, Beacon Press.

Stein, D., Baer, M. et Bruemmer, N. (2008). «Sexual and emotional health in men», *Annals of the American Psychotherapy Association*, vol. 11, p. 20-26.

Steinem, G. (1998). «Erotic and pornography: A clear and present difference», dans *Pornography: Private Right or Public Menace?* (sous la direction de R. Baird et S. Rosenbaum), Amherst, Prometheus Books.

Steiner, M. et Cates, W. (2008). «Are condoms the answer to rising rates of non-HIV sexually transmitted infections? Yes.», *British Medical Journal*, vol. 184, p. 1136.

Stephenson, M. (2006). «Management of recurrent early pregnancy loss», *The Journal of Reproductive Medicine*, vol. 51, p. 303-310.

Stermac, L., Sheridan, P., Davidson, A. et Dunn, S. (1996). «Sexual assault of adult males», *Journal of Interpersonal Violence*, vol. 11, p. 52-64.

Sternberg, R. (1986). «A triangular theory of love», *Psychological Review*, vol. 93, p. 119-135.

Sternberg, R. (1988). «Triangulating love», dans *The Psychology of Love* (sous la direction de R. Sternberg et M. Barnes), New Haven, Yale University Press.

Steuber, K. et Solomon, D. (2008). «Relational uncertainty, partner interference and infertility», *Journal of Social and Personal Relationships*, vol. 25, p. 831-855.

Stewart, F. (1998). «Vaginal barriers», dans *Contraceptive Technology* (sous la direction de R. Hatcher, J. Trussell, F. Stewart, W. Cates, G. Stewart, F. Guest et D. Kowal), New York, Ardent Media.

Stewart, G. et Carignan, C. (1998). «Female and male sterilization», dans *Contraceptive Technology* (sous la direction de R. Hatcher, J. Trussell, F. Stewart, W. Cates, G. Stewart, F. Guest et D. Kowal), New York, Ardent Media.

Stock, W. (1985). «The effect of pornography on women», communication donnée lors d'une audience de l'Attorney General's Commission on Pornography, Houston, 11-12 septembre.

Stoler, L., Quina, K., DePrince, A. et Freyd, J. (2001). «Recovered memories», dans *Encyclopedia of Women and Gender*, vol. 2 (sous la direction de J. Worrell), San Diego, Academic Press.

Stoller, R. (1977). «Sexual deviations», dans *Human Sexuality in Four Perspectives* (sous la direction de F. Beach), Baltimore, Johns Hopkins University Press.

Stoller, R. (1982). «Transvestism in women», *Archives of Sexual Behavior*, vol. 11, p. 99-115.

Stoller, R. et Herdt, G. (1985). «Theories of origins of male homosexuality», *Archives of General Psychiatry*, vol. 42, p. 399-404.

Stone, J., Ferrara, L., Kamrath, J. et Getrajdam, J. (2008). «Contemporary outcomes with the latest 1000 cases of multifetal pregnancy reduction», *American Journal of Obstetrics and Gynecology*, vol. 199, p. 406-408.

Strassberg, D. (2007). «Dealing with premature ejaculation», article présenté lors du 18e congrès de la World Association for Sexual Health, Sydney, Australie, 15-19 avril.

Strassberg, D. et Mahoney, J. (1988). «Correlates of contraceptive behavior of adolescents/young adults», *Journal of Sex Research*, vol. 25, p. 531-536.

Striar, S. et Bartlik, B. (2000). «Stimulation of the libido: The use of erotica in sex therapy», *Psychiatric Annals*, vol. 29, p. 60-62.

Stringer, E., Chi, B., Chintu, N. et coll. (2008). «Monitoring effectiveness of programmes to prevent mother-to-child HIV transmission in lower-income countries», *Bulletin of the World Health Organization*, vol. 86, p. 57-62.

Struckman-Johnson, C. et Struckman-Johnson, D. (2000). «Sexual coercion rates in seven midwestern prison facilities for men», *Prison Journal*, vol. 80, p. 379-390.

Struckman-Johnson, C., Struckman-Johnson, D. et Anderson, P. (2003). «Tactics of sexual coercion: When men and women won't take vol. for an answer», *Journal of Sex Research*, vol. 40, p. 76-86.

Stuart, F., Hammond, C. et Pett, M. (1998). «Inhibited sexual desire in women», *Archives of Sexual Behavior*, vol. 16, p. 91-106.

Stubbs, K. (1992). *Sacred Orgasms*, Berkeley, Secret Garden.

Subrahmanyam, K. et Greenfield, P. (2008). «Online communication and adolescent relationships», *Future of Children*, vol. 18, p. 119-146.

Sugar, N. et Graham, E. (2006). «Common gynecologic problems in prepubertal girls», *Pediatrics in Review*, vol. 27, p. 213-222.

Suggs, R. (1962). *The Hidden Worlds of Polynesia*, New York, Harcourt, Brace & World.

Sullivan, J. (2008). «This is your kid's brain in Internet porn», *The Oregonian*, 17 décembre, p. E1.

Sullivan, M. (2005). «Abstinence pledges don't protect against STDs», *Family Practice*, vol. 35, p. 24.

Sun, C., Bridges, A., Wosnitzer, R., Scharrer, E. et Libermann, R. (2008). «A comparison of male and female directors in popular pornography: What happens when women are at the helm?», *Psychology of Women Quarterly*, vol. 32, p. 312-325.

Sungur, M. (2007). «Management of sexual disorders: Does being Muslim make any difference?», article présenté lors du 18e congrès de la World Association for Sexual Health, Sydney, Australie, 15-19 avril.

Superville, D. (1996). «Genital mutilation ruled persecution», *The Oregonian*, 15 juin, p. A8.

Suschinsky, K.D. et Lalumière, M.L. (2012). «Is sexual concordance related to awareness of physiological states?», *Archives of Sexual Behavior*, vol. 41, p. 199-208.

Swaab, D., Gooren, L. et Hoffman, M. (1995). «Brain research, gender, and sexual orientation», *Journal of Homosexuality*, vol. 28, p. 283-301.

Swami, V. et Furnham, A. (2008). *The Psychology of Physical Attraction*, New York, Routledge.

Swift, M. (2009). «Asian immigrants use medical technology to satisfy age-old desire: A son», *San Jose Mercury News*, 11 janvier, p. B1.

Swiss, S. et Giller, J. (1993). «Rape as a crime of war», *Journal of the American Medical Association*, vol. 270, p. 612-615.

Sytsma, M. et Taylor, D. (2008). «Fake an orgasm?», *Marriage Partnership*, vol. 25, p. 45-46.

Szymanski, D. (2009). «Examining the relationship between heterosexist events and gay and bisexual men's psychological distress», *Journal of Counseling Psychology*, vol. 56, p. 142-151.

Taddio, A., Stevens, B., Craig, K., Rastogi, P., Ben-David, S., Shennan, A., Mulligan, P. et Koren, G. (1997b). «Efficacy and safety of lidocaine-prilocaine cream for pain during circumcision», *New England Journal of Medicine*, vol. 336, p. 1197-1201.

Tag-Eldin, M., Gadallah, M., Al-Tayeb, M., Abdel-Aty, M., Mansour, E. et Sallem, M. (2008). «Prevalence of female genital cutting among Egyptian girls», *Bulletin of the World Health Organization*, vol. 86, p. 269-276.

Talbott, J. (2007). «Size matters: The number of prostitutes and the global HIV/AIDS pandemic», *PLOS One*, no 6, p. e543.

Tamini, R., Hankinson, S., Chen, W. et Rosner, B. (2006). «Combined estrogen and testosterone use and risk of breast cancer in postmenopausal women», *Archives of Internal Medicine*, vol. 166, p. 1483-1489.

Tannen, D. (1990). *You Just Don't Understand: Women and Men in Conversation*, New York, Ballantine Books (édition de poche: 1991).

Tannen, D. (1994). *Gender and Discourse*, New York, Oxford University Press.

Tardif, M. et Van Gijseghem, H. (2001). «Do pedophiles have a weaker identity structure compared with nonsexual offenders?», *Child Abuse and Neglect*, vol. 25, p. 1381-1394.

Tarkovsky, S. (2006). «Sperm taste: 10 simple tips for better tasting semen», http://ezinearticles.com/?Sperm-Taste---10-Simple-Tips-For-Better-Tasting-Semen&id=164106 (consulté le 3 août 2012).

Task Force on Circumcision (1999). «Circumcision policy statement», *Pediatrics*, vol. 103, p. 686-693.

Tavris, C. (2005). «Brains, biology, science and skepticism: On thinking about sex differences (again)», *Skeptical Inquirer*, mai-juin.

Taylor, G. et Ussher, J. (2001). «Making sense of S and M: A discourse analytic account», *Sexualities*, vol. 4, p. 293-314.

Taylor, J. (1971). *Holy Living* (sous la direction de R. Haber et C. Eden), New York, Adler.

Taylor, L. (2005). «All for him: Articles about sex in American lad magazines», *Sex Roles: A Journal of Research*, vol. 52, p. 153-164.

Taylor, R. (1970). *Sex in History*, New York, Harper & Row.

Teachman, J. (2003). «Premarital sex, premarital cohabitation, and the risk of subsequent marital dissolution among women», *Journal of Marriage and the Family*, vol. 65, p. 444-455.

Teich, M. (2006b). «Love but don't touch», *Psychology Today*, mars-avril, p. 81-86.

Templeman, T. et Sinnett, R. (1991). «Patterns of sexual arousal and history in a "normal" sample of young men», *Archives of Sexual Behavior*, vol. 20, p. 137-150.

Tenkorang, E. et Matick-Tyndale, E. (2008). «Factors influencing the timing of first sexual intercourse among young people in Nzanza, Kenya», *International Family Planning Perspectives*, vol. 34.

Terry, G. (2007). «Sex, celibacy and masculinities», article présenté lors du 18e congrès de la World Association for Sexual Health, Sydney, Australie, 15-19 avril.

Thanasiu, P. (2004). «Childhood sexuality: Discerning healthy from abnormal sexual behaviors», *Journal of Mental Health Counseling*, vol. 26, p. 309-319.

Thompson, E. (2008). «Slavery in our times», *Newsweek*, 17 mars, p. 64.

Thukral, J. (2008). «Sex workers need safety, not prosecutors», *Wenews*, http://womensenews.org/story/commentary/080316/sex-workers-need-safety-not-prosecutors (consulté le 25 septembre 2012).

Tiefer, L. (1995). *Sex Is Not a Natural Act and Other Essays*, Boulder, Westview Press.

Tierney, J. (2008). «Gender gap research shakes up theories», *The Oregonian*, 3 octobre, p. E2.

Tjaden, P. et Thoennes, N. (1998). *Prevalence, Incidence and Consequences of Violence Against Women: Findings From the National Violence Against Women Survey*, Washington, National Institute of Justice.

Tollison, C. et Adams, H. (1979). *Sexual Disorders: Treatment, Theory, Research*, New York, Gardner.

Tombs, S. et Siverman, I. (2004). «Pupillometry: A sexual selection approach», *Evolution & Human Behaviors*, vol. 25, n° 4, p. 221-228.

Tomlinson, F., Raphael, H. et Mehta, R. (2006). «Is androgen replacement therapy for hypogonadal men in the form of a transdermal gel (Tesogel) acceptable to patients attending a men's sexual health clinic, compared with older applications?», *The Journal of Sexual Medicine*, vol. 3 (suppl. 3), p. 199-223.

Tone, A. (2002). «The contraceptive conundrum», *SIECUS Report*, vol. 31, p. 4-8.

Torpy, J. (2003). «Perimenopause: Beginning of menopause», *Journal of the American Medical Association*, vol. 289, p. 940.

Toufexis, A. (1993). «The right chemistry», *Time*, 15 février, p. 49-51.

Toure, I. (2008). «Women and polygamy: A controversial issue», *The Arusha Time*, n° 501, 19 janvier, http://www.arushatimes.co.tz/2008/2/society_4.htm (consulté le 20 juillet 2012).

Townsend, J. (1995). «Sex without emotional involvement: An evolutionary interpretation of sex differences», *Archives of Sexual Behavior*, vol. 24, p. 173-182.

Treas, J. et Giesen, D. (2000). «Sexual infidelity among married and cohabiting Americans», *Journal of Marriage and the Family*, vol. 62, p. 48-60.

Tremblay, G. et L'Heureux, P. (2010). «La genèse de la construction de l'identité masculine», dans *Regards sur les hommes* (sous la direction de J.-M. Deslauriers, G. Tremblay, S. Genest Dufault, D. Blanchette et J.-Y. Desgagnés), Québec, PUL, p. 91-123.

Trepka, M., Kim, S., Pekovic, V. et coll. (2008). «High-risk sexual behavior among students of a minority-serving university in a community with a high HIV/AIDS prevalence», *Journal of American College Health*, vol. 57, p. 77-84.

Tripp, C. (1975). *The Homosexual Matrix*, New York, McGraw-Hill.

Trocmé, N. (2012). «Maltraitance envers les enfants et impacts sur le développement psychosocial: Épidémiologie», MacMillan, H. éd. dans Tremblay, R.E., Boivin, M., Peters, R.D., éd., *Encyclopédie sur le développement des jeunes enfants* (en ligne), Montréal, Québec, Centre d'excellence pour le développement des jeunes enfants et Réseau stratégique de connaissances sur le développement des jeunes enfants, p. 1-5, http://www.enfant-encyclopedie.com/documents/trocmeFRxp2.pdf (consulté le 7 novembre 2012).

Troiden, R. (1988). *Gay and Lesbian Identity: A Sociological Analysis*, New York, General Hall.

Trudel, G. (2000). *Les dysfonctions sexuelles: évaluation et traitement par des méthodes psychologiques, interpersonnelles et biologiques*, Montréal, Presses de l'Université du Québec, 716 p.

Trudel, G. (2002). «Sexuality and marital life: Result of a survey», *Journal of Sex Marital Therapy*, vol. 28, n° 3, p. 229-250.

Trudel, G., Boyer, R., Villeneuve, V., Anderson, A., Pilon, G. et Bounader, J. (2008). «The Marital Life and Aging Well Program: Effects on a group preventive intervention on the marital and sexual functioning of retired couples», *Sexual and Relationship Therapy*, vol. 23, p. 5-23.

Truitt, W. et Coolen, L. (2002). «Identification of a potential ejaculation generator in the spinal cord», *Science*, vol. 297, p. 1566-1599.

Tsuruta, J.K., Dayton, P., Gallippi, C. et coll. (2012). «Therapeutic ultrasound as a potential male contraceptive: power, frequency and temperature required to deplete rat testes of meiotic cells and epididymides of sperm determined using a commercially available system», *Reproductive Biology and Endocrinology*, vol. 12, n° 7.

Tsutsumi, A., Izutsu, T., Poudyal, A., Kato, S. et Marui, E. (2008). «Mental health of female survivors of human trafficking in Nepal», *Social Science and Medicine*, vol. 66, p. 1841-1847.

Tucker, M. (2004). «Sexual desire, activity up with testosterone patch», *Family Practice News*, vol. 34, p. 44.

Tuiten, A., Van Honk, J., Koppeschaar, H., Bernaards, C., Thijssen, J. et Verbaten, R. (2000). «Time course of effects of testosterone administration on sexual arousal in women», *Archives of General Psychiatry*, vol. 57, p. 149-153.

Turner, A., Morrison, C., Padian, N. et coll. (2007). «Male circumcision and women's risk of incident chlamydial, gonococcal, and trichonomal infections», *Sexually Transmitted Diseases*, vol. 35, p. 689-695.

Turner, H. (1999). «Participation bias in AIDS-related telephone surveys: Results from the National AIDS Behavior Study (NABS) non-response study», *Journal of Sex Research*, p. 52-58.

Tyre, P. (2006). «Poker buddies for life», *Newsweek*, 20 février, p. 61.

Ueno, K. (2005). «Sexual orientation and psychological distress in adolescence: Examining interpersonal stressors and social support processes», *Social Psychology Quarterly*, vol. 68, p. 258-277.

Ullman, S. et Brecklin, L. (2003). «Sexual assault history and health-related outcomes in a national sample of women», *Psychology of Women Quarterly*, vol. 27, p. 46-57.

Ullman, S., Filipas, H., Townsend, S. et Starzynski, L. (2005). «Trauma exposure, posttraumatic stress disorder and problem drinking in sexual assault survivors», *Journal of Studies on Alcohol*, vol. 66, p. 610-619.

Ullman, S., Starzynski, L. et coll. (2008). «Exploring the relationships of women's sexual assault disclosure, social reactions, and problem drinking», *Journal of Interpersonal Violence*, vol. 23, p. 1235-1257.

Umberson, D., Williams, K., Powers, D. et Liu, H. (2006). «You make me sick: Marital quality and health over the life course», *Journal of Health and Social Behavior*, vol. 47, p. 1-16.

Underwood, A. (2007). «Rivers of doubt», *Newsweek*, 4 juin, p. 58.

UNICEF (2005). *Changer une convention sociale néfaste: la pratique de l'excision/mutilation génitale féminine*, Digest Innocenti, 54 p. http://www.unicef-irc.org/publications/pdf/fgm_fr.pdf (consulté le 11 février 2013).

Upadhyay, U. (2005). «New contraceptive choices», *Population Reports*, vol. 32, p. 1-2.

Urman, B. et Yakin, K. (2006). «Ovulatory disorders and infertility», *The Journal of Reproductive Medicine*, vol. 51, p. 267-282.

Usher-Seriki, K., Bynum, M. et Callands, T. (2008). «Mother-daughter communication about sex and sexual intercourse among middle- to upper-class African American girls», *Journal of Family Issues*, vol. 29, p. 901-917.

Valera, R., Sawyer, R. et Schiraldi, G. (2001). «Perceived health needs of inner-city street prostitutes: A preliminary study», *American Journal of Health and Behavior*, vol. 25, p. 50-59.

Valhouli, C. (2000). «Courtesan power», *Salon*, 15 novembre, http://www.salon.com/writer/christina_valhouli/ (consulté le 25 septembre 2012).

Valliant, P., Gauthier, T., Pottier, D. et Kosmyna, R. (2000). «Moral reasoning, interpersonal skills, and cognitions of rapists, child molesters, and incest offenders», *Psychological Reports*, vol. 86, p. 67-75.

Vamos, C., McDermott, R. et Daley, E. (2008). «The HPV vaccine: Framing the arguments for and against mandatory vaccination of all middle school girls», *Journal of School Health*, vol. 78, p. 302-309.

van Damme, L. (2000). «Advances in Topical Microbicides», communication donnée à la 13th International AIDS Conference, Durban, Afrique du Sud, 9-14 juillet.

Van Ecke, Y. (2007). «Attachment style and dysfunctional career thoughts: How attachment style can affect the career counseling process», *Career Development Quaterly*, vol. 55, p. 339-350.

Van Hook, M., Gjermeni, E. et Haxhiymeri, E. (2006). «Sexual trafficking of women», *International Social Work*, vol. 49, p. 29-40.

Van Howe, R. et Svoboda, J. (2008). «Neonatal pain relief and the Helsinki declaration», *Journal of Law, Medicine and Ethics*, vol. 36, p. 808-823.

Van Lankveld, J. (2009). «Self-help therapies for sexual dysfunction», *Journal of Sex Research*, vol. 46, p. 143-155.

Van Lankveld, J., ter Kuile, M., de Groot, H. et Melles, R. (2006). «Cognitive-behavioral therapy for women with lifelong vaginismus: A randomized waiting-list controlled trial of efficacy», *Journal of Consulting and Clinical Psychology*, vol. 74, p. 168-178.

Van Voorhis, R. et Wagner, M. (2002). «Among the missing: Content on lesbian and gay people in social work journals», *Social Work*, vol. 47, p. 345-354.

Van Wyk, P. (1984). «Psychosocial development of heterosexual, bisexual, and homosexual behavior», *Archives of Sexual Behavior*, vol. 13, p. 505-544.

Van Zeijl, F. (2006). «The agony of Darfur», *Ms.*, hiver, p. 24-26.

Vandello, J. et Cohen, D. (2003). «Male honor and female fidelity: Implicit cultural scripts that perpetuate domestic violence», *Journal of Personality and Social Psychology*, vol. 84, p. 997-1010.

Vandeusen, K. et Carr, J. (2003). «Recovery from sexual assault: An innovative two-stage group therapy model», *International Journal of Group Psychotherapy*, vol. 53, p. 201-223.

Vardi, Y., McMahon, C., Waldinger, M. et Rubio-Aurioles, E. (2008). «Are premature ejaculation symptoms curable?», *Journal of Sexual Medicine*, vol. 5, p. 1546-1551.

Vary, A. (2006). «Is gay over?», *The Advocate*, 20 juin, p. 98-102.

Vasquez, M. (1994). «Latinas», dans *Women of Colors* (L. Comas-Diaz et B. Greene, éditeurs), New York, The Guilford Press.

Vaughan, G. (2003). «Koro: A natural history of penis panic», http://www.kuro5hin.org/story/2002/9/16/81843/6555 (consulté le 30 avril 2012).

Venneman, A. (2009). *Statement by UNICEF executive director Ann M. Venneman on child marriage*, http://www.unicef.org/eapro/media_10450.html (consulté le 19 juillet 2012).

Verheyden, B., Bitton, A., Toumeguere, T. et Roos, E. (2007). «Effectiveness and patien satisfaction with 6 monts tadalafil treatment: Results form the Detect Study», article présenté lors du 18e congrès de la World Association for Sexual Health, Sydney, Australie, 15-19 avril.

Versteeg, K., Knopf, J. et coll. (2009). «Teenagers wanting medical advice: Is MySpace the answer?», *Archives of Pediatrics and Adolescent Medicine*, vol. 163, p. 91-92.

Vickerman, P., Watts, C., Delany, S. et coll. (2006). «The importance of context: Model projections on how microbicide impact could be affected by the underlying epidemiologic and behavioral situation in 2 African settings», *Sexually Transmitted Diseases*, vol. 33, p. 397-405.

Vinardi, S., Magro, P., Manenti, M., Lala, R., Costantino, S., Cortese, M. et Canarese, F. (2001). «Testicular function in men treated in childhood for undescended testes», *Journal of Pediatric Surgery*, vol. 36, p. 385-388.

Vincent, J.-D. (1986). *La biologie des passions*, Paris, Odile Jacob, 341 p.

Waldinger, M. (2008). «Premature ejaculation: Different pathophysiologies and etiologies determine its treatment», *Journal of Sex and Marital Therapy*, vol. 34, p. 1-13.

Waldinger, M. et Schweitzer, D. (2006). «Changing paradigms from a historical DSM-III and DSM-IV view toward an evidence-based definition of premature ejaculation. Part II – Proposals for DSM-V and ICD-11», *The Journal of Sexual Medicine*, vol. 3, p. 693-705.

Waldinger, M., van Gils, A., Ottervanger, P., Wandenbroucke, W. et Tavy, D. (2009). «Persistent genital arousal disorder in 18 Dutch women: Part I. MRI, EEG, and transvaginal ultrasonography investigations», *Journal of Sexual Medicine*, vol. 6, p. 474-481.

Walker, A. et Humphries, C. (2007). «Starting the good life in the womb», *Newsweek*, 27 septembre, p. 56-58.

Walker, A., Archer, J. et Davies, M. (2005). «Effects of rape on men: A descriptive analysis», *Archives of Sexual Behavior*, vol. 34, p. 69-80.

Wallis, M., Daneback, K., Mansson, S., Tikkahen, R. et Cooper, A. (2003). «Characteristics of men and women who complete or exit from an on-line Internet sexuality questionnaire: A study of instrument dropout bias», *Journal of Sex Research*, vol. 40, p. 396-402.

Walls, N., Freedenthal, S. et Wisneski, H. (2008). «Suicidal ideation and attempts among sexual minority youths receiving social services», *Social Work*, vol. 53, p. 21-29.

Walsh, A. (1991). *The Science of Love: Understanding Love and Its Effects on Mind and Body*, Buffalo, Prometheus.

Walsh, T., Frezieres, R. et Peacock, K. (2004). «Contraceptive effectiveness of male condoms high», *Reproductive Health Matters*, vol. 13, p. 184-185.

Ward, H. et Day, S. (2006). *What Happens to Women Who Sell Sex? Report of a Unique Occupational Cohort*, http://sti.bmj.com/content/82/5/413.abstract (consulté le 23 décembre 2012).

Waskul, D. (sous la direction de) (2004). *Net. SeXXX: Readings on Sex, Pornography, and the Internet*, New York, Peter Lang.

Wassersug, R. et Johnson, T. (2007). «Modern-day enneuchs: Motivations for and consequences of contemporary castration», *Perspectives in Biology and Medicine*, vol. 50, p. 544-556.

Wawer, M., Gray, R., Sewankambo, N. et coll. (2005). «Rates of HIV-1 transmission per coital act, by stage of HIV-1 infection, Rakai, Uganda», *Journal of Infectious Diseases*, vol. 191, p. 1403-1409.

Weber, A. (1998). «Losing, leaving, and letting go: Coping with nonmarital breakups», dans *The Dark Side of Close Relationships* (sous la direction de B. Spitzberg et W. Cupah), Mahwah, Erlbaum.

Wegner, D., Lane, J. et Dimitri, S. (1994). «The allure of secret relationships», *Journal of Personality and Social Psychology*, vol. 66, p. 287-300.

Weinberg, G. (1973). *Society and the Healthy Homosexual*, New York, Anchor.

Weinberg, M., Williams, C. et Moser, C. (1984). «The social constituents of sadomasochism», *Social Problems*, vol. 31, p. 379-389.

Weinberg, T. (1987). «Sadomasochism in the United States: A review of recent sociological literature», *Journal of Sex Research*, vol. 23, p. 50-69.

Weinberg, T. (1995). *S and M: Studies in Dominance and Submission*, New York, Prometheus Books.

Weiner, A. (1996). «Understanding the social needs of streetwalking prostitutes», *Journal of the National Association of Social Workers*, vol. 41, p. 97-105.

Weisner-Hanks, M. (2000). *Christianity and Sexuality in the Early Modern World*, Londres, Routledge.

Weiss, J. (2001). «Treating vaginismus: Patient without partner», *Journal of Sex Education and Therapy*, vol. 26, p. 28-33.

Weitzer, R. (2007). «The social construction of sex trafficking: Ideology and institutionalization of a morale crusage», *Politics and Society*, p. 35-45.

Wellings, K., Collumbien, M., Slaymaker, E., Singh, S., Hodges, Z., Patel, D. et Bajos, N. (2006). «Sexual behavior in context: A global perspective», *Lancet*, vol. 368, p. 1706-1728.

Wells, B. (1983). «Nocturnal orgasms: Females' perceptions of a "normal" sexual experience», *Journal of Sex Education and Therapy*, vol. 9, p. 32-38.

Wendling, P. (2007). «Vulvovaginal plastic surgery gains popularity», *Internal Medicine News*, vol. 40, p. 30-31.

Wentland, J.J. et Reising, E.D. (2011). «Taking casual sex not too casually: Exploring definitions of casual sexual relationships», *The Canadian Journal of Sexuality*, vol. 20, n° 3, p. 75-91.

Westhoff, C., Heartwell, S. et Edwards, S. (2007). «Oral contraceptif discontinuation: Do side effects matter?», *American Jounral of Obstetrics and Gynecology*, vol. 196, p. 412-419.

Westhoff, C., Picardo, L. et Morrow, E. (2003). «Quality of life following early medical or surgical abortion», *Contraception*, vol. 67, p. 41-47.

Westwood, M. (2007). «Adolescence: Hormones rule OK?», *Biological Sciences Review*, vol. 19, p. 2-6.

Wheeler, M. (1991). «Physical changes of puberty», *Endocrinology and Metabolism Clinics of North America*, vol. 20, p. 1-14.

Whipple, B. (2000). «Beyond the G spot», *Scandinavian Journal of Sexology*, vol. 3, p. 35-42.

Whipple, B. (2007). «The benefits of sexual expression on reproductive health and on sexuality itself», article présenté lors du 18e congrès de la World Association for Sexual Health, Sydney, Australie, 15-19 avril.

Whipple, B. et Komisaruk, B. (1999). «Beyond the G spot: Recent research on female sexuality», *Psychiatric Annals*, vol. 29, p. 34-37.

Whipple, B. et Komisaruk, B. (2006). «Where in the brain is a woman's sexual response? Laboratory studies including brain imaging during orgasm», *The Journal of Sex Research*, vol. 43, p. 29-30.

Whisman, M. et Snyder, D. (2007). «Sexual infidelity in a national survey of American women: Differences in prevalence and correlates as a function of method of assessment», *Journal of Family Psychology*, vol. 21, p. 147-154.

Whitaker, D., Miller, K., May, D. et Levin, M. (1999). «Teenage partners' communication about sexual risk and condom use: The importance of parent-teenagers discussions», *Family Planning Perspectives*, vol. 31, p. 117-121.

White, G. et Helbick, R. (1988). «Understanding and treating jealousy», dans *Treatment of Sexual Problems in Individuals and Couples Therapy* (sous la direction de R. Brown et J. Fields), Boston, PMA Publishing.

White, J. (2003). «Who do you love?», *Utne Reader*, mai-juin, p. 24-26.

WHO/UNAIDS (2007). «Male circumcision for HIV prevention: Research implications for policy and programming», *Reproductive Health Matters*, vol. 15, p. 11-14.

Wiederman, M. (1999). «Volunteer bias in sexuality research using college student participants», *Journal of Sex Research*, vol. 36, p. 59-66.

Wiederman, M. (2000). «Women's body image self-consciousness during physical intimacy with a partner», *The Journal of Sex Research*, vol. 37, p. 60-68.

Wiederman, M. (2001). *Understanding Sexuality Research*, Belmont, Wadsworth.

Wiegratz, I., Kutschera, E., Lee, J., Moore, C., Mellinger, U., Winkler, U. et Kuhl, H. (2003). «Effect of four different oral contraceptives on various sex hormones and serum-binding globulins», *Contraception*, vol. 67, p. 25-32.

Wierckx, K., Van Caenegem, E., Elaut, E., Dedecker, D. et coll. (2011), «Quality of life and sexual health after sex reassignment surgery in transsexual men», *The Journal of Sexual Medicine*, vol. 8, p. 3379-3388.

Wiesner-Hanks, M. (2000). *Christianity and Sexuality in the Early Modern World*, Londres, Routledge.

Wiest, W. (1977). «Semantic differential profiles of orgasm and other experiences among men and women», *Sex Roles*, vol. 3, p. 399-403.

Wiest, W., Harrison, J., Johanson, C., Laubsch, B. et Whitley, A. (1995). Communication donnée devant l'Oregon Academy of Sciences, 25 février, Reed College, Portland.

Wilhelm, D., Palmer, S. et Koopman, P. (2007). «Sex determination and gonadal development in mammals», *Physiological Review*, vol. 87, p. 1-27.

Wilkes, D. (2006). «Clinical: GP involvement in fertility treatment», *GP*, 20 janvier, p. 30.

Willetts, M. (2006). «Union quality comparisons between long-term heterosexual cohabitation and legal marriage», *Journal of Family Issues*, vol. 27, p. 110-127.

Willford, J., Leech, S. et Day, N. (2006). «Moderate prenatal alcohol exposure and cognitive status of children at age 10», *Alcoholism: Clinical and Experimental Research*, vol. 30, p. 1051-1059.

Williams, A. (2008). «Hopelessly devoted to you, you, and you», *New York Times*, 5 octobre, p. 9L.

Williams, C. et Weinberg, M. (2003). «Zoophilia in men: A study of sexual interest in animals», *Archives of Sexual Behavior*, vol. 32, p. 523-535.

Williams, J. et Best, D. (1990). *Measuring Sex Stereotypes: A Multinational Study*, Newbury Park, Sage.

Williams, L. (1994). «Recall of childhood trauma: A prospective study of women's memories of child sexual abuse», *Journal of Consulting and Clinical Psychology*, vol. 62, p. 1167-1176.

Williams, S. (2000). «A new smoking peril», *Newsweek*, 24 avril, p. 78.

Williams, T., Pepitone, M., Christensen, S. et Cooke, B. (2000). «Figner-length ratios ans sexual orientation», *Nature Magazine*, 30 mars, p. 1-4.

Williams, Z., Litscher, E., Darie, C. et Wassarman, P. (2006). «Rational design of pregnancy vaccine», *Obstetrics & Gynecology* (suppl.), vol. 107, p. 14S-15S.

Willoughby, B., Malik, N. et Lindahl, K. (2006). «Parental reactions to their sons' sexual orientation disclosures: The roles of family cohesion, adaptability, and parenting style», *Psychology of Men and Masculinity*, vol. 7, p. 14-26.

Wilson, J. (2003). *Biological Foundations of Human Behavior*, Belmont, Wadsworth/Thomson Learning.

Wilson, M., Kastrinakis, M., D'Angelo, L. et Getson, P. (1994). «Attitudes, knowledge, and behavior regarding condom use in urban black adolescents males», *Adolescence*, vol. 29, p. 13-26.

Winer, R., Hughes, J., Feng, Q. et O'Reilly, S. (2006). «Condom use and the risk of genital human papillomavirus infection in youg women», *New England Journal of Medicine*, vol. 354, p. 2645-2654.

Wines, M. (2005). «S. Africa approves same-sex marriage», *The Oregonian*, 2 décembre, p. A1.

Winters, S. (1999). «Current status of testosterone replacement therapy in men», *Archives of Family Medicine*, vol. 8, p. 257-263.

Wischmann, T., Scherg, H., Strowitzki, T. et Verres, R. (2009). «Psychosocial characteristics of women and men attending infertility counseling», *Human Reproduction*, vol. 24, p. 378-385.

Wise, N. (2006). «Polyamory and other forms of negotiated non-monogamy: A crash course for the curious», communication donnée au Gumbo Sexualite Upriver: Spicing Up Education and Therapy (AASECT 38th Annual Conference), St. Louis, juin-juillet.

Wisniewski, A., Prendeville, M. et Dobs, A. (2005). «Handedness, functional cerebral hemispheric lateralization, and cognition in male-to-female transsexuals receiving cross-sex hormone treatment», *Archives of Sexual Behavior*, vol. 34, p. 167-172.

Witting, K., Santtila, P. et Varjonen, M. (2008). «Female sexual dysfunction, sexual distress, and compatibility with partner», *Journal of Sexual Medicine*, vol. 5, p. 2587-2599.

Wolak, J., Finkelhor, D. et coll. (2008). «Online predators' and their victims: Myths, realities, and implications for prevention and treatment», *American Psychologist*, vol. 63, p. 111-128.

Wolak, J., Mitchell, K. et Kinkelhor, D. (2007). «Unwanted and wanted exposure to online pronography in a national sample of youth Internet users», *Pediatrics*, vol. 119, p. 247-258.

Wolfsdorf, B. et Zlotnick, C. (2001). «Affect management in group therapy for women with posttraumatic stress disorder and histories of childhood sexual abuse», *Journal of Clinical Psychology*, vol. 57, p. 169-181.

Women on Words and Images (1972). *Dick and Jane as Victims*, Princeton, Women on Words and Images.

Wondracek, G. et coll. (2010). «Is the Internet for Porn? An Insight Into the Online Adult Industry», Texte accompagnant la conférence *The Ninth Workshop on the Economics of Information Security (WEIS 2010)*, http://iseclab.org/papers/weis2010.pdf (consulté le 24 septembre 2012).

Wong, W., Holroyd, E., Gray, A. et Ling, D. (2006). «Female street sex workers in Hong Kong: Moving beyond sexual health», *Journal of Women's Health*, vol. 15, p. 390-399.

Wood, G. et Ruddock, E. (1918). *Vitalogy*, Chicago, Vitalogy Association.

Wood, K., Becker, J. et Thompson, K. (1996). «Body image dissatisfaction in preadolescent children», *Journal of Applied Developmental Psychology*, vol. 17, p. 85-100.

Woodson, J. (2005). «Reinventing the male homosexual: The rhetoric and power of the gay gene», *Archives of Sexual Behavior*, vol. 34, p. 710-714.

Woodward, S. (2003). «Him, her – and the Internet», *The Oregonian*, 7 septembre, p. L1 et L8.

Woolf, L. (2001). «Gay and lesbian aging», *SIECUS Report*, vol. 30, p. 16-21.

Workman, J. et Freeburg, E. (1999). «An examination of date rape, victim dress, and perceiver variables within the context of attribution theory», *Sex Roles*, vol. 41, p. 261-277.

World Professionnal Association for Transgender Health (2011). *Standards of Care for the Health of Transsexual, Transgender, and Gender Nonconforming People*, 7e version.

Worthman, C. (1999). «Faster, farther, higher: Biology and the discourses on human sexuality», dans *Culture, Biology, and Sexuality* (sous la direction de D. Suggs et A. Miracle), Athens, University of Georgia Press.

Wright, K. (2004). «On-line relational maintenance strategies and perceptions of partners within exclusively Internet-based and primarily Internet-based relationships», *Communication Skills*, vol. 55, p. 239-253.

Wu, S. (2008). «Under wraps», *Marie Claire*, septembre, p. 130.

Wyatt, T. (2003). *Pheromones and Animal Behavior: Communication by Smell and Taste*, New York, Cambridge University Press.

Xhauflaire-Uhoda, E. et coll. (2005). «De la pomme d'amour au bouquet de la peau humaine… et si elle exhalait aussi des phéromones?», *Revue médicale de Liège*, vol. 60, n° 12, p. 946-948.

Yang, M., Fullwood, E., Goldstein, J. et Mink, J. (2005). «Masturbation in infancy and early childhood presenting as a movement disorder: 12 cases and a review of the literature», *Pediatrics*, vol. 116, p. 1427-1452.

Yarab, P. et Allgeier, E. (1998). «Don't even think about it: The role of sexual fantasies as perceived unfaithfulness in heterosexual dating relationships», *Journal of Sex Education and Therapy*, vol. 23, p. 246-254.

Yared, R. (2004). «AIDS rate surges in people 50+», *AARP Bulletin*, mai, p. 2.

Yarian, D. et Anders, S. (2006). «Tantra and sex therapy: Convergence of ancient wisdom and modern sexology, a didactic and experiential workshop», communication donnée au Gumbo Sexualite Upriver: Spicing Up Education and Therapy (AASECT 38th Annual Conference), St. Louis, juin-juillet.

Yassin, A., Kliniken, S. et Saad, F. (2005). «Modulation of erectile function with long-acting testosterone injection i.m. in hypogonadal patients», communication donnée au 17th World Congress of Sexology, Montréal, Canada, 12 juillet.

Yates, A. et Wolman, W. (1991). «Aphrodisiacs: Myth and reality», *Medical Aspects of Human Sexuality*, décembre, p. 58-64.

Yekenkurul, S. (2007). «Benefits of Trantric sacred sexuality», article présenté lors du 18e congrès de la World Association for Sexual Health, Sydney, Australie, 15-19 avril.

Ying, Y. et Han, M. (2008). «Cultural orientation in Southeast Asian and American young adults», *Cultural Diversity and Ethnic Minority Psychology*, vol. 14, p. 138-146.

Young, A. (2008). «The state is still in the bedroom of the nation: The control and regulation of sexuality in Canadian criminal law», *Canadian Journal of Human Sexuality*, vol. 17, p. 203-218.

Young, A., Grey, M., Abbey, A. et coll. (2008). «Alcool-related sexual assault victimization among adolescents: Prevalence, characteristics, and correlates», *Journal of Studies on Alcohol and Drugs*, vol. 69, p. 39-48.

Young, J.E., Vilariño-Güell, C. et coll. (2009). *Clinical and Genetic Description of a Family With a High Prevalence of Autosomal Dominant Restless Legs Syndrome*, Clinique Mayo, http://www.mayoclinicproceedings.org/article/S0025-6196%2811%2960821-5/fulltext (consulté le 8 mai 2012).

Young, L. (2009). «Being human: Love, neuroscience reveals all», *Nature*, vol. 457, p. 148-149.

Young, M., Denny, G. et Young, T. (2000). «Sexual satisfaction among married women age 50 and older», *Psychological Reports*, vol. 86, p. 1107-1122.

Yount, K. et Abraham, B. (2007). «Female genital cutting and HIV/AIDS among Kenyan women», *Studies in Family Planning*, vol. 38, p. 73-88.

Yuan, W., Basso, O. et Sorensen, H. (2001). «Maternal prenatal lifestyle factors and infectious disease in early childhood: A follow-up study of hospitalization within a Danish birth cohort», *Pediatrics*, vol. 107, p. 357-362.

Yuan, W., Steffensen, F. et Nielsen, G. (2000). «A population-based cohort study of birth and neonatal outcome in older primipara», *International Journal of Gynecology and Obstetrics*, vol. 68, p. 113-118.

Yuxin, P., Petula, S. et Lun, N. (2007). «Studies on women's sexuality in China since 1980: A critical review», *Journal of Sex Research*, vol. 44, p. 202-211.

Zak, A. et McDonald, C. (1997). «Satisfaction and trust in intimate relationships: Do lesbians and heterosexual women differ?», *Psychological Reports*, vol. 80, p. 904-906.

Zakari, Z. (2008). «FGM asylum cases forge new legal standing», *We-news*, http://womensenews.org/story/genital-mutilation/081125/fgm-asylum-cases-forge-new-legal-standing (consulté le 25 avril 2012).

Zambrana, R. et Scrimshaw, S. (1997). «Maternal psychosocial factors associated with substance use in Mexican-origin and African American low-income pregnant women», *Pediatric Nursing*, vol. 23, n° 3, p. 253-254.

Zaviacic, M. et Whipple, B. (1993). «Update on the female prostate and the phenomenon of female ejaculation», *Journal of Sex Research*, vol. 30, p. 148-151.

Zhang, X. et Jin, B. (2007). «The role of seminal vesicles in male reproduction and sexual function», *Zhonghua Nan Ke Xue*, décembre, p. 1113-1116.

Zhang, Y., Miller, L. et Harrison, K. (2008). «The relationship between exposure to sexual music videos and young adults' sexual attitudes», *Journal of Broadcasting and Electronic Media*, vol. 52, p. 368-387.

Zhou, J., Hofman, M., Gooren, L. et Swaab, D. (1995). «A sex difference in the human brain and its relation to transsexuality», *Nature*, vol. 378, p. 68-70.

Zhu, T., Korber, B., Nahmias, A., Hooper, E., Sharp, P. et Ho, D. (1998). «An African HIV-1 sequence from 1959 and implications for the origin of the epidemic», *Nature*, vol. 391, p. 594-597.

Zilbergeld, B. (1978). *Male Sexuality: A Guide to Sexual Fulfillment*, Boston, Little, Brown.

Zilbergeld, B. (1992). *The New Male Sexuality*, New York, Bantam Books.

Zilbergeld, B. (2001). «Sexuality at midlife and beyond», communication donnée à la xxxiii[th] Annual Conference of the American Association of Sex Educators, Counselors, and Therapists, San Francisco, 2-6 mai.

Zilbergeld, B. et Ullman, J. (1979). *La sexualité masculine aujourd'hui*, Verviers, Marabout.

Zillmann, D. (1989). «Effects of prolonged consumption of pornography», dans *Pornography: Research Advances and Policy Considerations* (sous la direction de D. Zillman et J. Bryant), Hillsdale, Erlbaum.

Zimmerman, C., Yun, K., Shvab, I. et Watts, C. (2003). *The Health Risks and Consequences of Trafficking in Women and Adolescents: Findings From a European Study*, Londres, London School of Hygiene and Tropical Medicine (LSHTM).

Zimmerman, R., Cupp, P., Donohew, L. et coll. (2008). «Effects of a school-based, theory-driven HIV and pregnancy prevention curriculum», *Perspectives on Sexual and Reproductive Health*, vol. 40, p. 42-51.

Zimmerman, R., Noar, S., Feist-Prince, S. et coll. (2007). «Longitudinal test of a multiple domain model of adolescent condom use», *Journal of Sex Research*, vol. 44, p. 380-394.

Zlidar, V. (2000). «Helping women use the pill», *Population Reports*, vol. 28, p. 1-28.

Zoucha-Jensen, J. et Coyne, A. (1993). «The effects of resistance strategies on rape», *American Journal of Public Health*, vol. 83, p. 1633-1634.

Zucker, K., Blanchard, R. et Siegelman, M. (2003). «Birth order among homosexual men», *Psychological Reports*, vol. 92, p. 117-118.

Zuolaga, D., Puts, D. et coll. (2008). «The role of androgen receptors in the masculinization of brain and behavior: What we've learned from the testicular feminization mutation», *Hormones and Behavior*, vol. 53, p. 613-626.

Index

Crédits photographiques